大塚 直
Tadashi Otsuka

有斐閣

第４版はしがき

環境法の動きには目が離せない状況が続いている。特に気候変動，プラスチック海洋汚染に関して動きが著しい。第３版以降の重要点として，改正地球温暖化対策推進法に基本理念が定められ，また，同法に基づく地方公共団体実行計画が強化され，さらに，プラスチック資源循環促進法が制定されたことがあげられる。再生可能エネルギーについては，上記の地方公共団体実行計画が関連しているし，再生可能エネルギー特措法についてなお問題点が生じている。風力発電所のアセスの規模要件引上げとそれに伴う課題も発生している。関連して，再生可能エネルギーに関連する訴訟が増加し，また，新たな気候訴訟の裁判例が出されたことも注目されるところである。気候変動対策の政策であるカーボンプライシングに関しては，GX（グリーン・トランスフォーメーション）関連法案が策定された。また，自然公園法等についても若干の改正がなされた。

環境政策全般としてみると，ESGの動きが経済・社会において重要性を増している。そして，第５次環境基本計画にすでに表れていたが，環境・経済・社会の各種政策の統合の必要性が高まっていること，また，環境政策の中でも，気候変動（カーボン・ニュートラル）対策，循環管理（サーキュラー・エコノミー），自然再興（ネイチャー・ポジティブ）対策，さらに汚染防止・対策の統合が必要とされていることが重要である。環境・経済・社会の各種政策の統合は「言うは易く，行うは難し」の問題であり，政策の立案・実施にあたり，特に省庁間の壁をいかに克服するか，さらに，地方公共団体をいかにして巻き込むかが鍵となっている。

第４版の刊行にあたっては，有斐閣の江草貞治社長をはじめ，高橋均常務取締役，笹倉武宏氏，藤原達彦氏に大変お世話になった。特に藤原氏には，関連法の改正が多い中で精密な作業をしていただいた。これらの諸氏に心から御礼を申し上げる。

2023年２月

大塚　直

初版はしがき

わが国では，1992年のリオ・デ・ジャネイロでの「環境と発展（開発）に関する国連会議」と翌年の環境基本法の制定を契機として，環境法の制定・改正が矢継ぎ早に行われてきた。環境基本法の制定は，公害法から環境法への転換点を画するものとなったといえよう。

こうした中，環境法学も新たな展開を見せてきた。環境法学の発展は，現実に生起している環境問題にいかに対処するかを考えるところから出発したのであり，決して最初から解答が用意されていたわけではなかった。これは——福島第一原発事故の問題への対処の仕方を含め——今日まで続く環境法学の「問題解決アプローチ」というべきものである。環境法学は公害法学の時代からの先人の学問的・実践的営為の積み重ねによって形成されており，先人の営為にいくつかのものを付け加える形で発展してきたことを忘れてはならない。環境法研究者は常に高い志をもって研究にいそしむべきであり，筆者も——環境法の発展にいかに資するかを考えつつ研究活動をし，審議会等で意見を述べてきたが——引き続き努力を重ねていきたいと考えている。

環境法の教科書においては，このような研究者としての第一線の研究活動を反映させることが必要であるとともに，それが法科大学院や法学部の講義で用いられる場合には，分かりやすさを特に追求するなど，院生や学生諸君に対する学習上の配慮も重要な課題となる。また，法科大学院や法学部で授業を担当してきた経験からすれば，特に訴訟について詳述することが必要とされよう。

本書は，このような観点から執筆した書物である。本書は，国内法を中心とし，かつ，その主要な部分を扱っているが，重要な環境問題はほぼ取り上げ，図表を活用しつつ up to date な内容とした。また，訴訟の部分については突っ込んだ記述をしたつもりである（環境法全般にわたる体系書にあたるものとしては，拙著『環境法』〔現在，第3版〕をご参照いただきたい）。

本書が法科大学院及び法学部における環境法の学習にいささかでも寄与することができれば幸いである。

最後になるが，本書の出版については，有斐閣の江草貞治社長をはじめ，酒井久雄氏，土肥賢氏，笹倉武宏氏に大変お世話になった。特に笹倉氏には本書の細部にわたって目を配っていただいた。各位にこの場を借りて心より御礼を申し上げたい。

なお，本書については，早稲田大学大学院法学研究科修士課程の原田一葉さん，同大学院法務研究科を修了して司法修習生，弁護士になられた諸氏（久保田修平，西谷祐亮，帯慎太郎，三浦忠司の四氏）から，院生の視点に基づく様々なアドバイスを頂戴した。記して感謝の意を表する。

2013年8月

大塚　直

「環境法学」の学習にあたって

本書については様々な利用方法があるかと思われるが，特に，法科大学院及び法学部に属する読者に対して，若干の注意書きをしておくことにしたい。それは，「環境法学」には通常の法律科目と異なる特色があり，学習の初期段階でそれについて理解しておく必要が大きいと考えるからである。

① 環境法学においては，法律の条文をこまごまと解釈し，諸説を展開して争うことは少ない。むしろ，法律の構造を全体的・「機能的」に捉え，それが環境保全・改善との関係でどのような意味をもつか，どの点で環境以外の考慮のために調整を図っているか，法律の要点が歴史的にどのような変遷を遂げてきたか，などを考察することに重点がおかれることが多い。すなわち，環境法学は環境政策と密接に結びついており，法律を通じて政策についての理解が求められることが少なくないのである。

② ①と同様の観点から，環境法学においては，様々な法分野が，環境保全・改善のための手段として用いられる面がある（→**1**-**3**・2）。

③ 環境法学においては，隣接する法学にみられるように総論から各個別法を捉えるだけではなく，各環境個別法の「中身」の概要を把握することが求められる。

④ ③の観点から，環境個別法に関する重要な内容が，政令，省令，通知などで決められている場合には，それらを理解しておくことも求められる（もっとも，これはそれほど多いわけではない。廃棄物の分野ではこのような例が際立っていると思われる）。また，個別環境法が国際環境条約の国内法として制定されている場合には，国際環境条約との関係にも配慮する必要がある。

⑤ 訴訟を勉強する際には，裁判例の結論のみでなく，当事者の争い方にも注目してほしい。伝統的には，環境訴訟は認容されないことが多かったのであり，訴訟という伝統的な価値を対象とする制度の中で，「環境」という価値を取り込むための試みが重要であったからである（手頃なものとして，大塚直＝北村喜宣編『環境法判例百選』〈第３版〉の「事実の概要」の箇所参照）。

凡　例

本書中の「**Q**」は，学習上理解が必要な基礎をいくつか問題形式で示したものである。読者は，**Q** を検討することによって，環境法の基本的事項に関する理解度を試してほしい。また，「➡」で示した問いも学習上理解が必要な課題を示したものであるが，その多くについては本書の中に解答のヒントが示されており，読者はそれを摘出して自ら考えていただきたい。

本書で取り上げている裁判例のうち，大塚直＝北村喜宣編『環境法判例百選』〈第3版〉に収録のものは，[　] でその判例番号を示した（例：最判平成16・10・15民集58巻7号1802頁 [84]。ただし〈第2版〉にしか収録していないものは [2版95] のように記した）。

本書で用いている法令名略語

石綿健康被害救済法　石綿による健康被害の救済に関する法律
エネルギー供給構造高度化法　エネルギー供給事業者による非化石エネルギー源の利用及び化石エネルギー原料の有効な利用の促進に関する法律
オゾン層保護法　特定物質等の規制等によるオゾン層の保護に関する法律（特定物質の規制等によるオゾン層の保護に関する法律を2018年改正時に名称変更）
オーフス条約　環境に関する，情報へのアクセス，意思決定における公衆参加，司法へのアクセスに関する条約
外為法　外国為替及び外国貿易法
海岸漂着物処理推進法　美しく豊かな自然を保護するための海岸における良好な景観及び環境並びに海洋環境の保全に係る海岸漂着物等の処理等の推進に関する法律（美しく豊かな自然を保護するための海岸における良好な景観及び環境の保全に係る海岸漂着物等の処理等の推進に関する法律を2018年改正時に名称変更）
海洋汚染防止法　海洋汚染等及び海上災害の防止に関する法律（海洋汚染防止法を1976年改正時に，海洋汚染及び海上災害の防止に関する法律を2004年改正時に名称変更）
化審法　化学物質の審査及び製造等の規制に関する法律
家畜排せつ物法　家畜排せつ物の管理の適正化及び利用の促進に関する法律
家電リサイクル法　特定家庭用機器再商品化法
カルタヘナ議定書　生物の多様性に関する条約のバイオセーフティに関するカルタヘナ議定書
カルタヘナ法　遺伝子組換え生物等の使用等の規制による生物の多様性の確保に関する法律
環境教育推進法　環境教育等による環境保全の取組の促進に関する法律（環境の保全のための意欲の増進及び環境教育の推進に関する法律を2011年改正時に名称変更）
環境配慮促進法　環境情報の提供の促進等による特定事業者等の環境に配慮した事業活動の促進に関する法律
気候変動枠組条約　気候変動に関する国際連合枠組条約
希少種保存法　絶滅のおそれのある野生動植物の種の保存に関する法律
京都議定書　気候変動に関する国際連合枠組条約の京都議定書
グリーン購入法　国等による環境物品等の調達の推進等に関する法律
原子炉等規制法　核原料物質，核燃料物質及び原子炉の規制に関する法律
建設資材リサイクル法　建設工事に係る資材の再資源化等に関する法律
建築物省エネ法　建築物のエネルギー消費性能の向上等に関する法律（建築物のエネルギー消

費性能の向上に関する法律を2022年改正時に名称変更）
公害罪法　人の健康に係る公害犯罪の処罰に関する法律
公健法　公害健康被害の補償等に関する法律（公害健康被害補償法を1987年改正時に名称変更）
工場排水規制法　工場排水等の規制に関する法律（1970年廃止）
小型家電リサイクル法　使用済小型電子機器等の再資源化の促進に関する法律
国連海洋法条約　海洋法に関する国際連合条約
国連公海漁業協定　分布範囲が排他的経済水域の内外に存在する魚類資源（ストラドリング魚類資源）及び高度回遊性魚類資源の保存及び管理に関する1982年12月10日の海洋法に関する国際連合条約の規定の実施のための協定
古都保存法　古都における歴史的風土の保存に関する特別措置法
最終処分場に係る省令　一般廃棄物の最終処分場及び産業廃棄物の最終処分場に係る技術上の基準を定める省令
再エネ海域利用法　海洋再生可能エネルギー発電設備の整備に係る海域の利用の促進に関する法律
再生可能エネルギー特措法　再生可能エネルギー電気の利用の促進に関する特別措置法（電気事業者による再生可能エネルギー電気の調達に関する特別措置法を2020年改正時に名称変更）
里地里山法　地域における多様な主体の連携による生物の多様性の保全のための活動の促進等に関する法律
産廃処理施設整備法　産業廃棄物の処理に係る特定施設の整備の促進に関する法律
産廃特措法　特定産業廃棄物に起因する支障の除去等に関する特別措置法
資源有効利用促進法　資源の有効な利用の促進に関する法律（再生資源の利用の促進に関する法律〔再生資源利用促進法〕を2000年改正時に名称変更）
自動車NOx・PM法　自動車から排出される窒素酸化物及び粒子状物質の特定地域における総量の削減等に関する特別措置法（自動車から排出される窒素酸化物の特定地域における総量の削減等に関する特別措置法〔自動車NOx法〕を2001年改正時に名称変更）
自動車リサイクル法　使用済自動車の再資源化等に関する法律
循環基本法　循環型社会形成推進基本法
省エネ法　エネルギーの使用の合理化及び非化石エネルギーへの転換等に関する法律（エネルギーの使用の合理化等に関する法律を2022年改正時に名称変更）
情報公開法　行政機関の保有する情報の公開に関する法律
食品リサイクル法　食品循環資源の再生利用等の促進に関する法律
新エネ発電法　電気事業者による新エネルギー等の利用に関する特別措置法（2011年廃止）
新エネ利用促進法　新エネルギー利用等の促進に関する特別措置法
水銀環境汚染防止法　水銀による環境の汚染の防止に関する法律
水質保全法　公共用水域の水質の保全に関する法律（1970年廃止）
水濁法　水質汚濁防止法
水道原水法　水道原水水質保全事業の実施の促進に関する法律
水道水源法　特定水道利水障害の防止のための水道水源水域の水質の保全に関する特別措置法
政策評価法　行政機関が行う政策の評価に関する法律
生物多様性条約　生物の多様性に関する条約
世界遺産条約　世界の文化遺産及び自然遺産の保護に関する条約
瀬戸内法　瀬戸内海環境保全特別措置法（瀬戸内海環境保全臨時措置法を1978年改正時に名称変

更）
組織犯罪処罰法　組織的な犯罪の処罰及び犯罪収益の規制等に関する法律
大防法　大気汚染防止法
地域自然資産法　地域自然資産区域における自然環境の保全及び持続可能な利用の推進に関する法律
地球温暖化対策推進法　地球温暖化対策の推進に関する法律
鳥獣被害防止特別措置法　鳥獣による農林水産業等に係る被害の防止のための特別措置に関する法律
鳥獣保護管理法　鳥獣の保護及び管理並びに狩猟の適正化に関する法律（鳥獣の保護及び狩猟の適正化に関する法律を 2014 年改正時に名称変更）
東京都環境確保条例　都民の健康と安全を確保する環境に関する条例
毒劇法　毒物及び劇物取締法
特定外来生物法　特定外来生物による生態系等に係る被害の防止に関する法律
名古屋議定書　生物の多様性に関する条約の遺伝資源の取得の機会及びその利用から生ずる利益の公正かつ衡平な配分に関する名古屋議定書
農用地土壌汚染防止法　農用地の土壌の汚染防止等に関する法律
ばい煙規制法　ばい煙の排出の規制等に関する法律（1968 年廃止）
廃掃法　廃棄物の処理及び清掃に関する法律
バーゼル国内法　特定有害廃棄物等の輸出入等の規制に関する法律
バーゼル条約　有害廃棄物の国境を越える移動及びその処分の規制に関するバーゼル条約
PRTR 法　特定化学物質の環境への排出量の把握等及び管理の改善の促進に関する法律
PFI 法　民間資金等の活用による公共施設等の整備等の促進に関する法律
PCB 特措法　ポリ塩化ビフェニル廃棄物の適正な処理の推進に関する特別措置法
PIC 条約　国際貿易の対象となる特定の有害な化学物質及び駆除剤についての事前のかつ情報に基づく同意の手続に関するロッテルダム条約
ビル用水法　建築物用地下水の採取の規制に関する法律
負担法　公害防止事業費事業者負担法
プラスチック資源循環促進法　プラスチックに係る資源循環の促進等に関する法律
フロン排出抑制法　フロン類の使用の合理化及び管理の適正化に関する法律（特定製品に係るフロン類の回収及び破壊の実施の確保等に関する法律〔フロン回収破壊法〕を 2013 年改正時に名称変更）
放射性物質汚染対処特措法　平成 23 年 3 月 11 日に発生した東北地方太平洋沖地震に伴う原子力発電所の事故により放出された放射性物質による環境の汚染への対処に関する特別措置法
POPs 条約　残留性有機汚染物質に関するストックホルム条約
水俣条約　水銀に関する水俣条約
水俣病救済特別措置法　水俣病被害者の救済及び水俣病問題の解決に関する特別措置法
モントリオール議定書　オゾン層を破壊する物質に関するモントリオール議定書
容器包装リサイクル法　容器包装に係る分別収集及び再商品化の促進等に関する法律
ラムサール条約　特に水鳥の生息地として国際的に重要な湿地に関する条約
リゾート法　総合保養地域整備法
ロンドン条約　廃棄物その他の物の投棄による海洋汚染の防止に関する条約
ワシントン条約　絶滅のおそれのある野生動植物の種の国際取引に関する条約

判例集・法律雑誌等略語

大判　大審院判決
最大判（決）　最高裁判所大法廷判決（決定）
最判（決）　最高裁判所判決（決定）
高判（決）　高等裁判所判決（決定）
地判（決）　地方裁判所判決（決定）

民録　大審院民事判決録
民集　最高裁判所民事判例集
刑集　最高裁判所刑事判例集
高民　高等裁判所民事判例集
東高刑時報　東京高等裁判所判決時報（刑事）
下民　下級裁判所民事裁判例集
行集　行政事件裁判例集
裁時　裁判所時報
訟月　訟務月報

金判　金融・商事判例
判時　判例時報
判時臨増　判例時報臨時増刊
判自　判例地方自治
判タ　判例タイムズ

法協　法学協会雑誌
ジュリ　ジュリスト
法教　法学教室
法時　法律時報

参考文献

※法科大学院，法学部の学習に必要と考えられる範囲で掲げるにとどめる。なお，本文中「大塚『環境法』」とあるのは，大塚直『環境法』〈第4版〉(有斐閣・2020) を指す。

環境法の全貌を把握する上で好適な入門書

大塚直編『18歳からはじめる環境法』〈第2版〉(法律文化社・2018)
北村喜宣『環境法』〈第2版〉(有斐閣・2019)
黒川哲志＝奥田進一編『環境法へのアプローチ』〈第2版〉(成文堂・2012)
交告尚史＝臼杵知史＝前田陽一＝黒川哲志『環境法入門』〈第4版〉(有斐閣・2020)
西尾哲茂『わか～る環境法』〈増補改訂版〉(信山社・2019)（この本は，中上級向けでもある）
畠山武道『考えながら学ぶ環境法』(三省堂・2013)
畠山武道＝大塚直＝北村喜宣『環境法入門』〈第3版〉(日経文庫・2007)
南博方＝大久保規子『要説 環境法』〈第4版〉(有斐閣・2009)
吉村良一＝水野武夫＝藤原猛爾編『環境法入門』〈第4版〉(法律文化社・2013)

環境法の諸分野について検討が加えられている中上級向けの教科書等

阿部泰隆＝淡路剛久編『環境法』〈第4版〉(有斐閣・2011)
及川敬貴『生物多様性というロジック』(勁草書房・2010)
大久保規子ほか編『環境規制の現代的展開』大塚直先生還暦記念論文集（法律文化社・2019)
大塚直『環境法』〈第4版〉(有斐閣・2020)
大塚直＝北村喜宣編『環境法学の挑戦』淡路剛久教授・阿部泰隆教授還暦記念（日本評論社・2002)
小賀野晶一『環境問題・環境法〔第2版〕』(成文堂・2021)
小賀野晶一＝黒川哲志編『環境法のロジック』(成文堂・2022)
越智敏裕『環境訴訟法』〈第2版〉(日本評論社・2020)
北村喜宣『環境法』〈第5版〉(弘文堂・2020)
北村喜宣『自治体環境行政法』〈第8版〉(第一法規・2018)
北村喜宣『環境政策法務の実践』(ぎょうせい・1999)
倉阪秀史『環境政策論』〈第3版〉(信山社・2015)
神山智美『自然環境法を学ぶ』(文眞堂・2018)
髙橋信隆編著『環境法講義』〈第2版〉(信山社・2016)
髙橋信隆＝亘理格＝北村喜宣編著『環境保全の法と理論』(北海道大学出版会・2014)
富井利安編『レクチャー環境法』〈第3版〉(法律文化社・2016)
新美育文＝松村弓彦＝大塚直編『環境法大系』(商事法務研究会・2012)
西井正弘＝鶴田順編『国際環境法講義』〈第2版〉(有信堂・2022)
畠山武道『自然保護法講義』〈第2版〉(北海道大学図書刊行会・2004)
原田尚彦『環境法』〈補正版〉(弘文堂・1994)
松村弓彦＝柳憲一郎＝荏原明則＝石野耕也＝小賀野晶一＝織朱實『ロースクール環境法』〈第2版〉(成文堂・2010)
森島昭夫＝大塚直＝北村喜宣編『増刊ジュリスト新世紀の展望2 環境問題の行方』(有斐閣・1999)

盛山正仁編著『環境政策入門』(武庫川女子大学出版部・2012)
柳憲一郎『コンパクト環境法政策』(清文社・2015)
山村恒年『検証しながら学ぶ環境法入門――その可能性と課題』〈全訂3版〉(昭和堂・2006)
横山信二＝伊藤浩編著『はじめての環境法――地域から考える』(嵯峨野書院・2013)
吉村良一『公害・環境訴訟講義』(法律文化社・2018)

判例集・演習書

淡路剛久＝大塚直＝北村喜宣編『環境法判例百選』〈初版〉(有斐閣・2004)
淡路剛久＝大塚直＝北村喜宣編『環境法判例百選』〈第2版〉(有斐閣・2011)
大塚直＝北村喜宣編『環境法判例百選』〈第3版〉(有斐閣・2018)
浅野直人＝柳憲一郎編『演習ノート環境法』(法学書院・2010)
大塚直＝北村喜宣編『環境法ケースブック』〈第2版〉(有斐閣・2009)
日本弁護士連合会編『ケースメソッド環境法』〈第3版〉(日本評論社・2011)

目次

第1編 環境法総論

第3編　公害・環境事件の司法・行政的解決

Column 目次

設問(Q)一覧

第2章

第3章

第4章

Q1 環境基本法制定の原動力となった環境問題の変化について述べよ。(88)
Q2 環境基本法の公害対策基本法にはない特色をあげよ。(88)
Q3 環境基本法において，環境負荷，環境の保全上の支障，公害の語はどのように用いられているか。(89)
Q4 環境基本法は基本理念として何をあげているか。(90)
Q5 経済調和条項と「持続可能な発展」概念の関係について述べよ。(92)
Q6 環境基本法は放射性物質による大気・水質・土壌の汚染に適用されるか。(93)
Q7 環境基本計画の名宛人は誰か。環境基本計画は環境基本法においてどのように位置づけられているか。(94)
Q8 環境基本法における国の環境配慮義務は法的にはどのような意味があるか。(98)
Q9 環境基本法22条1項と同条2項の関係について述べよ。(100)
Q10 環境基本法は関係者の費用負担についてどのように定めているか。(102)
Q11 環境基本法の不十分な点をあげよ。(104)

第5章

Q1 環境影響評価制度の必須要素をあげよ。(108)
Q2 わが国の環境アセスの実施主体はだれか。その理由は何か。問題点はあるか。(111)
Q3 複数案の検討は環境影響評価法の下で義務付けられているか。この点は2011年改正の前後で異なっているか。(121)
Q4 計画段階配慮書における複数案の検討と，方法書，準備書，評価書における複数案の検討とはどのような関係にあるか。(122)
Q5 環境影響評価法の下で公衆参加はどの段階で行われるか，公衆参加はどのような性格のものと解されているか。(122)
Q6 横断条項とは何か。どういう意味があるか。(125)
Q7 環境影響評価の目的・趣旨についての2つの考え方を述べよ。閣議アセスと環境影響評価法にはどのような性格の相違があるか。(129)
Q8 計画段階配慮書手続が導入されたことの意義について述べよ。(133)
Q9 計画段階配慮書手続のような考え方は，環境影響評価法改正前にもわが国の立法に存在していたか。(133)
Q10 計画段階配慮書手続が入り，評価結果のその後の環境影響評価での活用（ティアリング）についてはどのような対応がなされているか。(134)
Q11 計画段階配慮書は方法書とどこが異なるのか，配慮書としてどの程度のものが要求されるか。(134)
Q12 国土が狭く平野部が少なく人口の多いわが国で計画段階配慮書の手続を導入しても，離れた場所での立地の複数案を検討できず，意味が乏しいのではないか。(134)
Q13 計画段階配慮書手続の導入によって事業を中止させることができるか。(134)

第6章

Q1 排出基準違反に対して，2つのタイプの制裁があるが，それは何か。(150)
Q2 環境基準の法的性質及びその設定行為の処分性の有無について述べよ。(155)
Q3 環境基準は民事訴訟においてどのように扱われているか。(157)
Q4 水生生物の保全に係る環境基準の設定にあたってはどのような法的問題があるか。(158)
Q5 大気汚染のばい煙及び水質汚濁については，それぞれどの点の排出が規制されるか。(159)
Q6 排出基準違反は，民事訴訟においてどのような意味を有するか。(160)
Q7 公害規制・管理についてはどのような問題があるか，法制上どのように対処されているか。(162)

Q8 1970年公害国会における大防法の改正点について述べよ。(164)
Q9 VOCの排出抑制制度にはどのような特色があるか，それは環境法の基本原則とどのような関係があるか。(168)
Q10 有害大気汚染物質の規制にはどのような特色があるか，それは環境法の基本原則とはどのような関係にあるか。(170)
Q11 水質二法と水質汚濁防止法の規制の相違点をあげよ。(183)
Q12 水質汚濁について総量規制制度はなぜ必要とされたのだろうか。(196)
Q13 地下水浄化の措置命令の規定は，環境法の基本原則との関係ではどのように理解されるか。(197)
Q14 水濁法14条の3は責任の遡及をしているのか。(198)
Q15 原因者が複数の場合，地下水浄化の措置命令はどのようになされるか。(198)
Q16 水濁法14条の3と土壌汚染対策法5条，7条とはどのような関係に立つか。(199)
Q17 排水基準違反の場合と総量規制基準違反の場合とで，刑事罰（直罰）についてどのような相違があるか，それはなぜか。(201)
Q18 事故時の措置に関する2010年改正にはどのような意義があるか。(202)
Q19 水濁法の2011年改正の趣旨はどこにあるか，土壌汚染対策法の2009年改正とはどのような関係にあるか。(207)
Q20 土壌汚染対策法（2002年）にはどのような問題点があったか。それは，2009年の同法改正ではどのように対応されているか。(217)
Q21 本法における汚染の除去等の実施主体にはどのような特色があるか，そこにはどのような問題点があるか。(235)
Q22 本法が汚染の調査について土地所有者等が行うことを原則としている理由は何か。(235)
Q23 土壌汚染対策法において情報的手法が活用されている場面をあげよ。(238)
Q24 掘削除去の減少を図ろうとする2009年改正は何を目的としているのか，それは環境法の一般的な目的と考えられる，環境の改善とはどのような関係にあるか。(239)
Q25 土壌汚染対策法の2009年改正，2017年改正後に残された課題としてはどのような点があげられるか。(241)
Q26 PRTR制度の目的にはどのようなものがあるか。わが国ではどの目的に重点がおかれているか。(244)
Q27 PRTR法において，営業秘密はどのように扱われているか。(249)
Q28 PRTR制度には情報公開法にはないどのような意義があるか。情報公開法とはどのような関係に立つか。(250)

第7章

Q1 廃掃法はどのような変遷をたどってきたか。重要な改正の背景となる事情としてはどのようなことがあげられるか。(261)
Q2 廃棄物の定義にはどのような問題があるか。(267)
Q3 一般廃棄物と産業廃棄物はどのように区分されているか。この区分には問題点があるか。(273)
Q4 廃掃法における国の役割の強化について述べよ。(275)
Q5 ごみ処理料金の有料化とはどのような問題か。その法的根拠は何か。(277)
Q6 一般廃棄物処理業の許可にはどのような特例が認められているか。(280)
Q7 維持管理積立金とは何を目的とした仕組みか。(284)
Q8 廃棄物処理施設の維持管理の段階における情報開示・情報提供の仕組みにはどのようなものがあるか。(284)
Q9 最終処分場跡地についてはどのような考え方が取り入れられているか。(285)

第8章

第9章

第10章

第11章

第12章

第 1 編　環境法総論

第1章　環境法と環境訴訟
——イントロダクション

1-1　環境法，環境，公害

1　環境法とは何か。環境とは何か

(1)　人間活動が環境に与える負荷は，かつては，自然の受容力・復元力によって回復されたが，産業革命以降，特に20世紀に入って以後，人間生活の向上と発展のため，その活動に基づく負荷が環境容量を超えて拡大することによって，良好な環境に悪影響を与え，ひいては人類の存続の基盤を脅かすに至った。そのため，人間活動に対して何らかの制御が必要となってきた。換言すれば，従来自由に使用し，負荷を与えることができた環境についてその利用に一定の制限が必要となったのである。こうして環境の悪化を防止し，被害の回復を図るなど，環境の保全を目的とする一群の法制が構築されてきた。これを**環境法**という。

環境負荷・公害の背景には，このような近代以降の人間活動の規模の拡大とともに，現代の市場主義経済のメカニズムにおいては企業は利潤の最大化を目標とするため，企業活動の企業外に及ぼすマイナス面，すなわち「**外部費用**」が考慮されないことがあげられる。これは環境経済学の議論のうち最も重要な点の1つであり，環境法学においても十分に認識されるべき事柄である。

(2)「**環境**」とは何か。環境基本法は，「環境」の概念を定義しておらず，同法14条において，環境保全施策との関係で，環境要素として，①大気，水，土壌その他の環境の自然的構成要素，②生態系の多様性，野生生物の種の保存その他の生物の多様性，森林・農地・水辺地等の自然環境，③人と自然との豊かな触れ合いをあげるにとどまっている。立法担当者は，「環境」を包括的概念として，環境施策に関する国民的意識の変化等によって変遷するとみており（環境省総合環境政策局総務課編著『環境基本法の解説』〈改訂版〉121頁），日照，景観，歴史的・文化的遺産といったアメニティを含む広範な概念として捉えるべきであろう。

2　環境への負荷とは何か。公害とは何か

環境基本法は，環境の保全上の支障についての規定は有しており，「環境への負荷」，「公害」について定義をおいている（2条）。

「**環境への負荷**」とは，「人の活動により環境に加えられる影響であって，環境の保全上の支障の原因となるおそれのあるもの」（2条1項）をいうとされる。「**環境の保全上の支障**」には，「環境への負荷」によってもたらされるものと，自然の遷移によってもたらされるものとがある（「環境への負荷」と「環境の保全上の支障」との関係については，**図表 1-1**）。

一方，「**公害**」とは，「環境の保全上の支障のうち，事業活動その他の人の活動に伴って生ずる相当範囲にわたる大気の汚染，水質の汚濁（水質以外の水の状態又は水底の底質が悪化することを含む。……），土壌の汚染，騒音，振動，地盤の沈下（鉱物の掘採のための土地の掘削によるものを除く。……）及び悪臭によって，人の健康又は生活環境……に係る被害が生ずることをいう」（2条3項）とされている。この定義は，公害対策基本法の定義をほぼ踏襲したものである。

環境基本法における「公害」の定義の重要な点を述べておこう。

①事業活動その他の人の活動に伴って生ずること

例えば，火山の噴火によって大気の質が悪化することは自然災害であり，公害には含まれない。

②環境汚染によること

人の活動に伴う環境汚染によって被害が生ずるというプロセスを経ることを必要とする。したがって，食品公害，薬品公害等は，基本法にいう「公害」にはあたらない。また，労働者の工場等の労働の際に受けた汚染被曝や室内汚染は「公害」には当たらない。

③環境汚染が特定の態様のものであり，かつ，相当範囲にわたること

環境基本法は，環境汚染一般の中から，大気の汚染，水質の汚濁，土壌の汚染，騒音，振動，地盤の沈下，悪臭の7種類（典型公害という）のみを取り上げ，かつ，相当の地域的広がりをもつものだけを公害とした。これは，重要な社会問題が生じている，又は生ずるおそれのあるものだけを対象としようとする考慮によるものである。

④人の健康又は生活環境に係る被害が生ずること

環境基本法は，環境汚染自体を公害とみることなく，それによって人の健康又は生活環境に被害が生ずる場合に限定している。もっとも，2条3項は，この「**生活環境**」の中には，通常の意味での生活環境（例えば，大気や水の清浄さ）のほか，「人

【図表 1-1】環境への負荷，環境の保全上の支障等の関係

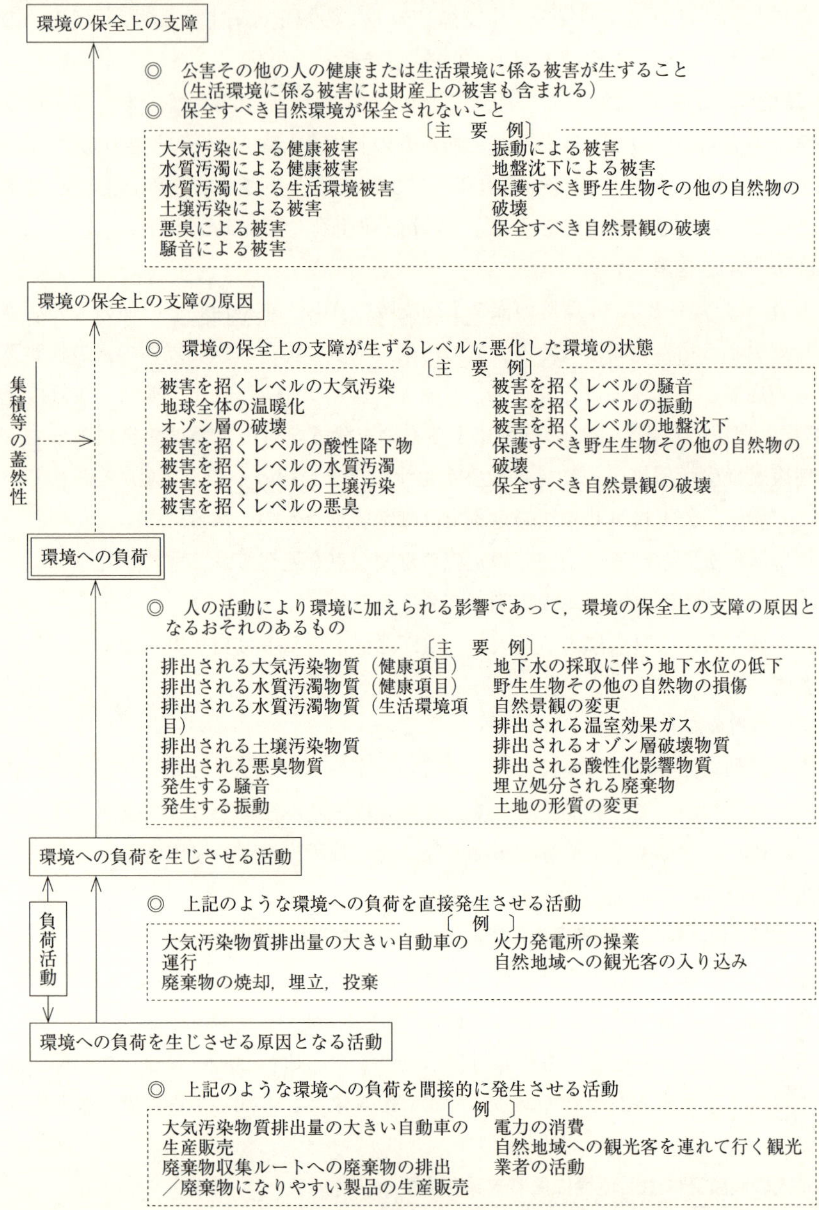

環境の保全上の支障

◎　公害その他の人の健康または生活環境に係る被害が生ずること
（生活環境に係る被害には財産上の被害も含まれる）
◎　保全すべき自然環境が保全されないこと

〔主　要　例〕

大気汚染による健康被害
水質汚濁による健康被害
水質汚濁による生活環境被害
土壌汚染による被害
悪臭による被害
騒音による被害
振動による被害
地盤沈下による被害
保護すべき野生生物その他の自然物の破壊
保全すべき自然景観の破壊

環境の保全上の支障の原因

集積等の蓄然性

◎　環境の保全上の支障が生ずるレベルに悪化した環境の状態

〔主　要　例〕

被害を招くレベルの大気汚染
地球全体の温暖化
オゾン層の破壊
被害を招くレベルの酸性降下物
被害を招くレベルの水質汚濁
被害を招くレベルの土壌汚染
被害を招くレベルの悪臭
被害を招くレベルの騒音
被害を招くレベルの振動
被害を招くレベルの地盤沈下
保護すべき野生生物その他の自然物の破壊
保全すべき自然景観の破壊

環境への負荷

◎　人の活動により環境に加えられる影響であって，環境の保全上の支障の原因となるおそれのあるもの

〔主　要　例〕

排出される大気汚染物質（健康項目）
排出される水質汚濁物質（健康項目）
排出される水質汚濁物質（生活環境項目）
排出される土壌汚染物質
排出される悪臭物質
発生する騒音
発生する振動
地下水の採取に伴う地下水位の低下
野生生物その他の自然物の損傷
自然景観の変更
排出される温室効果ガス
排出されるオゾン層破壊物質
排出される酸性化影響物質
埋立処分される廃棄物
土地の形質の変更

環境への負荷を生じさせる活動

負荷活動

◎　上記のような環境への負荷を直接発生させる活動

〔　例　〕

大気汚染物質排出量の大きい自動車の運行
廃棄物の焼却，埋立，投棄
火力発電所の操業
自然地域への観光客の入り込み

環境への負荷を生じさせる原因となる活動

◎　上記のような環境への負荷を間接的に発生させる活動

〔　例　〕

大気汚染物質排出量の大きい自動車の生産販売
廃棄物収集ルートへの廃棄物の排出／廃棄物になりやすい製品の生産販売
電力の消費
自然地域への観光客を連れて行く観光業者の活動

出典：環境省総合環境政策局総務課編著『環境基本法の解説』〈改訂版〉125 頁

の生活に密接な関係のある財産並びに人の生活に密接な関係のある動植物及びその生育環境」も含まれるとしている。後者の例としては，農作物や漁業の対象としての魚介類の被害，家具・商品の腐食等の被害があげられる。

もっとも環境法が人の健康や人の外延としての「生活環境」のみでなく，例えば化学物質の生態系への影響をも対象としようとすると（欧米ではすでにそうなっている），「生活環境」の観念の拡大が必要となってくる。わが国の現在の環境法の重要な課題の１つである。

③については，**７種類**の被害のみが列挙されているが，これは，国が緊急に対策を講じる必要のある典型的な被害を列記したものにすぎず，理論的意味の「公害」は７種類の被害に限定される必要はないといえよう（実際には７種類の典型公害のそれぞれについて対策法が制定されているため，この分類は実定法上は重要な意味がある）。

一方，①の要件については，通常，公害は，人の事業としての継続的行為によって生ずるところにその特徴があり，火事，ガス爆発などのように復旧措置と応急措置が中心となる突発的事故とは異なっている。大気汚染防止法 17 条，水質汚濁防止法 14 条の２のように，事故時の措置について規定するものもあるが，これらは「狭義の公害」には含まれないといえよう。

1-2　公害・環境法の進展と対象範囲の拡大

環境法の分野はかねてより公害と自然保護の分野に分かれていたが，わが国では，昭和 30 年代以降の四大公害事件にみられるような悲惨な体験を共有してきたため，法の重点は公害法におかれてきた。

わが国の公害・環境法の変遷については，

第１期　公害法の生成（1960 年代半ばまで）

第２期　公害法及び自然保護法の確立（1960 年代半ば〜70 年代半ば）

第３期　環境立法・行政の停滞（1970 年代半ば〜1990 年頃）

第４期　環境法の新展開（1990 年頃〜）

に分けることができる。

各時期の特色について，訴訟になった事例を交えながら考えてみよう。

1　第１期　公害法の生成（1960 年代半ばまで）

⑴　わが国では，戦前から，足尾銅山鉱毒事件（その調停について，公調委調停昭和 49・5・11 [2 版 108]）のような鉱害，大阪アルカリ事件や安中事件のような工場公害が問題とされていたが，公害が特に著しくなったのは戦後である。

戦後，工業の復興に伴い，工場公害が著しくなってきたが，1960年からの所得倍増計画による急速な産業経済の発展に伴い，この頃から深刻な公害が各地に発生し，それらの地域の被害者や居住者から反公害の大衆運動が起こってきた。その代表的なものとしては，本州製紙江戸川工場から放出された廃液が千葉県浦安町の漁場を汚染し，それに怒った漁民が大挙して同工場に乱入した1958年の**浦安事件**があげられる。**四大公害事件**が起こったのも主に昭和30年代であり，各地で反公害運動が生成されつつあった。

(2) 一方，公害に対する規制は，戦後当初は，公害がまだ局所的レベルにとどまっていたため，まず，地方自治体の公害規制条例によって行われた（1949年の**東京都工場公害防止条例**を嚆矢とし，いくつかの条例が制定された）。

しかし，昭和30年代に入ると，公害問題の広域化，深刻化が一層顕著になり，いくつかの分野では公害規制に関する個別法が制定されるようになった。具体的には，1958年に制定された「公共用水域の水質の保全に関する法律」（水質保全法）及び「工場排水等の規制に関する法律」（工場排水規制法）（これらを合わせて「**水質二法**」という），1962年に制定された「ばい煙の排出の規制等に関する法律」（**ばい煙規制法**）があげられる。このうち，水質二法は，上述した1958年の浦安事件を契機にようやく成立したものである。ばい煙規制法は，1961年頃から問題となっていた四日市ぜん息事件などを契機としている。

しかし，いずれも指定地域に限った対症療法的な対応にとどまっており，特に，水質二法については，これらの法律の「**産業の相互協和**」（水質保全法1条）の考え方から，指定水域の指定も遅れ，水質汚濁問題が発生した後にその水域を指定する傾向がみられた。そのため，水俣湾，四日市港，洞海湾などにおいて汚染が拡大した（例えば，水俣湾が水質保全法の指定水域に加えられたのは1969年であった）。このような中で，やがて予防措置を中心とした公害防止の基本的理念の確立が必要であると考えられるに至った。

2 第2期 公害法及び自然保護法の確立（1960年代半ば〜70年代半ば）
——公害対策基本法の制定と1970年公害国会

(1) 第2期においては，公害対策基本法（1967年），自然環境保全法（1972年）が制定され，公害法及び自然保護法の体系が一応確立した。

公害に対してはまず司法（民事裁判）が大きな役割を果たした。**四大公害訴訟**（**熊本水俣病事件**，**新潟水俣病事件**，**イタイイタイ病事件**，**四日市ぜん息事件**）判決はその代表例である。立法及び行政は，司法とともに，また，司法の影響を受けつつ公害問題に対処したといえよう。

⑵ 法律としては，1967 年の**公害対策基本法**の制定，1968 年の**大気汚染防止法**の制定，1970 年の**公害国会**における 14 の公害関係法の制定・改正が重要である。当時，三島の石油化学コンビナート設置が住民の反対運動で中止されたことなどを契機として，産業界からも公害対策基本法制定の必要性が認識されていたことは特筆すべきであろう。

ⓐ 公害対策基本法は，公害対策の基本的方向を宣明する基本法であり，国が対策を講ずべき「公害」の範囲をいわゆる典型 6 公害（大気汚染，水質汚濁，騒音，振動，地盤沈下及び悪臭）として定義するとともに，国及び地方公共団体の公害防止行政の目標と施策の基本的方向を定めたものである。

政府の具体的施策としては，

①**環境基準**を定めて環境保全の目標を明示すること

②**排出基準**を定めて公害原因物質の排出を規制すること

③公害防止のために土地利用の規制等を図るとともに

④**公害防止計画**を策定して総合対策を講ずること

等が定められた。

ほかにも，紛争処理制度，被害救済制度，事業者による費用負担制度，地方公共団体への財政的援助の制度を設け，公害対策審議会を設置することを定めている。

もっとも，同法には，法律の目的として，「生活環境の保全については，経済の健全な発展との調和が図られるようにする」といういわゆる**経済調和条項**がおかれていた（1 条 2 項）ため，産業開発の足かせとなる厳しい対策は見送られることになるという限界をもっていた。また，この法律は公害に関する基本法であって自然環境や歴史的・文化的環境を対象としていないという制約も有していたといえよう。

ⓑ 1970 年に入ると，福島県磐梯町，東京都府中市などでのカドミウム汚染米，東京都杉並区等での光化学スモッグ事件，同新宿区牛込柳町での鉛公害事件，田子の浦等でのヘドロ問題など新しい種類の公害が出現し，公害問題が国政上の重大な課題として取り上げられるようになった。こうして，この年の第 64 回臨時国会（「**公害国会**」と呼ばれる）では，14 の公害関係法の制定・改正が行われた。

新たに制定された法律としては，**水質汚濁防止法**（旧水質二法を一本化），**廃棄物の処理及び清掃に関する法律**（**廃掃法**），公害防止事業費事業者負担法などがあげられる。人の健康に係る公害犯罪の処罰に関する法律は，公害犯罪を規定し，行為者と法人の両罰規定，因果関係の推定規定をおく特色のあるものである。

一部改正されたものとしては，公害対策基本法のほか，大気汚染防止法などがある。このうち公害対策基本法の改正は，法の目的における**経済調和条項の削除**，公害の定義の拡大（土壌汚染が追加され，典型7公害が定められた），公害の防止に関する事業者の責務の明確化（3条）などであった。最も象徴的であったのは，この改正により，法の目的における（生活環境保全にあたっての）経済調和条項が削除されたことである。これは，公害対策に関するパラダイムの転換と評すべき象徴的な変更であったといえよう（大気汚染防止法，騒音規制法の調和条項も削られた）。

この「公害国会」によって今日の環境法の個別法の「骨格」がほぼ固まった。

そして，これらの法律によって，公害法の理念が国民の健康の保護と生活環境の保全にあることが明確にされ，国による規制が強化されるとともに，地方自治体の規制権限が強められたのである。すなわち，大気汚染（この時の改正による），水質汚濁（この時の法律制定による）に関しては，**指定地域・指定水域制が廃止**され，法律上都道府県による**上乗せ基準**が許容され（大防法4条，水濁法3条），排出基準の違反者には**直罰主義**が導入された。

(c) このように多くの公害関係の法律を総合的に推進・運用するためには，従来の縦割行政の下では困難であり，公害法の執行及び形成に責任を負う官庁が必要である。そこで，1971年に総理府の外局として**環境庁**が設置された。

そして，環境庁の設置後も，法制度は拡充された。**自然公園法**（1957年制定）を含む個々の自然環境関係の法律の運用を総合的に調整するための基本的理念を整備し，さらに，それを実施するにふさわしい措置を制度的に設けるため，1972年に**自然環境保全法**が制定された。また，PCB汚染問題をきっかけに，1973年に「化学物質の審査及び製造等の規制に関する法律」（化審法）がつくられ，また，与野党一致の議員立法により，瀬戸内海環境保全臨時措置法がつくられた。

さらに，公害規制に関する**総量規制方式**が，1974年に大気汚染（大防法5条の2，5条の3），1978年に水質汚濁（水濁法4条の2～4条の5）について導入されたことが注目される。大気汚染として最も深刻であった硫黄酸化物に対しては，この総量規制と地方公共団体の条例による上乗せ規制が，削減に特に大きく寄与したといわれている。

(3) 司法に目を転じると，1967～69年にかけて先に触れた四大公害訴訟が提起された。これらは，健康被害を受けた被害者が加害企業に対して民事上の不法行為者責任に基づく損害賠償を求めたものであり（イタイイタイ病訴訟のみ鉱業法109条に基づく。他は民法709条を根拠とする），すでにいくつかの地方自治体に存在した条例や，いくつかの個別法がこの種の公害に対抗する有力な手段とはならなかったことを意味している。

四大公害訴訟の判決は昭和40年代後半に相次いで出され，いずれも原告が勝訴するに至った（イタイイタイ病訴訟判決〔名古屋高金沢支判昭和47・8・9判時674号25頁［15］〕，熊本水俣病第1次訴訟判決〔熊本地判昭和48・3・20判時696号15頁［81］→**事例1**〕，新潟水俣病第1次訴訟判決〔新潟地判昭和46・9・29下民22巻9＝10号別冊1頁，判時642号96頁［80］〕，四日市公害訴訟判決〔津地四日市支判昭和47・7・24判時672号30頁［2］〕）。これらの公害判決は，私法の領域での理論の発展を促したが，それのみでなく，公害立法・行政にも著しい影響を与えた。特に，「公害に係る健康被害の救済に関する特別措置法」は，これらの事件（特に四日市ぜん息事件）に対処するために生まれたのであるが，判決によって企業の責任が明確化されると，この制度を**民事責任を踏まえた損害賠償保障制度**として構成すべきであるとの気運が高まり，このような見地から1973年に**公害健康被害補償法**が制定された。すなわち，公害の疾患の中には，**特異性疾患**（その汚染物質により疾病が引き起こされ，かつ，その物質がなければ疾病にかかることがないという関係が認められる場合）と**非特異性疾患**（上のような関係が認められない場合）があるが，公害健康被害補償法は，大気汚染による慢性気管支炎等の非特異性疾患に関する第一種地域と，水俣病等の特異性疾患に関する第二種地域を指定し，公害病に認定された患者・遺族に補償金を給付するものである。第一種地域については，個別的因果関係を問わない割切りをしているところに特色がある。

事例1

Xは，Y社（チッソ）のアセトアルデヒド製造施設の排水に含まれたメチル水銀化合物により汚染された水俣湾又はその周辺海域の魚介類を反復して摂取したことにより，有機水銀中毒による中枢神経疾患に罹患した。XはY社に対して民法709条に基づく損害賠償を請求した。この請求は認められるか，また，どの点が争点となるか。

‡本件は，チッソ水俣工場排水によって水俣病に罹患したとする原告らが，水俣病の最初の患者が確認された1956年から10年以上経過した1969年に損害賠償を求めて提訴した，熊本水俣病訴訟（熊本地判昭和48・3・20判時696号15頁［20］）である。化学工場を有する者の注意義務の程度，具体的な義務内容について判示した。

➡ Y社の過失はどのように認定するのか，過失の中核は何か，どのような場合に認められるか。

3　第3期　環境立法・行政の停滞（1970年代半ば～1990年頃）——都市型・生活型公害の発生

ところが，1970年代半ばになると，環境立法及び環境行政は停滞ないし後退の様相を示す。1973年の石油ショックにより高度経済成長に一応の終止符が打たれた。ちょうどこの頃，それまでの対策により劇甚な公害は影を潜めた。しかし，第3期になると発生した，従来型の公害とは異なる「**都市型・生活型公害**」や「**アメニティ**」といった問題に対して，政府等は対処に手間取ったのである。「都市型・生活型公害」は，生活排水や自動車排ガスのような不特定多数の汚染源から発生する点，被害者である生活者自身が加害者ともなっている点に特色がある。

この時期の環境立法・行政は3つの点で停滞・後退したといえる。

第1は，1978年に，環境庁が二酸化窒素の環境基準を従来の2〜3倍に緩和・改定したこと，

第2は，1983年に，以前から準備されていた環境影響評価法案が産業界の抵抗にあい，廃案になったこと，

第3は，1987，88年に公害健康被害補償法（→**9-1**〔409頁〕）及び同法施行令が改正され，大気汚染に起因する**非特異性疾患**については，1988年以降，公害病の指定地域（**第一種地域**）を全面的に解除し，新たな患者認定を行わないとしたことである。

事例2

大阪市から神戸市に至る総延長30 kmの幹線道路である国道43号線の沿線住民Xらは，道路の自動車交通による騒音，振動，排気ガスによって，地域環境の破壊（街並みの破壊）及び健康で快適な生活の破壊（睡眠の妨害，生活の妨害，精神的被害）が生じているとして，Y_1（国），及び43号線の敷地の高架構造の自動車専用道路を管理しているY_2（阪神高速道路公団）を相手として，①これらの道路において騒音・二酸化窒素について一定の限度を超える自動車の走行に供することの差止め，及び②損害（慰謝料，弁護士費用）の賠償を請求した。Xらの請求は認められるか。

‡国道43号線訴訟（最判平成7・7・7民集49巻7号1870頁［25］）である。損害賠償について大気汚染や騒音が営造物としての道路の瑕疵といえるか，どのような場合に違法となるか等が争われ，判示された。差止めについては，その法的根拠及び要件が示された。差止めについては棄却されたが，実質的な判断枠組が示されたことは重要であり，その後，この判断枠組が下級審によって用いられ，認容されるものも現れた（尼崎公害訴訟判決→**事例3**など）。

➡ 損害賠償を請求する場合の根拠規定は何か，騒音や大気汚染を発生させる道路には瑕疵があるといえるか，瑕疵の判断において違法性はどのように認定されるか。

➡ 差止めを請求する場合の根拠規定及び要件は何か。

➡ 大阪国際空港訴訟上告審判決（最大判昭和56・12・16民集35巻10号1369頁〔20〕）は，国営空港については，運輸大臣（当時）に「航空行政権」（規制権限）と，

空港（国の営造物）の管理権という２つの権限が帰属しており，両者は，不可分一体的に行使・実現されるとした上で，営造物管理権に関する通常の民事上の請求は，不可避的に運輸大臣の「航空行政権の行使の取消変更ないしその発動を求める請求」を包含することになるとして，民事差止請求は不適法とした。道路についてはどうか。

事例 3

A 市（兵庫県尼崎市）では，工場排煙と道路排煙（自動車排出ガス）によって指定疾病に罹患したとして，公害健康被害の補償等に関する法律（→**9-1**〔409 頁〕）に基づく認定患者とその遺族が原告となり，電力，鉄鋼など企業 9 社と，国道を設置管理する国，ならびに阪神高速道路を設置管理する同公団を被告とし，損害賠償を請求した。大気汚染における二酸化硫黄，二酸化窒素，浮遊粒子状物質などと健康被害との因果関係はどのような方法で認定されるか。なお，企業 9 社と原告の間では訴訟上の和解が成立した。

‡尼崎公害訴訟（神戸地判平成 12・1・31 判時 1726 号 20 頁）である。因果関係が問題となった判決は多いが，新しいものをあげた。同事件では，大気汚染物質の排出差止めも請求されている。道路公害について初めて差止請求を認めた点でも重要である（→**事例 2**）。

➡ 公害の因果関係について，特に大気汚染について裁判例上どのような方法が用いられているか。
➡ 集団としての因果関係と個々人の因果関係とはどのような関係に立つか。

事例 4

大阪市西淀川区は，公害健康被害の補償等に関する法律の第一種地域に指定されたわが国でもトップクラスの大気汚染地域であったが，同地区に居住していた同法の指定疾病（気管支ぜん息等の呼吸器系疾患）に罹患していた X らが，①同地区及び隣接する尼崎市等に事業所を有する企業 10 社の操業，及び②同地区内の国道等の供用によって排出された大気汚染物質によって健康被害を被ったとして，Y ら（前記企業 10 社及び国・阪神高速道路管理公団）を被告として，損害賠償及び環境基準を超える大気汚染物質の排出差止めを求めた。被告企業のうち，Y_1 は，Y_2 にコークスを供給することを目的として設立され，その資本は Y_2 と Y_3 によって構成され，役員の一部は Y_2，Y_3 から派遣され，その製品は，Y_2 や Y_3 に供給されていた。西淀川区の大気汚染に対する被告企業 10 社の寄与率は 1970 年度は 35%，73 年度は約 20% である。1969 年度以前の寄与率は 35% を下回ることはない。

‡西淀川公害第 1 次訴訟（大阪地判平成 3・3・29 判時 1383 号 22 頁［10］）である。特に公害の共同不法行為についての有力説の下でのオーソドックスな考え方を示した点が注目される。

➡ 共同不法行為について下級審裁判例及び有力説は，２つの場合を分けている。それぞれどういう場合か。両者の効果における相違は何か。
➡ 有力説は共同不法行為における因果関係をどのように捉えるか。有力説の下では因果関係論と共同不法行為論はどちらから議論すべきか。

➡ 強い関連共同性と弱い関連共同性とで効果を分ける立場はどのような考え方を前提としているか。

➡ 被告企業らが汚染物質の全排出量の35％しか排出していない場合，被告らの共同不法行為責任はどう扱われるか。

4　第4期　環境法の新展開（1990年頃〜）——環境基本法の制定と個別環境法の増大——地球環境問題の発生，リスクとしての環境負荷活動の拡大，物質循環の管理（廃棄物管理，及びリユース・リデュース・リサイクルの3R）の問題の重要化と生物多様性の観点の導入

⑴　しかし，このように停滞した状況は，地球環境問題や国際環境問題が注目されるようになって変化をみせる。このような地球環境問題に対処するため，1992年，各国の首脳がブラジルのリオ・デ・ジャネイロに集まり，「**環境と発展（開発）に関する国連会議**」を開催し，21世紀に向けて地球環境を健全に維持するための国家と個人の行動原則（**リオ宣言**），それを具体化するための行動計画（**アジェンダ21**）を採択し，より個別的には，「生物の多様性に関する条約」（**生物多様性条約**），地球温暖化についての「気候変動に関する国際連合枠組条約」（**気候変動枠組条約**）などを採択した。この会議では，「持続可能な発展」という概念がキーワードとして用いられたことも注目される。

⑵　このような中，1993年に環境基本法が制定されたが，その特色としては，

①**基本理念**として環境負荷の少ない**持続的発展が可能な社会の構築**が掲げられたこと（3条〜5条），

②環境基本法制の根幹に，法定計画としての**環境基本計画**を位置づけたこと（15条），

③国の施策の策定・実施にあたって**環境配慮**が義務付けられたこと（19条），

④伝統的な規制手法とは異なるいわゆる**経済的措置**の導入の可能性が明定されたこと（22条），

⑤**地球環境保全**等に関する国際協力のための規定がおかれたこと（5条，34条2項，35条2項）

があげられる。

その背景としては，

①大量生産，大量消費，大量廃棄型の社会経済活動が定着し，都市への人口集中が加速されるにつれて新たに，**地球環境問題**や**廃棄物問題**のようなタイプの環境問題が発生したこと（広く一般国民を対象とするという意味での「行政対象の拡大」と「行

政分野の総合化」)

②したがって，今までのような問題対処的な規制手段によるのでは十分でなく，一般の国民をも対象としつつ，社会全体を環境への負荷の小さい構造に変えるために，種々の施策を**総合的・計画的**に推進する法的枠組が必要となってきたこと（「行政手法の拡大」）

③地球環境問題については，国内での環境保護対策にとどまらず，**国際的な取組**を進める枠組を策定することが要請されること（「行政範囲の国際化」）

があげられる（環境省総合環境政策局総務課編著『環境基本法の解説』〈改訂版〉65 頁以下参照）。

同法は，生態系の保護を考慮しつつ，持続可能な環境保全型社会の形成を目指し，国際的な取組の積極的推進を掲げている点で，環境行政の転換を図るのにふさわしいものといえよう。

(3) 環境基本法の制定やその後の国際環境条約の締結などを契機として，様々な**個別法**が制定されている。主要な法律と主要改正のみあげておきたい。

(a) 大気の分野では，**大気汚染防止法**について，1996 年には，有害大気汚染物質対策の推進に関する各種の規定，2004 年には VOC 規制に関する規定を盛り込む改正が行われた。同法は 2010 年，2013 年，2015 年，2020 年にも改正が行われている。

1992 年には，自動車から排出される窒素酸化物の総量を抑制するために，「自動車から排出される窒素酸化物の特定地域における総量の削減等に関する特別措置法」が制定されたが，これは，総量削減基本方針と総量削減計画を制度化するものとして特筆に値する。本法は 2001 年に改正され，「自動車から排出される窒素酸化物及び粒子状物質の特定地域における総量の削減等に関する特別措置法」（自動車 NOx・PM 法）となった（2007 年にも改正された）。

(b) 地球温暖化については，1998 年に制定された**地球温暖化対策の推進に関する法律**（地球温暖化対策推進法。その後，度重なる改正を経る）を中心として，「エネルギーの使用の合理化及び非化石エネルギーへの転換等に関する法律」（省エネ法。1998 年以降，温暖化に関連する度重なる改正を経る），「電気事業者による再生可能エネルギー電気の調達に関する特別措置法」（再生可能エネルギー特措法）（2011 年制定。2016 年，2020 年改正。2020 年改正で「再生可能エネルギー電気の利用の促進に関する特別措置法」に改称）など，一連の法律群が形成されている。

(c) 水質の分野では，1996 年には，汚染された地下水について，人の健康の保護のため必要があるときは，都道府県知事が汚染原因者に対して地下水の水質浄化のための措置を命ずることができることを内容とする**水質汚濁防止法**の改正が行われた。2010年，2011年，2013年にも同法の改正が行われている。

(d) 土壌汚染に関しては1991年に環境基準が設定され，2002年には**土壌汚染対策法**が制定された（その後，2009年，2017年に改正された）。

(e) また，化学物質の分野では，1999年に「特定化学物質の環境への排出量の把握等及び管理の改善の促進に関する法律」（PRTR法）が制定された。2003年及び2009年及び2017年には化審法の改正も行われた。

(f) 循環管理（廃棄物管理・3R）の分野では，1991年に，「**廃棄物の処理及び清掃に関する法律**」（**廃掃法**）が大改正される（その後，主要な改正が，1997年，2000年，2003年，2004年，2005年，2010年，2017年に行われた）とともに，「再生資源の利用の促進に関する法律」が制定され（2000年に「資源の有効な利用の促進に関する法律」へと名称変更された），1995年には，「**容器包装に係る分別収集及び再商品化の促進等に関する法律**」（**容器包装リサイクル法**）が制定された（その後，2006年に改正）。こうして，廃棄物の排出の抑制及び再生が廃掃法の目的に加えられ，また，リサイクルの促進策が強化された。さらに，この分野では，「特定家庭用機器再商品化法」（家電リサイクル法）が1998年に制定され，2000年には「**循環型社会形成推進基本法**」，「建設工事に係る資材の再資源化等に関する法律」，「国等による環境物品等の調達の推進等に関する法律」（グリーン購入法）等が新たに制定され，さらに廃掃法の一部改正が行われた。2002年には「使用済自動車の再資源化等に関する法律」（自動車リサイクル法），2012年には「使用済小型電子機器等の再資源化の促進に関する法律」（小型家電リサイクル法）が制定された。2021年には「プラスチックに係る資源循環の促進等に関する法律」（プラスチック資源循環促進法）が制定された。

(g) 自然保護の分野では，生物多様性の確保の観点から1992年に「絶滅のおそれのある野生動植物の種の保存に関する法律」（1994年，2003年，2013年，2017年に改正された），2003年に「遺伝子組換え生物等の使用等の規制による生物の多様性の確保に関する法律」（カルタヘナ法）（2017年改正），2004年に「特定外来生物による生態系等に係る被害の防止に関する法律」（2013年，2022年に改正された）が制定された。また，2008年には**生物多様性基本法**が制定され，翌年には**自然環境保全法**及び**自然公園法**が改正された。2014年には「鳥獣の保護及び狩猟の適正化に関する法律」が改正され，「鳥獣の保護及び管理並びに狩猟の適正化に関する法律」（鳥獣保護管理法）に改称された。

「アメニティ」の分野では，国立市などで景観利益に関する訴訟（**→事例5**）が提起され，それを1つの契機として2004年には景観法が制定されている。

(h) また，環境法全体に関わる問題として，かねて懸案事項であった**環境影響評価法**が 1997 年に制定されたことが注目される（その後，2011 年，2013 年に改正された）。

(i) 被害救済の分野では，2006 年に「石綿による健康被害の救済に関する法律」（石綿健康被害救済法）が制定された（その後，2008 年，2011 年，2022 年に改正された）。

水俣病問題については，1995 年に，国を含めた関係当事者間の最終的かつ全面的解決のための合意がなされ，これを踏まえて同年 12 月に必要な施策等についての閣議了解が行われた。もっとも，その後，**水俣病関西訴訟最高裁判決**（最判平成 16・10・15 民集 58 巻 7 号 1802 頁［84］）が規制権限不行使による国（及び県）の責任を認めたことを契機に紛争が再燃し，紛争の最終的な解決を図るため，2009 年，水俣病被害者の救済及び水俣病問題の解決に関する特別措置法（水俣病救済特別措置法）が制定された。さらに，2013 年には，最判平成 25・4・16［85］が，感覚障害のみの水俣病の存在を最高裁として初めて認めた。

(4) 環境行政組織については，2001 年に中央省庁改革を受け，環境庁が環境省に昇格した。

(5) 上記の個別法の増大にも現れているように，この時期には環境法の対象範囲はますます拡大した。「**リスク**」としての環境負荷活動の拡大，「**生物多様性**」の観点の導入，「**循環管理**」（廃棄物管理及び 3R）や「**アメニティ**」の問題の重要性の増大などの特色がみられる。

(a) 公害と性質上対比されるものとして，「**リスク**」に触れておこう。環境関連のリスクとしては，**地球温暖化**のような地球環境問題があげられるほか，化学物質の一部（その嚆矢としては，ベンゼンのような**有害大気汚染物質**の対策の推進に関して 1996 年に行われた大気汚染防止法改正があげられる），電磁波，遺伝子組換え生物など様々なものがあげられる。

公害が，特定の汚染源から排出され，それによって健康等に対して被害が発生するおそれがあることがある程度の蓋然性をもって判断できるという性質を有しているのに対し，リスクは，第 1 に，行為と健康等の被害のおそれとの因果関係（発生蓋然性）や侵害の規模が十分でない点に特色がある。その中には，被害のおそれが科学的に確実ではない場合も少なくない。また，第 2 に，リスクについては，環境負荷が広範囲にわたることが多い。

Column1 ◇「危険」と「リスク」

「公害」と「リスク」の相違は，ドイツ行政法にいう「危険（Gefahr)」と「リスク（Risiko)」の相違に類似している。「危険」とは，ある行為や状態が「十分な蓋然性」をもって，公の安全又は秩序の保護法益に損害をもたらすものである。「十分な蓋然性」とは，一定以上の確率をいうのではなく，予期される侵害が大きければ大きいほど，発生蓋然性は低いもので足りる（反比例原則)。一方，「リスク」は，侵害の規模か発生蓋然性のいずれかの点で「損害発生の十分な蓋然性」があるとはいえない場合である。このような「危険」と「リスク」の相違は，わが国ではドイツほど明確に分けて議論されていない。概念を分けることによる長所，短所を含め，この点を検討することはわが国に残された課題である。

リスクに関しては，損害発生の蓋然性が十分でないのに規制をすると，被規制者に過剰な負担がかかる可能性がある一方，放っておくと極めて重大な，場合によっては不可逆の損害を生じる可能性があるというジレンマがある。そのため，リスクについては，関係者の参加の下に意思決定することが特に重要であることになる。

(b)「**生物多様性の保全**」は，生態系プロセスは連続しており，加速度的に種が絶滅している状況の下で，個々の自然資源を保護しているのでは十分でないという認識に基づいて，国際的・国内的に取り上げられるようになった。1992年の**生物多様性に関する条約**（**生物多様性条約**）の採択以来，自然環境保全の目的は生物多様性の保全にあるとする考え方が一般化してきたのである。生物多様性とは，「様々な生態系が存在すること並びに生物の種間及び種内に様々な差異が存在すること」をいい（生物多様性基本法2条1項)，生物多様性条約は，(i)遺伝資源の多様性，(ii)生物種・群の多様性，(iii)生態系の多様性の3つの保護が含まれるとしており（さらに，(iv)景観の多様性を含める定義もある)，生物多様性基本法もこれらをあげている。

(c)「**循環管理**」には，廃棄物処理施設から生ずる公害や環境リスクの問題が含まれる一方，不法投棄による公害・環境破壊も絡む複雑な問題性を示している。汚染物質が公害（例えば大気汚染や水質汚濁）として外部に排出されなくなれば，事業者は──3Rをしない限り──最後には廃棄物として処理せざるをえないのであり，廃棄物の管理はいわば汚染物質の最後の段階を担う課題ともいえる。また，循環管理の問題は伝統的な公害とは異なり，国民の日常生活・事業者の通常の事業活動から生ずるという特色を有するため，根本的には，わが国の社会のあり方自体を環境に配慮したものに変えていくことが必要となる。

事例5

不動産販売会社 Y_1 らは，東京都国立市の「大学通り」の南端に位置する土地に高さ44

メートル地上14階のマンションの建築・分譲を計画し，2000年1月5日に建築確認を経て同日中に根切り工事を開始した。国立市は，同年1月24日，都市計画法に基づき本件土地を含む地域について「地区計画」を決定・告示し，また，建築基準法68条の2に基づき当該地区につき建築物の高さを20m以下に制限する条例を制定し，同年2月1日に公布・施行した。本件マンション建築に反対する近隣の学校法人，同校に通う教職員ら，ならびに周辺地域の地権者及び住民Xらは同マンションの建築により景観利益等が侵害されるとして，Y_1らに対して，本件マンションの建築の禁止（後に，建物の撤去）及び損害賠償を請求した。本件「大学通り」周辺の景観は，良好な風景として，歴史的又は文化的環境を形作ってきた。Xらの請求は認められるか。

‡国立景観訴訟（最判平成18・3・30民集60巻3号948頁［62］）である。上告審判決では，景観利益が民法709条の法律上保護された利益にあたるか，本件においてYの行為に違法性があるか等が問題とされた。

➡ 景観は公益であり私益ではないという議論について，どのように考えるか。
➡ 景観利益を私益として構成できるとした場合，違法性はどのように判断するか。
➡ 景観利益に基づく差止めについてどう考えるか。
➡ 建物の撤去は何を法的根拠として認められうるか。
➡ 国立市大学通りが70年にわたり良好な景観を形成してきたことは法的にどのように評価できるか。

事例6

産業廃棄物処理業者であるYは，廃プラスチック類，ゴムくず，金属くず，ガラスくず及び陶磁器くずならびに建設廃材（いわゆる安定5品目→**7-2**・8(3)(a)(イ)〔299頁〕）を埋立処分する産業廃棄物処分場（安定型処分場→**7-2**・8(3)(a)(イ)）の設置・操業を計画し，処分場設置工事は完了した。周辺住民Xらは，本件処分場の操業によって，水質汚濁，地盤崩壊，交通事故発生，農道路肩崩壊の各差し迫った危険性があることを理由に，人格権もしくは財産権に基づく差止請求権又は不法行為に基づく差止請求権を被保全権利として，本件処分場の使用操業の差止めの仮処分を申請した。Xらの一部は，飲用水及び生活用水に井戸水や沢水を用いて生活を営んでおり，Xらの居住する地区では，水道は簡易水道を含め，全く敷設されておらず，将来についても敷設は予定されていない。Xらの請求は認められるか。

‡丸森町廃棄物処分場事件（仙台地決平成4・2・28判時1429号109頁［38］）である。差止めの根拠，Xらの証明の緩和について判示している。

➡ 原告と被告の立証の容易さにはどの程度の相違があるか。そのような状況に対して法的にどのような扱いが可能か。
➡ 平穏生活権とは何か。人格権とどのような関係にあるか。

事例7

産業廃棄物処理業者Aは，産業廃棄物処理施設（管理型処分場）の設置を計画し，廃掃法15条1項に基づく許可を申請し，2001年3月，千葉県知事Yは許可処分をしたため，Aは同施設の建設に着工した。しかし，これに反対する周辺住民Xらは，Yの許可処分時に廃掃法15条の2第1項3号の許可基準である経理的基礎を欠いていたとして，同処分場の設置許可の取消しを求めて提訴した。Xらの請求は認められるか。

‡エコテック許可取消訴訟（千葉地判平成19・8・21判時2004号62頁［43］）である。本判決は，産廃処理施設の設置許可処分を取り消した全国初の判決である。なお，本件の控訴審判決（東京高判平成21・5・20［48］）は，本判決の認容の部分を維持せず，申請書類の縦覧や意見聴取の手続違反を理由として違法とした（控訴棄却）。

➡ Xらには原告適格が認められるか。
➡ Yの本件処分場設置許可処分が違法といえるためには，Aの経理的基礎がどのような状態にあったことが必要か。

5 小 括

以上のような環境法の歴史からうかがわれるのは，第1に，当然のことながら，環境立法・行政は司法とともに，司法の影響を受けつつ，進展してきたことである。これは，環境法が**法政策**と**訴訟**の両方にまたがっていることを示している。

第2に，環境法の対象は，公害対策から（のみでなく）**リスク管理やアメニティの確保**，**物質循環の管理**，**生態系**（さらに生物多様性）**の保全**に環境行政・政策の範囲が広がってきたことである。そして，公害のような「健康」被害の防止については相当に明確な目標が設定され，対策がとられたのに対し，「リスク」，「アメニティ」，「生態系・生物多様性の保全」に対しては，従来十分な目標が設けられず，効果的な対策がとられないことが少なくなかった。今日の環境法は，公害対策法のみでなく，環境リスク管理及びアメニティ確保等のための法としての意義も有している。環境基本法は，このような背景の下に制定されたのである。第3に，2000年前後において，いわゆる環境保護法ではない海岸法，河川法，港湾法，森林法等において，環境保全を近時法律の目的に入れる例が現れている点が注目される（諸法の環境法化〔及川敬貴など〕）。

1-3 環境法の特色と環境法学の独自性

1 環境法の特色

環境法は，その対象である「環境」の性質により，種々の特殊性をもっている。

第1は，**法領域の多様性**である。環境法は，国内環境法をとってみても，公法（刑事法を含む），私法の領域にまたがっており，このほかに地方自治体の環境関連の条例が存在する。最近の国際環境法の発展も目覚ましい。環境法の中心となるのは，環境基本法，環境影響評価法，公害規制法，自然環境保全法，地球環境保全法などの行政法であるが，不法行為法（民法709条をはじめとする）やその特別措置を定める公害に係る事業者の無過失損害賠償責任制度（大防法25条，水濁法19条）のような私法に係る法律，業務上過失致死傷罪（刑法211条）の特則を定める「人の健康に係る公害犯罪の処罰に関する法律」のような刑事法に係る法律も環境法の一環をなしている。さらに，環境法の周辺には，社会科学の分野では環境経済学，環境社会学，環境政治学があり，自然科学の分野では環境工学，環境科学があり，環境法の中身はこれらの隣接学問と密接に関わっている。

第2に，**法政策**（立法事実といってもよい）に関わる部分が他の法学分野よりも大きな位置を占めていることである。環境法政策には他の学問分野が大きく関わる場合もあり，それらを踏まえた環境問題に対する総合的な理解が，環境法学の修得にあたって極めて重要である。

例えば，廃棄物処分場をめぐる法的紛争についてみれば，住民から提起された民事訴訟においては処分場の公共性を判断するにあたり，当該地域における紛争のみでなく，全国レベルでの産業廃棄物の移動についての認識やいわゆる広域処理という政策についての評価が絡んでくる。さらに，容器包装リサイクル法や家電リサイクル法にみられる「拡大生産者責任」(→**Column37**〔331頁〕) の考え方を理解するには，環境経済学の論議を踏まえつつ政策的な議論をすることがどうしても必要であり，厳密な意味で法学分野のみで検討することは困難であるといわざるをえない。

このような環境法の政策志向性は，環境訴訟や環境紛争処理をも立法や行政を巻き込んだ政策的なものにしている面がある。東京大気汚染訴訟（東京地判平成14・10・29判時1885号23頁）の真の目的が公害健康被害の補償等に関する法律の第1種地域指定の復活にあったことは著名であるし，尼崎公害訴訟の和解（大阪高裁平成12・12・8法時73巻3号68頁参照）も，国等が道路交通政策の改善に取り組むことをもって解決をみたのであった。少なからぬ環境訴訟が**政策志向型訴訟**であるといえるのである。

第3は，**計画法的性質・地域的性質**である。公害法は，人の健康や財産への被害を防止するという消極的目的の下で警察的な規制をしてきたが，環境法は，適正な地域環境の保全・維持という積極的目的を有する環境の管理を問題とするに至っている。すなわち，環境法においては，警察法から管理法，計画法，政策法への転換が図られているのである。目標設定を含めた計画の策定と実施，環境容量に照らした地域全体（さらに，国全体，地球全体）での環境管理の必要は，環境法の1つの特色を示しているといえよう。

環境に関する計画としては，国の法定計画としての環境基本計画，公害防止計画，水質総量規制に係る総量削減計画，自然環境保全の分野での原生自然環境保全地域に係る保全計画，国立公園に係る公園計画，地方公共団体の環境管理計画などがある。また，環境問題は地域の自然的，社会的条件によってその現れ方が異なってくるのであり，法律の定める基準についても地域の実情に応じた上乗せ・横出しが必要となる場合がある（法律でこれを認めるものとして，大防法4条，水濁法3条）。

第4に，保護されるべき利益が多くの場合，**公共的な性格**をもち，また，行為や活動と健康・財産に対する被害との因果関係が**科学的不確実性**を有している点があげられる。

環境法において保護される利益は，私権自体である場合もあるが，私人に帰属するか明らかでないか，到底帰属するとは考えられない環境である場合が少なくない。この点は後述する環境権の議論と関連する。

また，法益の侵害に対して，伝統的な警察法では対象とされてきたような十分な蓋然性のない場合，すなわち，ドイツ行政法にいう「危険」のない場合において，リスク（例えば，一定の化学物質，遺伝子組換え生物の環境放出の場合）に対して何らかの対処をすることが求められるのも，環境法の分野に特にみられる点である（→**Column1**〔16頁〕）。

そして，いったん被害が発生してしまうと回復不可能である（**被害の不可逆性**。地球温暖化が海洋の熱塩循環に悪影響を与えた場合の異常気象を想像されたい）ことも環境法の重要な特色といえよう。

2　環境法学の独自性

環境法とは，環境への負荷の防止・低減，環境回復など，環境保全を目的とする法（法令，条例，条約等）の総体をいう。このような法領域を，「環境法」ないし「環境法学」として独立した学問分野として捉えるべきかは一個の問題であろう。

環境に関する法は，先に（→**1-2**〔5頁〕）触れたように，歴史的には，まず私法が公害救済の役割を果たしたが，その後，環境問題の解決には行政法が中核的位置を占めてきている。しかし，廃棄物問題や地球環境問題が深刻な様相を呈し，環境基本法をはじめとする環境立法や種々の国際環境条約が整備されてきた今日，環境法学を独立した学問分野として捉えることが必要であると考える。その理由として3点をあげておきたい。

第1に，**環境法の理念・原則**として，一般の行政法等にみられない独自のものがあり，しかも，それらが行政法以外の分野を淵源とするものと考えられることである。

環境法の主要な理念・原則としては，リオ宣言等を通じて国の内外を問わない指針として各国で受け容れられた「**持続可能な発展**」**の概念**，憲法上の権利として認める国が増加している「**環境権**」，OECD 理事会によって勧告され，リオ宣言や EU の行動計画や指令に頻繁に用いられている，費用負担に関する「**汚染者負担原則**」（原因者負担原則）があげられるが（**→第2章**〔30頁〕），「持続可能な発展」の概念は国際法から生じているし，環境権については，少なくともわが国では，元来，私権として検討されてきたし，「汚染者負担原則」も，元来は経済学から出てきたものであるが，わが国においては，民事法の無過失責任と密接な関連を有するものとして発展してきた。

第2に，熱帯林の消滅，自然海岸の消失，種の絶滅の加速度的増大等の問題が生じ，人類の存続の基盤としての生態系が侵されつつある今日，既存の行政が行ってきた諸利益の総合衡量では十分対処しえなくなっていることである。むしろ，**環境容量の有限性**に鑑み，環境という側面を**独立**に捉え，それについての一定の配慮を必ず行うことが求められている。従来，ともすれば諸価値の総合衡量が強調され，ある問題を独立して捉えることは少なかったが，環境はそれが人類の存続の基盤であり，人類の活動がもはやその容量を超えつつあること，しかも環境への影響はある程度時間がたってから不可逆的に生ずるものが多いことから，このような見方をすることが特に必要になっていると考えられる。この点は，環境法を通常の行政法とは区別する理由となろう。

第3に，上述の「持続可能な発展」や環境容量への配慮を重視するときは，環境の側面から一定の目標を立て，それに向けて社会全体が移行していくことが必要となるが，そのためには環境に関連する法制度を総合的に理解することが極めて重要になる。

すなわち，環境法学は，憲法学，行政法学，民法学，刑法学，民事・刑事訴訟法学，国際法学等様々な法学分野と関わっている（**図表1-2**）。しかし，各法学分野でばらばらに対処しているだけでは環境に関する**統一的な視座**は得られない。

環境法学は，上述したように，環境容量の有限性に鑑み，環境という側面を独自に捉え，それについて一定の配慮を必ず行うこと，すなわち，人の行為の管理が必要となってきたことを重視する。それは，環境と人間の「関係性」に重点をおくといってもよい。

このような**統一的な視座**がなく，環境問題を扱う法体系が相互に連携していないと，結果として環境保全を後退させる可能性がある場合もある。また，統一的な視

【図表 1-2】

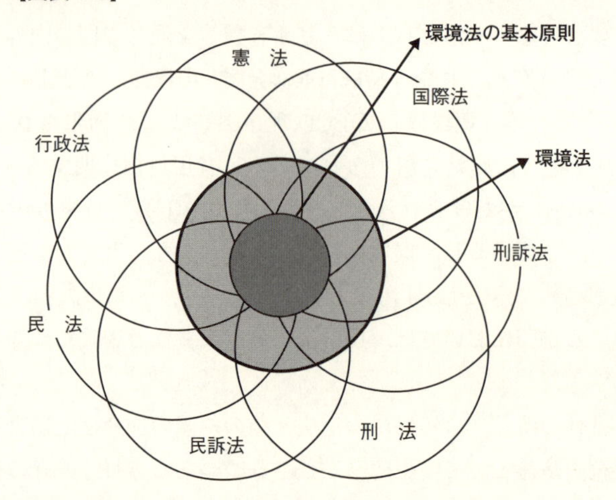

座は，未だ十分に知られていない環境問題を認識し，その解決の指針を得るのに役立つであろうし，環境に関連する法制度や政策の学習を容易にするものといえよう。

このように，環境法学は，関連法制度を，各法学領域の外側にある環境という視点から総合的に理解する点に意義を有すると考えられる。環境法学からは，各法分野は環境問題解決のためのいわば手段としてみられることになろう。

しかし，他方，環境法学は，憲法学との関係では，営業の自由や財産権と公益・公共の福祉，環境権，行政法学との関係では行政裁量，比例原則と科学的不確実性への対処，法治行政と協定，租税法学との関係では租税公平主義における担税力に応じた負担と原因者負担，民法学との関係では過失責任主義，疫学的因果関係，共同不法行為，差止めと環境権論，刑法学との関係ではその社会秩序形成機能，保護法益論，国際経済法学との関係では，予防原則と自由貿易原則等の問題について関連し，場合によっては環境法学と他の法学領域とで異なる考え方が衝突することもある。その意味からも環境を起点とした法的議論を打ち出していく必要があるのである（後述する環境法の理念・原則は，その場合，諸法学分野の考え方と対抗する原理となる可能性を秘めているといえよう）。

1-4　環境法の体系と本書の対象

1　本書の対象

国内の実定環境法の大部分は，環境基本法を頂点とする体系に属している。
国内環境法の主要部分は，

(1)　環境基本法，環境影響評価法という，環境法全体に関連する総論的分野，

(2)　①公害を中心とする汚染排出の防止・削減に関する法，②有害化学物質の管理に関する法，③物質循環の管理に関する法，④自然環境，アメニティの保全に関する法，⑤地球環境問題を中心とする国境を越える環境問題に関する法，という各論的分野，

(3)　公害防止事業をはじめとする環境保護の費用負担に関する法，

(4)　公害・環境事件の司法的・行政的解決に関する法，

(5)　環境行政組織に関する法

に分けられる。さらに，このほかに，国際環境法の問題がある（それぞれに関する法律，条約については，2，3参照）。

本書では主要な法律のみを扱う観点から，国内法を中心として扱い，中でも，(2)①，③～⑤，(3)，(4)について記述することにした。

また，地方自治体の環境条例・要綱，環境行政は今日国内法において非常に重要なものとなっているが，本書では，国内法の概観をするため，国法・国の行政を中心に扱うことにした。

国内環境法において，環境基本法の体系には属さないが，実質的意味の環境法に含まれるものとして，原子力施設に関するリスク管理についての法律群，都市景観，歴史的・文化的遺産の保全などアメニティに関する法律群がある。アメニティに関する法律群は(2)④に含まれる。これらが重要であることは今日異論のないところであるが，本書では割愛した（アメニティに関する法律群については，大塚『環境法』〈第3版〉13-3・3〔624頁以下〕参照）。

2　国内環境法

国内環境法について，上記の各分野の法律を列挙すると，以下のようになる。

①基本法——環境基本法

②環境影響評価法

③有害物質管理法——化学物質の審査及び製造等の規制に関する法律（化審法），水銀による環境の汚染の防止に関する法律（水銀環境汚染防止法）など

④汚染排出の防止・削減に関する法——大気汚染防止法，スパイクタイヤ粉じんの発生の防止に関する法律，自動車から排出される窒素酸化物及び粒子状物質の特定地域における総量の削減等に関する特別措置法（自動車NOx・PM法），**水質汚濁防止法**，湖沼水質保全特別措置法，瀬戸内海環境保全特別措置法（瀬戸内法），特定水道利水障害の防止のための水道水源水域の水質の保全に関する特別措置法（水道水

源法)，騒音規制法，振動規制法，悪臭防止法，工業用水法，建築物用地下水の採取の規制に関する法律（ビル用水法)，**土壌汚染対策法**，農用地の土壌の汚染防止等に関する法律（農用地土壌汚染防止法)，ダイオキシン類対策特別措置法，**特定化学物質の環境への排出量の把握等及び管理の改善の促進に関する法律**（**PRTR 法**)，平成 23 年 3 月 11 日に発生した東北地方太平洋沖地震に伴う原子力発電所の事故により放出された放射性物質による環境の汚染への対処に関する特別措置法（放射性物質汚染対処特措法）など

⑤**循環管理法——循環型社会形成推進基本法**，**廃棄物の処理及び清掃に関する法律**（廃掃法)，ポリ塩化ビフェニル廃棄物の適正な処理の推進に関する特別措置法（PCB 特措法)，特定有害廃棄物等の輸出入等の規制に関する法律（バーゼル国内法)，資源の有効な利用の促進に関する法律（資源有効利用促進法)，**容器包装に係る分別収集及び再商品化の促進等に関する法律**（**容器包装リサイクル法**)，特定家庭用機器再商品化法（家電リサイクル法)，建設工事に係る資材の再資源化等に関する法律（建設資材リサイクル法)，食品循環資源の再生利用等の促進に関する法律（食品リサイクル法)，使用済自動車の再資源化等に関する法律（自動車リサイクル法)，家畜排せつ物の管理の適正化及び利用の促進に関する法律（家畜排せつ物法)，国等による環境物品等の調達の推進等に関する法律（グリーン購入法)，産業廃棄物の処理に係る特定施設の整備の促進に関する法律（産廃処理施設整備法)，前掲放射性物質汚染対処特措法など

⑥**自然環境，アメニティに関する法——生物多様性基本法**，**自然環境保全法**，**自然公園法**，自然再生推進法，鳥獣の保護及び管理並びに狩猟の適正化に関する法律（鳥獣保護管理法)，絶滅のおそれのある野生動植物の種の保存に関する法律（希少種保存法)，森林法，景観法，公有水面埋立法，海岸法，河川法，古都における歴史的風土の保存に関する特別措置法（古都保存法)，明日香村における歴史的風土の保存及び生活環境の整備等に関する特別措置法，文化財保護法，都市計画法，都市緑地法，生産緑地法，首都圏近郊緑地保全法，近畿圏の保全区域の整備に関する法律，都市公園法，総合保養地域整備法（リゾート法）など

⑦**原子力施設に関する法**——核原料物質，核燃料物質及び原子炉の規制に関する法律（原子炉等規制法）など

⑧**地球環境保全法**——特定物質の規制等によるオゾン層の保護に関する法律（オゾン層保護法)，**地球温暖化対策の推進に関する法律**（**地球温暖化対策推進法**)，エネルギーの使用の合理化及び非化石エネルギーへの転換等に関する法律（省エネ法)，フロン類の使用の合理化及び管理の適正化に関する法律（フロン排出抑制法)，新エネ

ルギー利用等の促進に関する特別措置法（新エネ利用促進法），再生可能エネルギー電気の利用の促進に関する特別措置法（再生可能エネルギー特措法），水銀による環境の汚染の防止に関する法律，南極地域の環境の保護に関する法律，海洋汚染等及び海上災害の防止に関する法律（海洋汚染防止法）など

⑨**環境保護の費用負担に関する法——公害健康被害の補償等に関する法律（公健法）**，**公害防止事業費事業者負担法**，石綿による健康被害の救済に関する法律（石綿健康被害救済法），水俣病被害者の救済及び水俣病問題の解決に関する特別措置法（**水俣病救済特別措置法**）など

⑩**公害・環境事件の司法的・行政的解決に関する法**——公害紛争処理法，民法，民事訴訟法，国家賠償法，行政事件訴訟法，人の健康に係る公害犯罪の処罰に関する法律（公害罪法）など

⑪**環境行政組織に関する法**——環境基本法，環境省設置法，中央省庁等改革基本法

このほか，地方公共団体においては環境関連の条例・要綱が制定されている（環境公法と環境関連の条例等との関係について→**Column2**）。

3　国際環境法

国際環境法に関する特に重要な条約等をあげておく。

①地球温暖化問題——気候変動に関する国際連合枠組条約，京都議定書，パリ協定

②海洋投棄起因の汚染——海洋法に関する国際連合条約，廃棄物その他の物の投棄による海洋汚染の防止に関する条約（ロンドン条約），同1996年議定書

③有害廃棄物の越境移動——有害廃棄物の国境を越える移動及びその処分の規制に関するバーゼル条約

④生物多様性の保全——生物の多様性に関する条約，生物の多様性に関する条約のバイオセーフティに関するカルタヘナ議定書，生物の多様性に関する条約の遺伝資源の取得の機会及びその利用から生ずる利益の公正かつ衡平な配分に関する名古屋議定書，バイオセーフティに関するカルタヘナ議定書の責任及び救済に関する名古屋・クアラルンプール補足議定書，絶滅のおそれのある野生動植物の種の国際取引に関する条約（ワシントン条約），移動性野生動物種の保全に関する条約（ボン条約），渡り鳥に関する諸条約・協定，国際捕鯨取締条約，移動性及び高度回遊性魚種に関する協定（国連公海漁業協定）

⑤その他——「環境に関する，情報へのアクセス，意思決定における公衆参加，

司法へのアクセスに関する条約」（オーフス条約），残留性有機汚染物質に関するストックホルム条約（POPs条約）

Column2 ◇環境公法と環境関連の条例等の関係

環境法における条例が重要性を増す中で，環境公法と環境条例の関係が問題となる場面が増えつつある。

これは，昭和40年代に公害法と公害防止条例との関係として問題にされたところであるが，今日でも，環境影響評価法と環境影響評価条例・要綱の関係などが議論されており，古くて新しい問題といえよう。

(1)「法律と条例の関係」に関する一般的議論は次のようである。

憲法94条は「地方公共団体は……法律の範囲内で条例を制定することができる」と定め，これを受けて，地方自治法14条1項は「普通地方公共団体は，法令に違反しない限りにおいて……条例を制定することができる」と規定している。これらの規定における「法律の範囲内で」ないし「法令に違反しない限りにおいて」の意味については，判例・学説上問題とされてきたところである（厳密には「法令」と条例との関係が問題とされるが，便宜上「法律」と記す）。特に問題とされたのは，**横出し条例**（法律と同じ目的を有するが，法律が規制していない対象に規制の範囲を広げる条例）と，**上乗せ条例**（法律と同一目的を有するが，同一の対象について，より強い規制をする条例）の扱いである。

(a) 法律先占論は，第2次大戦後初期，内閣法制局意見による行政解釈において採用され，昭和30年代に学説上も支配的な見解となったが，その下では，当初は，条例が法律と正面から抵触する場合のほか，法律と消極的に抵触する場合（例えば，法律が規制していない裾切り未満の規制を条例がする場合）についても──それが地方自治法2条2項の事務に属する事項であっても──条例を制定することはできないとされていた（田中二郎）。その後，学説上，法律の目的と対象の2つの点の異同を子細に検討するようになった。法律の規定がある場合に条例で規制しようとするときは，それが法律と目的は同一であるが対象を異にするものであれば，法律の趣旨に反しない限り一般に適法であるとされ，それが法律と対象・目的が同一であり，法律よりも強い規制を定めるものであれば，違法となるとされたのである（成田頼明）。また，1968年に出された内閣法制局意見（昭和43・10・26）は，水質二法（「公共用水域の水質の保全に関する法律」及び「工場排水等の規制に関する法律」）の規制と条例の規制との関係について扱い，条例制定権の範囲は，国の制度が地域の実情を考慮して定められたものかどうかによって決められるとし，地域の実情を考慮して定められた規制の上乗せ条例は許されないとしたことが注目される。

(b) 法律と条例の関係について法律の先占領域であるか否かを法律の解釈のみによって明らかにしようとする法律先占論に対し，1969年の東京都公害防止条例の制定を嚆矢として，公害に対する条例による規制（特に，上乗せ規制）の必要が地方自治体で痛感されたことから，新しい理論が有力に主張されるようになった。これは，憲法92条の地方自治の本旨の議論をこの問題に導入しようとするものであり，憲法に抵触する法律は違憲であるとの見地から，条例の定める領域を確立することを目指している。主に，以下の３つに分けることができよう。

第１は，「**法律ナショナル・ミニマム論**」と呼ばれる見解であり，国法は地域の実情を考慮せず全国的にみて環境を守るための最低基準であり，これで環境を守れない場合には，条例で上乗せ規制をすることができるとする。その理由づけとしては，公害現象の地域性・環境保全の価値優位性や，環境保護が固有の自治事務領域であることがあげられる（原田尚彦）。

第２は，「**必要な公害規制禁止法律違憲論**」と呼ばれる立場である。すなわち，地域社会における公害から住民の健康を保護し，生活環境を保全することは，地方公共団体が行わざるをえない事務であることを前提とし，法律が上乗せ条例を絶対的に禁止する趣旨と解しなければならないものであるときは，憲法 92 条に違反しており，無効であるとするのである（杉村敏正）。

第３は，「**規制限度法律（最大限規制法律）・最低基準法律区別論**」と呼ばれる見解である。すなわち，「規制事項の性質と人権保障とに照らして，当面における立法的規制の最大限までを規定していると解される法律」（規制限度法律）との関係では，法律の示す規制限度を越えて規制しようとする条例は法律に違反することとなるが，「全国的な規制を最低基準として定めていると解される法律」（最低基準法律）との関係では，「上乗せ条例」が認められる，と説く。そして，規定内容が地方自治に関わりをもつ法律である以上，事柄の性質に応じ憲法 92 条にいう「地方自治の本旨」を促進するように，法律を合憲的に条理解釈をしていく必要があり，この種の法律は，最低基準法律と目すべき場合がむしろ多いとするのである（兼子仁）。

これらのうち，第１と第２は，主に公害・環境規制を念頭においているのに対し，第３の見解は，法律と条例の関係一般について議論するものであり，様々な法律を対象とした議論として有益である。そこでいわれている「最低基準法律」とは，まさにナショナル・ミニマムのことを示しているといえよう。

(c)　判例はこの問題についてどのように解しているであろうか。最高裁のものとしては，次の２件がみられる。

まず，**徳島市公安条例事件最高裁判決**（最大判昭和 50・9・10 刑集 29 巻 8 号 489 頁）は，「条例が国の法令に違反するかどうかは，両者の対象事項と規定文言を対比するのみでなく，それぞれの趣旨，目的，内容及び効果を比較し，両者の間に矛盾抵触があるかどうかによつてこれを決しなければならない」とした上で，法律の規定が存在しない場合とすでに存在する場合を分けた。そして，後者の場合に条例を制定するときは，

①法律と条例が同一事項について規定しているとしても，その**規律の目的**が，法律と条例とで異なり，条例の適用によって法律の規定の意図する目的や効果を阻害しない場合には，条例の制定は許されるとした。また，

②法律と条例が同一事項について**同一目的**の規定をおいているときであっても，法律が全国一律に同一内容の規定を施す趣旨ではなく，地方の実情に応じて条例を制定することを許す趣旨であれば，条例の制定が許されるとした。

これは，条例制定の根拠を法律の解釈に求めている点で法律先占論の影響を残してい

るが，②の部分は，これを緩和しているとみられる。また，先の有力説の第３説にも比較的近いといえよう。

次に，**高知市普通河川管理条例事件最高裁判決**（最判昭和 53・12・21 民集 32 巻 9 号 1723 頁）は，河川管理について一般的な定めをした法律として河川法があること，普通河川であってもいつでも法律の適用，準用の対象とされうることから，河川法は，普通河川については，適用河川又は準用河川に対する管理以上に強力な河川管理は施さない趣旨と解されるとし，よって，条例により，河川法が適用河川等について定めるところ以上に強力な河川管理の定めをすることは，同法に反し，許されないとした。これは，本件条例と河川法との関係が徳島市公安条例事件最高裁判決の②にあたらないとしたものと解される。本判決については柔軟性を欠くとの批判もみられるが（阿部泰隆），それはともかくとして，本判決は，「横出し」についても，法律との整合性が必要であることを示したものとして注目される。

(2) 以上が，法律と条例の関係についての一般的議論の整理であるが，近年の学説は，横出し条例と上乗せ条例とを区別し，前者は一般的に許容されるのに対し，後者は，法律にこれを許容する明示規定がない場合には，法律の趣旨・目的等の考慮が必要となるとするのが一般である（他方，上乗せ条例を認めない法律の規定としては，自然公園法 73 条，自然環境保全法 46 条 1 項がある）。そして，上乗せ条例の可否については，国法の不備の程度，地域的規制の必要性（条例による規制に特別の意義があるかどうか）などを（憲法上の人権保障の観点も含めて）総合考慮して決めざるをえないとするもの（阿部泰隆），条例の定める措置が規制的か助成的か，それとも双面的に作用する場合か（高田敏），規制事項が全国一律規制を必要とする性質のものか（兼子），関連する人権は何か（高田，兼子）を基準とするものなどがみられる。

公害の場合は，規制事項の性質としては「全国的な規制を最低基準として定めていると解される法律」（最低基準法律）であり，「上乗せ条例」が認められると解することが通常であるが，同様の法理が，環境影響評価のような手続についても適合するかは問題となろう（→**5-6**〔142 頁〕）。

さらに，2000 年の地方分権推進一括法の施行（分権改革）後，法律と条例の関係についても問題状況がやや変更された。すなわち，分権改革により，機関委任事務が全廃され，従前の機関委任事務は全て法定受託事務（法律又は政令により地方自治体が処理することとされている事務のうち，国が本来果たすべき役割に係るものであって，国がその適正な処理を特に確保する必要があるものとして法律又は政令で定めるもの）か自治事務（地方自治体が処理する事務のうち，法定受託事務以外のもの）かに振り分けられ，また，地方自治法の旧規定にみられた自治体の事務の例示（旧 2 条 3 項），自治体が処理することのできない事務の例示（同 2 条 10 項）が削られた。これにより，地方自治体には「国の事務」は全くなくなり（『地方分権推進委員会最終報告』4 頁〔2001 年〕），ある事務が条例制定権の範囲内にあるか否かの判断を独立に行う意義は失われた。さらに地方自治法には，地方の自主性・自立性を尊重するための様々な規定がおかれた（1 条の 2，2 条 11 項〜13 項）。

また，地方 6 団体地方分権推進本部「『地方分権時代の条例に関する調査研究』の中間まとめ」(2001 年)によれば，法令と条例が抵触した場合の「基本的な判断基準」として，①法令が地方の実情に応じて別段の規制を施すことを容認していることが明確な場合は当然であるが，それが明確でない場合であっても，国と自治体との適切な役割分担等に照らせば，自治体の事務について条例を制定することは原則として可能であること，②特に自治事務については，「地域の特性に応じた特段の配慮義務」が定められるなど，自治体の自主的な判断が特に尊重されるべきものであり，自治事務に関して設けられた個別の法令による規律はいわば「規律の標準設定」(自治体にとっての「任意規定」といってもよい)として扱って差し支えないものがあることが主張・提案されている(斎藤誠。北村喜宣，櫻井敬子同旨)。

さらに，2004 年には，地方分権改革推進会議は，一律規制の弾力化について，「自治事務については，地方公共団体の自主性を阻害しないよう国の法令は基本的な制度設計にとどめることとし，それ以外の自治事務の処理に必要な事項については個々の法令において条例への授権範囲を大幅に拡大していくべきであり，地方の実情に応じて設定すべき基準等は，地方公共団体が条例で定められるようにすべきであ」るとする意見を公表した(地方分権改革推進会議「地方公共団体の行財政改革の推進等行政体制の整備についての意見」〔2004 年〕19〜20 頁)。

このような「**個別法の基本設計化＋地域の実情に応じて設定すべき基準の条例化**」(斎藤)という考え方は法律と条例一般に関するものであるが，環境関連では特に自然環境保護の分野で妥当するとされている(もっとも，それ以外の分野でのこの考え方の適用が排除されているわけではない)。

このような考え方によった場合，従来のナショナル・ミニマム論がどう扱われるかは興味深い問題である。標準設定の考え方は，自治体が法律よりも規制を緩和することを認めるおそれがあるからである。ナショナル・ミニマム論は国の責任を第一義的とするものであるから自治体の自主性を基調とする今日の地方自治法の考え方に適合しないのではないかとか，ナショナル・ミニマム論は機関委任事務に非常に適合的であり，特に自治事務については国の関与は難しいため，自治事務についてこの考え方を維持することは困難になっているなどの見方もある。ただ，他方で，地方の開発志向により，環境破壊，野生生物の絶滅等の結果を生ずることは懸念されるし，基準について科学的知見から導出されるものについては自治体により異なるものを設定すべきではないのではないか，基準については経済社会のグローバル化の中でむしろハーモナイズしていく傾向があるのではないか，などの疑問もある。特に，国民の生命健康に関わる問題や生態系について，将来世代との関係も含めた基準設定を，基準の緩和を含めて面積の狭い自治体に委ねるべきかは，今後に残された課題であると思われる。

ちなみに，地方公共団体の「要綱」によって，法律の規定に上乗せ，横出し等をした場合には行政指導にすぎないが，「要綱」についても，「法律と条例の関係」の議論をクリアしていることが望ましいといえよう。

第2章　環境法の基本理念・原則，各主体の役割

Q1　環境法の基本理念・原則として環境基本法はどのようなものをあげているか。それらはヨーロッパの環境法の基本原則と比べてどうか。

環境法の基本理念については，前述のように，環境基本法は，①健全で恵み豊かな環境の恵沢の享受と継承，②環境負荷の少ない持続的発展が可能な社会の構築，③国際的協調による地球環境保全の積極的推進という3つをあげている。このうち③は，国際環境問題に対する政府の姿勢として重要であるが，環境法の理念として特に取り上げることはしない。

本書では，ヨーロッパ環境法を参照しつつ，環境法の基本理念・原則として，(i)「**持続可能な発展**」，(ii)「**未然防止原則・予防原則**」，(iii)「**環境権**」，(iv)「**汚染者負担原則**（汚染者支払原則）」ないし「**原因者負担原則**（原因者負担優先原則）」の4つを環境法の理念・原則として取り上げたい。(i)は社会全体の取組についての目標として，(ii)は環境政策・対策の実施に関する原則として，(iv)は環境汚染防止等の費用負担の原則として，その内容が今日極めて重要性を帯びていると考えられるからである。また，(iii)は環境保護を主体（イニシャティブをもつ者）の観点から捉えた権利であるが，基本理念・原則とも密接に関連するので，便宜上ここで扱うことにする（**図表2-1**）。環境基本法との関係でみれば，(i)は3条，4条，(ii)は4条，19条，(iii)は3条，(iv)は8条1項，21条及び37条と関連がある。

Q2　環境法の基本理念・原則にはどのような意義・機能があるか。

環境法の基本原則は，EU条約，EU運営条約，フランス環境憲章及び環境法典，ドイツの環境法典草案において「原則」として明記されている。これらの影響を受け，わが国でも，環境法の基本原則が語られることが少なくないが，そこでいう「原則」とは何か。

「原則」と「ルール」に関するドゥオーキンの区別によれば，「ルール」とは，特定の事実に対して直ちに特定の法的解決を導くものであるのに対し，「原則」とは，必ずしも法文に表れていない法的な提案であり，実定法が従うべき一般的な志向や方向性を示すものである。「原則」は，全か無かの一義的な適用がなされるもので

【図表 2-1】環境法の基本諸原則等の関係

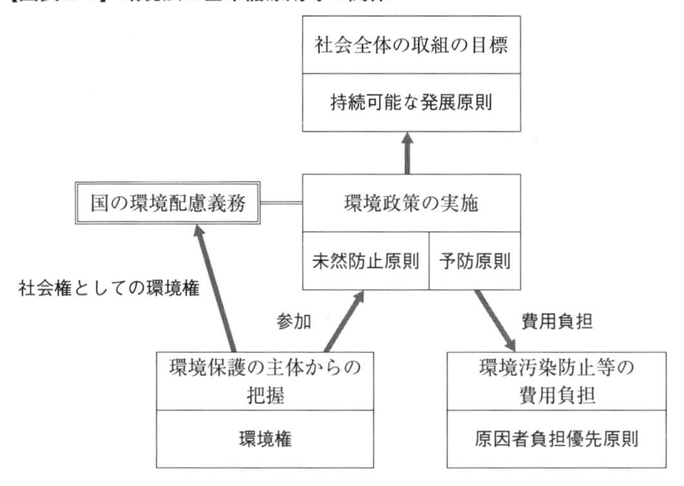

はなく，裁判所に特定の解決を支持する理由を与えるにすぎないものであり，厳密な意味での法的拘束力はない（原則と異なる法令もあり，原則に違反することが直ちに違法となるわけではない)。「原則」は「ルール」の形成に影響を与えるのであり，原則は立法や行政の指針ともなる。——この見解は種々の批判を受けてはいるが，環境法の基本原則について議論される際にも，その骨格については支持するものが多い。

これから触れる，持続可能な発展原則（ただし，その構成のしかたによる)，未然防止原則及び予防原則，原因者負担原則（汚染者負担原則）（さらに，拡大生産者責任原則）は，上記の「原則」としての一般的な意義を有するのであり，その意味では，基本原則を全ての問題に適用される法的拘束力のあるものと理解するのが誤っていると同時に，基本原則を効力のない無意味なものと理解するのも賢明ではない。なお，わが国では，環境法の基本原則が法律上明確に定められているわけではないこともあり，それぞれの「原則」の法的意義の程度については個々に検討する必要があろう。

2-1 「持続可能な発展」

1 「持続可能な発展」とは何か

(1) 生　成

1980 年世界自然資源保全戦略で「持続可能な発展（sustainable development)」(「持続可能な開発」と訳されることも多いが，ここではこの語を用いる）という語が用いられたことを嚆矢とする。これは，基本的な自然システムの維持，遺伝資源の保護，環境の持続的利用の3つに配慮した発展の方向を示した。

この提言はしばらくはそれほど影響を及ぼさなかったが，1987年に出された「環境と発展に関する世界委員会」の報告書（「我ら共通の未来」）で環境と発展に共通の理念として用いられるに至り，各方面に大きな影響を与え，1992年の「**環境と発展（開発）に関するリオ宣言**」，「アジェンダ21」，「気候変動に関する国際連合枠組条約」（気候変動枠組条約）などにも採用された。

⑵ 内　容

「持続可能な発展」の内容は，それぞれの宣言・条約等によってニュアンスを異にするが，2002年に国際法協会（ILA）が採択した決議「ニューデリー宣言」では，持続可能な発展の定義として，①天然資源の持続可能な利用を確保する国の義務，②衡平の原則及び貧困の除去（世代間衡平と世代内衡平の双方を含みうる），③共通だが差異ある責任原則，④人間の健康，天然資源及び生態系に対する予防的な取組方法，⑤公衆の参加の原則並びに情報及び司法へのアクセス，⑥グッドガバナンスの原則，⑦とりわけ人権ならびに社会上，経済上及び環境上の目的に関する統合及び相互依存の原則，の7原則をあげる。

その主な内容は，①生態系の保全など自然のキャパシティ内での自然の利用，環境の利用（リオ宣言第7原則），②世代間の衡平（同第3原則），③南北間の衡平や貧困の克服のような世界的に見た公正（同第5原則）の3つである。そして，3点のうち，①及び②は環境保護を，③はむしろ経済成長・発展，そしてそれによる南北格差の是正を意味している。①には，環境への負荷の限度を定める「環境容量」の考え方が含まれている。

このように「持続可能な発展」は，1つの概念の中に拮抗する要素を含むものである。持続可能な発展概念はこのような諸要素を含むが，そのコアとなるのは，「経済・社会・環境を『統合』する原則」という点である。この点についても，各国で「統合」のしかたについて見解の違いが生ずることになる。その中で，わが国の**環境基本法（4条）**は，後述のように，基本的には環境（①，②）を重視しつつ，「環境への負荷の少ない健全な経済の発展を図」り，持続可能な社会を構築することを目的としていると考えられる。

この原則は，今後の環境行政における合理的意思決定の基準となるべきものであるが，何が衡平であるかについては，この観念のみからは明らかでなく，それを具体化するために，持続可能な発展のための指標を作ること，それを判定する主体を定めることが必要である。

2012年に開催された「国連持続可能な発展会議（リオ＋20）」では，持続可能な発展の目標（SDGs：Sustainable Development Goals）の作成が合意され，2015年9月，国連総会でSDGsを含む「持続可能な発展のための2030アジェンダ」が採択された。そこでは，環境を含む17分野で169の目標が示され，先進国を含めた取組が求められている。これらについての指標は2017年に採択された（232の指標を策定）。わが国では，政府が一体となってSDGsに取り組むため，2016年に閣議決定により，内閣総理大臣を本部長とする「SDGs推進本部」を設置し，SDGs実施方針の策定が行われた。

(3) 他の原則等との関係

前記のニューデリー宣言にみられるように，持続可能な発展原則は，様々な原則のメタ原則，上位（アンブレラ〔傘〕）原則の意味をもっている。持続可能な発展原則から派生する原則として，「予防原則（precautionary principle）」が国際環境法上認められつつある。また，持続可能な発展を実現するためには，各国の中で，環境に関する意思決定への市民参加，裁判を受ける権利，行政の効率性等を含めた「環境ガバナンス」が健全であることが必要となる。

2 国内環境法における持続可能な発展概念

Q3 国内環境法において，持続可能な発展概念はどのように扱われているか。

わが国では，環境基本法が「持続的に発展することができる社会が構築されることを旨とし」て環境の保全を行うべきこと（**4条**），生態系が人類の存続の基盤であること，将来の世代の人間が環境の恵沢を享受すべきこと（**3条**）を定めているほか，循環基本法3条が持続可能な発展概念を定めている（なお，第5次環境基本計画，海洋基本法2条。また，「生物の多様性に及ぼす影響が回避され又は最小となるよう」「持続可能な利用」をすることについて生物多様性基本法1条，3条2項～5項。将来世代への配慮については，憲法11条，97条に規定されているともいえる）。環境基本法の制定の背景である，大量生産，大量消費，大量廃棄型社会の見直し（→**1-2**・4〔12頁〕）という観点からは，経済・社会のあり方そのものを環境保全が可能なものに変えていくことが重要であり，経済・社会は環境保全が可能な範囲で持続可能な発展が行われるべきである（→**4-2**・2〔90頁〕）。

さらに，経済，社会，環境の3つの「統合」の仕方を明確にし，持続可能な発展概念に真に原則としての意味をもたせるためには，その「統合」の仕方を，①再生可能な自然財は，持続的に，その再生能力の枠内で利用する，②枯渇性の自然財は，慎重にかつ節約しつつ利用する，③物質，エネルギーの放出はエコ・システム（気候も含む）の順応力より大きくてはならない（ドイツ2008年環境法典草案参照）という内容を含むものとしていくことが重要である。これは，上記の「環境容量」に対する配慮を具体化したものであるが，立法によって対処すべき課題である。

なお，かつての公害対策基本法の経済調和条項の削除と持続可能な発展概念との関係については，→**4-2**・2の**Q5**〔92頁〕参照。

2-2 未然防止原則，予防原則

1 未然防止原則と予防原則・予防的アプローチの展開と内容

(1) 内　容

Q4 未然防止原則，予防原則・予防的アプローチとは何か。

未然防止原則（preventive principle）とは，環境に脅威を与える物質又は活動を，環境に悪影響を及ぼさないようにすべきであるとするものであるが，**予防原則**（precautionary principle）・**予防的アプローチ**（以下，単に「予防原則」という）は，その物質や活動と環境への損害とを結びつける科学的証明が不確実であること，すなわち，科学的不確実性を前提としているところが相違している。

予防原則について最も頻繁に引用される定義をする**リオ宣言第15原則**は，「深刻な又は不可逆な被害のおそれがある場合には，十分な科学的確実性がないことをもって，環境悪化を防止するための費用対効果の大きな対策を延期する理由として用いてはならない」としている。

すなわち，予防原則は次の4点に分節される。

第1は，上記のように，環境への脅威の評価にあたって，原因と損害との間の因果関係を証明するための十分な科学的証拠を必ずしも必要としないこと，すなわち「**科学的不確実性**」という前提を伴うものであることである。予防原則に基づく措置は未然防止原則に基づく措置としての性格を有するとみる議論もあるが（松村弓彦），従来，未然防止原則は科学的不確実性に対してどのように対処するかを示してこなかったのであり，このような「科学的に不確実なリスクの問題」を摘出した点に国際レベルでの予防原則概念の意義があるとも考えられる。

第2に，リオ宣言では，予防原則の適用される要件として，起こりうる損害が，**深刻な又は不可逆のおそれ**があることを必要としていることである。もっとも，特に海洋関連の条約（OSPAR条約，ロンドン条約議定書等）においては，国際文書によってはこの要件をあげないものもある。

第3に，予防原則の効果としては，**科学的不確実性をもって対策を延期する理由として用いてはならない**とするのみであり，規制的手法，経済的手法，情報的手法など多様な方法が採用されうる。

第4に，リオ宣言は，費用対効果性を要件としている。もっとも，この点は，その後の国際条約では謳われないものも多い（国際河川，海洋汚染に関する条約，後述するストックホルム条約，カルタヘナ議定書など）。

このような予防原則は地球環境問題の先鋭化によって重要性を増しているが，背景には，科学技術の発達やそれに伴う副作用に，環境影響についての研究・検討が追いつかない状況があるといえよう。

(2) 国際的展開

Q5 予防原則はどのように国際的に展開するようになったか。国際法上の位置づけはどうか。

予防原則は，1976年以来当時の西ドイツ国内の環境政策において「事前配慮原則（Vorsorgeprinzip）」という概念が用いられてきたことに端を発し（もっとも，これは予防原則と未然防止原則の双方を含めた概念であった），その後国際的な広がりをみせ，1992年のリオ宣言第15原則，オゾン層保護のためのウィーン条約（前文），国連気候変動枠組条約（3条3項），生物多様性条約（前文），同条約の下のカルタヘナ議定書（前文，1条，10条6項等），ロンドン条約議定書（3条1項），ストックホルム（POPs）条約（1条，8条7項，9項）等にも取り入れられた。このように**予防原則**は多くの国際文書にみられるようになってきたが，欧州のような地域に限定されている場合も少なくなく，また，それに基づく義務・措置が明確でないこともあり，未だ慣習国際法上の原則になったと言い切ることには消極的なものが多い。1990年代以降，予防原則については国際裁判でも言及されているが，少数の裁判官によって言及されるか，又は，予防的措置をとることを決定しつつも予防原則については判断を回避する傾向がみられる（もっとも，欧州裁判所は予防原則の法的拘束力を肯定しているとみられる）。

他方，**未然防止原則**は，すでにトレイル溶鉱所仲裁判決を経て1972年のストックホルム人間環境会議で採択された人間環境宣言第21原則に示され，今日では慣習国際法の地位を有している。

なお，予防原則は，地域や（ドイツ以外の）国レベルにも及んでいる。欧州では，1992年以降，EC条約（現在ではEU運営条約）で予防原則が規定され，国内法では，スウェーデン，フランス（環境憲章），オーストラリア，カナダなどでこの原則が積極的に捉えられている。

(3) 予防原則と証明責任の転換

Q6 予防原則におけるいわゆる証明責任の転換の考え方について述べよ。

環境に対してリスクの余地のある行為が環境に対して損害を与えず，したがって防止的行動は必要ないとすることについて行為者に証明責任を負わせるとする考え方があり，これは，予防原則を採用する論者の中でもこの原則を厳格に解する者において採用される（国際環境法上「**強い予防原則**」と呼ばれる）。

この考え方はロンドン条約議定書における「逆リスト方式」（原則として海洋投棄を禁止し，個別的に環境への影響が小さい場合には個々の許可に基づいて海洋投棄が認められる廃棄物を掲載するもの）等一部の条約にみられるが，この点は，予防原則に関する議論の中で激論が繰り広げられ，最も批判されている部分でもある。証明責任の転換は，一般化すると，予防原則にとって重要な意義をもつ一方，汚染物質と損害との間の因果関係が疑わしい状況において，大幅に臆測に基づく政策が採用されることが懸念されている。また，国内法では，公権力に「自由」を定義する権限を与え，その承認の下でしか自由の余地を認めないことになるのではないかとの問題が提起されている（松本和彦）。

証明責任の転換については制度的な観点と訴訟の観点に分けて論ずる必要があり，ここでは制度的な観点が論じられているが，証明責任が転換されるのはごく一部のケースに限定されるのであり，事業者に対して一定の**証拠の提出責任**を課するにすぎない場合が多い。真偽不明の場合には，行政の創造的行為が問題となるのであり，厳密にはむしろリスクに関する事業者の情報提供責任ないし，反論・説明責任の強化が問題とされるべきであるとする指摘（山本隆司）もこれと同趣旨であるといえよう。

2　予防原則に関する批判・懸念とそれに対する反論

Q7　予防原則に対してはどのような批判・懸念があるか，それに対してどのように反論できるか。

予防原則に対しては，様々な批判・懸念がある。法的観点からのものとしては，4点あげられる。すなわち――，

①証明責任の転換による憶測に基づく政策が採用されることへの懸念，

②不確実なリスクのために資源（予算といってもよい）が投入され，より大きなリスク等に対する資源が投入できなくなることに対する懸念，

③立法府・行政府の裁量が大きくなることに対する懸念，

④行政が予防原則に従い，科学的不確実性のある状態で介入した後に，介入の対象となったリスクが極めて小さいか，存在しないことが判明した場合，行政の行為が適法とされれば，被規制者に対する補償が問題となることに対する懸念

である。

これらに対する反論としては，次の点を指摘できよう。

①に関しては，証明責任の転換については制度的な観点と訴訟の観点に分けて論ずる必要があるが，いずれについても，証明責任が転換されるのはごく一部のケースに限定される。

②については，予防原則の要件として，リオ宣言があげる「深刻な又は不可逆な」環境損害をあげるときは，要件が限定されるし，予防原則の適用にあたっては同時に**比例原則**の適用も必要となる（予防原則と比例原則について，大塚直「環境法における予防原則」城山英明＝西川洋一編『法の再構築Ⅲ』115頁以下）ため，［リスク×想定される環境損害］が高いものから優先的に対応することは当然行われるべきである。

③については，予防原則の適用の有無とは関係なくそもそも科学的に不確実なリスクに対処するという問題の性質上，立法府の裁量は一定程度は大きくならざるをえないが，国会にはもともと大きな裁量があり，予防原則はそれに対して方向づけを与えるものにすぎないし，行政府の裁量については，前提として権限発動の裁量権を付与する根拠規定は必要であり，予防原則は，根拠規定の解釈の指針を与えるものにすぎない（大塚・前掲129頁）。行政府の裁量が拡大しすぎないよう，措置の内容や程度について類型化・細分化し，命令や規則にその具体化規定をおくこと，その策定にあたって多数の関係者からの聴聞，理由付記，規定の公開等の手続を行うことが望まれる（ドイツ法について，戸部真澄）。

④については，法律に特別の定めがある場合以外は，介入に伴って生ずる負担は特別の犠牲（憲法29条3項）となるか否かによって，補償が必須となるか否かが変わってくるといえる。

3　わが国における未然防止原則，予防原則の適用状況

⑴　環境関連の法律等においてどのように適用されているか。

未然防止原則は，**環境基本法4条**（「及び」以下）にも掲げられており，また**同法21条**においてもそのための規制措置が定められている。

これに対し，**予防原則**は，

ⓐ わが国の環境基本法が採用しているといえるかは必ずしも明らかでない（4条の「科学的知見の充実の下に」という文言は，予防原則を否定しているわけではない。環境省総合環境政策局総務課編著『環境基本法の解説』〈改訂版〉149頁）。もっとも，**4条**の持続可能な発展原則（4条の前半部分）に含まれていると解することはできるし，**19条**の国の環境（リスク）配慮義務によって予防原則の一部が根拠づけられるとみる

こともできる。

(b) 予防原則は，**環境基本計画**には明確に取り込まれている。

(c) 2008年に議員立法で制定された**生物多様性基本法3条3項**には，「予防的取組方法」の規定がおかれ，この分野で予防原則の明文が入れられることとなった。

(d) 環境個別法においては，**食品**の分野や**化学物質**の分野ではかねてわが国でも独自に予防原則による対応がなされてきたところがあり，さらに，**地球環境問題**を対象とする国際条約に対応するために予防原則をとる法律が追加されてきたとみられる。

予防原則にいう「科学的不確実性」には，

(A) 調査（リスク評価）が行われていない（ゆえに科学的に不確実な）場合（したがって，リスク評価を行う事前審査手続を設定するとともに，その間の活動を停止することが必要となる）と，

(B) 調査の結果なお科学的不確実性が残る場合（定性的リスク評価はできるが，定量的リスク評価ができない場合を含む。この場合に何らかの措置をとることが問題となる）

の2つの場合が含まれる。

①環境問題の分野

(A)は，例えば，化学物質，遺伝子組換え生物，外来種，農薬の審査，環境影響評価，

(B)は，例えば，地球環境問題，定量的リスク評価ができない一定の汚染物質等があげられる（上記(A)と(B)は重なりうる）。

②手法と個別法

(A)は広い意味でのリスクが科学的に不確実な場合に承認，許可，登録，届出等を必要とするものである。個別法としては，**化審法**，遺伝子組換え生物についてのカルタヘナ法，農薬取締法，特定外来生物法，廃棄物の海洋投入処分についての海洋汚染防止法，**環境影響評価法**などがあげられる。

(B)は，科学的不確実性を前提としつつ，何らかの措置をとるものであり，その中には，

(i)規制を行うもの（**省エネ法**，**大気汚染防止法のVOC対策**〔ただし，自主的取組との組合せ〕），

(ii)規制と経済的手法を組み合わせるもの（**東京都の排出量取引制度**〔規制と排出量取引〕，**再生可能エネルギー特措法**〔規制と補助金〕），

(iii)届出，情報開示・公表というソフトな手法（情報的手法）を採用するもの（**PRTR法**），地球温暖化対策推進法の温室効果ガス算定・報告・公表制度，

(iv)自主的取組に委ねるもの（**大気汚染防止法の有害大気汚染物質対策**〔ただし，指定物質については勧告，報告徴収がなされうる〕）

がみられる（手法については，→**第3章**〔63頁〕）。

(A)も(B)も科学的不確実性のある場合について事業者等に対応を要請している点で予防原則の適用といえる。

なお，別のレベルの問題として，安全性の証明責任を転換しているとみることができるもの（食品添加物等）も存在するが，多くは事業者に調査義務及び情報提供義務を課するにとどまり，行政自体が調査・検査をする仕組みとなっている。

(2) 予防原則の適用は主に法令の制定や運用に関して論じられるが，訴訟においてもその発想が用いられる場合がある。

Q8 わが国の環境訴訟・公害紛争処理において予防原則の考え方を取り入れたものはあるか。

6点あげることができよう。

第1に，O-157の原因食材が貝割れ大根とは断定できないがその可能性も否定できないとの中間報告を当時の厚生大臣がそのまま公表したことに対して，日本かいわれ協会及び生産者が国家賠償請求をした事件のように，行政庁が科学的に不確実な段階で原因と考えられるものを公表することが違法とはならないという形で問題とされうる（東京地判平成13・5・30判時1762号6頁は，違法性がないとして請求を棄却。もっとも，控訴審〔東京高判平成15・5・21判時1835号77頁〕は，本件公表の目的は適法であるが，公表方法には問題があるとして違法性を認定した）。上水道企業団が，一定程度の科学的不確実性が存在する中で，地下水流の塩素イオン濃度上昇の原因が温泉排水にある旨公表したことを適法と判断した那覇地判平成20・9・9判時2067号99頁も，予防原則の考え方を用いているといえよう（越智敏裕）。

第2に，**杉並病**に関する公害等調整委員会の原因裁定（公調委裁定平成14・6・26判時1789号34頁［104］）があげられる。杉並病は一種の化学物質過敏症であるが，原因物質については明らかでない。同裁定では，個々の物質と結果との因果関係を問題とすることなく，原因施設が都の不燃ゴミ中継所であることが認定され，その操業に伴って排出された化学物質が原因であったと推認するほかないとされた。

第3に，**水俣病関西訴訟最高裁判決**（最判平成16・10・15民集58巻7号1802頁［84］）が，当時の科学的知見では，総水銀については測定可能だが，メチル水銀については検出できないとしても，行政は規制権限を発動すべきであったとしており，これも，一種の予防原則の考え方に基づくものといえよう（大塚，黒川哲志）。

第4に，――民事訴訟に関してその発想が同様であるということであるが――，熊本水俣病第1次訴訟判決（熊本地判昭和48・3・20判時696号15頁［81］）は，1956年以来，熊本大学医学部ではマンガン説，マンガン・セレン説，マンガン・セレン・タリウム説が主張され，1959年7月に至って有機水銀説が強く提唱され有力化してきたという状況にあったことを認定しつつ，過失を認定した。これは，損害の発生を前提としたものではあるが，（原因物質について）科学的不確実性があっても，化学工場については高度の調査義務・予見義務を課する判断を示したものであり，1973年の時点で，予防原則と同様の，さらにそれを超えた判断を下していたとみることができる。すなわち，熊本大学医学部が，水俣病は水俣湾産の魚介類を摂食することによって生ずる中毒症である（その際，重金属が原因物質であるとした）との中間発表をしたのは1956年11月であったため，それ以前に予見義務を認めることについては相当ハードルが高かったと考えられるが，原告のうちには1953年以降1961年までに発症した罹患者がいるものの，本判決はこれらの者を分けることなく全員に対して過失を認めており，原因物質に対する科学的不確実性に基づく学説の対立の範疇を超えた，高度の注意義務を課したものといえる。リスクが同定される前の段階でも，化学工場は自らが排出する物質については調査をしておく義務があるとしたのである。

第5は，――やはり民事訴訟に関してその発想を取り入れたものであるが――**廃棄物処分場差止訴訟**に関する下級審裁判例において，証明の緩和を図ったものが数多く出されていることである（→**11-1**・2(2)(c)〔512頁〕）。これらにおいては，科学的不確実性を含み，場合によっては甚大な被害の発生の可能性がある事案が扱われている。また，これらの事件では，事前差止訴訟の根拠として人格権の一種としての**平穏生活権**を用いるものが少なくなく，これは通常の人格権とは異なり住民の不安を取り上げ，因果関係の帰着点を前倒しにしている点で，予防原則の発想と親近性がある。

第6に，最近，明確に予防原則に依拠した規制を設ける条例の規定について，憲法22条1項に適合すると判断した最高裁判決が現れた（最判令和4・1・25判自485号49頁）。原告は山形県遊佐町に自らが所有する土地において岩石採取業を営んでいたところ，「遊佐町の健全な水循環を保全するための条例」に基づき，自己の土地を含む地域が「水源涵養保全地域」に指定され，かつ，自己の所有地において行っている岩石採取事業が本件条例に定める「規制対象事業」であると認定する処分がなされたため（規制対象事業であると認定されたにもかかわらず事業に着手すると，中止命令・原状回復命令の対象となる），主位的にはこの認定処分の取消しを求め，予備的に損失補償を請求した事案である。1審判決（山形地判令和元・12・3判自485号52

頁）は，①遊佐町では上水道の水源がすべて湧水と地下水であり水資源を保全する必要があること，②地下水脈の流路の全容を解明することは技術的・財政的に不可能または極めて困難であること，③一度損傷を受けた地下水脈を修復するのは不可能ないし著しく困難であることからすると，予防原則の観点から本件条例が相応の規制を設けることは許容されるべきであり，本件条例の規制は，憲法22条1項に反するものではないなどとして，主位的請求を棄却した。他方，予備的請求については，本件では，原告の犠牲のもとに，遊佐町の住民の利益が保護されているといえるから，上記認定処分による原告に対する制約は原告に特別の犠牲を強いるものであるとして，損失補償請求を認容した。控訴審・仙台高判令和2・12・15判自485号69頁は，原判決を一部変更し，損失補償額を上乗せした（被控訴人・遊佐町の附帯控訴は棄却）。上告審である前掲最判令和4年は，上記条例の憲法適合性についてとりあげ，上記条例は憲法22条1項に違反するものではないと判断した。最高裁は，同条例が違憲ではないことは最大判昭和47・11・22刑集26巻9号586頁（小売市場事件判決）の趣旨に徴して明らかであるとしている。

本件条例は比例原則の3要素に適合すると考えられるが，その際，事業による潜在的な影響の大きさを重視することが必要となる（及川）。この点に，比例原則を予防原則と共に活用する方法が見て取れるであろう。欧米の裁判例で見られるような，科学的不確実性に関する訴訟が条例に関してわが国でも争われ，最高裁の判断がなされたことには意義がある。予防原則に関する行政訴訟は，規制強化を目的として提起される場合と，規制緩和を目的として提起される場合があるが，本件は後者の場合において，規制を維持するために用いられたのである。

4　予防原則の今後の課題

Q9　予防原則の今後の課題について簡潔に述べよ。

①上記のように予防原則の適用例も多岐に分かれているが，この原則を掲げる国際条約をわが国が批准するケースが多くなっており，国際条約を通じてわが国にもこの概念が取り入れられてきた。その結果，個々の環境法の中で予防原則が取り入れられているものと，そうでないものの整合が必ずしもとれなくなっている。上記のように，2008年に生物多様性基本法に予防原則の規定が入れられたが，この原則は生物多様性のみに関するものではない。むしろ，生物多様性の分野では未然防止さえ対応が進んでいないともいわれるところであり，予防原則を最初に取り入れるべき分野が生物多様性の分野であったかには疑問もないわけではない。リスク論との接合に配慮しつつ，予防原則を環境政策一般の問題として捉えること，そのた

めに環境基本法に規定を導入することが必要となっているといえよう。

②また，国際的な問題として，予防原則の内容が明確性を欠くことが混乱を生み，この概念が生産の禁止，新たな開発の禁止，偽装された貿易制限のために用いられるとの評価を生じさせていると指摘されているが，このような状況を改善するには，例えばOECD（経済協力開発機構）などによってとりあえず先進国間での国際的なガイドラインを構築することが望まれる。

2-3 環境権

1 環境権

Q10 環境権とは何か。

(1) 環境権とは，「環境を破壊から守り，健全で恵み豊かな環境を享受する権利」である。環境基本法の中では3条が関連しているが，明文がおかれているわけではない。国際的には，1972年の**国連人間環境会議の人間環境宣言第1原則**において，初めて環境権の考え方が示され，92年のリオ宣言にもその趣旨がみられる。フランス環境憲章1条にも，環境に対する権利が定められている。

わが国では，環境権は民事差止の根拠としての私権（支配権）として主張され，また，**憲法13条**（防御権，自由権），**25条**（社会権）に基づいて憲法学説上は認められてきたが，私権としての環境権は裁判例上は認められてこなかった。ただ，景観利益について一定の要件の下に法律上保護された利益として認める国立景観訴訟最高裁判決（後述）が出されたことが注目される。一方，公法上の環境権については，**自由権**，**社会権**としての構成だけでなく，むしろ，オーフス条約の影響の下，**参加権**（手続的環境権）としての構成が注目されている。

環境権には訴訟における権利としての側面と，環境法の理念としての側面があり，両者が交錯するが，ここでは後者の側面を中心に扱う（訴訟における側面について→**11-1**・2(1)〔508頁〕も参照）。

Q11 昭和40年代に大阪弁護士会によって提唱された環境権論は何を目的としていたか。

(2) 環境権については，昭和40年代に大阪弁護士会を中心に検討が進められ，環境権とは，環境を破壊から守るために，環境を支配し，良い環境を享受しうる権利であり，みだりに環境を汚染し，住民の快適な生活を妨げ，あるいは妨げようとしている者に対しては，この権利に基づいて，妨害の排除，又は予防を請求しうるものとされた。

この考え方は，2つの特色を有している。

第1に，環境権の主張は，個人に対する被害の蓋然性が生ずる前の段階で加害行為の差止めを認めるものとしており，その点で，物権さらに人格権とも異なる性質を有していた。昭和40年代前半においては人格権を差止めの根拠とする考え方は，学説上も裁判例上も必ずしも一般的ではなく，当時の環境権の主張は，今日一般化した人格権で対応できる場面も少なくないが，環境権の主張の今日的な意味は，環境権が**人格権の「防波堤」**としての性質をもつことにあることになろう。

第2に，環境権説は，被害者にも一定程度の公害を受忍する義務があり，その限りでは加害者の行為は違法性を欠くとする「受忍限度論」を克服し，環境権侵害は，（被害者に）権利濫用がない限り，直ちに違法と判断されることを目的としていた。そのために，環境権は私権の1つであり，環境という対象を直接に支配できる**「支配権」**（環境支配権）であると構成されたのである（裁判例上，この点を批判するものとして，伊達火力発電所建設等差止請求訴訟判決〔札幌地判昭和55・10・14判時988号37頁［4］〕）。その背景には，大気・水・日照・景観等は人間生活に不可欠の資源であり，万人の共有の財産であるという**「環境共有の法理」**がある。

以上の2点が大阪弁護士会が主導した環境権論の眼目であった。なお，環境権論は，**行政訴訟**に影響を与えることも視野に入れていた。すなわち，取消訴訟における**原告適格の拡大**（反射的利益論の克服），**義務付け訴訟の導入**，**行政の規制権限不行使の場合の国家賠償訴訟**の認容などである。これらについてはその後，行政事件訴訟法の改正によって達成されたものや判例上認められたものも少なくないが，これらの点が環境権論の中心的な課題であったわけではない。

(3) 裁判例の対応

Q12 大阪弁護士会の環境権論に対して裁判例はどのように応接したか。

環境権論における次の主張は，下級審裁判例にも取り入れられた。すなわち，①差止めの判断にあたって被害の広範性を考慮する，②少なくとも仮処分の場合には差止請求の被害要件を地域的に判断する，③因果関係ないし被害についての立証責任を一定程度緩和する，④加害者が事前に環境影響評価や住民の同意等の手続をとっていたかどうかを差止めの判断にあたっての重要なファクターにするなどは，元来環境権説の論者の主張であったが，下級審裁判例の中でこのような傾向を有するものは少なくない。この点は正当に評価されるべきである。もっとも，これらは必ずしも環境権論の中核的主張ではない。

上記のように，私権としての環境権の中核的部分は，個人に対する被害の蓋然性が生ずる前の段階で加害行為の差止めを認めることにあり，その点で，物権及び人格権とも異なる性質を有しているといえるが，この点を認めた裁判例は存在しない（傍論で認めたものとして，大阪高決昭和53・5・8判時896号3頁〔企業環境権を理由とする仮処分申請事件について〕，仙台地判平成6・1・31判時1482号3頁〔女川原発訴訟第1審判決。当該事件では人格権と基本的に同一として認める余地を肯定〕)。すなわち，今日に至るまで，判例は，環境権を私権として認めてはおらず，民事法の学説においてもこれが必ずしも多数説を占めているとはいい難い状況にあるが，それは，環境利益は原告の個別的利益とは考えられにくく，このような利益を民事訴訟の対象とすることができるかという問題があるからである。

もっとも，国立景観訴訟最高裁判決（最判平成18・3・30民集60巻3号948頁［62］)‡は，従来環境の一種と考えられていた景観について，その「享受」を，①**客観的に良好な景観**，②**近接する地域内の居住**，③**恵沢の日常的享受**という3つの要件の下で，民法709条の個別的利益（景観利益。権利ではない「法律上保護される利益」）と捉えた点で画期的な判決である。環境自体に対する支配権と捉えた環境権とは異なるが，一定の環境からの「享受」の利益に着目した点に特色がみられる。本判決は，環境に関連する利益を個別的利益（法的利益）として導出する方法を示唆しているようにも思われる（大塚直・法時82巻11号116頁参照)。

最高裁の「景観利益」についての考え方は，環境についての利益を認めた点で環境権説に類似した面があるが，次の2点で環境権とは異なっている。第1は，上記のように，環境（としての景観）自体ではなく，環境からの「享受」に着目した個別的利益を導出していることである。この点は後述（→**3**〔52頁〕）する「自然享有権・自然享有利益」（自然に関するものではないから「都市景観享有利益」ともいうべきか）と類似している。第2は，環境支配権のような考え方は採らず，その侵害が原則として直ちに違法になるという考え方は採用していない。むしろ，「権利」とすることは当面難しいとし，「法律上保護される利益」として認めたにすぎない。この点と関連して，違法性の判断においても，「法益侵害があれば直ちに違法」という考え方がとられているわけではなく，景観利益の性質（これが侵害された場合に被侵害者の生活妨害や健康被害を生じさせるという性質のものではないこと)，財産権者との意見の対立の可能性から，「第1次的には，民主的手続により定められた行政法規や当該地域の条例等によってなされることが予定されている」とし，行政法規の規制違反に重点をおく判断がなされている。

‡本件で問題となった東京都国立市の「大学通り」は歩道を含めた幅員が44mあり，その両側に高さ20mの桜と銀杏の並木が美しく並び，低層の店舗と住宅が立ち並んで落ち着いた景観を形成してきた。一橋大学より南に位置する地域は，本件土地などを除き，大

部分が（都市計画上の用途地域区分の）第一種低層住居専用地域に指定され，高さ 10 m に制限されてきたが，本件土地は，大学通りの南端に位置し，第二種中高層住居専用地域に指定されており，高さ制限はなかった。その後，本件土地を取得した㈱明和地所が高さ 44 m 弱の大規模マンションを建設する計画をしたのに対し，原告らが建築行為の差止め（完成後には，高さ 20 m を超える部分の一部撤去）等を求めたのである。

Column3 ◇権利と法的利益とはどこが相違するか

国立景観訴訟最高裁判決は，景観利益は認めたが，景観権は当面認められないとした。権利と法的利益はどこが異なるのか。この点の法律上の根拠は，民法 709 条が「権利又は法律上保護される利益」としているところにあると考えられる。最高裁は「権利」については**明確性**を要求しており，「社会的に明確性を備えた利益」である必要があろう。具体的には「権利侵害」には，少なくとも，生命，身体を含む人格権侵害，財産権侵害，その他の絶対権侵害は含まれる。人格権侵害については何らかの精神的侵害があれば権利侵害となるが，単なる不快感を与えたにすぎなければ権利侵害とはならないと考えられる。

逆に，権利侵害とならない法律上保護される利益の例としては，「水俣病にかかっている疑いのままの不安定な地位から早期に解放されたいという期待，その期待の背後にある申請者の焦燥，不安の気持を抱かされないという利益」（最判平成 3・4・26 民集 45 巻 4 号 653 頁［83］），氏名を正確に呼称される利益（最判昭和 63・2・16 民集 42 巻 2 号 27 頁），許される自由競争の範囲を逸脱して侵害された営業の自由（最判平成 19・3・20 判タ 1239 号 108 頁）などがあげられる。

権利侵害と（権利侵害に至らない）法律上保護される利益の侵害（「法的利益」侵害という）を分ける意味はどこにあるか。今後の議論に委ねられている点であるが，当面，差止めに関しては，2 つの考え方があろう。第 1 は，権利侵害でなければ差止めは認められない点に意味があるとする考え方である。第 2 は，差止めは法的利益侵害であっても認められうるが，権利侵害の場合とは要件が異なるとする考え方である。国立景観訴訟最高裁判決は，どちらの考え方を採用するかを明らかにしていない（筆者は第 2 の見解を採用する）。

第 2 の見解を採用する場合の 1 つの方法としては，証明責任の所在が異なると考えることができる。すなわち，ドイツ不法行為法の考え方を用い，権利侵害の場合は違法性が推定されるため，被告が違法性阻却事由などの正当化事由を証明しなければならないのに対し，法的利益侵害の場合は違法性が推定されないから，原告が違法性について証明しなければならないとする立場である。この考え方は差止めの場合にも損害賠償の場合にも用いられる。すなわち，損害賠償についても，権利侵害の場合には違法性が推定されるため，被告が違法性阻却事由などの正当化事由を証明しなければならないのに対し，法的利益侵害の場合は違法性が推定されないから，原告がさらに違法性についても証明しなければならないと考えられる。国立景観訴訟最高裁判決をはじめとする最高裁判決は，法的利益侵害要件と違法性要件を別個に判断しており，この立場を採用しているとみることもできる（→**11-1**・1(1)(b)〔487頁〕。簡単な文献として，大塚直「権利侵害論」内田貴＝大村敦志編『民法の争点』266頁参照）。

Q13 憲法上の環境権論にはどのような内容が含まれるか。

(4) 環境権を憲法上の権利とすることは，アメリカ合衆国のいくつかの州やフランス（環境憲章），オランダ等において認められており，わが国の憲法学説上も，社会権に関する憲法25条（ただし，裁判規範となる具体的権利としてではなく，抽象的権利として），幸福追求権（防御権，自由権）に関する憲法13条を根拠として認められてきた（政府は，25条を根拠とする立場をとっている）。

もっとも，**防御権としての環境権**に対しては，人格権と区別された環境権を想定する限り，環境権の領域は公益に対するものとなり，公益に対しては防御権を構成する必要はないとの立論も主に行政法学者からなされるようになっている。また，**社会権としての環境権**に対しては，抽象的で国の立法裁量の余地が極めて広くなり，憲法上の環境権として認める意義が乏しいとの批判もなされている。他方で，環境権には，立法・行政過程への**参加権**としての側面があることを重視する議論が有力化している（畠山武道，北村）。

思うに，**参加権としての環境権**（手続的環境権。防御権や社会権のような実体的環境権とは異なる）の重視は積極的に認められるべきである。これは表現の自由（憲法21条1項）の具体化ともいえよう。国際条約としては**オーフス条約**がヨーロッパ諸国によって締結され，その中で環境権の参加権としての位置づけが明確に打ち出されている。また，国内的には，東京都，大阪府，川崎市等の環境基本条例の前文又は本文において，環境権の規定をおくものが増えているが，これは主として参加権としての環境権を念頭においているか，政治的な宣言をしたものとみられる。

しかし，**防御権としての環境権**については，一定の場合の景観利益（国立景観訴訟上告審判決参照）や海辺へのアクセス利益のように，人格権侵害に至らない，あるいは至るか明らかでない利益の侵害は存在し，これらは事案によっては，公益か個人的利益の集合かを峻別することが困難であるとみられる。その意味では防御権としての環境権の意義は依然として残されていると思われる。また，**社会権としての環境権**については，水俣病のように健康で文化的な最低限度の生活を維持することも困難になるような状況では有効に機能する場面が存在すると思われる。

このように，憲法上の環境権は，参加権としての側面も重要になっている一方，防御権，社会権としての側面も捨て去り難いものといえよう（防御権，社会権は環境権の実体的権利としての側面，そして参加権は上記のように環境権の手続的権利としての側面である。両側面が重要であることについて今日多くの学説が肯定するが，本書は参加権についても憲法上の権利と捉えている点に特色がある）。

Q14 参加権としての環境権（手続的環境権）を保障するためには何が必要か。

(5) 参加権としての環境権を手続的に保障するために必要となるのは，市民参加と情報公開である。

(a) **市民参加**は，①**条例制定過程**，②**行政の計画（政策）策定過程**，③**許認可段階での参加**，④**政策（法律）実施過程**のそれぞれにおいて問題となる。以下では，わが国における具体例を挙げるが，わが国では未だ参加権としての環境権が確立しているとは到底言えない。環境影響評価が情報提供参加に留まるとされていることはその一例である。

①地方自治体の中には，条例案の策定を市民が主導する例がみられる。東京都日野市では，環境基本条例及び環境基本計画案について市民が主導的に案文を作成し，行政がサポートした。まちづくり条例については市民主導または地域協議会主導で原案を策定するものが少しずつ出てきている状況にある。

②計画（政策）策定過程における市民参加は，民主的な裁量統制の必要性から説明される。具体例をあげる。

第1に，市民からの意見書の提出である。環境影響評価法の意見書提出手続，廃掃法の処理施設の設置許可に際しての生活環境影響調査における利害関係者の意見の聴取手続（8条6項，15条6項。1997年改正）がある。環境影響評価法の意見書は，住民のみでなく，専門家からの提出も想定され，情報提供参加と構成されている。また，環境教育推進法2011年改正（環境教育等による環境保全の取組の促進に関する法律〔環境教育等促進法〕と改称された）により，国・地方公共団体は，国民，民間団体等多様な主体の意見を求め，これを十分考慮した上で環境保全活動等に関する政策形成を行う仕組みの整備・活用を図るよう努める趣旨の規定（21条の2）が導入された。

第2に，命令等（法律に基づく命令，審査基準，処分基準，行政指導指針）についてのパブリックコメント手続（行政手続法39条，2条8号）である。これは，原案を公開してコメントを求め，リスポンスをするものであるが，個別的な対応までは求められていない。法律上の義務ではないが，国の計画・政策等，自治体の条例案等についてもパブリックコメントが行われている。

第3に，説明会・公聴会・審議会・協議会（自然再生推進法8条以下，環境教育推進法21条の4。ちなみに，協議会には国・自治体の行政機関の協議のために設置される場合もあるが，ここでは市民参加を認める協議会が問題となる）への市民委員の参加である。

第4に，環境保護団体との協定の締結（自然公園法43条以下，74条，環境教育推進法21条の4）である。

第5に，環境保護団体や市民からの提案（景観計画の策定・変更に関する景観法11条）である。環境教育等促進法においても，政策提案の規定が入れられた（21条の2）。

第6に，地方自治体の中には，環境オンブズマンの設置を定めるものがある。一般的なオンブズマンについては川崎市に例があるが，滋賀県の環境自治委員会は，県の環境行政に対する苦情について審査を受け付け，知事に対する勧告権をもつものである（滋賀県環境基本条例）。岐阜県の御嵩町でも，環境基本条例に基づいて，環境オンブズパーソンという制度を導入している。

第7に，やはり地方自治体の中には，開発計画等を地域適合的にする「総合調整」の制度が作られている例があり，高知県土地基本条例では，住民参加によって市町村の土地利用計画を作ってもらい，事業者はその計画に適合するように事業計画を作ることとされ，適合しない場合には，知事が事業の中止命令を出せる仕組みを設けている。

レベルは異なるが，行政，事業者，国民，民間団体，学識経験者等多様な主体の実質的な協議を可能とする協働を目指す規定が，2008年に制定された生物多様性基本法（議員立法。21条）及び（上記の）2011年に改正された環境教育等促進法（21条の2）におかれ，今後の活用が期待されている。

③許認可段階での市民参加は，わが国では公害法が基本的に事後変更命令付き届出制を採用しているため，あまり行われていない。許認可の決定がなされた場合，その理由を公表することは，市民参加や環境影響評価の実効性の確保のために必須であるが，わが国では実現されていない（→ **5-4**〔136頁〕）。

④政策（法律）実施過程での市民参加は，行政と被規制者の癒着を防ぐこと，行政が入手する情報を補完することのために必要である。また，訴訟，特に行政訴訟も市民参加の一形態とみることができる。2004年の行政事件訴訟法改正による非申請型義務付け訴訟の導入は，行政庁の羈束的な権限行使を義務付ける点で注目されるが，司法へのアクセスを実効的にするためには，さらに団体訴訟や市民訴訟の制度の導入が検討されるべきである（→ **Column5**〔51頁〕）。また，民事差止訴訟に関する一部の下級審裁判例における受忍限度の考慮の中に，住民参加の要請が加えられている点が注目される（→ **12-1**・1〔580頁〕）。さらに，住民訴訟は，財務会計上の違法行為の是正を図ることを目的とするが，その先行行為の適否を含め，自治体行政のあり方に対する批判や住民の参加のために用いられる傾向にある。

ちなみに，2014年の行政手続法の改正により，権限発動促進制度が導入されたことが注目される。すなわち，法律違反の事実を発見した国民は，その是正のための処分又は行政指導を（処分又は行政指導の権限を有する）行政庁・行政機関に対して求めることができる制度が設けられたのである（36条の3）。何人もこのような請求は可能であるが，行政には個別的な応答義務はない。前述の非申請型義務付け訴訟には原告適格として「法律上の利益」が必要であることとの相違にも注意されたい。

(b) **情報公開**は，環境管理にとって市民参加の基礎となり，民主的行政の確保に資するとともに，行政リソースの不足を補う点で極めて重要である（リオ宣言第10原則参照）。環境情報の公開は，①行政庁の保有する情報の公開と，②事業者の保有する情報の公開に分かれる。

情報の開示請求権に関しては，一般的制度として，情報公開法が行政文書を開示の対象としており，環境関係の情報も当然含まれるが，厳格な要件の下に義務的開示を認めている（5条1号但し書。裁量的開示について7条）。各自治体には同様の情報公開条例が制定され，また独立行政法人等の保有する情報の公開に関する法律も存在する。

環境情報に関しては，

①行政庁が保有する情報の義務的公表規定等に関するものとして，各種計画の公表（環境基本法15条など），汚染状況の公表（大防法24条など），その他の周知・公表規定（エコツーリズム推進法7条，環境教育等促進法21条の4第3項）があげられる。行政庁の保有情報の提供に関しては，協働取組に対する情報提供の規定も存在する（環境教育等促進法21条の6）。

②事業者の保有する情報を行政庁が収集して公表等するものとしては，PRTR法に基づく公表，地球温暖化対策推進法の下の温室効果ガス算定・報告・公表制度があげられる。

③事業者による環境情報の公開については，環境配慮促進法（2004年制定）に関連する環境報告書の公表，環境ラベリングなどがあげられる。

環境情報に関する環境基本法の規定は，環境教育や民間団体の環境保全活動を促進するため，「必要な情報を適切に提供するように努める」（27条。なお，34条2項）とするのみで，国の有する情報のうち国が適切であると判断するものをその裁量により相手方に提供することができるにすぎない。改正が必要であろう。

なお，参加の前提となる情報は正確性が必要である。虚偽の情報が開示された場合，環境政策は混乱してしまう。虚偽情報が組織的に提供されることからすると，虚偽情報に対する対処は重要である。環境影響評価の情報の正確性を確保するための第三者委員会の設置や，内部告発制度の導入（原子炉等規制法66条の2）はそれに対処するための方策である。

Column4 ◇環境法における市民参加の意義

市民参加には一般に，大別して4つの側面がある。第1は，行政に対する情報提供者，政策提案者としての参加である。第2は，公益形成者，共同決定者としての参加である（民主化の機能）。第3は，行政活動の監視者，不当な行政活動の是正者としての参加である。第4は自己の権利利益の防衛者としての参加（人権保障の機能）である。第2は，環境民主主義と関連する。第1，第3（特に第1）は行政運営の合理性を担保する機能ということができる。

これらの4つの側面に対応して，市民参加には，①適正な行政決定に必要な情報を取得すること，②多様な利害を対話を通して調整するという民主主義の理念を実現することのほか，③行政活動の監視をすること，④住民の権利利益を保障することなどの目的があるといえる。

そして，環境法における市民参加は次の観点から意義があり，また必要である。

第1に，地球温暖化問題や廃棄物問題に見られるように，現代型の環境問題では，市民の日常的な環境負荷の低減が必要となることである。

第2に，環境問題については様々な価値観が存在するため，環境施策の民主性や公正性を確保することが特に必要となることである。

第3に，環境問題の解決には市民，NPO，専門家等からの環境情報の収集が必要となることである。

第4に，人格権，財産権や，環境権を手続的に保障するために必要となることである。

第5に，行政の物的・人的リソースは限られていることから，違法な環境行政を監視・是正するために，すなわち，執行の欠缺を補完するために市民参加が重要となることである。

第6に，政策形成段階から関係主体の合意形成を図ることにより後の紛争を回避できる場合があることである（北村，大久保）。

第2～第4は上記の①～④に対応している。

(c) 国際的には，参加権としての環境権（手続的環境権）は，**リオ宣言**（第10原則），**オーフス条約**，UNEPのバリガイドライン（2010年）などで謳われている（SDGsでは目標16「法の支配の確立」が関連する）。このうち，オーフス条約は，1998年，国連欧州経済委員会第4回環境閣僚会議で「環境に関する，情報へのアクセス，意思決定における公衆参加，司法へのアクセスに関する条約」として採択されたものであり（2001年発効。わが国は締結していない），締約国が，環境に関して

①情報へのアクセス権，

②意思決定（政策決定）への参加権，

③司法へのアクセス権

を，全ての人に保障することを目的としている（1条）。①は②を効果的に保障する条件であり，また，③は①や②が保障されない場合に，裁判所でその権利を実現することで，それらを実現する役割を果たすといわれる。上記の情報公開と市民参加が，やや別の形で整理されているものといえよう。

オーフス条約とわが国の現状との主要な相違点としては，②に関しては，工場設置の許可についても関係市民の参加が認められ，計画，プログラム等については公正な参加手続を設けることが求められていること（わが国では，工場の設置が許可制に服していないためこのような手続はなく，また，計画等への参加規定には，市民意見の取扱いが定められていない場合がある），③に関しては，環境保護団体に原告適格が認められていることが重要である（大久保）。なお，③に関しては，原告適格以外にも，専門的審理の仕方，証明責任の緩和，仮の救済の充実，SLAPP（strategic lawsuit against public participation；公共の関心事についての意見表明等の行動等を相手として戦略的に提起される訴訟）対策なども論じられる（大久保）。

Column5 ◇団体訴訟等の公共利益訴訟の立法化の必要性

従来の行政訴訟（や民事訴訟）は，環境法規が十分に執行されていない状態（執行の欠缺）を是正するための有効な手段として十分機能していないのではないか，という観点から，アメリカ合衆国では市民訴訟制度，EU 構成国では団体訴訟制度が 1970 年代から導入されてきた。オーフス条約は，「十分な利益を有する関係市民」は一定の許可決定等の実体的・手続的適法性を争う訴訟が提起できるとするが（9条2項），この「関係市民」には各国内法の条件を満たす環境保護団体が含まれるとする（2条5項）。

わが国でも，司法制度改革の中で，団体訴訟について法分野ごとに検討すべき旨が指摘され，消費者団体訴訟については消費者契約法に導入されたが，環境の分野でも団体訴訟の立法化が有力に唱えられてきた。立法化にあたっては，①団体訴訟の性質として主観訴訟として構成するか客観訴訟として構成するか，②規定の方式として行政事件訴訟法に一般規定をおくか，環境関連の個別法で定めるか，③どの団体に適格があるとするか（ちなみに，ドイツの 2002 年の自然保護法改正では，法人格があること，定款に基づき自然・景観保護目的を推進していること，複数の州の活動領域を有すること，3年以上存続しその間の活動実績があること，公益目的を追求していることを理由に法人税が免除されていること，団体目的を支持する者であれば誰でも構成員としての入会が可能であること，の各要件を満たせば，行政の承認が義務的となる。なお，その後，オーフス条約等の国内法化により，団体訴訟はより一般化された），④この要件の審査を事前に行政が行うか，事後的・個別的に裁判所が行うかなどが問題とされている。

なお，日本弁護士連合会「環境及び文化財保護のための団体による訴訟等に関する法律案」（2012 年）では，団体に行政上の不服申立て，抗告訴訟とともに，法令違反の開発，建築物の撤去等の事実行為の差止又は原状回復の請求訴訟（民事訴訟）を提起しうるとしている点に特徴がある（これを評価するものとして，島村健「環境法における団体訴訟」論究ジュリ 12 号 130 頁）。

Q15 環境配慮義務と環境権の関係について述べよ。

2 環境配慮義務

環境価値を尊重する方法としては，前述のような環境権を認める構成のほかに，**国の環境配慮義務**を認める構成や環境保全を**国家目標**として定める構成も存在する。両者は相当に異なるが，ここでは，環境権構成と対比されるものとして，同時に扱う。

わが国の環境基本法は環境権を認める明文をおかず（内容的には 3 条がこれに近い），環境配慮義務を規定している（19 条）。本条は，国が環境配慮義務を果たしているか否かに関する意見を住民が表明する制度を取り上げていない点に限界があると考えられる。ただ，この定めにより，国は環境に影響を与えうる行政決定に際して環境配慮をすることを義務付けられたのであり，個別の根拠法に環境配慮についての定めがなくても，環境への影響を全く考慮せずになされた行政処分は違法と解せられる。また，このような場合に環境に配慮して許認可をしないときも他事考慮をしたことにはならない（→**4-2**・5(1)〔98 頁〕）。

環境配慮義務の実現の 1 つの手段として，**戦略的環境アセスメント制度**がある（→**5-5**〔141 頁〕）。

他方ドイツでは（憲法に相当する）基本法に環境保全の国家目標の規定をおいており，これは，国に環境保護の具体化を義務付け，特に立法府に対して強い指針を与えるという効果をもつ。しかし，この規定によっても，国家による環境権の侵害や，私人の財産権の行使による環境権の侵害に対して住民が訴訟を提起することが認められるわけではない（桑原勇進）。

このように，国の環境配慮義務を認める構成や，環境保全を国家目標として定める構成は有用ではあるが，国が十分な環境行政を行っていない場合に権利を主張する法的主体を認める点で，環境権の構成も相当の意義がある。行政決定や行政執行過程における住民の参加権を保障するためには，環境権の構成も必要であると考えられる。

3 関連する権利——自然享有権，自然の権利

なお，近年，環境権とは別に，「国民が生命あるいは人間らしい生活を維持する為に不可欠な自然の恵沢を享受する権利」としての「**自然享有権**」や，自然物自体

に法的権利を認める「**自然の権利**」が論じられている。

Q16 「自然享有権・自然享有利益」とは何か，環境権とどこが異なるのか。

(1) 「**自然享有権**」は，元来は1986年に日本弁護士連合会人権擁護大会で提唱されたものであり，自然を公共財とみて，自然支配権を想定せず，「**自然という有機的集合体から恵みを受けることについての権利**」であるという点で環境権とは異なる。大阪弁護士会の提唱した環境自体に対する環境権（環境支配権）を修正し，環境からの「**享受**」という点に着目して，被害者の個別的利益に近づけたものとみることができる（①支配権としない点，②個別的利益であることを重視した点が，環境権との相違点である）。このようなものに私権としての厳密な意味での「権利性」が認められるかについては問題があり，法的利益として承認されていくべきものであると考えられる（その意味では，「**自然享有利益**」というべきである）。下級審裁判例は，これについて未だ具体的権利性を認めていないが（仙台高秋田支判平成19・7・4，横浜地判平成23・3・31判時2115号70頁［71］〔差止について〕），国立景観訴訟最高裁判決が民法709条の「法律上保護される利益」として認めた「景観利益」は，自然享有利益の考え方と類似している。

「自然享有利益（ないし都市景観享受利益）」の法的効果として差止めは認められるか。国立景観訴訟最高裁判決はこのような「景観利益」について差止めの根拠となるか否かについての判断をしていないが，私見では，法的利益に基づく差止めを認めるべきであると考える（→**Column3**〔45頁〕，**11-2**・1(1)〔531頁〕(2)〔532頁〕）。ただし，利益侵害が直ちに違法となるわけではなく，原告は違法性の証明もしなければならない。

Q17 「自然の権利」訴訟とは何か。「自然の権利」訴訟の主張の目的は何か。

(2) **「自然の権利」訴訟**とは，自然を保護するために，野生生物や自然環境を原告に連ね，又は，市民がそれを代理する形で提起される自然保護訴訟である。「自然の権利」についての議論は，アメリカ合衆国において，1972年のシエラクラブ対モートン事件（国有林のあるミネラルキング渓谷にウォルト・ディズニー社がリゾート開発を計画したが，それに反対するシエラクラブが開発許可の違法性を主張して差止命令を求めて提訴した事件――405 U.S. 727〔1972〕）に関する連邦最高裁判決の中で，少数意見としてダグラス判事が，訴訟の真の当事者はミネラルキング渓谷自体でありシエラクラブはその代弁者として訴訟を追行しうる，としたことに始まる。その後，環境保護団体等がパリラ鳥を代理して原告となって提起した訴訟で，連邦控訴裁判所が原告らを勝訴させるものが現れている（852 F. 2d 1106〔9th Cir. 1988〕）。このような訴訟が認められる背景には，人間中心主義から自然中心主義への転換を促す環境倫理を法的に汲みとろうとする意識がみられるといえよう。なお，「自然の権利」

の主張の目的の1つは，市民，NGOの訴訟提起を認めることにあり，この点は，アメリカにおいては絶滅危惧種保存法が市民訴訟条項を設けたことにより達成された。

わが国でも，アメリカの動向に啓発され，動物と市民を原告とし，県知事を被告として，

①林地開発許可の取消訴訟（アマミノクロウサギ等4種の野生生物と全国各地の市民を原告とする。アマミノクロウサギ訴訟），

②住民訴訟（aオオヒシクイの地域個体群と市民，bムツゴロウ等と諫早湾周辺の住民を原告とする），

③民事差止訴訟（a北川湿地と市民，bムツゴロウと諫早湾周辺の住民を原告とする）を提起したものなどが現れた。

もっとも，①は鹿児島地方裁判所が1995年3月に，架空の原告人は訴状から排除されるべきであるという理由で訴状却下し，訴状訂正が行われ（「アマミノクロウサギこと A某」とされた。鹿児島地判平成9・9・29判自174号10頁［2版80］），②（東京高判平成8・4・23判タ957号194頁［70］，長崎地判平成20・12・15）及び③（横浜地判平成23・3・31判時2115号70頁［71］，長崎地判平成17・3・15）は訴えが却下された（なお，①と同様に林地開発許可の取消し・無効確認が求められた訴訟として，鹿児島地判平成13・1・22［69］〔却下〕）。

わが国におけるこれらの訴訟は，自然の権利といっても自然自体というよりも自然と人間の関係性に価値（資源としての価値と，人間の存在の基礎として価値）を求める考え方から提起されており，ストーンの主張の骨格である，1）樹木にも人間と同じ権利がある，2）自然物に法人格を与えた方が自然保護に資するという2点のうち，2）を主張し，自然を代弁する点に重点をおくものであった（その意味では，人間中心主義を前提としていたといえる）。

わが国の実定法上，このような訴訟で自然自体に当事者能力，原告適格を認めるのは困難であり，むしろ，住民や環境保護団体が訴訟を追行するにあたって障害となる点を，原告適格の拡大，団体訴訟等の導入（→ **Column5**〔51頁〕）を含めて正面から改善することが当面の課題である。これらの訴訟はこのような課題を浮き彫りにするものであった（なお，自然が単に保護の対象とされ，他の利益と衡量され軽く扱われることを問題とする見地から，ドイツ公法学では，より根本的に，自然を法人と同視し，自然に法人格を承認する学説も主張されており，わが国でもこれを支持する見解がある〔松本和彦〕）。

2-4　原因者負担原則（原因者負担優先原則）

環境汚染の防止，原状回復，環境の保全等には費用がかかる。このような環境法における費用負担については，原因者負担（汚染者負担）と公共負担が問題とされることが多いが，原因者負担（汚染者負担）を優先させることが原則とされている（なお，この点については，法的には費用負担のみでなく，実施の責任が問題となることも多い）。

1　OECDの汚染者負担（支払）原則とわが国の汚染者負担原則

Q18　OECDの汚染者負担原則とは何か。それは何を目的としていたか。

⑴　**OECDの汚染者負担原則**（汚染者支払原則，Polluter-Pays Principle：PPP）とは，受容可能な状態に環境を保持するための汚染防止費用は，汚染者が負うべきであるとする原則である。これは，元来は1972年に採択されたOECDによる「環境政策の国際経済面に関するガイディング・プリンシプルの理事会勧告」2項〜5項に示された原則である。

この原則の目的は次の2点にある。第1は，環境汚染という外部不経済（ある経済主体の行動が市場取引によらずに他の主体に不利益・損害を与えること）に伴う社会的費用を財やサービスのコストに反映させて内部化し，希少な環境資源を効率的に配分することであり（**外部不経済の内部化**），第2は，国際貿易，投資において歪みを生じさせないため，汚染防止費用について政府が補助金を払うことを禁止すること（**補助金の禁止**）である。

Q19　OECDの汚染者負担原則にはどのような制約があったか。これに対して，わが国の汚染者負担原則はどのような特色をもっているか。

⑵　OECDの汚染者負担原則は2つの制約を有していた。第1は，これは汚染防止費用に対する原則にすぎず，原状回復のような環境復元費用や損害賠償のような被害救済費用を含まない点である。第2は，この原則が最適汚染水準（汚染による損害〔環境損害〕〔**図表2-2**のD〕と汚染防止費用〔C〕との合計が最小になる汚染水準）までしか汚染を防除しない（つまり，受容可能な汚染レベルが費用と損害の額によってのみ定まることになる）ことを前提としている点である。

しかし，このようなOECDの汚染者負担原則に対し，わが国では，公害問題とそれへの対策の経験から，独特の汚染者負担原則が生まれた。それは，①環境復元費用や被害救済費用についても適用され，②効率性の原則というよりもむしろ公害対策の正義と公平の原則として捉えられたのである。この考え方は1976年3月10

【図表 2-2】 汚染防止費用と環境損害

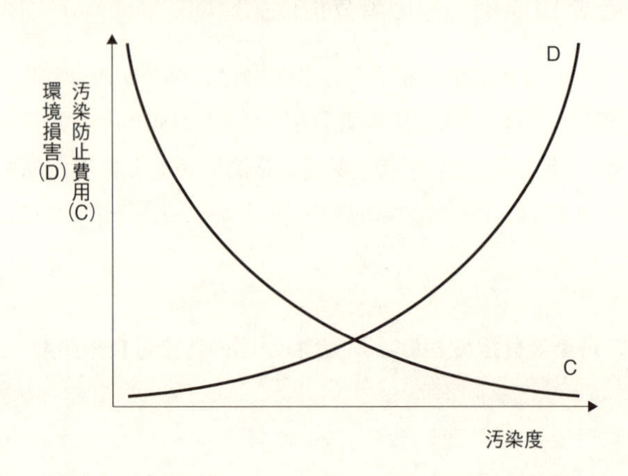

日の中央公害対策審議会費用負担部会答申「公害に関する費用負担の今後のあり方について」に示されており，また，**公害防止事業費事業者負担法**や**公害健康被害の補償等に関する法律**（→**9-1**〔409頁〕）も①を具体化した立法といえる。

このようにわが国の汚染者負担原則は法学上の原則としての意味を色濃く有していることが分かる。もっとも，「汚染者負担」の用語は元来は経済学的な発想から用いられたところから，以下では，──法の分野における経済学的発想の重要性については肯定しつつも，用語の混乱を避けるため──費用負担を法的に問題とするときは「**原因者負担原則**」ないし──公共負担よりも原因者負担を優先するという意味で──「**原因者負担優先原則**」の語を用いることにしたい。

2 原因者負担原則（原因者負担優先原則）とその根拠

Q20 原因者負担原則（原因者負担優先原則）の実質的根拠は何か。

⑴ 原因者負担原則（原因者負担優先原則）はわが国においても世界的にも重要性を増しているが，翻ってその実質的な根拠はどこにあるのだろうか。

主に3つの根拠がある。すなわち，(i)**経済学的・目的合理性（効率性）**，(ii)**環境政策的合理性（環境保全の実効性）**，(iii)**規範的合理性（公平性）**である。このうち，(i)については，汚染防止費用の負担については，原因者負担が最も効率的である（OECD勧告の汚染者負担原則）。(ii)についても，原因者負担が最も実効性がある。これは，後になって公共（や他人）が汚染に関わる費用を負担する場合と，必ず汚染者自身が負担しなければならない場合とで，いずれが環境保全の実効性が高いかを考えれば，明らかである。さらに(iii)については，原因者負担は公平の観点からも適切であるとの考えが有力であるが，他方で，分配の公正についての社会福祉国家的理解から，原因者の経済的能力についての配慮が必要であると指摘されており，──原因者負担原則は公平性によっても根拠づけられるが──，公平性の唯一のあり方を示したものではないことにも注意する必要がある。

このように，原因者負担原則（原因者負担優先原則）は，環境政策の評価にあたって用いられる要素である，効率性，公平性，環境保全の実効性のうち，効率性と環境保全の実効性の2つにおいて最も適切であり，残る1つについても有力であるものであり，相当に重要な原則であることが理解できよう。

Q21 原因者負担原則（原因者負担優先原則）のわが国における法的根拠規定をあげよ。

(2) わが国における原因者負担原則の法的根拠としては，環境基本法8条1項，37条があげられる。もっとも，同原則に基づく環境法上の制度の性格は，

(a) **行政規制の結果として生ずる費用負担**（環境基本法8条1項，21条，各種規制法），

(b) **公共事業にあたっての原因者負担**（環境基本法37条‡，公害防止事業費事業者負担法2条の2，自然環境保全法37条，自然公園法59条，特定外来生物法16条），

(c) **損害賠償それ自体，又はその前払いないし立替払い**（大防法25条，水濁法19条，公害健康被害の補償等に関する法律），

(d) **事業者の社会的責任に基づく負担**（公害健康被害の補償等に関する法律の予防事業，公害防止事業費事業者負担法における緩衝緑地設置事業など），

(e) **原状回復命令**（廃掃法19条の4以下，自然公園法34条，自然環境保全法18条1項，30条，46条2項など），

(f) **経済的手法**（環境基本法22条2項など）

などに分けられ，わが国にはそれぞれ個別法の規定があるものの，環境基本法には(a)，(b)，(f)について明文があるのみである。

このように，原因者負担原則は環境法における基本原則といってよいが，原因者に対して法的に具体的な義務を課するには，個別の法的根拠が必要となることはいうまでもない。

‡行政法学上の原因者負担は，環境基本法37条のように，行政が公共事業を実施した後に原因者に負担を求める場合のみを指すが，環境法における原因者負担はより広い概念であることに注意されたい。

3　原因者負担の拡大・強化

なお，原因者負担原則に関連して，

(a)　最近，リサイクル（さらに3R）における費用負担のあり方が議論されており，その中で，循環型社会形成推進基本法，容器包装に係る分別収集及び再商品化の促進等に関する法律（容器包装リサイクル法），特定家庭用機器再商品化法（家電リサイクル法），使用済自動車の再資源化等に関する法律（自動車リサイクル法）にみられるような原因者概念の拡大（間接的汚染者たる製造者に再商品化義務等を課する。「**拡大生産者責任**〔Extended Producer Responsibility：EPR〕」と呼ばれる）及び原因者負担の強化，

(b)　廃掃法における措置命令についての排出事業者責任の強化（廃掃法19条の6。原因者概念の拡大），

(c)　ごみ処理料金の有料化にみられる公共負担から原因者負担への移行等

のいくつかの傾向が現れていることが注目される（→**7-3**・1〔330頁〕，**7-2**・11(5)〔311頁〕，**7-2**・7(1)(a)(イ)〔277頁〕）。

(a)にあげた「**拡大生産者責任**」とは，2000年のOECDガイダンスマニュアルによれば，「物理的及び／又は金銭的に，製品に対する生産者の責任を製品のライフサイクルにおける消費後の段階まで拡大させる，という環境政策アプローチ」である。すなわち，拡大生産者責任には，**物理的責任**（回収・リサイクル等の実施の責任）と**金銭的責任**（費用支払責任）の双方が含まれる。これは，従来自治体が回収・処理をしていた一般廃棄物について，製造事業者等に回収・リサイクルの責任ないしその費用負担を負わせることを主たる内容としている。今後のリサイクル（さらに3R）の責務についての重要な概念である（→**Column37**〔331頁〕）。

4　その他の費用負担（費用支払）の方式

環境汚染防止，環境保全に関する費用負担の方式としては，上記の原因者負担原則以外にも，国や地方公共団体の国民（住民）の健康保持義務から帰結される，国・自治体による負担もありうる（公共負担。補助金の活用）。原因者負担原則を原則とすべきであるが，前記の中央公害対策審議会答申及びOECDの理事会勧告を参酌しつつ検討すると，

①ナショナル・ミニマムの達成に必要な場合，

②短期間での対策が強く要請されている状況下での過渡的措置として助成される場合，研究開発のための助成，地域間格差の是正等特別な社会経済目標の達成のための施策に付随して行われる公害規制目的のための助成

などについては，例外的に公共負担が必要となろう（原因者負担原則と公共負担が，原則例外の関係に立つことについては，ドイツ環境法典1997年草案6条3項参照）。なお，責任者が不明・不存在の場合については，公共負担とすることが考えられるが，関連業界で基金を設立することがより望ましい（公共負担よりは原因者負担原則に近い）（→**7-2**・11(6)(b)〔316頁〕）。②の例としては，環境適合的な製品の導入に対する補助金があげられる。

また，原因者負担原則は，行政が定める一定の基準を超える汚染（環境の負荷といってもよい）の防止等に関する費用負担を問題とするのであり，上記の一定の基準を超えてさらに環境負荷を減らしたり（例えば，水道水の高度処理），より積極的に環境保全を図る（自然環境保全はこれにあたる場合が多い）場合は，公共負担（自然公園に指定し，その中での開発行為の許可を与えない場合の補償など）や受益者負担（環境基本法38条，自然環境保全法38条，自然公園法58条参照。水道水の高度処理もこの問題である）が問題となる。

さらに，主に国際環境法の分野で「被害者負担（Victim-Pays Principle）」と呼ばれる状況もみられる。1990年代にロシアが原子力潜水艦の解体を日本海で行うことに対し，わが国が放射性廃棄物処理施設の建設の費用を負担したのはその例である。先進国と途上国（あるいは市場経済移行国）との資金的な余裕の差からこのような現象がみられるのはやむをえないが，汚染者にとっては正に「やり得」となり，経済学的に（外部不経済の内部化の面）問題があるし，法的にも公平とはいい難いであろう。

5　環境法における各局面での費用負担（費用支払）

現行の環境個別法における費用負担は次の3つに分類できる。

①環境負荷の防止費用が問題となる場合

各種の行政規制（環境基本法21条，個別法）の結果生ずる費用負担のほか，産業廃棄物の排出事業者の処理責任（廃掃法11条），ごみ処理料金の有料化がある。地球温暖化対策税や地方公共団体で徐々に導入されている環境税，東京都で導入された温暖化対策としての排出枠取引もその例である（経済的手法については環境基本法22条2項）。

拡大生産者責任（循環基本法18条3項，容器包装リサイクル法，家電リサイクル法，自動車リサイクル法）に基づく回収・リサイクル費用の負担は，それが環境負荷の低減を目指している点で，この例となる。

②環境負荷による事後的な費用が問題となる場合

被害救済費用については，公害健康被害補償制度がある。

原状回復費用については，公害防止事業費事業者負担制度が原因者負担を基本としているほか，土壌汚染対策法が，都道府県知事が原因者に対して汚染除去等計画の提出の指示，提出の命令，実施措置の命令を発すること（7条1項但し書，2項，8項）及び，土地所有者等が汚染の除去等を行った場合に一定の要件の下に原因者に求償できること（8条）が例としてあげられる。また，廃棄物の不適正処理の場合の生活環境保全上の支障等の除去の措置命令は処理業者に対して行われるのが基本であるが，2000年の廃掃法改正により，産業廃棄物については，都道府県知事は，一定の場合には**適法な委託をした排出事業者**にも措置命令を出すことができるようになった（廃掃法19条の6）。この場合の排出事業者は間接的な原因者と位置づけられているといえよう。自然公園法にも原因者による原状回復の規定がある（34条）。また，石綿健康被害救済法の特別拠出金（47条以下）もこのカテゴリーに入るものとみることができる。

③環境保全の費用負担，すなわち，行政が決める一定の基準を超えて積極的に環境保全をする場合の費用については，環境負荷に対する場合と異なり，**受益者負担**又は**公共負担**の問題となる。森林が荒廃している場合に，その水源涵養機能によって環境保全の恩恵を受けてきた下流地域の自治体等が上流の森林地域の自治体に対して助成をする例がみられるが，これは受益者負担の発想に基づくものといえよう（大塚＝前田陽一）。

2-5　環境法における各主体の役割

環境法の下では，様々な主体が環境負荷の発生に関わるとともに，環境の保全に関与する主体としても活動する。以下では，環境法における各主体の役割について簡単に触れておく。

1　国・地方自治体

国は，環境基本法の3つの基本理念にのっとって，環境保全に関する基本的かつ総合的な施策を策定・実施する責務を負う（環境基本法6条）。その中には，法律を制定し，行政上の施策を講ずることなどが含まれる。

地方自治体も，3つの基本理念にのっとり，国の施策に準じた施策や自治体の区域の自然的社会的条件に応じた施策を策定・実施する責務を負うとされている（同法7条，36条）。2000年の**地方分権一括法**施行によって機関委任事務が廃止され，多くの事務は法定受託事務か自治事務に振り分けられ，どちらについても自治体の事務となったため，自治体の環境行政は以前よりも重要性を増している。

2 事業者

事業者の責務としては，

①事業活動にあたって，公害防止と自然環境保全のための措置を講ずる責務，

②事業活動に係る製品等が廃棄物になった場合に適正な処理が図られるための措置を講ずる責務，

③事業活動に係る製品等が使用され，又は廃棄されることによる環境負荷の低減に資すること，及び再生資源等を利用することについての努力義務，

④国・地方自治体の環境保全施策に協力する責務

があげられる（環境基本法8条）。

このように事業者は，事業活動に伴う直接の環境負荷の低減の責務を負うのみでなく，③のように，事業活動に係る製品等が使用され，又は廃棄されることによる環境負荷の低減にも努めなければならないとされている点が重要である。商品販売に関する過剰包装の見直し，人の健康を損なうおそれのない農薬の製造・販売などがあげられる。環境基本法8条は，3Rに関する「**拡大生産者責任**」の考え方（循環基本法11条2項～4項，18条3項）の先駆けであったといえる。

3 国民・市民

国民の責務としては，「日常生活に伴う環境への負荷の低減」と「国又は地方自治体が実施する環境の保全に関する施策」への協力があげられている（環境基本法9条）。「日常生活に伴う環境への負荷の低減」に関しては，市民の廃棄物等の排出者としての責務が第1に考えられる。

他方，環境基本法の中には，市民が環境権の主体として環境保全施策の立案・実施に参加するという位置づけはみえてこない。行政リソースの限界から，市民に事業者に対する監視の役割をもたせるという視点についても同法では明らかにされていない（この点はPRTR法などの個別法によって一定程度実施されている）。また，NGOなどの民間団体について権利の主体としての位置づけをしていないこと（環境基本法26条），市民への情報公開の必要についての認識が示されていないこと（同法27条，34条2項）など，同法は国民・市民との関係で非常に不十分なものとなっている（→**3-3**・1〔85頁〕）。

環境問題に適切に対処し，持続可能な社会を構築するためには，行政のみでなく各界各層による幅広く息の長い取組が重要であるが，2002年のヨハネスブルグ・

サミットにおける決議を契機として，環境基本法25条の下に，2003年に環境教育推進法が制定された（上述のように，2011年に改正された）。同法は，環境保全活動，環境保全の意欲の増進，及び環境教育について基本的理念を掲げ，国民，民間団体等，国及び地方自治体の責務を定めている。

第3章　環境政策の手法

3-1　総　説

環境政策の手法としては，かつてはどの国でも，行政機関が基準の遵守を行為者に求め，その遵守を強制するという直接的な**規制的手法**（command and control approach，命令＝管理方式）が主として用いられてきた。この手法には，排出基準の遵守の義務付けのほか，一定の事業活動に対する許可制や届出制，義務内容や許可要件の履行に対する監督，義務違反に対する介入措置が含まれる。今日でも，これが中心的手法であることは変わりがない。規制的手法の利点は，第1に，必要な行為を具体的に指示することとなり，**明確性**があること，第2に，短期間で望ましい状態を実現できるという**確実性**がある場合が多いことにあるといえる。しかし，今日，これのみでは十分でないことが明らかになっている（勢一智子）。

Q1　規制的手法の限界・欠点にはどのようなものがあるか。

規制的手法の限界には，①その活用にあたっての実際上の限界・制約と，②同手法のそもそもの欠点の問題がある。

①規制的手法の活用にあたっての**実際上の限界・制約**については，特に2点をあげておきたい。第1は「**監視の限界**」である。すなわち，行政リソースの限界，監視手法の限界のため，規制的手法のみでは限定された効果しか発揮されない。第2は，「**不確実なリスクへの対応の必要」からの限界**である。すなわち，不確実なリスクについては，被害発生の蓋然性が明確でないため，介入を正当化する根拠，すなわち，立法裁量とそれを方向付ける予防原則が論じられる（→**2-2**・2③〔36頁〕）とともに，比例原則から，規制をするのが困難な場合が生ずる。内分泌攪乱物質の中の多くの物質のように不確実なリスクについて規制をすることは当面考えにくいし，電磁波についても同様の問題がある。これは「行為義務をあらかじめ明確に設定することが好ましくない」（原田大樹）あるいは「困難な」場面といえよう。こうして，規制的手法と他の手法との併用が必要とされているのである。

②規制的手法のそもそもの**欠点**として従来あげられていた点としては，第1は，

【図表 3-1】限界汚染削減費用と賦課料率

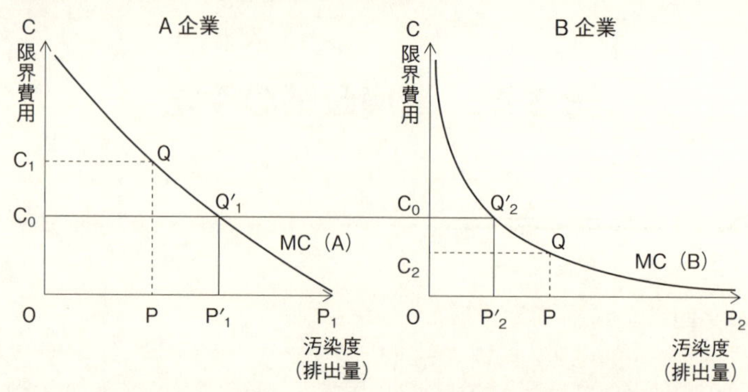

A，B 2 つの企業により環境中にそれぞれ OP_1，OP_2 の汚染物質が排出されている場合において，規制により，両企業の排出量を一律に OP レベルまで減らすとき，A，B の限界汚染削減費用は OC_1，OC_2 となる。A は B よりも高い限界費用を負担することになり，社会的費用の最小化は達成されない。

規制的手法は一律規制であるため，各企業によって汚染削減のコストが異なることが無視され，社会的費用（遵守費用）が浪費される結果となる点（**図表 3-1**），第 2 に，排出基準による規制では，いったん基準を達成してしまった後は，汚染削減の継続的インセンティブは与えられず，また，汚染物質の排出を抑制するような技術開発に対しても，適切なインセンティブが与えられない点があげられる。これらの点は，欧米における経済学者からの批判であり，これらの欠点を補うものとして，**経済的手法**が注目されたのである。

こうして，環境政策としては，種々の手法を適切に組み合わせて用いることが必要とされている（**ポリシー・ミックス**）。本書では，環境政策の手法を，①「総合的手法」，②「規制的手法」，③「誘導的手法」及び「合意的手法」，④「事後的措置」の 4 つに分ける。「誘導的手法」には，市場を用いる手法である「経済的手法」と，情報を用いる手法である「情報的手法」（環境基本計画の用語）がある。④「事後的措置」には，刑事罰，行政罰，許可の取消し，損害賠償，原状回復などが含まれる。本節では，以下，主要な①～③の環境政策について扱い，特に，「経済的手法」及び「情報的手法」について，節を改めて取り上げることにする。

なお，国，地方公共団体等が環境管理のための事業を行うこと（公害防止事業費事業者負担法の事業，指定法人，基金の設置など）について，「事業手法」として整理することは，行政の環境管理活動を充実させるためには必要であるが（大塚『環境法』103 頁参照），民間や社会を対象とする手法とはかなり性格が異なるので，ここでは特に取り上げない。

環境政策の実現を図るためには，これらの手法を用いるにあたり，まず環境容量に関する目標を設定し，その下で，効率性，公平性，実効性，制度の受容性などを含めたポリシー・ミックスを行うことが必要である（規範的ポリシー・ミックス。大塚直「環境法における法の実現手法」『岩波講座現代法の動態2　法の実現手法』233頁参照）。

1　総合的手法

今日における環境政策の手法として第1にあげるべきは，計画，環境影響評価のような「総合的手法」である。これらは，予防的・長期的視点から環境配慮をする上で役立つものである。将来を見据えた環境管理は，自然環境や生活環境を含めて環境を総合的に把握する計画によって初めて達成されるといえよう。

国の計画としては，環境基本法に定められている**環境基本計画**があるほか，個別法が定める**各種の計画**（例えば，一般廃棄物・産業廃棄物処理計画，生活排水対策推進計画）がある。地方自治体においても，個別計画に加えて，全体的な**環境管理計画**を有するものが少なくない。

環境影響評価とは，環境に影響を及ぼす開発行為等の事業に際して，その環境影響について市民からの情報を参考にしつつ，調査，予測，評価し，その結果を公表して市民の意見を聴取し，その結果を踏まえて計画の適否を判断し，決定をしようとする合理的意思決定の手法である（→**第5章**〔108頁〕）。事前の調査・住民参加の下，あらかじめ環境負荷を低減することを目的とする。わが国では1997年に環境影響評価法が制定された。また，地方自治体でも環境影響評価条例等が定められている。さらに，将来的には，より事前に政策立案や計画策定の段階でのアセスメントを実施する「**戦略的環境アセスメント**（Strategic Environmental Assessment, SEA）」の導入が検討されるべきである。

2　規制的手法

第2に，「規制的手法」は，今日でも依然として重要な地位を有していることは疑いがない。公害については，**事業規制**が効果的であったし，アメニティ等の土地利用との関係では，地域指定制度と開発許可制度等による**土地利用規制**が最も一般的である。

物質の規制については，通常の公害の場合のように，個々の排出を規制するものが主であるが（→**第6章**〔147頁〕），難分解性，高蓄積性及び長期毒性のある化学物質のように，その製造・輸入自体を規制することが必要なものもある（大塚『環境法』第7章参照）。また，公害に関わる場合でも，自動車大気汚染，スパイクタイヤ公害のように，原因者が極めて多数にのぼる都市・生活型公害については，個々の排出を取り締まるのは不可能であり，**単体規制**（自動車NOx・PM法）や**製品の製造規制**（特定水銀使用製品。水銀環境汚染防止法5条，32条1号），**使用規制**（スパイクタイヤ粉じんの発生の防止に関する法律）といった措置がとられることがある。条例レベルで，生活排水による琵琶湖の富栄養化に対して有リン洗剤の販売禁止措置（製品の販売禁止）がとられたが，これも同様である。これらは，元来は比例原則との関係で用いられにくかったものと想像されるが，環境悪化防止の必要性の高まりに応じてより強い規制の仕方を導入したものとして注目される。

土地利用規制に関しては，地域指定制度につき，法律上は地主の同意を要しないのにもかかわらず，地元での合意が事実上成立しない限り指定しない運用がなされているため，実効性が上がらないことが指摘されている。これは，わが国において土地所有権に対する計画的コントロールが弱く，開発・建築の自由が根強く存在する点に根本的な原因がある。国土全体を開発制限区域として，計画なしには開発しえないとするのも一案であろう。ただ，憲法上の財産権の保護との関係で補償措置の充実等を行う必要はあり，財源がないと実際には解決が難しいという問題が残っている。

景観・アメニティの保全の観点からは，より厳しい規制方法として，海浜の埋立てに関して自然海浜状態を残すべき絶対的基準を設けることや，一定の土地利用にあたって一定の緑化を義務付けることも考えられる。

なお，規制的手法の導入等については，近時，政策評価法により，事前評価が義務付けられるようになっている（大塚『環境法』4-1・2コラム11参照）。

Column6 ◇水銀に関する水俣条約と，化学物質のライフサイクル全般にわたる包括的規制アプローチ

水銀の毒性は化学形態の相違によって異なるが，特にメチル水銀については，人の中枢神経系に対する毒性が強く，排出された水銀は大気，海洋等を通じて全世界を循環するほか，高い環境残留性，野生生物蓄積性を有している。また，零細・小規模な金採掘の際に水銀が用いられ，南米などで今でも水俣病と類似の疾病が発生している。このような観点から，水銀に関する水俣条約が2013年に採択された（2017年8月発効）。

同条約は，水銀及び水銀化合物（水銀等）の産出，輸出入，製造・使用，大気・水質・土壌への排出，廃棄，暫定保管というそのライフサイクル全般にわたる規制をしていく包括的アプローチを採用した点に特色がある。条約の締結のため，2015年，水銀環境汚染防止法（施行は，原則として，条約の発効日である。以下，「新法」という）が制定され，大気汚染防止法が改正された。わが国では，水銀等の輸出入については，外国為替及び外国貿易法に基づく措置，製造・使用に関しては，新法による特定水銀使用製品の製造の原則禁止（5条，32条1号。主務大臣の許可がある場合はこの限りでない。6条），製造される場合における事業者による水銀使用の表示（新法18条，情報的手法→**3-3**〔84頁〕），大気汚染については，大気汚染防止法に基づく排出規制（→**6-2**・4(4)〔178頁〕），水銀等の貯蔵（暫定保管）については，貯蔵に係る環境汚染を防止するための技術指針の策定（新法21条），貯蔵者の主務大臣に対する報告（新法22条，33条2号），廃棄については，水銀廃棄物及び水銀含有再生資源の規制（→**7-2**・1(7)〔266頁〕）が行われている（詳しくは，大塚・L&T69号22頁以下）。

化学物質のライフサイクル全般にわたる包括的アプローチは，一般的に，第3次環境基本計画以降環境基本計画でも打ち出されており，このような観点から，有害性が高い化学物質全体についてライフサイクル全般にわたるアプローチをとることが重要である。

3　誘導的手法及び合意的手法

第3に，最近，環境政策の手法として注目されているのが，「誘導的手法」及び「合意的手法」である。

「誘導的手法」には，市場を用いる手法（いわゆる**経済的手法**を中心とする）と，情報を用いる手法（「**情報的手法**」）がある。「合意的手法」には，協定・行政指導が含まれる。

いずれも，「柔軟性」と「自主性」を重視する手法である（勢一）。「**柔軟性**」は，①**社会の変化**に対する法律の対応の限界，②行政活動における**未知の要素**の増加に対処するために必要とされている。「**自主性**」は，③**行政リソースの限界**に対処し，④私人の**専門的知識等の活用**を可能にするために重要性を増している。

①社会の変化に対する法律の対応の限界，②行政活動における未知の要素の増加，④私人の専門的知識等の活用は，新種の環境問題，特に「**不確実なリスク**」の問題に対応するものといえよう。また，③行政リソースの限界は，生活型公害・環境問題のように原因者が多く，日常の行為に起因する場合には特に重要となろう。

(1)　誘導的手法

「誘導的手法」の中の，(a)市場を用いる手法と，(b)情報を用いる手法とは，排他的なものではなく，重なりうる。

(a-1)　市場を用いる手法としては，経済的手法が代表的なものである。その中には，従前から用いられている「**補助金制度**」，一定単位の汚染物質の排出等について一定額の税・賦課金を課する「**税・賦課金制度**」，「汚染枠」の売買市場を人工的に作り出す「**排出枠取引制度**」等がある（経済的手法については→**3-2**〔74頁〕）。

(a-2)　市場を用いる手法としては，このほか，**グリーン購入**（特に政府が率先実行するもの），**環境ラベリング**，いわゆる**社会的責任投資**（SRI），**ESG投資**（→**Column7**）があげられる。環境ラベリングとは逆に，**カリフォルニア州のプロポ**

ジション65（安全飲料水有毒物質執行法）のような住民の自主的リスク選択の手法を用いるものもある（これらは後述→(b)と重なる）。

(b) 情報を用いる手法（情報的手法）としては，**PRTR**（Pollutant Release and Transfer Register，環境汚染物質排出・移動登録）のほか，「総合的手法」と重なるが，**環境影響評価，戦略的環境アセスメント**があげられる。また，環境ラベリング，市場を用いた住民の自主的リスク選択の手法，社会的責任投資，ESG投資は，(a)と(b)が重なる部分である（詳しくは，情報的手法の中で説明する。→**3-3**〔84頁〕）。

情報の公開，情報の提供は，住民参加の基礎となり，民主的行政の確保に資するものとして，環境管理にとって極めて重要である。その中には，①**行政庁の保有する情報の公開**と，②**事業者の保有する情報の公開**がある。②も，環境保全や生命・健康の安全にとって重要である。

Column7 ◇社会的責任投資，ESG投資とは何か

「社会的責任投資（Socially Responsible Investment：SRI）」とは，事業者及び個人が，投資先企業の環境配慮等の状況を勘案して投資することにより，環境配慮に積極的に取り組む企業を選別し，市場メカニズムを通じて，企業の環境配慮行動を促進しようとするものである。その趣旨は環境配慮促進法4条，5条に定められている。

このような投資における環境配慮は，欧米では盛んに行われているが，わが国では，市場のごく一部で行われるにとどまっていた。

さらに，国連は2006年，投資家がとるべき行動として責任投資原則（PRI：Principles for Responsible Investment）を提唱し，投資家の意思決定過程において，環境（Environmental），社会（Social），企業統治（Governance）に配慮している企業の重視・選別を組み込むこと（ESG投資）を打ち出した。従来の社会的責任投資（SRI）と異なり，ESG投資は環境，社会，企業統治を重視することが企業の持続的成長や中長期的収益につながるとの考えに基づいている。2015年9月，わが国の年金積立金管理運用独立行政法人（GPIF）がPRIに署名し，ESG投資を開始した。PRI署名基金の資産規模としては最大規模のものである。

(2) 合意的手法

「合意的手法」は，協定と行政指導に分かれる。以下では，主に協定について触れる。

(a) 従来，わが国では，公害を防止するために，企業と行政又は，企業と住民の間で**公害防止協定**が締結されてきた（ここでは，企業と行政の協定についてのみ扱い，企業と住民との私的協定については触れない）。初期のもののうち特に注目されたのが，1964年に横浜市と，電源開発㈱・東京電力㈱との間で結ばれた協定である。これは，法令の整備が十分でなかった時代に，自治体が法規制よりも強い規制（上乗せ，横出し的規制）を「合意による手法」によって達成したものであり，「横浜方式」として高く評価され，全国に広がった。当時の学界では，公害防止協定は，法令の不備を補うために脱法的手段を用いるものとして消極的評価しか与えられなかったが，公害防止協定の数は，法令が整備された後も今日に至るまで増え続けている。

Q2 協定の環境政策としての意義は何か，行政及び事業者にとってのメリットは何か。

環境政策として協定が今なお重要視されている理由は，地域の諸条件を踏まえた個別的対応が可能になるというメリットのほか，科学技術の進歩に応じた機敏な対応をしやすいこと，アメニティのような定性的な問題についても対処しやすいことなどがあげられる（高橋信隆）。さらに，実際上は，条例によって厳しい規制を導入することの適法性に疑問の余地がある場合に相手方との合意に基づいて措置をとることが可能になること，法律上権限のない市町村が，協定により，特定の事業場に対して，立入検査権限や指導権限をもつことができることなどの意義がある。他方，事業者にとっては，かつては住民の反対運動を避けるために協定を締結することが多かったが，最近では，むしろ積極的な取組をしていることを示して企業のイメージアップにつなげるとか，特別融資制度の対象とされることを狙う例なども出てきている。なお，協定の締結が立地の事実上の条件となっているケースもみられる。

Q3 協定の法的性質について述べよ。協定には法治行政の観点からどういう問題があるか，それが有効とされる要件は何か。

協定の法的性質については，**紳士協定説**，**契約説**に大別されるが，後者が多数説である。契約説によれば，法的拘束力を認めることができることになる。この点については，法治行政の観点からは，行政機関が立法の規定なしに事業者を義務付けることは，相手方との合意を前提とする場合であっても許されないのではないか，という問題があるが，法治行政の下であっても，行政機関が他の社会構成員と同様の立場に立ってその職務を実施することは原則として認められないとまでいうべきではなく（小早川光郎），①合意の任意性，②協定目的と手段の合理性，③義務内容の特定性，④履行可能性，⑤強行法規・比例原則及び平等原則への適合性が満たされていれば，協定の個別条文ごとに法的拘束力を認めるべきであると考える（個別条文ごとに法的拘束力を認めたものとして，高知地判昭和56・12・23判タ471号179頁，奈良地五條支判平成10・10・20判時1701号128頁など。北村。比例原則への適合性については，地下水の汲み上げを禁止した協定に関して，具体的危険性があると認められないとして，汲み上げ禁止の請求を棄却した裁判例がある〔大阪高判平成29・7・12判自429号57頁〕。もっとも，協定については，規制の場合に比べて，目的に照らした手段の相当性の審査は緩やかに行われるべきである〔島村〕）。

なお，契約説の中には，私法契約説（鳴海正泰），公法契約説（名古屋地判昭和53・1・18判時893号25頁［2版97］，原田尚彦），特殊契約説（兼子仁）がある。

公法契約説及び特殊契約説は，公害防止協定が専ら公衆の利益を保護目的とする行政目的のために設定され，私的利害の調整を目的とするものでないことを理由とするが，公法と私法の区別がかなり曖昧になっている今日では，これらの説の私法契約説との実質的相違はほとんどないといってよい（阿部泰隆）。もっとも，行政機関が当事者となっていることに伴い，当該協定の相手方以外の事業者が同様な協定の締結を求めてきたときに平等原則の観点から拒否できないなど，私人どうしが当事者である場合とは異なる場面はないわけではない（北村）。

協定においては，基準値の遵守（例えば，名古屋地判昭和47・10・19判時683号21頁〔利川製鋼事件〕の基礎となっている公害防止協定）や行為の遵守が義務付けられることが少なくない。情報開示請求を認める内容が含まれている場合もある（協定の条項に基づいて周辺住民が閲覧謄写請求〔情報開示請求〕をすることが認められたものとして，東京高判平成9・8・6判時1620号84頁［2版105］）。

公害防止協定の条項は，法律優位の原則から，法令に違反することは許されない（産業廃棄物処理施設をめぐる公害防止協定の期限条項が廃掃法の趣旨に反しないかが問題となった事案について，最判平成21・7・10判時2058号53頁［59］は，廃掃法の趣旨及び規定の解釈の結果，協定の条項の法的拘束力を認めた→**12-4**・4(7)〔605頁〕）。

公害防止協定に法的拘束力を認めた場合に，3つの問題が生じる。第1は，協定上，法令を超える厳しい基準を定めることが許されるか，第2は，協定上の義務が履行されなかった場合に何が認められるか，第3に，協定の中に協定当事者以外の者に対しても事業者が一定の措置を講ずることを規定している場合にはそれによることになるが，そうでない場合に，協定当事者以外の第三者が協定に基づいて事業者に対して請求をすることができるか，である。

Q4 協定上，法令を超える厳しい基準を定めることが許されるか。

この点については，公害規制法が精神的自由権を規制する警察立法と異なり，むしろ地域住民の環境権と企業の経済的自由を調整するための**最小限規制立法**であると考えられることから，協定が法令を超える厳しい基準を定める場合であっても，原則として法令に抵触するものと解すべきではない（原田尚彦）。

Q5 協定上の義務が履行されなかった場合に何が認められるか。

この点については，協定上，義務違反に対して，**損害金**や**違約金**を規定するものが少なくない。また，**活動の短縮**や**建設の差止め**を規定するものもある。さらに，違反した**事業者名を公表**する規定をおいているものも多くみられる。協定の下での義務は法令に基づくものではないから，義務違反に対して刑罰や過料に処する規定をおくことはできない。

協定上の義務が履行されなかった場合に，行政は履行強制をするための措置として何ができるか。行政上の強制執行や，調査に際しての強制力の行使は認められない。これらの実力行使には立法が必要である。他方，行政機関が他の社会構成員と同様の立場に立って裁判所に提訴し，**民事手続による強制**を求めることは可能である。この点は，近時，最高裁も認めている（最判平成21・7・10判時2058号53頁［59］。本判決は，協定当事者である行政主体がその義務履行を求める訴訟は，最判平成14・7・9民集56巻6号1134頁〔宝塚市条例事件〕［66］にいう「地方公共団体が専ら行政権の主体として国民に対して行政上の義務の履行を求める訴訟」には該当せず，法律上の争訟性があると解したものとみられる）。

Q6 協定の中に協定当事者以外の者に対しても事業者が措置を講ずることを規定していない場合に，協定当事者以外の第三者が協定に基づいて事業者に対して請求をすることができるか。

この点は，具体的には，地方公共団体と事業者の間で締結された公害防止協定に基づいて周辺住民が事業者に対して請求することが可能か，という問題として表われる。その際問題となるのは，①周辺住民が，協定に基づく地方公共団体の事業者に対する権利を代位行使（民法423条参照）できるか，②協定を，周辺住民を受益者とする**第三者のためにする契約**（民法537条）と解することができるかである。伊達火力発電所訴訟判決（札幌地判昭和55・10・14判時988号37頁［4］）は，公害防止協定が，公害を防止して公共の利益を図るという行政目的を達成するため，行政活動の手段として用いられる特殊な法形式であるとして，①，②をともに否定する。他方，東京地八王子支判平成8・2・21（判タ908号149頁）は，廃棄物処分場に関して町と一部事務組合との間で締結された協定の中の資料閲覧・提供請求の条項部分を，（周辺住民を第三者とする）第三者のためにする契約と解した。①は住民の地方公共団体に対する「特定債権」が存在しないから否定されるものの，②は肯定される余地があるといえよう（野澤正充）。そして，第三者のためにする契約であるとされるためには，当該協定が個々の住民を受益者として保護する趣旨を含むものと解されることが必要である（島村）。

(b) さらに，公害防止協定にとどまらず，**環境政策としての協定の利用**は広がってきている。欧米でその利用が著しいが，それは，公害防止協定とは異なり，1）**地球温暖化**のような地域の個別的要請とは無縁の問題について扱うものが含まれること，2）個別企業よりも**業界団体**を相手方とすることが少なくないこと，3）協定に**規制的手法・経済的手法導入の前段階**としての性格を与える場合があることなどの特色を有する。

ヨーロッパでは，協定にあたる①「交渉協定」（企業ないし業界団体と，行政との協定）のほか，類似のものとして，②「公共的自主プログラム」（行政が設定した基準やシステムへ企業が自主的に参加する場合），③「一方的公約」が用いられており，②と③を合わせて「自主的アプローチ」と呼ばれている。

わが国の公害防止協定は①（交渉協定）にあたるが，ヨーロッパ（特にドイツ，オランダ）では，業界団体と政府の間で協定が締結されることが多く，そこには地球温暖化をはじめとする種々の環境問題について法令よりも厳しい内容が盛り込まれ，成果が達成されない場合には法令に基づく規制的手法を新たに導入し，強制力を行使することが予定されている点に特色がある。

②（公共的自主プログラム）の例としては，企業の環境配慮についての環境省の認定制度であるエコ・ファースト制度，地方自治体のリサイクル品認定制度があげられる。

③（一方的公約）の例としては，1997年のわが国の経団連の自主行動計画（特に，温暖化対策と廃棄物対策について。現在ではカーボンニュートラル行動計画）やISO14000シリーズの環境マネジメントシステム（大塚『環境法』4-4参照）があげられる。また，2015年7月に策定された電力業界の「自主的枠組」は，地球温暖化対策計画に位置づけられ，また省エネ法及びエネルギー供給構造高度化法に支えられたものである点が特殊ではあるが，③の一種といえよう（→**10-2**・2(2)(b)〔474頁〕）。

②や③のような「自主的アプローチ」については，信頼しうる情報が存在することが特に必要であり，そのため，前述の情報公開（事業者によるものも含む）が極めて大切になってくる（公害防止協定についても，その透明性について改善が必要である。OECD2010年報告書76頁・86頁。自主行動計画のその他の点について，→**10-2**・2(1)(a)〔471頁〕）。これがないと，目標が達成されたか否かについて，外部からはわからないからである。したがって，いかに情報を開示させるインセンティブを与えるかがポイントになろう。

(c)　さらに，**行政指導**については，その利用の仕方によっては，相手方の権利を侵害する等のおそれもあり（開発指導要綱の中には高額な寄附金を要求する等の例がみられた），問題が少なくない。また，行政手続法（32条〜36条の2），行政手続条例の制定により，行政指導が相手方の任意の協力に基づくものであることが確認され，不服従を理由とする不利益取扱いや不服従の明確な意思表示の後に指導の継続により申請者の権利行使を妨害することが禁止されたため，今後，その活用が困難になっていく可能性もある。

(3) 小　括

以上，「誘導的手法」や「合意的手法」の長所を述べたが，これらが万能なわけでは決してない。緊急性が高い場合等には規制的手法を用いざるをえないし，「自主性」を重んじる手法（行政指導，「公共的自主プログラム」，「一方的公約」）にはいくつかの問題がある。

「自主性」を重んじる手法の限界としては，第1に，それを法的に担保できないという問題がある。第2に，柔軟性・対話に固執すると，行政が適切な規制の時機を逸する危険性がある。第3に，ヨーロッパのように業界と政府が協定を締結する場合には，協定の当事者として参加しないアウトサイダーがフリーライド（ただ乗り）をして利益を得ることの不公平性をどうカバーするかという問題がある。

(4) アメニティの保護，自然保護に関する誘導的・合意的手法

なお，このような「誘導的手法」や「合意的手法」による補完の方向は，リスクや都市・生活型公害のみでなく，アメニティ，自然保護との関係でも認められる。

1980年に導入された地区計画制度は，都市利用や公共施設に関する幅広い事項について，住民参加の下，地区レベルの視点から詳細な計画を策定し，各種の規制・誘導的手法を用いて目標の実現を図るものであり，地方分権推進の中で今後とも期待を寄せられている。

自然風景地維持のため，自然公園法の下で設けられた協定としては，**風景地保護協定**制度がある（自然公園法43条以下，74条）。これは，環境大臣もしくは地方公共団体又は公園管理団体が，土地所有者等と締結するものである（→**8-2**・2(1)(e)(ア)〔391頁〕）。

また，アメニティに関連する協定については，緑地協定（都市緑地法45条以下），建築協定（建築基準法69条以下），景観協定（景観法81条以下）がある。

これらの協定の最大の眼目は，行政庁の認可により，対象となった土地の将来の土地所有者に対しても，協定の拘束力を及ぼす「**承継効**」にある。また，これらの協定の中には，協定締結者に対して税の減免をすることにより経済的インセンティブを与えるものもある。もっとも，これらの協定の締結には当事者全員の合意を必要とするので，協定当事者が多い場合には利用されにくいという問題がある。

なお，これに類似する「合意的手法」の一種として，行政が自然環境を守るため土地を買い上げて所有権に基づき管理する手法が相当程度用いられている（首都圏近郊緑地保全法や「近畿圏の保全区域の整備に関する法律」による近郊緑地特別保全地区，古都保存法上の歴史的風土特別保存地区，都市緑地法上の緑地保全地区，鳥獣保護管理法上

の鳥獣保護区，特別保護地区，文化財保護法上の史跡，名勝，天然記念物等)。ただ，この方法は，環境保全に有効であるものの，行政目的に比べて過大な経費を要する可能性が高いという難点がある。

以上，環境政策の手法を4つに大別したが，「総合的手法」は→**第5章**，「規制的手法」は→**第6章～第8章**でそれぞれ触れることにし，「誘導的手法」の典型例である経済的手法及び情報的手法について，本章の以下の節で扱うことにしたい。

➡ 協定には法治行政の観点からどのような問題があるか。
➡ 協定の内容を民事訴訟によって執行することはできるか。

3-2　経済的手法

1　はじめに

環境汚染に対する手法としては，従来は，どの国でも，行政機関が個々の汚染者が自ら行動をコントロールできるような一定の排出基準を設定し，その遵守を強制するという規制的手法（直接的手段）がとられてきた。規制的手法には，①濃度規制を中心とする**個別的規制方式**と，②**総量規制方式**があるが，一定の排出基準を設定し，遵守状況を監督し，違反に対して罰則等を設けているという点では共通している。しかし，このような規制的手法には相当な欠陥があることが次第に明らかになり，欧米では，特に1970年代半ばから，その欠陥を補うものとして，何らかの形で市場を利用する経済的手法が脚光を浴び，今日では，これが規制的手法を補完する有力な手段となりうることが認められるに至っている。規制的手法が汚染者の行動を直接統制し，行政機関が排出者に与える命令を内容とするものであるのに対し，経済的手法とは，環境賦課金のように，市場を用いて汚染者の活動を間接的に統制するものである。そして，1980年代末頃から環境への負荷が世界的に問題とされるに及び，従来の，環境は「自由財」であり，ただで無限に使えるとの考え方を転換し，地球環境は有限であり，世代を超えて享有する貴重な財であるから，**地球の使用料**を適正に支払うべきであるという考え方が国際的にも支持されるようになってきた。

以下では，環境保護のための経済的手法について，環境賦課金を中心に触れることにしたい。

2　経済的手法の種類，特色

(1)　経済的手法の種類

経済的手法には，種々のものがある。

第1に，**税・賦課金制度**があげられる。これは，一定単位の汚染物質の排出や原料物質の投入等について一定額の賦課金を課するものである。ちなみに，**租税**とは，国民の能力（担税力）に応じて一般的に課されるものをいうのに対し，**賦課金又は負担金**とは，特定の事業の経費に充てるために，その事業と特別の関係のある者から，その関係に応じて徴収されるものであり，関係者が広範か否か，受益・原因の程度を個々人ごとに特定しうるかが，税か賦課金かの相違である。しかし，ここでは便宜上一括して「賦課金」と呼ぶことにする。

賦課金制度には種々のタイプがある。必ずしも排他的な分類ではないが，環境への汚染物質の排出に対して支払われる「排出賦課金」，排出物が集合的に，又は行政機関によって処理される場合，そのコストに応じて賦課される「利用者賦課金」（公共サービスを受ける者だけに賦課される），生産過程での使用，消費，処分に際して環境に害を及ぼす製品に対して支払われる「製品賦課金」のほか，環境汚染の少ない製品に対する税金を安くし，そうでない製品に対する税金を高くすることにより，社会から環境汚染をもたらす製品を減らしていくことを目的とする「税率差別制度」などがある。

製品賦課金は，製品のライフサイクルの各段階において環境への影響を最小化することを目的としており，排出に対して直接賦課することが困難な場合に，これに代替する機能を有する。なお，利用者賦課金の例としては，ごみ処理の有料化のほか，自然保護の関係では，自然公園の入園料，レクレーションのための国有林野への入山に際しての入山料の徴収があげられる。

第2は，**補助金制度**である。これは，環境汚染を防止する活動や環境保全のための新技術の開発・利用，さらには，自然環境を積極的に回復する行為を財政的に支援し，奨励する制度であり，従来，わが国も含めて，各国で最も頻繁に用いられてきた経済的手法である。この手段は，1972年にOECD理事会によって勧告された「**汚染者負担原則**（PPP）」（→**2-4**〔58頁〕）からみると問題があり，「強制的で，とくに厳格な公害防止制度を迅速に実施するような例外的場合」に認められるべきものにすぎない。

以上の手段はどれも既存の市場システムを利用したものであるが，第3に，環境保全のために，新しく人工的な市場を作る試みもある。その最も代表的なものが「**排出枠取引制度**（emission trading system）」と呼ばれる「汚染枠」の売買市場である。これは，例えば，国が汚染物質の許容排出総量（cap）をあらかじめ定め，それを各企業に割り当てておき，その割当量を超えて排出しようとする企業については，余裕のある他の企業から排出枠の一部を買うこと（trade）を認めることによって，全体として効率的な排出削減を目指そうとするものである（cap and trade 方式と呼ばれる）。cap の設定にあたっては，取引前と同等の，又は，より良い環境条件の達成が前提とされることが多い。アメリカでは，1990 年の大気清浄法の改正の際に，二酸化硫黄を対象とする排出枠取引制度を導入した。また，温室効果ガスの排出削減に関して，気候変動枠組条約の第 3 回締約国会議（1997 年）で採択された**京都議定書**（17 条）は国際的に排出枠取引の制度を導入した。

キャップ・アンド・トレード方式の排出枠取引は，総量規制と取引を結合したものであり，規制的手法と経済的手法の複合手法である。

Column8 ◇キャップ・アンド・トレード方式とベースライン・アンド・クレジット方式

排出枠取引制度には，大別して，キャップ・アンド・トレード方式とベースライン・アンド・クレジット方式の 2 つがある。排出枠取引の基本であるキャップ・アンド・トレード方式については本文に記したが，これに対し，ベースライン・アンド・クレジット方式は，行政庁はまず各排出源に対して，それぞれベースラインと呼ばれる排出限度を設定する。ベースラインは，business as usual（平常通り）の排出量や，過去の排出量に一定の削減率を乗じた量などに基づいて設定される。各排出源は，実際の排出量がベースライン排出量を下回れば，その差分をクレジットとして受け取り，それを保存したり売却したりすることができるが，実際の排出量がベースラインを上回る場合には，差分を購入したり，保存したものを取り崩したりして提出しなければならない。キャップ・アンド・トレード方式の例としては京都議定書に基づく排出枠取引制度，国内法上の排出枠取引制度，ベースライン・アンド・クレジット方式の例としては京都議定書に基づくクリーン開発メカニズムなどに基づく京都クレジット，J クレジットなどがあげられる（→ **10-1**・2(3)(a)〔426 頁〕，**10-2**・1(4)〔463 頁〕）。

どちらの方式でも，排出主体に排出削減へのインセンティブが働く点は同じである。しかし，キャップ・アンド・トレード方式では，総排出削減量が設定され，排出主体全体としてはそれを超える排出ができない仕組みになっているため，目標の達成を確実に行うことができる。他方，ベースライン・アンド・クレジット方式は，総量削減達成には向いていない上に，行政庁が個々の排出源のベースラインを設定・監視しなければならないために，キャップ・アンド・トレード方式のように削減費用の少ない企業からまず削減が実施されるということには必ずしもならない。また，個別排出源に対する行政庁の管理に多くの費用がかかるということもあるため，全体として削減費用が割高になる傾向がある（天野明弘）。

以上 3 つが主要な経済的手法である。ほかに，環境負荷をもたらす可能性のある製品（飲料容器，乾電池，包装材，自動車等）を取得した際に預託金を支払わせ，その製品が返還された場合に，預託金の払戻しを行う**デポジット制度**がある。これも，廃棄物回収（ごみの散乱防止）という環境保全行為に対する経済的インセンティブを与えるものであり，経済的手法の1つといえる。この制度は，これらの製品を適切に取り扱うためのライフサイクル・マネジメントの一部として活用することが望まれている。以下では，第1と第3のものを中心として論ずる。

⑵　規制的手法の欠点と経済的手法の特色

Q7　規制的手法の欠点と経済的手法の長所について述べよ。

上述のように，規制的手法の欠点としては，第1に，それが一律規制であるため，各企業によって汚染削減のコストが異なることが無視され，社会的費用（遵守費用）が浪費される結果となる点があげられる。第2に，排出基準による規制では，汚染削減の継続的インセンティブは与えられず，また，汚染物質の排出を抑制するような技術開発に対しても，適切なインセンティブが与えられない点があげられる。

これに対して，経済的手法には種々の長所がみられる。規制的手法の欠点と対応して，第1に，経済的手法は，限界汚染防除費用が賦課料率と等しくなるような排出量を各企業に自主的に選択させること（大塚直・ジュリ979号51頁参照。**図表3-1**〔64頁〕の場合，C_0の水準に賦課料率を設定すれば，両企業とも自己の限界汚染削減費用が賦課料率のレベルと一致するまで汚染を削減し，社会的費用は最小化される），また，（排出枠取引制度では）限界汚染防除費用の高くつく企業に，限界汚染防除費用の安くてすむ企業からの排出枠の購入を認めることにより，かなりの**社会的費用を最小化**することができる（**静態的効率性**）。第2に，汚染物質（環境負荷物質。以下同じ）を排出している限り賦課金等のディスインセンティブを与えるため，汚染物質の排出量の削減や汚染防止の技術開発に対するインセンティブが（規制基準を超えて）継続的に与えられる（**動態的効率性**）。

さらに，ほかにも，第3に，規制当局にとっては，規制的手法の場合よりも修正・調整が容易であり，汚染者にとっては，全体の予算の制約がある中で自由な選択ができるという意味でより**柔軟**である。また，第4に，賦課金制度においては（場合によっては，排出枠取引制度においても），**新しい財源**が得られ，これを汚染防止や他の税の減税の財源に用いうることなどである。経済的手法は，環境に負荷を与えるような全ての行為は，**外部不経済**を生み出している限り，原則としてその**対価**を支払わなければならないとの考え方に基づくものであるといえよう。

もちろん，経済的手法についても，(i)環境損害自体が測定困難であるため，賦課金制度における**最適なレベルの賦課料率**や，排出枠取引制度における**最適な許容排出**

量の割当てを決定することが困難であること，(ii)多くの発生源を行政機関が把握することが難しいことなどの短所がある。しかし，(i)に関しては，規制的手法とどちらが**効率的**かという観点からみれば，経済的手法の方が優れており，限界汚染削減費用と限界環境損害が一致した点を最適レベルとするのでなく，むしろ，環境基準等の（市場）外的な要請を達成するための手段として経済的手法を位置づけるべきであり，そのように解すれば克服できると考えられる。(ii)に関しては――特に賦課金制度については――行政庁の調査と罰則を抑制手段としつつ，自己報告システムを採用する方法でかなりの程度解決できる。

経済的手法の最大の長所は，**効率性**と，**環境保護のインセンティブ効果**にあるのであり（それぞれ上述した静態的効率性と動態的効率性に対応する。さらに，経済的手法には，ライフスタイルの見直しを促す「**アナウンスメント効果**」があることも指摘されている），より効率的に，環境負荷の少ない社会に向けて長期的な変革を進めていくために有効な手法と考えられる。

このように，経済的手法は――規制的手法に取って代わるものではないが，これを補完するものとして――一般的にみて有効な手段であると考えられるのである。そして，政策手法の有効性，効率性を勘案しつつ，経済的手法，規制的手法，自主的取組等を，対象分野に応じて適切に活用し，効果的に組み合わせることが必要である（**ポリシーミックス**→(5)）。

(3)　個々の経済的手法の特質

経済的手法の中でも，賦課金制度，補助金制度，排出枠取引制度のそれぞれの長短を比較する必要がある。

補助金制度は，過渡期において即効性を発揮するが，汚染者（原因者）負担原則に反するおそれがあること，補助金目当てにその産業に新たな企業が参入する結果となり，対象事業の環境負荷が高い場合には，産業全体の排出量が増大する欠点があることが重要である。

賦課金制度は，経済的手法一般の長所を有し，新たな財源が調達できるというメリットがあるが，他方，対象物質の排出総量を一定にすることが要請される場合には限界がある。この制度は，価格を一定とする点で事業者にとっての予測可能性が高い一方，排出総量を一定に確保できないという短所がある。

排出枠取引制度は，経済的手法一般の長所を有するとともに，対象物質の排出総量を一定にすることが確保できるという長所がある。他方，継続的なモニタリング・検証のシステムを構築する必要が生じる（これは，賦課金制度においても必要となることが少なくない）ほか，一定の場合には，排出枠価格が継続的に高騰するときなどに備えた対処方法を検討する必要がある。

なお，賦課金制度や排出枠取引制度のような手法においても，規制的手法においても，二酸化炭素の排出削減のように，国の産業全体と関連し，かつ，外国で同等の措置がとられていない場合には，国際競争力への配慮や炭素リーケージ（工場等が海外に移転するものの，世界全体の二酸化炭素排出量削減にはつながらないこと）への配慮が必要となる。

(4) 経済的手法の適用の法的限界

経済的手法を行政の手法として用いるためには，規制に関する行政法上の一般原理に適合する必要がある。ここでは，経済的手法の中でも，金銭賦課による誘導の手法について検討する。

金銭賦課による誘導の手法の中でも，租税による場合とそれ以外の場合とで相違がある。一般に，**租税**の場合には，**租税公平主義**（税負担は国民の間に担税力に即して公平に配分されなければならないという原則。憲法14条1項を根拠とする）との関係が問題となり，租税公平主義に適合するかは，誘導目的を有するその措置の利点と，それによって害される公平の程度との比較衡量によって決せられるとされるが（京都地判昭和49・5・30行集25巻5号548頁），性質の異なるものを比較衡量しうるかという問題もあり，租税の場合には，財源確保が目的の1つになっている限り，その措置を限界づけるのは実際には容易ではない。

一方，**租税以外の賦課金**については，これを課される者の基本権に関連して，誘導目的との関係で**比例原則**に適合することを要する。

(5) 個々の経済的手法の適用場面

経済的手法は，規制的手法等と対象分野に応じて適切に使い分けられ，効果的に組み合わせられなければならない。賦課金制度に十分な効果が期待できない場合としては，(i)緊急に汚染物質の削減を必要とする場合，(ii)局地的に集中した汚染（ホット・スポット）の改善が必要な場合があげられよう。(i)については，規制的手法が単独で用いられるべきであるし，(ii)の場合には，規制的手法との併用が必要となると考えられる。また，(i)，(ii)のいずれの場合においても，補助金制度との併用が一定程度有用である。このように，賦課金制度は，汚染防除にある程度長い期間をかけることが許される場合にのみ適用されるべきであり，特に，市場を用いて需要に変化を与えることによってより少ない社会的費用で徐々に汚染防除の効果をあげようとする場合に有用であるといえよう。

したがって，地球温暖化防止のための温室効果ガスの排出削減や廃棄物の削減については，賦課金制度は特に有用である。これらは，長期的なインセンティブ効果が重要性を有するばかりでなく，解決に莫大な費用がかかる可能性があり，経済的効率性が極めて重大な意味をもつ点，ホットスポットが問題にならず発生の場所は重要でないという点でも賦課金を用いるのに特に適しているといえよう。廃棄物については，経済的手法としては，利用者賦課金，製品賦課金，デポジット制度などが利用されうる。このうち，製品賦課金は，リサイクルの困難な製品について，その生産・消費の過程で課せられることになる。温室効果ガスの排出削減に関しては，化石燃料についての製品賦課金（炭素賦課金）及び排出枠取引制度が有用である。

ほかの分野でも，効率性が重要となる場合等において，経済的手法の適用が検討されるべきである。水質汚濁・大気汚染・騒音については，生活環境の被害にとどまる場合に賦課金を用いることができる。

3　わが国における経済的手法と今後の動向

(1)　環境基本法22条及び循環型社会形成推進基本法23条

わが国においては，**環境基本法22条**に，環境賦課金を含めた経済的措置に関する規定がおかれたことが注目される。ただ，環境基本法制定にあたっての中央公害対策審議会及び自然環境保全審議会の答申において，経済的手法を同法に規定すべきかについて賛否両論が展開されたことを反映し，同条の規定は，環境負荷活動に対して経済的負担（ディスインセンティブ）を課する措置（→2(1)〔75頁〕で列挙したもののうち，賦課金がこれにあたるほか，排出枠取引，デポジットも含まれよう）については，次の3点を示すにとどまっている。すなわち，①経済的措置を講じた場合の環境保全上の効果，国民経済に与える影響等に関する調査研究を行うこと，②経済的措置の導入に際しては，国民の理解と協力を得るように努めること，③経済的措置が地球環境保全のためのものであるときは，その効果が適切に確保されるよう国際的な連携に配慮することである。**循環型社会形成推進基本法23条**も，経済的措置に関する規定をおいている。

(2)　税・賦課金

環境税・賦課金は，大気汚染の分野等で一部用いられてきた。すなわち，公害健康被害補償法（1987年に改正され「公害健康被害の補償等に関する法律」となった）における汚染負荷量賦課金制度（同法52条以下），航空機燃料譲与税（航空機燃料譲与税法1条，7条）が存在する。

また，地球温暖化の分野で**地球温暖化対策税**が，石油石炭税の税率の特例（上乗せ税率。段階的引上げ後，2016年度には全化石燃料に対してCO_2排出量トンあたり289円）という形で2012年に導入・施行されたことは重要である。本税は石油石炭税に含まれており，特別会計として扱われる。税収（初年度391億円，平年度2,623億円）の使途は，再生可能エネルギー導入，省エネ対策の強化等に用いられる予定である。

さらに，地球温暖化と大気汚染の双方に関して，2001年4月から，自動車税，自動車取得税において，電気自動車，メタノール車等のいわゆる低公害車，低燃費車の税率を軽減し，環境負荷の大きい車齢11年超のディーゼル車，同13年超のガソリン車の自動車税の税率を重課する「税率差別制度」が用いられてきた（地方税法における自動車税制のグリーン化）。その後，2009年には，自動車取得税・自動車重量税について，低公害車・低炭素車に軽減・減免措置がとられ（エコカー減税。自動車税については「グリーン化特例」と呼ばれる），2015年度においても上記三税について減免ないし重課の措置がとられている。このような「**車体課税のグリーン化**」は，運輸部門における二酸化炭素の削減に大きな効果があった（車体課税については，2019年に自動車税，自動車重量税のグリーン化措置〔軽減率〕が縮小された〔また，自動車取得税は2019年9月に廃止された〕。もっとも，自動車税については，初年度の環境性能割〔取得税の一種〕と，2年目以降の種別割〔保有税の一種。排気量に応じる〕に分かれるが，環境性能割はもちろん，種別割についてもグリーン化特例が導入されており，共に環境に対する配慮はなされている）。

また，廃棄物（一般廃棄物）に関し，事業系廃棄物，さらに家庭系廃棄物についても，一般に，排出者に**処理手数料**として賦課金を徴収する市町村が増加していることが注目されるが（地方自治法228条1項），これは利用者賦課金の例である。

さらに，史跡名勝天然記念物制度が，利用者からの観覧料の徴収を認めている（文化財保護法116条3項）。また，「地域自然資産区域における自然環境の保全及び持続可能な利用の推進に関する法律」（地域自然資産法）（2014年制定，公布）により，都道府県又は市町村は「入域料」（2条1項）を収受して「地域自然環境保全等事業」（2条1項）を実施し（その区域等を「地域自然資産区域」（2条4項）とする），都道府県又は市町村が作成する「地域計画」（4条）により，地域の自然環境の保全及び持続可能な利用を進めることとされた。観覧料や入域料も利用者賦課金の一種ということができる（森林環境税について，大塚『環境法』4-2・3(2)〔113頁〕参照）。

(3) 地方自治体の環境税

なお，近年，地方自治体による環境税の導入が脚光を浴びている。地方自治体が環境税を課する際には，法定外普通税により行われてきたが，そのためには自治大臣の許可が必要であり，許可にあたっては厳格な要件を満たすことが要請されていた。しかし，2000年の地方分権推進一括法の施行に伴い，地方税法が改正され，法定外目的税が創設されるとともに，法定外税の課税については総務大臣の「同意を要する事前協議制」に変更された（259条，669条，731条2項）。これは自治体と国との関係をより対等なものにするとの趣旨に基づいており，また，総務大臣が同意をしないとの判断を示した場合には，不服のある自治体の長は，国地方係争処理委員会に対して審理の申出を行うことができることになった（地方自治法250条の13第1項）。

このような改正が一因となって，地方自治体で新たな環境税の導入の動きがみられる。すでに相当数の県が**産業廃棄物税**，**森林環境税**を導入し，東京都杉並区が**レジ袋税**（ただし，施行せず廃止），岐阜県が乗鞍環境保全税，神奈川県山北町及び京都府城陽市が砂利採取税，沖縄県伊是名村，伊平屋村，渡嘉敷村が環境協力税（入村者に課税し，環境美化・保全等の費用に充当）を導入したことが注目される。産業廃棄物税については，今後，産業廃棄物の移動などに関して国の政策との抵触について微妙な判断が必要となるケースも生じるであろう。また，森林環境税は，持続的利用を促進する取組として，（いわゆる生態系サービスの受益者となるものがそのサービスを受ける対価として生態系保全の費用を負担する）生態系サービスへの支払制度（Payment for Ecosystem Services：PES）の一種であり，他の環境税・賦課金と異なる特色を有するといえる。

ちなみに，地方税法の改正によっても，同意を得ない限り法定外税を課することができない点では従来と異ならないし，「国税又は他の地方税と課税標準を同じくし，かつ，住民の負担が著しく過重となること」，「地方団体間における物の流通に重大な障害を与えること」，その他「国の経済施策に照らして適当でないこと」のいずれかにあたる場合には同意することができないとの規定が残されたので（地方税法261条，671条，733条），この点では自治体にとって税の創設が必ずしも容易になったわけではないことにも注意を要する。

(4) 排出枠取引

排出枠取引については，温暖化対策として二酸化炭素を対象とした仕組みが開始された。2005年以降，環境省の下で，「**自主参加型排出量取引**」が実施されていたが，政府は，2008年10月に，「排出量取引の国内統合市場の試行的実施」を始めた。これは，①**試行的排出量取引スキーム**を中心とし，②**国内クレジット**及び③**京都クレジット**が①を補完するものであった（その後，①，③は終了し，②はJクレジットに改称した。→**10-1**・2〔425頁〕）。

また，地方自治体では，2010年，**東京都**が条例で大規模事業所に対する二酸化炭素総量削減義務と排出枠取引制度を導入し，2012年に**埼玉県**も要綱によりこれに追随した。

(5) 補助金等

一方，補助金については，PCB 廃棄物の処理に要する費用の助成など種々のものがあるが，租税特別措置法，地方税法等の下で，事業者の行う公害防止対策に関する税制上の優遇措置が広範に認められていることも，機能的には補助金としての役割を果たしている。

また，デポジット制度を導入している地方自治体も少なくない。

(6) 小　括

このように，わが国では，補助金制度は活用されているが，賦課金制度などの経済的手法はあまり用いられていないといえる。すなわち，わが国では，経済的手法を用いて事前に環境汚染を防止する方向へ企業や社会を誘導していくという政策は，永らく採用されなかったのである（例外は，当初の予想を超えた賦課料率の高騰により，意図されない形で汚染防除のインセンティブが与えられた公害健康被害補償法の汚染負荷量賦課金制度であった）。この点は，ヨーロッパ諸国とはかなり差があるとみられるが，その理由としては，わが国の公害対策が人身被害から始まったという特殊性のため，事前の環境管理政策よりも事後の健康被害対策が重視されるという傾向が続いたことがあげられよう。

しかし，経済的手法に，規制的手法にないいくつかの注目すべき長所があることは前述したとおりである。また，――わが国では，公害防止協定や行政指導が頻繁に用いられ，これが規制的手法にない個別的な柔軟な政策をとりうる結果をもたらしたとも考えられるが――行政指導が「法律による行政」の観点からみて問題を有するところからも，経済的手法を用いる要請が高まっていると思われる。前述のように，わが国でも，環境基本法に経済的措置に関する規定がおかれたし，2012 年にはようやく地球温暖化対策税も導入された。

今後は，ケースに応じて最も適切な政策手段をとることが望まれる。その際，経済的手法が重要な役割を果たすことはいうまでもないが，①この手法の有効な適用分野を明らかにすべきこと（特に，地球温暖化問題，都市・生活型公害，廃棄物問題は日常生活から発生しているため，効率的な削減が極めて重要であり，適用分野となりうる。廃棄物処理，水質汚濁については，賦課金の利用が考えられる。また，温室効果ガスの削減には，賦課金又は排出枠取引制度の利用が考えられる），②導入にあたって，汚染削減費用を誰が負担すべきかという点についての社会的コンセンサスが重要なこと，③導入を容易にするために，一定部門への賦課金の減額や，賦課料率を当初少なく設定し段階的に増加させることが検討されるべきであることを指摘しておきたい。また，④炭素税・賦課金のように，従来関連するエネルギー税制が複雑に存在している

(しかも，それらは炭素排出量とは無関係に税率が決められている) 場合には，既存税制を(炭素排出量との関係で) 整理することが肝要であり，歳入中立の観点から既存税制を整理することをもって，炭素税・賦課金の導入に代えることもできよう。

3-3 情報的手法

Q8 情報的手法とは何か，どのような例があるか。

企業の自主的取組を促進する取組は，今日，国の重要な施策となっているが，自主的取組は情報公開と結びつかないと環境政策として効果を発揮しにくい。そこで「情報的手法」が注目されてくる。

「**情報的手法**」とは，環境保全活動に対して積極的な事業者や環境負荷の少ない製品などを評価して選択できるよう，事業活動や製品・サービスに関して，環境負荷についての情報の開示・提供を進めることによって，各主体の環境配慮活動を促進しようとする手法である。すなわち，環境配慮活動をしている事業者は，それが社会的に評価されて競争上有利に働く一方，そうでない事業者は不利な立場におかれるシステムを導入することが環境政策として用いられるのである。この手法の長所としては，行政リソースの限界に対処できること，各主体における対策が柔軟性を有していることがあげられる (その短所については→**3-1**・3(3)〔73頁〕参照)。

では，「情報的手法」の例としてはどのようなものがあるだろうか。現在わが国で用いられている主なものとしては，(ア)環境報告書に基づく公表，(イ)会社法，金融商品取引法に基づく公表，(ウ) PRTR 法に基づく公表，(エ)環境ラベリング，(オ)地球温暖化対策推進法における温室効果ガスの算定・報告・公表システム，(カ)特定水銀使用製品が製造される場合における事業者による水銀使用の表示 (水銀環境汚染防止法18条) がある。さらに「情報的手法」に関連するものとして，環境教育の問題がある (→**2-5**・3〔61頁〕)。このうち，(ア)～(ウ)，(オ)は各企業の環境情報を開示・提供するものであるのに対し，(エ)は製品の情報を公表するものである。また，(イ)，(ウ)，(オ)，(カ)は法律に基づいている。(カ)は，消費者の商品選択の際に認識できるようにすることで，市場において水銀使用製品を減らしていくインセンティブを与える情報的手法としての機能と，消費者による分別排出に資する情報を提供する機能の双方が存在する。(ウ) (→**6-5**〔243頁〕)，(オ) (→**10-2**〔436頁〕) については後述することとし，ここでは，(ア)，(イ)，(エ)に触れることにする。

Column9 ◇情報的手法と情報公開・情報提供の制度

情報的手法の実質化のためには，情報公開・情報提供に関する制度の整備が重要である。

①行政庁の保有する情報の公開については，一般的には，国レベルでは1999年にようやく**情報公開法**が制定された。

環境管理における情報公開の重要性については，**リオ宣言**第10原則も，「有害物質や地域社会における活動の情報を含め」「公の機関が有している環境関連情報」に関して，意思決定過程への参加の観点から市民にアクセスさせるべきであるとしており，それに基づいて**オーフス条約**も採択されていることが注目される（ただし，わが国は締結していない)。この点について，環境基本法は，環境教育や民間団体の環境保全活動を促進するため，「必要な情報を適切に提供するように努める」ことを規定しており（27条)，環境法で初めて情報の重要性を正面から問題にしたものであるが，本条は，国の有する情報のうち国が適切であると判断するものをその裁量により相手方に提供することができる旨の規定であり，全てにわたって国の裁量によるものである点に限界がある。

②事業者の保有する情報の公開については，現行法の下では，その提供を義務付けることは，規制措置の一種と解されており，必要があれば個別法において対応することとされているにすぎない。

例えば，1996年にOECD理事会は，前述のリオ宣言をうけ，「PRTRの実施に係る理事会勧告」を出し，わが国でも，1999年に**PRTR法**が制定された（→**6-5**〔243頁〕)。また，温室効果ガスについては，**地球温暖化対策推進法**が，PRTR法とほぼ同様の仕組みを有している（**温室効果ガス算定報告公表制度**)。**環境影響評価法**も，事業者の保有する情報を公表する仕組みということができよう。

また，外国のものではあるが，有害性の高い化学物質を用いた製品の購入・使用を回避することを目的とし，製品において化学物質が用いられているかについて事業者に警告義務を課することも（カリフォルニア州のプロポジション65が典型例である。大塚『環境法』4-3 コラム16〔119頁〕参照)，情報提供の制度として重要な例である。

このほか，環境報告書による環境情報の公表，環境ラベリングも，事業者の保有する情報の公表，提供であるが，現在ではこれらは自主的なものにとどまっている。なお，2016年に出された，電気事業法に基づく電力の小売事業者の営業ガイドラインは，同事業者の排出係数開示を望ましい行為とし，義務づけなかったが，これは情報的手法を十分活用していない例である（→**10-2**・2(2)(b)〔474頁〕)。

1　環境報告書

(1)　環境報告書とは

環境報告書とは，公共財である環境を利用して事業活動を行う企業が，自らの環境に対する取組，環境負荷に関する情報等を公表する媒体である。

環境報告書の記載内容は業種，企業ごとに違いがあり，それによる情報の公表は任意に行われているにすぎない。環境情報について十分に公表しない企業は，環境汚染についての悪い情報を意図的に隠していると市民や市場が判断し，また，投資家が投資をしないおそれがあるため，近年，特に大企業においては環境配慮の姿勢を示すために環境報告書を作成するようになってきた。わが国において環境報告書を作成している企業は，環境省の2017年度の調査によれば上場企業の71.8%に上っている。

わが国では，1997年6月に環境省がガイドラインを示し，さらに，2001年，2007年，2012年，2018年に改訂している（環境報告ガイドライン）。

環境報告書は，環境コミュニケーションのツール，事業者が社会的な説明責任を果たすツール，事業者自身の環境保全活動推進・環境保全型社会構築のためのツールとして機能すると考えられる。事業者が社会と「誓約・審査（pledge & review）」することにより，環境保全活動推進の役割を果たすことが期待されている。

このような事業者による環境情報の公表，提供については，市民の環境権に基づき市民に請求権が認められるべきである。仮に環境権が認められないとしても，事業者が公共財である環境を利用し，汚染を発生させていることについて，環境パートナーシップの一環として市民に情報開示の請求権が認められるべきであろう。

⑵　環境情報の提供の促進等による特定事業者等の環境に配慮した事業活動の促進に関する法律（環境配慮促進法）

2004年に制定，公布（翌年施行）された「環境情報の提供の促進等による特定事業者等の環境に配慮した事業活動の促進に関する法律」（環境配慮促進法）は，環境報告書を社会における重要なコミュニケーション手段とし，環境配慮事業活動が一層報いられるものとするため，制度的枠組が必要であり，国はその構築にあたって最小限の関与をすることが適当であるとの考え方の下に，独立行政法人のような「特定事業者」について環境報告書の作成・公表を義務付けた。

もっとも，本来のターゲットである民間企業への環境報告書の義務付けがなされていないこと（大企業についての努力義務にとどまる。11条1項），第三者審査については特定事業者にすら義務付けられていないことなど，限界も少なくない。

2　会社法，金融商品取引法に基づく公表

わが国の現行の会社法，金融商品取引法においては，環境関連情報の開示，提供を明示的に要求する規定は存在しない。会社法上，取締役の行動の際，環境影響に配慮しうることを明示していない。また，株式会社は，各事業年度に係る「事業報告」を作成することとされているが（会社法435条2項。442条1項，2項，438条1項で本店及び支店での備置き及び定時株主総会での報告が義務付けられている），企業の環境

情報の記載は義務付けられていない（事業報告の記載内容については，会社法施行規則117条以下）。また，金融商品取引法では，有価証券報告書に「事業の内容に関する重要な事項」を記載すること（金融商品取引法24条，企業内容等の開示に関する内閣府令15条）とされているが，環境問題については触れる義務がない。

今後企業の評価にとって環境保全活動への取組が重要な意味をもってくると考えられること，利害関係者に対して投資等の意思決定の際の判断資料を提供する必要があることから，会社法，金融商品取引法の分野においても，会社法の中で取締役の行動の際に環境影響に配慮しうることを定め，また，会社法の下の事業報告や有価証券報告書の中で環境情報の記載を明確に義務付け，その公表を図っていくべきであろう（吉川栄一）。2022年現在，ESG投資の前提としての企業の非財務情報の開示について，金融商品取引法の改正が進められつつある。

3 環境（エコ）ラベリングとグリーン購入

環境ラベリングとは，環境負荷の少ない製品としての認定を受けたときに，これについて当該製品に表示をすることをいう。わが国ではエコマーク制度が1989年から発足している。環境ラベリング制度の目的は，ラベルを表示した製品のイメージを向上させ，消費者が製品を選ぶ参考にさせることにより，製造者に製品の環境上の影響についての責任感を養い，市場を通じて環境を保護することである。製品についての「情報的手法」として活用しうる性質をもつものといえよう（環境ラベリングの3つのタイプについて，大塚『環境法』〈第3版〉4-3・3〔112頁〕参照）。

環境ラベリングは，企業と消費者との環境コミュニケーションのギャップを埋めるものということもできる。そのためには，環境ラベルが信憑性をもつことが必要であり，表示の正確性，科学的根拠の明確性が非常に重要であることを強調しておきたい。わが国のエコマークはその基準が明確でないことが批判されているところである。

近年，市場に供給される製品・サービスの中から環境への負荷が少ないものを優先的に購入することによって，これらを供給する事業者の環境負荷低減への取組を促進しようとする行動（「**グリーン購入**」）が世界的に注目されている。その主体は消費者，事業者，政府・自治体などがあるが（わが国では，国等によるグリーン購入については，2000年に「国等による環境物品等の調達の推進等に関する法律」〔グリーン購入法〕が制定された），グリーン購入をするグリーンコンシューマーを増やすために，環境ラベリングが重要な役割を果たす。すなわち，環境ラベリングは，グリーンコンシューマーとグリーンマーケティングを結ぶ接点としての機能を有しているのである。

第4章　環境基本法

環境基本法の制定背景についてはすでに述べたとおりである（→**第1章**）。ここでは，その内容を概述し，それを評価することとしたい。

4-1　環境基本法の制定

Q1　環境基本法制定の原動力となった環境問題の変化について述べよ。

先にあげた，環境基本法制定の背景となった3点である（→**1-2**・4(1)〔12頁〕）。

環境基本法（平成5年法律91号）は，従来の公害対策基本法に代わるものとして，1993年11月に制定され，直ちに施行された。本法は，公害対策と自然保護の分野を統合する観点から，公害対策基本法と，自然環境保全法の政策原則部分を取り入れた（このため，環境基本法の施行に伴い，〔旧〕自然環境保全法中，基本理念などの基本法的な部分は削除された）だけでなく，新たに生じた，都市型・生活型公害や廃棄物の排出量の増大，地球環境問題等の今日の環境問題に対応した環境法の基本理念を明らかにし，社会の構成員それぞれの役割を定めるとともに，環境保全のための多様な手法（→**第3章**〔63頁〕）を総合的・計画的に推進していくための枠組を規定している。

Q2　環境基本法の公害対策基本法にはない特色をあげよ。

先に（→**1-2**・4(1)〔12頁〕）あげた5点である。再掲しておこう。

①基本理念として環境負荷の少ない持続的発展が可能な社会の構築が掲げられたこと（3条〜5条），

②環境基本法制の根幹に，法定計画としての環境基本計画を位置づけたこと（15条），

③国の施策の策定・実施にあたって環境配慮が義務付けられたこと（19条），

④伝統的な規制手法とは異なるいわゆる経済的措置の導入の可能性が明定されたこと（22条），

⑤地球環境保全等に関する国際協力のための規定がおかれたこと（5条，34条2項，35条）

である。

環境基本法は，生態系の保護を考慮しつつ，**持続可能な環境保全型社会**の形成を目指し，国際的な取組の積極的推進を掲げており，公害対策法から環境管理法への転換を促す法律とみることができる。

Q3 環境基本法において，環境負荷，環境の保全上の支障，公害の語はどのように用いられているか。

すでに扱ったように（→**第 1 章**〔2 頁〕），環境基本法の中では，「環境」，「環境の保全」についての定義規定はおかれていない（→**1-1**・1〔2 頁〕）。一方，「環境への負荷」については，「人の活動により環境に加えられる影響であって，環境の保全上の支障の原因となるおそれのあるもの」と定義されている（2 条 1 項）。「環境の保全」には，「環境の保全上の支障」の防止を超えて，環境をより良好な状態にする施策も含まれている。

4-2 環境基本法の内容

1 構 成

環境基本法は，3 章 45 カ条で構成されている。基本法とは，特定の分野について，国の政策の基本的方向を示すことを主たる内容とする法律である。法形式としては，他の法律と異なるものではない。

環境基本法は，環境の保全に関する基本理念及び各主体の責務を規定するとともに，施策の実施規定のうち基本的な部分を定めている。これらは主に「プログラム規定」（政策目標を示すのみで法的拘束力をもたない規定）を構成するものであるが，これに加え，環境基本計画の策定（15 条）のほか，6 月 5 日を環境の日とすること（10 条），環境の保全に関する白書を国会に提出すること（12 条），環境基準を定めること（16 条），公害防止計画を作成すること（17 条），国や地方で環境の保全に関する審議会等をおくこと（41 条～44 条），公害対策会議をおくこと（45 条，46 条）などの実体規定がある。これらの実体規定においても，その名宛人は国，政府であることに注意を要する。

第 1 章総則においては，環境の保全に関する基本理念を明らかにし（3 条～5 条），国，地方公共団体，事業者及び国民の責務を定めている（6 条～9 条）。

第 2 章は，国及び地方公共団体の環境の保全に関する基本的施策を定める。そこでは，まず，環境の保全に関する施策の策定及び実施の指針として，広く公害防止，自然環境保全等を対象として，各種の施策相互の有機的連携を図りつつ，環境政策を総合的かつ計画的に推進すべきことが規定されており（14 条），その後に，環境基準や公害防止計画，排出等の規制措置，施設整備等の事業，科学技術の振興，被害救済，紛争処理などの公害対策基本法に位置づけられていた施策のほか，環境基本計画，環境影響評価，経済的措置，環境保全活動の推進，地球環境保全等に関する国際協力など，新たな施策・手法が位置づけられている。

第3章では，公害対策審議会に代わって設けられた中央環境審議会，都道府県及び市町村の環境の保全に関する審議会その他の合議制の機関及び公害対策会議の設置について規定されている。

2 目的・基本理念・責務

基本法の目的は，基本理念，各主体の責務，環境保全の施策の基本事項を規定することにより，環境保全に関する施策を総合的・計画的に推進し，もって，①**現在及び将来の**国民の健康で文化的な生活の確保に寄与するとともに，②人類の福祉に貢献することである。①，②を加えている点が，従来の立法にみられない特色といえる。①は将来の国民に触れている点で，「持続可能な発展」の考え方を体現している（→**2-1**・1(2)〔32頁〕）。

Q4 環境基本法は基本理念として何をあげているか。

基本理念としては，

(i) **生態系の均衡**の下に成り立っている有限な環境が，人為活動による環境への負荷によって損なわれるおそれが生じていることに鑑み，「現在及び将来の世代」の人間が健全で恵み豊かな環境の恵沢を享受するとともに，これが将来にわたって維持されるようにすべきこと（3条），

(ii) 環境の保全に関する行動を社会の全ての者が「公平な役割分担」の下に自主的，積極的に行うことにより，環境への負荷の少ない健全な経済の発展を図りながら「**持続的に発展**することができる社会」が構築されることを旨としなければならないこと，また，環境の保全は「**未然防止**」を旨とすべきこと（4条），

(iii) 地球環境保全のため，わが国の能力を生かし，その国際的地位に応じ，国際的協調の下に積極的に取り組むべきこと（5条）

があげられている（これらに対する本書における評価については，→**第2章**冒頭〔30頁〕，**2-1**・2〔33頁〕，**2-2**・3(1)〔37頁〕，**2-3**・1(1)〔42頁〕）。

(i) 3条において，人類の存続基盤である環境が生態系の均衡によって成り立っているとの認識が示されたことは重要である。この点は，自然環境保全法とその下での自然環境保全基本方針（1973年）に示されていた点をさらに発展させたものといえよう。

(ii) 4条にいう環境負荷の少ない「持続的に発展することができる社会」は，1992年の環境と発展（開発）に関する国連会議でキーワードとして用いられた「持続可能な発展」の観念を容れたものである。1970年の公害対策基本法の改正において**経済調和条項が削除**されたときに第1のパラダイムの変更があったとみられるが，ここで第2のパラダイムの変更があったといえよう。すなわち，1970年の段階では，経済と公害（環境）を切り離すことに目的があったのであるが，環境基本法においてはむしろ，大量生産，大量消費，大量廃棄型社会を見直し，経済のあり方そのものを積極的に環境保全が可能なものに変えていくことを目的としている（**環境と経済の統合**）。経済社会は環境保全が可能な範囲で持続的発展を行うべきであるという考え方である。従来の公害対策基本法には，このような考え方は含まれておらず，社会経済活動のあり方自体を見直すという課題に対応することはできなかった。自然環境保全法の基本理念にはすでに将来世代も念頭におかれていたが，社会システムの変更までを意図したものではなかった。

そして，本条にいう「環境への負荷の少ない健全な経済の発展を図りながら」という文言も，このような環境と経済の統合の見地から理解すべきである。これをもって経済成長と環境保全とエネルギー供給の三位一体を図る趣旨であるとする主張もあるが，経済成長を将来にわたって続けることを所与の条件とみるべきではないといえよう。

なお，4条は「**科学的知見の充実の下に**」未然防止をするという文言をおいているが，確実ではないが，いったん生ずると不可逆的で被害が甚大となるリスク（例えば，地球温暖化はこれにあたりうる）については，予防原則ないし予防的アプローチの下に防止措置をとる立場が国際的には有力であり，上述したように，本条も「科学的知見の充実」を「要件」とするものと解すべきではない（本法制定後に策定された環境基本計画〔第1次～第5次計画の全て〕は，この立場を明確に示している）。むしろ，**予防原則**は4条の持続可能な発展原則に含まれていると解されるし，19条の国の環境リスク配慮義務（環境配慮義務）によってその一部が根拠づけられているとみることもできる。

(iii) 5条の理念は，地球環境保全が人類共通の課題であるとともに，わが国の国民の福祉を確保する上でも必要であること，わが国の経済社会が国際社会の相互依存性の中で営まれていることを根拠としている。

これらの基本理念の実現に向けては，国や地方公共団体が環境の保全に関する施策を講じていくことはもちろん，事業者や国民も，事業活動や日常生活において環境への負荷を減らすように努めるなど，進んで環境の保全のために行動することが

【図表 4-1】 経済調和条項と持続可能な発展原則との関係

公害対策基本法における「調和条項」の下での考え方

環境 v. 経済

対立

環境基本法における「持続可能な発展」原則の下での考え方

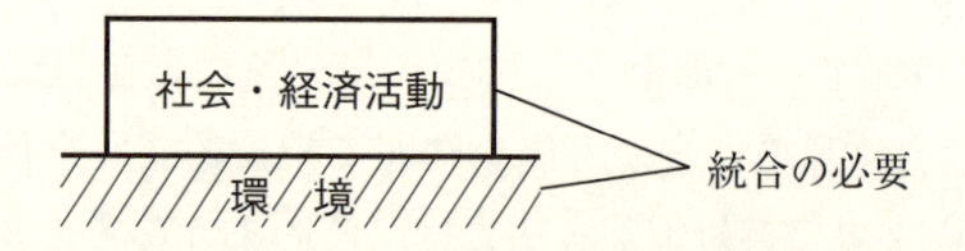

必要である。環境の保全のため，それぞれの主体が果たすべき役割が責務として規定されている（6条〜9条）。

Q5 経済調和条項と「持続可能な発展」概念の関係について述べよ。

「持続可能な発展」の観念も，経済と環境を関連させる点では，経済調和条項に近づくともみられなくはない。両者はどのような関係にあるか（**図表 4-1**）。

かつての公害対策基本法における**経済調和条項**は，「環境か，経済か」という二者択一の議論の中で，環境保全を経済発展の枠内で行うという考え方を示したものである。例えば，同法にこの条項があったときの水質二法は，指定された水域についてのみ適用され，その指定は遅れ，設定された排水基準も従前の排水濃度を追認するような緩やかなものにとどまった。

これに対して，環境基本法における「**持続可能な発展**」は，人類の存続自体が環境を基盤にしており，その環境が損なわれているという認識の下に，社会経済活動全体を環境適合的にしていかなければならないという考え方であり，そこでは，環境と経済を対立したものと捉えるのでなく，あくまでも環境を基盤としつつ，経済を環境に適合させる形で両者を統合することが考えられている（環境と経済の統合）。

このように，環境と経済を関連させる点では一見類似しているものの，両者は全く異なる性質のものなのである。

3 本法の対象となる環境保全施策

(1) 環境基本法は，環境の保全に関する施策の策定及び実施の指針として，①大気，水，土壌その他の環境の自然的構成要素が良好な状態に保持されるよう，②生物の多様性が確保され，多様な自然環境が体系的に保全されるよう，また，③人と自然との豊かな触れ合いが保たれるよう，各種の施策相互の有機的連携を図りつつ，環境政策を総合的かつ計画的に推進すべきことを規定する（14条）。広く公害防止，自然環境保全等を対象とする趣旨である。もっとも，文化財や都市景観が含まれていないという問題は残されている。

(2) 放射性物質による汚染の扱い

Q6 環境基本法は放射性物質による大気・水質・土壌の汚染に適用されるか。

(a) 環境基本法旧13条は，放射性物質による「大気の汚染，水質の汚濁及び土壌の汚染の防止」について適用除外としていた。原子力基本法及び関連法律ですでに防止のための措置がとられていたことなどから，これらの防止措置については，原子力基本法及びその関係法律で行うこととされていたのである。しかし，2012年の本法の改正（原子力規制委員会設置法による）により，本条は削られた。

削除の第1の理由は，同じ環境媒体についての汚染を防止する点で，放射性物質とそれ以外を分ける必要がないということにある。

第2の理由は，2011年に制定された「平成23年3月11日に発生した東北地方太平洋沖地震に伴う原子力発電所の事故により放出された放射性物質による環境の汚染への対処に関する特別措置法」（放射性物質汚染対処特措法）を環境基本法体系下にある環境法令として位置づける必要があったためである。

第2点については，環境基本法旧13条にいう「大気の汚染，水質の汚濁及び土壌の汚染の防止」は単なる防止だけを意味するのか，汚染の除去等も含むのかという問題が関連する。前者の見解もありうるが（北村），ここでは後者の見解を採用しておきたい。その理由としては，水質，大気，土壌に関する個別法では除去等も適用除外として扱っており（例えば，水濁法14条の3の「地下水の水質の浄化のための措置」は，同法旧23条1項の適用除外を受ける），これらが環境基本法旧13条と一体として理解されてきた（環境庁水質保全局監修＝水質法令研究会編『逐条解説 水質汚濁防止法』380頁）ことがあげられよう（ただし，公害紛争処理法については，放射性物質に汚染された塵や水の拡散による周辺地域の大気，水又は土壌の汚染がもたらす健康や生活環境に対する被害も，対象となると解されてきた）。このように，環境基本法旧13条の「汚染の防止」は「汚染の除去等」を含みうる概念であり，放射性物質汚染対処特措法を環境基本法体系下にある環境法令として位置づけるためには，環境基本法旧13条を削ることが望ましいと考えられたのである。

なお，2012年の原子力規制委員会設置法の制定により，同時に循環型社会形成推進基本法旧2条2項2号における上記適用除外規定も削られた。

(b) 2012年の環境基本法13条の削除を受け，2013年6月，「放射性物質による環境の汚染の防止のための関係法律の整備に関する法律」(同月公布。施行は2013年12月)により，放射性物質による大気の汚染及び水質汚濁に関する適用除外規定(大防法旧27条1項，水濁法旧23条1項)が削除されるとともに，放射性物質による大気汚染及び水質汚濁に関する常時監視(大防法22条3項，水濁法15条3項)が定められた。また，環境影響評価法，南極地域の環境の保護に関する法律の放射性物質適用除外規定(それぞれ旧52条1項，旧24条1項)が削除され，環境影響評価手続及び南極地域活動計画の確認をはじめとする措置の対象に，放射性物質による環境への影響が含められることになった。

4 環境基本計画

Q7 環境基本計画の名宛人は誰か。環境基本計画は環境基本法においてどのように位置づけられているか。

(1) 環境基本法は，環境保全に関する多様な施策を，有機的連携を保ちつつ，全ての主体の公平な役割分担の下，長期的な観点から総合的かつ計画的に推進するため，政府全体の環境の保全に関する施策の基本的な方向を示す環境基本計画を，環境大臣(1999年改正前は，内閣総理大臣)が中央環境審議会の意見を聴いて，閣議決定により定めることを新たに規定した(15条)。同計画には，①「環境の保全に関する総合的かつ長期的な施策の大綱」，②「環境の保全に関する施策を総合的かつ計画的に推進するために必要な事項」が定められることになっており，本条(中央省庁改革に伴う1999年改正前の規定)に基づいて1994年に環境基本計画が策定された(その後，2000年，2006年，2012年，2018年に第2～第5次の環境基本計画が策定された)。

環境基本計画は，環境保全施策について，政府全体としての基本的な方向を示すとともに，地方自治体，事業者及び国民に期待される取組を定めるものである。

環境基本計画の**名宛人は政府**であり，政府自らが行う施策についての計画であるが，あらゆる主体が環境問題に関与するようになった今日の実情に鑑みると，各主体に対して政府が期待する取組を計画に位置づけることには大きな意義がある。各主体がこの計画を参考にして施策を行うことにより，ソフトな手法の下で目標が達成されることが目指されているのである。

環境基本計画については，国土利用計画(全国計画)(国土利用計画法5条)，国土形成計画(全国計画)(国土形成計画法6条)などの国レベルの他の計画との整合性が問題となるが，本法はこの点について何の規定もおいておらず，閣議での調整に委ねられているにすぎない。当初の環境庁素案，社会党案には，環境基本計画を上位

【図表 4-2】 第 5 次環境基本計画の全体構成

環境基本計画について

・環境基本計画とは，環境基本法第 15 条に基づき，環境の保全に関する総合的かつ長期的な施策の大綱等を定めるもの。
・計画は約 6 年ごとに見直し（第四次計画は平成 24 年 4 月に閣議決定）。
・平成 29 年 2 月に環境大臣から計画見直しの諮問を受け，中央環境審議会における審議を経て，平成 30 年 4 月 9 日に答申。
・答申を踏まえ，平成 30 年 4 月 17 日に第五次環境基本計画を閣議決定。

第 1 部　環境・経済・社会の状況と環境政策の展開の方向

●現状と課題認識（我が国が抱える課題は相互に連関・複雑化。SDGs，パリ協定などの国際的な潮流）。
●今後の環境政策の展開の基本的考え方（イノベーションの創出，経済・社会的課題との同時解決）。

第 2 部　環境政策の具体的な展開

①分野横断的な 6 つの「重点戦略」（経済，国土，地域，暮らし，技術，国際）を設定。
　※重点戦略の展開にあたっては，パートナーシップ（あらゆる関係者との連携）を重視。
　※各地域が自立・分散型の社会を形成し，地域資源等を補完し支え合う「地域循環共生圏」の創造を目指す。
②環境リスク管理等の環境保全の取組は，「重点戦略を支える環境政策」として揺るぎなく着実に推進。

第 3 部　計画の効果的実施

●国及び各主体による取組の推進，計画の点検・指標の活用，計画の見直しについて記載。
●「重点戦略」に係る点検は，優良事例のヒアリングを中心に実施。

第 4 部　環境保全施策の体系

●環境保全施策の全体像を体系的に記載。

出典：環境省資料を加工

におく規定が備えられていたが（また，実定法上は，国土利用計画法 6 条や都市計画法 13 条が計画間調整の規定をおいている），最終的にはこのような規定はおかれなかったのである（循環型社会形成推進基本法 16 条（→**7-4**(2)(e)〔366 頁〕）及び生物多様性基本法 12 条（→**8-2**・1(2)〔374 頁〕と対比せよ）。

(2)　第 5 次環境基本計画の構成と特徴

(a)　2018 年に閣議決定された「第 5 次環境基本計画」は，「第 1 部　環境・経済・社会の状況と環境政策の展開の方向」，「第 2 部　環境政策の具体的な展開」，「第 3 部　計画の効果的実施」，「第 4 部　環境保全施策の体系」の 4 つの部分によって構成されている（**図表 4-2**）。

(ア)　第 1 部では，わが国が抱える環境の課題，経済の課題，社会の課題が連関していることを認識するとともに，国際的には，2015年に「持続可能な発展のための2030アジェンダ」の中核としての「持続可能な発展目標」(SDGs)，パリ協定(→ **10-1**・3〔430頁〕)が採択されたが，これらにおいても環境だけではなく経済・社会を含めた転換（パラダイムシフト）が潮流となっていることを認識する。

そして，「目指すべき持続可能な社会の姿」は，「循環」，自然との「共生」，「低炭素」を実現する循環共生型の社会（環境・生命文明社会）であるとする。この立場は，「生態系サービス」の需給でつながる地域（都市と農山漁村）を一体として捉え，その中で連携や交流を深め，互いに支えあっていくという「自然共生圏」の考え方（生物多様性国家戦略2012-2020），地域特性や循環資源の性質に応じて最適な規模の循環を形成させることにより地域づくりを進めていく「地域循環圏」の考え方（第2次循環型社会形成推進基本計画）を包含する「**地域循環共生圏**」の創造につながる。

また，「今後の環境政策が果たすべき役割」として，イノベーションの創出と，経済・社会的課題との同時解決をあげる。

「今後の環境政策の展開の基本的考え方」として，SDGsの考え方も活用し，環境・経済・社会の統合的向上を具体化し，その中で，経済，地域，国際などに関する諸課題の同時解決を図ることをあげる。また，より幅の広い関係者とのパートナーシップを充実・強化させることをあげる。

「環境政策の原則・手法」については，「原則等」として，環境効率性，リスク評価と予防的取組方法，汚染者負担原則，拡大生産者責任，源流対策の原則が，「政策手法」として，直接規制的手法，枠組規制的手法，経済的手法，自主的取組手法，情報的手法，手続的手法，事業的手法があげられており，第3次環境基本計画以降の考え方が基本的に維持された。

(イ) 第2部は2つの柱からなる。6つの「重点戦略」と「重点戦略を支える環境政策」である。

第1に，分野横断的な6つの重点戦略を設定した（この点に関しては，2014年の意見具申の影響が大きい)。①持続可能な生産と消費を実現するグリーンな経済システムの構築，②国土のストックとしての価値の向上，③地域資源を活用した持続可能な地域づくり，④健康で心豊かな暮らしの実現，⑤持続可能性を支える技術の開発・普及，⑥国際貢献によるわが国のリーダーシップの発揮と戦略的パートナーシップの構築である。例えば，再生可能エネルギー発電事業の導入により，気候変動対策としての環境対策にもなり①経済発展にも資するし，③地域づくりにもつながるとか，④テレワークなどの働き方改革がCO_2削減にもつながるように，各重点戦略が環境対策と結合するという考え方である。

第2に，重点戦略を支える環境政策をあげる。1）気候変動対策，2）循環型社会の形成，3）生物多様性の確保・自然共生，4）環境リスクの管理，5）基盤となる施策，6）東日本大震災からの復興・創生及び今後の大規模災害発災時の対応といった，環境政策の根幹となる環境保全の取組は揺るぎなく着実に推進する。1）～3）については閣議決定レベルの計画があり（地球温暖化対策計画，循環型社会基本計画，生物多様性国家戦略），それに沿った施策を進めていくことになる。

(ウ) 第3部では，環境基本計画の効果的な実施のため，政府をはじめとする各主体による環境配慮と連携を強化すべきことがあげられ，「関係府省は，環境基本計画を踏まえながら……各般の制度の立案等を含む環境に影響を与えうる政策分野……において，それぞれの定める環境配慮の方針に基づき，環境配慮を推進する」とした。また，同計画の効果的実施のために財政上の措置等が講じられること，各種計画との連携が図られるべきこと，指標等により計画の進捗状況の点検が行われることが示されている。

(エ) 第4部は，環境保全施策の体系をあげる。

(b) 従来の計画と比べた本計画の特色と思われる点をあげておきたい。

第1に，分野横断的な6つの重点戦略を設定したことである。これらの重点戦略はすべて経済・社会との関係で設定されている（諸課題の同時解決を目指すものがあげられている）。環境対策を実施し，同時に経済・社会も良くするよう政策を進めるという考え方であり，経済・社会にも良く，環境にも良い政策を積極的に取り入れる趣旨である。環境政策が経済成長につながらない場合も当然あるわけであるが，本計画は，同時解決がなされるような政策の実現を心がけるという趣旨であり，実際にそれが達成できるかは今後に委ねられる。

第2に，重点戦略を支える環境政策があげられる。重点戦略が「花」であり，これを支える環境政策が「幹」，「根」にあたるとされている。

今後，「重点戦略」及びこれを支える政策の2つの柱についての点検が重要となる。

第3に，本計画に影響を与えたものとしては，1）SDGs，2）パリ協定，3）2014年の意見具申があげられる。1）SDGsの考え方の活用については，複数の課題を統合的に解決することを目指すこと，（複数の側面における利益を生み出す）マルチベネフィットを目指すことが重視されている。

全体的に見て，環境と経済・社会の統合を極めて重視した点が従来の環境基本計画との相違である。環境と経済の好循環は第3次環境基本計画においても謳われていたが，これらの統合を具体化しようとしている点が異なる。

5　環境配慮義務と環境影響評価の推進

(1)　環境配慮義務

Q8　環境基本法における国の環境配慮義務は法的にはどのような意味があるか。

国の施策は，社会経済活動全般にわたって展開され，それに伴って生ずる影響も広範・多岐にわたるため，その策定及び実施にあたって環境の保全について配慮することを規定した（19条）。これは公害対策基本法17条と自然環境保全法旧8条を修正したものであり，環境基本法4条に掲げる未然防止・予防の観点を政策手段に具現化しているといえる。

本条の法的意義は次の2点にある。

第1に，本条により，個別の根拠法令に具体的規定がなくても，少なくとも，環境への影響を全く考慮せずになされた行政処分は違法と解される。また，このような場合に環境に配慮して許認可をしないときも他事考慮をしたことにはならない（北村）。その限りで，本条は実体法的な規範性を有するのである。

第2に，この環境配慮義務には，施策の実施段階だけでなく，施策の策定段階における環境配慮義務が含まれることである（畠山）。（EUのような）本格的な「戦略的環境アセスメント」（→**5-5**〔141頁〕）は，本条に関連する。

国の環境配慮義務は，環境権の内実を行政の権限行使論から捉え直したものとみることもできる（礒野弥生）。科学的不確実性を有する環境問題については，国の環境配慮義務の履行は予防原則の実現とも関係している。本条を予防原則との関連で捉えることも可能であり，**予防原則の根拠の1つ**と解すべきである。

Column10 ◇環境配慮義務の個別法における根拠規定と裁判例

環境配慮義務の根拠となる個別法としては，瀬戸内法13条1項，公有水面埋立法4条1項2号，都市計画法13条1項，森林法10条の2第2項3号，廃掃法15条の2第1項2号などがある。

裁判例において行政の環境配慮義務はどのように扱われているか。

環境基本法19条を引用するものは特にみられないが，行政の環境配慮義務を認める裁判例は少なくない。

日光太郎杉事件控訴審判決（東京高判昭和48・7・13行集24巻6=7号533頁［77]），織田が浜埋立公金支出差止訴訟差戻後控訴審判決（高松高判平成6・6・24判タ851号80頁［72]），二風谷ダム事件判決（札幌地判平成9・3・27判時1598号33頁［79]），小田急訴訟第1審判決（東京地判平成13・10・3判時1764号3頁），圏央道あきる野IC事業認定・収用裁決事件第1審判決（東京地判平成16・4・22判時1856号32頁），鞆の浦公有水面埋立差止訴訟判決（広島地判平成21・10・1判時2060号3頁［64]），諫早湾民事差止訴訟控訴審判決（福岡高判平成22・12・6判時2102号55頁［73]）な

どは，本条には触れずに，土地収用法，公有水面埋立法，瀬戸内法等の許認可等の際の環境配慮義務の存在を認めている（礒野，北村）。そして，小田急訴訟最高裁判決（最判平成18・11・2民事60巻9号3249頁〔29〕）が，行政判断の「基礎とされた重要な事実に誤認があること等により重要な事実の基礎を欠くこととなる場合，又は，事実に対する評価が明らかに合理性を欠くこと，判断の過程において考慮すべき事情を考慮しないこと等によりその内容が社会通念に照らし著しく妥当性を欠くものと認められる場合に限り，裁量権の範囲を逸脱し又はこれを濫用したものとして違法となる」としているが，これは，最高裁が，行政庁には，行政決定によって影響を受ける環境に対する評価や影響の程度の評価を合理的に行う義務があることを示したものとして重要である。

(2) 環境影響評価

さらに，事業者が事業の実施にあたり，あらかじめ環境への影響について自ら調査，予測又は評価を行い，その結果に基づき環境の保全について適正に配慮する「環境影響評価」は，環境の保全上の支障を未然に防止する上で極めて重要な制度であり，本法はその重要性を認識し，国は，その推進のために必要な措置を講ずることとしている（20条）。この「必要な措置」には法的措置も含まれるとの（本法制定時の）国会答弁もなされており，本条を契機として，環境影響評価法が1997年に制定された。

20条は，内容上，事業アセスメントにとどまっており，計画アセスメントが規定されていないこと，代替案の検討の必要性を規定していないこと，第三者による評価の制度を設けていないことなどの点でも，不十分であるとの批判が行われた（これは，環境影響評価法に対する批判でもあった）。もっとも，**計画アセスメント**については，「事業の実施に当たりあらかじめ」という文言にその意味を読み込めるという国会答弁がされており，そのように解釈すべきである。これに対して，上述したように，本格的な「戦略的環境アセスメント」は，20条ではなく，19条の問題であると解されている。

6 環境の保全上の支障を防止するための規制措置

環境基本法は，規制措置を，環境の保全において引き続き重要な役割を果たすものと位置づけている。国は，①公害防止のための排出等に関する規制，②公害防止のための土地利用・施設設置に関する規制，③自然環境保全のための面的な自然に着目した規制，④自然環境保全のための個別の自然物に着目した規制，及び⑤公害防止と自然環境保全の融合規制について必要な規制の措置を講じなければならない（21条1項）。また，広範な日照阻害，ビル風による被害等，公害ではないが，これに類似する健康保護・生活環境保護に係る支障の防止のため，必要な規制の措置を講ずるように努めなければならない（同条2項)。

7　環境保全のための誘導措置等

このような規制措置は特定の社会経済活動を回避するためには有効であるが，通常の社会経済活動を見直すための施策としては十分でない。通常の社会経済活動を見直すためには，経済活動が自由に営まれていることを前提として，社会の各構成員がそれぞれの役割を認識し，おのおのの活動のあり方を見直すことができるようにしていかなければならない（4条の「環境の保全に関する行動がすべての者の公平な役割分担の下に自主的かつ積極的に行われるようになること」が必要であるという考え方はその表れである)。そのためには，まず，社会の各構成員がどのような行動をとるべきかについて適切な情報を提供するとともに，各人に環境への負荷を減らすことの必要性を認識させる必要がある。

このような見地から，本法は，社会の各構成員の活動を環境保全の方向に広い意味で誘導するために，新たに，①**経済的手法**の活用，②**環境保全活動の推進**に必要な諸措置を定め，また，③環境保全に関連する社会資本の充実を図ることとした（③は，公害対策基本法を拡大したものである)。

(1)　経済的手法の活用（→**3-2**〔74頁〕）

Q9　環境基本法22条1項と同条2項の関係について述べよ。

環境基本法は，規制的措置では対応が困難な今日の環境問題に対処するため，従来から用いられてきた助成措置について22条1項で規定し，さらに，適正かつ公平な経済的な負担を課し，市場メカニズムを活用して環境への負荷を低減させるよう誘導する手法として同条2項に規定をおいている。環境基本法の制定のもとになった中央公害対策審議会と自然環境保全審議会の答申（1992年）にみられるように，2項に相当する手法としては，①**賦課金・税**，②**排出枠取引**，③**デポジット制度**がある。同項は，具体的措置については国民に負担を課するものであることから，種々の**条件**が付されている。すなわち，国は，その効果，影響等を適切に調査・研究し，実施する場合には，国民の理解及び協力を得るよう努めることとし，それが地球環境保全の施策であるときは，国際的な連携に配慮するとされているのである。

(2)　環境保全活動の推進

今日の環境問題は，通常の経済活動や日常生活に起因するところが多く，事業者や国民が自主的・積極的に環境保全のために行動・協力することが必要であるところから，国は，(i)環境負荷の少ない製品等の利用促進（24条。この点に関する事業者の責務については→**2-5**〔60頁〕），(ii)環境教育及び環境学習の振興（25条），(iii)民間団体等が自発的に行う緑化活動，リサイクル活動等の促進（26条），(iv)(ii)及び(iii)に資するために必要な情報の提供（27条）といった措置を講ずることとしている。(iii) NGOの活動の促進に必要な措置を定める26条については，今後，環境問題に関する情報を集積し，その情報に基づき適切に政策提言を行う市民団体との連携がますます必要となってくると考えられるが，NGOについて権利の主体としての位置づけをしていない点に限界がみられる。(iv)については，最近，インターネットを通じた情報提供が進んでいる。情報提供については，(ii)及び(iii)に資する場合に特に必要であることから27条がおかれているが，これに限定する趣旨ではない（環境省総合環境政策局総務課編著『環境基本法の解説』〈改訂版〉265頁参照）。環境省は2009年になって「環境情報戦略」を作成したが，断片的なものにとどまっているとの評価もなされている（OECD2010年報告書77頁）。

(3) 環境保全に関連する社会資本の充実

都市型・生活型公害や地球環境問題が生じている今日，環境への負荷の少ない経済社会の構築を図るため，公共的施設の整備やそれらの施設の適切な利用に関する普及・啓発等の事業の推進は，重要な課題となっている。また，健全で恵み豊かな環境の恵沢を享受するには，公園，緑地その他の公共的施設等の自然環境を適正に整備し，その健全な利用のための事業を推進することが必要である。

こうしたことから，本法は，それまでのような公害防止施設等の整備（公害対策基本法12条参照）にとどまらず，環境への負荷の低減に資する交通施設（鉄道等の公共輸送施設やバイパス道路など）の整備，自然環境の保全に関する施設の整備等の事業（民間の事業者に対する支援措置を含む），さらに，それらの利用を促進するための普及・啓発等のソフト事業の推進など，環境の保全の観点から広範な社会資本の整備等を図っていくこととしている（23条）。

8 地球環境保全等に関する国際協力等の推進

地球環境保全については，基本理念の１つとして「国際的協調による地球環境保全の積極的推進」（5条見出し）を掲げるとともに，特に節を設けて（第2章第6節），地球環境保全等に関するわが国の姿勢を明らかにしている。

すなわち，国が，①地球環境保全や，開発途上地域の環境保全，国際的に高い価値が認められる環境の保全（南極条約又は世界遺産条約によるものなど）（これらを合わせて，「地球環境保全等」という）に関する国際協力を推進すること，そして，そのための人材の育成，情報の収集，さらには，国際的な環境状況の監視，観測等の効果的な推進を図ること（32条，33条），②地方公共団体，民間団体等が地球環境保全のために行う国際協力が重要であることから，情報の提供など必要な支援を行うこと（34条），③国際協力の実施にあたって環境配慮を行うほか，事業者の海外での事業活動に係る環境配慮が行われるよう必要な措置を講じるように努めること（35条）が定められている。

9　地方公共団体の施策

環境の保全に関する施策の推進にあたっては，地方公共団体の役割は極めて重要であり，従来も環境保全のために先進的な役割を果たしてきた。今日の環境問題の多くは，都市・生活型公害，地球環境問題等にみられるように，国民生活や事業活動一般に起因する部分が多く，その解決のためには，国のみならず地方公共団体においても，環境の保全に関する多様な施策を適切に講ずる必要がある。

このため，環境基本法36条は，地方公共団体の責務に関する7条の規定を受け，地方公共団体は，①国の施策に準じた施策及び②区域の自然的社会的条件に応じた環境の保全のために必要なその他の施策を総合的かつ計画的な推進を図りつつ実施するものとしている。

国が基本的な施策の枠組を策定・実施している場合の地方公共団体の上乗せ，横出し規制は①にあたるのに対し，国において規制措置が講じられておらず，地方公共団体のみで規制措置をとる場合（リンを含む合成洗剤の使用，販売の規制等）は②にあたる。

10　そ の 他

Q10　環境基本法は関係者の費用負担についてどのように定めているか。

第1は，いわゆる**原因者負担**である。

これについては，37条がまず目に止まるであろう。公害防止事業費事業者負担法，公害健康被害の補償等に関する法律，自然環境保全法，海洋汚染防止法等における原因者負担の規定を踏まえ，国等が行う事業について，事業の必要を生じさせた限度において適切・公平に費用を負担させるために原因者に対して必要な措置を講ずることが定められた（37条）。もっとも，本条は，原因者負担原則一般を定めたものではなく，過去の汚染の原状回復・補償について国等が事業を行った場合の費用回収についてのみ規定したものであることに注意すべきである。

原因者負担原則一般については，環境基本法に明文はないが，行政規制の結果として生ずる原因者負担については，環境基本法8条1項，21条が定めており，また，経済的手法を課することによる原因者負担については，22条2項が定めている（→**2-4**・2〔56頁〕）。

第2は，**受益者負担**である。自然環境保全の分野では受益者負担の手法が重要であるところから，自然環境保全法（38条）及び自然公園法（58条）にこの規定がおかれているが，これを環境基本法にも位置づけることとされた（38条）。

第3は，**公共負担**である。典型的には，22条1項の助成金がこれにあたる。

なお，環境基準（16条。→**6-1**〔147頁〕），公害防止計画（17条，18条），公害に係る紛争の処理及び被害の救済（31条。→**11-4**〔569頁〕）については，公害対策基本法の規定を継承し，その推進を図ることとしている。

Column11 ◇公害防止計画

環境基本法は，都道府県知事は「現に公害が著しく，かつ，公害の防止に関する施策を総合的に講じなければ公害の防止を図ることが著しく困難であると認められる地域」などについては，公害の防止に関する施策に係る計画を定めることができることとした（17条）。これを「公害防止計画」という。公害防止計画は，環境基本計画とは異なり，特定の指定地域についてのみ策定されるものである。かつては環境大臣の指示及び協議・同意の下に関係都道府県知事が作成していたが，「地域の自主性及び自立性を高めるための改革の推進を図るための関係法律の整備に関する法律」（平成23年法律105号）（第2次一括法）により，これらの規定が削除された。

公害防止計画が策定された場合には，国及び地方公共団体は，その達成に必要な措置を講ずるよう努めなければならないが（18条），事業者，住民，地方公共団体を直接拘束するものではない。地方公共団体が事業者に対して施設の設置等を強制するためには条例の制定が必要となる。

公害防止計画については，ほかの法定計画との整合性が求められている場合があることに注意を要する。すなわち，都市計画法は，地方公共団体の責務を認め，当該都市について公害防止計画が定められているときは，都市計画は公害防止計画に適合したものでなければならないとしているし（都市計画法13条），景観法（8条5項）に基づく景観計画，河川法（16条の2）に基づく河川整備計画においても，公害防止計画との整合性が求められている。

公害の防止に関する事業に係る国の財政上の特別措置に関する法律（昭和46年法律70号。以下「公害財特法」という）による財政上の特別措置は，この公害防止計画に基づいて地方自治体が行う公害防止対策事業等について国庫補助金の嵩上げ措置や地方債に係る特例措置を講じてきた。もっとも，公害防止対策事業実施地域内外において環境基準の達成状況等に大きな差がないこと等から，公害財特法の期限が到来する2020年度末をもって特別の財政措置を基本的に終了した。

4-3 評価と課題

1 環境基本法の制定の意義

環境基本法の制定により，環境汚染防止と自然環境保護が別個の法律（基本法）で定められるという変則的な状態が統合された。それに伴い，基本法の目的も，公害の防止から環境への負荷の低減を含む環境の保全に変化した。

問題対処型の規制中心の法的枠組を脱し，社会全体を環境への負荷の小さい持続的発展が可能なものに変えていくため，環境保全に関する種々の施策を総合的・計画的に推進するという観点から制定された環境基本法は，どちらかといえば対症療法的・後追い的であった従来の環境行政の基本姿勢を大きく転換する可能性を有している。環境基本法は，全体的には「**枠組法**」の性格をもっているにすぎず，行政施策に真に影響を与え，企業や市民の行動を変化させるためには，この基本法に基づく個別法の制定，改正が必要である。実際，環境基本法の制定を契機として，様々な環境個別法の制定，改正が行われてきた（→**1-2**・4〔12頁〕）。

2 環境基本法の課題

Q11 環境基本法の不十分な点をあげよ。

環境基本法はこのような意義を有するが，他方，種々の問題もある（すでに指摘したところを除いて重要な問題のみをあげておく）。

第1は，環境権の規定をおかなかったことである。3条の環境の恵沢の享受と継承の考え方には環境権との親近性はあるが，明文がおかれなかったことは批判の対象とされている。前述のように環境権の法的性質に関しては議論があるが，行政が環境権を積極的に実現すべきものである点については異論のないところであるから，川崎市環境基本条例2条1項のように行政が市民の環境権の実現を図るという形で規定することはできたはずである。環境基本法は，行政に対して環境配慮義務を課する一方，その結果に対する意見を市民が表明する制度を考えていないのであり，**市民のイニシアティブ**を通じた環境保全の進展についての理解を欠くものといえる。

また，ほかに，環境法の基本理念・基本原則としては，**予防原則**及び（行政法ではなく，環境法としての）**原因者負担原則**について明文の規定を入れること，持続可能な発展原則の内容をより明確に規定することが望ましい。これらが必要な理由については，基本理念・基本原則の箇所（→**2-2**〔34頁〕，**2-4**〔55頁〕）で触れたとおりである。

第2に，──環境権とも関連するが──**市民の参加**については，環境基本法は，環境教育やNGOの自発的活動に役立つため，といった極めて限定された範囲での国の情報の提供に関する規定（27条）をおくのみであり，これでは国が有する情報のうち国が適切と判断するものを国が適切と判断する人に提供することができるというにすぎない。環境情報の義務的な公開についても，また住民や国民の参加についても，全く触れていない。地球環境問題がますます重要性を帯びる中で，市民の参加と協力なしに問題を解決することは困難であるといわなければならない。この点は，環境教育推進法2011年改正により，国・地方公共団体は，国民，民間団体等多様な主体の意見を求め，これを十分考慮した上で環境保全活動等に関する政策形成を行う仕組みの整備・活用を図るよう努める趣旨の規定（環境教育等促進法21条の2）が導入されたし，参加の基礎となる環境情報の公開については，1999年の情報公開法，PRTR法（→**6-5**〔243頁〕）の制定により，ある程度の前進はみられたが，オーフス条約の締結ないしそれと同程度の内容の導入を踏まえた規定が検討されるべきである（→**2-3**・1(5)〔47頁〕）。

第3に，環境基本計画については，前述のように，国レベルの他の計画との調整の規定がなく，その実効性が必ずしも明確でないことが批判されよう。もちろん，立法論として国土利用計画法6条のような規定を入れるかは慎重な考慮を要する問題であるが，環境の質の向上を重視する政策を国としてとる場合には（フランスの「国家環境計画〔Plan National pour l'Environnement〕」〔1991年〕は，この立場をとる），これを入れることができると思われる。

第4に，経済的手法については，原因者負担原則からすれば，助成（経済的インセンティブ）を定めた22条1項と経済的負担（経済的ディスインセンティブ）を定めた同条2項の規定の順序は逆でなければならないであろう。助成手法の（経済的負担を与える手法と比べた）問題点は，環境負荷を与える事業を社会において長期的に温存させることであり，もちろん用いられるべき場合はあるが，一般的には適切とは言い難い（→**2-4**・4）。さらに，環境への負荷の低減措置を定めた2項には，それが導入されるための種々の条件が付されているが，経済界が反対であれば導入できないとか，世界に先駆けては実施できないなどということを法文に規定すべきかは疑問といわざるをえない。

3　環境基本法制定による成果

第1に，環境基本法制定から今日までの間，環境保全に関する理念の浸透には一定の成果があったといえよう。

また，第2に，環境基本法の制定により個別法が進展してきた面があることは確実である。環境影響評価法の制定は，個別法の進展に環境基本法が大きな役割を果たした例である。このほか，特に地球温暖化，廃棄物・リサイクル，化学物質対策の分野で重要な個別法の展開がみられる。また，2012年になって地球温暖化対策税が導入された経済的手法のように，ごく最近に成果が見えてきたものもある。

他方，環境基本法の中に一応の関連規定（4条の「すべての者の公平な役割分担の下に自主的かつ積極的に行われる」という文言）があるものの，本法制定時の予想を上回る発展を遂げたものとしては，**自主的取組**があげられよう。

4　環境基本法と，循環型社会形成推進基本法，生物多様性基本法の関係

なお，本法制定後に，循環型社会形成推進基本法，生物多様性基本法が制定され，さらに，地球温暖化対策基本法の制定が将来的には必要と解されるため，これらと環境基本法の関係をどう整理するかが議論されている（西尾哲茂＝石野耕也）。

これについては，第1に，環境基本法は，機能的には他の基本法の上に立つものであり，他の2つ（ないし将来的には3つ）の基本法は環境の各分野の個別法・行政を推進するための基本法であるから，規定の内容のある程度の重複は避けられないと考える。第2に，汚染に関する分野は基本法が制定されないため，この分野については環境基本法のみが基本法ということになる。

第２編　環境法各論

第5章　環境影響評価に関する法

5-1　序

1　環境影響評価とは

Q1　環境影響評価制度の必須要素をあげよ。

環境影響評価（**環境アセスメント**）制度は，①開発計画を決定する前に，環境影響を事前に**調査・予測**し，②**代替案**（**複数案**）を検討し，③その選択過程の**情報を公表**し，**公衆の意見表明**の機会を与え，④これらの結果を踏まえて**最終的な意思決定に反映**させるプロセスである。意思決定とは，具体的には許認可等を指す。環境影響評価は，このようなプロセスを経ることにより**合理的な意思決定をするためのツール**として位置づけられるのである。

2　各国における環境影響評価制度の発展と，2種類の環境影響評価

環境影響評価制度は，歴史的には，1969年にアメリカ合衆国で国家環境政策法（National Environmental Policy Act：NEPA）が制定され，連邦政府の関わる開発行為等にアセスメントが義務付けられたのを嚆矢とするが，今日のわが国では，環境基本計画とともに（の下での），持続可能な発展のための環境管理の手段として注目されている。

環境影響評価には今日2種類のものがある。第1は**事業アセスメント**と呼ばれる事業段階での環境影響評価，第2は**戦略的環境アセスメント**（Strategic Environmental Assessment：SEA →**5-5**〔141頁〕）と呼ばれる，計画，プログラム，政策に関するアセスメントである。アメリカでは1969年から戦略的環境アセスメントも認められていたと言ってよいが，EUではこれを2001年の指令（2001/42/EC）の中で，事業アセスメントとは区別する形で明確に定めた。事業アセスメントは事業者によって実施されることが多いが，戦略的環境アセスメントは行政庁によって行われる。わが国では，環境影響評価法の2011年改正後も事業アセスメントしか定めがなく，戦略的環境アセスメントは法制化されていないといってよい。もっとも，自治体に

よっては戦略的環境アセスメントを条例・要綱化しているところもある。

このように，わが国の環境影響評価法は事業アセスメントしか定めていないものの，2011年改正により，従来より早い段階でのアセスメントを実施できるようになり，事業の代替案（複数案）を実質的に検討できるようになった。アセスメントを早い段階から行うことは，環境配慮の実効性を上げるために極めて重要なのである。

3　わが国における環境影響評価法制定前の環境影響評価

環境影響評価法制定前の環境影響評価はどのように行われていたか。

①閣議要綱，②個別法，③個別の行政指導，④自治体の条例，要綱に基づくものという，4つのタイプのものが行われていた。

まず，1981年に上程された「環境影響評価法案」は環境問題についての包括的なアセスメント法案であったが，83年に審議未了となり，廃案となった。政府はこれを受けて，代わりに，84年，「環境影響評価の実施について」という要綱を閣議決定した。これが①「**閣議要綱**」と呼ばれるものである。

次に，②**個別法**における環境影響評価としては，73年に，港湾法（昭和25年法律218号），公有水面埋立法（大正10年法律57号），工場立地の調査等に関する法律（昭和34年法律24号。昭和48年に工場立地法に名称変更），瀬戸内海環境保全臨時措置法（昭和48年法律110号。現在では，瀬戸内海環境保全特別措置法）の一部改正ないし制定により，行政決定に際して事前にアセスメントが行われるようになったことがあげられる。

また，③当時の通産省，運輸省，建設省も，通達等の形で一定の所管事業についてアセスメントを行っていた。具体的には，1977年の通産省の省議決定（発電所）や79年の運輸大臣通達（整備5新幹線）のように個別の行政指導に基づくものである。

一方，④自治体の条例，要綱も制定・策定された。1973年の「福岡県開発事業に対する環境保全対策要綱」を嚆矢として，多くの自治体でアセスメントの要綱が制度化され，また，76年の「川崎市環境影響評価条例」以後，いくつかの地方公共団体では，環境影響評価条例が制定されるに至ったのである。

1986年から94年までの間に，①は279件，②は253件，③は46件のアセスメントが行われた。

しかし，諸外国をみると，欧米ではアセスメントが法制化され，1996年には，OECD加盟国27カ国中，日本を除く26カ国の全てが，環境アセスメントについて，

（個別分野に限定されないという意味で）一般的な手続を定める何らかの法制度を有するに至っていた。

4　環境影響評価法の制定と改正

わが国においても，**環境基本法の制定**（1993年）とともに，アセスメント立法化の動きが復活した。環境基本法は，国の環境配慮義務（19条）と並べて環境アセスメントについて規定し，国はその推進のため，必要な措置を講じるものとし（20条），同法に関する国会の審議では，この「**必要な措置**」の中に立法化が含まれるとの首相の答弁がなされた。様々な折衝の後，1997年に**環境影響評価法**（法律81号）が制定され，1999年に全面施行された。その後，本法は2011年に改正され，2013年4月に本格的に施行された。

なお，環境影響評価法の下に，同施行令，同施行規則，「基本的事項」（「環境影響評価法の規定による主務大臣が定めるべき指針等に関する基本的事項」〔平成26年環告87号〕。平成9年に定められ，平成12年，17年，24年，26年に改正された）が定められている。「基本的事項」とは，各省庁の環境影響評価に関する技術指針（環境影響評価の質を確保するための事業ごとの標準的な調査項目と調査手法）の原則を示すガイドラインであり，環境省から出されるものであるが，各種省令がこれに基づいて制定されるため，相当の重要性を有することに注意されたい。

以下では，環境影響評価法の特徴，その評価と残された問題点，本法と関連法，制度の関係，本法と地方自治体の条例との関係について触れる。環境影響評価に関連する訴訟については→**12-1**〔580頁〕参照（なお，事業種に応じた影響要因の特性，環境分野ごとの影響の特性に応じて様々な技術手法が開発されており，技術ガイド〔2000-2002年策定，2016年に改訂〕において紹介されている）。

5-2　環境影響評価法の特徴と内容――閣議アセスとの相違点

環境影響評価法は，従来の閣議要綱に基づくアセスメント（閣議アセス）をベースとして，中央環境審議会において示された基本原則を盛り込む形で立案された。閣議アセス及び1983年に廃案になった旧環境影響評価法案（以下，「旧法案」という）とどこが変わったのか。制定にあたり諸外国の立法が参考にされたが，本法は諸外国の既存の制度と比較してどのような特徴があるのか。以下では，環境影響評価法の制度を，その目的・実施主体，性格，その他に分けつつ，整理する（環境影響評価法の手続の流れについて，**図表5-1**）。

【図表5-1】環境影響評価法の手続の流れ

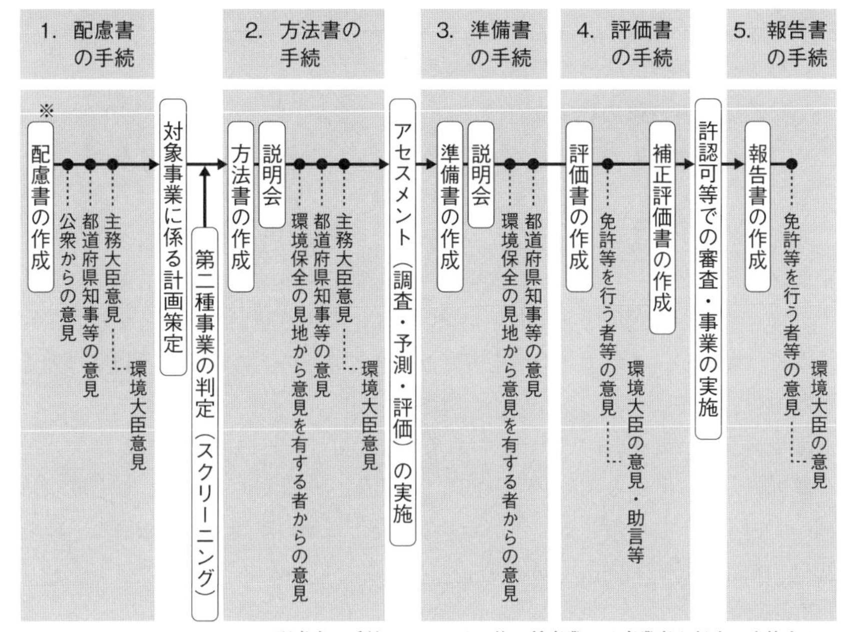

※配慮書の手続については，第二種事業では事業者が任意に実施する。

出典：環境省資料を加工

1　環境影響評価法の目的・環境影響評価の実施主体

わが国の環境影響評価法の下での環境影響評価は，①事業者及び②行政庁が環境に配慮することを目的とする制度となっている（1条。なお，3条）。この点は，閣議アセス及び旧法案と同様である。

(1)　アセスの実施主体としての事業者

Q2　わが国の環境アセスの実施主体はだれか。その理由は何か。問題点はあるか。

アセスの実施主体は**事業者**である。すなわち，自ら事業を実施する主体が事業の内容を最もよく理解できるのであり，事業の環境適合性を高めることもできるいう考え方（セルフコントロール）である（環境基本法20条もこれを前提としている。本法には罰則がないことにも注意されたい）。

しかし，この考え方に対しては，事業者がセルフコントロールを十分にできるかについて疑問の余地もある。確かに事業者が環境影響に対する配慮をすることは当然必要であり，これが環境影響評価の目的の1つであるが，そのために事業者が自ら環境影響についての調査・予測・評価の主体となる必要は必ずしもないともいえる。事業者が環境に配慮することと，事業者が環境影響評価の実施主体となることが一体として論じられている点は必ずしも当然ではない（ドイツの環境影響評価法，大塚『環境法』6-2・1(1)〔162 頁〕参照）。

(2) 環境影響評価の結果の行政への反映

一方，環境影響評価の結果を行政，つまり，許認可等（免許，特許，許可，認可，承認又は同意。4条1項1号。本法では「免許等」としている）に反映させることは，環境影響評価制度の目的として重要である。すなわち，環境影響評価は，許認可等への反映を目的とする手続と捉えられているのである。アセスが事業者を主体とする環境配慮を目的としていることを重視し，この制度を事業者の自主的制度として徹底すれば，これを許認可等とは関係のない，環境監査と類似の制度とすることもありえなくはないが，このような考え方はとられていない。これでは，制度の効果を十分なものとすることはできないからである。

環境影響評価（環境基本法 20 条）の結果が許認可等に反映されることにより，国の環境配慮義務（同法 19 条）が部分的にでも担保されるし，また，これを環境基本計画の実施手段として用いることができる。ただ，その際問題となるのは，環境影響評価の結果を許認可等にいかに直接に反映させるかという点であろう（→2 (2)(g)〔125 頁〕）。

2 環境影響評価法における環境影響評価の内容と性格

次に，環境影響評価法における環境影響評価の概要を示しつつ，それがどのような性格を有するかをみてみよう。本法の環境影響評価の性格を規定する要素としては，(a)アセスメント実施時期，(b)対象事業，(c)評価項目，(d)評価の視点（環境保全目標か代替案か），(e)公衆参加，(f)審査の主体，(g)許認可等への反映，(h)フォローアップ手続，の8つのポイントがあげられる。

(1) 閣議アセスの内容と性格

閣議アセスは，(a) アセスメント実施時期は事業実施段階であった。

(b) 対象事業は，①国が実施し，又は免許等により国が関与する 11 の事業（及び，これに準ずるものとして主務大臣が環境庁長官に協議して定めるもの）で，②規模が大きく，その実施により環境に著しい影響を及ぼすものであり，対象事業の規模は主務大臣が環境庁長官に協議して画一的に定められていた。

(c) 評価項目については，典型 7 公害及び自然環境 5 要素に限る限定列記方式がとられていた（旧法案においても，評価の対象は「公害の防止及び自然環境の保全」に限定されていた）。

(d) 評価の視点としては環境保全目標（環境基準，行政上の指針値等）を重視していた。

(e) 住民意見の提出は準備書に対してのみ認められ，意見の提出を求める者の範囲は関係地域内に住所を有する者のみであった。

(f) 審査の主体は原則として許認可等を行う者に限られており，環境庁長官は，主務大臣から意見を求められた場合にのみ意見を述べることになっていた。

(g) 許認可等への反映については，主務大臣は，許認可等に係る法律の規定に反しない限度で，環境についての適正な配慮がなされているかを審査し，その結果に配慮することとされていた。

(h) フォローアップについては，対象事業の内容が変更された場合にそれが軽微な変更でないときは，再度環境影響評価をすることが運用上行われていた（もっとも，この点については閣議決定の要綱には定めはなかった）にすぎない。

(2) 環境影響評価法の内容と性格

これに対して環境影響評価法はどうであろうか。少し詳しくみよう。

(a) 実施時期

アセスメント実施時期については，事業実施段階であることに変わりはない。

ただ，次の2点により，従来よりも早い段階から環境配慮が図られる可能性が生じたことは特筆すべきである。

第1に，2011年改正により，事業の早期段階における環境配慮を図るため，第一種事業を実施しようとする者は，事業の位置，規模等を選定するにあたり環境の保全のために配慮すべき事項について検討を行い，計画段階環境配慮書を作成することが義務化されたことである（3条の2以下）。

第2に，2011年改正前から，アセスメントに係る調査を開始する際に，事業に関する情報，調査等の項目や手法に関する情報を公表して外部から意見を聴取する環境影響評価方法書（「方法書」）の手続（**スコーピング手続**）が導入されたことである（5条～10条）。このスコーピング手続により，①論点を絞り込むことができ，②効率的な予測評価や関係者の理解の促進，③作業の手戻りの防止等の効果がみられる。

(b) 対象事業

対象事業についてはどのような考え方で整理されているか。

(i)規模が大きく環境に著しい影響を及ぼすおそれがあり（1条，2条2項，3項），かつ，(ii)国が実施し，又は許認可等を行う事業とする基本的な考え方は，閣議アセスと異ならない。もっとも，(i)については，生物多様性基本法25条とは異なっている（→**8-2**・1(2)(b)〔377頁〕）。国の関与は欧米主要諸国においても要件とされており，許認可等への反映という本法の目的からしても必要であろう。

対象事業は，①事業の種類（2条2項1号イ〜ワ），②国との関係（2条2号イ〜ホ），③事業の規模（第一種事業と第二種事業に分かれる。2条2項，3項，施行令1条，7条。第一種事業は必ずアセスメントが実施されるのに対し，第二種事業についてはスクリーニングが行われる）によって決定される。

①**事業の種類**については，本法は，新たに発電所を加え，12種類とこれに準ずるものとした（2条2項1号）。施行令により，道路については大規模林道，河川については二級河川に建設されるダム，国土交通省所管以外の堰（工業用水堰，上水道用水堰，かんがい用水堰）が追加され，鉄道については普通鉄道，軌道（普通鉄道相当）が追加された（また，2011年に風力発電，2019年に太陽電池発電所が追加された。施行令別表第1）（太陽光発電施設をめぐる環境紛争について→**Column17**〔140頁〕）。

本法は，上記のように，法律に具体的に掲げる事業の種類のほか，環境影響評価を行う必要の程度がこれらに準ずる事業の種類を政令で定めうることとしているが（バスケット・クローズ。2条2項1号ワ），施行令では，宅地の造成の事業が定められた（2条。以上につき**図表5-2**）。

②**国との関係**については，環境影響評価の結果を反映させる方途のある類型が掲げられている（2条2項2号イ〜ホ）。国との関係で実効性が確保できるという視点が入れられているのである

イ　許認可等が必要とされる事業→許認可等による。

ロ　国の補助金等の交付対象事業及び（2011年改正により）交付金対象事業→補助金交付決定，交付金交付決定による。

ハ　国が出資している特殊法人が業務として行う事業→特殊法人の監督による。

ニ　国の直轄事業→国の自律による。

ホ　国の直轄事業のうち，許認可が必要とされる事業→許認可等による。

③**事業の規模**については，本法は限定列挙するのではなく，広範囲に網をかけつつ**スクリーニング**する手続を導入した（4条）。

本法は，必ず環境影響評価を行わせる一定規模以上の事業（「第一種事業」）と，第一種事業に準ずる規模を有する事業（「第二種事業」。第二種事業は，第一種事業の規模に係る数値の0.75倍以上の規模のものとされた。施行令6条）とを定め（法2条2項，3項），第二種事業については，個別の事業や地域の相違を踏まえて環境影響評価の実施の必要性を個別に判定する仕組み（スクリーニング）を導入したのである。すなわち，第二種事業を実施しようとする者は，当該事業の許認可等を行う者（許認可等権者）に，事業の実施区域や概要を届け出るものとし，当該許認可等権者は，30日以上の期間を指定して，都道府県知事に意見及びその理由を聴いて，事業特性

【図表 5-2】環境影響評価法の対象事業

	第一種事業	第二種事業
1　道路（＊大規模林道を新規追加。）		
高速自動車国道	全て	—
首都高速道路等	4 車線以上のもの	—
一般国道	4 車線以上・10 km 以上	4 車線以上・7.5 km 以上 10 km 未満
林道	幅員 6.5 m 以上・20 km 以上	幅員 6.5 m 以上・15 km 以上 20 km 未満
2　河川（＊二級河川に係るダム，国土交通省所管以外の堰（工業用水堰，上水道用水堰，かんがい用水堰）を新規追加。ダムの規模要件を閣議アセスの 200 ha から 100 ha に引き下げ。）		
ダム	湛水面積 100 ha 以上	75 ha 以上 100 ha 未満
堰	湛水面積 100 ha 以上	75 ha 以上 100 ha 未満
放水路，湖沼開発	改変面積 100 ha 以上	75 ha 以上 100 ha 未満
3　鉄道（＊普通鉄道，軌道（普通鉄道相当）を新規追加。）		
新幹線鉄道(規格新線含む)	全て	—
鉄道，軌道	長さ 10 km 以上	長さ 7.5 km 以上 10 km 未満
4　飛行場	滑走路長 2500 m 以上	1875 m 以上 2500 m 未満
5　発電所（＊新規追加。）		
水力発電所	出力 3 万 kw 以上	2.25 万以上 3 万 kw 未満
火力発電所	出力 15 万 kw 以上	11.25 万以上 15 万 kw 未満
地熱発電所	出力 1 万 kw 以上	7500 以上 1 万 kw 未満
原子力発電所	全て	—
風力発電所	出力 5 万 kw 以上	3 万 7500 以上 5 万 kw 未満
太陽光発電施設	出力 4 万 kw 以上	3 万以上 4 万 kw 未満
6　廃棄物最終処分場	30 ha 以上	25 ha 以上 30 ha 未満
7　埋立て及び干拓	50 ha 超	40 ha 以上 50 ha 以下
8　土地区画整理事業	100 ha 以上	75 ha 以上 100 ha 未満
9　新住宅市街地開発事業	100 ha 以上	75 ha 以上 100 ha 未満
10　工業団地造成事業	100 ha 以上	75 ha 以上 100 ha 未満
11　新都市基盤整備事業	100 ha 以上	75 ha 以上 100 ha 未満
12　流通業務団地造成事業	100 ha 以上	75 ha 以上 100 ha 未満
13　宅地造成事業（「宅地」には，住宅地以外にも工場用地なども含まれる。）		

○　港湾計画	埋立て・掘込み面積 300 ha 以上

＊は閣議アセスとの比較

出典：環境省資料を加工

（一般的事業に比べて負荷が高い事業，全体計画が第一種事業の規模となる事業か），地域特性（環境影響を受けやすい地域，環境の観点から法令で指定されている地域，環境が悪化している地域か）に応じて環境影響評価を行わせるかどうかを判定する（4条2項，3項。「基本的事項」第三参照。判定の基準は，環境大臣が定める基本的事項に基づき，主務大臣が環境大臣に協議して省令で定める。4条9項，10項）。

対象事業に関する立法例としては，大別して，包括主義と列挙主義があるが（純粋な包括主義をとるのは，アメリカの国家環境政策法のみである），本法は，事業者に対して予見可能性を与えることができるという列挙主義の利点を残しつつ，環境影響の重大性は個別の事業や事業の行われる地域によって大きな差があること，規模要件を厳格に定めるとそれをほんの少し下回る規模の事業が続出すること等から，スクリーニングの方法を取り入れたものである。もっとも，カナダでは，スクリーニングの段階でも住民参加が認められているが，本法は，これを認めていない。また，列挙主義には社会で新種の開発事業が顕れたときに即座に対応しにくいという短所が存在することも次第に認識されるに至っている。

なお，ここでいわゆる上物の扱いについて一言しておく。

従来の閣議アセスでは，公有水面の埋立て，又は干拓を伴う事業に際して，いわゆる上物（埋立地・干拓地上に建てられる建造物等）での活動による影響を含めないこととされており，両者の環境影響評価をまとめて行う必要が指摘されてきたが，本法施行令は，埋立て，又は干拓が本法の下で環境影響評価の対象となる場合は別々に，対象とならない場合にはまとめて，影響評価を行うこととした（施行令1条，5条）。埋立て，又は干拓が本法の下で環境影響評価の対象となる場合にも，両者合わせて影響評価を行うのが望ましいと考えられるが，本法の下でも，少なくとも事業者の意思により，併せて方法書，環境影響評価準備書（以下，「準備書」という）等を作成することは可能である（5条2項，14条2項）。

Column12 ◇風力発電のアセス規模要件引き上げと風力アセスの考え方

2021年，環境影響評価法の対象となる風力発電所の規模要件が引き上げられた（施行令別表第1改正。第1種事業について1万kW以上から5万kW以上とされた）。その理由は，風力発電が2012年に同法の対象とされて以後，その導入が進んでいないことにあった。もっとも，確かにアセスの規模要件は理由の一つではあるが，系統の強化が進んでいないこともその導入が進まない理由ではないか，（風力発電所も電気事業法の下でアセスが行われていることから）電気事業法の下，経済産業省の審査に時間がかかっていることも要因となっているのではないかなどの点も指摘することができる。

この引き上げに関しては，生物多様性，景観等の観点からの風力発電導入に伴う環境影響の低減・合理化と，風力発電という再エネ導入促進という2つの要請をいかに確保するか，いわば「環境対環境」の要請の衝突をいかに調整するかという課題が論じられたのである。

この課題について，次の2点が重要である。第1に，アセス対象の規模を考えるときには，風力発電所は公共事業や他の発電所と比べても規模が小さいことは否定できないが，そうした中で，（2021年3月末の段階で）環境影響評価法（1999年施行）の下でのアセスの累積数716件中，（2012年に同法の対象となった）風力発電所が425件（手続中を含む）という大きなシェアを占めていることである。これは，同法制定時の想定とは異なる状況が生まれていることを意味している。第2に，風力発電の場合，生物多様性や景観との関係では，その規模だけでなく，むしろ，立地の状況が重要であることが明らかになった。そして，立地の状況が関連するという点からは，むしろ事前のゾーニングにより，風力発電の適地か否かを仕分けすることが重要であることが示されたのである。

そして，上記第2点からは，より適切な環境影響評価制度のあり方として，風力発電所の特性に鑑みて，継続して，法改正を含めた制度的枠組の検討が必要であり，迅速に措置することとされた。第1は，立地等により（規模が大きいものでなくとも）大きな環境影響が懸念される事業を適切にふるいにかけてアセスしていくための，より幅広く柔軟なスクリーニングの導入が必要であると考えられたことである。風力発電所にとってどういうスクリーニングが必要かをその事業特性に応じて検討するという発想である。第2は，簡易かつ効果的なアセスメント手続の導入である。法の第2種事業規模より小さい規模の事業や，スクリーニングによって現行法に基づく環境影響評価手続が課されない事業に対しては，簡易かつ効果的なアセスメント手続の導入が望まれる。簡易なアセスメントについては，環境影響が懸念される場合に適切に必要な環境調査を実施すること，住民説明などの必要な手続を丁寧に実施することの重要性を踏まえた上で，より合理的な環境アセスメントの実施を可能にするような制度的な方途を考えていくことが必要である。例えば，現行法における5つの手続プロセス（計画段階環境配慮書手続，方法書手続，準備書手続，評価書手続，報告書手続）を部分的に簡素化することが考えられる。

第1，第2点からは，スクリーニングを重くし，その後のアセス手続は軽くし（準備書，評価書のみ），事後調査を重視するという方向が示されている。

なお，今般の風力アセスの規模要件の引き上げの結果，従来の条例アセスと法アセスの間に（アセスが行われない）空白部分が生じた自治体においては，条例アセスの対象の拡大などが望まれるところであり，実際にそのような対応がなされることが見込まれるが，これによって問題が解決されるとも言い難い。というのは，経済産業大臣が風力アセスの許認可を行うにあたっては，条例アセスの結果は考慮されないからである（考慮することは他事考慮に当たる。工事計画認可に関する電気事業法47条3項，48条3項）。この点からも，迅速な制度的枠組の検討が必要なのである。

(c) 評価項目

評価項目については，環境基本法14条各号に掲げられた，包括的な環境要素の確保を旨として定められた指針（主務省令）において（環境影響評価法11条4項参照），対象事業の種類に応じて定められる標準項目（**図表5-3**）を基本としつつ，方法書に対する公衆の意見や都道府県知事の意見を勘案・配意して，事業者が個別の事業に応じて評価項目を選定することとされた（上述の**スコーピング手続**，11条～13条）。また，事業者は，調査，予測及び評価の手法についても，都道府県知事や公衆の意見を踏まえて選定し，これに基づいて環境影響評価を実施する。事業者は，評価の項目，調査の予測・評価の手法の選定にあたり，主務大臣に対し，技術的な助言を求めることができる（11条2項）。主務大臣は同助言の際にあらかじめ環境大臣の意見を聴くことが2011年改正で追加された（11条3項）。

要点を4つあげておきたい。

第1に，本法は，広く環境基本法14条にいう環境保全施策の対象を評価項目とするものであり，さらに，「基本的事項」では，廃棄物，温室効果ガス等も，評価項目に入れられた（第四，二）ことが注目される。もっとも，アメリカ，カナダでは，評価項目として，これ以外に，社会的・文化的影響等が入るほか，カナダでは，再生可能資源の持続的利用への影響があげられている。

Column13 ◇放射性物質についての環境影響評価

2013年の「放射性物質による環境の汚染の防止のための関係法律の整備に関する法律」の制定により，環境影響評価法の放射性物質適用除外規定（52条1項）が削除されたが，これに伴う2014年の「基本的事項」の改正により，環境影響評価においても，一般環境中の放射性物質について，放射線量の把握をすることにより，調査・予測・評価を行うものとされた。具体的には，①福島の避難指示区域での工事のような「工事段階」（土地の形状の変更等に伴い放射性物質が相当程度拡散・流出するおそれのある事業）と，②原発の平時の供用のような「供用段階」（例えば，原子炉等規制法の告示が，周辺監視区域における実効線量を平均1 mSV/年を超えないとしているが，このような構造であること）の双方の調査・予測・評価が含まれる。なお，②に関しては，原発の事故時の環境影響は含まれない。事故時の環境影響評価を含まない点は，環境影響評価法全体に関連する問題である。

第2に，スコーピング手続を導入したことに伴い，環境影響評価の項目（さらに，その手法。→(d)）の選定という行為が法律上明示された点に意義がある（方法書の記載も要求される。5条1項7号）。スコーピングの意義については上記のとおりである。

第3に，不確実性を含む評価項目についても，旧法案では含められなかったが

【図表 5-3】環境影響評価の項目の範囲（基本的事項別表）

環境要素の区分			影響要因の区分 細区分／細区分	工　事	存在・供用
環境の自然的構成要素の良好な状態の保持	大気環境	大気質			
		騒音・低周波音			
		振動			
		悪臭			
		その他			
	水環境	水質			
		底質			
		地下水			
		その他			
	土壌環境・その他の環境	地形・地質			
		地盤			
		土壌			
		その他			
生物の多様性の確保及び自然環境の体系的保全	植物				
	動物				
	生態系				
人と自然との豊かな触れ合い	景観				
	触れ合い活動の場				
環境への負荷		廃棄物等			
		温室効果ガス等			
一般環境中の放射性物質		放射線の量			

(5条2項)，本法では含められた（14条1項7号イ。基本的事項第四，五(2)キ)。予防原則の適用とみることができる。

第4に，バックグラウンドの調査・予測・評価の手法については，当該対象事業以外の事業活動等によりもたらされる地域の将来の環境の状態を明らかにし，それを勘案するとともに（基本的事項第四，五(2)カ)，選定項目間の相互影響について検討する（同第四，一(7)）中で行われる。

(d) 評価の視点

評価の視点として重要な点は，次の2点である。

第1は，閣議アセスの頃は重視されていた行政の環境保全目標のみを評価の視点とする考え方から，本法では，それだけでなく，むしろ，**複数案（代替案）**の検討を含めた環境保全措置を実施するという考え方に移行したことである。複数案（代替案）の検討はアメリカのNEPAで「評価書の核心」といわれるほど重要視されてきたものである。

第2に，とはいえ97年制定の本法では，準備書と評価書に複数案を記載することが，14条1項7号ロ括弧書（「(当該措置を講ずることとするに至った検討の状況を含む)」。21条2項1号）にわずかに定められていたにすぎなかった。これに対し，2011年改正法及び2012年の「基本的事項」の改正により，計画段階配慮書において事実上は原則として複数案の検討をすることとされた（3条の2第1項。基本的事項第一，一(3)参照）点が注目される。

Column14 ◇環境保全措置，複数案の検討，環境影響緩和措置はどういう関係にあるか。複数案と代替案には相違はあるか

「環境保全措置」には，「複数案」の検討（14条1項7号ロ括弧書）と「環境影響緩和措置」（ミティゲーション。14条1項7号ロの本文の「環境の保全のための措置」の一部）の双方が含まれる。「環境保全措置」には，回避，低減，代償措置が含まれるが，このうち，回避は「複数案」，代償措置は「環境影響緩和措置」に対応する。低減は両方に関係する。代償措置とは，例えば，開発地域に希少種がいる場合にそれを他の適切な地域に移転・移植することである。

「複数案」と「代替案」は同一のものと考えてよいが，わが国の環境影響評価法との関係では「複数案」という語が用いられている。同法制定時に，立地・場所の変更案のみを意味するわけでないことを示すため，「代替案」という語は避け，「複数案」という語が用いられたという経緯がある。「複数案」には，立地・場所のほか，建造物の構造・配置のあり方，環境保全設備，工事の方法など，幅広い環境対策についての比較が含まれる。

(ア) 第1点については，従来の閣議アセスにおけるような行政の環境保全目標のみを評価の視点とする方法では，①環境影響評価は一種の安全宣言的なものとなり，恵み豊かな環境を維持し，環境への負荷をできる限り低減しようとするインセンティブが働きにくい，②現況で環境基準よりも清浄な地域では，環境基準までは汚染が許容されると受けとられる可能性がある，③自然環境の保全や地球環境の保全は画一的な環境保全目標にはなじみにくい場合が多いなどの問題が指摘されてきた。欧米主要諸国では，環境影響評価においては，事業者が実行可能な範囲内で環境影響を最小化するか否かという点に重点をおき，また，合理的な意思決定をするツールとして，代替案の比較検討を重視するものが多い。わが国においても，代替案の検討により，行政の環境保全目標のみを評価の視点とする方法の問題点が解決可能になるといえよう。

Q3 複数案の検討は環境影響評価法の下で義務付けられているか。この点は2011年改正の前後で異なっているか。

(イ) 第2点については，改正前の本法では，複数案の検討は準備書及び評価書の作成にあたって法的な義務付けはなされておらず，ただ，事業者も環境負荷をできる限り回避，低減するよう努めなければならないという努力義務はある（3条）と考えられた。「基本的事項」では，評価，評価手法の選定，環境保全措置の検討のそれぞれについて実行可能な範囲内で環境影響を回避・低減しているか否かを事業者に検討させ，評価に係る根拠及び検討の経緯を明らかにできるよう整理させるものとしている（第四，一(6)，五(3)）。

2011年改正においても，計画段階配慮書の作成において，条文上は「1又は2以上」の複数案を検討することとされており（3条の2第1項），厳密には単数の区域の設定等もありうるが，基本的には複数の区域の設定等が検討されるものと考えられる。すなわち，2012年に改正された「基本的事項」においては，複数案を設定しない場合には，その理由を明らかにすることとされている（第一）。ただ，法的に厳密な議論をすれば，改正後もなお複数案の検討が義務付けられているわけではない。とはいえ，2011年改正による計画段階配慮書の制度の導入が，複数案の検討を目的としたものであるところから，訴訟が提起された個々の事件において，裁判所が，被侵害利益や侵害行為の態様によって複数案の検討義務を法的に認めることは容易になったといえよう。

アメリカ，カナダ，オランダ，EUでは，代替案の検討が義務付けられており，わが国もさらにこの方向を推し進めていくべきである。

(ウ) 複数案を含む環境保全措置について3点ほど指摘しておきたい。

まず，複数案の中に，当該事業を実施しない案（いわゆるゼロ・オプション）は含まれるべきか。これについては，アメリカ，カナダ，オランダでは必要とされている。ここには，事業を実施するか否かについても比較検討の対象とすべきではないか，という問題がある。わが国では，この点は本法においては義務付けられていない。ただ，「基本的事項」において，現実的である限り，これも含めるよう努めることとされている（第一）。

次に，環境保全措置の検討にあたっては，回避又は低減を優先し，その結果を踏まえて必要に応じ代償措置を検討することを留意事項として指針に定めることとし，代償措置を講じようとする場合には，その効果及び実施が可能と判断した根拠をできる限り具体的に明らかにするものとされていることである（基本的事項第五，二(1)(4)）。回避又は低減を優先する点は，アメリカの考え方を取り入れたものといえる。

Q4 計画段階配慮書における複数案の検討と，方法書，準備書，評価書における複数案の検討とはどのような関係にあるか。

もう1つは，複数案の検討は，2011年改正により，計画段階配慮書の段階でも行われることになったが，方法書，準備書，評価書のそれぞれにおいて，複数案の検討をどのように行うのか，それぞれにおける検討の関係はどうなるのか，という問題がある。これについては，計画段階配慮書の段階での複数案の検討は既存資料に基づく（基本的事項第一）ある程度大雑把なものであり，それを，方法書，準備書，評価書という段階を経る中で，より進んだ調査の下に，より具体的で充実したものにしていくことが考えられている。計画段階配慮書の段階での検討が方法書での検討にどう受け継がれたかについては，方法書に記載される（施行規則1条の5第1号ハ）。これは**ティアリング**（環境影響評価手続の各段階の結果を後の段階で活用し，すでに検討した点については再度の検討を省略することによって，段階ごとに固有の検討に集中すること）の一例である。

(e) 公衆参加

Q5 環境影響評価法の下で公衆参加はどの段階で行われるか，公衆参加はどのような性格のものと解されているか。

(ア) 公衆の意見提出の機会は，計画段階配慮書の案又は同配慮書に対して（3条の7），方法書に対して（スコーピング手続。8条）と，準備書に対して（18条）の3回が認められている。評価書に対してはこのような機会は存在しない。また，計画段階配慮書手続においては，事業者が公衆の意見を聴くことは努力義務にすぎない（3条の7→(ウ)）。

意見の提出者の範囲についての地域的限定はない。

(イ) 意見の提出者の範囲に地域的限定をしない点は，環境影響評価における公衆参加を情報提供参加とみる立場（97年法律制定時の中央環境審議会答申。以下，「法律制定時の答申」という）を根拠としている。この点については，欧米主要諸国においても情報提供参加と捉えるものが多い。もっとも，環境影響評価における公衆参加をこのように捉えるときは，意見の提出者が環境影響評価手続の瑕疵を主張して行政訴訟を提起する場合に原告適格が認められにくいという結末を導くことにもなる。この種の公衆参加を決定参加と捉えることはできないが，何らかの手続的権利を認めるべきではないかという議論もなされているところである。

(ウ)　計画段階配慮書手続における公衆参加には相当の柔軟性が認められているが，どの点か。第1に，上述のように，事業者が公衆（さらに自治体）の意見を聴くことは**努力義務**にすぎない（3条の7）。第2に，配慮書手続においては，事業者が公衆（及び自治体）から意見を聴く際には配慮書又は配慮書「案」が示されるものとされ，事業者に対して，公表（3条の4）前の「配慮書案」の段階で意見を聴いても，公表後の「配慮書」の段階で意見を聴いてもよい，という柔軟な対応ができることとされている。

本法が計画段階配慮書手続についてこのように柔軟な規定ぶりとしたのは，計画段階配慮書における公衆（や自治体）の関与のあり方は事業種によって様々であり，事業種によってその実施が困難な場合もあるため，一律の義務化をすべきではないと考えられたためである（2011年改正に関する中央環境審議会答申。以下，「改正時の答申」という）。

(エ)　本法には，方法書及び準備書の段階での説明会の規定はあるが（7条の2，17条），公聴会については定めがない。この点は，欧米主要諸国（アメリカ，カナダ，イタリア，オランダ）の環境影響評価に関する法律に公聴会の開催の規定がおかれ，一定の場合にはそれを義務付けているのとは対照的である。

なお，方法書における説明会の開催は，本法の2011年改正で義務化された。本法施行後に作成されている方法書の実態として，図書紙数の分量が多く，内容も専門的なものとなっていたことを踏まえた対応である。

(オ)　なお，本法において「関係地域」（対象事業に係る環境影響を受ける範囲であると認められる地域）（15条）は，準備書等を送付する都道府県知事，市町村長（15条）や，縦覧（16条。評価書については27条），説明会開催（17条），環境保全措置等に係る報告書の公表（省令に基づく）の場所を確定する際に決め手となる概念として重要である。関係地域の設定に関する基準は，主務大臣が環境大臣に協議して定める主務省令によって決められる（15条，6条）。ちなみに，方法書の段階では環境影響評価が行われていないため，このような地域を暫定的に決め（6条），方法書を送付する都道府県知事，市町村長（6条1項）や，縦覧（7条），説明会開催の場所を定める（7条の2）。

(f) 許認可等権者の意見及び第三者機関としての環境大臣の意見

(ア) **許認可等権者**は評価書が確定する前に事業者に対し，環境保全の見地からの意見を述べることができ（24条），これを踏まえて，事業者は評価書の記載事項に検討を加え，必要に応じて評価書に補正を加える（25条）。これにより，許認可等権者は，環境保全についての配慮が適正になされるように努める責務（3条）に基づき，事業者のセルフコントロールによる環境配慮がより高いレベルのものとなるよう一定の関与をしうることになる。

さらに，環境影響評価の審査プロセスにおける信頼を確保する観点から，**環境大臣**は，**第三者機関**として（「法律制定時の答申」），必要に応じて自らの意思で評価書について環境保全の見地から意見を述べることができることになった（23条。なお22条2項1号）。欧米主要諸国では，事業の許認可等の権限を有する機関と環境担当機関の双方が審査に関与している場合が少なくない。環境大臣の第三者機関としての役割には大きな期待がかかっているといえよう。本法制定前に行われていた閣議アセスでは，1997年3月までに環境庁長官に意見が求められた事例は370件中23件にすぎず，環境大臣自らの意思で意見を述べられるようにしたことには意義があったとみられる。

許認可等権者は環境大臣の意見を勘案して意見を述べる（24条）ため，事業者は，環境大臣の意見も踏まえて，必要に応じて評価書に補正を加えることとなる。閣議アセスと異なり，国の行政機関の意見を評価書の内容改善に反映させることができる手続としたもので，積極的に評価できる。

(イ) 本法の2011年改正により，第三者機関としての環境大臣が意見を述べる箇所が大幅に増加した。すなわち，上記の評価書の確定前の段階のほか，①配慮書（3条の5，3条の6），②方法書（評価項目等の選定段階で許認可等権者に対して技術的助言をすることができる）（11条3項），③環境保全措置等に係る報告書（38条の4）の計4箇所で意見を述べられることになった。①及び②は，事業者にとって評価書作成後という，手続として最後尾の段階で環境大臣から意見を述べられても対応しにくいという事情に対処するものである。③は環境保全措置等に係る報告書の信頼性を確保し，環境影響評価後の環境配慮を充実させるための規定である。

さらに，本法の2011年改正では，評価書の確定前の段階での環境大臣意見についてもやや細かい追加をした。すなわち，公有水面埋立事業のように，地方分権推進一括法の施行を契機に環境影響評価手続の中で国の関与がなくなったケースについては，自治体の方からも環境大臣の意見を求めることが必要であると認識されていることに鑑み，許認可権者である地方自治体等の長が環境大臣からの「助言を求めるように努めなければならない」とした（23条の2）（詳細については，大塚直・L & T 52号4頁以下参照）。

(ウ) 本法では，審議会等の第三者機関の関与は規定されていないが，自治体の環境影響評価条例ではこのような規定をおくものも少なくない。環境行政庁における意見形成に際して，環境の保全に関する専門家の関与を求めることは，環境影響評価手続の信頼性の確保に寄与するものと考えられる。カナダでは審査委員会，オランダ，イタリアでは「環境影響評価委員会」という独自の機関により，事業者が用いている情報の客観性，中立性，正確性が審査されている。環境影響の評価を厳密かつ公正に行うためにこのような機関をおくことは極めて重要であろう。

本法における環境大臣及び許認可等権者の「意見」は評価書の審査に関するものであるが，その際に，オランダ，イタリアのように，情報の正確性に関する審査が重視されていない点に問題が残されている。

(g) 許認可等への反映

Q6 横断条項とは何か。どういう意味があるか。

(ア) 許認可等権者は，許認可等に係る法律の規定にかかわらず，評価書及び評価書に対して法24条に基づいて述べた意見に基づき，対象事業が環境の保全について適正な配慮がなされるものであるかどうかを審査し，その結果を許認可等に反映することとした。許認可等権者は，環境の保全についての審査の結果と許認可等の基準に関する審査（基準が示されていないときは，対象事業の実施による利益に関する審査）の結果を合わせて判断し，許認可等を拒否したり，条件を付けたりすることができる（33条）。事業の内容に関する決定を行う既存の仕組みに対して，横断的に環境影響評価の結果を反映させることを求める内容となっていることから，これを「**横断条項**」という。横断条項により，許認可等に係る個別法の審査基準に環境の保全の視点が含められていない場合であっても，アセスメントの結果に応じて，許認可等を与えないことや条件を付することができることとなった。個別行政法の許認可に関する規定に環境配慮の要件を入れる改正をしたのと同様の効果がある。各個別行政法の規定の改正を本法の本条1箇条のみで行ったという意味でも，画期的な規定である。

閣議アセスは，行政指導によって実施された環境影響評価の結果を，許認可等に反映させる形となっていたが，個々の許認可等を定める法令に環境の保全の観点が含まれていない場合には許認可等に反映させることができず，この点は行政手続法の制定により，問題が先鋭化していた（横断条項は，旧法案にも規定されていた。20条）。欧米主要諸国では，いずれも，アセスメントの結果を許認可等の行政に反映させることが意図されており，わが国の横断条項も実質的にこれと同様の効果を有するものである。

より詳細には，33条は，対象事業等に係る許認可等が，

①一定の基準に該当している場合に許認可等を行うものとする旨の法律規定に基づく場合（33条2項1号。政令で定める）

②一定の基準に該当している場合に許認可等を行わないものとする旨の法律規定に基づく場合（同条同項2号。政令で定める）

③許認可等を行い又は行わない基準を法律規定で定めていない場合（同条同項3号。政令で定める）

④対象事業の実施において環境の保全についての適正な配慮がなされるものでなければ当該許認可等を行わないものとする旨の法律規定がある場合（同条3項。具体的には，公有水面埋立法の規定による免許及び承認が該当する）

に分かれるが，

①〜③の「併せて判断する」とは，環境保全についての審査結果（環境保全上の支障を防止する法益）と許認可等の審査結果（許認可等を付与することによる法益）を比較衡量し，総合的に判断することを意味する。したがって，環境の保全についての適正な配慮がなされていない場合については，許認可等を拒否する処分がなされることもあれば，許認可等を行う処分がなされることもある。横断条項がおかれた趣旨からすると，重大な環境保全上の支障が生じることが明らかに見込まれる場合には，行政庁は許認可等を拒否しなければならないと解される。①〜④は許認可等を規定する法律の規定ぶりに応じて類型化したものであり，横断条項の実質的効果に差異はない。

(イ) このような横断条項の規定の創設自体は好ましいものではあるが，批判すべき点は残されている。すなわち，「適正な配慮」の内容は曖昧であり，許認可等権者の裁量の余地は広く，重大な環境保全上の支障が生じることが明らかに見込まれるような例外的な場合にしか違法とはならないであろう（もっとも，環境大臣が評価書に対して意見を述べたときは，それが許認可等の判断に適切に反映されたか否かが，裁量行使の適正さを考える上で重要な視点となる）。

オランダ，ドイツ，アメリカでは，審査基準が明らかにされているが，本法の下でも，行政手続法5条から審査基準を設けることが必要となろう（もっとも，これは定量的基準ではなく，定性的基準である）。環境の保全についての審査結果と許認可等

の基準に関する審査（基準が示されていないときは，対象事業の実施による利益に関する審査）結果は，同等に扱われるとみるのが一般であろうが，環境基本法19条を根拠として，環境の保全についての審査結果を重くみる余地はあろう。さらに，アメリカ合衆国のカリフォルニア州や連邦では，アセスメントの結果に何らかの拘束力を認めることや，主務官庁の許認可等を事実上制約することも行われており，立法論的には参考になる（→**5-4**〔136頁〕）。

(ウ) なお，本法の下では，申請が認容されたときに，行政庁が環境影響評価の結果をどのように考慮したかについて公表することとはされていない点に限界がみられる（行政手続法は，許認可等が拒否された場合に行政庁が申請者に対して理由を提示することを義務付けるにすぎない。8条）。合衆国の連邦の環境影響評価やEC指令（1997年採択）は，このような公表をなすべきことを定めている。ただ，本法においても，許認可等権者等の評価書に対する意見が述べられた（24条）場合には，それを縦覧に供することとされており（27条），その限りで，行政庁が許認可等の際に環境影響評価の結果をどう考慮したかについて公表するのと類似の機能を有するであろう。

(h) フォローアップ手続

(ア) 本法は97年制定時に，フォローアップに関して，3つの規定をおいた。

第1に，対象事業の目的及び内容を変更しようとする場合（軽微な変更等〔施行令18条〕を除く）に，再度環境影響評価をしない限り，事業実施ができないこと（31条2項の反対解釈参照）は，閣議アセスの運用と基本的には従来と変わらない。

Column15 ◇中池見湿地事件

中池見湿地は福井県敦賀市の東にある，25 haの湿地であるが，希少な泥炭層と豊かな生物多様性が評価されて2012年7月にラムサール条約の湿地として登録された。1996年に公表された北陸新幹線の計画路線は，同湿地の外側を通過するルートであったが，同新幹線開発計画について環境影響評価が実施された後，2012年8月に従来の計画路線よりも150メートルほど同湿地の内側に入り込む路線の計画が公表され，建設に伴う環境への影響が懸念された。NGO，地元住民，条約事務局などとの話し合いの結果，新ルートは見直されるに至った。

この事件は，結果的には問題にならずに済んだが，環境影響評価実施後の工事変更の際に，再アセス（31条2項参照）など，法的に十分な対処がなされていない限界を露呈したといえる。環境影響評価実施後の事業の変更について，軽微な変更か否かについての明確な基準の設定，変更についての環境大臣への通知，著しい変更の場合の再アセスの義務付けなどについて検討する必要があることを示していると思われる。

第2に，事業着手後の調査（**事後調査**）に関して，事業者は，一定の場合にこれを行う必要性を検討するとともに，事後調査の結果，環境影響が著しいことが明らかになった場合に環境保全措置をとることを準備書，評価書に記載しておき，それにより，必要に応じ，事後調査等を行うことになった（14条1項7号ハ，21条。12条）。この場合，事後調査についての準備書及び評価書の記述は，「環境の保全のための措置に関する指針」に従うことが必要になる（基本的事項第五，二(6)）。

第3に，事業者は，評価書の公告後，周囲の環境の状況の変化その他の特別な事情により必要があると認めるときは，環境影響評価手続を再実施することができるとされた（32条）。これは，長期間事業に着手しなかった等の場合に予測評価の前提が崩れることから，設けられた規定である。もっとも，「できる」にすぎず，実施例はないといわれている。

(イ)　上記の**事後調査**は，評価書の内容について事後的に検証を図ることができること，予測しえない要因による環境影響の回避や周辺住民とのトラブルの防止が可能となること，予測手法等の改善につながること，環境影響緩和措置（ミティゲーション）の実施状況や効果の確認が可能となることなどの利点があるとされている。

しかし，本法の制定後も，行政や住民等が事業者による環境保全措置や事後調査の実施状況を把握することは困難であった。また，上記(ア)第2点のように，本法に事後調査の規定はあったが，実際に事後調査を行うのは，許認可等の後であるから，準備書及び評価書の記述が指針に適合しているだけでは実効性に乏しいという問題があった。

そこで，2011年改正により，環境保全措置等（事後調査，環境保全措置）について，事業者に，報告書の作成，許認可等権者に対する報告の義務付け，公表の義務付けをした（38条の2以下）。これにより，許認可等権者が事業者に対して適切な指導を行うことが期待される。この規定は，環境影響評価後の環境配慮の充実に資するものであるが，同時に，環境影響評価の質や同手続の実効性を高め，事業の実施の際の環境配慮が確保される方向に一歩進むであろう。報告書の公表は「関係地域」（15条）において行われる（施行規則19条の3）。

なお，事後調査，環境保全措置についての報告書作成に関して，法2条1項の「事業の実施」という文言を理由として，施設の存在・供用時に生ずる環境影響を対象に含めないという解釈が政府ではとられているが，これでは事後調査等の意義が失われるという問題がある。

(i) その他

事業者は，評価書の公告（27条）を行うまでは，対象事業を実施してはならない（31条1項）。評価書の公告を行った後，又は，方法書の公告（7条）を行ってから評価書の公告を行うまでの間に対象事業の目的・内容（5条1項2号）を変更・修正して当該事業を実施しようとする者には，環境影響評価手続の実施義務がかかるが，方法書から実施すればよい（31条3項，28条）。

なお，ほかに，環境影響評価を支える基盤の整備として，本法が，環境影響評価を他の者に委託した場合について，その者の氏名及び住所を，準備書及び評価書の必要的記載事項とした（14条1項8号，21条2項1号）ことが注目される。

(3) 閣議アセスと環境影響評価法のアセスの性格の対比

Q7 環境影響評価の目的・趣旨についての2つの考え方を述べよ。閣議アセスと環境影響評価法にはどのような性格の相違があるか。

(a) 閣議アセスと環境影響評価法のアセスを対比すると，環境影響評価の目的・趣旨について2つの考え方が存在することが理解される。すなわち，

①（社会における）合理的意思決定のツールと，

②（事業実施を前提とした）環境影響の調査

である。

①は，欧米の環境影響評価についての考え方であり，代替案（複数案）が重要となる。これに対し，②は，環境基準のような環境保全目標の達成が目的になる。閣議アセスはこの傾向がみられる。環境影響評価法は①の考え方を採用していたが，複数案の検討があまり重視されていなかったところ，2011年改正の際の計画段階配慮書手続の導入により複数案の検討が重視されたため，①の方向性がより明確になったといえよう。

(b) より詳細に述べると，本法においては，閣議アセスと比べて次のような変化がみられるといえる。

第1に，実施時期については従来と同様に事業実施段階ではあるが，より早期の段階での意見聴取手続を可能とする方向へ，

第2に，公害を中心とする評価項目をあらかじめ限定列記する方法ではなく，環境負荷の低減を目指した広範囲の評価指針をスコーピングにより限定する方向へ，

第3に，規制目標を重視する考えではなく，複数案の検討により事業者が実行可能な範囲で環境影響を最小化する（ベストを追求する）方向へ，

第4に，第3点と類似するが，行政庁による基準適合性を重視するのではなく，公衆関与の下での環境影響の決定へ，

第5に，主務官庁のみによる審査ではなく，第三者機関（ここでは環境大臣）も含めた審査へ，

第6に，公害規制法による規制のみを重んじるのではなく，それとともに，アセスメントの結果のモニタリング（フォローアップ）も重視する考えへの転換

である。

そして，これらの問題は全て関連しているといえよう（さらに，このようにして出されたアセスメントの結果を，主務大臣は，許認可等に係る法律の規定にかかわらず，許認可等に反映させうることになった）。

全体的にみると，行政庁の設定した基準を重視する公害規制の考え方から，それのみでなく，公衆の関与も含めた第三者の参画の下で，better decision（よりよい代替案／合理的意思決定）を検討する考え方へと転換したのである。従来の閣議アセスでは「公害事前調査のための手段」であった環境影響評価が，環境影響評価法の下では「環境悪化防止に対する better decision のための手段」とされたといえよう。公衆の関与と，第三者の参画は，better decision を確保する手段として位置付けられる。

基準重視の公害規制はもちろん重要ではあるが，むしろ，それでは十分でないときにこそ，環境影響評価の意義が発揮されるのである。このような考え方の変化は，主要な欧米諸国の環境影響評価の考え方を取り入れたものであるが，従来のように公害対策のみを中心とするのでなく，環境への負荷一般の防止をも考慮する必要が生じたこと（環境基本法2条〜4条，8条3項，4項等参照），近時，住民参加の議論が高まってきたことなどを反映しているといえる。

2011年改正は，第1点については，計画段階配慮書手続の導入，第3点については同手続における複数案の検討の重視，第5点については環境大臣の意見が述べられる箇所の増大，第6点については，環境保全措置等に係る報告書の作成義務付けと，報告，公表の義務付けにより，上記の方向性はさらに強化されたとみられる。

5-3 環境影響評価法の2011年改正とその後の動向

読者の利便のため，ここで2011年改正の要点について改めて掲げるとともに，その後の若干の改正等について触れておきたい。

1 2011年改正法の主要点

2011年4月，「環境影響評価法の一部を改正する法律」が成立し，2013年4月に本格施行された。改正法の主要点は次のとおりである（図表5-4）。

【図表 5-4】環境影響評価法改正後のフロー（網掛け部分が法改正事項）

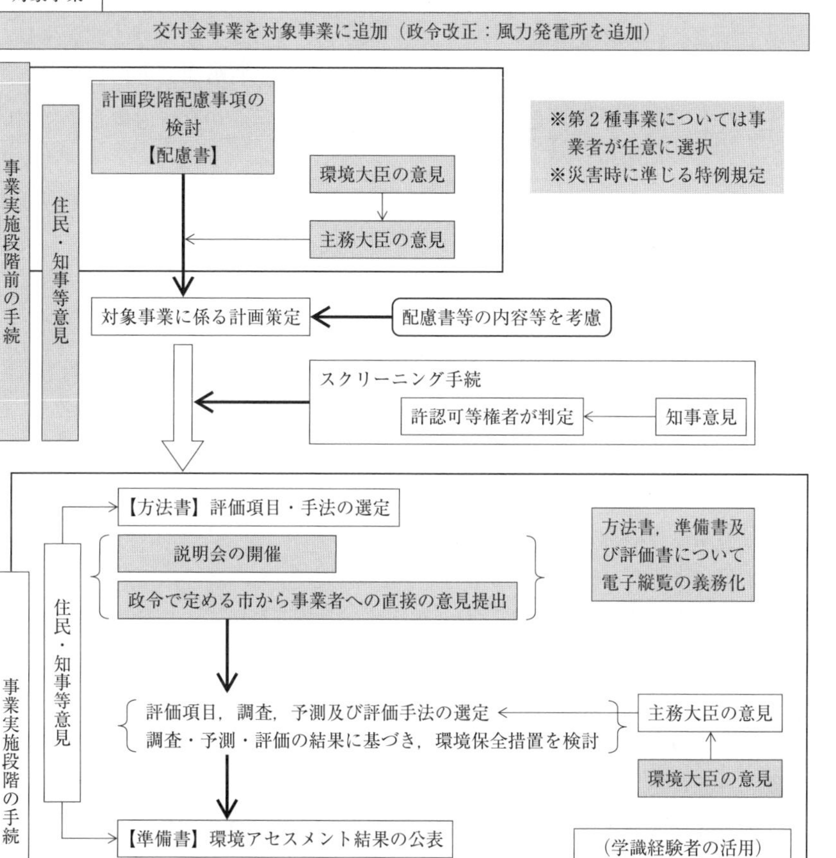

出典：環境省資料を加工

⑴　対象事業に交付金事業を追加した（2条）。2004年以降に政府によって進められた，いわゆる三位一体補助金改革の一環としての補助金の交付金化に伴い，従来補助金事業として対象事業であったものが対象事業でなくなる可能性が生じたが，国の税金が投入されているという点からすると，対象から外すことは適切ではないと考えられた。都道府県が実施する河川事業など，交付金の交付対象事業についても法対象事業とした。

また，新たに政令改正により対象事業とされたものとして，風力発電施設設置があげられる。低周波音，バードストライク等の被害が問題とされたことが反映されたものである。

⑵　計画段階配慮書の手続が新設された（3条の2以下）。事業の早期段階における環境配慮を図るため，第一種事業を実施しようとする者は，事業の位置，規模等を選定するにあたり環境の保全のために配慮すべき事項について検討を行い，計画段階配慮書を作成することが義務化された。

⑶　方法書における説明会の開催が義務化された（7条の2）。

⑷　評価項目等の選定段階で環境大臣が主務大臣に対し技術的助言をすることができるようにされた（11条3項）。

⑸　環境保全措置等に係る報告書の作成及び許認可等権者への報告が事業者に義務付けられる（法律上は環境保全措置については，その効果が不確実な場合に限る〔38条の2〕。なお，条例や大臣意見・知事意見等で公表等が求められる場合には効果が確実なときも報告書での記載が望ましい）とともに，その公表等の手続が義務付けられた。環境大臣及び許認可等権者は，必要に応じ，報告書について環境保全の見地からの意見を述べることができる。この場合において，環境大臣の意見があるときは，許認可等権者はこれを勘案しなければならない（38条の2以下）。

⑹　その他の点として，2点あげておく。

第1に，電子化の進展を踏まえ，インターネットの利用等による環境影響評価図書（方法書，準備書，評価書）の電子縦覧を義務化した（7条，16条，27条）。

第2に，政令で定める市から事業者に対して直接，意見が提出できるようにした。改正前の制度においては都道府県知事が関係市町村長の意見を集約した上で事業者に対して意見を述べる仕組みとなっている。地方分権の進展等を踏まえ，事業の影響が単独の政令で定める市の区域内のみに収まると考えられる場合は，当該市の長から直接事業者に意見を述べるものとした（10条，20条）。

第3に，環境大臣の意見について，公有水面埋立事業のように，地方分権推進一括法の施行を契機に環境影響評価手続の中で国の関与がなくなったケースについて，許認可権者である地方自治体が国からの「助言を求めるように努めなければならない」とし（23条の2），その中で環境大臣の意見が出せることとされた。

2　2011年改正法の評価

このように，本改正法は，環境影響評価の手続を充実させることによって，より一層環境保全に配慮した事業の実施が確保されることを目指すものである。

(1)　第1に，計画段階配慮書手続の導入は，**複数案**の検討を原則とするものであり（ただし，「基本的事項」による），わが国の環境影響評価法が欧米にいう環境影響評価本来の目的を（ようやく）果たしうるものとなることは評価すべきである。より早い段階での環境面での検討を行うことにより，代償措置ではなく，環境影響の回避を図ることができるようになるため，大きな効果が期待される。

ただし，今般の改正案においては，より早い段階とはいっても，実績の積み重ねがある個別事業の位置，規模又は施設の配置，構造等の検討段階を対象としたアセスメントの導入を図ったものであり，これは，欧米で導入されている「戦略的環境アセスメント（SEA）」（→**5-5**〔141頁〕），すなわち，より上位の計画や政策段階での環境影響評価とは一致しない。もっとも，事業アセスメントから計画アセスメントに向けて一歩踏み出したと評価することはできよう。

Q8　計画段階配慮書手続が導入されたことの意義について述べよ。

最も重要な点は，より早期の段階から，複数案の検討を原則化したことである。さらに，「改正時の答申」によれば，次の4点があげられている。

①環境に著しい影響を与えうる事業の策定・実施にあたって，環境への配慮を意思決定に統合すること

②事業の実施段階での環境影響評価の限界を補完すること

③第三者による検討の機会を設けられること

④事業者にとっても早期段階からの調査・予測・評価を行うことにより重大な環境影響の回避・低減が効果的に図られ，その後の環境影響評価の充実及び効率化が期待できること。

以下，計画段階配慮書手続に関するいくつかの問題点に触れておきたい。

Q9　計画段階配慮書手続のような考え方は，環境影響評価法改正前にもわが国の立法に存在していたか。

2008年に制定された生物多様性基本法はすでに「事業計画の立案の段階等での生物の多様性に係る環境影響評価の推進」について規定をおいていた（25条。→**8-2**・1(2)(b)〔377頁〕）。この点からみると，環境影響評価法改正による計画段階配慮

書手続の導入にはある程度の必然性があったとみることもできる。

Q10 計画段階配慮書手続が入り，評価結果のその後の環境影響評価での活用（ティアリング）についてはどのような対応がなされているか。

計画段階配慮書手続が入り，評価結果をその後の環境影響評価で活用することの必要性が高まった。手続が重複し，非効率的になることを防ぐ必要があるからである。具体的には次の2点で対応がなされている。

まず，計画段階配慮書の段階での検討が方法書での検討にどう受け継がれたかについては，方法書に記載される（施行規則1条の5第1号ハ）。

次に，計画段階配慮書手続の結果は，評価項目等の選定，環境保全措置の決定のために活用される（基本的事項第四，一(3)）。

Q11 計画段階配慮書は方法書とどこが異なるのか，配慮書としてどの程度のものが要求されるか。

計画段階配慮書手続は，早期の段階で行われるため，既存情報からの複数案が検討されるのに対し，方法書手続ではより調査が進んだ段階で複数案が検討されるのであり，両者は異なっている。他方，そうすると，配慮書が非常に大雑把なものとならないか，という問題も生じうるが，この点については，配慮書の内容は後の方法書に反映されるため，配慮書と方法書が大幅に異なれば，市民には直ちにそれが明らかになる。方法書については事業者は説明会を開催して説明する責任があるため，事業者は配慮書に関しても大雑把な対応をするわけにはいかなくなる。

Q12 国土が狭く平野部が少なく人口の多いわが国で計画段階配慮書の手続を導入しても，離れた場所での立地の複数案を検討できず，意味が乏しいのではないか。

これについては，例えば生物多様性についてみれば，絶滅の危機に瀕した種は特定の条件を満たしたホット・スポットにしかいないことが多く，少し離れた場所での立地を行うだけでも大きな意味があると考えられる。

Q13 計画段階配慮書手続の導入によって事業を中止させることができるか。

場合によっては事業者がそのような判断をすることはあるが，それは事業者が様々な状況を勘案して判断した結果であり，配慮書手続と直接関連するものではない。また，事業の許認可等の意思決定にあたっては，環境影響評価の結果が適切に反映されるが，行政庁の意思決定においては，環境面だけでなく，他の公益を含めた総合判断によって行われる。すなわち，事業が中止される可能性はあるが，それはまさに個々のケースごとの判断や意思決定の結果行われることである。

(2) 第2に，環境保全措置等（事後調査，環境保全措置）について，許認可権者に対する報告の義務付け，公表の義務付けをしたことが重要である。

(3) 第3に，第三者機関である環境大臣の意見を述べる箇所を増やしたことも重要な進展である。改正の結果，環境大臣は，①配慮書（3条の5），②方法書（ただし，技術的助言，11条3項），③評価書（23条，23条の2），④事後調査の報告書（38条の4）の4つの箇所で意見を言えることになった。

(4) 第4に，公衆の意見聴取に関して，改正前はすでに閣議要綱とは異なり，①方法書段階，②準備書段階の2回意見聴取の機会を設け，関係地域以外の者の意見聴取も認めていたが，2011年の改正により，③配慮書の段階でも意見聴取の努力義務を課した（3条の7。意見聴取の機会は3回となる）。また，縦覧に関して電子化したこと，方法書段階での説明会を義務付け，公衆に事業の内容を理解し意見提出の基礎を作る機会を設けたことなどにおいても，公衆の意見聴取の強化を図っている。

➡ 計画段階配慮書は，環境影響評価手続においてどのような意味をもつか。
➡ 環境保全措置に関する報告書は，環境影響評価手続においてどのような意味をもつか。

3　2013年改正

2013年6月，「放射性物質による環境の汚染の防止のための関係法律の整備に関する法律」（同月公布）により，環境影響評価法の放射性物質適用除外規定（52条1項）が削除された（→**Column13**〔118頁〕）。

4　環境影響評価手続の迅速化及び地球温暖化との関係

2012年以降，発電所に関する環境影響評価の迅速化及び地球温暖化との関係が問題とされるようになってきた。

第1に迅速化については，2012年3月，火力発電所のリプレースについて，現状の環境負荷を悪化させない場合に限定して，一定条件の下に調査・予測に要する期間を短縮する「火力発電所リプレースに係る環境影響評価手続の合理化に関するガイドライン」が出された（2013年3月改訂）。さらに，2012年11月，環境省及び経済産業省は，福島第1原発事故以降の減原発・脱原発の動きの中で，運用上の取組みにより，火力発電所のリプレース，風力・地熱発電所に係る環境影響評価手続の簡素化・迅速化等を行う考え方を，連絡会議の中間報告としてとりまとめ，翌年の「日本再興戦略」（2013年6月14日閣議決定）で決定された。国の審査期間を短縮し，環境影響評価の調査期間を短縮することにより，風力・地熱発電については通常3年かかる手続を概ね半減，火力発電所リプレースについては1年強にすることが目指されている。

第2に，地球温暖化との関係については，経済産業省と環境省は，「東京電力の火力電源入札に関する関係局長級会議とりまとめ」(2013年4月）において，環境アセスメントにおける二酸化炭素の取り扱いを定めた。そこでは，事業者は，アセス手続開始時点において，竣工に至るスケジュール等も勘案しながら，アセス手続中の最新発電技術等の採用の可能性を検討した上で，既に商用プラントとして運転を開始している最新鋭の発電技術以上のものとするよう努めるとし，国の目標・計画との整合性にも配慮するものとした。実際に問題となるのは石炭火力発電所である。2015年以降，二酸化炭素の排出を懸念して，石炭火力発電所設置の環境影響評価手続において建設中止の環境大臣意見が出され，発電施設の設置許可が保留されるケースが現れている。2015年7月に電力23社が，上記とりまとめに基づいて自主的枠組「電気事業における低炭素社会実行計画」を公表し，国の二酸化炭素削減目標に整合する数値が掲げられたが，なおその目標をいかにして達成するかについての仕組みづくりが残されているからである。このような動きは，2016年2月に環境大臣と経済産業大臣との交渉が妥結するまで続けられた。環境省のこの動きは，省エネ法の判断基準，エネルギー供給構造高度化法の基本方針及び判断基準の改正につながったといえる。今後も，個々の事業に関する環境影響評価についての環境大臣意見において，①当該事業者が枠組に入っているか，②省エネ法の基準を達成できるかをチェックすることになろう。

第3に，第2点とも関連するが，2015年夏以後，地球温暖化との関係で問題が顕在化してきた。一つは，環境影響評価法の第2種事業の適用対象の裾切り（11.25万kWh）より少し小規模の石炭火力発電所建設の急増である。東日本大震災後の発電の状況と電力自由化が背景となっているが，これに対しては条例アセスや環境協定で対応していないものも少なくない。環境影響評価法の対象となる石炭火力について環境大臣は建設中止の意見を述べたところであるが，これは法律の裾切り以下の石炭火力発電導入に益々ドライブをかける可能性がある。法律の裾切りをより小さい値とすることが検討されるべきである。実際には，2017年3月に環境省から「小規模火力発電等の望ましい自主的な環境アセスメント実務集」が出され，CSRに基づき，法律や条例のアセスの対象事業以外について自主的アセスメントが行われることになった。

5-4　残された課題

環境影響評価法は，閣議アセスからのパラダイムの転換を成し遂げたといえるが，他方，残された問題点も少なくない。

(1) 欧米で行われており，環境基本法19条に対応する「**戦略的環境アセスメント（SEA）**」（→**5-5**〔141頁〕），すなわち，より上位の計画や政策段階での環境影響評価の取組については，緊急に検討すべき課題である。改正法についての衆議院環境委員会の附帯決議はこの点を明言した。そのためには，例えば温暖化対策としての交通対策について各種の交通のあり方（複数の交通手段の連携を促すマルチモーダルのあり方を含む）についてわが国で総合的な検討をしている組織がないことが，根本的な問題として認識されるべきであろう。

(2) また，本法の下では，許認可等がなされたときに，行政庁が環境影響評価の結果をどのように考慮したかについて公表することとはされていないが（行政手続法上は，許認可等が拒否された場合に行政庁が申請者に対して理由を提示することを義務付けるにすぎない。8条），環境影響評価の意義をあらしめるため，必要性は高いと考えられる。アメリカの連邦やEUではこのような公表をすべきことが定められており，カナダも同様である。「改正時の答申」にも言及されたところであり，残された重要な課題である。参議院環境委員会の附帯決議はこの点を明言した。

(3) 対象事業に関して，ダムの取り壊しやCCS（炭素貯留。海洋汚染防止法との関係が問題となる）等を含めることについては，今後の重要な検討課題である。

(4) ほかにもいくつかの残された論点がある。

第1に，評価項目については，歴史的・文化的環境などの人工的環境要素は，環境基本法14条に掲げる事項に含まれておらず，評価項目に含まれない。これは環境基本法の限界でもあるが，これらはアメニティの重要な側面であり，含めていく必要があろう。

第2に，公衆参加については，前述のような進展がみられるものの，意見書の提出と説明会の開催では不十分である。公衆参加の位置づけについては，「法律制定時の答申」が，合理的意思決定のための情報の形成への参加（住民等＝情報提供者）という位置づけをしており，本法もこれに基づいているが，果たしてこれで十分かについて疑いがないではない。もちろん，拒否権参加（住民等の同意がなければ，事業の実施ができないとする）としての決定参加を認めることは困難であるが，適正な手続を要求する権利を公衆に認めるものとして位置づけることは可能であろう。そして，この観点からは，一定の場合には，公聴会，それも，対審的な討論が義務付けられるべきであろう。

第3に，第三者の審査・評価については，本法は環境大臣の関与だけを規定したが，地方自治体では，すでに審査会等の第三者機関を活用しており，これを盛り込むことも検討に値する。また，評価の技術的審査について，評価書の技術的分析のレビューを第三者機関に行わせること（オランダの環境影響評価委員会の如し）は，科学性，信頼性の確保のため，必須であると考えられる。これを環境省で行うことは事実上困難である。例えば生物多様性の分野でこのような審査会を設置することが考えられる。

第4に，許認可等との関係では，アセスメントの法的意義を十分なものにするために，アセスメントの評価の結果を許認可等に反映させることに一定の拘束力をもたせることを検討する必要があると思われる。

第5に，事後調査手続については，今回の改正でなお問題があれば，許認可等を行う際に，予測の不確実性等を理由にした事後調査の実施及び報告を許認可等の附款（条件）という形で義務付けるか，又は，正面から許認可権者の監督下におくことが考えられる。

また，環境影響評価手続の終了後に長期間未着手となっている事業について，環境の状況に変化が生じた場合には，許認可権者から，項目を絞った上で追加的な調査を提案し，必要があれば環境保全措置を強化させる仕組みを設けることが考えられる。

第6に，環境影響評価手続に誤りがある場合について実効的な対応ができるよう，環境保護団体が手続の節目において不服申立をし，また，抗告訴訟を提起できるよう，団体（適格環境保護団体とすることも考えられる）に原告適格を付与する旨の規定を導入することが考えられる。これについては事業妨害訴訟が増加することを懸念する意見もあるが，すでに実質的に環境公益訴訟を導入している欧米では濫訴は実証されていない。

さらに，**団体訴訟**の制度化については，環境影響評価法という個別法において取り扱うべきかどうかという法体系上の問題，制度化の際に事業の許認可に違法があることの証明を要求するか等の検討を行う必要がある（「改正時の答申」）。憲法における「司法」とは何かという点を踏まえつつより根本的な議論を行った上で，環境関連の団体訴訟に関する立法を一般的に行う必要があると考える（大塚直・加藤一郎先生追悼論文集『変動する日本社会と法』652頁）。なお，不服申立制度の創設も重要な課題である（大塚直・環境アセスメント学会誌10巻1号48頁参照）。

もっとも，このような規定を導入してもなお原告としては，環境影響評価手続の誤りが許認可等の違法につながる重大なものであったことを立証するハードルは引き続き高いものといわなければならない。

第7に，アセス図書の公開については著作権の壁があるが（もちろん，行政文書となるため，情報公開請求の対象にはなりうる），環境影響評価図書は社会の財産であり，その公開は極めて重要である。これを公開しないことは，何度も同じようなアセスをしなおす結果となり，社会的に非常に無駄となることが認識されるべきであろう。事業者はアセス図書に対する著作権を有するものの，縦覧によってすでに「発行」しており（著作権法3条1項），公表したものと整理されるから（同法4条1項），公表権は失っている。公衆送信権や複製権については事業者が保有しているが，アセス図書の公開を義務づけるか，公衆送信や複製について事業者の許諾を擬制する規定を環境影響評価法や著作権法に導入することが望まれる。

(5) なお，本法の制定や2011年改正にもかかわらず，わが国の環境影響評価は環境基準等の基準を重視する傾向が残っているし，実施者である事業者からは環境影響評価は事業を妨害するものとして受け取られている面がある。運用や意識に関する点であり，変革は容易ではないが，合理的な意思決定のツールとして活用することが重要である（アセス図書の公開に関する著作権の壁について，大塚『環境法』6-4 (4)〔193頁〕参照）。

Column16 ◇中央リニア新幹線と環境影響評価

中央リニア新幹線の検討は，1973年に運輸省告示において，建設を開始すべき新幹線鉄道の路線を定める基本計画路線に中央新幹線が位置付けられたことに始まる。2011年に中央新幹線小委員会が，JR東海の計画（リニア方式）の認可の答申を国交大臣に提出し，国交大臣がJR東海に中央新幹線の建設を指示した。そしてJR東海は，計画段階配慮書（環境影響評価法に基づかない自主的なもの）を同年6月に公表し，9月に環境影響評価方法書を公告した。翌年準備書を，2014年には環境影響評価書を公告し，同年及び2017年，JR東海は国交省に対して工事実施計画の申請をし，同計画は2014年及び2018年に認可されている。

中央リニア新幹線の環境影響評価は，県をまたがる大規模事業に関するものであり，また，山岳地帯でのボーリング等の調査が困難で，事前に情報が取得されにくいという点で特異な性格を有している。

問題点として指摘された（磯野）ところをあげておくと，①残土処理が対象外とされ，残土の最終処分場所が決まらず，この点について環境影響評価が行われなかった，②配慮書の段階のみでなく，準備書，評価書に至るまで，路線が幅をもって示されたため，事業が行われる場所が特定できず，実質的なアセスがなされなかった，③現行の環境影響評価法の対象ではない，災害アセスを行うことが重要であること，④仮に工事が途中でうまくいかなくなった場合に方針転換をする仕組みの必要，⑤今般行われたような各県でのアセス以外に，水源，地崩れなどについて，路線全体を対象とするアセスの必要が認識された，⑥水源への影響など，不確実性が高い事象に対してどのようにアセスをするか，シミュレーションの誤謬のリスクを誰が負うべきかが問題となった，⑦ ②や⑥との関係で，事後調査が極めて重要であることが認識された。

東京地判令和2・12・1訟月68巻1号1頁（工事実施計画認可取消請求訴訟判決）は，

リニア新幹線に関して，全国新幹線鉄道整備法9条1項に基づく基本計画認可の取消が求められた事件であり，原告適格の有無が問題となった。東京地裁は，原告らのうち，工事の進行に伴う建築機械の稼働，車両の運行，開業後の列車の走行等に起因する騒音・振動・大気汚染・水質汚濁・地盤沈下等による，健康又は生活環境に係る著しい被害を直接的に受けるおそれのある者について，個別保護要件を認めた。

Column17 ◇太陽光発電施設をめぐる環境紛争

太陽光発電施設に関する紛争は，小規模で，隣地開発許可違反の事例が多くみられる。実態面の問題としては，①森林伐採，②土地造成に伴う水質汚濁等，③同時に設置されるパワーコンディショナーによる騒音振動，太陽光パネルの反射熱，災害時の崩壊，④景観への影響，⑤パネル等の廃棄・リサイクルに対する懸念がある。さらに，住民に対する情報公開が不十分であると指摘される場合がある。こうした中，自治体の中には，太陽光と，自然環境，景観等との調和について規定し，施設設置の抑制を図る条例を制定するところも現れている（「由布市自然環境等と再生可能エネルギー発電設備設置事業との調和に関する条例」〔2014年〕，「高崎市自然環境，景観等と再生可能エネルギー発電設備設置事業との調和に関する条例」〔2015年〕など）（内藤悟「太陽光発電設備をめぐる地域における行政実務の現状と課題」論ジュリ28号70頁〔2019〕。さらに，太陽光パネルを設置する際の土台に再生土を用いることが多く，その盛土の崩落や再生土から溶け出した塩化物イオンの影響の防止のため，千葉県再生土の埋立て等の適正の確保に関する条例〔2018年〕なども公布されている）。

太陽光発電の特有の項目としては，反射光，騒音（パワーコンディショナーの発する特定の周波数による煩わしさが問題となる。「純音性成分」と呼ばれる）があげられる。

太陽光発電に対しては，法アセス，条例アセス，自主アセス（「太陽光発電の環境配慮のガイドライン」〔2020年策定〕による。法律，条例の対象外で，10 kW以上の事業用太陽光発電施設を対象とする）の3種類で対応することとし，条例アセスによる対応については従来どおり推奨しつつ，法律の規模要件と条例の規模要件（例えば50 haを基礎とする）の指標が異なることで相互の観点から補完し合い，環境影響評価を実施すべき事案を確実に対象に含めることが期待されている。

また，同発電の終了後は撤去が必要であるため，パネルなどの廃棄段階の項目もあげられており，事業実施段階で予測される評価が行われる。自治体においても，供用後のパネル等の放置を問題とすることが多い。廃棄物の扱いについて，本来アセスの範疇かという問題はありうるが，基本的事項に定められているし，発電所アセス省令（平成10年通産省令54号）にも規定されており（21条2項），今般事例を加えていくことになる。廃棄基準等については「太陽光発電設備のリサイクル等の推進に向けたガイドライン」（大塚『環境法』〈第4版〉9-4 コラム57〔611頁〕参照）で定められる。

再生可能エネルギー特措法の2016年改正により，経済産業大臣の認定基準（法9条3項2号）の具体的基準として「必要な関係法令（条例を含む。）の規定を遵守するものであること」（施行規則6条〔現5条の2〕第3号）という文言が入れられた。これにより，関連条例の規定に違反することは，事業計画認定の取消要件とされることになった（→なお，**10-2**・1(c)(イ)(ix)も参照）。

5-5　戦略的環境アセスメント

1　政策における戦略的環境アセスメント

(1)　戦略的環境アセスメントとは

戦略的環境アセスメント（Strategic Environmental Assessment：SEA）とは，政策，法案，プログラム，計画についてのアセスメントであり，EU 構成国，カナダ，アメリカ合衆国などですでに行われている。これは，事業アセスメントを補完する機能をもち，持続可能な発展の理念の実現に資するものと考えられている。例えば，事業アセスメントでは不十分な累積的環境影響評価がこのアセスメントでは十分に行われるという意義がある。

戦略的環境アセスメントは，アメリカ合衆国のように，政策，法案，プログラムの全てを含むものと（実際には，プログラム及び事業について行われている），EC 指令の戦略的環境アセスメント（2001/42/EC）のように，計画及びプログラムに限定するものとがある。

戦略的環境アセスメントの手続は，プログラム等を提案する部署が行うが，オランダ，カナダでは，独立した監督官庁が助言をする仕組みをとっている。

代替案の検討は，戦略的環境アセスメントの重大な意義である。戦略的環境アセスメントにおいて検討される代替案は，技術的代替案と立地上の代替案があるが，コストや予算の範囲内での代替案が検討されるにとどまる。典型的な代替案としては，①現状不変更の案，②環境上好ましい案，③経済上望ましい案，④政府が好む案の 4 つがあげられる。

戦略的環境アセスメントにおける公衆参加は，基本的に情報提供参加にとどまるものと考えられている。

(2)　戦略的環境アセスメントの利点

戦略的環境アセスメントの利点としては，①意思決定にあたって環境面と持続可能性面の考慮をよりよく組み入れることができる，②事業段階の環境影響評価よりも予防原則に取り組むことができる可能性を広げることができる，③意思決定の最終段階よりもより広い範囲の代替案や影響緩和対策を考慮できる，④累積的な影響，間接的影響，長期にわたる影響等について，事業アセスよりもよりよく考慮する可能性を提供する，⑤地域的影響や地球規模の影響について，事業アセスよりもよく考慮できる，⑥早い段階からの公衆参加の枠組を提供することにより，決定の透明性を増加させる，⑦先行する検討に積み重ねていく形で無駄のないアセスメントのアプローチを採用することにより，事業アセスをより早く効率的に行うことができ，投資家に対して確実性を提供できる，⑧他の政策・計画・プログラムや事業レベルの環境影響評価のいくつかを不必要にする可能性がある等があげられている（倉阪秀史）。持続的発展の方向性を示すこと，公衆の意思決定への組み込みを早くすること，事業アセスとの相互補完・連動によりアセスを効率化することなどの重要な役割があるといえよう。

2　わが国における戦略的環境アセスメント

わが国においても，**環境基本法 19 条**を具体化するため，戦略的環境アセスメントの導入が必要である。すなわち，計画の段階で透明で客観的な環境配慮プロセスを提供することが求められている。埼玉県，京都市，広島市等では，**要綱**の策定により，戦略的環境アセスメントを含む制度化がなされ，実施例が積み重ねられてきた。東京都では，都が策定する「広域複合開発計画」（30 ha 以上）及び「個別計画」（原則として旧条例規模の 2 倍以上）に限定して，計画段階で複数案を環境面から比較検討する**条例**改正（計画段階環境影響評価）が行われており（2002 年の東京都環境影響評価条例改正），これも戦略的環境アセスメントの１つと捉えられている。もっとも，これらの中には欧米の戦略的環境アセスメントのような「上位」の計画や政策に関するものと，事業実施前の下位の計画に関するものが含まれていることに注意を要する。

5-6　環境影響評価法と環境影響評価条例の関係

1　4 つの問題

環境影響評価法と環境影響評価条例の関係については 61 条が規定している。本条については，やや分かりにくいが，次の 2 点に注意されたい。第 1 に，同条 1 号（2 号も同様）にいう「第二種事業」とは，4 条の規定によるスクリーニングを受ける前の事業を指すと解されており（2 条 3 項参照），スクリーニングの結果，本法の対象とされたものは，「第二種事業」ではなく，「対象事業」となることである。第 2 に，同条 1 号の「第二種事業及び対象事業以外の事業」とは，「第二種事業及び対象事業」以外の事業を意味する。

環境影響評価法と環境影響評価条例との関係については，具体的には，次の 4 つの問題がある（**図表 5-5**）。これらのそれぞれを地方自治体の条例に認めるか，これらについてどのように考えるべきか，である（以下，これらを「4 つの問題」と称する）。

【図表 5-5】環境影響評価法と環境影響評価条例の関係

第1の問題	法律の対象事業以外の種類の事業への横出し（事業種要件又は規模要件の拡大）
第2の問題	規模が小さいため，法律の対象にならない事業への裾出し
第3の問題	法律の評価項目以外の項目への横出し
第4の問題	純然たる手続の上乗せ（公聴会の義務付け，縦覧期間の延長など）

この問題は，従前から「法律と条例との関係」として議論されてきたところであり，環境影響評価に関する国と地方の制度の関係を考えるにあたっても，従来のこの議論（→**Column2**〔26頁〕）を参考にしつつ，環境影響評価制度の特質を考慮する必要があるが（従来の規制基準の上乗せと，環境影響評価手続の上乗せの関係をどうみるか），ここでは，「環境影響評価法は原則としてナショナル・ミニマムを定めており（最低基準法律であり），条例で地域的特性に応じた環境影響評価制度を定めることができる」との立場から触れておく。

2　環境影響評価法61条の解釈

61条は，文言上，条例の対象を相当広く認めており，基本的には評価できるといえよう。もっとも，立法担当者は必ずしもそのような立場はとっていない。では，4つの問題についてどのように解釈すべきか。

(1)　まず，**第1，第2の問題**についてはどうか。これは1号に関連する。スクリーニングの判定手続については2号の問題となるが（法律立案担当者は，スクリーニングの判定手続については本法の規定によるのであり，条例で定めることはできないと解している），スクリーニングの結果，本法における環境影響評価の手続が不要とされた事業については，法文上の「第二種事業」にも「対象事業」にも該当しないため，1号により，条例によって環境影響評価その他の手続を定めることができるのである。これは，規模要件でスクリーニングの対象となったものの，スクリーニングの結果，対象事業とならなかった事業について，条例の対象としうることを示したものである。

1号にいう「第二種事業及び対象事業以外の事業」には，これらの「規模により法律の対象事業とならない事業」（条例による裾出し）のほか，「法律の対象事業以外の種類の事業」（条例による横出し）の場合が含まれると解され，上記の第1，第2の問題については条例で定めうることとされているといえよう。この点では，本条は条例の対象を広く認めたものといえる。なお，明文はないが，その手続は国のものと均衡を失しないことが必要であり，法律の手続に比べてあまりにも複雑な手続を課することはできないといえる（62条参照）。

⑵　次に，**第4の問題**についてはどうか。これは61条2号に関連する。同号は，地方自治体は「第二種事業又は対象事業」の環境影響評価の《純然たる手続》について「この法律の規定に反しないものに限」り，定めうることとしている。しかし，この意味は必ずしも明らかではない。法律立案担当者によれば，その趣旨は，「国の制度の対象となる事業については法の規定により環境影響評価手続が行われるが，例えば，地方自治体の意見形成の過程で審査会や公聴会を開催する規定を条例で定めることができることを明らかにしたものである」とされている。また，衆議院環境委員会での質疑に対する環境庁企画調整局長答弁において，本号に反する条例としてあげられた例（1997年当時のもの）としては，①意見提出期間が法定の期間よりも長いもの，②公告縦覧等の手続の主体を変更するもの，③準備書を提出するときに周知計画書（その後「実施計画周知書」に改称）の提出を義務付けるもの（当時の神奈川県環境影響評価条例7条。ただし，これについての政府委員の答弁は，必ずしも明快ではない），④準備書の作成の後，事業者の提出する見解書に対し，事業者に説明会の開催を義務付けるもの（当時の東京都環境影響評価条例27条），⑤見解書の公告縦覧の後，事業者に住民からの意見を聴取させ，その概要書の作成を義務付けるもの（当時の岐阜県環境影響評価条例20条2項）があり，本法の義務を越えて「より大きな負担を事業者に課する手続」は，本法に違反すると解されている。

本法の立案担当者の立場によれば，純然たる手続については，基本的には，全国で統一的に規定すべきであるが，例外的に，知事意見の形成のための手続については地方自治体が条例で定めうるとしたものといえる。

このような法律立案担当者の見解は，手続の不必要な重複や濫費を避け，また，地方によって手続の進行の遅延が恒常化するのを回避する点からは首肯すべき面もあろう。例えば，①を法律違反とすることは致し方ないといえよう。当該地方自治体においてのみ手続の進行が遅延することになるからである（ただし，施行令12条は，準備書に対する関係都道府県知事の意見提出期間について120日としつつ，一定の場合に150日までの延長を認めている）。また，②も法律の手続に「付加」するのでなく，それを「変更」するものであり，適法とはいい難い。しかし，③〜⑥については，地方自治体により，地域の自然的・社会的条件が異なる場合には，それに応じた施策を実施すべきであるとする環境基本法36条の趣旨からも，条例による手続の上乗せを認めるべきではなかろうか。例えば，開発が高度に行われ，これ以上の環境の破壊が住民に著しい影響を与えるおそれが大きいこと，それに伴い住民の意識が高まっていることは，環境影響評価にこれらの手続を付加することについて「地域の行政需要」があるとみることができ，それが定着している場合には，「地域の社会的条件」が満たされていると考えられるからである。「より大きな負担を事業者に課するか否か」ではなく，条例が事業者に「不当な負担を課するか否か」（比例原則の一内容といえよう）が問題とされるべきであるといえよう。すなわち，本号における「この法律の規定に反」するものとは，①，②の場合のように「法律に定める手続等の進行を妨げるもの」であると解すべきであり，知事の意見形成のための手続に限り許されるという解釈をすべきではないと思われる（他方，冒頭に述べた，「規制」の上乗せではなく，「手続」の上乗せが問題とされているという点から，この場合に「法律の定める手続の進行を妨げない」という必要最小限の制限を認めることは可能であると考える）。

(3) さらに，**第3の問題**についてはどうか。これは，61条2号に関連するが，法律上は明らかでない。

本法の下では，主務省令としての指針における評価項目は相当に広範であるし，地方自治体が独自の評価項目を主張する仕組みも整っている。しかし，それでもなお，主務省令としての指針に文化財のような項目は入れられていないし，また，都道府県知事が独自の評価項目を主張した場合にも，事業者が新たな環境影響評価をするか否かについての「当該事項の修正を必要とすると認めるとき」（25条）という要件は事業者自身が判断するのであり，地方自治体の意見が尊重されることについての保障は存在しないといわざるをえない（33条に基づいて許認可等権者が許認可等を行う際に「環境の保全についての適正な配慮」がなされているかの審査が行われるが，都道府県知事の上記の主張が軽微な問題として扱われる可能性は十分にある）。したがって，本法の対象事業についても，条例上，本法の下での指針における評価項目以外の項目への横出しを認めるべきであると解する（なお，本法の対象事業以外の事業〔61条1号〕についていかなる評価項目を用いるかは，基本的には，地方公共団体の条例に委ねられることになる）。

3 2011年改正後の問題点

2011年改正により，新たに2つの問題が発生した。平成23年9月7日通知（環政評発110901001号）によると，以下のとおりとされているが，これは適切な判断であると考える。

第1に，改正法により配慮書手続の義務を負わないこととした第二種事業を実施しようとする者に対し，条例で配慮書手続の義務を課することは可能か。

改正法3条の10第1項は，第二種事業を実施しようとする者が必要と判断した場合には配慮書手続を行うことを可能としており，これは規制の限度を示したものではないから，改正法に基づく配慮書手続を行わないこととした第二種事業を実施しようとする者に対し，地方自治体が，その自然的社会的条件から判断して必要と認める場合に，条例に基づき配慮書手続を行う義務を課することは，法61条2号に抵触しない。

第2に，改正法に基づき報告書手続が義務付けられたが，条例において引き続き事後調査手続の義務を課することは可能か。

改正法に基づく報告書手続は，それが終了するまで事業の実施を禁ずるものではないから（→**5**-**2**・2(2)(i)〔129頁〕），当該手続は，全国一律に同一内容の規制を施す趣旨ではないと解される。したがって，地方自治体が地域の自然的社会的条件から判断して必要と認める場合に，報告書手続とは別に，事後調査手続の義務を課することは法61条2号に抵触しない。

なお，同通知は，方法書から評価書までの手続については，それが終了するまで，事業者は対象事業を実施してはならないとされている（31条1項）ことから，このような手続に関し，自治体が独自に追加的な義務を課した場合，当該自治体の域内では，他の地域に比べ，事業に着手すること自体が困難となり，法の趣旨を逸脱する。そのため，これらの手続は全国一律に同一内容の規制を施す重視であると解され，その進行を妨げる形で事業者に義務を課することはできないことを確認している（→2〔143頁〕の第4の問題に関する記述と同様である）。

第6章　汚染排出の防止・削減に関する法

本章では，公害を中心とする汚染排出の防止・削減に関する法について主要なものを扱う。大気，水質，土壌という環境メディア（媒体）ごとの公害のほか，リスクの不確実な化学物質の排出登録制度としての「特定化学物質の環境への排出量の把握等及び管理の改善の促進に関する法律」（PRTR法）を対象とする（その他の公害法については，大塚『環境法』〈第3版〉381頁以下，417頁以下参照。また，その他の化学物質の審査・管理に関する法律については，同〈第4版〉205頁以下参照）。

6-1　総　説

先に触れたように（→**第1章**〔2頁〕），わが国の公害法の生成は，民事的な事後的救済から始まった。しかし，公害を中心とする汚染は，広範囲にわたる地域の多数の者に被害を及ぼしうる問題であり，事後的な個々の救済にのみ頼るのは適当でない。訴訟になれば相当に時間がかかることも考慮しなければならない。むしろ，その地域全体についての予防的対策が必要であり，ここから，行政の介入による汚染規制の必要が生ずるのである。その法的根拠としては，憲法上の権利として行政が尊重すべき環境権をあげることができよう（→**2-3**〔42頁〕）。以下では，公害の規制システムを概観し，そこで中心的機能を果たしている環境基準，排出基準について触れたい。

1　公害規制のシステム

公害の規制システムは，公害の種類によって若干異なっているが，基本的には，規制内容を確定し（**環境基準**），公害の発生施設を特定し，そこから排出される汚染物質等の許容限度（**排出基準**）を定め，その遵守を強制する方法（排出規制方式）がとられている。ここでは，大気汚染防止法と水質汚濁防止法を中心として取り上げることにしたい。

⑴　規制内容の確定

公害法は，ほとんどの場合，目的規定をもっているが（各法1条。なお→**Column42**

〔378頁〕)，これだけでは内容は明らかでない。規制内容としては，まず，「目標とする環境の質」に対する行政上の努力目標としての「環境基準」(環境基本法16条)が決定される。しかし，これは，大気，水，土壌等の環境媒体についての基準にすぎず，個々の工場・事業場についての基準ではない。大気汚染については工場・事業場に設置される施設の排出口から排出される汚染物質の量や濃度に関する許容限度を「排出基準」という(大防法3条→2(2)(a)〔159頁〕)。多くの場合，排出基準は，環境基準の達成を目標として設定される。排出基準は，省令や告示で定められることが多い。

規制内容の確定には，さらに，規制の範囲(地域，対象)の確定を必要とする。

規制地域については，かつての水質二法では指定水域制が採用され，それが後追い行政を生む一因となったため(→**1-2**・2(2)〔7頁〕)，今日の水濁法では全国の水域を対象としている。他方，騒音・振動については，その影響が周辺地域に限られることから，現在も指定地域制がとられている(騒音規制法，振動規制法)。

規制対象としては，規制対象物質や規制対象施設の確定が必要となる。例えば，水濁法では，規制の対象となるのは一定の汚染物質の排出であり，規制対象施設も工場・事業場に限られており，一般家庭は入れられていない。また，健康に著しい影響を与える有害物質は排水量に関係なく規制されるが，化学的酸素要求量(COD)のように健康に直接関係しない物質については，1日の平均排水量が50トン未満の工場・事業場は規制対象とされていない。いわゆる「**裾切り**」がなされているのである。

(2) 規制の態様

環境に影響を与える行為は，行政の事前審査を受けることとされている場合が多い。事前審査の方法としては，主に許可制と届出制がある。わが国の公害法の多くは届出制を採用しているが(大防法6条，水濁法5条。これに対し，瀬戸内法5条，8条は，工場・事業場の設置・変更について許可制を採用している。また，いわゆる公害法ではないが，廃掃法〔さらに自然公園法〕は許可制を多く採用している→**7-2**・7(2)〔278頁〕，8(2)〔294頁〕(3)〔298頁〕，**8-2**・2(1)(d)(ア)〔386頁〕)，EUやアメリカの公害法では許可制を採用しているものが多い。

許可は，本来誰でも享受できる個人の自由を，公共の福祉の観点から予め一般に禁止しておき，個別の申請に基づいて禁止を解除する行政行為であるが，許可制の下では，許可なしに行為を行うと刑事的制裁の対象となる場合が多い。そこで，規制の態様として，許可制の方が厳しいと一般的には考えられるが，届出制といっても，届け出さえすれば直ちに行為を適法にすることができるわけではないことにも注意する必要がある。例えば，大防法では，届け出られたばい煙発生施設が排出基準に適合しないと都道府県知事が認めるときは，その届出を受理した日から60日以内に限り，その計画の変更や廃止を命じうることになっている（9条）。このような**事後変更命令付きの届出制**は，他の環境法にもみられるが，この種の届出制と許可制とは，届出制の場合，計画変更命令が発出できる期間が明確に限定されているのに対し，許可制の場合，行政手続法6条の標準処理期間の問題となる点が異なるにすぎないわけである。

許可には条件（附款）を付けることができる（例えば，自然公園法32条）。許可の効力の期間を法律で制限する規定もみられる（廃掃法14条2項・7項）。

⑶ 義務付け

排出基準も許可制も，遵守の義務付けのあることを前提としている。例えば，大防法は，発生施設の排出口において排出基準に適合しないばい煙を排出してはならない旨を規定している（13条）。このような義務の不履行に対しては，法律上制裁の規定があるのが通常であるが，そうでない場合もある。「排出基準→遵守の義務付け→制裁」という構造になっているのである。

⑷ 遵守の指示・誘導

(a) 行政指導，行政命令

遵守のための直接的な方法としては，行政指導と行政命令がある。**行政指導**とは，行政が望ましいと考える行動をとるように要請することであり，相手方はこれに従う法的義務はない。行政指導には法的根拠がある場合（「勧告」，「指示」などと呼称されている）と，ない場合がある。行政指導については，比較法的にわが国の行政手法の特色を示すものと解されてきたが，最近では，アメリカ合衆国等の環境管理手法としても行政指導が頻繁に用いられていることに注意する必要がある。なお，わが国においては，行政手続法の制定により，行政指導に携わる者は，その相手方が指導に従わなかったことを理由として不利益な取扱いをしてはならないことが明文の規定で示された（32条2項）。

行政命令は，遵守を法的に義務付けるものである。これには法的根拠が必要である。例えば，水濁法は，排水基準に適合しない排水をするおそれがあると都道府県知事が認めるときは，その者に対し，施設の構造等の改善，施設の使用の方法もしくは汚水等の処理の方法の改善を命じ，又は施設の使用もしくは排出水の排出の一時停止を命じることができるとしている（改善命令。13条1項）。行政命令に対する違反は刑事罰の対象となる（→⑸(a)）。

(b) 間接的手法

行政指導，行政命令のような直接的方法とは別に，賦課金・税，補助金等の経済的手法がある（これについては，→**3-2**〔74 頁〕）。それ以外の手法としては，情報的手法である環境ラベリング，廃棄物の分別のための表示（資源有効利用促進法における缶の「スチール」,「アルミ」という表示はその例である），表彰のための表示，違反事実の公表などがある。これらは遵守のための誘導的手法（間接的手法）として用いられる。

違反事実の公表は，情報提供の意味で行われるのであれば問題は少ないが，実際には制裁的意味を伴うことが少なくない。従来，行政指導に従わない場合に公表をすることが少なくなかったが，行政手続法 32 条 2 項から，このような取扱いは適当でなく，少なくともこのような措置をとることに対する何らかの法的根拠が必要であると解されている。また，違反事実の公表については，誤った公表を回避するため，事前手続を踏むことが望ましい。

(5) 不遵守に対する制裁

(a) 刑 事 罰

不遵守に対する制裁として典型的なものは，刑事罰である。刑事罰としては，罰金刑と拘禁刑が一般的である。

Q1 排出基準違反に対して，2 つのタイプの制裁があるが，それは何か。

排出基準違反に対しては，**直罰**の制度と，改善命令違反の場合の罰則（ワンクッション・システム，命令前置方式）の 2 種類の刑事罰が規定されている。直罰制度は，従来のワンクッション・システムでは対応が後追いになるという批判に配慮してつくられたものであり，排出基準に適合しないばい煙や排出水を排出した場合に，改善命令による行政処分を経ることなく，直ちに刑罰を科されるものである（大防法 33 条の 2，水濁法 31 条）。改善命令に違反した場合の方が刑事罰が重くなっていることにも注意されたい。

ここで直罰について一言しておこう。直罰規定は，1970 年の公害国会の際に大気汚染防止法，水質汚濁防止法に入れられた画期的規定である一方，――水質に関しては海上保安庁や警察によって適用される場合があるものの――，大気に関しては実際には極めて適用しにくいという問題がある。さらに，直罰規定導入とともに，（直罰規定をおけば事業者は当然に測定し，記録すると考えられたため）測定記録義務違反に罰則を付することを止めたのであるが，近時測定記録の改ざん等の事例がみられ，その後，両法の 2010 年改正において罰則規定が導入された（→**6-1**・4〔162 頁〕，**6-2**・4〔175 頁〕，**6-3**・5(1)〔207 頁〕）。

(b) 許可の取消し

もう 1 つ重要な制裁としては，**許可の取消し**がある。許可条件に違反した場合には，許可の取消しや許可の効力を一時停止することが行われる。一般廃棄物や産業廃棄物の処理業者が，廃掃法の許可要件に違反した場合には，市町村長又は都道府県知事から与えられた許可を取り消され，また，事業の全部もしくは一部の停止を命じられうる（7条の3，7条の4，14条の3，14条の3の2）。

(c)　その他の制裁手段

他の制裁手段として，独占禁止法に定められているような課徴金制度を環境法分野でも導入すべきであるとする指摘がなされている。廃棄物の不適正処理にみられるように，経済的な動機で違法な行為が行われることを効果的に防止するためには，その利益を剥奪することが要請されるが，高額の罰金を科することについては，他の刑事事件との均衡のため，限界があるからである。

なお，組織犯罪処罰法は不法収益を没収する規定をおいており，廃棄物の不法投棄はその対象とされている（→**7-2・13**〔319頁〕）。

(6)　遵守の強制的実現

遵守が指示され，さらに，制裁が加えられてもなお義務者がそれに従わない場合がある。また，義務者の所在がわからない場合もある。このような場合であっても，法の目的を達成するためには，遵守を指示した行政自体がそれを実行するか，第三者に実行させる必要が生じる。これが「**行政代執行**」である。

行政代執行法はこの行政代執行の一般法である。その要件としては，「他の手段によつてその履行を確保することが困難であり，且つその不履行を放置することが著しく公益に反する」ことを要求している（2条）。この場合には，費用は義務者から徴収されることになる。

もっとも，この行政代執行法の要件は厳しいため，対応が後手に回ることも少なくない。そのため，廃掃法は，廃棄物の処理基準等に違反して不適正な処理をした者に対して行政が支障の除去等（原状回復等）を命ずる（措置命令）必要がある場合について，行政代執行の要件を緩和している。同法は，①義務者が「期限までにその命令に係る措置を講じないとき，講じても十分でないとき，又は講ずる見込みがないとき」，②行政が「過失がなくて当該支障の除去等の措置を命ずべき処分者等を確知することができないとき」，③「緊急に支障の除去等の措置を講ずる必要がある場合において」，「支障の除去等の措置を講ずべきことを命ずるいとまがないとき」に，行政が自ら支障除去等の措置を講ずることができるとしている（19条の7，19条の8）。③は，不適正処理された廃棄物が河川や地下水に流出したり，害虫等の発生が差し迫っているような著しく不衛生な状況下で大量の廃棄物が放置されているなど，直ちに支障の除去等の措置を講じなければ生活環境保全上の支障を生ずるおそれがあり，かつ，発出予定の措置命令の履行期限までに処分者等が措置を講じても重大な生活保全上の支障を取り除くことが困難な場合をいう。

なお，行政代執行により行政が自ら措置を講ずることができるのは，義務者が作為義務を履行しない場合に限られる。排水の一時停止のような不作為義務を履行しない場合には，行政代執行の問題とはならず，この場合には，行政上の義務を民事執行によって果たさせるほかない（もっとも，判例はこれを否定しており〔宝塚市条例事件上告審判決（最判平成14・7・9民集56巻6号1134頁［66］）〕，学説上強い批判にさらされている）。

(7) モニタリング

モニタリングは，規制の遵守状況を把握するために重要である。これには，行政によるものと事業者自身によるものとがある。

行政によるものとしては，大防法では，都道府県知事は，大気汚染の状況を常時監視する義務を負うこと（22条。水質については，水濁法15条），環境大臣又は都道府県知事は，公害発生施設に対する監視・監督を実施するため，公害発生施設の状況等必要事項に関し，報告を求め（**報告徴収**），また，必要に応じ，その工場・事業場に立ち入り，当該施設その他の物件を検査する（**立入検査**）ことができることが定められている（26条。なお，35条に罰則がある）。

事業者自身によるモニタリングについては，その信憑性には不安もつきまとうことから，記録提出を義務付け，公開により，市民がチェックをする体制が必要である。また，行政が立入検査を抜打ちで行うことも重要である。

(8) 行政の活動や事業者の規制遵守の監視

行政は公害規制のための権限を有しているが，それを適切に行使するとは限らない。それには，行政のリソースの限界，行政と業者の癒着等種々の理由がありえよう。これに対して市民は，自らの環境権を確保するため，どのような手段をもっているか。また，規制を遵守しない事業者に対してはどのような手段をもっているか。

1つは，立入検査等の行政の活動について情報の公開を請求し，また，事業者に対して操業記録の閲覧を請求することである。立入検査の結果，違反が発見された場合には，市民は，状況が改善されないことについての説明を行政に求めることができる。また，文書による行政指導についての情報などを入手して，事態の早期改善を行政に求めることも可能である。このような情報は法人情報や個人情報となるが，公益性の観点から情報公開が認められるべきである（情報公開法5条。各都道府県の情報公開条例参照）。また，事業者の操業記録についての閲覧請求制度としては，廃掃法に処理施設の維持管理情報の記録の義務付けと閲覧請求に関する規定がある

(8条の4，15条の2の4)。

もう1つは，2004年の行政事件訴訟法改正により導入された義務付け訴訟である。もっとも，その原告適格については制約がある（37条の2，9条)。さらに，法の執行を確保するために，原告適格を緩和しつつ，行政機関に対する是正措置請求権を市民に認めることが考えられる。また，違反者に対する義務履行請求権を市民に認めることも考えられる。このような権利は，アメリカの市民訴訟制度においては認められている。

なお，この点に関しては，前述したように，行政手続法2014年改正で権限発動促進制度が導入されたことが注目される。すなわち，法律違反の事実を発見した国民が，その是正のための処分又は行政指導を（処分又は行政指導の権限を有する）行政庁・行政機関に対して求める制度が設けられたのである（36条の3→**2-3**・1(5)〔47頁〕)。

2　環境基準と排出基準

公害の規制システムの中で中心的機能を果たしている環境基準，排出基準について取り上げておきたい。

(1)　環境基準

(a)　意　義

政府は，環境基本法に基づき，「人の健康を保護し，及び生活環境を保全する上で維持されることが望ましい基準」である環境基準を設定する（環境基本法16条1項)。環境基準は公害対策基本法において制度化され，環境基本法に受け継がれた。

環境汚染は個別発生源からの排出に起因するのみでなく，人間の日常生活等にも由来することから，これらをも含めた総合的な環境管理行政を進めるため，環境汚染をどの程度に抑えるかの目標値を明確にする必要がある。そのような見地から，環境対策の目標として維持されるのが望ましい基準として定められたのが，環境基準である。

公害対策基本法の制定過程において，公害審議会の答申やこれを受けた厚生省の公害対策基本法試案では，「維持されるべき環境上の条件に関する基準」とされていたが，他省庁との交渉の結果，単に行政の目標であることを明確にする趣旨から，このような表現に落ち着いたものである。さらに，同試案は，環境基準を「汚染許容限度」として捉える傾向を示していたが（比較法的には，アメリカの連邦の水質清浄法がこの考え方を採用している)，法律上は「望ましい基準」とされるに至った。これは後退とみられなくはないが，他方，これにより，「人間の健康等の維持のための最低限度としてではなく，それよりもさらに一歩も二歩も進んだところを目標に」

することが可能になったと評されている（岩田幸基編『新訂 公害対策基本法の解説』166頁）。

政府は，公害の防止に関する施策を総合的かつ有効適切に講ずることにより，環境基準が確保されるように**努めなければならない**とされ（環境基本法16条4項），環境基準が公害行政の目標値であることが示されている。

環境基準としては，**大気の汚染に係る環境基準**（昭和48年環告25号），**二酸化窒素に係る環境基準**（昭和53年環告38号），ベンゼン等による大気の汚染に係る環境基準（平成9年環告4号），微小粒子状物質による大気の汚染に係る環境基準（平成21年環告33号），**水質汚濁に係る環境基準**（昭和46年環告59号），**地下水の水質汚濁に係る環境基準**（平成9年環告10号），騒音に係る環境基準（平成10年環告64号），航空機騒音に係る環境基準（昭和48年環告154号），新幹線鉄道騒音に係る環境基準（昭和50年環告46号），**土壌の汚染に係る環境基準**（平成3年環告46号），ダイオキシン類による大気の汚染，水質の汚濁及び土壌の汚染に係る環境基準（平成11年環告68号）が設定されている。

(b) 設定手続

環境基本法に基づき，政府は，大気汚染，水質汚濁，土壌汚染，騒音のそれぞれについて環境基準を設定している。環境基本法の文言からは，環境基準の中に，人の健康項目に係る基準と生活環境項目に係る基準の両方が含まれるようにみえるが，両方を分けて定めているのは水質汚濁のみである。

健康項目に係る環境基準の数値は，疫学的見地から科学的判断によって定められる。もっとも，わが国の環境基準は，純粋な科学的理想値ではなく，目標年次までに達成可能な数値でなければならないとの配慮から，やや低いレベルにおかれている。

水質汚濁に関する環境基準のうち，健康項目に係る基準は，公共用水域のいかんを問わず一律に適用されるが，生活環境項目に係る基準は，河川，湖沼，海域という水域別に，それぞれの利水目的等を考慮して設定されている（**図表6-4**〔186頁〕，**図表6-5**〔187頁〕）。個々の水域をどの類型に指定するかは，政府又は都道府県知事の権限とされている（環境基本法16条2項）。

環境基準は，現に得られる限りの科学的知見を基盤として定められており，新しい科学的知見の収集に努め，「常に適切な科学的判断が加えられ，必要な改定がなされなければならない」（環境基本法16条3項）ものである。1990年代以降，水質汚濁に関してトリクロロエチレン，大気汚染に関してベンゼンなど，従来規制されていなかった物質について新たな項目が追加されているのはその現れである。

環境基準の設定・改定は，中央環境審議会への諮問及び答申，さらにパブリックコメントを経て決定されるのが通例であるが，この諮問は，必ずしも法律上の要件とは解されていない。基準の設定の法形式も，環境省の**告示**の形で公表される。これは，環境基準が行政組織内部の行政運営上の指針にすぎないものとして扱われていることを示しているが，この点については，環境基準が多くの環境政策に基本的方向づけを与え，実質的には法規以上に国民の生活と福祉に影響を及ぼすこと，純粋な科学的決定ではなく，その他の要素をも勘定に入れて政策的に決定されることから，環境基準の設定を国会の承認事項であるとすべきであるという立法論も主張されている（原田尚彦）。国会がこの種の問題に対して実質的に機能するかどうかを含め，検討が必要であろう。

(c) 法的性質

Q2 環境基準の法的性質及びその設定行為の処分性の有無について述べよ。

環境基準については，行政の努力目標を示す指標であり，直接国民の権利・義務を確定するものではないと解するのが一般である。すなわち，国民の権利・義務を確定するものは，環境基準ではなく，規制基準としての排出基準であり，後者は前者から自動的に連動して決まるものではないのであるから，地域の汚染が環境基準を超える状態になっても，汚染源に対する規制強化の根拠とはならず，行政庁としては，行政指導等の非権力的な手法を用いて，汚染源に対して汚染行為の抑制を要請するしかないとするのである。これは，環境基準を，「**行政計画**」と同様の法的性質を有するものと理解することになる。

このような見地から判例は，環境基準の設定行為は，たとえ違法であっても抗告訴訟の対象となる処分性をもたないと解している。二酸化窒素の環境基準緩和改定告示取消訴訟では，原告は，総量規制基準が環境基準に連動して定められること等から，環境基準の設定行為は事業者に対して直接的法的効果を有すると主張した。しかし，裁判所は，排出基準及び総量規制基準は環境基準のみから「直接的，自動的に」決定されるものではなく，両基準の関係は事実上のものであるとし，また，環境基準と（当時の）公害健康被害補償法（公健法）の地域指定要件との関係も事実上のものにすぎないとし，具体的な法的利益の争訟を離れて司法判断をすることはできないと判示した（東京地判昭和56・9・17行集32巻9号1581頁，東京高判昭和62・12・24行集38巻12号1807頁，判タ668号140頁［8］）。

しかし，この結論自体についてはともかく，「処分性」の有無の判断枠組については，学説上批判が強い。

有力説によれば，環境基準と総量規制基準が直接的に連動しないことは，公害事業者が訴訟を提起した場合には重要な論点となるが，公害被害住民が訴訟を提起した場合には，そうではない。被害住民は環境基準の段階ではもちろん，後の排出基準や改善命令の段階でも義務を課されるわけではないから，被害住民が争う場合にはこのような議論をする必要はない。むしろ，両者の基準に重要な関連性があれば，住民には，環境基準が緩和された場合に被る法的な不利益があるというべきである。そして，この見解によれば，処分性の有無は，①「環境基準の改定告示を争う以外に実効的な救済方法がないかどうか」，②「環境基準が緩和された場合に住民が被るとする不利益はどの程度具体的に，かつ，確実に発生するか，それは重大か」，③「行政政策や立法政策に全面的に委ねるべきか，司法的判断にもなじむか」，といった視点から吟味されるべきであるというのである（阿部。ただし，本件については「本案審理すべきことにはただちにはならない」としている）。また，公害患者や住民について公健法の運用面に限り，処分性を限定的に承認すべきであるとの見解もある（畠山武道）。

確かに，総量規制基準は，環境基準から相当の確実性をもって決定される。特に，大気の総量規制基準の基礎となる総量削減計画は，環境基準の達成を目途としており（大防法5条の3，5条の2），環境基準と総量規制基準との連動性が高いものといえよう（この点，水質の総量規制基準の基礎となる総量削減基本方針が，環境基準の達成を目途とするのみでなく，汚濁負荷量の「実施可能な限度」における削減を考慮している〔水濁法4条の2，4条の3，4条の5。特に4条の2第2項2号〕のとは異なっているというべきである）。また，有害物質に関する排水基準は，原則として環境基準の10倍に設定されており，この場合には，環境基準と排出基準とが直接連動しているとみることができる。

ただ，環境基準が排出基準等と法的連動関係をもち，一定の法的効果を有するとしても，私人の法益を直接的・具体的に変動させるという意味での法的効果が与えられているとはいい難く，狭義の処分には当たらず，「その他の公権力の行使に当たる行為」であると解する見解も示されており（平岡久），なお問題が残されているといえよう（さらに本件紛争の成熟性について，原田，三邊夏雄は否定的である）。

関連して，環境基準の緩和に伴って排出基準・総量規制基準の緩和がなされたときにそれを他の訴訟で争えるかという問題もある。2004年の行政事件訴訟法の改正により，「当事者間の公法上の法律関係に関する訴訟」（いわゆる実質的当事者訴訟。4条）に確認訴訟が含まれることが明示されたため，排出基準や地域指定の設定・変更手続等に疑義があるときは，権利・義務の存否を事業者や患者が確認するために実質的当事者訴訟を提起することが容易になったと考えられる。また，環境基準自体に対する訴訟ではないが，排出基準や総量規制基準の緩和や地域指定の解除に対する差止訴訟の提起も考えられよう。

(d) 副次的機能

なお，環境基準は多くの副次的・実際的機能を有している。

(ア) 実定法上のリンク

環境基準は，前述のように，総量規制基準や一部の排出基準，公健法上の地域指定要件と実質的に連動しているのみでなく，廃掃法には，廃棄物処理施設の許可の基準として大気環境基準の確保を要求している規定がある（廃掃法 8 条の 2 第 2 項，15 条の 2 第 2 項）ように，実定法上許可基準とリンクされている場合がある。これは本来は行政上の努力目標である環境基準を許可基準として用いたものとして注目される。

さらに，土壌汚染対策法では，特定有害物質の環境基準を，（環境省令で定める基準値として）形質変更時要届出区域に指定するための基準として用いており（11 条 1 項，6 条 1 項 1 号），これも，実定法上の規制を環境基準とリンクさせている例である。

(イ) 民事訴訟における機能

Q3 環境基準は民事訴訟においてどのように扱われているか。

また，環境基準は，民事上の損害賠償や差止めに関する判例上，加害行為の違法性（受忍限度）を判断する要素とされてきた（伊達火力発電所建設等差止請求訴訟――札幌地判昭和 55・10・14 判時 988 号 37 頁［4］など）。特に国道 43 号線訴訟上告審判決で騒音の環境基準を損害賠償の受忍限度として用いた原判決を維持したこと（国道 43 号線訴訟上告審判決〔最判平成 7・7・7 民集 49 巻 7 号 1870 頁［25］〕）は，道路行政に大きな影響を与えた。

ただ，上述したように，公害対策基本法の制定過程においては，環境基準を「汚染許容限度」ないし「受忍限度」（違法性の判断基準）として捉えるのでなく，「望ましい基準」とする考え方をとり，だからこそかなり高度の値を設定していたことも事実であり，判例の立場は同法の制定過程と齟齬を生じさせたことは否定できない。

このような環境基準に関する考え方の「ねじれ」が，その後の沿道騒音環境基準の緩和改定につながっていく。すなわち，1998 年 9 月に改定された騒音に係る環境基準では，幹線道路に面する地域の環境基準を，一般の環境基準の最高値より 5 dB（デシベル）ずつ緩くして，昼間 70 dB 以下，夜間 65 dB 以下とし，また，一定の場合には屋内騒音に係る基準（昼間 45 dB 以下，夜間 40 dB 以下）によることができるとして，基準を相当に緩和したのである。

前掲国道 43 号線訴訟上告審判決では，同地域の昼間の受忍限度を 65 dB とする判断が示されていたことに鑑みると，このような環境基準の改定は，環境基準値を，最高裁が受忍限度とした値よりも緩い値とする結果を生み，司法と行政の関係に深刻な問題を提起したといわざるをえない。ただ，この問題の起点は環境基準を「汚染許容限度」としない選択をした公害対策基本法の制定過程にあるのであり，判例が受忍限度を環境基準と一致させたことにも由来しているわけである。

(e) 地方公共団体による環境目標値の設定

環境基準は全国一律に適用されるものであるが，地域住民の健康と福祉の推進を責務とする地方公共団体は，各地域の特性に応じた基準の設定が必要になる場合があるから，上乗せ・横出し基準を設けることは十分可能であると考えられる（原田，北村）。実際にも公害密集地域の地方公共団体においてこのような例は多く，環境基本法の環境基準はナショナル・ミニマム的な行政目標と解される。

(f) 水生生物の保全に係る環境基準の設定

Q4 水生生物の保全に係る環境基準の設定にあたってはどのような法的問題があるか。

従来わが国では，有害化学物質の規制については，人の健康の保護や有機汚濁及び栄養塩類による富栄養化の防止の観点からの規制に，施策の重点がおかれてきた。しかし，欧米諸国では1970年代から水生生物保全の観点から環境基準等の水質目標が設定されてきている。わが国の調査においても，化学物質の濃度が高い場合には水生生物に影響があることが示されている。

そこで，わが国においても，水生生物保全の観点から，生活環境の保全に関する環境基準に，2003年に全亜鉛が，その後ノニルフェノール等が追加された。この点については，環境基本法2条3項の「生活環境」概念をどう捉えるかが問題となり，この概念の下に，①生態系保全を含ませる，②生物の保全を含ませる，③有用生物の保全を含ませる，という3つの選択肢が考えられた。例えば，メダカは②であるが，③ではないと考えられたのである。2003年に水生生物の保全に係る環境基準が最初に設定された際に，行政は，環境基本法2条3項の「生活環境」概念を，従来の③とする解釈から，実質的には②にまで広げる解釈に変更したものとみられる。

さらに，将来的には，①生態系全体を考慮する方向に進むべきであろう。そして，その際は，「健康保護」及び「生活環境の保全」に限定されず，「生態系の保全」を含む環境基準の設定が可能になるよう，環境基本法16条の改正が必要となる。

(2) 排出基準

以下では，大防法を中心に**排出基準**について触れたい（水濁法も基本的には同様である）。

Q5 大気汚染のばい煙及び水質汚濁については，それぞれどの点の排出が規制されるか。

(a) 工場・事業場に設置される施設のうち，公害関連物質を排出するものは政令で「ばい煙発生施設」(大防法2条2項) に指定され，その施設から排出されるばい煙等の中に含まれる汚染物質の許容量 (許容限度) は物質の種類ごとに環境省令で定められている (大防法3条)。なお，水質については，「特定施設」を設置する工場・事業場から公共用水域に排出される水 (排出水) の汚染状態について許容限度が定められる (水濁法3条1項，2条6項)。**大気**に関する「ばい煙発生施設」については，**施設**からの排出が問題とされるのに対し，**水質**に関する「特定施設」については，施設自体ではなく，各種の施設を含めた**工場・事業場**からの排出が問題とされる点に注意されたい。これは大気汚染と水質汚濁の排出の態様の相違に由来するものといえよう。

(b) 排出基準の定め方としては，一般に**濃度規制方式**が用いられている。しかし，この方式は希釈すれば基準を達成できるという問題を有している。特に，産業が集中している地域では，個々の工場が濃度規制を遵守していても，その地域において環境基準を達成することは困難である。

そこで，このような地域を指定し，一般的な排出基準による規制に加えて，排出総量を規制する必要がある。**総量規制**とは，その地域の汚染物の総量を決定し，これに基づいて総量削減計画を定め，地域内の個々の事業者の排出許容量の枠を割り当てる方式である。大気汚染については1974年に (大防法5条の2，5条の3)，水質汚濁については1978年に (水濁法4条の2〜4条の5) 取り入れられたが，現在も，大気関係では硫黄酸化物と窒素酸化物，水関係では，広域的閉鎖系水域における化学的酸素要求量 (COD) 及び窒素又は燐(りん)の含有量について導入されているにすぎない (なお，1999年に制定されたダイオキシン類対策特別措置法では，総量規制方式を採用した)。

(c) 上述したように，総量規制が取り入れられた地域は極めて限定されている。大防法は，ばい煙発生施設が集合して設置されている地域に関しては，一般の排出基準よりも厳しい特別の排出基準を環境省令で定め，その地域に新設される施設についてこれを適用するものとしたが (**特別排出基準**。3条3項)，この基準も既存の施設には適用されない。したがって，地方公共団体がその自然的・社会的条件に鑑み (環境基本法36条参照)，条例によって国の基準より厳しい排出基準 (**上乗せ基準**) を定めることが特に必要とされてきた。そこで，1970年の法改正により，都道府県が上乗せ基準を設定しうることが法律で認められた (大防法4条1項，水濁法3条3

項)。この規定は，機関委任事務が廃止された今日では，確認規定と解されるべきである。

上乗せ基準は，これらの法律が都道府県の条例に委任した特別な排出基準であり，その地域では，国の定めた排出基準に取って代わるものである（この点を捉えて大防法4条1項を創設規定する立場もあるが，これは「法律の規定なしに上乗せ基準を条例で制定できるか」に着目する従来の議論とは異なる観点に注目したものであり，本書では採用しない)。

なお，法律の規制対象施設や規制対象項目以外についての規制を条例（横出し条例）で行うことは妨げられないが（大防法32条，水濁法29条)，これについては，上乗せ基準のように，法律の中で条例上の排出基準を国の排出基準とリンクさせる仕組みはとられていない。

(d) 排出基準は，事業者にその遵守を義務付けるものであり，環境基準とは大きく性質が異なっている。排出基準違反の場合には，直ちに刑罰を科されることさえあるのである（直罰規定)。

Q6 排出基準違反は，民事訴訟においてどのような意味を有するか。

また，排出基準のような規制基準に違反していることは，差止めの受忍限度判断の重要な要素となる。損害賠償においても同様である（→**11-1**・1 (1)(b)〔487頁〕)。学説は，公法上の規制基準に違反する場合には，原則として損害賠償についても受忍限度を超える（違法性を帯びる）が，公法上の規制基準を遵守していても直ちに受忍限度内にある（違法性がない）とはいえないと解しており（加藤一郎)，判例もそのような傾向にある。公法上の規制基準には個別的な状況を考慮しにくい場合があるため，それを超えれば違法であるが，それを満たしていてもそれだけでは違法性がないとはいえないとする考え方である。

3 公害防止管理に関する制度

上記のような公害規制を支えるため，「公害防止管理者制度」が設けられている。この制度は，1971年に，「特定工場における公害防止組織の整備に関する法律」（昭和46年法律107号）により導入されたものであり（1976年改正)，当時，産業公害が頻発し，国民が不安を感じ，また多くの批判がなされたことを受け，国及び地方自治体による公害規制と相俟って，産業公害の発生源となる事業者における未然防止の体制を整備するものであった。事業者の公害防止管理において大きな役割を担っている制度であり，都道府県による介入が認められる法律上の制度であるが，同時に，環境マネジメントの機能も有しているものといえる。

その概要を述べておこう。本法の適用を受ける工場（特定工場）は，製造業，電気供給業，ガス供給業又は熱供給業に属し，ばい煙発生施設，汚水等排出施設などの特定の施設を設置している工場である（2条）。すなわち，特定工場においては，工場の公害防止に関する業務を統括・管理する「公害防止統括者」（工場長等の職責にある者が想定される）と，公害防止対策の技術的事項を分掌する「**公害防止管理者**」（施設の直接の責任者が想定される）がおかれ，さらに，一定規模以上の工場には，公害防止統括者を補佐し，公害防止管理者を指揮する「公害防止主任管理者」（部長又は課長の職責にある者が想定される）が配置される（3条〜5条）。「公害防止管理者」は，公害発生施設において使用する原料等の検査，公害測定の実施等を行う。「公害防止管理者」及び「公害防止主任管理者」には国家試験等の資格が必要となる。それぞれ特定工場において選任され，都道府県知事に届け出なければならない。

都道府県知事は，これらの者が本法，公害個別法の規定に違反した場合には，特定事業者に対し，これらの者を解任すべきことを命ずることができる（10条）。また，都道府県知事は，本法の施行に必要な限度において，特定工場を設置している者（特定事業者）に対し，公害防止統括者，公害防止管理者等の職務の実施状況の報告を求め，又はその職員に特定工場に立ち入り，書類その他の物件を検査させることができる（11条）。さらに，国及び地方自治体は，公害防止管理者又は公害防止主任管理者として必要な知識及び技能を修得させるため必要な指導等を講ずるよう努める（12条）。

1971年度から2009年度までの累計で52万人ほどが公害防止管理者の資格を有していたが，退職者が増えているため実働数は2015年時点では27万人となり，人数の不足が指摘されている。

本法の趣旨について，その制定のもととなった当時の報告書には，「産業公害については，事業者がその発生源対策についてもっともよく知りうるという点にかんがみると……事業者が公害防止の実をあげるためには，その経営理念において，公害防止を企業経営の不可欠の要素と考えるようにならなければならない」と指摘されている（「事業者の産業公害防止体制の整備に関する中間報告」〔1971年〕）。継続的な環境保護を定着させるという発想がみてとれる。

わが国の公害防止管理者制度は，ドイツの「企業内管理者制度」と類似しているが，比較すると，不十分な点も多い。すなわち，ドイツ法と異なり，第1に，事業所管理が不十分なことを確認した場合に，公害防止管理者等には，その届出や改善についての提案の義務はないし，工場に対する啓蒙の義務もない。ルーティンの作業をすることだけが求められており，いわゆる「改善機能」はそもそも想定されていない。第2に，公害防止管理者等に一定の独立性を付与するための不利益取扱いの禁止や（限定的な）解雇禁止の規定はおかれておらず，公害防止管理者等が工場内で十分に活動することは保障されていない。要するに，わが国の公害防止管理者制度は，工場内で担当者を選任し，その者が本法ないし公害個別法に違反したら都道府県知事が解任を命ずるのみであり，工場内で大きな存在感を示すようなシステムではない点に課題が残されている。

4　公害規制・管理に関する最近の課題

Q7　公害規制・管理についてはどのような問題があるか，法制上どのように対処されているか。

⑴　2000年代に入ると，大企業も含めた一部の事業者において，大気汚染防止法や水質汚濁防止法の排出基準の超過，工場の従業員による測定データの改ざん等の法令違反事案が相次いで明らかとなり，事業者の公害防止管理体制に綻びが生じている事例がみられた。その原因としては，公害防止法令に基づく環境管理業務に充てられる人的・予算的な資源に制約が生じ，立入検査など，その的確な遂行が困難になったこと，これまで公害防止対策を担ってきた経験豊富な事業者の担当者や自治体の職員が退職期を迎えたことなどにあったと考えられる。

⑵　このような事業者及び地方自治体における公害防止業務を取り巻く状況の今日的な構造的変化を踏まえ，大気汚染防止法及び水質汚濁防止法が2010年に改正された（→**6-2**・4〔175頁〕，**6-3**・5⑴〔207頁〕）。

第1に，事業者による法令遵守の確実な実施のため，ばい煙又は排出水を排出する者が，ばい煙量等又は排出水の汚染状態の測定・記録義務（ばい煙について大防法16条，排出水について水濁法14条）の違反に対する罰則が定められた（大防法35条3号，水濁法33条3号）。汚染状態の測定データは，事業者が排出基準を超過しないよう自主的管理のために用いられるとともに，地方自治体による報告徴収や立入検査での重要な資料となっており，その必要性は高いのである。

第2に，水質汚濁防止法においては，総量規制基準に係る排出水の汚濁負荷量の測定・記録義務に関しては，省令で測定項目及び測定頻度が定められていたが，一般の排出水に関しては，排水基準が定められている42項目のうち事業者の測定・記録義務の対象となる測定項目が明確でなく，また測定頻度については法令上の定めがなかった。この点は2011年施行の省令改正で改められた（水濁法施行規則9条）。

第3に，事業者による汚染物質の排出削減の取組の必要性を責務として明確にする必要があるが，この点についても両法の2010年の改正で導入された（大防法17

条の2，水濁法14条の4)。

なお，両法の改正には取り入れられなかったが，将来の課題として残されているものとして2点あげておく。

第1に，現在の事業者における公害防止管理体制として最も重要な上記の「公害防止管理者制度」について，近時十分に機能していないのではないかとの指摘がみられる。この制度の効果を高めるため，上述したような，「公害防止管理者」から経営者等に改善の提案をする仕組み，「公害防止管理者」がその適正な業務の遂行にあたって企業内で不利益な取扱いを受けないようにする仕組みを導入する必要がある。

第2に，現行の大気汚染防止法及び水質汚濁防止法には，事業者の公害防止管理の取組に関して公表・開示を求める規定は設けられていないが，1990年代末から，PRTR法（1999年），ダイオキシン類対策特別措置法（1999年），地球温暖化対策推進法（2005年改正）等において化学物質等の公表・開示が進められてきた。大気汚染防止法及び水質汚濁防止法についても，事業者は，（環境報告書等を用いて）排出測定データ等の公表・開示を推進するように努めなければならないことを法律に明記すべきである。

6-2　大気汚染

1　序

(1)　大気汚染防止に関する法律には，大気汚染問題全般に関する①大気汚染防止法（昭和43年法律97号）と，個別問題に対する②「スパイクタイヤ粉じんの発生の防止に関する法律」（平成2年法律55号），③「自動車から排出される窒素酸化物及び粒子状物質の特定地域における総量の削減等に関する特別措置法」（以下，「自動車NOx・PM法」という。自動車から排出される窒素酸化物の特定地域における総量の削減等に関する特別措置法〔以下，「自動車NOx法」という。平成4年法律70号〕が2001年に改正されたもの）がある。

大気汚染の原因は，固定発生源によるもの（工場・発電所）と，移動発生源によるもの（自動車など）に分かれる。歴史的には固定発生源による汚染が先行した。わが国は，戦後の高度経済成長期に，急激な重化学工業化が進み，固定発生源による本格的な大気汚染を経験した。その後，大気汚染問題の重点は移動発生源に移ったが，近年，自動車排出ガスから排出される二酸化窒素及び浮遊粒子状物質の環境基準達成率は大幅に向上した（2018年度につき，自動車排出ガス測定局において，それぞれ99.7%，100%）。

⑵ 戦後の固定発生源による大気汚染への法的対応は，地方自治体から始まった。1949年には東京都の工場公害防止条例が制定され（ただし，公害防止義務について具体的に規制する規定はおかれておらず，排出基準の考え方の導入は1955年の東京都ばい煙防止条例を待たなければならなかった），1951年には神奈川県事業場公害防止条例が制定された。

国レベルの規制は，1962年の「ばい煙の排出の規制等に関する法律」（ばい煙規制法）に始まる。これは，ばい煙発生施設の設置には事前の届出を必要とし，硫黄酸化物とばいじんの濃度基準による排出基準を設定し，その違反に対しては行政命令を，さらに違反を重ねた者には，刑事的制裁を適用するものであった。しかし，同法は，①経済調和条項を有していたこと，②指定地域制を採用していたこと，③設定された排出基準が緩かったこと，④規制対象物質が少なく，有害物質規制，自動車排出ガス規制が不十分であったこと等の限界をもっており，大気汚染の進行を食い止めることはできなかった。

1967年の公害対策基本法の制定を受けて，68年には，ばい煙規制法に代えて，大気汚染防止法が制定された。同法は，①未然防止の観点に立った指定地域の拡大，②排出基準の設定方式の合理化（硫黄酸化物について濃度規制を改め，量規制〔K値規制〕とした），③環境基準の導入を受けた「特別排出基準」の設定，④緊急時における措置の強化，⑤自動車排出ガスの許容限度の設定を盛り込んだ総合的な法律となった（商事法務研究会編『新公害14法の解説』126頁）。しかし，調和条項と地域指定制を存置させたことなどの問題を残していた。同法の制定後もばい煙等の有害物質の排出は増大し，全国各地に大気汚染が拡大し，また，窒素酸化物を1つの要因とする光化学スモッグ，粉じん中のカドミウム等の有害物質，自動車排出ガスからの一酸化炭素，炭化水素，鉛など，新しい型の大気汚染が発生した。

Q8 1970年公害国会における大防法の改正点について述べよ。

そこで，1970年の公害国会において大防法が改正されたが，その内容は，①目的規定から調和条項を削除したこと，②指定地域制度を廃止し，規制を全国に拡大したこと，③都道府県による上乗せ・横出し条例の制定が明文上可能になったこと，④排出基準違反に対して直罰制を導入したこと，⑤規制物質の対象範囲を拡大し，カドミウム，鉛等の「有害物質」を「ばい煙」の定義に含めたこと（窒素酸化物等は政令で「有害物質」に含められた），⑥燃料の使用規制を導入したこと，⑦燃焼過程以外から発生する「粉じん」についても規制を行うこととしたこと，⑧大気汚染が急激に悪化した場合の緊急時の措置をさらに強化したこと，⑨自動車排出ガスによる汚染が著しい地域について都道府県知事の交通規制に関する要請権を創設したことなどである。

その後，1972年には，同法に無過失損害賠償責任の規定が追加され，74年には，排出基準による規制の不十分さを補完するため，指定ばい煙に関する総量規制の規定が導入された。89年にはアスベスト（石綿）対策のための改正，96年には，ベンゼン等の長期毒性を有する有害大気汚染物質を規制の対象に取り込む改正が行われた。さらに，2004年には，VOC（揮発性有機化合物）の排出抑制制度が導入された。2010年にはばい煙量等の測定結果の未記録等に対する罰則が創設された。2013年には，建築物の解体等時の石綿飛散防止対策が強化され，2020年にもさらに強化される改正が行われた。2015年には，水銀に関する水俣条約の国内法対応として，本法が改正された（改正法は，2018年に施行された〔→2⑸（171頁）〕）。

自動車排出ガスについては，特に窒素酸化物と浮遊粒子状物質が問題となっている。窒素酸化物の規制は，1973年に二酸化窒素に係る環境基準が設定されて以来行われてきたが，78年にその基準が緩和されたにもかかわらず，達成されなかった。この問題に対処するため，92年に自動車NOx法が制定され，さらに2001年には，粒子状物質をも対象に加える改正がなされた（自動車NOx・PM法）。2007年には，同法の改正により，局地汚染対策と流入車対策が導入された。

また，スパイクタイヤ粉じんについては「スパイクタイヤ粉じんの発生の防止に関する法律」が1990年に公布，施行された。さらに光化学オキシダントに対処するため，96年には，大防法の改正により，従来規制の対象外であった二輪車も対象に取り込まれた（現在の2条17項）。

以下では，大防法について概観する。

2 固定発生源規制

固定発生源の規制は，ばい煙排出規制（大防法2章），揮発性有機化合物の排出規制（同法2章の2），粉じん規制（同法2章の3），水銀等の排出の規制等（同法新2章の4），有害大気汚染物質対策（同法2章の5）に大別される。

⑴ ばい煙排出規制

⒜ 規制対象

ばい煙発生施設において発生するばい煙が規制対象とされる。「ばい煙」とは，硫黄酸化物，ばいじん及び有害物質（カドミウム，鉛，窒素酸化物，塩素等が指定されている）である（2条1項。施行令1条。これらのうち，環境基準が設定されているのは，二酸化硫黄，二酸化窒素のみである。「大気の汚染に係る環境基準について」〔昭和48年環告25号〕，「二酸化窒素に係る環境基準について」〔昭和53年環告38号〕。なお，これらの環境基準は，工業専用地域等一般公衆が通常生活していない地域・場所には適用されない)。これらを発生させる施設が「ばい煙発生施設」であり，政令で33カテゴリーが指定されている（2条2項。施行令2条)。

(b) 排出基準

ばい煙発生施設の排出口からの排出に適用される排出基準は，①**一般排出基準**（3条1項)，②**特別排出基準**（同条3項)，③**都道府県条例による上乗せ排出基準**（4条。ばい煙のうち，ばいじん及び有害物質に限定して規定がおかれており，硫黄酸化物についてはおかれていない。当時は脱硫技術が発達していなかったためである）の3種類がある。①一般排出基準は硫黄酸化物，ばいじん，有害物質についてそれぞれの方式で定められる。硫黄酸化物については，量規制としていわゆる**K値規制**が導入されている（→**Column18**)。ばいじんと有害物質については，排出口における濃度規制が行われている。③については，条例の基準が，法令による全国一律基準に代わって適用されることになる。

Column18 ◇硫黄酸化物のK値規制

硫黄酸化物は次の数式によって施設ごとの許容排出量（q）が計算される（単位：温度零度，圧力1気圧の状態に換算した立方メートル毎時〔m3/h〕)。

$$q=K\times10^{-3}He^2$$

Kは全国100以上の地域ごとに定められる定数（16ランクある）であり，Heは補正された排出口の高さ（有効煙突高〔単位：m〕）である。煙突が高くなれば，許容排出量が増える仕組みになっているが，大都市ではKの値が小さく設定され，厳しい規制がなされている（施行令5条，施行規則3条)。

(c) 総量規制制度

排出基準だけでは環境基準を確保することが困難と認められる地域（「**指定地域**」）について，1974年に**総量規制制度**が導入された（5条の2，5条の3。1974年には硫黄酸化物について，1981年には窒素酸化物について導入された)。ばい煙についても地域についても指定は政令によって行われる。対象とされるばい煙（**指定ばい煙**）は硫黄酸化物と窒素酸化物であり，前者の対象とされる区域（**指定地域**）は千葉市，東京都特別区，名古屋市，大阪市など全国24区域，後者の指定地域は東京都の特別区等，神奈川県の横浜市等，大阪府の大阪市等の全国3区域である（施行令7条の2，7条の3)。地域の指定に関しては，都道府県知事から環境大臣に対して政令の立案について申出をすることができる（5条の2第5項)。都道府県知事が策定する指定ばい煙総量削減計画には，指定地域内で都道府県知事が定める規模以上の工場・事業場（「特定工場等」）に設置されている全てのばい煙発生施設から排出される指定ばい煙の総量についての削減目標量，計画の達成期間及び方途が定められ（5条の3），これに基づいて工場単位で総量規制基準が定められる（5条の2第1項）。施設単位でなく，工場単位であることに注意を要する（13条と対比せよ）。

(d) 燃料使用規制

都道府県知事は，冬期の暖房等のため，政令で定める地域に硫黄酸化物による著しい大気汚染が生じ，又は生ずるおそれがある場合に，地域ごとの燃料使用基準を定め，これに違反するばい煙発生施設の設置者に対して遵守の勧告及び命令を行うことができる（15条）。都道府県知事は，総量規制がかかる「指定地域」においては，「特定工場等」以外の工場又は事業場に対しても，同様の措置をとることができる（15条の2）。

(e) 事故時の措置

故障，破損その他の事故が起こり，**ばい煙**又は「**特定物質**」が大気中に多量に排出されたとき，ばい煙発生施設又は特定施設（特定物質を発生する施設）を工場又は事業場に設置している者は，直ちに応急の措置を講じ，復旧に努める（17条1項）とともに事故の状況を都道府県知事に通報しなければならない（同条2項）。都道府県知事は，事故により周辺の区域における人の健康が損なわれるおそれがあると認めるときは，上記施設設置者に対して，必要な措置をとるよう命ずることができる（同条3項）。

「**特定物質**」とは，物の合成，分解その他の化学的処理に伴い発生する物質のうち，人の健康又は生活環境に係る被害が生ずるおそれがある物質で，2022年現在，アンモニア，ふっ化水素，シアン化水素等28物質が定められている（施行令10条）。

(f) 事業者の責務規定

事業者は，事業活動に伴うばい煙の排出等の状況を把握するとともに，ばい煙の排出抑制のために必要な措置を講ずるようにしなければならない（17条の2）。2010年改正で導入された，事業者全般を対象とした責務規定である。

(2) 粉じん規制

粉じん発生施設から排出される粉じんが規制される。「**粉じん**」とは，「物の破砕，選別その他の機械的処理又は堆積に伴い発生し，又は飛散する物質」をいい（2条7項），人の健康に係る被害を生じさせるおそれがある物質である「**特定粉じん**」（**石綿〔アスベスト〕が指定されている**）と，その他の「**一般粉じん**」に分かれる（2条8項）。

一般粉じんの規制基準は濃度規制ではなく，集じん機を設置していること，施設が「粉じんが飛散しにくい構造の建築物内に設置されていること」といった，構造・管理に関する基準となっている（施行規則16条，別表第6）。

これに対し，特定粉じんである石綿については，特定粉じん発生施設（研磨機，破砕機等の機械で一定規模以上のもの）と隣地との敷地境界における排出基準（濃度基準）が用いられている（18条の5）。この規定は1989年改正の際に導入された。なお，2007年末までに，特定粉じん発生施設は全て廃止された。

もっとも，石綿は特定粉じん発生施設以外からも排出されるため，上記の規制のみでは限界があったが，阪神・淡路大震災を契機に，1996年の大防法改正により，石綿を発生，飛散させる原因となる建築材料（「特定建築材料」。吹付け石綿。施行令3条の3）が使用されている建築物の解体等の作業を「特定粉じん排出等作業」に指定し（2条11項，施行令3条の4），それを伴う建設工事（「特定工事」）を届出制にし，作業基準の遵守を義務付けるとともに行政命令の規定をおいた（旧18条の15〜18条の18，現18条の17〜18条の21）。その後，石綿の被害が顕在化した2005年，「特定建築材料」として，石綿を含有する断熱材等が追加される（施行令3条の3）とともに，「特定粉じん排出等作業」の規模等要件が撤廃された。

また，2006年の本法の改正により，石綿を使用している工作物（工場プラント等）について，解体等の作業時における飛散防止対策の実施を義務付けることとした。従来建築物（オフィスビル，集合住宅等）の解体等の作業のみを対象としていたが，同種の施設間で不合理な規制格差が生じていたため，規制対象を追加したのである（2条11項）。2013年，2020年の大防法改正により，建築物の解体等時における石綿の飛散防止対策がさらに強化された（→4(2)〔176頁〕）。

特定粉じん発生施設の解体作業に伴って生じた石綿は，廃掃法上の特別管理産業廃棄物となる。

(3) VOC（揮発性有機化合物）の排出抑制制度

Q9 VOCの排出抑制制度にはどのような特色があるか，それは環境法の基本原則とどのような関係があるか。

(a) 2004年の改正で，VOCの排出抑制制度が導入された（17条の3以下）。VOCは，トルエン，キシレンなど200種類程度に及び（ただし，光学反応性がない，または低いとされるメタンとフロン類の除外物質8種のみ，別途政令〔施行令2条の2〕で除外されている），ペンキの溶剤，接着剤，インク等に含まれている。浮遊粒子状物質（SPM）の原因物質であり，固定発生源から排出される原因物質の中では最大の寄与をしている（全体の中での寄与割合は約1割）こと，窒素酸化物とともに光化学オキシダントの原因物質であることが，制度導入の背景理由としてあげられている（**図表6-1**）。

対策の枠組は，法規制と事業者の自主的取組とを組み合わせたものである（17条

【図表 6-1】VOC と，SPM，光化学オキシダントとの関係

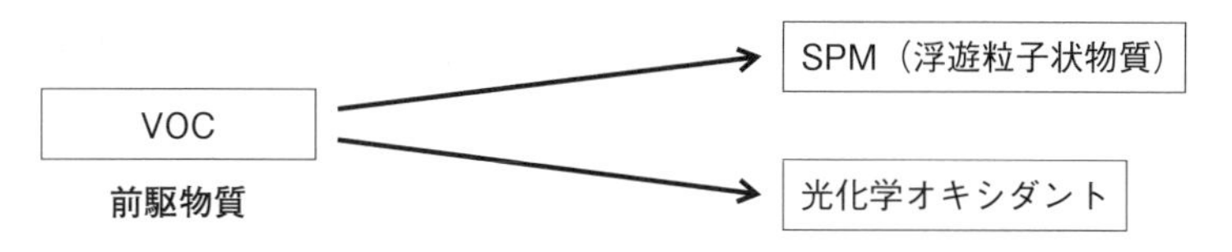

の 3 以下)。VOC の排出量が多く大気への影響が大きい施設（①塗装施設，②塗装用の乾燥施設，③化学製品製造用の乾燥施設，④工業用洗浄施設等 9 種類の施設類型。施行令別表第 1 の 2）については，排出規制の対象とし，施設の設置を都道府県知事に届け出させるとともに，排出口から大気中に排出される VOC の許容限度について排出基準を定め，排出者に排出基準遵守義務を課するなど，排出濃度規制を行うことにした（17 条の 4，17 条の 5，17 条の 10)。また，事業者が，事業活動に伴う VOC の大気中への排出又は飛散の状況を把握し，その抑制のために必要な措置を講ずる責務を有することを規定し（17 条の 14)，規制対象以外からの VOC の排出については，事業者の自主的な取組による排出削減を行うこととした。

(b) VOC 排出抑制制度の特色として次の点をあげておきたい。第 1 にこの制度は，化学物質自体の有害性をみるのではなく，VOC の浮遊粒子状物質の生成能や光化学オキシダントの生成能をみていることである。第 2 に，VOC は上記のように多様であり，VOC と光化学オキシダント等との関係が——他の物質の影響もあり——必ずしも明らかでないため，VOC と人の健康被害とは定性的な関係はあるが，定量的な関係については科学的には確実といい切れない面がある。したがって，この制度は，科学的不確実性が残っている中で対応するものであり，**予防原則**の適用例とみることができる。その点は，第 1 に，上記の排出基準が——リスクが不確実であるため——リスクベースではなく，技術ベース（「利用可能な最善の技術：Best Available Technology（BAT)」）の観点から設定されていること，第 2 に，事業者の自主的取組が相当程度取り入れられていることにも表れている。

(c) 2010 年度の VOC 排出量は 2000 年度の 44.1% 削減となり（2015 年度には 50% 削減した)，目標を超える削減が達成された。一般環境でも VOC は減少している。その結果，光化学オキシダントの注意報レベル以上の出現率は，一部地方で近年減少し，また，浮遊粒子状物質削減にも VOC 削減が定性的に寄与していると考えられる。もっとも，光化学オキシダントの環境基準達成率は 2018 年度に依然として 0% であり，著しく低い。この点は，光化学オキシダントの生成に VOC 以外のものが寄与していることが関連していると考えられる。

(4) 有害大気汚染物質対策

Q10 有害大気汚染物質の規制にはどのような特色があるか，それは環境法の基本原則とはどのような関係にあるか。

大気汚染防止法の規制対象は，1990年代半ばまでは7物質（施行令1条）に限られていたが，この数は世界的にみればむしろ稀であり（例えば，アメリカの大気清浄法では，1990年代には189物質が対象とされた），規制対象を広げていく必要が指摘されていた。

このような観点から，1996年の大防法の改正により，有害大気汚染物質対策が導入された。「**有害大気汚染物質**」とは，「継続的に摂取される場合には人の健康を損なうおそれがある物質で大気の汚染の原因となるもの」（2条16項），すなわち，低濃度での長期曝露による健康影響が懸念される物質をいう（2022年現在，248種類がリストアップされ，その中で「**優先取組物質**」23種類が指定されている）。

そして，①有害大気汚染物質の排出抑制についての事業者の努力義務（そのための指標として，指針値が徐々に設定されている。2022年現在，アクリロニトリル，水銀等9物質について設定されている），②国による，有害大気汚染物質に起因する大気汚染状況の把握，健康被害のおそれの程度の評価・公表及び排出抑制技術に関する情報の収集・普及，③地方公共団体による，有害大気汚染物質に起因する大気汚染状況の把握，事業者に対する情報の提供及び住民に対する知識の普及が規定された（18条の42～18条の44）。

さらに，④優先取組物質の中でもベンゼン，トリクロロエチレン，テトラクロロエチレンの3物質は早急な排出抑制対策を要するとしてこれらを「**指定物質**」に指定し，排出抑制基準（**指定物質抑制基準**）を定め，都道府県知事が必要があると認めるときは，指定物質排出施設設置者に対して勧告し，そのために必要な限度で報告を求めることができるなど，より確実な排出抑制の取組を事業者に求めることとした（附則9項～11項，施行令附則3項）。1997年にはダイオキシン類も指定物質に追加された。

なお，⑤1996年改正法施行後3年を目途として，政府は，有害大気汚染物質に関する科学的知見の充実の程度，事業者による取組の成果を総合的に勘案し，以上の仕組みについて検討を加え，健康被害の未然防止の観点から制度の見直しを含め所要の措置を講ずることが規定された（平成8年法律32号附則3項）。

⑤は従来にない手法であり，行政が企業の対処措置の自由を認めつつ，それが成功しなかった場合には規制等を検討するものである。閾値のない物質について，リスク低減のため規制等を検討する旨を宣言することにより，企業の積極的な自主的

対応を促すという新たな手法を取り入れたものといえよう。

④の3物質及びジクロロメタンについては，大気汚染に係る**環境基準**も設定された（平成9年環告4号）。また，ダイオキシン類についてはダイオキシン類対策特別措置法により環境基準が設定されている（そのため指定物質からは削除）。

環境基準が定められた5物質以外は，優先取組物質についても「科学的知見の充実を要するレベル」にとどまっているか，環境大気以外からの曝露についての考慮が必要であるものの結論が得られておらず，**予防原則**の下に，事業者による自主的取組がなされている状況にある。もっとも，環境基準が定められているダイオキシン類以外の4物質についての指定物質抑制基準などの対応が十分か否かについてはなお検討が必要であると思われる。

(5) 水銀等の排出の規制等

世界的な水銀の使用・排出の削減を目指して，2013年10月10日，水銀に関する水俣条約が採択され，わが国を含む92か国・地域が同条約への署名を行った。同条約の中には，水銀及び水銀化合物の大気への排出の規制が含まれており，これに対応するため，大防法の以下の点が2015年に改正された（施行は，2018年4月）。改正の要点は，目的規定（1条）に，水俣条約実施の確保のために事業活動に伴う水銀等の排出を規制することが加えられたほか，次の3点である。

(a) 水銀排出施設の設置の届出

一定の水銀排出施設（新規及び既存）の設置・構造等を変更しようとする者に対し，都道府県知事に届け出ることを義務付ける（18条の28，18条の30。違反に対する罰則は34条。都道府県知事による計画変更命令について18条の31）。

(b) 排出基準の遵守義務

①水銀排出施設の排出口からの排出物中の水銀濃度につき排出基準を設定し，水銀排出施設（新規及び既存）から水銀等を大気中に排出する者に対し，排出基準の遵守を義務付ける（18条の27，18条の33）。②排出基準違反に対し必要に応じ改善勧告等及び改善命令等を発出できるものとする（18条の34。改善命令等違反の罰則は33条）。③水銀排出者に対し，水銀濃度の測定・記録・保存を義務付ける（18条の35。違反に対しては，35条3号）。

なお，このように水銀については大気の排出規制が行われることに伴い，水銀は有害大気汚染物質から除かれた（2条16項）。有害大気汚染物質対策は，施設の排出規制に至らない場合における排出抑制をするときに限られるという趣旨である。水銀の大気排出に関する国の施策は，(i)健康影響については，水銀蒸気についてモニタリングのための指針が引き続き定められ（内容は従来の有害大気汚染物質の優先取組物質の指針），これとは別に(ii) BAT（利用可能な最善の技術）に基づく排出基準が定められた。

①については，水俣条約は各締約国に対し，新規発生源についてBATを義務付けている（8条4後段）。わが国では，従来，VOC規制についてもBATの考え方を採用しつつ排出限度値規制をしており，水銀についても同様の扱いをした。

③については，水銀による大気汚染は継続的に違反するときに勧告・命令を受ける点でばい煙と類似しているため，ばい煙の排出規制と同様，基準の実施について，事業者に対し，排出濃度を測定し，その結果を記録することを義務付け，測定・記録義務違反に罰則を設けるのが適当であり（35条3号），本法の2010年改正の趣旨を踏まえた，望ましい規定となっていると考える。排出状況の測定・保管等について適切な運用がされているか，報告徴収，立入検査等によって確認することが必要である（26条）。

(c) 対象業種と要排出抑制施設の設置者の自主的取組

水俣条約は，附属書に掲げる発生源（石炭火力発電所，産業用石炭燃焼ボイラー，非鉄金属製造に用いられる製錬・焙焼プロセス，廃棄物の焼却設備及びセメントクリンカーの製造設備）からの水銀の大気への排出を規制するための措置をとること（8条4，8条5，8条2（b），附属書D）を求めており，本法も5種類の施設のみを対象とする立場を採用した（2条14項，施行令3条の5）。もっとも，5種類の施設以外についても，鉄鋼製造施設のように水銀を相当程度排出している施設については，排出基準遵守義務は課さないものの，何らかの対応を求める必要があり，そのような観点から，本法改正では，届出対象外であっても，水銀等の排出量が相当程度である施設については，事業者の一般の責務（18条の38）とは別に，排出抑制のため自主的取組を求めている（18条の37）。この点から，大防法改正の水銀についての対応を，規制的手法と自主的取組の併用である（VOCへの対応と同様である）とみることも可能である。

(6) 遵守確保の制度

(a) ばい煙発生施設については，設置者に計画変更命令付きの届出義務が課されている（6条，9条，9条の2）。また，ばい煙発生施設からばい煙を排出する者は，排出基準，総量規制基準適合義務を負い（13条，13条の2），これらに違反した場合には直罰が科せられ（33条の2第1項1号・2項），改善命令（14条）が発動される（罰則については33条）。排出基準の遵守の有無は，ばい煙発生施設の排出口ごとにチェックされる（13条，13条の2，2条15項）。

なお，ばい煙発生施設に対する改善命令の発動要件（14条1項，3項）については，排出基準超過のおそれのみでなく，①「排出基準に適合しないばい煙を継続して排出するおそれがある」こと，②「その継続的な排出により人の健康又は生活環境に係る被害を生ずると認め」られることが必要とされてきた（この①，②は，1970年の大防法改正で直罰規定導入の際に追加された要件であった）。しかし，これに対しては，現状では大気環境について健康又は生活環境の被害を証明することは困難であり，これらの要件が加わっていることにより排出基準違反を放置する結果となりやすい，また，水質汚濁防止法の規定との均衡からも疑問がある（水質汚濁防止法13条1項，2項。排出基準超過のおそれのみが要件とされてきた）と批判された（原田，大塚）。そのため，2010年改正により，要件を継続的な排出基準超過のおそれのみとすることとなった。

(b) ばい煙排出者に対し，ばい煙量の測定結果の記録に加え，2010年改正により，その記録の保存を義務付けるとともに，これらの義務に違反して，記録せず，虚偽の記録をし，又は記録を保存しなかった者に対する罰則が設けられた（16条，35条）。事業者による未記録，記録改ざん等への厳正な対処をするため，直罰規定を導入した1970年改正の際に削られた規定が復活したことになる。この点に関する1970年の改正は，直罰制度が導入されたのだから，基準を遵守するため，事業者は当然に適正に記録をするだろうという考えに基づくものであったが，その後，むしろ直罰制度の実効性を損なう必ずしも合理的でない改正であったことが判明したのである。われわれはここから自主的対応に盲目的な信頼をしてはいけないという教訓を得るべきであろう。

➡ 直罰規定の意味と限界について述べよ。

(c) 燃料使用規制については燃料使用基準違反に対する直罰はなく，基準遵守勧告（15条1項，15条の2第1項）を経たうえ，基準遵守命令（15条2項，15条の2第2項）違反に対してのみ罰則が科される。

(d) 一般粉じん発生施設についても構造・使用・管理に関する基準（18条の3）違反に対する直罰はなく，基準適合命令（18条の4）違反に対してのみ罰則が科される（33条の2第1項2号）。特定粉じん発生施設についても敷地境界基準（18条の5）違反に対する直罰はなく，改善命令（18条の11）違反に対してのみ罰則が科される（33条）。特定粉じん排出等作業についても作業基準（18条の14）違反に対する直罰はなく，基準適合命令（18条の21）違反に対してのみ罰則が科される（33条の2第1項2号）（ただし，2020年改正により，一定の場合には直罰とされた→4(5)〔178頁〕）。

(e) VOC排出施設についても排出基準（17条の4）違反に対する直罰はなく，改善命令（17条の11）違反に対してのみ罰則が科される（33条）。

(f) 水銀排出施設（新規・既存）についても排出基準（18条の27，18条の33）違反に対する直罰はなく，改善勧告等及び改善命令等を発出できるものとし（18条の34），改善命令違反に対してのみ罰則が科される（33条）。

(g) 一般粉じん発生施設については届出義務（18条），特定粉じん発生施設（18条の6，18条の8），特定粉じん排出等作業（18条の17，18条の18），及びVOC排出施設（17条の5，17条の8），水銀排出施設（18条の28，18条の31）については計画変更命令付きの届出義務が課されている。

(h) これらに対し，有害大気汚染に関する「指定物質」については，排出・飛散の抑制基準違反について都道府県知事が勧告をしうるにとどめている（附則10項）。

3 移動発生源対策（主に自動車）

固定発生源による汚染は，施設を動かしている者に排出基準の遵守義務が課されたが，自動車の場合には不特定多数の発生源から排出され，また，発生源が移動することから，発生源の排出行為を直接に規制し，命令を出し，刑罰を科することは技術的に困難である。規制の方法としては，①自動車の構造規制，②交通規制という間接的な手段が中心とならざるをえなかった。移動発生源については，大防法による規制のほか，個別法による規制がなされている。以下では大防法を中心に扱う（他の個別法については，大塚『環境法』8-2・3(2)〔295頁〕(3)〔302頁〕参照）。

(1) 大防法等による規制

大防法は，上記①，②の2つの規制方法を定めている。

(a) 自動車の構造規制については，環境大臣が自動車排出ガスの量の許容限度を定め（昭和49年環告1号で車種ごとに定められている），国土交通大臣は，これを確保できるように道路運送車両法の保安基準を設定することとされている（19条）。規制対象物質は，一酸化炭素，非メタン炭化水素，炭化水素，窒素酸化物，粒子状物質，粒子状物質中のディーゼル黒煙である（同告示）。環境大臣は，自動車燃料の性状，燃料中の物質量許容限度についても定めなければならず（平成7年環告64号で，ガソリンについては鉛等5物質の基準が定められている），これは，「揮発油等の品質の確保等に関する法律」（昭和51年法律88号）に基づく経済産業大臣の命令によって達成される（19条の2）。

(b) 交通規制については，交差点等，著しい汚染のおそれがある区域の測定の結果，汚染が一定の濃度（一酸化炭素について定められている）を超えていると認められる場合に，都道府県知事が都道府県公安委員会に道路交通法上の規制を要請するほか（21条），緊急時の措置として，自動車の運行の自主的制限の協力を求め，さらに，汚染が著しい場合には，都道府県公安委員会に対し道路交通法の規制を要請するものとしている（23条。硫黄酸化物，一酸化炭素等5物質が定められている）。交通規制自体は都道府県公安委員会の権限であり，都道府県知事は要請することができるにとどまるのである。

⑵　自動車NOx・PM法による規制

固定発生源からの窒素酸化物（NOx）排出量は，排出基準の強化，指定地域における総量規制の実施によって低減してきたのに対し，自動車を中心とする移動発生源からのNOx排出量は，(i)大都市圏をはじめとする交通量の増大と，(ii)NOxの排出量の多いディーゼル車（当時，ガソリン車の10倍）の増大によって削減されておらず，特に大都市圏におけるNOx排出総量に占める自動車NOxの割合は相当に高いものとなっていた（首都圏では，自動車からのものが当時53.3%であった）。このような状況を踏まえ，1992年に自動車NOx法が制定された。その後，同法の目標である，2000年までのNOx環境基準の達成が到底不可能になったこと，粒子状物質（PM）についても知見が加えられたことから，2001年に同法が改正され，自動車NOx・PM法となった。さらに，「自動車排出窒素酸化物及び自動車排出粒子状物質の総量の削減に関する基本方針」を達成するため，2007年，本法の改正が行われた。

4　大防法の最近の改正

最近の改正について，便宜のため，要約して再度掲載しておく。

⑴　大防法2010年改正

改正の概要は次の各点である（改正の背景については，→**6-1**・4〔158頁〕参照）。

第1に，ばい煙量等の測定結果の未記録等に対する罰則が創設された。ばい煙排出者に対し，ばい煙量の測定結果の記録に加え，その記録の保存を義務付けるとともに，これらの義務に違反して，記録せず，虚偽の記録をし，又は記録を保存しなかった者に対する罰則が設けられた（16条，35条）。

第2に，事業者の責務規定が創設された。事業者は，ばい煙の排出の規制等に関する措置のほか，その事業活動に伴うばい煙の排出等の状況を把握するとともに，ばい煙の排出抑制のために必要な措置を講ずるようにしなければならない（17条の2）。

第3に，改善命令の発動要件が見直された。都道府県知事は，ばい煙排出者が，排出基準等に適合しないばい煙を継続して排出するおそれがあると認めるときは，ばい煙発生施設の構造の改善等を命ずることができる（14条1項，3項）。地方自治体が改善命令等を広く発動できるように，すでに指摘したように，改善命令の発動要件が見直され，「人の健康又は生活環境に係る被害を生ずると認めるとき」という要件が削られたのである（→**6-2**・2(6)(a)〔172頁〕）。

(2) 大防法2013年改正

(a) 2013年6月，建築物の解体等時における石綿の飛散防止対策のさらなる強化のため，大気汚染防止法が改正された（2014年6月施行）。主な改正点は以下の3つである。

①特定粉じん排出等作業を伴う建設工事の実施の届出義務者の変更　従来，解体等工事の施工者が行うべきこととされていた特定粉じん排出等作業（吹付け石綿等が使用されている建築物等を解体し，改造し，又は補修する作業）を伴う建設工事の実施の届出について，解体等工事の発注者又は自主施工者（発注なしに自ら施工する者）が行わなければならない（旧18条の15）。発注者は最終的な費用負担者であるため，この者に届出義務を課することは制度の実効性を高めるであろう。届出率が上がると考えられる。

②解体等工事の事前調査の義務付けと調査結果等の説明等　解体等工事の発注者から解体等工事（当該建設工事が特定工事〔特定粉じん排出等作業を伴う建設工事〕に該当しないことが明らかなものとして環境省令で定めるものを除く）を請け負う受注者は，当該工事が特定工事に該当するか否かを調査し，その調査結果及び届出事項を発注者に書面で説明するとともに，その結果等を解体等工事の場所に掲示しなければならない（旧18条の17）。専門的知識を有する受注者に事前調査義務を課し，発注者に対する説明義務を課することとした。建設資材リサイクル法に平仄を合わせた面もある。掲示は住民に対する情報提供の一環である。

③報告及び立入検査の対象の拡大　都道府県知事等による報告徴収の対象に，届出がない場合を含めた解体等工事の発注者・受注者又は自主施工者を，また，都道府県知事等による立入検査の対象に解体工事に係る建築物等を，それぞれ加えた（26条）。従来そもそも届出がない場合に特定工事の現場に立ち入ることができるか否かが明らかでなかったが，届出がない場合こそ立ち入る必要があると考えられた。また，対象者が限定されすぎていたところから，対象を拡大したものである。

なお，解体等工事中の濃度が上がった場合については，一定の場合に一時停止をすることについて作業基準の中に定めておき，作業基準違反に対する行政命令，罰則によって担保する。

また，施行規則において，前室の設置，集じん，排気装置の使用が義務づけられている作業（法18条の14）が追加された（施行規則16条の4及び別表7)。

(b) 本法改正の背景としては，①建築物等の解体現場等から石綿が飛散する事例や，建築材料に石綿が使用されているかどうかの事前調査が十分でない事例が確認されたこと，②東日本大震災の被災地でも，石綿を用いた建築材料が使用されている建築物等の石綿除去工事，解体工事等で，石綿の飛散事例が確認されたこと，③1956年～2006年までに施行された石綿使用の可能性がある建築物の解体等工事が，2028年頃ピークを迎え全国的に増加することなどがあげられている。

(c) 本法改正は，石綿含有建築物の解体等工事の際の石綿飛散に向けた大きな第一歩を示したものである。もっとも残された課題は少なくなかった。

①本法が対象とする特定建築材料以外の石綿含有建材（レベル3建材）についても，作業時の取扱いが不適切な場合には石綿が飛散する可能性があることが指摘されており，これを本法に位置づけることが必要である。

②受注者の事前調査義務，説明義務の違反に罰則がない。これは建設資材リサイクル法に合わせたものであり，受注者が説明をせず発注者が届出をしないと行政が報告徴収などをし，発注者に不利益が及ぶため，受注者は説明するだろうという考え方に基づくが，これで十分かという問題がある。

③事前調査の結果についての信頼性を確保するため，調査機関の登録制度を設けることが必要であるが，その制度化を検討すべきである。

④住民への情報提供は掲示だけでは十分でない，石綿除去後の完了検査を第三者が実施することが必要であるなどの課題も残された。

⑤解体等工事中の濃度の測定記録保存の義務付けについても検討されるべきである。

なお，都道府県知事への届出（旧18条の15）の内容に事前調査の内容を含めること，そもそも届出がなされない場合が残されていることに対して，罰則（34条1号）の強化なども検討されるべきである。

(d) 2010年改正法施行後の2011年度から2015年度の法律施行状況は，次の通りであった。

・特定粉じん排出等作業実施件数に大きな変化はない
・特定粉じん排出等作業にかかる立入検査実施件数は改正法施行前の3倍以上（なお，2018年度4万4037件），行政指導件数は40倍以上（同5658件）に増大した
・特定粉じん排出等作業にかかる行政処分件数は毎年0～7件の間で推移している

⑶ 「放射性物質による環境の汚染の防止のための関係法律の整備に関する法律」による大防法2013年改正

2013年6月，「放射性物質による環境の汚染の防止のための関係法律の整備に関する法律」（同月公布）により，放射性物質による大気の汚染及びその防止についての適用除外規定（27条1項）が削られ，放射性物質による大気汚染の状況の常時監視を環境大臣が行う旨（22条3項）が定められた（2013年12月施行）。放射性物質による汚染の防止のための措置に関する環境基本法の適用除外規定（旧13条）を削った，2012年制定の原子力規制委員会設置法附則51条を踏まえた改正である。

⑷ 大防法2015年改正

水銀に関する水俣条約の締結を踏まえて，大防法に「水銀等の排出の規制等」に関する規定が入れられた（→2⑸〔171頁〕）。

⑸ 大防法の2020年改正

大防法の2013年改正に続いて，建築物の解体時等の石綿飛散防止に関して大防法の2020年改正がなされた（2020年6月公布・法律39号）。

⒜ 本改正の背景は，次の各点である。

第1に，飛散性が相対的に低いことから，従来本法の規制対象（特定建築材料）でなかった石綿含有成形板などの石綿含有建材（いわゆるレベル3建材）についても，不適切な除去を行えば石綿が飛散することが判明したことである。第2は，解体等工事前の建築物等への石綿含有建材の使用の有無の事前調査において石綿含有建材を見落とすことや，除去作業時に石綿含有建材の取り残しがあることにより，解体等工事に伴い石綿が飛散する事例が確認されたことである。今後，2028年頃をピークに，建築物の解体工事は年々増加すると見込まれ，これらの課題に対処することが必要となったのである。

⒝ 主な改正点は以下の5点である（施行日は，公布の日から1年以内で政令で定める日。ただし，下記⑴の事前調査結果の報告については，公布の日から2年以内で政令で定める日。附則1条）。

㈠ 規制対象の拡大

従来規制対象ではなかった石綿含有成形板など，レベル3建材を含む全ての石綿含有建材を規制の対象とすることとされる（2条11項の「特定建築材料」に含まれる。同条同項に基づく施行令による）。ただし，レベル3建材については，除去等作業の件数が厖大となるため，作業実施の届出の対象とされず（18条の17第1項），18条の17の届出以外の規制枠組みの対象とする前提で，「特定建築材料の種類」ごとに作業基準が定められる（18条の14。レベル1，2と異なる措置を作業基準として定める）。

【図表 6-2】改正後の解体等工事に係る規制概要

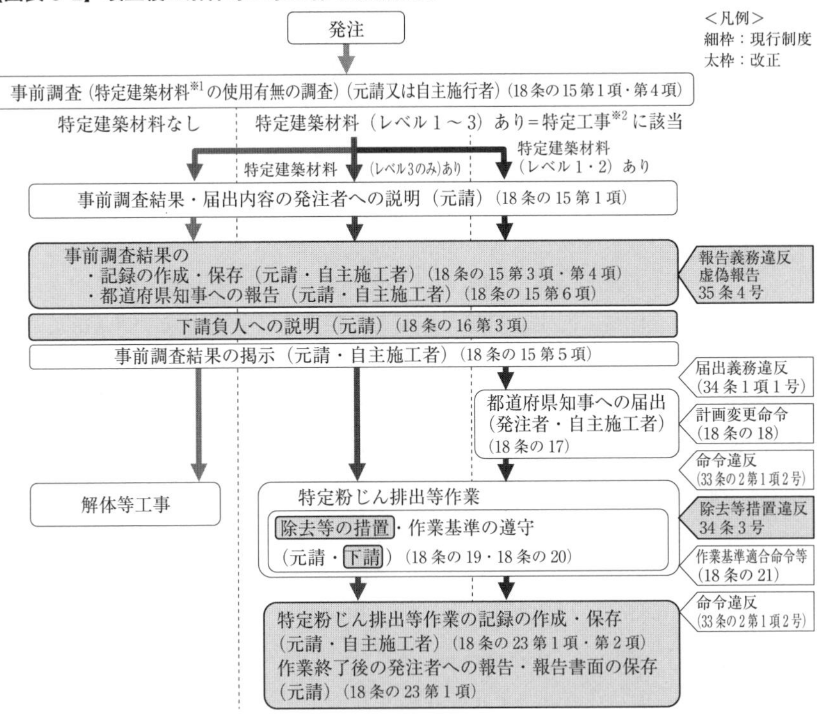

※1　特定建築材料：吹付け石綿（レベル1），石綿含有断熱材，保温材，耐火被覆材（レベル2），石綿含有成形板等（レベル3）

※2　特定粉じん排出等作業：特定建築材料が使用されている建築物・工作物の解体・改造・補修作業

出典：環境省資料を加工

届出対象特定工事は，レベル1，2のみを対象とすることになる（18条の17）。

(イ)　事前調査の信頼性の確保

石綿含有建材の見落としなど不適切な事前調査を防止するため，元請業者に対し，一定規模以上の建築物等の解体等工事について，石綿含有建材の有無にかかわらず，調査結果を都道府県知事に報告し（18条の15第6項），また，当該調査に関する記録を作成・保存する（同条3項）ことを義務づける。元請業者は，従来は調査結果を発注者に説明するのみであったが，都道府県が幅広く現場を把握できるようにするため，都道府県等にも報告する義務を負ったのである。また，調査の方法が法定化される（18条の15第1項）。

(ウ)　一定の作業基準遵守義務違反の際の直罰の導入等

石綿含有建材の除去等作業における石綿の飛散防止を徹底するため，吹付け石綿等が使用されている建築物の届出対象特定工事において，隔離等の飛散防止措置を講じずに除去作業を行った者等に対する直罰を導入する（18 条の 19 及び 34 条 3 号）。石綿含有建材の除去等作業が短時間で終了する場合が多いことを考えると，直罰の導入は必要不可欠であったといえよう。また，下請負人を作業基準遵守義務の対象に追加する（18 条の 20 及び 18 条の 21）。

(エ) 元請業者の作業結果の発注者への報告義務等

不適切な作業の防止のため，元請業者に対し，当該特定工事における特定粉じん排出等作業が完了したときは，作業の結果を特定工事（2 条 12 項）の発注者に書面で報告し，また，作業に関する記録を作成し，保存する義務を課する（18 条の 23）。

(オ) その他

その他，都道府県等による立入検査対象の拡大（26 条 1 項），災害時に備え，建築物等に特定建築材料が使用されているか否かを把握するために必要な情報の収集等に関する国の責務規定（18 条の 24）及びその把握に関する建築物等の所有者等の知識の普及に関する地方公共団体の責務規定の導入（18 条の 25）などが行われる。なお，改正前に用いられていた「受注者」という語は，上記のように改正法では下請負人が新たに規制対象に加えられたため，用いるのをやめ，「元請業者」（18 条の 15 第 1 項）か「下請負人」（18 条の 16 第 2 項）かが明定されることになった。

(c) 2013 年改正で残された上記課題のうち，①，④の一部が対処された。作業基準のうちの一定のものの遵守義務に関する直罰の導入は，法制的には困難な面があったが，上述のように，必須であったといえよう。2013 年改正で残された課題のうち③については，法律とは別に徐々に対処される予定である。⑤の一部である，隔離場所周辺における大気濃度の測定については，実施義務付けは見送られた。迅速な測定が困難なこと，作業再開に向けた必要措置について確定できなかったこと，濃度として石綿繊維を基準とするか総繊維を基準とするかが決まらなかったことなどが理由である。今後の課題として，石綿繊維数濃度，総繊維数濃度の両面から迅速な測定をいかに行うかについて研究していく必要がある。

5 汚染の現状と課題

(1) わが国の近時の大気汚染の状況をみると，硫黄酸化物，二酸化窒素，浮遊粒子状物質，一酸化炭素及び有害大気汚染物質については環境基準等がほぼ 100% 達成されているものの，光化学オキシダントについては，達成度は極めて低く，濃度レベルも横ばいの傾向にあり，注意報の発令地域も横ばいの傾向にある。微小粒子状物質（後述する PM2.5）については，有効測定局での環境基準達成率は 98% 以上になっている。

⑵　光化学オキシダントに対しては，上述したように，固定発生源について2004年の大防法改正で一定の対応がなされたが，他原因も考えられるところであり，科学的な解明を含めたさらなる検討が必要である。光化学オキシダントについては，気候変動によりさらに増加するスパイラル効果も想定されている。

一方，二酸化窒素及び浮遊粒子状物質に対しては，固定発生源については，大気汚染防止法による規制が一定程度効果を上げており，また，移動発生源による局地的汚染については，上記のように自動車NOx・PM法及び東京都を中心とする自治体の規制が効果を上げてきた。

⑶　ディーゼル車の排出ガス，工場・事業場での燃料燃焼の排出ガスに含まれる粒子（一次粒子）や，ガス状で排出されたものが大気中で反応生成してできた硫酸塩，硝酸塩，VOCから生成した有機炭素粒子等（2次粒子）から成る，微細な粒子状物質（直径が2.5 μm以下のものを「PM2.5」と呼ぶ）には関しては，PM2.5について2009年に環境基準が設定されたが，2013年度における環境基準達成率は一般環境大気汚染測定局で16.1%，自動車排ガス測定局で13.3%にとどまった（その後2018年度には，それぞれ93.5%，93.1%）。越境大気汚染も大いに関連しており，中国での深刻な大気汚染及び2012年末から翌年にかけてのわが国での一時的な濃度上昇の観測等により，PM2.5について国民の関心が高まり，環境省の下の専門家会合は，2013年2月，「注意喚起」のための暫定的指針値を公表した。その後，PM2.5の環境基準達成率は大幅に改善した。

⑷　大防法の2010年改正法の施行（2011年）の効果はどうか。2015年度までの状況をみると，①ばい煙量の測定結果の未記録，未保存及び虚偽の記録の事例はあり，都道府県等の告発例はなかったが，指導により，適正な記録・保存に寄与したと評価されている。②ばい煙に係る改善命令の発動要件の見直し（被害要件を不要とした）については，被害を伴わないケースで発出された改善命令が，2015年度に1件あった。また，同命令を背景とした行政指導が可能となり，命令に至る前に改善が図られており，事業者の排出基準の遵守に一定の効果があった。

6-3　水質汚濁

1　序

⑴　関連法律

水質汚濁防止に関する法律には，水質管理の基本である①水質汚濁防止法（昭和45年法律138号）と，個別的問題についての特別措置を定める②湖沼水質保全特別措置法（昭和59年法律61号），③瀬戸内海環境保全特別措置法（昭和48年法律110号），④「特定水道利水障害の防止のための水道水源水域の水質の保全に関する特別措置法」（平成6年法律9号），⑤琵琶湖の保全及び再生に関する法律（平成27年法律75号）がある。

水質汚濁は，工場等の特定汚染源によるもの，生活排水によるもの，農地や都市の道路等の面的汚染源（非特定汚染源。ノンポイントソース）によるものに分かれる。わが国の規制は特定汚染源については相当の成功を収めたが，生活排水，面的汚染源からの汚染については，今後の課題となっている。また，特定汚染源からの有害化学物質の地下水汚染については，浄化命令の規定が水濁法に1996年に入れられた。

(2) 水質汚濁問題の展開

(a) わが国における水質公害の初期の典型例は，明治期における足尾銅山鉱毒事件であるといわれている。第二次大戦後，経済の復興・発展により産業構造が重工業化し，都市人口が増加する一方，下水道や工業排水の処理施設の整備が遅れたため，各地で水質汚濁問題が発生した。1955年頃から，水俣病，イタイイタイ病等の事件も顕在化した。

このような中で，1958年6月，本州製紙の江戸川工場からの排水によって漁業被害が生じたとする漁民らの工場乱入事件（浦安事件）を直接の契機として，同年12月に，(i)「公共用水域の水質の保全に関する法律」（水質保全法），(ii)「工場排水等の規制に関する法律」（工場排水規制法）が制定された。これらを合わせて「**水質二法**」という。この規制システムは，排水基準を(i)で一元的に定め，その基準の遵守を確保する規制措置は(ii)や鉱山保安法等の法律で定めるというものであった。これらは，国レベルでは初めての公害対策法である点で大きな意義を有するものであった。

しかし，水質二法には種々の限界があった。すなわち，①経済調和（産業協和）条項が存在し，②指定水域制がとられ（人の健康や生活環境に看過し難い影響や相当の損害が生じ，又は生ずるおそれがあることを要件としているため，指定は非常に遅れ，後手になった），③排水基準（「水質基準」と呼ばれる）の遵守を強制する措置は，工場排水規制法等10の法律で定められ，規制の内容がまちまちであったこと，④排水基準違反自体に対する制裁（直罰制度）がなく，規制対象施設（製造業のみ）・対象汚濁項目の少なさのため規制の効果が限定されていたこと，⑤規制の方式が濃度規制のみであったこと，⑥設定された排水基準が現状追認型で緩やかであり，⑦水質の監視体制が不備であったことなどがあげられる。旧水質二法が施行されている間にわが国の水質汚濁の状況はますます悪化し，水質規制の方式を抜本的に変更する必要が生じた。

Q11 水質二法と水質汚濁防止法の規制の相違点をあげよ。

そこで，1970年の公害国会において水質汚濁防止法（水濁法）が制定された。これは旧水質二法と異なり，①経済調和条項は入れず，②後追い行政を是正するため，指定水域制を廃止し，規制水域を全国に拡大するとともに，③従来，各法に委ねられていた遵守強制措置を原則として本法に一本化し，水質規制法体系の一元化を図り，④排水基準違反に対して直罰制を導入し，規制の強化を図り，⑤公共用水域の水質の監視測定体制を整備し，⑥水質規制の諸権限を都道府県知事に委譲するとともに，都道府県条例による上乗せ排出基準の制度を採用したなどの特色を有するものであった。その後，1972年には，同法に**無過失損害賠償責任**の規定が追加された。

(b) しかし，その後も内湾，内海や湖沼等の閉鎖性水域における水質汚濁は著しく，富栄養化の問題が顕著となった。1972年に瀬戸内海で赤潮により養殖ハマチが大量死したことを契機に，73年に瀬戸内海環境保全臨時措置法が制定され，78年には同法が恒久法化され，瀬戸内海環境保全特別措置法と改称された。有機汚濁に対処するため，1978年には水濁法及び瀬戸内海環境保全特別措置法に総量規制制度が導入されている。また，改善が進まない湖沼の水質汚濁に対処するため，1984年に湖沼水質保全特別措置法が制定された（同法は，2005年に大きく改正された）。

(c) 他方，このような閉鎖性水域以外にも，都市内河川における水質汚濁，地下水における有害化学物質汚染が進行した。前者については，1990年には，生活排水対策を制度化するための水濁法の改正が行われた。後者については，同法について，1989年に有害物質による地下水の汚染等を未然に防止するための改正が行われ，96年には，汚染された地下水の浄化措置等を盛り込んだ改正がなされた。その後も水濁法の改正は行われている。2010年には排出水等の汚染状態等の測定結果の未記録等に対する罰則が創設されるとともに，汚水の流出事故時の措置が追加された。2011年には工場・事業場における有害物質の非意図的な漏洩，床面からの地下浸透の防止を目的とする改正が行われた。

(d) また，水道水源の水質保全を図るため，1994年に，「特定水道利水障害の防止のための水道水源水域の水質の保全に関する特別措置法」（法律9号）及び，「水道原水水質保全事業の実施の促進に関する法律」（法律8号）が制定された。

(e) その後，瀬戸内海について，秋から春にかけてむしろ栄養分が過少になる例が生じていること，湾・灘ごと，季節ごとの課題にきめ細やかに対応する必要があることが指摘されるようになり，2015年には瀬戸内海環境保全特別措置法が改

【図表 6-3】排出水の排出の規制等の仕組み

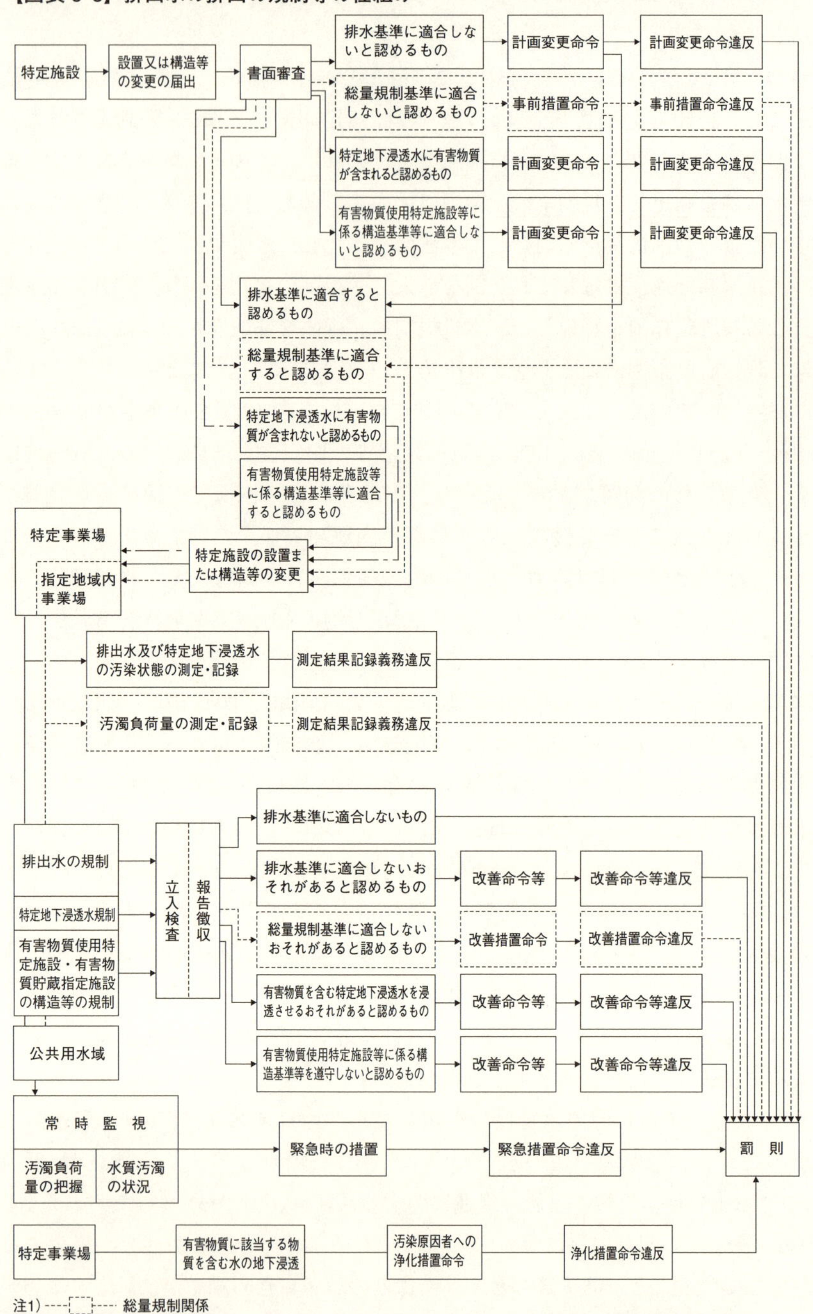

出典：環境省資料を加工

正された。

また，水循環全体について，都市部への人口の集中，産業構造の変化，地球温暖化に伴う気象変動等の様々な要因が水循環に変化を生じさせ，それに伴い，渇水，洪水，水質汚濁，生態系への影響等様々な問題が顕著となっているという認識から，健全な水循環を目指して，2014 年に水循環基本法及び「雨水の利用の推進に関する法律」が制定された（→6〔210 頁〕）。

以下では，水濁法の規制について概観する（その他の法律による規制については，大塚『環境法』8-3〔308 頁〕参照）。

2 全体像，目的等

(1) 全 体 像

水濁法は，第 1 章「総則」，第 2 章「排出水の排出の規制等」，第 2 章の 2「生活排水対策の推進」，第 3 章「水質の汚濁の状況の監視等」，第 4 章「損害賠償」，第 5 章「雑則」，第 6 章「罰則」によって構成されている。

(2) 目的，規制対象

本法の目的は，(i)公共用水域及び地下水の水質の汚濁の防止を図ること，及び，(ii)工場，事業場から排出される汚水等に関して人の健康に係る被害が生じた場合の被害者保護を図ることである（1 条）。

本法の下で規制されるのは，工場・事業場からの排水及び生活排水である。ともに，公共用水域（河川，湖沼，港湾，沿岸海域，下水道を除く各種水路。2 条 1 項）への排出及び地下への浸透が規制される。下水道への排水は下水道法の規制を受ける。なお，生活排水対策は非権力的手法（市町村の計画，行政指導）で行われる。

3 排出水の排出の規制（排出水の排出の規制等の仕組みについて図表 6-3）

(1) 規制対象，規制対象項目

(a) 規制対象は，主に，政令で定める**「特定施設」**（汚濁物質を公共用水域へ排出する施設。法 2 条 2 項。施行令 1 条，別表 1）をもつ工場，事業場（**「特定事業場」**）である（2 条 6 項，12 条）。特定施設としては，現在政令では，100 業種余の施設が指定されている。その中には，洗濯業等の第 3 次産業，畜産業等の第 1 次産業に関する施設も含まれる。

2010 年改正で，**「指定施設」**も事故時に規制対象となることとなり，さらに，2011 年改正により，地下水汚染の未然防止の観点から**「有害物質貯蔵指定施設」**が施設設置時からの規制対象となった。**「指定施設」**とは，①有害物質を貯蔵し，も

【図表 6-4】人の健康の保護に関する環境基準

項目	基準値
カドミウム	0.003 mg/L 以下
全シアン	検出されないこと。
鉛	0.01 mg/L 以下
六価クロム	0.02 mg/L 以下
砒(ひ)素	0.01 mg/L 以下
総水銀	0.0005 mg/L 以下
アルキル水銀	検出されないこと。
PCB	検出されないこと。
ジクロロメタン	0.02 mg/L 以下
四塩化炭素	0.002 mg/L 以下
1,2-ジクロロエタン	0.004 mg/L 以下
1,1-ジクロロエチレン	0.1 mg/L 以下
シス-1,2-ジクロロエチレン	0.04 mg/L 以下
1,1,1-トリクロロエタン	1 mg/L 以下
1,1,2-トリクロロエタン	0.006 mg/L 以下
トリクロロエチレン	0.01 mg/L 以下
テトラクロロエチレン	0.01 mg/L 以下
1,3-ジクロロプロペン	0.002 mg/L 以下
チウラム	0.006 mg/L 以下
シマジン	0.003 mg/L 以下
チオベンカルブ	0.02 mg/L 以下
ベンゼン	0.01 mg/L 以下
セレン	0.01 mg/L 以下
硝酸性窒素及び亜硝酸性窒素	10 mg/L 以下
ふっ素	0.8 mg/L 以下
ほう素	1 mg/L 以下
1,4-ジオキサン	0.05 mg/L 以下

備考

1 基準値は年間平均値とする。ただし，全シアンに係る基準値については，最高値とする。

2 「検出されないこと」とは，測定方法の項（略）に掲げる方法により測定した場合において，その結果が当該方法の定量限界を下回ることをいう。

3 海域については，ふっ素及びほう素の基準値は適用しない。

4 （略）

【図表 6-5】生活環境の保全に関する環境基準（河川）

ア

項目／類型	利用目的の適応性	基準値				
		水素イオン濃度（pH）	生物化学的酸素要求量（BOD）	浮遊物質量（SS）	溶存酸素量（DO）	大腸菌群数
AA	水道1級・自然環境保全及びA以下の欄に掲げるもの	6.5以上8.5以下	1 mg/L 以下	25 mg/L 以下	7.5 mg/L 以上	50 MPN/100 ml 以下
A	水道2級・水産1級・水浴及びB以下の欄に掲げるもの	6.5以上8.5以下	2 mg/L 以下	25 mg/L 以下	7.5 mg/L 以上	1,000 MPN/100 ml 以下
B	水道3級・水産2級及びC以下の欄に掲げるもの	6.5以上8.5以下	3 mg/L 以下	25 mg/L 以下	5 mg/L 以上	5,000 MPN/100 ml 以下
C	水産3級・工業用水1級及びD以下の欄に掲げるもの	6.5以上8.5以下	5 mg/L 以下	50 mg/L 以下	5 mg/L 以上	—
D	工業用水2級・農業用水及びEの欄に掲げるもの	6.0以上8.5以下	8 mg/L 以下	100 mg/L 以下	2 mg/L 以上	—
E	工業用水3級・環境保全	6.0以上8.5以下	10 mg/L 以下	ごみ等の浮遊が認められないこと。	2 mg/L 以上	—

備考 1 基準値は，日間平均値とする（湖沼，海域もこれに準ずる。）。
2 農業用利水点については，水素イオン濃度6.0以上7.5以下，溶存酸素量5 mg/L以上とする（湖沼もこれに準ずる。）。（以下略）

（注）1 自然環境保全：　自然探勝等の環境保全
2 水道1級：　ろ過等による簡易な浄水操作を行うもの
水道2級：　沈殿ろ過等による通常の浄水操作を行うもの
水道3級：　前処理等を伴う高度の浄水操作を行うもの
3 水産1級：　ヤマメ，イワナ等貧腐水性水域の水産生物用並びに水産2級及び水産3級の水産生物用
水産2級：　サケ科魚類及びアユ等貧腐水性水域の水産生物用及び水産3級の水産生物用
水産3級：　コイ，フナ等，β-中腐水性水域の水産生物用
4 工業用水1級：　沈殿等による通常の浄水操作を行うもの
工業用水2級：　薬品注入等による高度の浄水操作を行うもの
工業用水3級：　特殊の浄水操作を行うもの
5 環境保全：　国民の日常生活（沿岸の遊歩等を含む。）において不快感を生じない限度

イ

類型＼項目	水生生物の生息状況の適応性	基準値		
		全亜鉛	ノニルフェノール	直鎖アルキルベンゼンスルホン酸及びその塩
生物 A	イワナ，サケマス等比較的低温域を好む水生生物及びこれらの餌生物が生息する水域	0.03 mg/L 以下	0.001 mg/L 以下	0.03 mg/L 以下
生物特 A	生物 A の水域のうち，生物 A の欄に掲げる水生生物の産卵場（繁殖場）又は幼稚仔の生育場として特に保全が必要な水域	0.03 mg/L 以下	0.0006 mg/L 以下	0.02 mg/L 以下
生物 B	コイ，フナ等比較的高温域を好む水生生物及びこれらの餌生物が生息する水域	0.03 mg/L 以下	0.002 mg/L 以下	0.05 mg/L 以下
生物特 B	生物 A 又は生物 B の水域のうち，生物 B の欄に掲げる水生生物の産卵場（繁殖場）又は幼稚仔の生育場として特に保全が必要な水域	0.03 mg/L 以下	0.002 mg/L 以下	0.04 mg/L 以下

備考

1　基準値は，年間平均値とする（湖沼，海域もこれに準ずる。）。

しくは使用する施設，又は②指定物質（「有害物質及び……油以外の物質であって公共用水域に多量に排出されることにより人の健康若しくは生活環境に係る被害を生ずるおそれがある物質」）を製造し，貯蔵し，使用し，もしくは処理する施設をいう（2条4項）。**「有害物質貯蔵指定施設」**とは，指定施設（有害物質を貯蔵するものに限る）であって当該指定施設から有害物質を含む水が地下に浸透するおそれがあるものとして政令で定めるものをいう（5条3項）。

(b)　規制対象項目（施行令2条，3条）には，健康項目・生活環境項目が含まれる（→(3)〔194頁〕）。条例による項目の追加・横出しは認められる（29条）。

(2)　環境基準

(a)　水質に関する環境基準（「水質汚濁に係る環境基準について」〔昭和46年環告59号〕）は人の健康保護と生活環境保全という2つの目標に対応し，それぞれ異なる汚濁項目について基準が設定されている。

水質環境基準健康項目については，「水環境の汚染を通じ人の健康に影響を及ぼすおそれがあり，水質汚濁に関する施策を総合的かつ有効適切に講ずる必要があると認められる物質」を選定する。公共用水域の水質汚濁に係る健康項目は，カドミウム等27項目が定められており（**図表6-4**），全ての公共用水域に一律に適用される。

なお，地下水の水質汚濁に係る健康項目は28項目が設定されている。健康項目の環境基準については，設定後直ちに達成されるよう努められる。

他方，生活環境項目は，水素イオン濃度（pH），化学的酸素要求量（COD）など13項目が定められており，海域・河川・湖沼という水域別に設定されている（河川について**図表6-5**）。政府又は都道府県知事は，汚濁防止を図る必要がある公共用水域の全てについて，水域類型の指定を行う（政府が類型指定を行う水域については，2000年3月までに全ての水域において環境基準の類型が定められた）。生活環境項目の環境基準については，水質汚濁が著しい場合には5年以内に達成することを目途とするが，水質汚濁が極めて著しい場合は，暫定目標を設定し，段階的に改善するものとされる。

存在する汚濁の項目全てについて基準が設定されているわけではなく，どの項目について環境基準を設定するかは，その項目の重要性，全国における検出の程度等の要素に基づいて決定される。水質の環境基準は，水道水の基準と同じ値に設定されている。これは，浄水場で浄化できる範囲は極めて限られているという発想に基づいている。

(b) 近年の動きとしては，5点あげておきたい。

第1に，1993年に，ハイテク産業による有機塩素系化学物質汚染に対処し，環境基準の健康項目が15項目追加された。また，1999年には，ふっ素，ほう素，硝酸性窒素及び亜硝酸性窒素の3項目が追加された。

第2に，生活環境項目に関しては，富栄養化対策として，湖沼（1982年）さらには海域（1993年）について，全窒素及び全燐（りん）の基準が設定された。

第3に，環境基準項目の予備軍あるいは周辺にあたる項目が取り上げられるようになった。すなわち，1993年に「人の健康の保護に関連する物質ではあるが，公共用水域等における検出状況等からみて，現時点では直ちに環境基準とせず，引き続き知見の集積に努めるべきもの」として指針値が定められるものを「**要監視項目**」として，モニタリング等の対象とし（水質保全局長通知に基づく），2021年現在，公共用水域についてはトルエン等27項目，地下水については25項目が設定されている。また，1998年には，毒性も明らかでないいわばグレイゾーンにある300物質が「**要調査項目**」とされた（2014年に改定され，2021年現在，207項目になった）。これらについては，将来的には，大防法の有害大気汚染物質と同様に，事業者の自主的な取組を促す規定がおかれる可能性もあろう。

第4に，水生生物保全の観点を中心に据えた水質環境基準は従来設定されてこなかったが，わが国における調査の結果化学物質の濃度が高い場合には水生生物に影響が表れていること等から，検討が進められ，生活環境の保全に関する環境基準のうち，水生生物の保全に係る環境基準として2003年に全亜鉛（その後，ノニルフェノール，並びに直鎖アルキルベンゼンスルホン酸及びその塩〔LAS〕）が入れられた（→**6-1**・**2**(1)(f)〔158頁〕）。

第5に，公共用水域又は地下水における要監視項目指針値超過事例が一定数に上ったことから，2009年に健康保護に係る環境基準の一律項目として1,4-ジオキサンを追加した。

第6に，2016年，水質環境基準の生活環境項目について，魚介類等の水生生物の生息環境保全の観点から「底層溶存酸素量」（底層DO）が追加され，また，海藻等水生植物の生息環境保全及び親水の観点から「沿岸透明度」を地域環境目標として設定することとされた。

Column19 ◇底層溶存酸素量と沿岸透明度

水質環境基準の生活環境項目は，従来利水目的に対応した水質のレベルを目標として定められてきたが，近年の国民のニーズの多様化等を踏まえると，地域の視点を踏まえた望ましい水環境を実現させること，その際，水環境の構成要素である水質，水量，水生生物，水辺地の視点を含めた目標を検討することが必要である。一方，閉鎖性水域での水質改善は未だ十分ではなく，水域によっては貧酸素水塊の発生等により水生生物の生息や水利用等に障害が生じている状況にある。

そこで，第1に，後者の点との関連で，水生生物の生息の場の保全・再生，ひいては健全な水環境保全の観点から，海域及び湖沼を対象として底層溶存酸素量を環境基準項目とすることとされた。水生の保全の観点から，その貧酸素耐性の程度に応じて，海域及び湖沼において水域の類型が設定される。もっとも，底層溶存酸素量は，従来の水質環境基準項目とは性質が異なっている。すなわち，水質環境基準が排水基準等の規制によって達成されるものであったのに対し，底層溶存酸素量の目標は基本的には規制によって達成されるものではない。従来の水質汚濁防止対策（例えば栄養塩類対策）も関連はするが，主には，藻場・干潟の造成，環境配慮型港湾構築物の整備，深堀跡の埋戻し等の様々な事業による対策を組み合わせて，中長期的な対策を実施していくものである。底層溶存酸素量は，目標値に適合している測定地点数の割合で評価する方法がとられる。

第2に，前者の点との関連で，水生植物の生育の場の保全・再生，ひいては健全な水循環の保全の観点から，また，良好な親水利用の場を保全する観点から，海域及び湖沼を対象に沿岸透明度の目標設定を検討することとした。もっとも，これは，水環境の実態を国民が直感的に理解しやすい指標であることから，政府が目標を定め，必要な施策を講じてその確保に努めるものとして位置づけるよりも，むしろ，地域の合意形成により，地域にとって適切な目標（地域環境目標）として設定することが適当と考えられた。したがって，沿岸透明度は，水質環境基準とは直接の関係はない。沿岸透明度は，年間平均値によって評価される。

(c) 今後の課題としては，2005年度からのいわゆる三位一体補助金改革により，都道府県において要監視項目の監視を十分行わなくなっていることから，都道府県において適切な監視実施の動機となるよう，また，突発的な水質汚濁等にも対応ができるよう，要監視項目の位置づけについて検討すべきである（→**Column20**）。

Column20 ◇三位一体補助金改革に伴う環境モニタリングに係る国の補助制度廃止のもたらしたもの

2005年度から，いわゆる三位一体補助金改革により，環境モニタリングに係る国の補助制度が廃止され，相当額が地方公共団体に税源移譲されることになった。環境モニタリングは，その多くが法律に基づく国からの法定受託事務であることから，国においても全国的な観点から適正な水準の確保を図るため，一定の方向性を示すことが必要である。

このような観点から，環境省は，同年，大気，自動車騒音，水質，土壌，地盤沈下の各分野について，環境モニタリングに関する基準等を制定し，都道府県等に通知した。このうち，法定受託事務である常時監視（大防法22条，騒音規制法18条，水濁法15条，農用地土壌汚染防止法11条の2，ダイオキシン類対策特別措置法26条）については，既存のそれぞれの常時監視に係る事務処理基準（地方自治法245条の9第1項及び3項に基づき，都道府県又は市町村が処理する事務の基準であり，国が定めることができるもの）の改正の形式がとられている。

これによって法的には一応の解決をみたともいえるが，実際には何ら十分な解決にはなっていない。地方公共団体によっては環境対策に十分な行政リソースを割く余裕がなく，また住民の意識があまり高くないところも多く，補助金のカットにより，特に法律に定めのない環境モニタリング（例えば，水質の要監視項目の調査，地下水位の調査，ゴルフ場の農薬に係る水質調査など）ポイントが著しく減少してきている。モニタリングは環境行政の出発点であり，それが失われることは極めて大きな問題である。全国でのモニタリングの補助金が2億円程度であったことに鑑みると，この種の補助制度の一律廃止は得るものよりも失うものの方がはるかに大きかったと言える。さらに，モニタリングに限らず，規制や賦課金のような手法が用いられない場合における重要な手法である補助金を国が環境政策として活用しにくくなったことは，わが国の環境改善に重大な桎梏となる可能性があり，大きな問題を孕んでいるといえよう。

(d) 水質環境基準とは別に，1997年には，地下水の水質汚濁に係る環境基準が設定された（平成9年環告10号）（**図表6-6**）。これは健康項目に限定されており，基準値は水質環境基準と同一である。

健康被害に係る水質環境基準及び地下水環境基準については，広く有害物質の環境汚染の防止に資することを念頭においていること，地下水と公共用水域は一体として1つの水循環系を構成していることから，全ての水域に同じ基準を適用するこ

【図表 6-6】地下水の水質汚濁に係る環境基準

項　　目	基準値
カドミウム	0.003 mg/L 以下
全シアン	検出されないこと。
鉛	0.01 mg/L 以下
六価クロム	0.02 mg/L 以下
砒（ひ）素	0.01 mg/L 以下
総水銀	0.0005 mg/L 以下
アルキル水銀	検出されないこと。
PCB	検出されないこと。
ジクロロメタン	0.02 mg/L 以下
四塩化炭素	0.002 mg/L 以下
クロロエチレン	0.002 mg/L 以下
1,2-ジクロロエタン	0.004 mg/L 以下
1,1-ジクロロエチレン	0.1 mg/L 以下
1,2-ジクロロエチレン	0.04 mg/L 以下
1,1,1-トリクロロエタン	1 mg/L 以下
1,1,2-トリクロロエタン	0.006 mg/L 以下
トリクロロエチレン	0.01 mg/L 以下
テトラクロロエチレン	0.01 mg/L 以下
1,3-ジクロロプロペン	0.002 mg/L 以下
チウラム	0.006 mg/L 以下
シマジン	0.003 mg/L 以下
チオベンカルブ	0.02 mg/L 以下
ベンゼン	0.01 mg/L 以下
セレン	0.01 mg/L 以下
硝酸性窒素及び亜硝酸性窒素	10 mg/L 以下
ふっ素	0.8 mg/L 以下
ほう素	1 mg/L 以下
1,4-ジオキサン	0.05 mg/L 以下

備考

1 基準値は年間平均値とする。ただし，全シアンに係る基準値については，最高値とする。

2 「検出されないこと」とは，測定方法の欄に掲げる方法により測定した場合において，その結果が当該方法の定量限界を下回ることをいう。

（以下略）

【図表 6-7】一律排水基準　健康項目

有害物質の種類	許容限度
カドミウム及びその化合物	0.03 mg/L
シアン化合物	1 mg/L
有機燐化合物(パラチオン，メチルパラチオン，メチルジメトン及びEPNに限る。)	1 mg/L
鉛及びその化合物	0.1 mg/L
六価クロム化合物	0.5 mg/L
砒素及びその化合物	0.1 mg/L
水銀及びアルキル水銀その他の水銀化合物	0.005 mg/L
アルキル水銀化合物	検出されないこと。
ポリ塩化ビフェニル	0.003 mg/L
トリクロロエチレン	0.1 mg/L
テトラクロロエチレン	0.1 mg/L
ジクロロメタン	0.2 mg/L
四塩化炭素	0.02 mg/L
1, 2-ジクロロエタン	0.04 mg/L
1, 1-ジクロロエチレン	1 mg/L
シス-1, 2-ジクロロエチレン	0.4 mg/L
1, 1, 1-トリクロロエタン	3 mg/L
1, 1, 2-トリクロロエタン	0.06 mg/L
1, 3-ジクロロプロペン	0.02 mg/L
チウラム	0.06 mg/L
シマジン	0.03 mg/L
チオベンカルブ	0.2 mg/L
ベンゼン	0.1 mg/L
セレン及びその化合物	0.1 mg/L
ほう素及びその化合物	海域外 10 mg/L 海域 230 mg/L
ふっ素及びその化合物	海域外 8 mg/L 海域　15 mg/L
アンモニア，アンモニア化合物，亜硝酸化合物及び硝酸化合物	1Lにつきアンモニア性窒素に0.4を乗じたもの，亜硝酸性窒素及び硝酸性窒素の合計量 100 mg/L
1, 4-ジオキサン	0.5 mg/L

【図表 6-8】一律排水基準　生活環境項目

生活環境項目	許容限度
水素イオン濃度（pH）	海域以外 5.8～8.6 海域　5.0～9.0
生物化学的酸素要求量（BOD）	160 mg/L （日間平均 120 mg/L）
化学的酸素要求量（COD）	160 mg/L （日間平均 120 mg/L）
浮遊物質量（SS）	200 mg/L （日間平均 150 mg/L）
ノルマルヘキサン抽出物質含有量（鉱油類含有量）	5 mg/L
ノルマルヘキサン抽出物質含有量（動植物油脂類含有量）	30 mg/L
フェノール類含有量	5 mg/L
銅含有量	3 mg/L
亜鉛含有量	2 mg/L
溶解性鉄含有量	10 mg/L
溶解性マンガン含有量	10 mg/L
クロム含有量	2 mg/L
大腸菌群数	日間平均 3,000 個/cm^3
窒素含有量	120 mg/L （日間平均 60 mg/L）
燐含有量	16 mg/L （日間平均 8 mg/L）

ととされてきた（健康被害に係る一律項目としての環境基準）。しかし，例えばトリクロロエチレンが嫌気的な地下水中で分解し塩化ビニルモノマー等の別の物質を生成することがあるように，地下水中でのみ検出等がみられる物質があることが注目され，2009年以後，地下水のみについて設定される環境基準等が設けられることとなった（塩化ビニルモノマー及びトランス体の1,2-ジクロロエチレンについて地下水環境基準のみが設定された）。

(3) 排水基準

水濁法の基本的規制方法は，特定施設を設置する工場・事業場（特定事業場）の**排水基準**（3条，排水基準を定める省令〔昭和46年総理府令35号〕）を設け，その遵守を義務付けること（12条）である。排水基準が適用される「排出水」（排水）とは，「特定事業場」（「特定施設」ではなく，特定施設を設置する工場又は事業場）から公共用水域に排出される水である（2条6項。ばい煙「施設」からの排出を問題とする大気汚染〔大防法2条15項〕と相違する→**6-1**・2(2)(a)〔159頁〕）。

排水基準は，濃度規制が基本である。排水基準には，全ての公共用水域を対象として国が環境省令（当初は総理府令であった）で定め，一律に適用される基準（「一律排水基準」）と，都道府県が適用する水域を指定して条例で定める「上乗せ基準」とがある。

「**一律排水基準**」は，健康項目として，人の健康の保護に関する環境基準が定められた27項目に対応する物質及びその化合物，アンモニア及びアンモニウム化合物，ならびに有機燐（りん）化合物（「有害物質」。2条2項1号，施行令2条）合計28項目と，生活環境項目として，生物化学的酸素要求量（BOD）等15項目について，原則として最大値で定められている（排水基準を定める省令別表1，2。**図表6-7**，**図表6-8**）。図表からわかるように，環境基準と排水基準の項目が対応関係にあるわけではない。人の健康の保護に関する環境基準項目については全て排水基準が設定されているが，逆に，排水基準のうち，銅，溶解性鉄，フェノール，全クロムなど水道水の色・臭いに関わるものは，環境基準項目とはされていない（→**6-3**・3(2)〔188頁〕）。河川については，排水基準値（健康項目）は，環境基準の10倍の数値とされており，最低限の許容限度を設定するというシビルミニマムの考え方に基づいて設定されている。一方，生活環境項目の（一律）排水基準値は環境基準値とは関係なく定められている。健康項目についての排水基準は全ての特定事業場に適用されるが，生活環境項目についての排水基準は，1日の平均排水量が50 m^3 未満の特定事業場には適用されない（排水基準を定める省令別表2備考2。いわゆる「裾切り」）。

なお，健康項目についても生活環境項目についても，直ちに一般排水基準への対

【図表 6-9】水質総量規制制度の概要

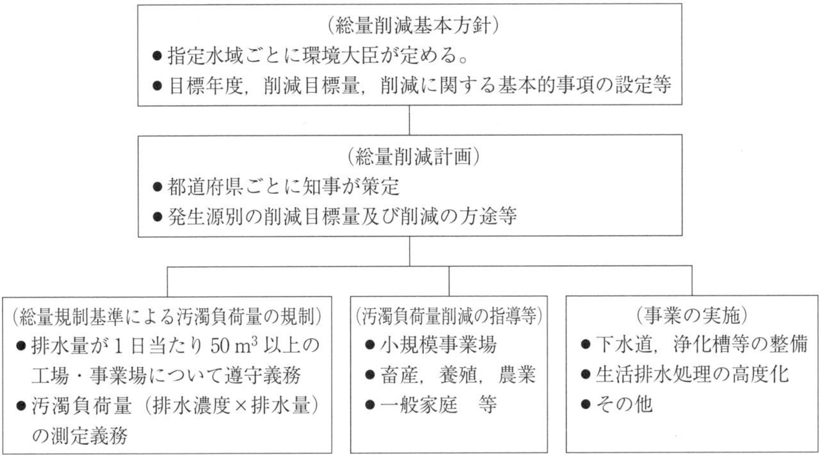

（総量削減基本方針）
● 指定水域ごとに環境大臣が定める。
● 目標年度，削減目標量，削減に関する基本的事項の設定等

（総量削減計画）
● 都道府県ごとに知事が策定
● 発生源別の削減目標量及び削減の方途等

（総量規制基準による汚濁負荷量の規制）	（汚濁負荷量削減の指導等）	（事業の実施）
● 排水量が 1 日当たり 50 m^3 以上の工場・事業場について遵守義務 ● 汚濁負荷量（排水濃度×排水量）の測定義務	● 小規模事業場 ● 畜産，養殖，農業 ● 一般家庭　等	● 下水道，浄化槽等の整備 ● 生活排水処理の高度化 ● その他

出典：環境省資料を加工

応が困難な業種については，暫定的に緩やかな基準値を時限付きで認めている（暫定排水基準。排水基準省令の附則による）。この基準値については，各事業場における排水の排出実態，排水処理技術の開発動向等を的確に把握しつつ検証，見直しがなされるべきである。

また，水生生物に関する全亜鉛の環境基準の設定を受けて，2004 年，亜鉛含有量の排水基準が強化された。一方，ノニルフェノール及び LAS については，公共用水域水質測定（常時監視）結果によると，環境基準値超過例はないか，極めて少ないため，2017 年の段階で，当面，排水基準は設定されなかった。

「**上乗せ基準**」は，都道府県が自然的・社会的条件から判断して一律基準によっては水質汚濁防止が不十分と認められる水域について，政令で定める基準に従い，条例で全国一律の排水基準に「かえて」適用される，より厳しい基準である（3 条 3 項）。生活環境項目に係る排水基準の「裾切り」についても，上乗せ条例を定める可能性はある。なお，対象項目や対象事業場の種類を増加させることは，「横出し」として認められている（29 条）。

(4)　総量規制制度

こうして 1978 年の水濁法の改正によって，**総量規制制度**が導入された（4 条の 2 以下）。これは濃度規制とは異なり，汚濁負荷量の総量の削減を行うものである（**図表 6-9**。2016 年に，第 8 次水質総量削減基本方針が策定され，2017 年を目途に関係 2 都府県知事が第 8 次総量削減計画を策定することとされた）。

Q12 水質汚濁について総量規制制度はなぜ必要とされたのだろうか。

2点あげておきたい。第1に，濃度規制方式では，希釈をすれば基準を達成できるが，これでは総量としての汚染の程度は何ら変わらないという問題がある。

第2に，人口及び産業の集中等により，多数の汚濁発生源が集中的に立地する地域では，個々の特定事業場が排水基準を守っていても，総体としては汚濁（特に有機汚濁が問題となった）が進む状況が現れた。これに対しては，上記の上乗せ基準を設定することが考えられるが，下流の都府県内の公共用水域が環境基準を達成しないからといって，上流の府県が自らは環境基準が達成している場合に上乗せ基準を設定することはできない。また，上乗せ基準は特定事業場に適用されるにすぎず，下水道やノンポイント・ソースのようなそれ以外の汚染源に対して対処できない。

このように，①汚染の濃度ではなく汚濁負荷量の総量を問題とする点，②上乗せ基準が有する，都道府県を超えた広域的対応ができないという限界も，③特定事業場にしか適用されないという限界ももたない点に，総量規制の意義があるのである。

総量規制の対象は，「人口及び産業の集中等により，生活又は事業活動に伴い排出された水が大量に流入する広域の公共用水域（ほとんど陸岸で囲まれている海域に限る。）」で，排水基準のみでは環境基準の確保が困難と認められる水域で政令で定めるもの（**指定水域**）である（水濁法4条の2）。指定水域の水質の汚濁に関係のある地域が政令で定められる（**指定地域**）。**指定項目**は，現在のところ化学的酸素要求量（COD）及び窒素又は燐（りん）の含有量である（施行令4条の2。当初はCODのみであったが，第5次水質総量規制以降，このようになった）。指定水域に関しては，窒素・燐については東京湾，伊勢湾，瀬戸内海が，CODについては東京湾，伊勢湾が，水質汚濁防止法施行令（4条の2）でこの種の水域として定められている（瀬戸内海でのCODの総量規制については，瀬戸内海環境保全特別措置法〔12条の3〕で定められている）。

環境大臣が定める総量削減基本方針において，環境基準を達成するためにはどれくらいの汚濁負荷量を削減しなければならないかを算出し（ただしその際，技術水準，下水道の整備状況等の実行可能性も考慮される），それに基づき，都道府県知事は，総量削減計画を策定，公告し，発生源別の削減目標量等を定める（4条の2，4条の3。計画策定に係る環境大臣の同意を要する協議は，同意を要しない協議に改正された〔平成28年法律43号〕）。汚濁負荷量の許容限度（**総量規制基準**。特定事業場ごとに定める。4条の5）は，CODについては，業種ごとに環境大臣が定める範囲内で都道府県知事が定める一定のCOD濃度と，工程排水の量との積から算定する（施行規則1条の5）。

第8次総量削減基本方針（2019年度目標）では，東京湾，伊勢湾は水環境の改善，大阪湾は特に有機汚濁の解消，瀬戸内海（大阪湾を除く）は現在の水質からの悪化の防止のために，それぞれ削減目標量の達成を図った。

(5) 有害物質の地下浸透の制限，有害物質等の漏洩の未然防止

(a) 1981年，東京都府中市，八王子市等で，水道水源用井戸からトリクロロエチレンなどの有機塩素系溶剤が検出されて以来，各地で有害物質による地下水汚染が問題となっていたが，89年の本法の改正により，有害物質（→(3)〔194頁〕）を製造・使用・処理する特定施設（**有害物質使用特定施設**）を設置する特定事業場（**有害物質使用特定事業場**）から水を排出する者は，それを有害物質を含むものとして環境省令で定める要件に該当する（環境省令では，一定の検出方法により汚染状態を検定した場合において当該有害物質が検出されることが要件とされる。地下水環境基準ではない）形で地下に浸透させることが禁止され（12条の3。「有害物質使用特定施設から地下に浸透する水で汚水等を含むもの」を「**特定地下浸透水**」という〔2条8項〕），地下への浸透についても，公共用水域への排水と基本的に同様の規制を受けるようになった。浸透が意図的であるか否かにかかわらず，この規制を受けることになる。こうして**地下水汚染の未然防止**に関する規定が入れられた。地下水はそのままあるいは簡易な処理の下に飲用に用いられることが少なくないこと，地下水の特質としていったん汚染が生じればその影響が長期間継続すること等を考慮する必要があることから，地下浸透による排水処理を容認しない趣旨を示したものである。

(b) さらに，工場・事業場からの有害物質の非意図的な漏洩，床面からの地下浸透による**地下水の汚染の未然防止**を図るため，2011年の本法の改正により，「**有害物質使用特定施設**（特定地下浸透水を浸透させるものを除く）」と，「**有害物質貯蔵指定施設**」（→(1)(a)〔185頁〕）の設置者は，構造，設備，使用の方法に関する環境省令で定める基準の遵守を義務付けられた（12条の4）。

改正の背景は，工場又は事業場からのトリクロロエチレン等の有害物質の漏洩による地下水汚染事例が，毎年継続的に確認されていたところ，その原因の大半は，事業場等における生産設備・貯蔵設備等の老朽化や，生産設備等の使用の際の作業ミス等による有害物質の漏洩にあり，その中には水濁法の特定施設でないものも含まれることが明らかになったことにある。

(6) 地下水浄化の措置命令

Q13 地下水浄化の措置命令の規定は，環境法の基本原則との関係ではどのように理解されるか。

他方，地下水の過去の汚染の浄化に関する規定は，1996年改正によって導入された。同改正により，特定事業場又は有害物質貯蔵指定事業場（後者は2011年改正によって追加された）において有害物質に該当する物質を含む水の地下への浸透があ

ったことにより，現に人の健康に係る被害が生じ，又は生ずるおそれがあると認めるときは，都道府県知事は，当該特定事業場（又は有害物質貯蔵指定事業場）の設置者（ただし，その者が，地下浸透時に設置者であった者と異なる場合には，地下浸透時に設置者であった者。14条の3第1項但し書，同条2項）に対し，地下水の水質浄化のための措置をとることを命ずることができるとされた（14条の3)。本条の適用対象は，（有害物質使用特定事業場からの排水のみを規制する）地下浸透水の未然防止に関する12条の3とは異なり，適用対象が広がっていることに注意されたい。

これは，地下水汚染の浄化について，**原因者負担原則**を堅持する旨を示したものである（地下浸透時に設置者であった者を条件抜きに取り上げている点は，土壌汚染対策法よりも原因者負担主義が強化されている)。ただし，本法は，原因者のみを対象としつつも，事業場の管理者責任との関係での限定を施すものといえよう。改正法附則2条（平成8年法律58号）は，汚染者であっても，改正公布日前に管理者でなくなると対象から除外されるとしているからである。

もっとも，「健康被害のおそれ」を要件としたことから，本条の適用は極めて困難なものとなっている。「生活環境の被害のおそれ」を加えるのが立法論的には妥当であろう。この点は，後述する土壌汚染対策法と同一の問題である。

浄化責任の規定に関しては，なおいくつかの問題がある。

Q14 水濁法14条の3は責任の遡及をしているのか。

水濁法14条の3が，当時適法であった地下浸透行為を，後に違法とする「責任の遡及」をしたものか否かは，1個の論点である。この点については，本条は，措置命令を受ける者を，「特定事業場（又は有害物質貯蔵指定事業場)」の現在の設置者ないしは過去の設置者に限定しており，浄化の義務は，「特定事業場」の概念が水濁法で定められた1970年までしか遡らないことになる。そして，同年の本法の制定当時から，「有害物質を含む汚水等（これを処理したものを含む。）が地下にしみ込むこととならないよう適切な措置をしなければならない」との条文が存在していた（当時の14条3項）ことからすると，1996年の改正によって責任の遡及が認められたという必要はないであろう。

Q15 原因者が複数の場合，地下水浄化の措置命令はどのようになされるか。

原因者が複数の場合の責任関係については，本条に関連する施行規則は，汚染原因者の汚染寄与度に応じて，都道府県知事が定める削減目標を達成することとしている（施行規則9条の3第2項但し書)。連帯責任は採用されていないのである。この点も，後述する土壌汚染対策法と同様である。

なお，特定事業場の設置者であった者が措置命令を受けた場合には，現在の設置者は命令に係る措置に協力しなければならないとされている（14条の3第3項）。このような現定がおかれたのは，浄化措置のために土地を一時利用できなくなる等のおそれがあるためである。

Column21 ◇地下水浄化基準値の厳格化と浄化命令

①有害物質が新たに指定された場合，及び②有害物質に関する浄化基準値（施行規則9条の3，別表2）が強化された場合には，それ以前にその物質を地下に浸透させた特定事業場（又は有害物質貯蔵指定事業場）設置者も，水濁法14条の3に基づいて浄化措置命令の対象となる。同条1項の「有害物質に該当する物質」という語は，①が対象となることを示している。②の場合も同様に解釈できよう。

しかし，②浄化基準値が厳格化された場合において，一旦浄化措置命令を発し，すでに事業者が浄化したが，なお新基準値は超える有害物質が残っているときに，再度浄化命令を発出できるか（実際，2014年には，カドミウムの環境基準の強化に伴い，浄化基準値も厳格化されている）。

環境基準値の厳格化とともに地下水浄化基準値を厳格化するときは，一度浄化命令が出されていた場合に再度浄化措置命令を発出することとなり，行政の信義則上問題が生じうる。もっとも，地下水については浄化命令は1件も出されていないのでとりあえず実際の問題は生じないといえよう（これに対し，土壌汚染については，措置命令が活用されていること，ストック汚染であることから，この点についての考慮が特に重要となる→ **Column25**〔232頁〕）。

Q16 水濁法14条の3と土壌汚染対策法5条，7条とはどのような関係に立つか。

土壌汚染対策法5条は地下水の飲用等による摂取の防止の観点からの調査命令の規定をおいている。同条の要件は，水濁法14条の3と類似しているが，水濁法の地下水浄化措置命令については，地下水汚染が判明している地点で，地下水を飲用に利用している等の状況にあることが必要であるのに対し，土壌汚染対策法の調査命令では，土壌汚染のおそれがある地点の周辺で，地下水を飲用に利用している等の状況があれば足り（施行令3条1号イ，施行規則30条），汚染のある地点と，地下水の飲用等の地点が離れていても命令を発出できる点で，より広く適用されうると解されている。この点は，土壌汚染対策法7条の指示措置及び措置命令についても同様であると解されている。

このように，水濁法14条の3の方が，土壌汚染対策法の5条調査命令，7条の指示措置・措置命令よりも要件が狭く特別な場合であると考えられることから，地下水浄化措置命令と，土壌の汚染除去等の指示措置・措置命令（さらに5条調査命令）のどちらも発出しうる場合には，水濁法14条の3が優先的に適用されると解されている（『逐条解説 土壌汚染対策法』97頁）。

(7) 遵守確保の制度

「排水基準」,「総量規制基準」,「特定地下浸透水の浸透制限」,「有害物質使用特定施設及び有害物質貯蔵指定施設に係る構造基準等」については,それぞれ遵守が法的に義務付けられている(12条,12条の2,12条の3,12条の4)。排水基準違反の有無は,特定事業場の排水口でチェックされる(12条)。

遵守確保のための規制の態様としては,「特定施設」,「有害物質使用指定施設」及び「有害物質貯蔵指定施設」の設置の際のものと,設置後のものがある。

(a) 施設設置の際の規制は,**事後変更命令付きの届出義務**である。

①工場又は事業場から公共用水域に水を排出する者は,特定施設を設置しようとするときに,都道府県知事に届け出ることが義務付けられている(5条1項)。

②工場又は事業場から有害物質使用特定施設に係る特定地下浸透水を**意図的**に地下に浸透させる者も同様である(同条2項)。

③工場若しくは事業場において有害物質使用特定施設(同条1項,2項の場合を除く)若しくは有害物質貯蔵指定施設を設置しようとする者も同様である(同条3項)。2011年改正に基づく規定である。

①~③について,構造等の変更をする場合も同様である(7条)。

もっとも,届け出れば直ちに施設の設置が可能となるわけではなく,都道府県知事は,特定施設,有害物質使用特定施設,有害物質貯蔵指定施設が排出基準又は環境省令で定める要件・基準に適合しないと認める場合には,届出を受理した日から60日以内に限り,計画の変更・廃止を命ずることができる(8条。この期間内は施設の設置等が禁止される。9条)。総量規制基準に適合しないと認める場合には,処理方法の改善その他必要な措置を命ずることができる(8条の2)。

(b) 設置後の規制としては,改善命令等(13条~13条の3)及びその違反に対する罰則(30条)と,排水基準違反に対する直罰がある(12条,31条1項1号,2項)。

(ア) ①都道府県知事は,排出基準(上乗せ基準を含む)に違反しているおそれがある場合は施設の構造もしくは使用方法又は処理方法の改善,又は施設の使用,排出の一時停止を命ずることができる(13条1項。総量規制基準違反のおそれがある場合にも,処理方法の改善等を命ずることができる。同条3項)。「おそれ」の段階で改善命令を発出できるのであり,**未然防止原則**に対応している。

②地下水についても,特定地下浸透水を浸透させるおそれがある場合には,施設の構造もしくは使用方法又は処理方法の改善,又は施設の使用,浸透の一時停止を命ずることができる(13条の2)。

③有害物質使用特定施設又は有害物質貯蔵指定施設の設置者については,環境省

令で定める基準を遵守していないと認める場合に，施設の構造，使用方法等の改善，施設の使用の一時停止を命ずることができる（13条の3）。2011年改正に基づく規定である。漏洩のおそれを特に問題とするのでなく，構造基準等の違反を問題としている。非意図的な漏洩の未然防止が目的とされているためであろう。

(イ) 刑事罰については，排水基準（条例による上乗せ基準も含む。3条3項）違反の場合と総量規制基準違反の場合とで異なっている。

Q17 排水基準違反の場合と総量規制基準違反の場合とで，刑事罰（直罰）についてどのような相違があるか，それはなぜか。

排水基準違反については，改善命令等の行政命令を経由する場合もあるが（30条），直罰制度も認められている（31条1項1号，2項）。罰則としては，行政命令を経由した方が重い。

他方，総量規制基準違反は，行政命令（13条3項）を必ず経由することになっている（30条。12条の2違反に対する罰則がないことに注目せよ。この点，大気汚染の場合と異なる。→**6-2**・2(6)(a)〔172頁〕）。これは，水質の総量規制基準が1日あたりの許容限度であることから，違反事実の確認が立入検査等では困難であること等を理由とする（これに対し，大気の総量規制基準は，1時間あたりの量で決められている。大防法5条の2，施行規則7条の3，7条の4）。

特定地下浸透水を浸透させた場合，有害物質使用特定施設及び有害物質貯蔵指定施設に係る構造基準等違反の場合についても，直罰は科されない。

(ウ) なお，地下水の浄化措置命令に違反した者は，改善命令違反の場合と同様，1年以下の拘禁刑又は100万円以下の罰金に処せられる（30条）。

(エ) 排水基準違反，総量規制基準違反，特定地下浸透水の浸透を問題としようとしても，測定が正確に記録され，それが保存されていなければ，基準が画餅に帰する可能性が高い。

総量規制基準については，かねてより，指定地域内事業場から排水する者の測定記録義務（14条2項）違反に罰則が科されていた（33条3号）。

これに対し，排水基準（及び特定地下浸透水）については，排出水等の汚染状態等の測定記録義務違反の罰則は科されていなかった。そのため，2010年の水濁法改正により，排出水を排出する者（及び特定地下浸透水を浸透させる者）に対し，排出水等の汚染状態等の測定結果の記録に加え，その保存を義務付けるとともに，記録及び記録保存の義務に違反して，記録せず，虚偽の記録をし，又は記録を保存しなかった者に対する罰則が設けられた（14条1項，33条3号。さらに測定頻度も定められた。施行規則9条）。大気汚染の場合と同様，事業者による未記録，記録改ざん等への厳正な対処をするため，直罰規定を導入した1970年改正の際に削られた規定が復活したことになる。

地下水漏洩未然防止対策においても同様の問題が生じるが，2011年改正により，有害物質使用特定施設及び有害物質貯蔵指定施設の設置者は，その施設の構造・使用の方法等について定期的に点検し，その点検結果を記録し，記録を保存する義務を負うものとされ（14条5項），罰則も設けられた（33条3号）。

⑻　常時監視・立入検査

違反の把握のため，都道府県知事には，公共用水域と地下水の汚濁状況を常時監視する義務が課されている（15条）。また，特定事業場に対する報告徴収，立入検査の規定もおかれている（22条）。

⑼　事故時の措置

Q18　事故時の措置に関する2010年改正にはどのような意義があるか。

(i)　特定事業場設置者は，特定事業場において，事故により有害物質を含む水又はその汚染状態が生活環境項目（pHなど）について排水基準に違反するおそれがある水が公共用水域に排出され，又は地下に浸透したことにより人の健康又は生活環境に係る被害が生ずるおそれがあるときは，応急措置をとるとともに，事故状況と措置の状況を届け出なければならない（14条の2第1項）。

(ii)　指定事業場（指定施設を設置する工場又は事業場）設置者は，指定事業場において，事故により有害物質又は指定物質を含む水が公共用水域に排出され，又は地下に浸透したことにより人の健康又は生活環境に係る被害が生ずるおそれがあるときは，(i)と同様の義務を負う（同条2項）。

(iii)　貯油事業場等設置者は，貯油事業場等において，事故により油を含む水が公共用水域に排出され，又は地下に浸透したことにより人の健康又は生活環境に係る被害が生ずるおそれがあるときは，(i)と同様の義務を負う（同条3項。以上につき**図表6-10**）。

(i)〜(iii)のいずれの場合においても応急措置の措置命令（同条4項）に違反したときは，処罰される（31条1項2号）。

前述したように（→**3⑴(a)**〔185頁〕），「指定物質」とは，「有害物質及び……油以外の物質であって公共用水域に多量に排出されることにより人の健康若しくは生活環境に係る被害を生ずるおそれがある物質」であり（2条4項，14条の2第2項），政令で56物質が指定されている。「指定施設」とは，①有害物質を貯蔵し，もしくは使用する施設，又は②指定物質を製造し，貯蔵し，使用し，もしくは処理する施設をいう（2条4項）。これらは，水濁法の2010年改正で導入されたものである。

【図表 6-10】事故時の措置の概要（対象物質と施設との関係）

事故時措置（14条の2）

施設＼物質	有害物質	指定物質	油
特定施設（2条2項）	製造，使用，処理	——	——
指定施設（2条4項）	貯蔵，使用	製造，貯蔵，使用，処理	——
貯油施設等（2条5項）	——	——	貯蔵，処理

2010年改正により事故時措置の対象となった項目

※特定施設，指定施設，貯油施設等の各施設はそれぞれ重複することがあり得る。

出典：環境省資料を加工

改正の背景には，従来事故時の措置の対象となっていないものの，人の健康又は生活環境に影響を及ぼすおそれがある物質について，それらの物質を使用する施設等に係る事故が発生してきたことがあげられる。そこで，従来排水規制の対象となっていなかった有害な**物質**，従来排水規制の対象事業者（特定事業場設置者）となっていなかったが，有害な物質を取り扱う**事業者**を，事故時に限って水濁法の対象に取り込むことが考えられたのである。それまで，事故時の措置の対象物質は排水規制の対象である「有害物質」と「油」に限定されていたが，2010年改正は，これら以外でも「人の健康又は生活環境に係る被害を生ずるおそれがある物質」であれば措置の対象とするように見直したことになる。「有害物質」対策に偏っていた40年来の法体系に風穴をあけたものといえる。

⑽　事業者の一般的責務

事業者の上記の排出水の排出の規制等に関する措置のほか，その事業活動に伴う汚水等の排出等の状況を把握するとともに，水質汚濁の防止のために必要な措置を講ずるようにしなければならない（14条の4）。事業者全般を対象とした一般的責務の規定である。2010年改正で導入された。

Column22 ◇利根川取水停止事件と法的課題——情報伝達のあり方

1　事件の概要

2012年5月，利根川の浄水場で水質基準を上回るホルムアルデヒドが検出され，1都4県の浄水場で取水停止，千葉県内5市で断水又は減水が発生した。その後の調査により，埼玉県本庄市に所在する事業者Aが，高度のヘキサメチレンテトラミン

(HMT) を含む廃液の処理を，群馬県高崎市内の事業者Bに委託し，当該受託事業者が，HMT を含む廃液を受け入れ，中和処理を行い，処理水を新柳瀬橋上流で烏川に合流する排水路に放流したことが判明した。HMT は，下流に流下し，利根川水系の広範囲の浄水場において，浄水過程で注入される塩素と反応し，消毒副生成物としてホルムアルデヒドが生成された。

2012 年 8 月，4 都県の水道事業体が損害賠償を請求する訴訟を提起した。2013 年 8 月，千葉県と同県の水道事業体も別に訴訟提起した。埼玉県によれば，A は B に廃液のサンプルを提供していたものの，契約書には HMT の記載はなく告知されていない。しかし，廃棄物に関する情報を秘匿したわけではなく，廃掃法の委託基準違反には当たらないとされた（その後，2018 年 12 月に和解が成立した)。

HMT という前駆物質，未規制物質が問題となったこと，排出事業者の情報伝達の責任が問題となったことなど多岐の論点が提示された。公法上の対応と，不法行為責任の追及の双方が問題とされた。

2　環境公法的対応——検討された 2 つのアプローチ

⑴　排水関連の対応としては，第 1 に，HMT を水質汚濁防止法上，事故時の指定物質（2 条 4 項，14 条の 2 第 2 項）に指定することが必要と考えられ，2012 年 9 月，同法施行令が改正された（3 条の 3)。

第 2 に，排水基準の項目に HMT を追加するかが問題となったが，従来前駆物質について排水基準を定めたものはないこと，ホルムアルデヒドは水道水質基準項目となっているが，2015 年当時，年 5600 検体中 1 件程度しか検出されておらず，環境基準，排水基準を作るほどの段階に至っているとはいいにくいことから，困難と考えられた。

第 3 に，前駆物質については，水道水源法のトリハロメタン生成能をもつフミン質と同様の扱いをすることが考えられ，この点からは，ホルムアルデヒド生成能をもつ物質について水道水源法を拡張する立法（改正）をすることも考えられなくはなかったが，トリハロメタンは濃度が基準値の 7 割を超えるものが相当数見られるのに対し，ホルムアルデヒドについては上記のように検出頻度が非常に少なく，トリハロメタンと同様には考え難いため，対応はなされていない。

厚生労働省では，2013 年に，前駆物質を含め，水道水について「水道危害項目（仮称)」を新設し，流出時の備えとして，あらかじめ濃度の目標値や分析法を決め，上流の使用実態を把握するとともに，工場での監視や事故対策マニュアルへの反映につなげることが検討された。

その後，2015 年に至り，厚生労働省は，浄水処理により副生成物として水質基準項目等を生成するような物質等を特定するとともに，それらの物質の水道水源への流入を防止する対策等を促すことが必要であり，また，水道水源の上流にこれらの物質を排出する可能性のある事業者が存在する水道事業者等においては，当該物質によるリスクの存在を認識し，万が一の事故が起こった場合に備えておくことが望ましいことから，通常の浄水処理により水質基準項目等を高い比率で生成する物質を新たに「浄水処理対応困難物質」と位置づけた（「『浄水処理対応困難物質』の設定について」〔平成 27 年 3 月 6 日健水発第 0306 第 1～3 号〕)。2015 年には 14 物質が指定された。

⑵ 廃棄物関連の対応としては，排出事業者が処理業者にHMTを含む廃棄物を引き渡す際の情報提供の懈怠が問題となった。

この情報提供についてはWDSガイドライン（「廃棄物情報の提供に関するガイドライン」〔2006〕）が定めていたが，同ガイドラインは，情報を伝達すべき物質を特定しておらず，概括的なものにすぎなかったため，2013年6月，第2版に改定された。その特徴としては，①廃棄物情報が必要な項目を整理し，特定有害物質，PRTR対象物質，水道水源における消毒副生成物前駆物質等17項目としたこと，②対象廃棄物について，主な適用対象を，外観から含有物質や有害特性が分かりにくい，汚泥，廃油，廃酸，廃アルカリ等としたこと，③情報提供の時期について，WDS（廃棄物データシート）は基本的には契約時に提供するものであるが，新規の廃棄物処理に際して受入れの可否判断や処理に必要な費用の見積もりのために処理業者へWDSを提供すること等が望ましいとしたことがあげられる（もっとも，WDSの活用率は高くない。この点，たとえば労働安全衛生法のSDS〔安全データシート〕の活用率は8割程度であった）。

他方，排出事業者の委託基準（廃掃法12条6項。施行令6条の2第4号）については，現在廃掃法施行規則8条の4の2第6号で取扱注意事項をあげている（バスケットクローズとして「その他当該産業廃棄物を取り扱う際に注意すべき事項」〔同号へ〕）ものの，何を伝達すべきかについて明確ではない。なお，委託基準違反については，処理業者が当該産廃の処理を行う上で明らかに必要な情報を排出事業者が提供しなかった場合について罰則が科されるにすぎない（同法26条1号）。

一般的観点としては，廃掃法では排出事業者の処理責任が定められ（3条，11条），処理を委託する業者は，委託しようとする産廃処理が事業の範囲に含まれていることが定められており（施行令6条の2第1号），委託先の選定，処理方法の検討を行うために，自ら排出した廃棄物の性状を理解し必要な情報を明確にする必要がある。

この事件当時は，廃棄物処理業の労働災害の頻度は全業種の平均の約6倍といわれており，将来的には，1）WDSガイドラインを強化し，物質を特定して情報の伝達を求める点を排出事業者の委託基準（廃掃法12条6項）に反映させ，委託基準違反に対しては罰則を科することが考えられる。2）また，PRTR法，毒劇法，消防法，労働安全衛生法に，対象となる危険・有害物質について情報伝達を義務付けるSDSの制度があり，WDSとこれらのSDSとの連携を図ることが重要である。

3 不法行為法による処理

この事件には，①原因行為自体が，排出事業者の行為（特に情報提供）と処理業者の行為の競合によること，②事後的に他者（水道事業者）の行為と競合して損害が発生したことという特徴があった。本件の焦点は排出事業者及び処理業者に過失があったか否かであった（本件では，排出事業者に対して，埼玉県，東京都，茨城県，群馬県が共同で2013年8月にさいたま地方裁判所に提訴したが，2018年12月26日，和解が成立した）。

⑴ 排出事業者に関して，自らが排出した物質に関する情報提供について，どの程度の高度の注意義務が課されるか。これについては，熊本水俣病第1次訴訟判決（熊本地判昭和48・3・20判時696号15頁［81］）等における注意義務が参考になる。もっとも，本件は公害の直接の影響でなく，水道事業者における塩素との化合による影響（間接的

影響）である点が異なる。本件において考慮されるべき事由としては，①未規制物質であったこと，②廃液のサンプルは渡しているが，HMT 含有の情報は告知していないこと（埼玉県は委託基準違反には該当しないとしたが，不法行為の過失の判断は公法上の義務違反を参考にはするが，それだけで判断されるわけではない。サンプルを渡せば十分かが問題である），③ 2003 年に当該排出事業者が利根川に HMT を流出してホルムアルデヒドを発生させていたことがあげられる。③が決め手になるだろう。

(2) 処理業者の過失についても，どの程度の注意義務かが問題となるが，何が入っているか分からず，全部の物質の調査を求めるのは不可能に近いこと，大規模な事業者ではないことが一般的であることからすると，経済的な期待可能性を考慮せざるを得ないのではないか。一般には，排出事業者と比較すると，高度の注意義務を課しにくいといえよう。本件において考慮すべき事由としては，①未規制物質であったこと，②法の求める中和処理はしており，HMT が含まれていることを知らされていなければ特別な処理をする必要が認識できなかったことが考えられる。本件では，排出事業者に比べれば，処理業者の注意義務違反の程度は小さいと考えられる。

4 生活排水対策

わが国の公共用水域の生活環境項目に係る水質の状況について，生物化学的酸素要求量（BOD），化学的酸素要求量（COD）からみた水質環境基準の達成率は横ばいが続いており，その有力な要因として，生活排水への取組の遅れがあげられた。そこで，1990 年の改正により，本法に生活排水対策に関する規定が加えられた。

改正の趣旨としては，①生活排水対策に関わる行政の責務の明確化（市町村――生活排水処理施設の整備，都道府県――施策の総合調整，国――知識の普及と地方公共団体への援助。14 条の 5），②生活排水対策に関わる国民の責務（14 条の 6，14 条の 7）の明確化，③生活排水対策の計画的推進（14 条の 8～14 条の 11），④総量規制地域における排水規制対象施設の拡大があげられる。

③については，水質汚濁が激しい公共用水域をかかえる都道府県知事は，特に生活排水対策を講じる必要があると認める区域を「生活排水対策重点地域」として指定する（14 条の 8）。そしてそれに含まれる市町村は「生活排水対策推進計画」を策定して，啓発・指導を中心とする施策を展開する（14 条の 9）。なお，生活排水対策推進市町村の長が，排水者に指導，勧告等を行うことができる（14 条の 11）。

④については，総量規制がかけられる指定地域における排水規制対象施設を拡大するため，この地域においてのみ規制対象となる「指定地域特定施設」の制度が創設された。処理対象人員 201 人から 500 人のし尿浄化槽のみが指定されている（2 条 3 項，施行令 3 条の 2）。

5　水濁法の最近の改正

最近の改正について，便宜のため，要約して再度掲載しておく。

⑴　水濁法 2010 年改正

改正の概要は次の各点である（改正の背景については，→**6-1**・4〔162 頁〕）。

第 1 に，排出水等の汚染状態等の測定結果の未記録等に対する罰則が創設された（14 条 1 項，2 項，33 条）。

第 2 に，汚水の流出事故時の措置の対象が追加された（→3⑼〔202 頁〕）。

まず，「指定事業場」の設置者に対し，事故により有害物質又は「指定物質」を含む水が排出されたこと等により人の健康又は生活環境に係る被害を生ずるおそれがある場合における応急の措置及び都道府県知事への届出が新たに義務付けられた（14 条の 2 第 2 項）。

また，事故時に特定事業場の設置者が応急措置及び都道府県知事への届出を義務付けられる水の排出として，その汚染状態が生活環境項目について排水基準に適合しないおそれがある水の排出を追加した（14 条の 2 第 1 項）。

第 3 に，事業者の一般的責務規定が創設された（14 条の 4）。

⑵　水濁法 2011 年改正

Q19　水濁法の 2011 年改正の趣旨はどこにあるか，土壌汚染対策法の 2009 年改正とはどのような関係にあるか。

(a)　改正の趣旨は，当時の調査により，工場又は事業場からの有害な物質の漏洩による地下水汚染事例が，毎年継続的に確認され（2009 年度において，VOC については 2000 件超，重金属等については 1500 件程度であり，ともに 1000 件程度が基準を超過していた），その中には，事業場等の周辺住民が利用する井戸水から検出された例もあることが明らかになったことにある。地下浸透規制制度が導入された 1989 年度以降に汚染原因となった行為等が終了した汚染事例 252 件のうち，約 3 割において周辺井戸水の飲用中止の指導が行われた。

これらの原因の大半は，事業場等における生産設備・貯蔵設備等の老朽化や，生産設備等の使用の際の作業ミス等による有害物質の漏洩にある。その中には水濁法の特定施設でないものも含まれた。

他方，地下水は都市用水の約 25% を占める貴重な淡水資源であったが，いったん汚染されると多くは回復が困難なため，汚染を未然に防止することが非常に重要である。このような状況の下，地下水汚染の効果的な未然防止を図ることが重要となったのである。

そこで，工場・事業場における有害物質の非意図的な漏洩，床面からの地下浸透を防止することを目的として，本改正が行われた。

(b) 改正の概要は次の5点にある。

第1に，①「有害物質貯蔵指定施設」及び②「有害物質使用特定施設」(特定地下浸透水を浸透させるものを除く。5条2項参照) の設置者に，当該施設の構造，設備，使用の方法等について都道府県知事に事前に届け出るよう義務付けた (5条3項)。

①は，有害物質 (施行令2条) を含む液状の物を貯蔵する指定施設とされた (施行令4条の4)。これは有害物質を貯蔵することを目的とする施設であり，例えばガソリンの中にベンゼンが含まれていても，ガソリンを貯蔵する施設が①となるわけではない。

②は，下水道に全量放流する有害物質使用特定施設などがあたる (このような者は，公共用水域には直接排出しないため，従来，水濁法の届出義務がなかった)。

第2に，有害物質貯蔵指定施設及び有害物質使用特定施設 (特定地下浸透水を浸透させるものを除く) の設置者は，有害物質による地下水の汚染の未然防止を図るため，構造，設備，使用の方法に関する基準 (環境省令で定める) を遵守しなければならないとした (12条の4)。

第3に，構造等の基準遵守義務違反時に，都道府県知事は必要に応じ命令ができることとされた。

すなわち，まず，都道府県知事は，届出があった場合，有害物質貯蔵指定施設及び有害物質使用特定施設が法12条の4の基準に適合していないと認めるときは，届出受理から60日以内に限り，構造等に関する計画の変更又は廃止を命ずることができることとした (8条2項)。

次に，都道府県知事は，有害物質貯蔵指定施設及び有害物質使用特定施設の設置者が，法12条の4の基準を遵守していないと認めるときは，構造等の改善，施設の使用の一時停止を命ずることができるとした (13条の3)。

なお，上記第2点及び第3点について，既存施設については，施行後3年間は猶予された (改正法附則4条)。また，既存施設は，施行から3年経過後についても，施行後新設の施設とは，適用される基準が異なっている。

第4に，有害物質貯蔵指定施設及び有害物質使用特定施設の設置者は，その施設の構造・使用の方法等について定期的に点検し，その点検結果を記録し，それを保存することが義務付けられ (14条5項)，違反の場合には罰則が科された (33条3号)。

第5に，有害物質貯蔵指定施設が，環境大臣及び都道府県知事による報告及び検査の対象として追加された (22条，施行令8条)。

第2点の構造等に関する基準と，第4点の定期点検の方法については別個の規定ではなく，組み合わせで考えられている。有害物質を貯蔵する施設等が必要な材質や構造を有していて漏洩を防止できることが確保されていれば，定期点検は適切な頻度で目視によって行われる。材質及び構造による漏洩防止が十分確保できない既設の施設であれば，目視による定期点検の頻度が多くされる。目視による定期点検もできない既設の施設であれば，漏洩を検知するシステムを導入するなどである。

なお，適用対象となる施設には，施設本体に付帯する配管等，排水系統で，有害物質を含む水が流れる設備は全て含まれ，これらについては届出が義務付けられる(法5条1項9号及び5条3項6号の「環境省令で定める事項」にこれらのものが含まれる。施行規則3条1項，3項)。漏洩等に対処するための改正であるところから，適切な対応である。他方，有害物質使用特定施設についても有害物質貯蔵指定施設についても，施設本体の地上に出ている部分は適用対象とならない。

(c) この改正は，地下水がいったん汚染されると回復困難になることを重視したものである。これにより，工場・事業場における有害物質の非意図的な漏洩による地下浸透が防止されることが期待される。

後述するように，土壌汚染対策法の2009年改正が掘削除去の抑制を重視し，また，周辺での地下水の利用がない場合には，人の健康被害のおそれはないことが多いため，形質変更時要届出区域になるにすぎず，基本的には汚染土壌の管理をすることを明確に打ち出したのとは，ベクトルがやや異なるようにも見える。しかし，土壌汚染対策法は汚染の除去等が目的であるのに対し，地下水汚染については未然防止が問題となっているのであり，法目的が異なるため，より厳しい対応がとられているといえよう。

なお，臨海部の工場等，周辺での地下水の利用がなく，人の健康に影響を及ぼすおそれがない場合でも構造等の規制を適用するのは過剰規制ではないかとの議論もないではないが，地下水は将来にわたって清浄な水質を保全すべき淡水資源であるとの考えから，例外は設けないという扱いがなされている。

(3) 「放射性物質による環境の汚染の防止のための関係法律の整備に関する法律」による水濁法2013年改正

2013年6月，「放射性物質による環境の汚染の防止のための関係法律の整備に関する法律」(同月公布)により，放射性物質による水質の汚濁及びその防止についての適用除外規定(23条1項)が削られ，放射性物質による公共用水域及び地下水の水質汚濁の状況の常時監視を環境大臣が行う旨(15条3項)が定められた(2013年12月施行)。放射性物質による汚染の防止のための措置に関する環境基本法の適用除外規定(13条)を削った，2012年制定の原子力規制委員会設置法附則51条を踏まえた改正である。

6　汚染の現状と展望

(1)　水質環境基準のうち健康項目についてはほぼ全国の公共用水域で達成されている。一方，生活環境項目のBOD又はCODの環境基準達成率は2018年度で公共用水域全体で89.6%であり，長期的には改善傾向にあるが，湖沼，閉鎖性海域に係る環境基準の達成率は低く，赤潮や貧酸素水塊が発生し，水利用や水生生物等の生育・生息に障害を生じている水域もある。また，地下水の環境基準達成率は2018年度で94.4%になっている。

水質総量削減は東京湾，伊勢湾，瀬戸内海に流入する汚濁負荷量を着実に削減してきた結果，大阪湾を除く瀬戸内海での窒素と燐（りん）は環境基準をほぼ達成した。

公共用水域の水質汚濁は，①工場・事業場排水，生活排水，畜産排水のように，外部負荷に伴うもの，②底質汚泥からの溶出等のように，内部負荷に伴うもの，③域内での魚類養殖等のように直接負荷に伴うものに分かれる。①は，点源として特定できる汚濁水の発生源である特定汚染源（ポイントソース）に由来するものと，点源としては特定できない面源である非特定汚染源（ノンポイントソース）に由来するものに分かれる。

なお，海洋環境保全に関しては，海岸漂着ごみの問題も生じている。これについては，2009年，海岸漂着物の円滑な処理とその発生抑制を図るため，海岸漂着物処理推進法が成立し，公布，施行された（大塚『環境法』9-2-5・2〔512頁〕参照）。海洋のプラスチックごみについてはマイクロプラスチック問題も発生している（大塚『環境法』9-2-5・1〔508頁〕参照）。

(2)　水に関して今日残されている重要な環境上の課題は，生活排水対策，非特定汚染源対策，閉鎖性水域対策，健全な水循環の確保の4点にあるといえよう（大塚『環境法〈第4版〉』8-3・7〔350頁以下〕参照）。

健全な水循環に関しては，2014年に，水循環基本法及び雨水の利用の推進に関する法律が制定された。水循環基本法は，基本理念として，①水循環の重要性，②水の公共性，③健全な水循環への配慮，④流域の総合的管理，⑤水循環に関する国際協調をあげ（3条），各主体の責務を定める（4条以下）とともに，政府が水循環基本計画を策定することを規定する（13条）。今日，地下水の大量の揚水が可能となった中で，本法が地下水を「国民共有の財産」であり「公共性が高い」としたことは首肯できる。今後は，健全な水循環を確保するためには，水循環基本法の下に，地下水の保全，水利権への対応，流域の治水の関係での森林の管理など，個々の法制度を充実させる必要があろう。

6-4　土壌汚染

1　序

(1)　土壌汚染の特色としては，主に3点があげられる。①いわゆる**ストック汚染**であり，浄化しないと永久に持続する性質のものであること，②農作物の生育等に対しては直接の影響があり，人の健康に対しては皮膚接触，食品摂取のような直接摂取のほか，水，大気の汚染等（特に地下水汚染）を通じた**間接的経路**が重要であること，③汚染土壌の多くは**私有地**であり，行政が規制をしたり対策をとる上で理由づけが必要となることである。

(2)　わが国の土壌汚染は，明治期の足尾銅山鉱毒事件による農作物被害に端を発しているが，昭和30年代には，神通川流域のカドミウムによる**イタイイタイ病**，**土呂久の砒（ひ）素汚染事件**等，農作物を通して人の健康にまで被害が生ずることが明らかになった。

イタイイタイ病の原因については，1968年にようやく厚生省がカドミウムであると認めたが，これ以後，カドミウム汚染地域の調査，食品衛生法に基づく「食品，添加物等の規格基準」が改正され，米のカドミウム含有についての安全基準が定められた。

こうした**カドミウム米**をめぐる社会不安，足尾銅山鉱毒事件以来の銅による農作物生育障害の問題等に対処するため，1970年の公害国会は，公害対策基本法の典型公害に土壌の汚染を追加するとともに，「農用地の土壌の汚染防止等に関する法律」（農用地土壌汚染防止法）を制定した。これが，わが国の土壌汚染に関する法制の始まりである。同法に基づく対策計画によって対策事業が実施される場合に，その事業費の負担は，同時に制定された公害防止事業費事業者負担法（→**9-2**・1〔417頁〕）に基づく費用負担計画によって定められ，事業者が費用の全部又は一部を負担することになる。

(3)　その後，1975年には東京都江東区の化学工場跡地の**六価クロム事件**が起きるなど，市街地の土壌汚染がクローズアップされてきた。さらに，君津市におけるトリクロロエチレン等による地下水汚染問題を契機に，1989年に水濁法が改正され，特定地下浸透水の浸透の禁止の規定が入れられた（12条の3）。地下水汚染の未然防止に関する規定である。

(4)　他方，土壌汚染に関する環境基準の設定は，公害対策基本法に規定があったにもかかわらず，永年放置されていたのであるが，1991年にようやく**土壌の汚染に**

係る環境基準が設定された。その後，基準項目が追加され，現在では溶出基準28項目，農用地基準3項目（全体では，銅については農用地基準のみで，溶出基準が定められていないため，29項目となる）となっている（**図表6-11**）。これらの基準は，健康項目の水質環境基準に準拠して設定されている。

なお，地下水質について環境基準が設定されたのは，さらに後の1997年のことである。

(5) その後，欧米の土壌保護法の制定等を1つの要因として，わが国においても市街地の土壌保護法をつくろうという動きが芽生えたが，当面，地下水汚染の浄化に関する水濁法の1996年改正がなされたにとどまった。

水濁法の改正後も，1997年に東芝の名古屋工場で地下水汚染が内部通報された事件をきっかけに，各地で地下水汚染のみでなく，その前提としての土壌汚染が大きな関心を呼んだ。廃棄物処分場の跡地においても，大阪のユニバーサルスタジオ・ジャパン建設予定地で土壌汚染が問題になるなど，問題の底辺はさらに広がった。

さらに，1996，97年頃から廃棄物焼却場のダイオキシン問題が大きな社会的関心を呼ぶようになり，1999年2月の所沢市のダイオキシン問題を1つの契機として，同年7月には，ダイオキシン類対策特別措置法（平成11年法律105号）が制定され，その中で土壌汚染浄化についても扱われるに至った。

そして，2002年にようやく，主に市街地を対象として，有害物質による土壌汚染対策を定める土壌汚染対策法（法律53号）が制定されたのである。

このように，土壌汚染の問題は，地下水やダイオキシン関連の法律とも関係すること（地下水については→**6-3**・3(6)〔197頁〕），土壌汚染は農用地と市街地に分けて対応がなされていることに注意が必要である。

以下では，市街地の土壌汚染を中心にしつつ制度を概観することにしたい（農用地の土壌汚染については，大塚『環境法』〈第3版〉398頁以下参照。土壌汚染，地下水汚染の未然防止，汚染除去についての根拠条文については**図表6-12**）。

2　市街地土壌汚染の防止・浄化——土壌汚染対策法の制定

(1)　序

わが国の市街地土壌汚染について，1975年4月から（法律制定の翌年である）2003年3月までに都道府県等が把握した累積数によれば，調査事例は2,802件，環境基準（1991年制定）又は土壌汚染対策法指定基準を超過した事例は1,458件であった。土壌汚染は，①**重金属**によるものと，②トリクロロエチレン等の**揮発性有機化合物**

【図表 6-11】土壌の汚染に係る環境基準

項　目	環境上の条件
カドミウム	検液1lにつき0.003mg以下であり，かつ，農用地においては，米1kgにつき0.4mg未満であること。
全シアン	検液中に検出されないこと。
有機燐（りん）	検液中に検出されないこと。
鉛	検液1lにつき0.01mg以下であること。
六価クロム	検液1lにつき0.05mg以下であること。
砒（ひ）素	検液1lにつき0.01mg以下であり，かつ，農用地（田に限る。）においては，土壌1kgにつき15mg未満であること。
総水銀	検液1lにつき0.0005mg以下であること。
アルキル水銀	検液中に検出されないこと。
PCB	検液中に検出されないこと。
銅	農用地（田に限る。）において，土壌1kgにつき125mg未満であること。
ジクロロメタン	検液1lにつき0.02mg以下であること。
四塩化炭素	検液1lにつき0.002mg以下であること。
クロロエチレン	検液1lにつき0.002mg以下であること。
1,2-ジクロロエタン	検液1lにつき0.004mg以下であること。
1,1-ジクロロエチレン	検液1lにつき0.1mg以下であること。
1,2-ジクロロエチレン	検液1lにつき0.04mg以下であること。
1,1,1-トリクロロエタン	検液1lにつき1mg以下であること。
1,1,2-トリクロロエタン	検液1lにつき0.006mg以下であること。
トリクロロエチレン	検液1lにつき0.01mg以下であること。
テトラクロロエチレン	検液1lにつき0.01mg以下であること。
1,3-ジクロロプロペン	検液1lにつき0.002mg以下であること。
チウラム	検液1lにつき0.006mg以下であること。
シマジン	検液1lにつき0.003mg以下であること。
チオベンカルブ	検液1lにつき0.02mg以下であること。
ベンゼン	検液1lにつき0.01mg以下であること。
セレン	検液1lにつき0.01mg以下であること。
ふっ素	検液1lにつき0.8mg以下であること。
ほう素	検液1lにつき1mg以下であること。
1,4-ジオキサン	検液1lにつき0.05mg以下であること。

【図表 6-12】土壌汚染，地下水汚染の規制の根拠規定

	地下水	農用地	市街地
未然防止	水濁法 12 条の 3 12 条の 4	農薬取締法 農用地土壌汚染防止法 7 条	
汚染除去	水濁法 14 条の 3	農用地土壌汚染防止法 5 条， 公害防止事業費事業者負担法 2 条，土壌汚染対策法	土壌汚染対策法

(注) ダイオキシン類対策特別措置法による規制を除く。

によるものに大別されることを押さえておこう（環境基準超過事例のうち，重金属等のみのものは293件，揮発性有機化合物のみのものは232件，双方の複合汚染は49件であった)。

市街地土壌汚染については，汚染除去の対策に関する一般的な法制度を作るべきことがかねて指摘されてきた。そして，欧米での土壌汚染対策を主眼とした法律の制定が進行し，また国内でも土壌汚染に関連する制度が徐々に形成される中で，2002 年に土壌汚染対策法が制定されたのである。

以下では，2002 年以前に形成された法制度を一瞥した上で，同法の概要に触れることにしたい。

(2) 土壌汚染対策法制定前

2002 年の土壌汚染対策法制定以前から，土壌汚染に関連する制度は国及び自治体のレベルで形成されてきた。

(a) 国レベルの法律としては，水濁法の 1996 年改正と，ダイオキシン類対策特別措置法，廃掃法があげられる。

第 1 に，1996 年の水濁法改正は，特定事業場において「有害物質に該当する物質」を含む水の地下への浸透があったことにより，現に人の健康に係る被害が生じ，又は生ずるおそれがあると認めるときに，当該特定事業場の設置者に地下水の浄化に係る措置命令を発するものである（14 条の 3)。そこでは，基本的には，原因者のみを命令の対象とする考え方がとられている。また，責任の遡及が認められたとまではいい難い（→**6-3**・3(6)〔197 頁〕)。

第 2 に，ダイオキシン類対策特別措置法（1999 年制定）は，汚染された土壌に係る措置に関して，農用地土壌汚染防止法（3 条～6 条）とほぼ同様の規定をおき，都道府県知事は土壌環境基準を満たさず，かつ，汚染の除去等をする必要があるものとして政令で定める要件に該当する地域をダイオキシン類土壌汚染対策地域として指定し，土壌汚染対策計画を策定するものである（29 条，31 条)。同法によって，ダイオキシン類について，市街地土壌汚染の除去の実施に関する規定が先行して入

れられたのである。同時に，汚染除去について公共事業型の法制がとられたことも注目される（大塚『環境法』8-5・3(1)〔395頁〕）。

第3に，廃掃法では，不法投棄等廃棄物の不適正な処分によって，生活環境の保全上支障が生じ，又は生ずるおそれがあると認められる場合には，一般廃棄物については市町村長，産業廃棄物については都道府県知事等が，処分を行った者等に対して措置命令を発し（19条の4〜19条の6），また，命令を発した行政庁自らその支障の除去を講ずることができる（19条の7，19条の8）とされた。さらに，廃掃法の1997年改正で不法投棄の原状回復のための基金の設立の規定が入れられ，事業者等から出えんされた金額の合計額をもってこれに充てることとされた（13条の15）。

(b) 地方自治体では，市街地土壌汚染に関する要綱等はかねて存在していたが，平成に入ってから，その数は増加し，その中には条例の形式をとるものもいくつかみられるようになってきた（大塚『環境法』〈第3版〉11-6・3(4) 403頁参照）。

(3) 土壌汚染対策法の制定（2002年）

こうした中，2002年，市街地の土壌汚染対策を対象に含む「土壌汚染対策法」が成立し，翌年施行された。要点をかいつまんでおくと，その内容は以下のとおりである（ここでは2002年制定時の法律の概要を示す）。

①法律の目的

「**特定有害物質**」（鉛，砒（ひ）素，トリクロロエチレンその他の物質であって，それが土壌に含まれることに起因して人の健康に係る被害を生ずるおそれがあるものとして政令で定めるもの。2022年現在，26種類の物質が指定されている）（2条1項）による人の**健康被害の防止**を目的とする（1条）。生活環境の被害の防止が含まれていない（公害の定義に関する環境基本法2条3項参照）ことに注意されたい。

②土壌汚染の状況の調査及び汚染の除去等の主体

これについては，規制型を採用する。

③土壌汚染の調査

基本的には，(i)**使用が廃止された「有害物質使用特定施設」**（「特定有害物質」の製造，使用又は処理をする水濁法の「特定施設」に限る）に係る工場又は事業場の敷地であった土地を対象とし（3条），さらに，

(ii)都道府県知事が土壌汚染によって**人の健康被害**が生ずるおそれがあるものとして政令で定める基準に該当すると認める土地も対象とする（4条＝現5条）。

調査の義務者は，(i)，(ii)いずれについても，当該土地の所有者，管理者又は占有者（「所有者等」）であり（(i)については，使用廃止時の土地所有者等。ただし，合意がある場合には現在の土地所有者。施行規則17条参照），(ii)については都道府県知事から調査

命令が出される。環境大臣（又は都道府県知事。平成26年法律51号による，3条1項，2項，4条2項，31条の改正）の指定を受けた機関（**指定調査機関**）に調査させ，その結果を都道府県知事に報告する。

ただし，3条調査には主に2つの例外がある。第1に，本法施行前に使用が廃止された有害物質使用特定施設に係る工場，事業場の土地には適用されない（2002年法附則3条）。第2に，当該立地について予定されている利用の方法から見て健康被害を生じるおそれがない旨の都道府県知事の確認を受けた場合には調査が免除される（3条1項但し書）。なお，調査義務の違反に対しては，報告を行い又は報告内容を是正する命令を前置する方式が採用された（3条3項〔現4項〕）。

④規制対象区域

調査の結果，土壌汚染状態が**環境省令で定める基準**に適合しない土地を，都道府県知事が規制対象区域として指定，公示し（5条。現6条，11条に対応する），また，台帳を調製し，閲覧に供する（6条＝現15条）。

「環境省令で定める基準」とは，（揮発性有機化合物についての）土壌溶出量基準と，（重金属についての）土壌含有量基準をいう。土壌溶出量基準は，土壌環境基準（2022年現在，29項目）のうち溶出量に係るものと同じ数値とされている。

⑤汚染の除去等の措置

規制対象区域内の土壌汚染によって人の健康被害が生じ，又は生ずるおそれがある場合には，都道府県知事は，土地の所有者等に対し，汚染の除去等の措置を命令することができる（なお，現行法は，計画の作成・提出の「指示」ができる規定が前置されている）。ただし，(i)汚染原因者が明らかであって，(ii)汚染原因者に汚染の除去等を講じさせることが相当であり（例えば汚染原因者がすでに費用を負担した場合，土地所有者等と汚染原因者とに合意がある場合などを考慮して判断する），(iii)汚染原因者に措置を講じさせることについて土地の所有者等に異議がない場合には，原因者に対して措置を命令（現在は「指示」）することができる（7条）。

汚染の除去等の措置の責任主体として，土地の所有者等と汚染原因者の双方をあげている点に特色がある。汚染原因者が措置を行うものとされるための3要件に注目しておきたい。

土地の所有者等が汚染の除去等の命令を受け，除去等の措置を講じた場合には，汚染原因者に対して**求償**することができる（8条→**12-3**・1〔589頁〕）。

⑥規制対象区域内での土地の形質の変更

規制対象区域内で土地の形質の変更をしようとする者は，都道府県知事に届け出なければならず，都道府県知事は，施行方法が環境省令で定める基準に適合しないと認めるときは，その施行方法に関する計画の変更を命ずることができる（9条。現12条に概ね対応する）。

⑦責任の遡及，連帯責任の有無

汚染原因者の責任は法律の施行前にまで**遡及**されるが，複数の費用負担者の間には連帯責任を課することは想定されていない。責任の遡及については，法律施行前に使用が廃止された有害物質使用特定施設には3条調査を適用しない（附則3条）ことにより，責任の遡及の問題が起きにくいよう配慮していることに注意されたい。

⑧助成金，指定支援法人

環境大臣は，汚染の除去等の措置を講ずる者に助成を行う地方自治体に対して，助成金の交付等の支援業務を行う「指定支援法人」を指定する（44条）。同法人は支援業務に関する基金をおく（46条）。

⑨汚染土壌の搬出

⑥の土地の形質変更の施行方法については，掘削した汚染土壌を規制対象区域から規制対象区域外へ搬出する場合には，搬出の際に飛散を防止し，搬出先での汚染を拡散しないよう，環境大臣が定める方法により処分をしなければならない。汚染土壌の処分が適正に行われたことについては環境大臣が定めるところにより確認しなければならない（9条4項。現12条4項に概ね対応する）。なお，規制対象区域外の土地からの汚染土壌の搬出の可能性があることも大きな問題であるが，これについては，環境省環境管理局水環境部長通知が出されていた。

なお，土壌汚染対策法自体の問題ではないが，宅地建物取引業法施行令3条1項の2002年改正により，宅地建物取引業者は，対象地が土壌汚染対策法の規制対象区域内の土地か否かを調査の上，規制対象区域内の土地であれば，**重要事項説明書**（宅建業法35条）で指定区域内の土地の形質の変更をしようとする者の届出義務等について記載することが必要となった（その後，2009年の土壌汚染対策法改正に伴う，宅建業法施行令同条同項の再改正により，要措置区域内での形質変更の原則的禁止等も記載が必要となった）。また，宅地建物取引業者は，重要な事実についての不告知，不実の告知が禁止されており（同法47条1号），土壌汚染についての情報を買主に与えないことは，これに反する可能性が生じた。

(4) 土壌汚染対策法（2002年）の問題点

Q20 土壌汚染対策法（2002年）にはどのような問題点があったか。それは，2009年の同法改正ではどのように対応されているか。

本法は，人々が土壌汚染を防止する動機づけを与える点で大きな機能を有したが，制定後，いくつかの問題点が指摘されるようになった。

第1に，本法は**調査の契機**について，3条調査と4条（後述。現5条）調査をあげているが，これらがあまり用いられず，法律に基づく調査は調査全体の2% にとどまる（2006年度環境省調査による。2007年度土壌環境センター調査も同じ数字）という結果が生じた（他方，自主調査は87%，自治体の条例・要綱に基づくものが11% を占めた）。しかし，このように法律に基づく調査・対策がなされず，行政の把握が十分でない状況は，調査・対策に関する公平性，信頼性の観点から問題があった。また，行政指導に基づく汚染対策がなされる場合には，対応が不透明，不平等となるおそれもあった。

第2に，本法の制定を契機として，不動産市場の要請から，汚染除去等の対策の8割程度を**掘削除去**が占めるに至ったことがあげられる（2006年度調査では499件中437件。2007年度調査結果では497件中383件）。本法自体は，省令とともに，対策として，多くの場合に盛土・覆土・封じ込めなどを求めている（「**汚染管理主義**」を採用しているといってよい）ものの，清浄な土地を求める不動産市場の傾向がこのような結果を生んだものと考えられる。これは法律に基づいて対策をとる場合，自主的に対策をとる場合のいずれについても，みられる特徴である。

このような状況は，3つの問題を生じさせた。①掘削された汚染土壌が搬出された後，投棄され，環境リスクを増加させる危険があること，②掘削除去のコストが盛土・封じ込め等の10倍程度に上ることから，土地所有者・原因者等が対策をとることが困難となること，③②の結果，土地の売買がなされず塩漬けに（放置）される，アメリカ法における，いわゆる「ブラウンフィールド問題」（インフラが整っているが，土壌が汚染されている地域の利用放棄）を引き起こすおそれがあること，である。

第3に，喫緊の問題は，**搬出汚染土壌に関する規制**が法律上明確となっていないことであった。規制対象区域からの汚染土の搬出については，土地の形質の変更をしようとする者は，汚染土壌の処分が適正に行われたことについて環境大臣が定めるところ（環境省告示）により確認しなければならないが，搬出行為者が土地の形質の変更をしようとする者と異なる場合には，搬出行為者に対しては義務付けができなかったのである。

➡ 掘削除去は一見，最も適切な汚染除去等の方法のように思われるが，どこに問題点がありうるのか。

(5) 土壌汚染対策法2009年改正

そこで，上記の3点の改善を目的として，2009年4月に土壌汚染対策法が改正

【図表 6-13】土壌汚染対策法 2009 年改正

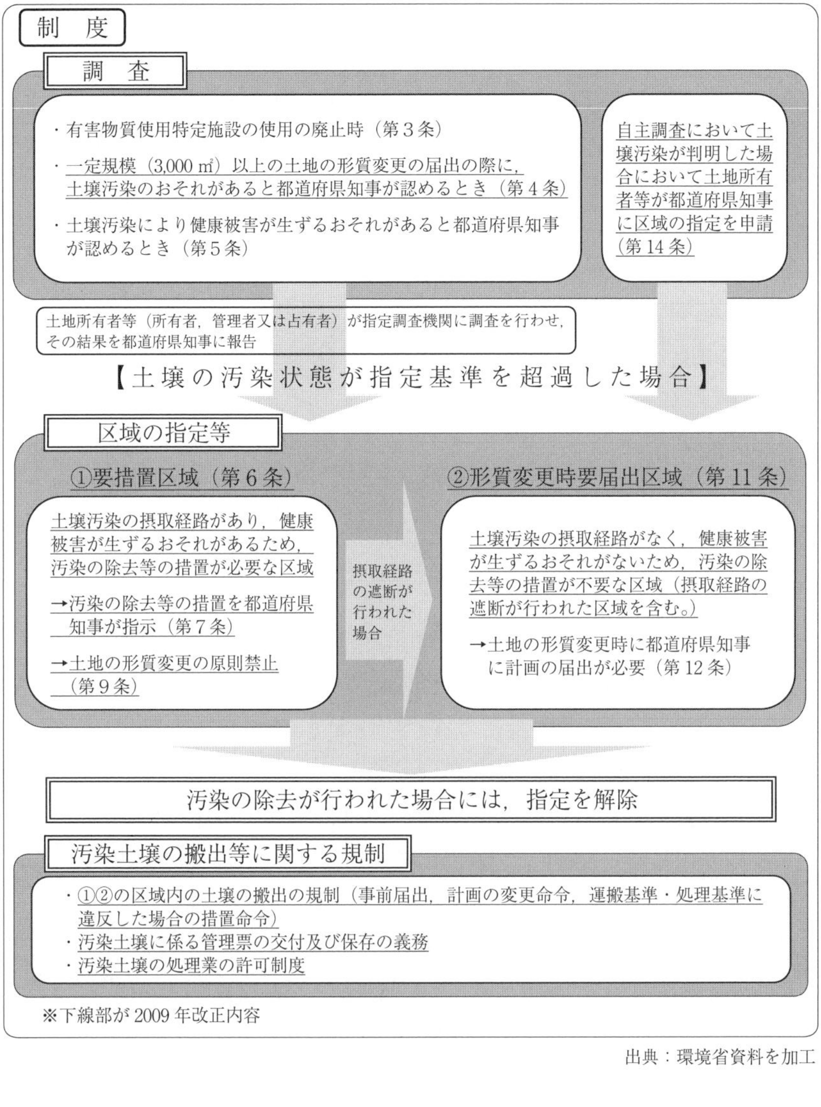

制　度

調　査

・有害物質使用特定施設の使用の廃止時（第３条）
・一定規模（3,000 ㎡）以上の土地の形質変更の届出の際に，土壌汚染のおそれがあると都道府県知事が認めるとき（第４条）
・土壌汚染により健康被害が生ずるおそれがあると都道府県知事が認めるとき（第５条）

自主調査において土壌汚染が判明した場合において土地所有者等が都道府県知事に区域の指定を申請（第 14 条）

土地所有者等（所有者，管理者又は占有者）が指定調査機関に調査を行わせ，その結果を都道府県知事に報告

【土壌の汚染状態が指定基準を超過した場合】

区域の指定等

①要措置区域（第６条）

土壌汚染の摂取経路があり，健康被害が生ずるおそれがあるため，汚染の除去等の措置が必要な区域
→汚染の除去等の措置を都道府県知事が指示（第７条）
→土地の形質変更の原則禁止（第９条）

摂取経路の遮断が行われた場合

②形質変更時要届出区域（第 11 条）

土壌汚染の摂取経路がなく，健康被害が生ずるおそれがないため，汚染の除去等の措置が不要な区域（摂取経路の遮断が行われた区域を含む。）
→土地の形質変更時に都道府県知事に計画の届出が必要（第 12 条）

汚染の除去が行われた場合には，指定を解除

汚染土壌の搬出等に関する規制

・①②の区域内の土壌の搬出の規制（事前届出，計画の変更命令，運搬基準・処理基準に違反した場合の措置命令）
・汚染土壌に係る管理票の交付及び保存の義務
・汚染土壌の処理業の許可制度

※下線部が 2009 年改正内容

出典：環境省資料を加工

され（法律23号），2010年4月に施行された（図表6-13）。本法案は衆議院で一部修正され，61条2項が追加されるとともに，指定区域の名称が変更された。

改正法の特色は，上記の3つの問題点と対応して，第1に，法律に基づく土壌汚染の把握の機会の拡大，第2に，掘削除去の回避と「制度的管理（institutional control）」の明確化（規制対象区域を分類し，講ずべき措置の内容を明確化する），第3に，搬出される汚染土壌の適正処理の確保にある。

このように，2009年改正法は，法律制定時に積み残された問題（第3点）と，その後に明らかになった問題点（第1，第2点）に対処しようとしたものである。以下，各点に触れる。

(a)　法律に基づく土壌汚染の把握の機会の拡大

これに関しては，

①**一定規模（3,000 m²）以上の土地の形質変更**をしようとする者は都道府県知事に届け出なければならず，都道府県知事が届出を受けた場合において当該土地が土壌汚染のおそれのあるものとして環境省令で定める基準に該当すると認めるときは，土壌汚染状況の調査を命ずる規定が導入され（4条），

②3条調査が猶予される土地について，利用方法が変更されるときに届出を義務付け，都道府県知事がチェックすることとされ（3条5項，6項），

③自主調査の結果土壌汚染が判明した場合，土地の所有者等の申請に基づき，規制対象区域（後述する「要措置区域」又は「形質変更時要届出区域」）として指定し，適切に管理することとされ（「指定の申請」。14条），

④都道府県知事に対し，土壌汚染に関する情報の収集，整理，保存及び適切な提供に関する努力義務が課された（61条1項）ことの4点の改正がなされた（図表6-14①は，2009年改正後を含めた土壌汚染状況調査の件数）。

①は，調査の契機を一定規模以上（施行規則22条により，3,000 m²以上）の土地の形質変更時に拡張するものである。従来，東京都をはじめ自治体の条例に類似の規定がおかれてきた。面積の大きい土地の形質変更については，土壌汚染の存在の可能性が高く，また，拡散のリスクが高まることが背景にある。

②は，都道府県知事の確認による調査義務の猶予について，利用方法が変更した場合の規定を挿入したものである。

これらに対し，③は，（産業界と行政の協議を踏まえ）自主調査を法律に基づく規律の枠内に積極的に取り込むことを企図した，従来にない新種の規定である。土地所有者等が自主的に指定を申請するメリットの1つとしては，形質変更時要届出区域となることにより，汚染除去等を行わないことについて行政の「お墨付き」を得ら

【図表 6-14 ①】 法に基づく土壌汚染状況調査の件数

		H29	累計※
法 3 条	有害物質使用特定施設の廃止件数	1,076	15,104
	調査結果報告件数	290	3,524
	一時的免除件数	573	10,475
法 4 条	形質変更届出件数	10,741	84,076
	調査命令件数	154	1,272
	調査結果報告件数	170	1,291
法 5 条	調査命令発出件数	0	7
	同上の調査結果報告件数	0	6
	都道府県知事自らが調査を行う旨の公告	0	0
法 14 条	申請件数（調査結果報告件数）	379	2,496
処理業省令 13 条	調査結果報告件数	0	2
調査結果報告件数合計		839	7,319

※　累計は 2002 年，2009 年法による調査結果も含む

【図表 6-14 ②】 指定区域の指定・解除状況

年度		H14	H15	H16	H17	H18	H19	H20	H21	H22	H23	H24	H25	H26	H27	H28	H29	合計	解除／指定割合
指定区域	指定	0	21	43	48	77	81	71	94									435	53.6%
	解除	0	4	22	24	34	49	41	59									233	
要措置区域	指定									45	80	72	73	84	72	80	84	590	64.1%
	解除									11	40	55	28	58	60	59	67	378	
	指定変更※										5	3	2	1	3	2	2	18	—
形質変更時要届出区域	指定									230	370	394	407	448	407	448	470	3,174	37.6%
	解除									86	124	147	87	201	205	178	166	1,194	
	指定変更※										0	2	1	0	0	0	0	3	—
指定合計		0	21	43	48	77	81	71	94	275	450	466	480	532	479	528	554	4,199	43.0%
解除合計		0	4	22	24	34	49	41	59	97	164	202	115	259	265	237	233	1,805	

※要措置区域の指定変更は要措置区域から形質変更時要届出区域に変更した件数，形質変更時要届出区域の指定変更はその逆を示す

【図表 6-14 ③】 特定有害物質別の要措置区域等指定件数（2018 年度）

	要措置区域件数	形質変更時要届出区域件数	指定件数	VOC（第一種）不適合	重金属等（第二種）不適合	農薬等（第三種）不適合	複合汚染
法 3 条	31	91	122	18	88	0	16
法 4 条	11	76	87	3	78	0	6
法 5 条	0	0	0	0	0	0	0
法 14 条	28	220	248	9	218	0	21
法 3 条・法 14 条	0	0	0	0	0	0	0
法 4 条・法 14 条	0	0	0	0	0	0	0
処理業省令 13 条	0	0	0	0	0	0	0
計	70	387	457	30	384	0	43

出典：いずれも環境省資料

れる点があげられる。

また，④は，都道府県知事に一般的な努力義務を課することにより柔軟な対応を促すことを想定したものである。

(b) 掘削除去の回避と「制度的管理（institutional control）」の明確化

(ア) この点に関して，本法は，①土地の形質変更時に届出が必要な区域（「**形質変更時要届出区域**」）（11条以下）と盛土，封じ込め等の対策が必要な区域（「**要措置区域**」）（6条以下）の2つの区域を分類し，②要措置区域に指定したときは実施されることが必要な対策を都道府県知事が明確に指示する（7条1項の修正，同条2項の追加）こととした。

これにより，封じ込めなど，掘削除去がなされていない場合でも，汚染経路が遮断されていれば土地の利用上障害がないことを，制度上示すことにしたのである。従来は規定上は，省令で，措置命令の内容として，封じ込め等で十分であることを示していたにすぎなかったが，①2つの区域を区分した点，及び，②封じ込め等で十分であることを法律上明確に示した点が異なる。

封じ込め対策がなされ，要措置区域の指定が解除され（6条4項），形質変更時要届出区域に指定される際には，措置の有効性を都道府県知事がチェックすることとなる（なお，形質変更時要届出区域の指定の事由がなくなった場合，同区域の指定が解除される。11条2項）（指定区域の指定及び解除等について，**図表6-14②**，**図表6-14③**）。

(イ) この点について詳述すると，以下のようである。

①**形質変更時要届出区域**（11条以下）は，「土壌汚染状況調査の結果，当該土地の土壌の特定有害物質による汚染状態が環境省令で定める基準（施行規則31条参照）に適合しない」（旧法5条の指定区域の指定基準と同じ）が，「土壌の特定有害物質による汚染により，人の健康に係る被害が生じ，又は生ずるおそれがあるものとして政令で定める基準に該当」しないと認める場合に指定される。

この区域の土地については，土地の形質変更時には土地を形質変更しようとする者に原則として**届出義務**が課される（12条1項）。また，都道府県知事は，届出を受けた場合において，形質変更の施行方法が環境省令で定める基準に適合しないときは，**計画変更命令**を発出することができる（12条4項。現12条5項）。改正前の9条を受け継いだ規定である。

②**要措置区域**（6条以下）は，「土壌汚染状況調査の結果，当該土地の土壌の特定有害物質による汚染状態が環境省令で定める基準に適合しない」だけでなく，「土壌の特定有害物質による汚染により，人の健康に係る被害が生じ，又は生ずるおそれがあるものとして政令で定める基準に該当する」場合に指定される。

この区域の土地については，都道府県知事は，土地所有者等又は原因者に対して（両者が対等である点は改正前と同じである）**必要な措置**（健康被害防止の観点からの最低限必要な措置）を講ずべきことを**指示**する（7条1項）。都道府県知事が指示措置等を講じていないと認めるときは，指示措置等を講ずべきことを命令することができる（同条4項。現同条8項）。ここにいう「指示措置等」とは，「指示措置」及びそれと「同等以上の効果を有する」措置をいう。「同等以上の効果を有する」措置については施行規則（36条）で定められている（さらに，施行規則36条の2第3号は措置を実施する者は，「実施措置を選択した理由」を記載することとした。そこでは，指示措置と異なる実施措置を選択した理由が書かれることになるが，これは，掘削除去等がなされることを抑制する趣旨であった）。なお，（2009年改正前からの規定であるが）指示の要件は満たしているが，その対象者を過失なくして確知することができず，かつこれを放置することが著しく公益に反する場合には，都道府県知事が指示措置を自ら講じることができる（7条5項。現同条10項）。行政代執行の規定である。

要措置区域内では，原則として**土地の形質変更は禁止**される（9条）。

なお，**台帳**は，改正に伴い，①と②の区域のそれぞれの台帳（2つの台帳）が調製されることになった（15条にまとめて規定された）。

(c) 搬出される汚染土壌の適正処理の確保

この点については大別して3つの規制が入れられた。①規制対象区域内の土壌を対象区域外に**搬出することの規制**の導入，②搬出土壌に関する**管理票**の交付及び保存の法律上の義務化，③汚染土壌の**処理業**についての**許可制**の導入である。③については，収集運搬については関与者が多いため，許可制とせず，収集運搬以外の処理について業の許可としたのである。以下，①～③を詳述しておこう。

①規制対象区域内の土壌を対象区域外に搬出することの規制としては，事前届出（16条1項），（運搬基準違反の場合又は処理を汚染土壌処理業者に委託しない場合の）計画の変更命令（同条4項），運搬基準（17条），処理の汚染土壌処理業者への委託義務（18条），17条又は18条1項に違反した場合の措置命令（19条）の規定を導入した。計画変更命令違反及び措置命令違反に対しては，1年以下の拘禁刑又は100万円以下の罰金に処することとされた（65条1号）。

②搬出土壌に関する管理票の交付及び保存を（通知ではなく）法律上の義務とした（20条，21条）。管理票制度導入の基本的趣旨は，産業廃棄物についてと同様に（→**7-2**〔261頁〕），汚染土壌の不法投棄の防止にある。

③汚染土壌の処理業を行おうとする者について，処理施設ごとに許可を受けなければならないものとした（22条）。産業廃棄物処理（→**7-2**・8〔286頁〕）と比べると

かなり簡易な許可制度である。許可の基準としては，処理施設の能力及び申請者の能力（経済基盤が十分であり，技術的能力があること）が環境省令で定める基準に適合すること（同条3項1号）と，欠格条項に該当しないこと（同項2号）の双方を要求している。許可は5年ごとに更新を受けなければならない（同条4項）。汚染土壌処理業者は，環境省令で定める処理基準に従わなければならず（同条6項），その処理を他人に再委託してはならない（同条7項）。処理業者は，処理施設ごとに，処理に関して環境省令で定める事項を記録し，これを施設に備え置き，利害関係者に閲覧させなければならない（同条8項）。汚染土壌処理の透明性の確保のため，情報の開示を進めるものである。

処理基準に適合しない汚染土壌の処理が行われたときは，都道府県知事は処理業者に対して改善命令を発することができる（24条）。さらに，欠格要件に該当する場合，処理施設又は処理業者の能力が基準に適合しなくなった場合，搬出等の規制に関する第4章の規定に違反した場合，不正の手段により許可を受けた場合には，許可の取消し又は事業の全部又は一部の停止が命ぜられる（25条）。処理業者は名義貸しが禁止される（26条。それぞれ罰則については65条1号，6号）。

(d) 衆議院で法案修正された61条2項

61条2項により，都道府県知事は，「公園等の公共施設若しくは学校，卸売市場等の公益的施設又はこれらに準ずる施設を設置しようとする者」に対して，設置を予定している土地が法4条2項（現3項）の環境省令で定める基準に該当するか否か，つまり，土壌汚染のおそれのある土地であるか否かを自主的に把握させる努力義務を負うことになる。

(e) そ の 他

その他として3点に触れておきたい。

(ア) まず，**指定調査機関**である。同機関については（2023年2月現在685指定されている）能力のレベルがばらばらであり，弊害があることが指摘されてきた。そこで，第1に，指定調査機関の指定について5年間の更新制を導入した（32条）。第2に，（環境大臣又は都道府県知事の）指定にあたっては指定の基準に適合していること（31条）が必要であるが，指定調査機関は省令で定める基準に適合する技術管理者を選任しなければならないこととされた（33条）。技術管理者が選任されていない場合には，指定が取り消される（42条2号）。第3に，指定調査機関は，業務に関する事項で環境省令で定めるものを記載した帳簿の備付け・保存義務を負う（38条）。環境大臣又は都道府県知事が報告徴収，立入検査（54条5項）等の際に効率的に対応できるためである。

(イ) 次に，雑則として，4章の搬出規制，処理業の許可が入ったことに伴い，都道府県知事は，要措置区域等外へ汚染土壌を搬出した者，汚染土壌の運搬を行った者，又は汚染土壌処理業者もしくは処理業者であった者に対して，必要な報告を求め，また，職員に検査をさせることができることとされた（54条3項，4項）。

(ウ) さらに，条文上は明確でないが，**自然由来の土壌汚染**についてどう扱うかという重要な問題がある。2002年法では人為的な汚染以外は対象外とする扱いであったが，①改正法の下では，汚染土壌の搬出及び運搬ならびに処理に関する規制が導入され，この点は自然由来の汚染土壌についても問題となること，及び，②健康被害防止の観点からは，自然的原因によって汚染された土壌をそれ以外の汚染土壌と区別する理由がないことから，環境省は，自然的原因による汚染土壌を法の対象とすることを通知で定めた（環境省水・大気環境局長通知「土壌汚染対策法の一部を改正する法律による改正後の土壌汚染対策法の施行について」環水大土発第100305002号）。これによれば，自然由来の汚染であっても規制対象区域として指定し，土地所有者等に調査の義務も課し，搬出汚染土壌については規制をすることになる（→**Column23**）。

なお，本法改正に伴う宅建業法施行令3条1項の改正については前記のとおりである（→2(3)〔215頁〕）。

Column23 ◇自然由来の土壌汚染及び埋立地の土壌汚染に関する2009年改正法下での対応

上記の環境省の通知では，自然由来汚染の規制対象区域としては，主に形質変更時要届出区域が想定された。そして，自然由来の土壌汚染地のうち土壌溶出量基準に適合しない汚染状態にあるものについて，その周辺地に飲用井戸が存在する場合には，当該周辺地において，上水道の敷設や，浄化のための適切な措置を講ずるなどがされたときは，「人の健康に係る被害が生じ，又は生ずるおそれがあるものとして政令で定める基準」（法6条1項2号）に該当しないものとみなし，形質変更時要届出区域に指定するよう取り扱われたいとしている。自然由来汚染の土地をできるだけ要措置区域としないための配慮である。

もっとも，この通知については2つの批判が生じた。第1は，上記のように，自然由来汚染に対する規制という，国民の権利義務に直結する規制について，法律の規定なしに通知で行うことに対する批判である。第2は，自然由来汚染の土地について通常の形質変更時要届出区域と同じ規制（形質変更時の計画変更命令〔法12条4項（現5項）〕に関連する）が課されることに対する批判であった。

第1の批判は根本的なものであり，これが本法の2017年改正につながった。

第2の批判に対しては，2011年に施行規則の改正により，対処された。すなわち，形質変更時要届出区域のうち，その区域の特性に応じ，「自然由来特例区域」を設定し，その旨を都道府県知事が台帳に記載することにした（当時の施行規則58条4項9号〔現58条5項10号〕)。これは，形質変更時要届出区域に指定されると同時に指定されることになるが（追加指定も可能である)，その際，当時の施行規則53条2号（現53条1号イ）の適用除外を受けられる。これにより，自然由来汚染に関しては，搬出を伴わない土地の形質変更については特段の制約をなくすことになり，人為的な搬出がなされた以降の運搬，処理についてのみ規制がなされることになった。自然由来汚染に対する規制のうち最も問題となる規制は廃止されたのである。

なお，埋立地についても，井戸水が飲用に供されることが稀なことや汚染が広範に広がっていることのため，自然由来汚染地と類似の問題状況がみられた。そのため，「自然由来特例区域」とともに，形質変更時要届出区域の中に，その区域の特性に応じて「埋立地特例区域」,「埋立地管理区域」を設定し（当時の施行規則58条4項11号〔現58条5項11号，12号〕)，搬出を伴わない土地の形質変更については，特段の制約をなくすこととされた。

(6) 土壌汚染対策法（2009年改正法）の問題点

ところが，2009年改正後，本法にはなお問題点や課題があることが明らかになってきた。すなわち，

①（操業中及び調査の一時免除中の事業場に汚染土壌が存在する可能性が高いことが明らかになったことから）操業中及び調査の一時免除中の段階からの調査義務の導入，

②（都道府県等において計画段階や措置完了時に具体的な実施内容の確認が行われていないケースが存在することから）汚染除去等の計画及び措置完了報告の提出義務付け，

③台帳の記載事項について，区域指定が解除された場合に，その旨を台帳に残すこと，

④自然由来の土壌汚染の規制を通知で定めたことについては法治主義から問題があったため，法律上明文をおくこと，

⑤臨海部の工業専用地域について特例が必要なこと，

⑥搬出規制に関して，飛び地間及び一定の場合の区域間の土壌の移動について規制緩和をすること，

⑦自然由来汚染についての移動や資源としての活用について規制緩和をすること，

⑧4条調査における都道府県知事の命令発出の遅延に対処すること，

⑨汚染土壌処理業の許可基準及び承継を整備すること，

⑩土壌汚染の溶出量基準が厳格すぎるとの批判に対処すること

などであった。

(7) 土壌汚染対策法2017年改正（図表6-15）

上記のうち①～⑨の改善を目的として，2017年5月に再度本法が改正・公布さ

【図表 6-15】現行土壌汚染対策法の概要

目的

土壌汚染の状況の把握に関する措置及びその汚染による人の健康被害の防止に関する措置を定めること等により，土壌汚染対策の実施を図り，もって国民の健康を保護する。

制度

調査

①有害物質使用特定施設の使用を廃止したとき（3条）
- 操業を続ける場合には，一時的に調査の免除を受けることも可能（3条1項ただし書）
- 一時的に調査の免除を受けた土地で，900m² 以上の土地の形質の変更を行う際には届出を行い，都道府県知事の命令を受けて土壌汚染状況調査を行うこと（3条7項・8項）

②一定規模以上の土地の形質の変更の届出の際に，土壌汚染のおそれがあると都道府県知事が認めるとき（4条）
- 3,000m² 以上の土地の形質の変更又は現に有害物質使用特定施設が設置されている土地では 900m² 以上の土地の形質の変更を行う場合に届出を行うこと
- 土地の所有者等の全員の同意を得て，上記の届出の前に調査を行い，届出の際に併せて当該調査結果を提出することも可能（4条2項）

③土壌汚染により健康被害が生ずるおそれがあると都道府県知事が認めるとき（5条）

④自主調査において土壌汚染が判明した場合に土地の所有者等が都道府県知事に区域の指定を申請できる（14条）

①〜③においては，土地の所有者等が指定調査機関に調査を行わせ，結果を都道府県知事に報告

↓ 土壌の汚染状態が指定基準を超過した場合

区域の指定等

○要措置区域（6条）

汚染の摂取経路があり，健康被害が生ずるおそれがあるため，汚染の除去等の措置が必要な区域
- 土地の所有者等は，都道府県知事の指示に係る汚染除去等計画を作成し，確認を受けた汚染除去等計画に従った汚染の除去等の措置を実施し，報告を行うこと（7条）
- 土地の形質の変更の原則禁止（9条）

○形質変更時要届出区域（11条）

汚染の摂取経路がなく，健康被害が生ずるおそれがないため，汚染の除去等の措置が不要な区域（摂取経路の遮断が行われた区域を含む）
- 土地の形質の変更をしようとする者は，都道府県知事に届出を行うこと（12条）

汚染の除去が行われた場合には，区域の指定を解除

汚染土壌の搬出等に関する規制

○要措置区域及び形質変更時要届出区域内の土壌の搬出の規制（16条。17条）（事前届出，計画の変更命令，運搬基準の遵守）
○汚染土壌に係る管理票の交付及び保存の義務（20条）
○汚染土壌の処理業の許可制度（22条）

その他

○指定調査機関の信頼性の向上（指定の更新，技術管理者の設置等）（32条，33条）
○土壌汚染対策基金による助成（汚染原因者が不明・不存在で，費用負担能力が低い場合の汚染の除去等の措置への助成）（45条）

下線：2017年の改正点

出典：環境省資料を加工

れた（法律33号）（なお，⑩は施行規則等で対処された）。また，一部の規定を除き2019年4月から施行された（概要について，大塚直・法学教室446号64頁。改正前の法状況について，同・論究ジュリ15号53頁参照）。

本改正は2002年法，2009年改正を踏まえつつ，より具体的・実務的な問題に対処しようとしたものである。そのうち主要点は①〜⑦であるが，②，③は2002年法制定時から残されていた問題点といえるのに対し，①，④は2009年改正以降残された問題点である。①は2009年の本法改正時に参議院で附帯決議が付されていた問題点である。また，⑤〜⑦は規制緩和に関する問題点である。

(a) 土壌汚染状況調査及び区域指定

①有害物質使用特定施設での土壌汚染状況調査――一時免除中及び操業中の有害物質使用特定施設について土壌汚染状況調査を導入したことは2017年改正法の眼目といってよい。改正前は全国の有害物質使用特定施設約1万のうち約8000が一時免除中であり，この点にメスを入れることを重視したのである。

(i) 改正法では，一時免除中の工場・事業場（以下，「事業場」という）において土地所有者が当該土地の形質変更をする場合（軽易な行為等を除く）には，都道府県知事に対する届出義務を規定し（3条7項），届出を受けた都道府県知事は，汚染状況について土地所有者等に対し，指定調査機関に調査させて報告するよう命ずるものとすることが定められた（3条8項）。

これは，一時免除中の事業場に対して，土地の利用方法から見た都道府県知事の調査猶予の確認の取消し（既存の3条6項）とは別に，汚染の拡散を防ぎ，汚染土壌の搬出の契機となりうる土地の形質変更に着目した改正を企図するものである。都道府県知事が調査の範囲を確定するため，事業場の調査義務を直ちにかけるのでなく，一旦届出をさせてから調査報告を命ずる仕組みがとられた（この仕組みは4条と類似している）。

(ii) 一方，操業中の事業場については，土地の形質変更の際には4条調査の対象となり，届出義務が課されうるが，環境省令で面積の裾切り要件については，既存の3000 m^2 よりも縮小され，900 m^2 とされた（施行規則22条。裾切りの面積については，一時免除中事業場については法3条7項1号の環境省令〔施行規則21条の4〕で定める。操業中の事業場と同じ裾切り面積要件とされた）。

この結果，操業中の事業場も一時免除中の事業場も形質変更時要届出区域や要措置区域となりうる。それは，操業中でも一時免除中でも，形質変更をすればその部分は新たな環境リスクが発生するからである。形質変更をした部分のみが区域指定される。

⑧4条調査における都道府県知事の命令発出の迅速化――改正法では，このような要請を踏まえ，より抜本的に，――届出の後，調査命令を発する従来のルートとともに――土地所有者等が先ず汚染状況について調査をした上で，土地の形質変更

の届出と併せて都道府県知事に提出するルートも認めることとした（4条2項。この場合には調査命令は発出しない。同条3項）。この場合には，土地所有者等の全員の同意が必要である。

(b) 要措置区域等における対策

②汚染除去等の計画及び措置完了報告の提出義務付け——改正法では，要措置区域における指示措置等の実施枠組として，汚染除去等計画の提出及び措置完了報告の手続を導入する（7条）。従来のように，単に汚染除去等の措置を指示することから，措置等（講ずべき汚染除去等の措置及びその理由，当該措置を講ずべき期限その他環境省令で定める事項。7条1項）を示して計画を提出するよう指示することに改められた。汚染除去等計画の内容として環境省令で定める一定の項目について記載すること，実施措置の着手予定時期及び完了予定時期等について記載すること（7条1項），同計画に記載された実施措置を講じた場合には都道府県知事にその旨を報告すること（完了報告。7条9項。工事完了報告と，措置完了報告を都道府県に対して2回出させることになる。施行規則42条の2）が必要である。都道府県知事は，同計画が技術的基準に適合していない場合には，計画変更命令を発出する（7条4項）。また，完了報告がなされても，同計画に従った実施措置がなされていない場合には，当該実施措置を講ずべきことが命じられる（7条8項）。

なお，関連して汚染除去等の措置に要した費用を土地所有者等から原因者に求償する際には，実施措置に係る汚染除去計画の作成費用も含まれることとされた（8条1項）。また，改正前は，知事が指示する措置を「指示措置」とし，それと同等以上の措置で実施者が行う措置と指示措置を合わせて「指示措置等」と呼んでいたが，改正法は後者の実施者が行う措置を「実施措置」とも呼んでいる（7条，8条）。

③区域指定解除の場合の台帳の記載事項——改正法では，区域指定が解除された場合に，措置の内容等と合わせて区域指定が解除された旨の記録を解除台帳（という別の台帳）に残すことにより，措置済みの土地であることを明らかにするとともにその閲覧を可能とし，土壌汚染状況の把握ができるようにした（15条）。この結果，従来の，1）要措置区域の台帳，2）要届出区域の台帳に追加して，3）解除された要措置区域の台帳，4）解除された要届出区域の台帳を作成することになった（→ **Column24**）。

(c) 自然由来汚染

④自然由来汚染の法定化——自然由来の土壌汚染に関して従前，本法が規定を置いていなかった問題（→ **Column23**）については，自然由来汚染について本法の中で位置づけることが必要であったが，改正法では，自然由来汚染であっても汚染の

拡散のおそれはあり，規制対象となりうることを前提としつつ規制緩和をする規定がおかれた（18条，12条1項1号イ→(d)⑤参照）。

なお，上述したように，自然由来汚染を本法の対象にすることについては，その必要性があるか，それが「公害」に当たるかという観点からの疑問が呈されてきたが，リスクの観点からは人為由来汚染も自然由来汚染も変わらないことからこれを規制対象とすることは合理的といえるし，自然由来汚染が搬出されることによる汚染は人為的活動による汚染であり，その未然防止として行われる区域指定，搬出規制等の措置は環境基本法21条1項1号の「公害を防止するために必要な規制の措置」に該当すると整理された。

(d) 種々の規制緩和について

⑤臨海部の工業専用地域の特例——一方，（産業界等からの要請に基づく）重要な規制緩和として，改正法は，臨海部の工業専用地域での特例を設け，通常の形質変更時要届出区域とは異なり，事前届出ではなく，事後届出とすることにした（12条1項の届出規定の例外）。すなわち，ⓘ「土地の土壌の特定有害物質による汚染が専ら自然又は専ら土地の造成に係る水面埋立てに用いられた土砂に由来するものとして環境省令で定める要件に該当する土地」であり，かつ，ⓘⓘ「人の健康に係る被害が生ずるおそれがないものとして環境省令で定める要件に該当する土地」（この点については地歴調査等を行う）の形質の変更の場合（12条1項ただし書）には，汚染土壌の区域外への搬出は規制しつつ，環境省令で定める事項（土地の形質変更に関する記録や新区域内での土地の形質の変更の施行方法の適用の考え方など〔施行規則49条の3〕）を内容とする施行管理方針をあらかじめ都道府県等と合意し，これを実施する代わりに，その都度の事前届出を不要とすることが考えられたのである。

改正法では，この考え方に従い，施行管理方針については都道府県知事の確認を受けた上で，その都度の事前届出を不要とし（12条1項ただし書），土壌汚染の状況を適切に管理する上で最低限必要な情報を，環境省令で定めるところにより（年1回〔施行規則52条の3〕），まとめて事後的に届出させる（12条4項）こととされた。

このように自然由来汚染について規制を一定程度緩和している理由は，濃度が低いこと及び人為由来でないことが挙げられる。規制緩和の対象として人為由来汚染が除かれているのは，人為由来汚染については，自然由来や埋立材由来と異なり，汚染が局在しており，土地の形質変更や土壌の運搬に伴い，新たな汚染が生じるおそれがあるからである。

新区域は，要届出区域の中の，自然由来特例区域（施行規則58条5項10号），埋立地特例区域（同11号），埋立地管理区域（同12号）と同様の扱いになろう。

⑥要措置区域等における飛び地間及び区域間の土壌の移動——搬出規制に関して，要措置区域等における，（1つの事業場の土地や一連の開発行為が行われる土地における）汚染土壌の飛び地間の移動及び（「自然由来等形質変更時要届出区域」〔18条2項に定義がおかれている〕内の）自然由来等土壌の区域間の移動を可能とする規制緩和が行われた。具体的にはこのような場合の搬出について，汚染土壌の処理の汚染土壌処理業者への委託を不要とする（18条1項3号，2号）。ここにいう飛び地間の移動は同じ敷地内の狭い範囲の移動であるのに対し，区域間の移動は同じ敷地ではなく，数km 離れた移動も含むものである。

⑦自然由来・埋立材由来基準不適合土壌の取扱い——自然由来特例区域及び（埋立材からなる）埋立地特例区域から発生する基準不適合土壌は，特定有害物質の濃度が低く，特定の地層や同一港湾内に分布していると考えられることを踏まえ，適正な管理の下での資源の有効利用の観点から，一定の場合にはその移動や活用を可能とするものである。この活用については，国や自治体が汚染土壌処理の事業を行う場合の特例が定められており，そこでは都道府県知事との協議をもって処理業の22条1項の許可があるものとみなすとされている（27条の5）。活用としては，道路路盤に使うなどが考えられる。

(e) その他

⑨改正法では，汚染土壌処理業が適正に行われるよう，汚染土壌処理業の許可基準及び承継の規定を整備した（22条3項，27条の2，27条の3，27条の4）。

なお，改正法は，都道府県知事における（飲用井戸のような）汚染による健康被害のおそれについての情報の収集等の充実（61条1項），有害物質使用特定施設設置者の汚染状況調査への協力の努力義務（61条の2）などの規定を置いている。61条の2は，3条調査（施設設置者と土地所有者が異なる場合，土地所有者には物質がわからないことがある）のほか，4条，5条調査も対象としており，企業がかつて使った物質を解明することを考えている。原因者負担の強化につながる規定である。

また，⑩施行規則及び通知レベルの改正として，特定有害物質を含む地下水が到達しうる「範囲」についての考え方の変更がなされた。すなわち，かねて土壌汚染の溶出量基準が厳しすぎるとの批判が強く，確かに土壌汚染の汚染除去等として過剰な対策がなされる場合には，土地所有者等に大きな負担を与え，ブラウンフィールド問題（→(4)〔217頁〕）等が起きる可能性があるため，この点に配慮する必要はあるが，溶出量基準の基準値自体は，水質汚濁防止法との関係もあり改変は難しかった。そこで上記の「範囲」（土壌汚染対策法施行規則30条の「地下水汚染が拡大するおそれがあると認められる区域」）にあたる否かの基準について，従来のように要措置区域で措置完了とするために，要措置区域周縁（敷地境界）で基準に適合することを求めるのでなく，地下水汚染の到達予測範囲が飲用井戸まで行かないのであれば健康被害のおそれなしとして措置完了とし，要措置区域の指定を解除すること（ただし，廃掃法の埋立処理基準を上回る高濃度区域とすることは望ましくないため，第2溶出量基準を上限とすべきものと考えられる）とされた。

この点は，汚染除去等（封じ込め，土壌汚染除去，不溶化）の実施の技術的基準（施行規則別表第6）にも反映された。すなわち，従来のような汚染除去工事の現場での基準達成を目標とすることを止め，飲用井戸等（評価地点）への到達可能性を考慮し，評価地点で地下水基準を満たすために要措置区域で達成すべき土壌溶出量（目標土壌溶出量）および地下水濃度（目標地下水濃度）を設定することに変更されたのである。

これは，汚染除去等の措置完了条件を──リスク評価の観点を導入しつつ──必要な範囲で限定しようとするものであるが，同時に本法制定時から指摘されてきた環境基準の厳格さに対する批判に対応した面もあるといえよう。

Column24 ◇ 4つの台帳

2017年改正により，従来からの①要措置区域の台帳，②形質変更時要届出区域の台帳に追加して，③解除された要措置区域の台帳，④解除された形質変更時要届出区域の台帳を作成することになった。法文上は③と④を明確に区分することとされている（15条1項）。もっとも，これらを合本するかは自治体に委ねられる。全面的解除の場合には，（従来からの）指定台帳の情報はすべて解除台帳にも記載される。他方，部分的解除の場合には，指定台帳と解除台帳の双方に情報が記載され，閲覧者は双方を閲覧しなければならないことになる。区域指定の解除について「解除台帳」という別の台帳に記載を残すことは，後述するように，台帳の透明性を確保し，土地取得時に詳細な土地履歴を把握できるようにする要請を重視しつつ，要措置区域等における汚染除去等の意欲を損ねないようにする要請にも一定の配慮をしたものであるが，他方で，閲覧者にとってかなりわかりにくいものとなったことは否定できない。将来的には，指定台帳と解除台帳はひとつにまとめることが適当であると思われる。

Column25 ◇土壌環境基準項目，特定有害物質の追加，基準強化と土壌汚染対策法の規制

(1) 2016年に土壌環境基準項目に1,4-ジオキサン，塩化ビニルモノマー（クロロエチレン）が追加された。従来，土壌環境基準における溶出量基準項目が設定された物質については，土壌汚染対策法の特定有害物質として指定してきたが，1,4-ジオキサンは水に溶解しやすく揮発しにくいため，土壌汚染の把握が困難であることから，当分の間は特定有害物質に指定をしないで通知レベルの指導（技術的助言）による対応を行うこととされた。

(2) このような土壌環境基準項目や特定有害物質の追加は，土壌汚染対策法の規制にどのような影響を及ぼすか。具体的には，土地所有者等は（汚染除去等については汚染原因者も）再調査や再度の汚染除去等を求められるのだろうか（なお，既存の特定有害物質について基準を強化した場合にも同様の問題状況となる）。

この点については，水質汚濁防止法や大気汚染防止法のようなフローの汚染については，対象物質が追加された時から規制が追加されるだけであり，特に問題は生じない。これに対し，ストックの汚染である土壌汚染については，いったん調査や汚染除去等が終了した後に特定有害物質が追加された場合に再度の調査，汚染除去等が求められることは規制対象者に多大な負担をかけることになるし，（一度調査をさせ，汚染除去等を指示した）行政の信頼を失わせることになる（地下水の浄化もこれに類似する）。すなわち，行政の信義則及び比例原則の観点から，調査や汚染除去等がすでに終了している場合には再度の作業は要求しないことを原則とすべきである。

環境省の審議会の答申においても，施行時点ですでに法に基づく調査に着手しているか調査が終了している場合，すでに汚染除去等の措置が指示されている場合には，調査や汚染除去等のやり直しを求めない立場を明らかにしている（「土壌の汚染に係る環境基準及び土壌汚染対策法に基づく特定有害物質の見直しその他法の運用に関し必要な事項について（第2次答申）」〔2015〕）。

具体的には，①調査については，土壌汚染状況調査の義務が発生した時点で調査対象とするか否かを判断する。すでに対策が講じられた土地であっても新たに法に基づく手続に着手する場合，5条調査命令が出される場合には，新規特定有害物質を含めた規制が課されることに注意を要する。

②すでに土壌汚染状況調査の結果を報告済みである場合は，新規特定有害物質に係る調査のやり直しは求めず，報告結果に基づき区域指定の公示をする。

③すでに汚染除去等の措置が指示された場合には，新規特定有害物質の追加に伴う措置のやり直しは求めない。

④搬出前の認定調査を行い都道府県知事の認定を受けた後に新規特定有害物質が追加された場合には，当該認定は有効とする。

⑤新規特定有害物質が追加される前に区域指定された区域から搬出された汚染土壌の処理をする場合，区域指定後に新規特定有害物質の追加が施行されても，処理に際して新規有害物質への対応は求めない。ただし，浄化等処理施設の浄化確認調査においては，新規特定有害物質が追加された後の調査については，新規特定有害物質を含む全ての特定有害物質について実施することが必要である。

(3) 次に，（水道水質基準，環境基準の強化のような場合に伴い）特定有害物質の基準が強化される場合の扱いについて，カドミウム及びその化合物並びにトリクロロエチレンの基準強化による変更に関して実際に問題となり，答申は次のような概要を述べている（「土壌の汚染に係る環境基準及び土壌汚染対策法に基づく特定有害物質の見直しその他法の運用に関し必要な事項について（第4次答申）」〔2020〕）。

①基準見直し以前に，既に有害物質使用特定施設の廃止等が行われている場合にあっ

ては，基準が見直されたことのみを理由に当該有害物質使用特定施設の廃止等にかかる土壌汚染状況調査の再実施を求めないし，既に要措置区域に指定されている土地において都道府県知事の指示に基づく汚染の除去等の措置を講じている場合にも，当該措置の再実施を求めない。

ただし，基準見直し後の基準に適合せず，又は適合しないおそれがあると認められる場合には，都道府県知事は，地下水の水質の汚濁の状況若しくは地下水の飲用利用の有無又は人が立ち入ることができる土地であるか否かについて確認を行うことが適当である。その上で，法5条1項に基づく調査の命令を行うなどの対応を講じることが適当である。

②土壌汚染状況調査における基準見直しの適用時期は，有害物質使用特定施設の廃止等を行う時点を判断基準とする。

③認定調査については，土壌を搬出しようとする区域の指定の時期に関わらず，法16条に基づく認定の申請が行われた時点の基準で評価を行う。

④カドミウム等の許可を取得している汚染土壌処理業者については，一律の変更許可を求めることはしない。都道府県知事は，必要に応じ，法54条4項に基づき報告徴収や検査を行い，基準見直し後に適切な処理がなされていることを確認することが適当である。

⑤基準見直し前にカドミウム等を対象に土壌汚染状況調査を行い，見直される前の基準に適合していることが確認された土地や，区域指定された後に汚染の除去等の措置を行い区域指定が解除された土地においては，新たに調査契機が生じた場合，調査を行う。

新たに調査契機が生じた場合において，過去に行った土壌汚染状況調査の結果等（土壌汚染対策法施行前の公定法による同等の調査の結果も含まれる。施行通知による）において見直された後の基準に適合しない土壌の存在を確認したときは，当該土壌が存在する場所については，掘削等により汚染状態が明らかに変化していると考えられる場合を除き，汚染が存在するものとして調査を行うことになる。具体的には，3条調査が行われた土地について汚染の除去後に開発をすることとなり，4条調査をすることとなった場合などがありうる（新たに調査契機が生じた場合でなければ，上記のように，5条調査の問題となる）。なお，トリクロロエチレンは，基準強化に伴う運用においては，分解により汚染状態が変化する可能性を勘案して，新たな調査契機において必要な試料採取を行い，汚染の有無を評価できるものとされる。

(4) さらに，特定有害物質の基準の変更（特に強化が問題となる）の場合に，汚染原因者は誰になるか。

ある土地Aから基準見直し後に当時の基準に適合していた土壌（見直し後の基準には不適合な土壌）を土地Bに搬入した後に，基準強化が行われた場合，汚染原因者を誰と考えるか。土地Aを汚染した者か，土地Bに土壌を搬入した者か。法7条の問題ともなりうるが，土地所有者Bとの間で一定レベルの汚染土壌の搬入に合意があったと考えれば，7条1項ただし書の要件は満たさず，都道府県知事は土地所有者Bに指示をすることになろう（原因者に指示することにはならないであろう）。他方，8条の問題にはなりうる。

搬出される認定土壌について，認定後搬出前に基準が変更された場合，前述した（→本 **Column25**(3)）ように，認定は有効とされるわけであるが，土地Bに土壌を搬入した者を原因者と解すべきであろう。自然由来汚染土壌については，その搬出・搬入行為により，人為的行為による汚染となるとされているが（2017年改正で明確化した→(c)〔229頁〕），この考え方に従うことになる。また，汚染の拡散をできるだけ防ぐインセンティブを与える観点からも，このような理解が適当であろう。

(8) 本法の骨格部分の特色

本法の骨格部分の特色として，7点あげておきたい。

Q21 本法における汚染の除去等の実施主体にはどのような特色があるか，そこにはどのような問題点があるか。
Q22 本法が汚染の調査について土地所有者等が行うことを原則としている理由は何か。

第1に，汚染除去等の措置の実施主体については，①国・地方公共団体が公共事業として汚染除去等の措置をとり，後に，汚染原因者から費用を徴収する方法（公共事業型）ではなく，②一定の場合について，行政が汚染原因者，土地所有者等に汚染除去等の措置の実施を命ずる方法（**規制型**）を採用した。

一見すると①がよさそうにみえるが，市街地の汚染地は相当数に上ることが予想されるため，行政が全ての対策を実施することは，行政リソースの限界という点からみてきわめて難しいところから，②を採用したことは適当であったと考えられる。オランダで①に失敗して②に転換したことが他山の石とされたといえよう。ダイオキシン類対策特別措置法は，上記のように，公共事業型を採用したが，ダイオキシン類の場合には，リスクの広がり，大きさ，社会的関心の高さから公共事業とする必要性が特に高かったとみるべきである。

第2に，**汚染調査の実施主体**については，**土地の所有者等**が原則とされた。これは，①土壌汚染の調査は，汚染の有無や汚染原因者が誰かが判明していない段階で行うものであること，②私有財産である土地を対象とするものであり，所有者等には状態責任があること，③所有者等以外の者には，土地に対する権限がないため，土地の中で調査をするにあたって所有者等に許諾を得なければならず，迅速な対応ができないこと，④調査については汚染の除去等に比べればコストがはるかに安くてすむことなどが理由としてあげられる。

第3に，**汚染除去等の実施主体**としては，**汚染原因者**と**土地所有者等**（所有者，占有者，管理者）との双方があげられた。

まず，もちろん土壌汚染の場合にも，それを引き起こした原因者の責任（**行為責任**）は存在する。他方，土壌汚染は土地と関連しているため，その汚染除去等の措置を実施する際に土地所有者等が何らかの関わりをもつことになる。すなわち，土地所有者等は，①汚染除去等の措置が行われることについて許諾するかどうかの権限をもっているし，②土地所有者は現在の土壌汚染による健康リスク（危険）を支配していると考えられ，それを根拠とする責任（**状態責任**）を負っていると考えられる。このように，土壌汚染の場合には，原因者と土地所有者がともに責任主体となっているのであり，これは土壌汚染が大気，水などの公共財ではなく，土地に対する汚染であることに基づくものである。

では，両者はどういう関係に立つのか。それは，原因者負担原則とどのように関連するのか。筆者は，本法は**原因者負担原則**を貫いていると解する。それは2つの点に現れている。1つは，汚染の除去等の措置は，汚染原因者が明らかな場合（正確には，前記の3要件〔→**2**(3)（215頁）〕を満たす場合）には汚染原因者が優先して実施することとされていることである（7条）（『逐条解説 土壌汚染対策法』116頁。土地所有者等は，義務付け訴訟の要件を満たす場合において，都道府県知事から汚染除去等の指示を受け，又は措置命令を発せられたときは，3要件を満たすことを立証すれば，都道府県知事に対し，原因者に指示ないし措置命令を出すよう求めることができると解される）。3要件は原因者に汚染除去を指示するためには当然必要な要件であり，これが原因者負担主義を採用していない理由にはならない。ただ，事実上，汚染原因者が明らかでない場合は少なくないということである。理論的に原因者負担原則がとられていることと，実際上土地所有者に責任が負わされる場合が多いこととは区別して考えるべきである。もう1つは，土地所有者等が措置を実施した場合には，汚染原因者に費用を請求できる（求償できる）こととされたことである（8条。なお，8条1項は，同条2項が民法724条に類似しているところから，不法行為による損害賠償請求権と類似する請求権と解されている。前掲『逐条解説』133頁）。これらは，汚染原因者が判明する限りで，原因者を優先するスタンスを示したものである。

もっとも汚染原因者が特定できない場合には，状態責任の観点等から，土地所有者等が責任を負うこととなっており，それが汚染原因者が特定できない場合に制度に穴があくことを防いでいるわけである（汚染原因者の特定が困難な場合が少なくないという事情が関連している。この点も原因者負担原則に必ず伴う問題であり〔→**2**-**4**・4（58頁）〕，これが原因者負担主義が貫かれていないことにはならない）。この点については中央環境審議会でも相当の議論がなされたが，最終的に良い形に収まったものといえよう。この点は論争の的となっているが，立法趣旨を踏まえた解釈がなされなければならない。

なお，欧米では，土地所有者の責任について，善意無過失の購入者には抗弁を認め，免責をする考え方をとるものが少なくない（アメリカ，オランダ，ドイツ判例）。善意無過失の購入者は，いわば「犠牲者」の地位にあり，汚染について全く予見不可能であった場合にまで汚染除去の責任を課するのは適当でないとの考えに基づくものである。本法にはこのような考え方は採用されなかった。

第4に，法律レベルではないが，金融機関など，担保権実行等により一時的に土地所有者等となった者については，7条1項の指示措置が限定される（施行規則36条2項）。汚染地のより実質的な対策は，売却後の新所有者に行わせるべきであるとの考え方である。

第5に，土地所有者等，汚染原因者の責任については，**責任の遡及**が認められた。この点に関しては，行為時には科学的知見が十分でなかったが，時間の経過とともに知見が充実した場合，原因者に対策を実施させるのが合理的な場合があるとするドイツの学説の考え方（「**不真正遡及**」）があり，わが国でもこれを導入したものといえる。公害防止事業費事業者負担法3条に関する名古屋地判昭和61・9・29（判時1217号46頁）によれば，責任の遡及を認めるかは，規制目的の正当性と手段の合理性を検討し，既得の地位の性質，遡及によりその内容を変更する程度，変更によって保護される公益などを総合的に勘案して，公共の福祉に適合するかを判断することになるが，土壌汚染についての健康リスクが判明し，国民の関心が高まってきたこと，全国津々浦々の土地を公共事業によって汚染除去等をすることが現実的には不可能であることから，説明されよう。もっとも，社会一般の感覚からすれば，責任の遡及があまり行われることが望ましいわけではなく，法は，3条調査が法律施行前に使用が廃止された有害物質使用特定施設には適用されないとする（附則3条）ように，この問題が起きにくいよう配慮していること，前記のとおりである。

なお，費用負担者が複数いる場合については，欧米では，連帯責任を認めるもの（オランダ法），原則として認めないもの（イギリス・法律の下のガイダンス），損害の可分性についての証明責任を被告に課するもの（アメリカ判例）に分かれているが，寄与度が極めて小さい汚染者について遡及責任を認めることを前提とすると，このような者にさらに連帯責任を課して全ての費用負担のリスクを負わせることは避けるべきであると考える。本法が連帯責任を課さなかったこと（原因者間について，施行規則35条2項）は首肯できるところである。

Column26 ◇ 7条1項の「指示」には処分性があるか

土壌汚染の調査について，都道府県知事は，有害物質使用特定施設の使用が廃止されたことを知った場合に，施設設置者以外に当該土地の所有者等がいるときは，当該土地の所有者等に対し，施設の使用廃止等の事項を通知することとされているが（土壌汚染対策法3条3項），最高裁は，近時この3条3項の「通知」について処分性を肯定した（最判平成24・2・3民集66巻2号148頁〔33〕)。報告の義務自体は通知によって発生しているのであり，通知を受けた土地所有者等はこれに従わずに3条1項所定の報告をしない場合であっても，速やかに3条4項による命令が発せられるわけではないので，早期に命令を対象とする取消訴訟を提起することができるものでもなく，そうすると，実効的な権利救済を図るという観点からみても，3条3項の通知がされた段階で，これを対象とする取消訴訟の提起が制限される理由がないとする。

同法3条3項の通知の後の報告義務違反の場合に罰則が付されていないこと，3条4項に命令の規定があること，3条3項の通知は施設設置者以外に土地所有者等がいるときに限りなされるものであり，「通知」を報告義務の要件とすることは必ずしも適当でないことから，同「通知」には処分性がないとするのが一般的な理解であったと思われるが，最高裁はこのような判断をした。通知についての行政手続法上の義務が発生することのほか，3条3項の通知の違法性が3条4項の命令に承継されるか等，新たに議論すべき点が発生したといえよう。

そして，このような判例の立場から，同法7条1項の指示についても，――実効的な権利救済という観点から――処分性を認める方向に働く可能性が生じたとみられる。7条1項の「指示」と7条8項の「命令」は，3条3項の「通知」と3条4項の「命令」と類似の問題となるからである。7条1項の指示を受けた者は，指示措置と同等以上の措置を講じうること（7条1項1号）から，措置が特定していないという点が異なるが，最低限の義務が明確になっていることには変わりはなく，この点はそれほど重要な相違ではないであろう。その後，環境省も，都道府県知事，政令市長に対してこの趣旨の通知を発した（環水大土発第120312002号）。

第6に，住宅地等で汚染が発見されたが，原因者が不明であり，土地所有者等である住民等の負担能力が低い場合など，土地所有者等に対する財政支援を目的として「**基金**」が設置された。基金は国の補助金に加え，産業界等政府以外の者から任意の拠出を募って事業費とすることにされている。ただし，この基金はほとんど活用されていないという問題がある。

Q23 土壌汚染対策法において情報的手法が活用されている場面をあげよ。

第7に，本法は規制対象区域の土壌汚染について適切な管理が行われるようにするため，**台帳**を調製し，土壌汚染情報を一般の閲覧に供することとした。台帳は，①周辺住民への情報提供，②土地取引や土地改変，汚染土壌搬出による新たな環境リスクの発生の防止を目的としている。環境政策の1つの手法として，「**情報的手法**」が注目されているが（→**3-3**〔84頁〕），土壌汚染における情報の公表は，一般の情報的手法以上に大きな効果があり，本法の重要な事項となっているというべきである。それは，汚染地であるという情報が，直ちにその土地の価格を下落させ，売主は汚染地をまっとうな価格で売却しようとすれば，その汚染の除去等をせざるをえなくなるからである。なお，この点に関しては，従来，要措置区域及び形質変更時要届出区域の指定が解除された場合には，通知により台帳から削除されていたが，2017年法改正により，区域指定が解除された場合に，措置の内容等と合わせて区域指定が解除された旨の記録を台帳に残すこととされたため，土地の履歴や状況に関する情報を社会で共有する方向に一歩進んだといえよう。

(9) 2009年改正及び2017年改正の全体的評価と今後の課題

(a) 2009年改正の全体的評価

本改正は，先に述べた旧法の3つの問題について総合的な対策を講じたものである。2002年法の隙間を埋め，本法制定後に生じた問題点に対処する上で，現実的な対応をしていると評価できる。

Q24 掘削除去の減少を図ろうとする2009年改正は何を目的としているのか，それは環境法の一般的な目的と考えられる，環境の改善とはどのような関係にあるか。

このうち，**掘削除去の減少**を目的とし，形質変更時要届出区域を今後維持管理をしていく方向性を強く打ち出した点（→ 2 (5)(b)〔222頁〕）について触れておきたい。この点については，様々な観点から考察することができる。すなわち，この点については，上述したように，①環境への潜在的なリスクを防止する観点とともに，②土壌汚染対策法制定が何らかの形で与えた社会におけるコストの上昇（多くの場合には，土壌リスクとの関係では過度のコスト負担となっているとみられる）を防止する観点が含まれている。②は，従来本法が土壌汚染による健康被害の防止にのみ着目しており，本法制定の結果社会に生じうる課題については取り上げていなかったのに対して，本改正は本法の社会への影響についても積極的に取り上げようとしたものといえる。

もっとも，本改正については，極めてプラクティカルであるがゆえに，環境改善とは別のベクトルが強く働いていると感じられる向きもあるかもしれない。それは，（掘削除去には上述した問題があるにせよ，逆に）掘削除去の防止を徹底することが土壌汚染の浄化を可及的に促進し，地下水の迅速な清浄化を促すような環境改善にはつながらないことに表れている。この点については，汚染土が廃棄物以上に不法投棄の成功可能性が高く，その危険性が高いことに鑑みると，掘削除去を進めれば全国の土壌汚染の浄化と地下水の清浄化ができるわけではないこと，アメリカで問題となっているようなブラウンフィールド問題の発生を未然に防ぎたいこと，土壌による健康リスクは多くの場合はそれほど大きいものではないことなどの諸要素の衡量の結果の決断が背後にあるのである。

いずれについても，本改正は理想を追うというよりは次善の目標を追求するということとなっており，総合的には妥当といえようが，将来の地下水利用の余地を残すという観点からは，土壌汚染に伴う地下水汚染が増大しないよう，きちんとした長期的な管理がなされることを検討すべきであり，現在地下水が飲用に供されていない地域については対策をとらないという方針は，将来的には再検討されるべきであろう。

(b) 2017 年改正の全体的評価

2017 年改正（→(7)〔226 頁〕）のうち，①一時免除中や施設操業中の事業場における土地の形質変更の際の届出・調査報告の導入は，汚染の蓋然性が高い土地について，汚染状態の把握が促進され，汚染土壌の飛散流出や地下水汚染，汚染拡散を防止する観点から重要な改正であった。

②汚染除去等計画の提出及び措置完了報告の手続の導入は，汚染除去等の措置という本法の最も核心的な部分について従来（条例で対応しているものはあったが，法律上は）明確な規定がなかった部分に切り込んだものであり，本法の実効性を高める点で必要不可欠な改正であった。②は，指定区域を二分した 2009 年改正とともに，リスク管理の強化，詳細化をしたとみることができる。関連して，⑩は，下位法令以下のレベルの変更であるが，溶出量基準が厳格すぎるとの従来からの批判に応え，汚染除去等の技術的基準における地下水基準の適合性の考え方を変え，飲用井戸への到達可能性を考慮するものであり，毀誉褒貶があると思われるが，リスク管理に対して現実的な対処をしたものといえる。

さらに，③台帳の記載事項について，区域指定が解除された場合に，措置の内容等と合わせて区域指定が解除された旨の記録を「解除台帳」という別の台帳に残すことは，透明性を確保し，土地取得時に詳細な土地履歴を把握できるようにする要請を重視しつつ，要措置区域等における汚染除去等の意欲を損ねないようにする要請にも一定の配慮をしたものと評価できる。前者の土地履歴把握の要請は，土地の履歴や状況に関する情報を社会で共有するためにも重要なものである。

④自然由来の土壌汚染については，法律上の扱いについて明文をおき，この種の汚染土壌の搬出等のリスクに対する合理的な対処を行うもの，⑤～⑦は規制緩和に関する改正であり，本法が合理的な規制を行うために必要な改正であったといえよう。また，有害物質特定施設設置者の汚染状況調査への協力の努力義務の規定の導入は，土壌汚染の原因者が誰かが不明なケースが少なくないことから，望ましいものと思われる。通常の法的義務にできなかったことには問題があるが，工場の使用していた物質の種類などが営業秘密に該当する可能性に配慮したものとされ

る。

(c) 残された課題

Q25 土壌汚染対策法の2009年改正，2017年改正後に残された課題としてはどのような点があげられるか。

第1に，本法の目的が「健康に係る被害の防止」に限定されており，土壌汚染が公害である（環境基本法2条3項）にもかかわらず，生活環境被害の防止は含まれていないことである。さらに，オランダなどのように，生態系保全を含めるべきであるとする見解もあろう。

第2に，土地所有者の責任について，上述したように，欧米では，善意無過失の購入者には抗弁を認め，免責する考え方をとるものが少なくなく，わが国でもこのような考え方を導入することが検討されるべきであろう（東京地判平成24・2・7判タ1393号95頁［32］は，この点を扱ったものである。この訴訟では，原告は土壌汚染対策法の施行前に本件土地の汚染状況を知らずに取得し，自主的に汚染浄化工事を行って多額の出費をした本件土地の所有者であり，同法施行前に土地を取得した汚染原因者でない所有者の措置義務を免責する経過措置を定めなかった国の行為は，国家賠償法1条1項の適用上違法となると主張した。これに対し，本判決は，措置命令の対象となる者に法施行前に土地を取得した者を含めるか否かは立法裁量に属する事項にほかならず，国家賠償法1条1項の適用上違法とされるような例外的な事情があるはいえないとした）。善意無過失の購入者は，「犠牲者」の地位にあり，汚染について全く予見不可能であった場合にまで汚染除去の責任を課するのは適当でないと考えられるからである。なお，これを認める際には，土地所有者等の主観に関連する問題を要件とすることによる煩雑さ，汚染原因者が明らかでない場合に汚染除去等を指示する対象がなくなることの問題などが生ずるが，後者については公的財源投入の可能性についても検討する必要が生ずるであろう。

第3に，法改正ではなく運用でも可能な点として，指定支援法人の基金（46条）の活用による助成金の交付及び融資の問題がある。この助成金は土地所有者等が汚染除去等をした場合に用いられるものであるが（施行令8条1項），交付例は2件にとどまっている。さらに，融資については，かつては行われていたが，現在は中止されているところである。助成についても融資についても交付例が極めて少ないが，――2017年改正によれば一時免除中及び操業中の事業場の調査が新たに行われるのであるから――特に中小企業の事業場についてはその必要性が生じることが予測される。

第4に，ブラウンフィールド問題との関係で，掘削除去が相変わらず多いことをどうするかという問題がある。この点は不動産市場の要請に基づくもので短期的な変化は難しいが，社会全体で，土壌汚染は摂取経路を遮断すれば土地の有効利用に問題がないという認識を共有することが重要である（豊洲市場の土壌汚染の問題は食の安心の問題として，これとは別のベクトルの問題となる）。

第5に，有害物質貯蔵施設，貯油施設の扱いが問題となる。貯油施設は，今後わが国でガソリンスタンドが益々廃止され，原因者が不明になることが見込まれる中，早急に対象施設に含めるべきではないか。油汚染は臭いが問題となり生活環境被害とされることが多いため，第1点にも関連するが（現在，油汚染は「油汚染対策ガイドライン」で対処されているにすぎない），仮に第1点をクリアできなくても，ガソリンに含まれている（健康被害物質である）ベンゼンに着目しつつガソリンスタンドを3条調査の対象施設に含めることが検討されるべきであろう。

ほかにも，(i)取引の際の売主の土壌汚染調査義務の導入，(ii)土地の利用用途に応じて汚染除去を行う考え方の導入，(iii)汚染除去の必要性・方法を決定するにあたってのサイトリスクアセスメントの導入などが問題とされうる。

➡ A社は長年B工場を操業してきたが，その設置されていた土地及びB工場をC社に売却した。C社はB工場の操業を準備していたが，経営が傾き，しばらくして操業することなくその使用を廃止した。C社は，工場が設置されていた土地を売却しようとして整備をしていたところ，高濃度のカドミウムが発見された。付近の住民Dらは井戸水を飲んでいる。Dらは，A社及びC社に対してどのような請求ができるか。B工場が属するE県の知事は，A社又はC社に対してどのような手段をとることができるか。Dは行政に対してどのような請求ができるか。

(d) 2017年改正後の状況

2017年改正後の状況について付言しておく。

第1に，法令に基づく調査は，土壌汚染調査事例の約5割を占めるに至った。

第2に，14条調査は減少した。これは，2009年改正で土地の形質変更の届出と同時に調査結果を報告することを可能にした（4条2項）ためであると考えられる。なお，その結果，調査契機は，3条，4条，14条が同程度の数になってきている。

第3に，区域指定件数のうち，8割以上は形質変更時要届出区域である。解除された区域の割合は要措置区域が69%であるのに対し，形質変更時要届出区域は37%であり，両者は異なる性格のものとなっている。2009年改正で両者を区分したことは適切であったと言えよう。

第4に，2010年度以降，要措置区域は年数十件程度，形質変更時要届出区域は年200-500件程度である。自然由来特例区域，埋立地特例区域及び埋立地管理区域は2017年改正以後かなり増加した（2020年度終了時での区域数はそれぞれ245，36，240)。臨海部特例区域は2019年度に1件が指定されたにとどまる。理由としては，区域を広く指定されることが多いため，申請しにくいことが考えられる。

第5に，掘削除去は，2019年度から20年度累計について，要措置区域で実施される措置のうち72.0％，形質変更時要届出区域で実施される措置のうち77.7％で依然として多い。この点については，2017年改正後，掘削除去の数を減らすことを目的の1つとして，実施措置の方法として，地下水水質のモニタリングの方法について一定の緩和措置をとったが（施行規則別表8一号の「実施措置の実施の方法」二号へ），掘削除去減少の効果は表れていない。

第6に，汚染土壌処理施設は2020年度末で173件であり，自然由来等土壌利用施設はうち2件である。

6-5　化学物質の排出移動についての情報開示(PRTR)

1　PRTRとは――法制度導入の背景

(1)　定　義

PRTR（Pollutant Release and Transfer Register：環境汚染物質排出・移動登録）とは，事業者が，工場・事業場における対象化学物質ごとの環境中（大気，水，土壌中）への排出量や，廃棄物としての場外への移動量（さらに，対象化学物質の保有量）を自ら把握し，その結果を行政に報告し，それを何らかの形で公表する制度をいう。これらの行為を通じて，事業者による化学物質の自主的管理が促進されるとともに，情報の開示・公表により，国民の監視の下に，事業者自身による対策を推進し，また，そのデータは行政による化学物質の環境リスク対策の基礎として活用される。

この制度は，アメリカ，オランダ等で導入され，リオ宣言第10原則及びアジェンダ21第19章を背景に，1996年にOECD（経済協力開発機構）が加盟国に制度導入の勧告を行ったため，わが国にも導入されたものである。

(2)　制度の必要性と意義

このような制度の必要性は，次の2点から生じたといわれる。

第1は，環境リスクが相対的に低いと判断される化学物質や，環境リスクが必ずしも明らかでない化学物質についても，**予防原則**の観点から，可能な範囲で環境リスクの低減を図っていく必要があったことである。

すなわち，わが国で流通している5万種類以上の化学物質の中には，生産，使用，廃棄等の仕方によっては，人の健康や生態系に有害な影響を及ぼすおそれを有するものがあるが，その中には，発癌性，生殖毒性等のように低レベルの曝露であってもその影響が無視できないものがある。こうした化学物質については，従来の考え方によれば，まず環境リスクの評価を実施し，その結果に応じて規制的手法を講じていくことになるが，全ての化学物質の環境リスク評価を実施するには相当の時間を要し，また，評価を実施しても，その多くはグレイゾーンにあることから，規制的手法を用いることは適切ではない。また，化学物質の種類は極めて多いことから，その監視については行政のリソースに限界がある。しかし，これらの物質をこのまま放置してよいほど影響が無視できるものではなく，また，いったん被害が発生すると，人の健康等に不可逆な影響を及ぼす可能性があるところから，未然防止の観点から，問題解決に向けた新たなアプローチが必要になっているのである。

第2は，従来，化学物質の製造・使用規制，大気，水，土壌等への有害な化学物質の排出等の規制により，対策が進められてきたが，そこでは，製造・使用・排出・廃棄等の段階や環境経路ごとに規制がなされており，ある化学物質が人や生態系に与える影響を総合的に評価した上で関連する対策を有機的・総合的に行っていないという限界がある。そこで，化学物質の総合的・包括的管理制度の必要性が唱えられたのである。

こうして，総体的に化学物質による環境リスクを低減していくため，化学物質を環境中に排出する者による自主的な削減及び，その促進に対する行政の積極的関与が要請される。すなわち，化学物質の排出量に関する情報を，施設や地域ごとに適正に公表させることにより，国民の監視の下に，各主体の取組が客観的・適正に評価され，また，その情報を行政庁が環境政策の立案の基礎とする仕組みを創設することが必要となるのである。このようにPRTRは，企業のみでなく，国民一般も含めて環境への負荷を減らす方向を検討するものであり，事業者，国民・NGO，行政といった各主体のパートナーシップ（協働）により，化学物質の環境リスクを低減させる手法である。この制度は上述した「**情報的手法**」（→**3-3**〔84頁〕）を採用したものであるといえよう。

⑶　制度の目的・基本的構造

Q26　PRTR制度の目的にはどのようなものがあるか。わが国ではどの目的に重点がおかれているか。

諸外国の制度をみると，PRTR制度の目的は，①化学物質の排出状況に関する情報公開の促進（地域住民の知る権利の確保）（アメリカ），②行政が化学物質に係る環境政策を立案する基礎となる環境情報の提供（オランダ）のいずれに重点をおくかに大別される。

ともに，先に触れたように（→(2)），（グレイゾーンのものを含めた）化学物質による環境リスクを低減させることを目的としているといえるが，この重点のおき方の相違により，例えば，情報の公表について，個別施設の排出量の公表を重要視するか否かが変わってくるといえる（地域住民の知る権利を問題とするならば，個別施設の排出量の公表が必要となる。また，知る権利の考え方の下では，対象化学物質の保有量も情報に含まれることになることが多い）。法制度としては，①，②双方を目的とすることが望ましいといえよう。後述のように，わが国のPRTR法は，②に重点をおいたものになっている。なお，同法は事業者の自主管理の促進を目的の1つとしているが，これは，環境負荷低減のための手法というべきであって，これ自体が目的となるものではないというべきであろう。

2　特定化学物質の環境への排出量の把握等及び管理の改善の促進に関する法律（PRTR法）の概要

(1)　制定の経緯と骨子

上記の1996年のOECD勧告を受け，1999年，特定化学物質の環境への排出量の把握等及び管理の改善の促進に関する法律（法律86号。PRTR法）が制定，公布された（施行は2000年）。衆議院で，事業者の届出の際に原則として都道府県を経由する旨の修正が行われたことが注目される。

本法の要点をごくかいつまんで列挙すると，次の5点である。

①事業者に化学物質の環境への排出量や廃棄物の移動量の把握と国への届出（PRTR）を義務付ける（届出の際には，原則として都道府県知事を経由する）

②国は届け出られた情報を物質ごとに，業種別，地域別などに集計し公表する

③国は小規模事業者や家庭，農地，自動車などからの発生量も推計して公表する

④国民からの請求があれば国は営業秘密を確保しつつ，個別事業所のデータも開示する

⑤化学物質の譲渡などの際，安全データシート（SDS）を添付するよう事業者に義務付ける

以下では，もう少し詳しく本法の内容に触れておきたい（図表6-16，図表6-17）。

(2)　法律の目的

本法の目的は，事業者による化学物質の自主的な管理の改善を促進し，環境の保全上の支障を未然に防止することである（1条）。有害性は判明しているが，人体への悪影響との因果関係が明確でない化学物質についても，事業者による管理を改善・強化し，環境保全の支障の未然防止を図ることを目的とするのである。事業者

【図表 6-16】化学物質の排出量の把握等の措置（PRTR）の実施の手順

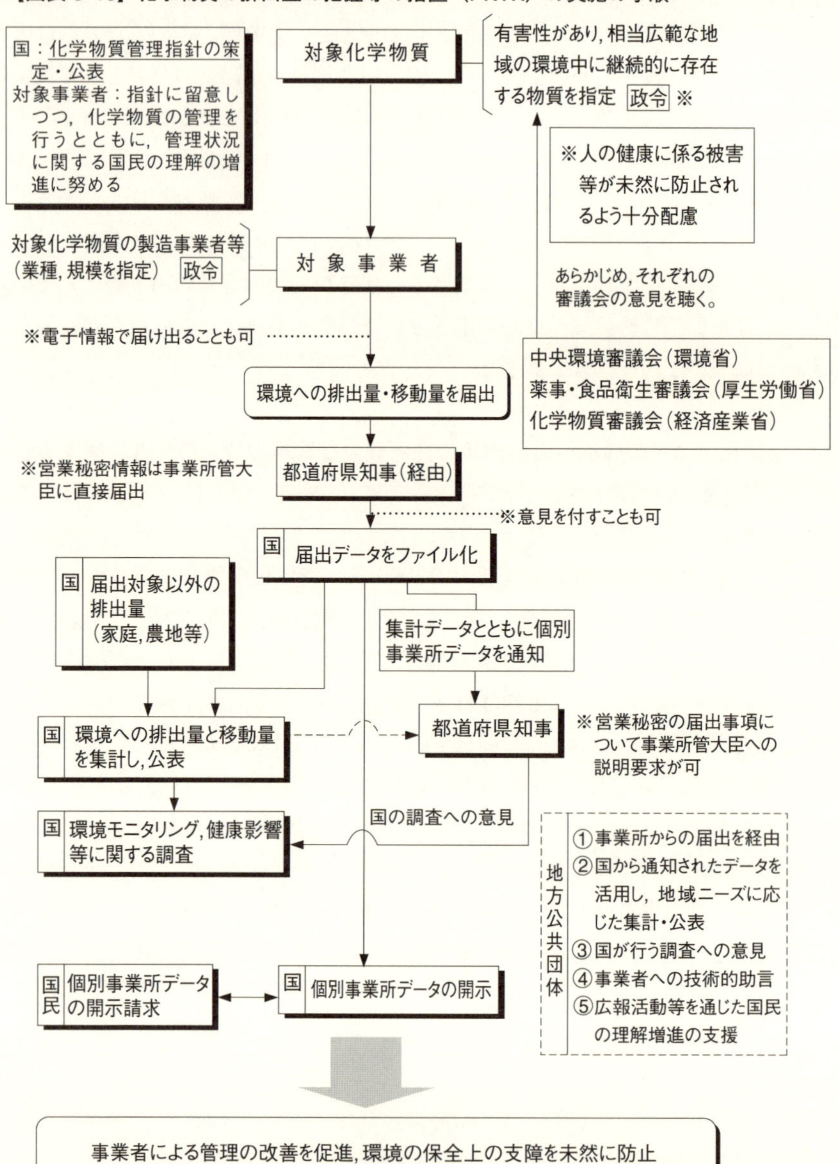

出典：経済産業省資料を加工

【図表 6-17】安全データシート（SDS）の交付の仕組み

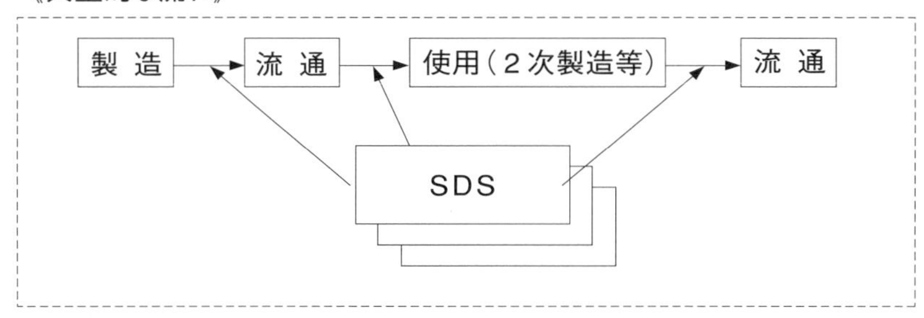

出典：経済産業省資料を加工

による自主的管理と環境保全上の支障の未然防止という２つの目的を掲げたことが，本法の中心的役割を経済産業省と環境省とが担っていることを説明している。

本法においては，PRTR を主な内容とするが，SDS も PRTR による化学物質の排出移動量の把握を行う上で重要な基礎となるとして，両者が１つの法律に収められたのである。

⑶　対象物質の選定

対象物質は，「第一種指定化学物質」（PRTR と SDS の双方の対象となる）と，「第二種指定化学物質」（SDS のみの対象となる）に分かれる。

「第一種指定化学物質」については，その有する物理的・化学的性状等からみて，相当広範な地域の環境において継続して存在する（曝露量）と認められる化学物質で，以下のどれか（有害的なもの）に該当するものを政令で定めることとされている（2 条 2 項）。

①人の健康を損なうおそれ又は動植物の生息・生育に支障を及ぼすおそれがあるもの。

②自然的作用（例えば，日光の照射）による化学的変化により容易に生成する物質が①に該当するもの。

③オゾン層を破壊することにより人の健康を損なうおそれがあるもの。

①において動植物に対する支障が入れられたことが従来にない点である。さらに本法は，対象化学物質を指定する際に，「化学物質による環境の汚染により生ずる人の健康に係る被害並びに動植物の生息及び生育への支障が未然に防止されることとなるよう十分配慮して定めるものとする」（2 条 4 項）としており，生態影響についても配慮する法律として，公害法とは異なる面をもっているといえよう。③のオ

ゾン層の破壊のおそれが観点として加えられたのは，モントリオール議定書に基づくものである。

ダイオキシンやベンゼンなどすでに環境規制の対象になっている物質のほか，人体等への悪影響との因果関係が明確でない化学物質（例えば，当該物質の環境中での挙動が明らかでないとか，モニタリングデータが不足しているなどの場合）も含め「第一種指定化学物質」として政令で指定された（施行令1条，別表1。2021年の施行令改正で515物質となった）。

「第二種指定化学物質」については，「第一種指定化学物質」以外で，上記の①～③に該当し，かつ，その有する物理的・化学的性状からみて，その製造量，輸入量又は使用量の増加等により，相当広範な地域の環境において継続して存在することとなることが見込まれる化学物質を政令で定めることとされている（2条3項）。地域環境での滞留が将来の見込みである点が「第一種指定化学物質」との相違である（いわば「第一種指定化学物質」の予備軍である）。政令で134物質（2021年の施行令改正による。）が定められた（施行令2条，別表2）。

ともに，有害性（人の健康への有害性〔発癌性，生殖毒性等〕，生態毒性）と曝露可能性を考慮して政令で定められている。第一種と第二種は有害性は同じだが，曝露量が異なる。対象物質には非意図的に生成される物質も含まれる。厚生労働大臣，経済産業大臣及び環境大臣は，法律の対象物質の選定にあたり，あらかじめそれぞれの審議会等で政令で定めるものの意見を聴く（18条，施行令7条）。

⑷　化学物質の排出量等の届出の義務付け（PRTR制度）

(a)「第一種指定化学物質等取扱事業者」は，化学物質の環境（大気，水，土壌の全てを含む）への排出量及び移動量を把握し，主務大臣（事業所管大臣）に届け出る義務を負う（5条）。「第一種指定化学物質等取扱事業者」とは，以下のどちらかに該当する事業者で，政令で定める業種に属し，かつ，取扱量等を勘案して政令で定める要件に該当する者をいう（2条5項）。業種，取扱量，事業者の従業員数等による裾切りがなされるのである。

①第一種指定化学物質又はそれを含有する製品であって政令で定める要件に該当するもの（「第一種指定化学物質等」）を製造・使用その他業として取り扱う者

② ①以外の者であって，事業活動に伴って付随的に第一種指定化学物質を生成又は排出することが見込まれる者

第一種指定化学物質を取り扱う者と，それを付随的に排出する者の双方を含んでおり，政令で業種が定められている（施行令3条）。

排出量及び移動量についての実測は，事業者に過重な負担を課するとの考えから，

特に求められていない。排出量については，①大気，②公共用水域，③土壌，④当該事業所における埋立処分の4区分ごとに，移動量については，①下水道への移動，②廃棄物の当該事務所の外への移動の2区分ごとに把握することとされている（施行規則4条）。

届出先は主務大臣とされているが，秘密情報に係る請求がある場合を除き，都道府県知事を経由する。この場合には，都道府県知事は意見を付することができる（法5条3項）。衆議院で修正された重要な箇所である。

Q27 PRTR法において，営業秘密はどのように扱われているか。

(b) 営業秘密情報（以下，「秘密情報」という）に係る請求がある場合には，主務大臣に直接届け出ることとし，届出を受けた主務大臣は，届出事項を遅滞なく，都道府県知事に通知する（6条）。

主務大臣は，届け出られた情報について営業秘密を確保した上で，遅滞なく，経済産業大臣及び環境大臣に通知し，両大臣はこれをファイル化し（データベースをつくり），それを物質ごとに，業種別，地域（都道府県）別等に集計し，公表するとともに，ファイル化された事業所ごとの情報を主務大臣及び都道府県知事（後者は，当該都道府県に所在する事業所に関するもののみ）に通知する（6条～8条）。

秘密情報にあたるかの基準は，不正競争防止法の営業秘密の基準を用い，①「秘密として管理されている」，②「生産方法その他の事業活動に有用な技術上の情報であって」，③「公然と知られていないもの」とされている（6条1項）。

秘密情報にあたるかの判断は，「第一種指定化学物質等取扱事業者」の請求（毎年度行わなければならない）により，主務大臣が行うが（6条4項～7項），環境大臣は，環境行政上必要があれば，主務大臣に説明を求めることができる（7条4項。関係都道府県知事も同様である。同条5項）。主務大臣はなぜ営業秘密と判断したかについて答えることになる。

この判断について事業者が不服の場合は，行政不服審査法の問題となる（他方，6条4項の主務大臣の決定は，国民との関係で処分性を有するか否かについては争いがある。主務大臣が営業秘密についての判断を誤ったために，不完全なファイルが作成された場合，これを開示しても不完全な開示として違法となり，申請者はそれに対する不服申立て，さらにはその取消訴訟を提起できるとの見解〔山田洋〕を支持しておきたい）。秘密情報にあたるとされた場合には，主務大臣は主務省令で定める対応化学物質分類名をもって経済産業大臣及び環境大臣に通知する（当該化学物質の属するより広い分類名の通知が想定されている。7条1項）。ちなみに，わが国では，PRTR制度開始以来，国への企業秘密としての届出は，2020年度まで1件もない。

届出に関する事務は都道府県の法定受託事務とされ，ファイル化された事業所ごとの情報（8条2項）をもとに，各都道府県は地域の必要に応じて集計し，公表することができるが（同条5項），これは自治事務と考えられている（したがって，公表の仕方については自治体が自ら判断することが可能となる）。

(c) 経済産業大臣及び環境大臣は，(b)で届け出られた排出量以外の，家庭，農地，移動発生源等からの排出量を推計して集計し，(b)と合わせて公表する義務がある（9条）。これによって環境全体への当該物質の排出・移動量が把握される。本法の目的の重点が環境政策の基礎の提供にあることは，この点にも表れているといえよう。

(d) 何人も，主務大臣に対し，ファイル化された事業所ごとの情報の開示を請求することができる（10条）。(b)と合わせると，経済産業大臣と環境大臣が，地域ごとの全体的なデータは一般公開し，個別事業所分は請求された場合にのみ開示することとしたのである。この開示情報については，上記のように，秘密情報の確保が前提とされているわけである。開示請求に係る手数料は，実費の範囲内で政令で定められる（19条）。開示請求手数料は無料，開示実施手数料は1枚20円とされた（施行令8条）。また，主務大臣は磁気ディスクによって開示を行うこともできる（施行令10条）。この点については2008年の法律見直しの検討の際に，運用上環境省のウェブサイト等で公表することとされ，法10条は意味が乏しくなった（ウェブサイトをみられない者に意味が残されているにすぎない）。

Q28 PRTR制度には情報公開法にはないどのような意義があるか。情報公開法とはどのような関係に立つか。

PRTR制度が秘密情報を除いた上で情報をファイル化することについては，情報公開法にはない意義として，ファイル化されたものが直ちに公表されるというメリットがあろう。

情報がファイル化されるまでの時期における開示請求及び，ファイル化された情報以外で行政庁が保有している情報（秘密情報にあたると判断された場合）についての開示請求は，情報公開法の問題となる（情報公開法15条参照）。その際の「開示」「非開示」の基準は，本法とほぼ同一となろうが，リスクの把握を公益と捉えれば，情報公開法の方が開示の範囲が広がる可能性もないわけではないと思われる（情報公開法7条参照。なお，情報公開条例による開示もありうる）。

(e) 事業者は，主務大臣が定める技術的な指針に留意して化学物質の管理を改善・強化するとともに，その管理の状況について国民の理解（リスクコミュニケーション）の増進に努めなければならない（PRTR法3条，4条）。これは第一種指定化学物質，第二種指定化学物質のいずれについても事業者の責務とされているものである。

(5) 国による調査の実施

(a) PRTRから得られたデータを行政が活用する方法として，本法は，国が，PRTRの集計結果等を踏まえて，（環境中の濃度等の）環境モニタリング調査及び人の健康又は動植物の生息への影響に関する科学的知見を得るための調査（環境リスク調査）を実施し，公表するものとしている（12条）。これによって環境への支障のおそれが明確化した場合には，大防法，水濁法等，他の法律で対処することになる。

(b) 都道府県は，国が行う(a)の調査に関して，調査を行う行政機関の長に対し，必要な資料の提供を求め，意見を述べることができる（13条）。

(6) 安全データシート（SDS）の交付の義務付け

「指定化学物質等取扱事業者」（→(4)(a)〔248頁〕の①，②のどちらかに該当する事業者〔裾切りの要件がかからない分，第一種指定化学物質等取扱事業者よりも広い〕及び，第二種指定化学物質等〔第二種指定化学物質又はそれを含む製品であって政令で定める要件に該当するもの〕を取り扱う者。2条6項）は，対象化学物質の譲渡等（有価物に限るとの理解がなされており，廃棄物としての譲渡等は含まれないと解されている）を行うに際し，他の事業者に対して当該化学物質の性状及び取扱いに関する情報を文書その他の方法で提供する義務を負う（14条）。これがSDSであり，そこには，物質の特性，危険有害性の分類，応急措置，取扱い及び保管上の注意，廃棄上の注意，主な適用法令等が記載される。SDSシートについてJIS（日本工業規格）化がなされているので，これに則って作成すれば法律を遵守したことになる。

経済産業大臣は，この義務に違反する「指定化学物質等取扱事業者」があるときは，その者に対して，必要な情報を提供すべきことを勧告し，それに従わないときはその旨を公表することができる（15条）。また，経済産業大臣は，指定化学物質等の性状及び取扱いに関する情報の提供に関し，「指定化学物質等取扱事業者」に報告させることができる（16条）。

なお，SDS制度については，2012年の省令改正により，新たにラベル表示に関する努力義務が追加され，また，SDS及びラベルの作成・提供に関しては，国連GHS文書に対応したJISで実施する努力義務が課された（指定化学物質等の性状及び取扱いに関する情報の提供・方法等を定める省令5条）。これに伴い，事業者が自主的にGHS分類・表示を行っている。

(7) 行 政 罰

「第一種指定化学物質等取扱事業者」が届出義務（5条2項）を果たさず，又は虚偽の届出をした場合，及び「指定化学物質等取扱事業者」が経済産業大臣からの前記の報告（16条）をせず，又は虚偽の報告をした場合には，20万円以下の過料に処される（24条）。本法の制度を誘導していくための方策である。

(8) その他

ほかに，国及び地方公共団体による支援措置（17条）が定められている。この中にリスク・コミュニケーションのための措置も含まれる。

本法と情報公開法との関係については前にも触れたが，最後に一言しておきたい。情報公開法は，開示請求に対して行政機関の長が開示・不開示の決定をする手続があるが，PRTR法にはこのような審査は存在しない。すなわち，情報公開法は一定の事項については開示しないこととしているが，PRTR法は，ファイル化されたものは全て公表する趣旨でできている。実質的には，その前の段階で営業秘密をファイル化しない手続が存在するので，類似しているとみることもできるが，PRTR法は手続上は非公表を認めておらず，この点が異なるわけである。

3 PRTR法の課題・展望

PRTR法は，規制の対象となっていない物質について，企業が行政に報告し，それを公表・開示するシステムを法律で義務付けたものであり，わが国の環境法上，従来にない画期的な制度を導入したものである。このように情報提供を義務付け，虚偽の報告については過料に処することにより，化学物質についての企業の自主管理の信頼性はある程度高められるし，化学物質削減に向けて努力をする企業とそうでない企業の間の公平性もある程度確保されるものといえよう。

また，化学物質についての情報が出されることにより，①事業者は，行政，NGOとの対話（リスク・コミュニケーション）が必要になり，これが環境負荷の未然防止につながることが期待されている。さらに，②行政がモニタリング地点の選定や，化学物質対策の優先度決定の材料とする，③行政が有害大気汚染物質に関する自主管理やオゾン層に関する環境保全対策の進捗状況を把握する，④水系の化学物質の関わる事故や大震災・津波（堆積物の物質含有の判断が問題となる。東日本大震災津波堆積物処理指針参照）の際に，PRTRのデータが有効に利用されるなどの活用がなされている。総じて，PRTRのデータは，環境政策の基盤的情報として用いられているのである（なお，労働安全衛生法の下，労働安全衛生の観点から，673の化学物質の取り扱いの際のリスクアセスメントが義務付けられた）。

しかし，本法には問題点も少なくない。

(1) PRTR法の問題点

本法の問題点として，5点を指摘しておきたい。

第1に指摘すべきは，法律の仕組みとしては，地域住民への環境リスクに関する情報提供の観点が必ずしも重視されていない点である。

第2に，法文上秘密情報に関する保護がかなり図られたが，その要件が適切であるかは疑問なしとしない。それは，企業の活動利益を害するとしても，情報公開法の考え方からすれば，環境中に排出される物質のうち規制物質については，「人の生命，健康，生活又は財産を保護するため，公にすることが必要であると認められる情報」（情報公開法5条1項1号ロ）にあたろうし，その他の未規制物質も「公益上特に必要があると認める」情報（同法7条）にあたる場合が少なくないと考えられるからである。

第3に，前述のように，本法では，衆議院の修正により，営業秘密に係る請求がない場合には，届出先として自治体を経由することとされた。これは，PRTRの精度を高めるのに若干の効果を有するであろう。しかし，そもそも営業秘密にあたるような物質は届出すらされないということも予想されるのであり，真剣に届出をする事業者が損をするという不公平な結果にならないよう，届出のない物質を含めて，自治体の調査，勧告の権限を認めることが望ましい。この点は届出義務違反に対する罰則の強化の必要性（第5点）とも関連する。

第4に，事故時における情報の必要性に鑑みると，届出の義務付けの対象に，事業所での**貯蔵量**や**取扱量**を含める方が望ましかったと思われる。

第5に，制度の実効性を確保するためには，届出義務違反等の場合の20万円の過料は決して十分であるとは思われない。他の法律との均衡の問題はあるにせよ，放出報告義務違反者につき1日あたり2万5000ドル（SDSについては1日1万ドル）を上限とする民事罰を科するアメリカの「緊急対処計画及び地域住民の知る権利法」との相違に注目すべきである。また，違反を把握するための報告徴収手続の導入も必要であろう。

(2) 今後の課題・展望

本法の運用における今後の課題として，いくつか指摘しておきたい。

第1は，いかにして移動・排出量の測定を正確にさせるかである。この点については，自治体の積極的関与を含めたきめ細やかな配慮が必要となろう（PRTR法17条3項参照）。データの正確さを高めるためには，国によるマニュアルの配布や種々の指導が要請される。

第2に，公表された情報は住民に分かりやすいものでない可能性が高く，出された情報の理解を助ける方法をどのようにするかという問題がある。国等の行政による解説が必要となるであろうし（同条4項参照），情報の意味や住民への影響について，NGOが仲立ちをして，住民の理解を助けることも重要である。

第3に，PRTR法施行後20年を超え，この間届出排出量は一定程度減少してきたが，最近下げ止まりの傾向がみられる（また，届出移動量は，近時は増加傾向にある）。アメリカのTRI（有害物質排出目録）プログラム導入のときに比べるとあまり減少率は高くない。国民の化学物質に対する意識の啓発をさらに進めなければならない。

さらに，今後の立法論的な展望として，PRTRの仕組みを他の分野（例えば，化学物質以外の廃棄物）にも適用していくべきであろう。このような開示を前提とした届出の制度は，事業者等が自主的な取組をしながら環境への負荷を低減させる上で極めて有効であるからである。

また，――SDSは有価物の譲渡に限定して用いられるが（→2(6)〔251頁〕）――SDSに相当するものの交付義務を廃棄物についても拡大していくことが有用である。廃棄物については，廃棄物情報の提供に関するガイドライン（WDSガイドライン）が環境省から出されているが，その一部の義務化が望まれるところである。

このように，PRTR及びSDSは，環境負荷に関する情報を提供することにより，環境法制全般を向上させる重大な意義をもっていると考えられる。

第7章　循環管理法

7-1　総　説

1　物質循環をめぐる問題点

経済・産業のシステムは，モノの生産から流通，消費までの動脈部分を中心としているが，現代の経済社会は，環境容量を超える負荷を環境に与えるようになっている‡。それは，生産・流通過程又は消費後に生ずる廃棄物等を収集，処理，再生・再資源化し，再生産につないでいく静脈部分が等閑視され，消費等から発生する廃棄物等の多くを環境への負荷として安易に最終処分する一方通行システムがとられてきたことに起因する。今日の廃棄物・リサイクル問題の根源は，大量生産・大量消費・大量廃棄型の経済活動によって，質・量両面にわたり環境負荷が増大していることにあるといえよう。

‡ここで廃棄物関係の主要データをあげておきたい。①排出量は，**一般廃棄物は2020年度で4,167万トン，産業廃棄物は2020年度で3億9,214万トン**で，ここ数年の一般廃棄物の排出量は微減，産業廃棄物の排出量は横ばいの傾向にある。②廃棄物等の再生利用率は，一般廃棄物は2020年度で20.0%であり，産業廃棄物は2020年度で53.4%である。③廃棄物の最終処分量は，一般廃棄物は2020年度で364万トン，産業廃棄物は2020年度で941万トンである。④最終処分場の残余年数は，一般廃棄物では2019年度に21.4年分，産業廃棄物では2019年4月に17.4年分であり，一般廃棄物も産業廃棄物も，全国的には，残余年数は以前よりも増加している。国，自治体，企業，住民の削減の取組の成果が表れているといえよう。⑤不法投棄(廃掃法16条違反)の新規判明量は，1990年代後半は毎年40万トン程度であったが，2020年度は5.1万トンとなった。2018年度は大規模事件が発覚したため，15.7万トンとなった(また，2003年度は岐阜県で椿洞(つばきぼら)不法投棄事件が発覚したため過去最悪の74.5万トンになっている)。過去の不法投棄等の残存量は2018年度で1,561万トンに及ぶ。ちなみに，不法投棄(16条違反)とは別に，不適正処理(処理基準違反)量は2004年度から明確に統計上示されるようになったが，2020年度は8.6万トンである。

廃棄物・リサイクル問題の原因を分説すると，次の5つの問題がある（総合法制ワーキンググループ・環境法政策学会誌2号37頁参照)。

第1は，ワンウェイ化の進行，有害物質を含む製品・包装の増加など，上流での対策が不十分であるため，廃棄物になってからの対応を困難にしていることである。これを「**上流問題**」と呼ぶことができる。例えば，ブラウン管の鉛，塩化ビニール製品，包装，廃車などのように，有害性の面やリサイクル困難性の面から，「下流」に行くと対応が困難になるモノは少なくない。また，そもそも有害物質を最終処分場で処分することが，将来の世代に，管理の継続という負担と環境リスクをもたらすこととなるのであり，最終処分場での処分を減らすよう「上流」で対処する必要がある。

第2は，物質循環の輪からはずれて廃棄物となることにより，環境負荷が増大することであり，これを「**はずれ問題**」と呼ぶことができる。食品・畜産などからの有機系廃棄物の堆肥利用の停滞がこの問題に属する。不法投棄もこの問題の一種である。最近では，海洋ゴミ，特にマイクロプラスチックの問題が顕在化している。これに対しては，再生品の利用の拡大，事業者における再生資源の利用の拡大，再生資源の需給のミスマッチの解消など，循環の輪をつなぐ施策の充実が必要となろう。

第3は，偽装により廃棄物でないと主張されることにより環境保全対策の抜け道が生ずることである。これを「**抜け道問題**」と呼ぶことができる。具体的には，「有価物」でないものを「有価物」と偽ることによる廃棄物規制の潜脱の問題がある。豊島(てしま)事件（→**Column27**）はその典型例である。もっとも，他方，リサイクルにだけ厳しい規制がかけられるのも適当ではなく，資源であれ廃棄物であれ環境保全の観点から同じ取扱いが確保されることを要するであろう。

第4に，どうしてもやむをえず発生する廃棄物の行き先をどうするかという問題がある。これを「**受入れ問題**」と呼ぶことができる。例えば，ごみ焼却場からダイオキシンが発生することが大きな議論となってきたが，それでは一般廃棄物をどこに持って行けばよいのか，最終処分場をいかに確保するかという問題がこれにあたる。これに関しては，リユース，リサイクルをできる限り進め，最終処分場に入れる廃棄物をできるだけ減らしていく必要がある。欧米でも，つとにこの点が認識されているが，環境保全の要請に合わせた環境低負荷型の経済社会活動を実現するため，「どうしてもやむをえず発生する廃棄物」であるかどうかについて，情報提供を進め，国民的な合意の下にガイドラインを策定するとともに，これについて適正な処分を確保するための施設整備を計画的に進めなければならない（なお，ごみ処理料金の有料化，一般廃棄物の資源化も，最終処分場逼迫に対する対処方法として用いられた)。

第5に，以上の4点は将来の環境低負荷型社会に向けた取組であるが，廃棄物問題には**過去の汚染への対応の問題**も残されている。不法投棄，不適正処理に対する原状回復，ゴミ焼却灰に含まれるダイオキシンの問題がその例である。これに対しては，将来に向けての安全性の確保のための保険，基金や責任担保，過去に適法であったものが現在では違法とされた場合についての責任の遡及の検討が必要となる。

これらの問題は，モノの生産過程から廃棄に至り，それを回収・リサイクルしてさらに商品化していく流れの全体を捉えた上で，社会におけるモノの循環（物質循環）を促進し，管理していくことによって基本的には解決されるといえよう。これが，この法分野の最も重要な点であり，その点は後述する（→**7-4**〔362頁〕）。

Column27 ◇豊島事件とその教訓

1993年11月，瀬戸内海の豊島の住民は，78年以来不法投棄されてきた産業廃棄物（自動車や家電製品の破砕屑が含まれる）が大量に放置され，その結果申請人らの生活上，健康上及び精神上の被害等が生じているとし，香川県，産業廃棄物処理業者（その後，97年に破産宣告を受けた），同排出事業者を被申請人として，処分地に存在する一切の産業廃棄物の撤去と慰謝料を求める公害調停を申請した。この事件は公害等調整委員会の管轄とされ，2000年6月に調停が成立した（この間，1996年12月には，高松地裁が処理業者に産業廃棄物撤去等を命ずる判決を出している。高松地判平成8・12・26判時1593号34頁〔36〕）。

香川県は，産業廃棄物をリサイクルのための有価物とする処理業者の主張を認めて，1990年に兵庫県警が産業廃棄物処理業者を摘発するまで，10年以上に亘る不法投棄を放置した責任が問われた。調停の結果，香川県知事が過去の行政の誤りを謝罪するとともに，2016年度までに，約50万トンにのぼる産業廃棄物を完全に撤去することを約束した（後に90万トンに上ることが判明。一方，住民も損害賠償請求権を放棄した）。他方，排出事業者については，19社のみが廃棄物対策に要する費用の支払に同意し，それらの者と申請人との間で調停が成立した（調停に基づき，第三者機関として県と住民との協議会が設置された）。

撤去・処理には巨額の公費が用いられる。処理費用は約600億円に上るが，そのうち産業廃棄物の排出事業者が調停で支払った額は3億余円にすぎない。この点については，廃掃法の2000年改正前は，不法投棄が行われた場合にも，処理業者と排出事業者の間に適法な委託がなされていた限り，排出事業者に責任を負わせる規定が存在しなかったことが支障となっていたといえよう。2017年6月に豊島の廃棄物等の処理が一応完了した（地下水の浄化作業は，2021年秋までかかった）。

また，この事件の最大の原因は，廃掃法が無価物のみを対象とし，また通知のレベルで廃棄物の定義について占有者の意思を重視してきたことにあるといわれる。この点については，法律のレベルでの変更はないが，豊島事件を契機とした2000年7月の厚生省の課長通知等により，廃タイヤの定義について客観化が図られた（→**7-2**・3〔267頁〕）。なお，その後も，青森・岩手県境事件，岐阜県の椿洞（つばきぼら）事件など，大規模不法投棄事件が続いた。

豊島事件の教訓が反映された例としては，第1に，排出事業者に適正な処理コストを負担させる必要があることが明確になったこと（廃掃法の2000年改正），第2に，廃棄物の定義の修正，及び2003年の廃掃法改正による，廃棄物の疑いがある物についての報告徴収，立入検査の規定の導入，第3に，産業廃棄物処理に関する罰則の強化，第4に，産廃特措法の制定，第5に，自動車リサイクル法の制定をあげることができる。

2　物質循環に関する現行法（循環管理法）

このような物質循環に関する現行法はどうなっているのだろうか。廃棄物を中心とする物質循環の管理を行うことを目的とする法分野を，ここでは「循環管理法」と呼ぶことにする。

循環管理法としては，従来，①**廃棄物の処理及び清掃に関する法律**（廃掃法。昭和45年法律137号），②再生資源の利用の促進に関する法律（再生資源利用促進法。平成3年法律48号。その後，名称変更），③容器包装に係る分別収集及び再商品化の促進等に関する法律（**容器包装リサイクル法**。平成7年法律112号），④特定家庭用機器再商品化法（**家電リサイクル法**。平成10年法律97号），⑤家畜排せつ物の管理の適正化及び利用の促進に関する法律（家畜排せつ物法。平成11年法律112号）が存在したほか，廃棄物処分場を確保・促進するために，⑥産業廃棄物の処理に係る特定施設の整備の促進に関する法律（産廃処理施設整備法。平成4年法律62号）が制定されていた。

しかし，この分野の法律は2000年に大きく塗り替えられた。同年に，⑦**循環型社会形成推進基本法**（循環基本法。平成12年法律110号）をはじめとして，⑧建設工事に係る資材の再資源化等に関する法律（建設資材リサイクル法。平成12年法律104号），⑨食品循環資源の再生利用等の促進に関する法律（食品リサイクル法。平成12年法律116号），⑩国等による環境物品等の調達の推進等に関する法律（グリーン購入法。平成12年法律100号）が制定され，①，②の改正が行われたからである（②は，法律の名称も変更され，資源の有効な利用の促進に関する法律〔資源有効利用促進法〕とされた。これら⑦～⑩，①，②を「ミレニアム六法」という。これらの法律の関係については，**図表7-1**）。

その後，⑪使用済自動車の再資源化等に関する法律（自動車リサイクル法。平成14年法律87号），⑫使用済小型電子機器等の再資源化の促進に関する法律（小型家電リサイクル法。平成24年法律57号）が制定された。2021年には，⑬プラスチックに係る資源循環の促進等に関する法律（プラスチック資源循環促進法。令和3年法律60号）が制定された。

なお，廃掃法の特別措置法として，⑭ポリ塩化ビフェニル廃棄物の適正な処理の推進に関する特別措置法（PCB特措法。平成13年法律65号），⑮特定産業廃棄物に起

【図表 7-1】循環型社会の形成推進のための法体系

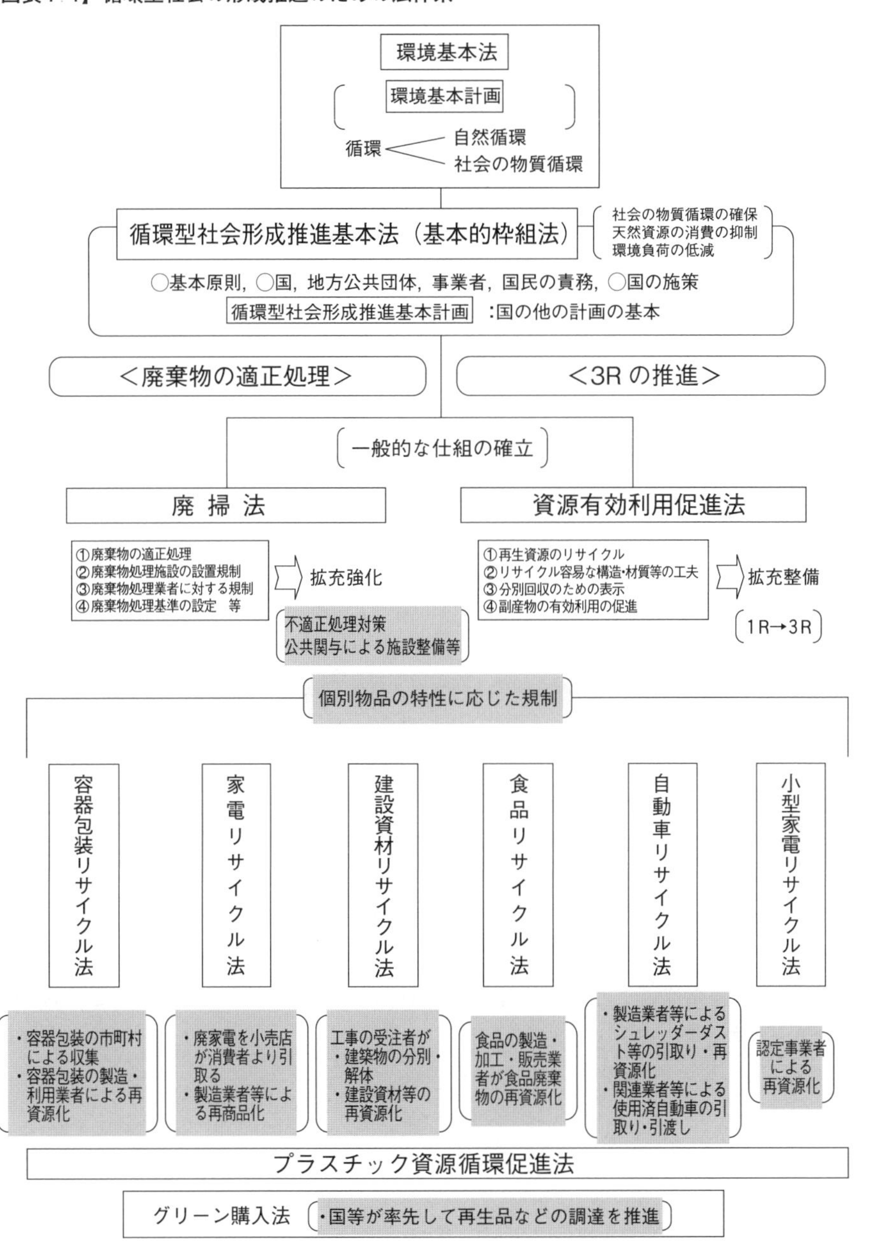

出典：環境省・経済産業省資料を加工

因する支障の除去等に関する特別措置法（産廃特措法。平成15年法律98号。時限立法であるが，2012年の改正により，2022年度末まで延長された）が制定された。また，2009年には，海岸漂着ごみに対応するため，⑯美しく豊かな自然を保護するための海岸における良好な景観及び環境の保全に係る海岸漂着物等の処理等の推進に関する法律（海岸漂着物処理推進法）が定められた（法律82号）（2018年改正〔法律64号〕により，法律名が「美しく豊かな自然を保護するための海岸における良好な景観及び環境並びに海洋環境の保全に係る海岸漂着物等の処理等の推進に関する法律」に改称された）。

さらに，東日本大震災及びそれを契機とした福島原発事故の結果，2011年8月，⑰東日本大震災により生じた災害廃棄物の処理に関する特別措置法（平成23年法律99号），⑱「平成二十三年三月十一日に発生した東北地方太平洋沖地震に伴う原子力発電所の事故により放出された放射性物質による環境の汚染への対処に関する特別措置法」（放射性物質汚染対処特措法。平成23年法律110号。大塚「放射性物質による汚染と回復」環境法政策学会編『原発事故の環境法への影響』15頁参照）が制定された。⑱に関しては，従来，廃棄された放射性物質及びこれによって汚染された物については，廃掃法等の適用が除外されてきた（2012年改正前の循環基本法2条2項2号，廃掃法2条，資源有効利用促進法2条1項，2項）中で，原発事故による新たな問題状況に対処したものである。

条約関係では，「有害廃棄物の国境を越える移動及びその処分の規制に関するバーゼル条約」（バーゼル条約。これに対応する国内法として，⑲特定有害廃棄物等の輸出入等の規制に関する法律〔バーゼル国内法。平成4年法律108号〕），「廃棄物その他の物の投棄による海洋汚染の防止に関する条約」（ロンドン条約）がある。

今日環境法において，循環管理法の重要性は増してきているといえよう。それは，現代社会における大量生産・大量消費・大量廃棄型の経済活動によって，質・量両面にわたって環境への負荷が増大しているからである。循環管理法における政策の優先順位の基本原則としては，循環基本法（⑦）（5条〜7条）に，(i)**発生抑制**（Reduce），(ii)**再使用**（Reuse），(iii)**再生利用**（Recycle, Material Recycle），(iv)**熱回収**（Thermal Recycle），(v)**適正処分**とすることが定められており，(i)〜(iii)を「**3R**」と呼ぶ。

以下では，従来の廃棄物の処理（→**7-2**），リサイクル等3R（→**7-3**〔330頁〕）に関する法制度として，①〜③を中心に扱った上で，循環基本法（⑦）を参照しつつ，物質循環法制の課題について触れる（→**7-4**〔362頁〕）ことにしたい。

7-2　廃棄物の処理に関する法

1　経　緯

廃棄物の処理及び清掃に関する法律（廃掃法）は1970年の「公害国会」で制定され，一般廃棄物と産業廃棄物を区分し，それぞれの処理体系を整備した。本法制定の背景には，高度経済成長期に増加した産業系の廃棄物が清掃法では対処できなかったことがあげられる。廃棄物処理基準，維持管理基準等も設定され，廃棄物処理業については許可制，廃棄物処理施設については届出制がとられた。同法は，その後，社会情勢に応じて，1976年，1991年，1997年，2000年，2010年の大改正を経て，今日に至っている（同法の要点については**図表7-2**）。以下では，特に重要な改正に言及しておく。

Q1　廃掃法はどのような変遷をたどってきたか。重要な改正の背景となる事情としてはどのようなことがあげられるか。

以下の改正点については，本節を読み終えた後で復習してほしい。

(1)　1991年の改正は，廃棄物の排出量の増大等により，最終処分場等の処理施設の確保が困難になり，また，不法投棄が社会問題化したことなどから，廃棄物処理体系の見直しを図ったものである。主要な改正点としては，

①**廃掃法の目的**に廃棄物の減量化，再生利用を付加したこと，

②廃棄物処理の計画化，

③特別管理廃棄物制度の導入と特別管理産業廃棄物に対する**廃棄物管理票制度**（マニフェスト制度）の採用，

④廃棄物処理業者の規制の強化（許可の更新制の導入と，収集運搬業と処分業の区分）と処理施設の規制の強化（設置についての届出制から許可制への移行），

⑤廃棄物処理施設の整備推進のための廃棄物処理センター制度の創設，

⑥廃棄物の不法投棄等を防止するための罰則の強化などがあげられる。

(2)　1997年改正の背景も，1991年のものとかなり類似しているが，最終処分場の逼迫により，不法投棄等による環境汚染が生じ，廃棄物の処理に対する住民の不安が高まり，さらに最終処分場の逼迫につながるという悪循環を断ち切ることが必要であるとし，そのため，廃棄物の減量化・リサイクルを推進するとともに，施設の信頼性・安全性の向上や不法投棄対策等を講ずることを主眼とした。同改正の要点は，

①廃棄物の再生利用について許可に代わる認定制度（**再生利用認定制度**）の新設，

②廃棄物処理施設の設置の許可の要件及び手続の明確化・追加（**生活環境影響調査**

【図表 7-2】廃掃法の要点

目　的	①廃棄物の排出抑制，②廃棄物の適正処理（収集，運搬，処分，再生等），③生活環境の清潔保持により，生活環境の保全と公衆衛生の向上を図る。	
定　義	廃棄物 ○汚物または不要物であって固形状または液状のもの（放射性物質等を除く）	
	一般廃棄物	産業廃棄物
	○産業廃棄物以外の廃棄物	○事業活動に伴って生じた廃棄物のうち，燃え殻，汚泥，廃油，廃プラスチック類等の廃棄物
処理責任等	○市町村が一般廃棄物処理計画に従って処理する（市町村が処理困難な場合は許可業者が処理）	○事業者が，その責任において，自らまたは許可業者への委託により処理する
処理基準	○収集運搬，保管，処分，再生に関する基準	○収集運搬，保管，処分，再生に関する基準
収集運搬業，処分業	○市町村長の許可制 ○市町村長による報告徴収，立入検査，改善命令等	○都道府県知事の許可制 ○都道府県知事による報告徴収，立入検査，改善命令等
処理施設	○都道府県知事の許可制（ただし，市町村が設置する場合は届出） ○都道府県知事による報告徴収，立入検査，改善命令等	○都道府県知事の許可制 ○都道府県知事による報告徴収，立入検査，改善命令等
産業廃棄物管理票	—	○排出から最終処分までの把握・管理のため，処理を委託する際に管理票（マニフェスト）を交付。
不法投棄禁止等	○みだりに廃棄物を捨ててはならない。 ○処理基準に従って行う場合等を除き，廃棄物を焼却してはならない。	
措置命令	○都道府県知事または市町村長は，処理基準に適合しない廃棄物の処分が行われ，生活環境の保全上の支障を生じ，または生ずるおそれがあるときは，必要な措置を講ずるように命ずることができる。	
罰　則	○不法投棄の場合，5年以下の拘禁刑もしくは1000万円以下の罰金またはその併科（法人によるものは，3億円以下の罰金）。	

出典：環境省資料を加工

の仕組みの導入），

③最終処分場の**維持管理積立制度**の新設，最終処分場の廃止確認の制度の導入，

④**廃棄物管理票制度の全ての産業廃棄物への適用**，

⑤**不法投棄の原状回復対策のための基金**の産業廃棄物適正処理推進センターにおける設置，

⑥産業廃棄物の不法投棄に対する罰則の強化などである。

さらに，施行令の改正により，最終処分場についてミニ処分場が全て都道府県知

事の許可の対象とされた。

(3) 2000年の廃掃法改正は，処分場の逼迫の状況を打開するため，1997年改正で残された問題を扱った。この改正の最大の要因は，焼却施設，最終処分場の新規許可件数の著しい減少であった。特に産業廃棄物の最終処分場は，1997年改正までの数年は年間120〜190件は新規の許可件数があったが（ミニ処分場を含めず），1999年度にはミニ処分場を含めても26件になったのである（その後，2002年度は41件）。このような状況は，生活環境の悪化，経済活動への支障をもたらすことが予想された。また，不法投棄は小口多発化し，原因者によって原状回復されているものは3割にすぎなかった。このような廃棄物問題の状況を作り出した原因としては，近時大きな社会問題となったダイオキシン問題，環境ホルモン問題の影響，首都圏フェニックス計画の挫折などが考えられた（さらに，廃掃法の1997年改正の際に，ミニ処分場を全部許可対象としたこと，生活環境影響調査を実施することとしたことが関連している可能性もあった）。このような状況に対処するため，2000年の改正では，**公共の関与による産業廃棄物処理施設の整備の促進**と，**排出事業者責任の徹底**の2つを打ち出したのである。改正の要点は，

①国による基本方針の策定，

②廃棄物処理センターにおける廃棄物の処理の推進，

③周辺の公共施設等の整備と連携した，産業廃棄物処理施設の整備の促進，

④不適正処分に関する支障の除去等の措置命令の強化と排出事業者責任の徹底，

⑤産業廃棄物管理票制度の強化，

⑥廃棄物の野外焼却の原則禁止，

⑦処理施設の欠格要件の導入などである。

②，③は公共関与の強化，④，⑤は排出事業者責任の徹底に関連する点である。また関連して，組織的な犯罪の処罰及び犯罪収益の規制等に関する法律（平成11年法律136号）が改正され，犯罪収益の没収の対象に，廃棄物処理施設の無許可設置，不法投棄等が加えられた。

(4) その後，廃掃法は2003〜2006年に毎年改正された（2006年改正については省略する）。

(a) 2003年改正においては，当時発覚した青森・岩手県境不法投棄事件を重要な契機として不法投棄の未然防止が強化されるとともに，規制改革の動きの中でリサイクルの促進等の措置がとられた。

(ア) 不法投棄の未然防止等の措置としては，

①都道府県等の調査権限を拡充し，廃棄物であることの疑いがある物の処理につ

いて，地方公共団体の長は，報告徴収又は立入検査ができることとし，

②不法投棄又は不法焼却の未遂罪を創設するとともに，一般廃棄物の不法投棄に係る罰則を強化し，

③国の関与を強化し，国は，広域的な見地から地方公共団体の事務について調整を行うこととするとともに，都道府県の産業廃棄物に関する事務が円滑に実施されるよう，職員の派遣等の必要な措置を講ずることとし，

④既に産業廃棄物処理業を営んでいた者が欠格要件に該当するに至ったなど悪質な業者について，許可権者は，処理業又は処理施設の許可を必ず取り消さなければならないとするとともに，廃棄物処理業の許可に関する欠格要件を追加した。

(イ) リサイクルの促進等の措置としては，広域的なリサイクル等の推進のため，環境大臣が認定した者は，廃棄物処理業の許可を要しないこととする等の特例制度（**広域認定制度**）を整備した。

なお，この改正と同時に，産廃特措法が制定された。

(b) 2004年の改正は，広域的な廃棄物処理に係る紛争に対する国の役割強化の要請，不法投棄撲滅と優良業者の育成の必要などのほか，硫酸ピッチ問題，RDF化（ごみ固形燃料化）施設の爆発事故のような課題に対処するために行われた。改正の内容は，

①国の役割を監督措置の部分でも強化するため，産業廃棄物の不適正処理事案が深刻化しているような緊急の場合における環境大臣の関係都道府県に対する指示の規定の創設，

②廃止後の最終処分場跡地の土地形質変更時に，都道府県知事への届出義務を課し，基準不適合時には変更命令を課する規定の新設，

③廃棄物の処理施設における事故時の措置の追加，

④指定有害廃棄物（硫酸ピッチ）の不適正処理の禁止規定の創設，

⑤不法投棄・不法焼却の目的での廃棄物の収集運搬に関する罰則規定の創設などである。

なお，施行令により，ミニ処分場等に関する廃棄物の埋立処分基準の具体化・明確化が図られた。

(c) 2005年改正においては，岐阜市の椿洞の大規模不法投棄事件に対応して不法投棄の未然防止を強化するとともに，廃棄物の無確認輸出に対する取締りの強化がなされた。

(ア) 不法投棄の未然防止の強化のため，①産業廃棄物管理票制度の罰則強化，保存義務の設定，②無許可営業に対する抑止効果を強めるため，罰則の強化などが行

われた。

(イ) 廃棄物の無確認輸出に対する取締りの強化としては，無確認輸出についての未遂罪，予備罪を創設するとともに，不法投棄と同等に罰則が強化された。

(ウ) そのほか，廃棄物処理に対する信頼性の向上のため，最終処分場の維持管理積立金制度が1998年6月以前に埋立処分が開始された最終処分場にも拡張されるとともに，欠格要件がさらに厳格化された。

(5) 2010年改正においては，積み残された課題が全般的に整理された（詳しくは，大塚直・ジュリ1410号38頁参照）。

(a) 排出事業者による廃棄物の適正な処理を確保するため，①排出事業者が産業廃棄物を事業所外で保管する際の事前届出制度が創設され，②排出事業者が産業廃棄物の運搬又は処分を委託する場合に，当該産業廃棄物の処理の状況に関する確認を行う努力義務が定められるとともに，③建設廃棄物について，元請業者を排出事業者として処理責任を負う原則を明確化した。

(b) 廃棄物処理施設の維持管理対策を強化するため，廃棄物処理施設の設置者に対し，①都道府県知事による当該施設の定期検査を義務付けるとともに，②当該施設の維持管理情報の公表を義務付けた。

(6) 2015年には，東日本大震災における教訓を生かし，災害廃棄物に備える観点から，次の点を追加，修正する改正が行われた。

第1に，国，地方公共団体，事業者その他の関係者は，非常災害により生じた廃棄物の処理の原則（2条の3）に従い，災害により生じた廃棄物の適正な処理について，相互に連携・協力するように努めなければならない（4条の2）。

第2に，国，都道府県及び市町村は，平時から，廃棄物処理の基本方針又は計画に基づき，災害廃棄物の適正な処理と再生利用を確保するための備えを実施する（5条の2第2項5号，5条の5第2項5号）。

第3に，災害時における円滑かつ迅速な廃棄物処理を目的として，廃棄物処理施設の迅速な新設，柔軟な活用のため，手続を簡素化する。すなわち，非常災害の際の一般廃棄物処理施設の迅速な設置，生活環境影響調査の効率化のための規定を置く（9条の3の2，9条の3の3）ほか，災害廃棄物のがれきを処理する場合に必要となる都道府県知事への事前届出について，非常災害のために必要な応急処置として行う場合には，事後届出で足りることとする（15条の2の5第2項）。

なお，同時に行われた災害対策基本法の改正により，①環境大臣は，特定の大規模災害の発生後，政府全体の対策と連携しつつ，災害廃棄物処理に関する指針を策定すること，②特定の大規模災害の被災地域のうち，廃棄物処理の特例的措置が適用された地域から要請があり，かつ，一定の要件を勘案して必要と認められる場合には，環境大臣が災害廃棄物の処理を代行することが定められた（同法86条の5の改正による）。これらは，「東日本大震災により生じた災害廃棄物の処理に関する特別措置法」（4条）を一般法化したものである。

Column28 ◇災害の頻発と災害廃棄物処理計画

地震災害以外にも，気候変動を理由の一つとして，台風等の豪雨に伴う災害が増加しており，災害廃棄物への対応は極めて重要な課題となっている。

災害対策基本法に基づく災害廃棄物対策指針（同法86条の5）の下に，災害廃棄物処理計画を都道府県及び市町村が策定することが求められており，災害が頻発する中でその策定が極めて重要になっている。もっとも，その策定状況は十分でなく（2020年3月末時点で市町村については51%。第4次循環基本計画に基づく2025年度目標は市町村について60%），同計画の法的位置づけをより明確化する必要があろう。

(7) 2013年10月，水銀に関する水俣条約が採択され，その締結のために，2015年，水銀による環境の汚染の防止に関する法律（以下，「新法」）という）が制定され，大気汚染防止法が改正されたが，廃掃法については政省令の改正にとどまった。すなわち，第1に，廃水銀等（金属水銀及びその化合物）が，外国為替及び外国貿易法に基づく措置により，輸出の原則禁止に伴い，今後，廃棄物として扱われることが予想されるが，その場合には，その有害性に鑑み，水銀使用製品廃棄物のうち一般廃棄物から回収した廃水銀については「特別管理一般廃棄物」，①廃水銀等，及び②廃水銀等を処分するために処理したものについては「特別管理産業廃棄物」に指定することとした（施行令1条，2条の4，施行規則1条，1条の2）。第2に，水銀又は水銀化合物を一定程度含む汚泥その他の環境省令で定める産業廃棄物を「水銀含有ばいじん等」として指定し，その処分等の基準を追加した（施行令6条の5第1項2号）。第3に，水銀使用製品に関しては，一般廃棄物については，関係機関の協力を得た回収スキームが検討されているが，産業廃棄物については，一定程度以上の水銀又は水銀化合物を含む廃製品を「水銀使用製品産業廃棄物」として指定し，その収集運搬基準，処分等の基準を追加した（施行令6条1項1号，2号）。

なお，水俣条約上の水銀廃棄物（11条2）は――バーゼル条約の定義が使用されるため（水俣条約11条1。バーゼル条約の定義については→3(1)(f)〔273頁〕）――有価物も無価物も含む概念であり（水俣条約では，水銀や水銀化合物は有価物であっても廃棄物となりうる），後述する，わが国の廃掃法の廃棄物概念（総合判断説によるが，基本的には無価物）よりも広く，わが国の廃棄物以外の有価物も含む（→3(1)(f)）。そこで，条約上は水銀廃棄物であるが，廃掃法上の廃棄物でないもの（新法では「水銀含有再生資源」と称する〔2条2項〕。具体的には，非鉄金属製錬由来のスラッジ等が想定されている）については，①国は，その管理に係る環境汚染を防止するための技術指針を定め，必要に応じ，事業者に対して環境汚染防止のための措置を勧告する（新法23条）。また，②水銀含有再生資源を管理する者は，定期的に，管理状況等を国に報告する（同24条。違反に対しては，33条3号）。

2 目的等

本法は，廃棄物の排出を抑制し，その適正な処理をすること等により，生活環境の保全と公衆衛生の向上を図ることを目的とする（1条）。廃掃法の目的は，その前身である清掃法（1954年制定）の時代には公衆衛生の向上だけであったが，廃掃法においては，生活環境の保全の観点が加わり，今日ではむしろこちらが法律の主要な目的となっている。

さらに，廃棄物の処理よりもその排出の抑制が重要であることが認識され，1991年の改正のときに，廃掃法の目的規定に入れられたことも重要である。この改正が（資源有効利用促進法の前身である）再生資源利用促進法制定と同時になされたことに注目しておきたい。

「**処理**」とは，廃棄物が発生してから最終的に捨てられるまでの行為，すなわち，分別，保管，収集，運搬，再生，処分等を含む概念である。「**処分**」には，廃棄物を最終的に自然界に捨てる「最終処分」（埋立処分と海洋投入処分を含む）と，最終処分の前段階で廃棄物を生活環境の保全上問題がない状態に変化させる「中間処理」の2つの意味が含まれる。

3 廃棄物の定義・種類

Q2 廃棄物の定義にはどのような問題があるか。

(1) 廃棄物の定義

廃棄物とは，「ごみ，粗大ごみ，燃え殻，汚泥，ふん尿，廃油，廃酸，廃アルカリ，動物の死体その他の汚物又は不要物であって，固形状又は液状のもの（放射性物質及びこれによつて汚染された物を除く。）」（2条1項）である。この「廃棄物」（「不要物」）の定義については考え方に変遷があり，厚生省・環境省の通知と裁判例が積み重ねられてきた。不要物概念についての主観的解釈と客観的解釈という基軸に注目しつつ，総合判断説といわれているものの内容を把握されたい（**図表7-3**）。

【図表 7-3】廃棄物の定義を巡る通知と裁判例

← 客観的　　　　　　　　　　　　　　　　　　　　主観的 →

1971 年通知（1977 年改正）
「占有者の意志，その性状等を総合的に勘案すべきものであって，排出された時点で客観的に廃棄物として観念できるものではない」

おから事件最高裁決定（最決平成 11・3・10 刑集 53 巻 3 号 339 頁）
「自ら利用し又は他人に有償で譲渡することができないために事業者にとって不要になった物」であり(i)，これに該当するか否かは，
①その物の性状，②排出の状況，③通常の取扱い形態，④取引価値の有無及び⑤事業者の意思等を総合的に勘案して決するのが相当

2000 年廃タイヤ通知（別の通知（2001 年）により，他の廃棄物にも拡大）
(i)を承認したうえ，
①「占有者の意思とは，客観的要素からみて社会通念上合理的に認定し得る占有者の意思であること」とし，②「占有者において自ら利用し，又は他人に有償で売却することができるものであるとの認識がなされている場合には，占有者にこれらの事情を客観的に明らかにさせるなどして，社会通念上合理的に認定しうる占有者の意思を判断すること」とした（再生タイヤ，土止め材，燃料などに利用することを内容とする履行期限の確定した具体的な契約の締結など）

東京高判平成 20・4・24 判タ 1294 号 307 頁（a），東京高判平成 20・5・19 判タ 1294 号 307 頁（b）
取引価値の有無を重視する一方，
1）再生利用事業が確立し，継続して行われている場合には，利用目的という占有者の意思が廃棄物該当性を否定する事情となる（a，b），
2）取引価値について「契約等の取引形態だけではなく，当該物について一般的に取引価格が形成されているかどうかという観点も踏まえて判断すべき」もの（b）とした。

(a)　通知による主観的解釈への変化とその問題点

廃棄物とは何かについて，1971 年の厚生省生活衛生局水道環境部環境計画課長通知（「廃棄物の処理及び清掃に関する法律の運用に伴う留意事項について」昭和 46 年環整 45 号）では，客観的に汚物又は不要物として観念できる物であって，占有者の意思の有無によって廃棄物又は有用物となるものではないとされていた。

しかし，この通知はその後 5 年半効力を保ったものの，1977 年に厚生省環境衛生局水道環境部計画課長通知「廃棄物の処理及び清掃に関する法律の一部改正について」（昭和 52 年環計 37 号）により，上記通知を改正する形で，廃棄物の定義が修正された。すなわち，廃棄物に該当するか否かは，「占有者の意志，その性状等を総合的に勘案すべきものであって，排出された時点で客観的に廃棄物として観念できるものではない」とし，占有者の主観も加味した上，その性状等を含めて総合的に勘案することとしたのである（いわゆる**総合判断説**）。

当時，このような廃棄物の定義の主観化はなぜなされたのだろうか。これについては，廃棄物の定義を客観化すると，一度廃棄物とされた後は，その後の過程を経てもずっと廃棄物のままになり，廃棄物でないとすることができなくなると考えられたようである。

確かに，占有者の意思を全く要素としない廃棄物の定義は困難であり，種々の要素を総合的に判断する点は致し方ない面はあるが，このように廃棄物に関する占有者の主観を重視するときは，他人からは廃棄物としかみえないものであっても，占有者が廃棄物ではないと強弁することにより，廃掃法の適用を潜脱されるおそれがある。自動車破砕屑は金属回収の原料であり廃棄物ではないとする業者の主張を県が認めた結果，大量の廃棄物が不法投棄された「豊島事件」（→**Column27**〔257頁〕）は，この例である。

(b)　最高裁決定の立場 —— 総合判断説の承認と，取引価値の重視

最高裁（最決平成11・3・10刑集53巻3号339頁［34］）は，おからが産業廃棄物に該当するかが争われた事件で，廃掃法施行令2条4号（当時）の「不要物」（廃掃法2条1項の「廃棄物」と同じと考えられる）について，(i)「自ら利用し又は他人に有償で譲渡することができないために事業者にとって不要になった物をいい，これに該当するか否かは，①**その物の性状**，②**排出の状況**，③**通常の取扱い形態**，④**取引価値の有無**及び⑤**事業者の意思**等を総合的に勘案して決するのが相当である」との一般論を展開し，(ii)具体的事案については，当該おからの大部分について処理業者が豆腐製造業者から無償で又は料金を徴収して引き取っていたことを重要なファクターとして，当該おからが産業廃棄物であるとした原判決を維持した。1977年の通知を前提としつつ，同通知の「性状等」の「等」にあたる部分を(i)①～④で明らかにしたものであるが，占有者の意思を客観的に判断すべきか否かについては触れていない。

Column29 ◇逆有償とは何か

廃棄物の定義のうち，④取引価値の有無，すなわち，運搬費用と売買代金を考慮し，その物が有価か無価（逆有償）かが重視されることが多い。

「逆有償」という語は，紙，アルミ，鉄くずなどの再生資源について用いられることが多い。すなわち，これらの再生資源については，古くは，回収業者が自治体や回収団体などから買い上げてきた（有償）のであり，市場の中でリサイクルが進められていたのである。ところが，1980年代からの円高など経済状況の変化によって，海外から輸入されるバージン原料の価格が低減され再生資源価格が暴落し，自治体や回収団体が処理費用を払って回収業者に引き渡すことが必要となった。これは有償の状態が逆有償に変化した典型的なケースである。

逆有償の状態が続くと，自治体や回収団体は資源ごみの回収が進むほど赤字が増えることとなり，リサイクルシステム全体が機能不全に陥ることとなる。そこで，再生資源の回収について関係者に義務を課することにより，この問題を解決するため，各種の個別リサイクル法（容器包装リサイクル法，家電リサイクル法，自動車リサイクル法等）が制定された。

ちなみに，2013年には水銀に関する水俣条約が採択され，外国為替及び外国貿易法に基づく措置により，水銀の輸出が原則として禁止されることに伴い，従来，わが国で再生資源として有価で取引されてきた廃金属水銀は徐々に「逆有償化」することとなった。これに対しては，廃水銀等を特別産業廃棄物ないし特別一般廃棄物とすることなどによって対処された（→**1**(7)〔266頁〕）。

(c) 廃タイヤ通知以降の進展 —— 客観化の流れと規制改革

しかし，環境省の通知や裁判例を通じて，廃棄物の定義については，さらに細かいルールが形成されつつある（現在のところ，最終的には，2021年に改正された環境再生・資源循環局廃棄物規制課長通知「行政処分の指針について」（後述）による)。

第1は，占有者の意思をあまり重視せず，できるだけ**客観化**を図ろうとするルールである。2000年7月に，廃タイヤに関する2つの通知により，定義の客観化が図られた。この2つの通知は，その後，他の廃棄物にも適用されることになった（平成13年環廃産513号「廃棄物の処理及び清掃に関する法律の適用上の疑義について」)。

1つは，厚生省生活衛生局水道環境部環境整備課長通知（「野積みされた使用済みタイヤの適正処理について」平成12年衛環65号）である。これは，前掲最高裁決定の(i)を承認した上で，

①「占有者の意思とは，客観的要素からみて社会通念上合理的に認定し得る占有者の意思であること」とし，

②「占有者において自ら利用し，又は他人に有償で売却することができるものであるとの認識がなされている場合には，占有者にこれらの事情を客観的に明らかにさせるなどして，社会通念上合理的に認定し得る占有者の意思を判断すること」とした。

もう1つは，厚生省生活衛生局水道環境部環境整備課産業廃棄物対策室長通知（「野積みされた使用済みタイヤの適正処理について」平成12年衛産95号）である。これは，②の「占有者に明らかにさせる事情」として，再生タイヤ，土止め材，燃料などに利用することを内容とする履行期限の確定した具体的な契約が締結されていることが必要であるとした。

これらは，廃棄物の定義に関する重要な進展を示したものと思われる。豊島事件

のような例に鑑みると，占有者の意思の客観的解釈の必要性は極めて高く，上述の学説の考え方に沿ったものといえる。

第2は，再生利用が製造事業として確立・継続したものである場合に，廃棄物に該当しないとするルールである。2005年の環境省通知（環境省大臣官房廃棄物・リサイクル対策部産業廃棄物課長通知「『規制改革・民間開放推進3か年計画（平成16年3月19日決定）』において平成16年度中に講ずることとされた措置（廃棄物処理法の適用関係）について」〔平成17年環廃産発050325002号。環廃産発130329111号により改正〕。再生利用又はエネルギー源として利用するために有償で譲り受ける者が占有者となった時点以降については，廃棄物に該当しないと判断しても差し支えない，とする）では，再生利用が製造事業として確立している場合には，廃棄物としない扱いを定めていたところ，その後，木くずのチップ化の事案（後記水戸地判の被告人に委託をした事業者の再審請求）について，東京高判平成20・4・24（判タ1294号307頁［35］）及び東京高判平成20・5・19（判タ1294号307頁）（ともに本件については請求棄却。その後，最高裁でも棄却され確定）は，取引価値の有無を重視する一方，

1）再生利用事業が確立し，継続して行われている場合には，廃掃法の規制を及ぼす必要がなく，利用目的という占有者の意思が産業廃棄物該当性を否定する事情となること（上記の2005年の環境省通知にも表れている考え方である），

2）取引価値について「契約等の取引形態だけではなく，当該物について一般的に取引価格が形成されているかどうかという観点も踏まえて判断」すべきこと（東京高判平成20・5・19のみ）を付加したことが注目される‡。

なお，廃棄物の定義については，上記の各通知の趣旨を踏まえて環境再生・資源循環局廃棄物規制課長通知（「行政処分の指針について」令和3年環循規発2104141号）にまとめられている。これは，地方自治法245条の4にいう技術的助言にあたる。

‡なお，占有者が木くずを再生利用のために搬入する場合に，これを廃棄物と認定しない水戸地判平成16・1・26（確定）が出され，環境省は，これを否定する意図の下，前述の通知を発出した（平成17年環廃産発050325002号）。すなわち，占有者が産業廃棄物を再生利用するために有償で譲り受ける者へ引き渡す場合の収集・運搬において，引渡し側が輸送費を負担し，輸送費が売却代金を上回る等，全体において引渡し側に経済的損失が生じている場合には，廃棄物の収集・運搬に該当するとしたのである（いわゆる「手許マイナス」の問題）。水戸地裁の立場は，おから事件の最高裁決定から若干逸脱しており（大塚直・法教316号39頁，317号74頁），前掲東京高裁判決とも異なっているところから，主流ではない参考判決として位置づけるべきであろう。

(d) 新たな対立点

上記のような通知及び裁判例が扱う事案においては，

①不法投棄の防止が必要であるという認識と，

②循環型社会の推進の観点から廃棄物処理業の許可をリサイクル業者に求めることは負担となり必ずしも望ましくないという考え方

とが対立しており，①と②の調整が求められている。②は循環型社会を重視しているように見えるが，実は，占有者の意思を重視する主観的解釈に戻る契機を含んでいる。

廃棄物の不法投棄防止の観点は1990年代以降廃棄物法制の最大の課題であったことからすると，この点を引き続き重視する必要があり，他方，リサイクル業者にも産業廃棄物の処理業の許可を取得させる方向は望ましいものであることからすると，これを取得させることは必ずしも循環型社会形成推進を害するものではないと思われる。その意味では，最高裁のおから事件決定に上記の2点が加えられたルールが成立しているとみることが適当であろう。

ちなみに，筆者の立場は，廃棄物概念にリサイクル向け廃棄物を含めるドイツ，EUの考え方と親近性がある（→(f)参照。このような立場をとったからといって欧州においてリサイクルが進んでいないわけではないことはいうまでもない）。将来の方向性としては，環境保全の観点からリサイクル可能物も含めた廃棄物概念を採用し，さらに管理の対象を有価物の一部にまで拡大した上‡，他方で，有用物（リサイクル向け廃棄物）については緩やかな規制をすることが考えられよう。

‡家電製品等に関する通知（環境省大臣官房廃棄物・リサイクル対策部企画課長・廃棄物対策課長・産業廃棄物課長通知「使用済み家電製品の廃棄物該当性の判断について」平成24・3・19環廃企発120319001号・環廃対発120319001号・環廃産発120319001号）では，総合判断説を維持しつつ，有価であっても，廃棄物であることの疑いがあると判断できる場合には，なお廃棄物とすることを宣明した。これは，廃家電については，不用品回収業者等を経て相当量が海外に輸出されており，家電リサイクル法に従って消費者から小売店を通じて製造事業者の下でリサイクルされる割合が減少傾向にあり（大塚『環境法』9-3-4・7〔556頁〕参照），家電リサイクルレジームが危機的状況にあることに基づいている。少なくともこの点に限っては，すでに廃棄物の領域を拡大する傾向がみられるのである（この点は，その後，廃掃法2017年改正で取り上げられた→**11**(2)〔306頁〕，**15**(3)(b)〔324頁〕）。

(e)　報告徴収，立入検査の権限強化——2003年廃掃法改正のアプローチ

2003年の改正により，都道府県知事，市町村長の調査権限が拡充され，廃棄物であることの**疑いがある物**の処理について，地方公共団体の長は，報告徴収又は立入検査ができることとなった（18条，19条）。この規定の導入により，必ずしも不法投棄対策に熱心でない地方公共団体が十分な対応をとらない理由づけをなくすこととなり，不法投棄の防止に一定の期待ができるであろう。これは廃棄物の定義に

ついて論じられていた点を，定義自体の問題としては扱わず，別の観点からメスを入れたものである。定義を大々的に変更することについては相当の障害があり，困難であったため，それ自体は変えることなく，実際上最も問題になる点を解決することを狙ったといえよう。

(f) 海外の廃棄物概念との関係

わが国の国内法においても，バーゼル国内法は，バーゼル条約の定義を踏襲し，客観的な定義をしているため，廃掃法の運用とは齟齬を生じているという問題もある。外国の例をみると，EC 指令及びドイツの循環経済法は，廃棄物とは，保有者がa「廃棄し」，b「廃棄を意図し」，又はc「廃棄しなければならない」ものであるとし，ドイツの同法は，bについても社会通念を基礎とするものとした。

廃棄物の定義において占有者の意思が要素となることは否定できないが，リサイクルに向けられた廃棄物も含めた，廃棄物についての客観的な定義が必要であるというべきであろう。この点は水銀による環境の汚染の防止に関する法律における水銀含有再生資源，廃掃法の2017年改正（→ **15**(3)(b)〔324頁〕）でも問題となった。

(2) 廃棄物の種類

Q3 一般廃棄物と産業廃棄物はどのように区分されているか。この区分には問題点があるか。

(a) 廃掃法は，①事業活動に伴って生じた廃棄物のうち「燃え殻，汚泥，廃油，廃酸，廃アルカリ，廃プラスチック類その他政令で定める廃棄物」及び②「輸入された廃棄物」等を「**産業廃棄物**」と呼び（2条4項，施行令2条～2条の3），それ以外の廃棄物を「**一般廃棄物**」という（2条2項。**図表7-4**）。実質的には，事業活動に伴って生じ，質量両面において市町村の清掃事業では処理を円滑に行いにくい廃棄物が産業廃棄物とされている。

これは廃棄物の規制に関する重要な区分となっているが，産業廃棄物の政令指定の際の判断基準が法律上定められていないこともあり，両者の区別は明確ではない。木くずや紙のように，出された業種によって一般廃棄物にも産業廃棄物にもなる物や，家電製品の廃棄物のように，地域によって一般廃棄物として扱われるか，産業廃棄物として扱われるかが異なる例もある（木くずについては，規制改革の要望に基づき，2007年の施行令2条2号改正及び通知〔環廃対発070907001号・環廃産発070907001号〕により，リース業から排出される木くず及び「貨物の流通のために使用したパレット（……）に係るもの」について，産業廃棄物として追加された）。

また，一般廃棄物には「事業系一般廃棄物」も含まれており，この場合には，事業者（＝排出事業者）は産業廃棄物の場合（12条5項）と同様，許可業者に委託しな

【図表 7-4】廃棄物の分類

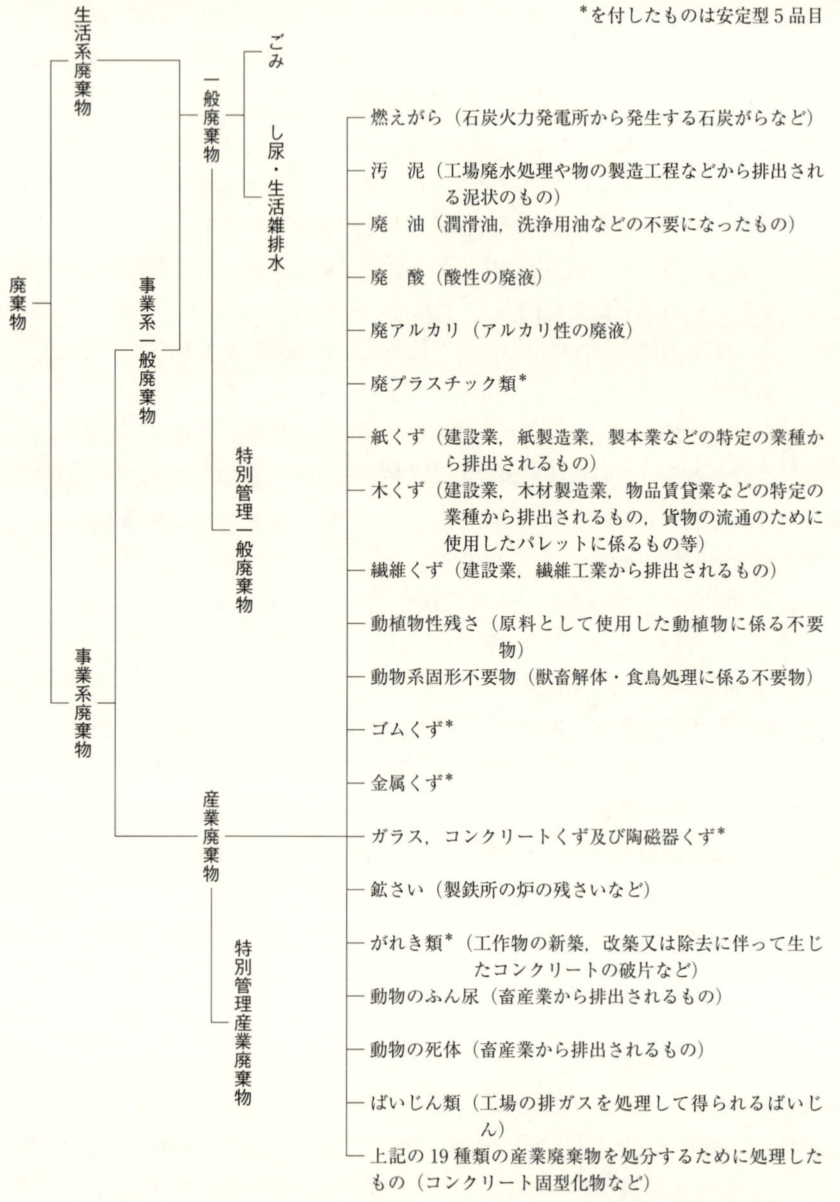

出典：環境省資料を加工

ければならないが（6条の2第6項），このように事業者が排出する物についても市町村が処理責任を負う一般廃棄物に含めていること，そのため事業者から十分な処理料金が徴収されにくいことが批判されている。このように事業系一般廃棄物については原因者負担原則が貫徹されていないことに注意を要する。

(b) なお，1991年の改正により，一般廃棄物についても産業廃棄物についても**特別管理廃棄物**という概念が設けられた（「特別管理一般廃棄物」，「特別管理産業廃棄物」）。これらは，一般廃棄物又は産業廃棄物のうち，「爆発性，毒性，感染性その他の人の健康又は生活環境に係る被害を生ずるおそれがある」廃棄物として，政令で定めるものであり（2条3項，5項），特別な処理基準が規定されている。許可も，一般廃棄物，産業廃棄物とはそれぞれ別になる（廃棄物が4種類に分かれることになる）。特別管理一般廃棄物の例としては，廃家電のPCB（ポリ塩化ビフェニル）を利用する部品，廃石綿等，特別管理産業廃棄物の例としては，水銀，カドミウム，廃石綿等がある。

(c) **図表7-2**（→廃掃法の要点〔262頁〕）に示されているように，現行の廃掃法において，一般廃棄物と産業廃棄物の区分は基軸となっているが，処理基準，処理業や施設設置の許可基準，施設設置の許可手続，施設の維持管理・廃止などで両者は基本的に同一の考え方を採用している。条文上はまず一般廃棄物の規定があり，産業廃棄物についてはそれを準用する形で定められることが多いが，実際には産業廃棄物の規定の方が参照されることが多いため，扱いにくい法律になってしまっていることは否定できない。

4　国内処理等の原則

廃棄物についてはできるだけ自国内で処理するという国際的な要請を踏まえ，国内処理原則が明記されている（2条の2）。廃棄物の輸入については，排出過程や成分について不明な国外発生廃棄物が輸入されると，国内の廃棄物処理に影響を与えるため，輸入について抑制することを定めている。廃棄物の輸入については，環境大臣の許可を受けなければならない（15条の4の5）。輸入廃棄物は国内では産業廃棄物として扱われる。

5　国民及び事業者の責務，市町村・都道府県・国の役割分担

国民及び事業者の責務（2条の4，3条），市町村・都道府県・国の役割分担（4条）について規定がおかれている。

Q4　廃掃法における国の役割の強化について述べよ。

国の役割分担については，2003年，2004年改正で強化された。すなわち，地方分権推進委員会（当時）においては，かねて，廃棄物の適正かつ合理的な処理システムの構築に向けて，国の役割や責任を明確にすること，特に，域内で処理することが困難な産業廃棄物，又はその処理に高度な技術を要し，もしくは域内での発生量がさほど多くない産業廃棄物などについては，その処理施設の確保や広域的な立地調整について，国の役割の強化が必要とされていたが，この線に沿って，廃掃法が改正されたのである。

その内容は，

①国は，広域的な見地から地方公共団体の事務について調整を行うこととすること（4条3項）のほか，

②都道府県の産業廃棄物に関する事務が円滑に実施されるよう，職員の派遣等の必要な措置を講ずることとしたこと（23条の2），

③国の広域的対応の一環として，緊急時の国の調査権限を創設し，産業廃棄物に関し，緊急時には，環境大臣が報告徴収及び立入検査を行えることとしたこと（24条の3），

④不適正処理後の監督措置の適切な行使についても，国の役割に関する規定が必要であるとの指摘を受け，環境大臣は，産業廃棄物の不適正処理により生活環境の保全上の支障が生ずることを防止するため緊急の必要があると認めるときは，都道府県知事に対し，支障の除去，発生防止の措置命令及び代執行の事務について必要な指示ができるとしたこと（21条の4），の4点にわたる。

6 基本方針と都道府県廃棄物処理計画

環境大臣は，廃棄物の排出の抑制，再生利用等による「廃棄物の減量その他その適正な処理に関する施策の総合的かつ計画的な推進を図るための基本的な方針」（基本方針）を定めなければならない（5条の2第1項に基づく平成13年環告34号。その後，改正された）。環境大臣は，基本方針に即して，5年ごとに，「廃棄物処理施設整備計画」の案を作成し，閣議決定を求める（5条の3に基づく。平成25年環告60号）。

都道府県は，基本方針に即して，当該都道府県の区域内における廃棄物の減量その他その適正な処理に関する計画（「都道府県廃棄物処理計画」）を定める（5条の5）。

7　一般廃棄物の処理とそれに関する規制

(1)　処理責任

(a)　市町村による処理

(ア)　市町村は，自らが定める一般廃棄物処理計画（6条）に従い，その区域内の一般廃棄物を収集，運搬，及び処分する（6条の2第1項）。市町村は，一般廃棄物の処理を自ら直営で行うこととされているが，このほかに委託による処理の方式も認められている（6条の2第2項。直営の率は2015年度には22%）。これは，公衆衛生維持の観点から，一般廃棄物について市町村が処理責任を負うこと，すなわち，公共による処理が原則であることを意味している（後述の拡大生産者責任→ **Column37**〔331頁〕はその例外となる）とともに，一般廃棄物は市町村単位での域内処理を行うことが基本であることを意味している。

なお，事業者は事業系一般廃棄物については自らの責任で適正に処理する義務がある（3条1項）ことから，一般廃棄物の処理を他人に委託する場合には，処理業の許可を受けた業者に委託しなければならない（6条の2第6項）。また，事業系一般廃棄物については，事業者の協力義務についての規定もおかれている。すなわち，市町村長は，大口の排出事業者に対しては減量化計画の作成等を指示することができるとされている（6条の2第5項）。また，一般廃棄物のうち，適正な処理が困難と認められるもの（**適正処理困難物**）を環境大臣が指定し（「指定一般廃棄物」。廃ゴムタイヤ，廃テレビ受信機，廃スプリングマットレスなどが指定された），それに関しては，市町村長が製造者等に対し，適正処理のために必要な協力を求めることができるとされている（6条の3）。

Q5　ごみ処理料金の有料化とはどのような問題か。その法的根拠は何か。

(イ)　市町村は，自らが行う一般廃棄物の処理に関し，条例で定めるところにより，**手数料**を徴収することができる（地方自治法227条，228条1項）。一般廃棄物の処理に有料制を導入する市町村は増加している（2015年度の実施自治体率は64.3%，事業系一般廃棄物については2013年度の実施自治体率は85.7%）。**経済的手法**の一種である。環境法の基本原則である**原因者負担原則**の強化とみることができ，その観点からは望ましい動きといえよう。

Column30 ◇藤沢市ごみ有料化条例無効確認等請求事件

この事件は，家庭ごみを排出する場合の収集袋を有料化し，その収集袋の使用を義務付けた条例改正が違法無効であるとして，藤沢市民が藤沢市に対して指定収集袋を使用しない一般廃棄物の収集義務があることの確認を求めた訴訟（公法上の実質的当事者訴訟）である。

これについて，横浜地判平成 21・10・14 判自 338 号 46 頁［58］は，家庭ごみの収集に手数料を徴することは，もっぱら地方公共団体自体の行政上の必要のためにする事務とまではいえず，家庭ごみを自家処分できずに排出する個々人のためにする事務としての性質も有するものであり，役務の提供と受益者の間にそれぞれ対応関係があり，個別的に「特定」することが可能であることからすると，手数料の概念の域を超えるものではなく，地方自治法 227 条に違反するものではないとした（請求棄却）。

なお，原告らは，本件処理手数料が高額であることを理由に違法であるとも主張したが，本判決は，手数料の性質に照らすと，問題となる手数料徴収の趣旨・目的や当該事務に要する費用やこれによって受ける特定の者の利益を総合勘案して，裁量の範囲を逸脱・濫用した場合には，違法となるとし，本件では手数料の額は処理費用の約 25% にすぎず，均一の取扱いによる不都合を別途減免で調整していることから，裁量の範囲を超えないものと判断した。

その後，東京高判平成 22・4・27 は控訴を棄却し，最決平成 23・3・15 は原告の上告を不受理とした。

一種の経済的手法の法的位置づけを示した判決である（なお，ごみ有料化条例無効確認請求を抗告訴訟で提起した場合に，条例は特定の者に対して適用されるものでないので，処分性がないとしたものがある〔横浜地判平成 27・9・9〕）。

➡ 藤沢市ごみ有料化収集義務の確認請求事件では何が問題となったのか，環境法の基本原則の観点からはどのように捉えられるか。

(b) 処理基準・委託基準

一般廃棄物の処理に関しては，収集・運搬・処分に関する基準のほか，処理業者に対する委託基準が，廃掃法及び施行令で定められている（廃掃法 6 条の 2 第 2 項。同施行令 3 条，4 条）。特別管理一般廃棄物については，より厳しく設定されている（6 条の 2 第 3 項，施行令 4 条の 2，4 条の 3）。なお，一般廃棄物の処理業者は，その処理を再委託してはならない（7 条 14 項）。処理についての責任の所在を明らかにするためである。例外規定はなく，この点では産業廃棄物の場合よりも厳格である。

(2) 処理業の規制

(a) 市町村の許可

一般廃棄物の処理業者は，**市町村長の許可**を受けなければならない（廃掃法における許可制度一般について**図表 7-5**）。市町村長は，申請が一定の要件を満たす場合に限り，これを許可することができる（7 条 1 項，6 項）。処理業の許可は一般的には警察許可に近いと考えられているが，一般廃棄物の処理業の許可は，一般廃棄物の処理がそもそも市町村の事務であるところから，市町村長の裁量は大きいものと考えられている（最判平成 16・1・15 判時 1849 号 30 頁）。講学上の「**計画許可**」である。上記最判は，市町村長は一般廃棄物収集運搬業の許可申請の審査にあたり，一般廃

【図表 7-5】廃掃法における許可制度について（件数に関しては，2018 年 4 月）

〈一般廃棄物〉　一般家庭ごみ,事業系一般廃棄物,し尿
※市町村が処理責任を有する。

一般廃棄物処理業　市町村長の許可

収集運搬業　処分業

許可件数　41,300件（ただし，同一業者への重複あり）

（注）1 事業の範囲の変更には，変更許可が必要である。
2 許可の更新期間は，2 年。
3 環境関連法令違反による処分から 5 年以内の者等であることが欠格要件である。

一般廃棄物処理施設　都道府県知事の許可
ごみ焼却施設設置数　1,103
【最終処分施設設置数　1,651】

（注）1 施設の構造等の変更には，変更許可が必要である。
2 施設の譲渡には，許可（施設設置者である法人の合併については認可）が必要である。
3 業の許可と同様の欠格要件がある。

〈産業廃棄物〉　事業活動に伴って生じた廃棄物のうち一定のもの
※事業者が処理責任を有する。

産業廃棄物処理業　都道府県知事の許可

収集・運搬業
許可件数　195,683件

処分業
許可件数　13,298件

特別管理産業廃棄物処理業　都道府県知事の許可

収集・運搬業
許可件数　19,915件

処分業
許可件数　772件

※　爆発性，毒性，感染性等を有する産業廃棄物が対象となる。
特別管理一般廃棄物の処理も可能となる。

（注）1 事業の範囲の変更には，変更許可が必要である。
2 許可の更新期間は，5 年を下らない。
3 暴力団員等であることが欠格要件である。

産業廃棄物処理施設　都道府県知事の許可
中間処理施設設置数　19,107件
最終処分施設設置数　1,650件

（注）1 施設の構造等の変更には，変更許可が必要である。
2 施設の譲渡には，許可（施設設置者である法人の合併については認可）が必要である。
3 業の許可と同様の欠格要件がある。

出典：環境省資料を加工

棄物の適正な処理及び運搬を継続的かつ安定的に実施させるためには，既存の許可業者等のみに引き続きこれを行わせることが相当であるとして，申請内容が一般廃棄物処理計画に適合するものとは認められないと判断することも許されるとし

た。

➡ 一般廃棄物処理業の許可はどのような性格の許可か，産業廃棄物処理業の許可とは異なるか。異なるとしたらその理由は何か。

(b) 許可の要件等

許可要件については，①事業用施設及び申請者の能力の要件のほか，②一定の**欠格要件**等が定められている。欠格要件及び処理業者の義務は，度重なる改正によって強化されてきた。欠格要件は，暴力団等の排除，不正・不誠実な行為をするおそれがないことなどの観点で定められている（7条5項）。欠格要件に該当するとき，違反行為が行われ特に情状が重いとき等の場合には，許可権者は必ず処理業の許可を取り消さなければならない（7条の4）。欠格要件については特に産業廃棄物処理業で問題となるところから，詳細については後述する（→8(2)(b)(ア)〔294頁〕）。

(c) 許可の特例

このような許可については特例が設けられている。

Q6 一般廃棄物処理業の許可にはどのような特例が認められているか。

4つの場合があげられる（①～③が特に重要である）。

①排出事業者が自ら一般廃棄物を運搬・処分することが可能であるほか，「専ら再生利用の目的となる一般廃棄物のみ」の収集・運搬・処分を「業として行う者その他環境省令で定める者」は許可を要しない（7条1項但し書，6項但し書，施行規則2条，2条の3）。環境省令で定める者について，**業の許可の特例制度**を設けているのである。「専ら再生利用の目的となる一般廃棄物」とは，古紙，くず鉄，あきびん類，古繊維である。

②廃棄物の減量化を推進するため，環境省令で定める一般廃棄物の再生利用を行い，又は行おうとする者は，生活環境の保全上支障がない等の一定の要件に該当するものとして環境大臣の認定を受ければ，一般廃棄物の収集，運搬又は処分業の許可及び処理施設の設置の許可を受けることを要しない（**再生利用認定制度→9**〔304頁〕）。

③2003年の法改正により，拡大生産者責任（**→Column37**〔331頁〕）の観点を踏まえつつ広域的なリサイクル等を推進するため，環境大臣が認定した者は，廃棄物処理業の許可を要しないこととなった（**広域認定制度→9**〔304頁〕）。

④建築物の解体等に伴って大量に発生することが予測された石綿廃棄物を安全かつ円滑に処理するため，2006年の法改正により，石綿含有一般廃棄物の無害化処理に係る特例（環境大臣による認定制度）が設けられた。環境大臣による認定を受ければ，個々の業の許可及び施設設置の許可を受けることは要しない（9条の10）。

なお，これら以外に，市町村から委託を受けて一般廃棄物の収集・運搬又は処分を業として行う者は「その他環境指令で定める者」にあたり，許可を要しない（施行規則2条1号，2条の3第1号）。一般廃棄物の処理が市町村の固有の事務であり，受託者は市町村がなすべき行為を代行するにすぎないと解されている（大阪高判昭和49・11・14判時774号78頁）。

⑶ 処理施設の規制

(a) 施設設置の許可

一般廃棄物処理施設の設置については，**都道府県知事の許可**を受けなければならない（8条。もっとも，市町村が一般廃棄物処理計画に従って処理するために設置する場合は，届出で足りる。9条の3）。この許可は警察許可であり，羈束（きそく）裁量であると解されている。許可にかかる技術上の基準等に違反した場合には，許可が取り消され（9条の2の2），又は，改善命令もしくは使用停止命令が出される（9条の2）。施設設置の許可については，主に1997年改正で導入された次の3点が重要である。

㈠ 対象施設

第1に，1997年改正の下の施行令において，許可の対象となる施設の規模要件が，最終処分場については撤廃され，焼却施設については縮小された（施行令5条）。これは，最終処分場についていわゆる**ミニ処分場**も許可の対象となったということである。規制対象外の施設からの汚染を防止するための改正であり，施行令における改正であるが，大きな意義を有している。

㈡ 許可基準

第2に，許可基準は，従来は，①技術上の基準に適合しており，環境省令に定めるところにより災害防止計画が定められていれば足りたが（8条の2第1項1号），1997年改正により，技術上の基準のほかに，新たに，②その設置に関する計画及び維持管理に関する計画が当該施設の「周辺地域の生活環境の保全及び環境省令で定める周辺の施設について適正な配慮がなされたものであること」という要件（適正配慮要件）が付加された（8条の2第1項2号）。

許可基準に関してはさらに2000年改正により，施設設置についても，③申請者の能力（**経理的基礎**を含む）（8条の2第1項3号），④**欠格要件**（同項4号）といった人的要素が追加され，以上①～④が許可要件とされた。

なお，2003年改正により，欠格要件に該当するとき，違反行為が行われ特に情状が重いとき等の場合には，許可権者は必ず処理施設の許可を取り消さなければならない（9条の2の2）とされたことが重要である。

㈢ 許可手続

第3に，許可手続について，処理施設設置許可の申請者は，環境省令で定める申

【図表 7-6】施設の設置手順のフロー

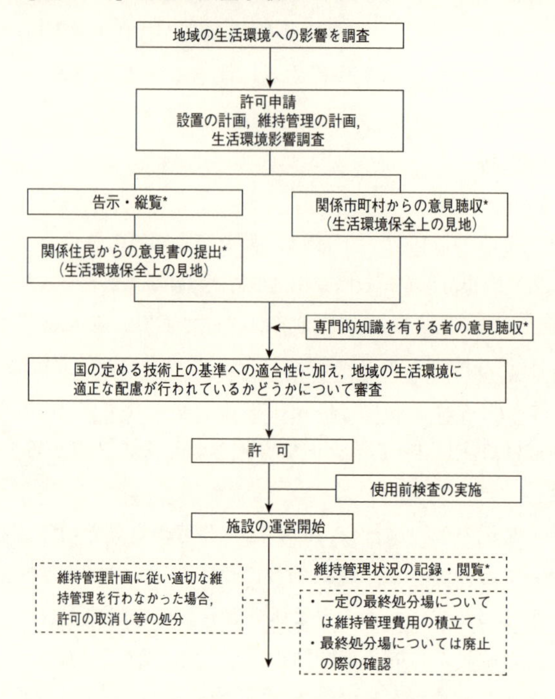

（注）上記の手続は政令で定める処理施設の場合であり，その他の施設では＊は不要

出典：環境省資料を加工

請書を都道府県知事に提出しなければならないが（8条2項），提出にあたり，**生活環境影響調査**の結果を記載した書類（生活環境影響調査書）を添付することが義務付けられた（8条3項。その内容については施行規則3条の2)。これにより，ミニアセスメントの手続が導入されたことが重要である。すなわち，政令で定める処理施設についての許可申請があった場合に，都道府県知事は申請者の氏名・名称，施設の設置場所，施設の種類，処理する一般廃棄物の種類等を告示し，申請書及び生活環境影響調査書を1カ月間公衆の縦覧に供し，関係市町村長から生活環境の保全上の見地からの意見を聴かなければならない。利害関係者は，縦覧期間満了の日の翌日から2週間を経過する日までに生活環境の保全上の見地からの意見書を提出することができる（8条4項〜6項）。産業廃棄物処理施設についても同様の規定がおかれており，むしろそれを主眼としたものである。生活環境影響調査書と許可申請書を縦覧させることを通じ，処理施設の設置に関する情報を提供し，意見を聴取するという点で一定の意義を有するといえる（施設の設置手順のフローについては**図表7-6**。なお，

処理施設が環境影響評価法・条例の対象ともなる場合には，その結果を本法に基づく生活環境影響調査として添付することができる。平成10年衛環37号第1，2(8))。

➡ 廃掃法における生活環境影響調査とは何か。環境影響評価とはどのような関係にあるか。

(b) 定期検査義務と，熱回収を行う者についての認定制度

一般廃棄物処理施設の設置の許可を受けた者は，施設が許可の技術上の基準（構造基準）に適合しているかについて定期検査を受けなければならない（8条の2の2)。維持管理基準の適合性は対象とされていない。2010年改正で入れられた点である。ガスの保安施設の老朽化に対処することや炉の検査を定期的に行う必要があることが導入の理由である。

なお，やはり同年の改正により，一般廃棄物処理施設における焼却時に一定基準以上の熱回収を行う者についての認定制度が設けられ（9条の2の4第1項)，認定を受けると，この定期検査の規定が適用されなくなる（9条の2の4第3項，4項）などのメリットを与えることとした。廃棄物処理業者に熱回収のインセンティブを与えようとするものであり，温暖化対策と関連する改正である。

(c) 施設の維持管理・廃止等

(ア) 施設の維持管理

施設の維持管理は，技術上の基準（施行規則4条の5及び最終処分場に係る省令）及び設置者の維持管理に関する計画に従って行われ（8条の3)，周辺地域の生活環境の保全及び増進に配慮しなければならない（9条の4)。

許可を取り消されて設置者が不在となった一般廃棄物の最終処分場については，その許可を取り消された者又は承継人は，その廃止について都道府県知事の確認を受けるまで，引き続き維持管理の義務を負う（9条の2の3)。2010年改正で導入された規定である。都道府県が直ちに維持管理することは困難であり，適正な維持管理を確保する必要があるためである。

(イ) 施設の廃止等

最終処分場以外の一般廃棄物処理施設の廃止，休止等（9条3項）及び最終処分場の埋立処分終了については届出義務の対象となる（同条4項)。これに対し，最終処分場の廃止については，当該最終処分場の状況が最終処分場に係る省令で定める技術上の基準に適合することについて**都道府県知事の確認**を受けることを要する（同条5項)。これは生活環境の保全上の支障の発生を防止することを目的とするものである。

この技術上の基準の中には，埋立地周縁の地下水等の水質が地下水の環境基準に

対応する基準に適合し，将来的にも適合しなくなるおそれのないこと，保有水等の水質が2年以上にわたり排水基準等に適合していることなどが含まれている（最終処分場に係る省令1条3項）。

(ウ) 施設の維持管理に関する1990年代以降の改正点

近年の廃掃法の改正のうち，廃棄物処理施設の維持管理について注目されるものは次の2点である。これらの点もむしろ産業廃棄物処理施設についてより重要な問題となることに注意されたい。

Q7 維持管理積立金とは何を目的とした仕組みか。
Q8 廃棄物処理施設の維持管理の段階における情報開示・情報提供の仕組みにはどのようなものがあるか。

(i) まず，1997年改正により，最終処分場の埋立処分終了後の（水処理など）維持管理に必要な資金を確保するため，一般廃棄物処理施設のうち一定のもの（特定一般廃棄物最終処分場）の設置者は，埋立処分の終了までの間，毎年度，都道府県知事が通知する額を（独）環境再生保全機構に「**維持管理積立金**」として積み立てなければならない（8条の5）とされたことである。これは，最終処分場の埋立処分終了後は設置者の収入がなくなる一方で，浸出水の処理等の維持管理を継続して行わなければならず，企業にとっては支出に消極的になる傾向がみられること，さらに設置者が倒産する事態もありうることに対処するものである。埋立処分終了後の維持管理について原因者負担を徹底したものといえよう。この制度は，2005年改正で1998年6月以前に埋立処分が開始された最終処分場にも拡張された。

また，特定一般廃棄物最終処分場の設置者が維持管理積立金の積立てをしていない場合には，直ちに罰則が適用されることはないが，都道府県知事は，設置許可を取り消し（9条2の2第2項），又は使用の停止を命ずる（9条の2）ことができる。維持管理積立金の積立てを確保する趣旨であり，2010年改正で設置許可の取消の規定が導入された。もっとも，積立てをしないだけで許可の取消をすることは困難であり，直罰の規定を導入することが検討されるべきである。

(ii) 次に，廃棄物処理施設の維持管理の段階においても，住民等への**情報開示・提供制度**が徐々に整備されてきていることである。

第1は，維持管理に関する記録・閲覧，維持管理に関する情報の公表である。

まず，1997年の改正により，処理施設の維持管理に関する記録・閲覧の制度が導入された。すなわち，政令で定める処理施設の設置者は，当該施設の維持管理に関して環境省令（施行規則4条の7）で定める事項を記録し，備え置くとともに，当該維持管理に関して生活環境の保全上利害関係を有する者の求めに応じ閲覧させなければならない（法8条の4，9条の3第7項）。これにより，処理施設の維持管理についての住民に対する情報開示が行われるわけである。記録，備置きの違反には罰則が適用されるが（30条4号），閲覧の違反については罰則はおかれていない。利害関係人にあたるか否かの判断は処理施設設置者に委ねられるが，同人が正当な請求に対して閲覧を拒否した場合には，許可の取消しや更新の拒否がなされるべきであろう。他方，行政が有する情報については，一般的な情報公開制度によることになる。

さらに，2010年改正により，施設の維持管理に関する計画及び施設の維持管理の状況に関する情報について，一般廃棄物処理施設の設置者は，インターネット等で公表しなければならないこととされた（8条の3第2項，9条の3第6項）。周辺住民及び行政に情報を公表させることにより，施設に対する信頼感を醸成することが目的とされている。

第2は，埋立処分終了後の最終処分場の台帳の閲覧である。すなわち，1991年の改正により，埋立処分終了時に最終処分場の設置者から届出を受けた都道府県知事は，最終処分場の台帳を調製し，「関係人」から請求があったときは，台帳又はその写しを閲覧させなければならないとされた（19条の12）。もっとも，ここでいう「関係人」とは，埋立終了後の土地に関して所有権，地上権等の権利を有する者，それらの権利を取得しようとする者等，当該土地について具体的な権利を有するか又は有することが予定されている者と解されており，一般の住民を含む趣旨ではない。

(d) 最終処分場跡地の形質変更

Q9 最終処分場跡地についてはどのような考え方が取り入れられているか。

廃止後の最終処分場跡地を利用する際に，例えば土地の掘削により遮水シートを破損するなどのおそれがある。そのため，2004年改正に基づき，廃止後の最終処分場跡地の形質変更により，生活環境の保全上の支障が生ずるおそれがある区域を都道府県知事が指定区域として指定するものとし（15条の17），指定区域内で土地の形質変更をしようとする者は，都道府県知事への届出義務を負い，形質変更の施行方法が基準不適合の場合には，都道府県は計画の変更を命ずることができるようになった（15条の19）。都道府県知事は指定区域の台帳を調製し，これを保管し，閲覧を求められたときは，正当な理由がなければ，これを拒むことができない（15条の18）。

基準に適合しない形質変更により，生活環境の保全上の支障が生じ，又は生ずるおそれがあると認められるときは，都道府県知事は支障除去等についての措置命令を発出できる（19条の11）。

このように最終処分場跡地については，土壌汚染対策法の形質変更時要届出区域と類似の対応がとられている。最終処分場跡地は一般の土壌と考えることもできるが，土壌汚染対策法ではなく，廃掃法で扱うという整理がなされたことになる。

8　産業廃棄物の処理とそれに関する規制

(1)　処理責任

(a)　排出事業者の責任

(ア)　自己処理の原則

産業廃棄物については，排出事業者の**自己処理**が原則とされている（11条1項，3条1項。排出事業者という原因者負担の原則が採用されているのである。なお，廃掃法においては「事業者」とは，「排出事業者」のことである点に注意されたい）。もっとも，事業者が処理費用を負担して処理自体を他人に委託することは認められ（12条5項），この場合，排出事業者が適正な費用を支払う必要がある（→ **11**(5)(b)(イ)〔312頁〕）。また，一定の場合には，地方公共団体が処理することもできる（11条2項，3項。これを「合わせ産廃」という）。

Column31◇「自ら処理」とは何か，「自ら処理」にはどのような問題があるか

排出事業者が廃棄物の処理を他人に委託せず，自ら処理することを「自ら処理」，「自社処理」などという。これ自体は11条1項に基づくものであり，問題がないようにみえるが，「自ら処理」の場合には処理業の許可が必要でないため，行政庁の監督を受けることがなく（当然のことながら，産業廃棄物管理票も不要である），しばしば不法投棄の温床となっているとの指摘がなされてきた。廃掃法の2010年改正では，排出事業者が産業廃棄物を事業所外で自ら保管する際の事前届出制度を創設したが（12条3項，12条の2第3項），これは「自ら処理」のうち「自ら保管」について都道府県知事が事前にチェックする体制を確保することを目的としている。届出違反については罰則が科される（29条1号）。

(イ)　建設廃棄物についての排出事業者

Q10　建設廃棄物についての排出事業者は誰か。

建設廃棄物における排出事業者は，元請業者か下請業者かという問題があり，通知と裁判例（フジコー判決〔東京高判平成5・10・28判時1483号17頁［41］〕は，一定の場合について，下請けも排出事業者となるとした）とで異なる考え方が示されてきた。「事業者」とは文言上一般にどう考えられるかという問題と，14条1項但し書により下請業者が「自ら処理」をすることを回避するため元請業者を「事業者」とする政策的要請が対立する点であった。この点については2010年改正により，基本的には元請業者を排出事業者とする解決がなされた（21条の3。同条にみられるように，一定の例外がある）。建設業では，元請業者，下請業者，孫請業者などが存在し，事業形態が多層化，複雑化しており，個々の廃棄物について誰に処理責任があるかが不明確であり，その結果，都道府県にとっても，行政指導や行政代執行の費用回収の相手が不明確となっていた。法律による明確な規定が導入されたことは積極的に評価できる。

(ウ) 親子会社による一体的処理の特例（「自ら処置」の拡大）

2017年改正で導入された点である（→ 15(3)(c)〔324頁〕）。

(b) 処理基準・委託基準・排出事業者の義務

(ア) 処理基準・委託基準

産業廃棄物の処理に関しては，保管基準（事業者の保管基準。一般廃棄物にはこのような基準がないことに注意），収集・運搬・処分に関する基準のほか，処理業者に対する委託基準が本法，施行令及び規則で細かく定められている（12条1項，2項，6項，施行令6条，同6条の2，施行規則8条）。なお，特別管理産業廃棄物については，より厳しい処理基準，委託基準が設定された（12条の2第1項，2項，6項，施行令6条の5，同6条の6，施行規則8条の13）。これらの処理基準は，委託処理の際には，処理業者が従うべき基準ともなる（14条12項，14条の4第12項）。

Q11 産業廃棄物の委託契約においては，排出事業者の責任の明確化のためにどのような仕組みがとられているか。

12条5項の規定に違反して，産業廃棄物の処理を他人に委託してはならない。ここにいう「委託」とは，同条同項所定の者に自ら委託する場合以外の，当該処理を目的とするすべての委託行為を含む。その他人自らが処分を行うように委託する場合のみでなく，更に他の者に処分を行うように再委託することを委託する場合も含む。また，再委託先についての指示のいかんを問わない（最判平成18・1・16刑集60巻1号1頁）。

また産業廃棄物処理業者その他一定の者以外は，産業廃棄物の処理を受託してはならない（14条15項）。産業廃棄物処理業者は，原則としてその処理の再委託が禁止される（14条16項，施行令6条の12，施行規則10条の7）。再委託については，排出事業者の事前の承諾が必要である。さらに，次の3点が注目される。

第1に，排出事業者の責任を明確にし，適正な廃棄物処理を確保するため，委託契約は**書面**によらなければならない（12条6項，施行令6条の2第4号，施行規則8条の4の2）。

第2に，委託契約には，「委託者が受託者に支払う**料金**」も書かなければならない。従来，産業廃棄物の処理業者が不当に安価な料金で受託をし，それが不法投棄の一因とされたためである。

排出事業者は，収集運搬業者・中間処理業者・最終処分業者のそれぞれと二者契約を締結しなければならない（12条5項）。排出事業が中間処理業者や最終処分業者を選定する意識を高めることが意図されている。従来は，排出事業者が，収集運搬業者に中間処理業者や最終処分業者との契約をゆだね，一つの契約書に三者が署名する三者契約が行われており，これが，排出事業者の処理責任に対する意識を弱め，不法投棄の背景となったとされ，1991年に改正された。

第3に，委託する内容は，その処理業者が許可を受けた事業範囲に含まれることを要する。処理業の許可は品目を指定して行われていることに注意が必要である。

(イ) 排出事業者が委託した場合に生ずる義務

排出事業者は，産業廃棄物の運搬又は処分を委託する場合には，後述する産業廃棄物管理票の交付義務が発生するほか，①当該産業廃棄物の処理の状況に関する確認を行い，②最終処分が終了するまでの一連の処理工程を通じて適正処理を行う努力義務を負う（12条7項，12条の2第7項）。②は2000年改正で，①は2010年改正で導入された。

Column32 ◇産業廃棄物について排出事業者に実地確認義務を課するべきか

2010年改正の際には，排出事業者の実地確認義務を導入する議論もあったが，上記のように努力義務にとどまった（上記①）。努力義務を超える法的義務導入の理由としては，後述する産業廃棄物管理票だけでは虚偽のものが用いられる可能性もあること，都道府県等において実地確認義務を条例で定めるものが現れており基準がまちまちとなっていることなどがあげられていた。しかし，このような義務付けをしても排出事業者にどの程度の確認ができるか明らかでなく，また，あらゆる排出事業者が実地確認をするとなれば処理業者の業務に支障を及ぼすことなどから，努力義務にとどまったものである。少なくともあらゆる排出事業者に実地確認義務を課することは過剰規制のおそれがあろう。

もう1つ，適法に産業廃棄物の処理を委託した排出事業者は常に措置命令の対象とならずに済むかという問題がある。これについては，従来，廃掃法の下では排出事業者が適法に第三者に産業廃棄物の処理を委託した場合，受託者が違法な廃棄物処理をしても委託者は責任を免れるとされていたが，2000年の改正により，排出事業者はこのようなときも一定の場合には措置命令の対象となりうることとされた

(19条の6)。排出事業者の責任を強化した重要な改正である(→11(5)〔311頁〕)。この改正が上記の12条7項の努力義務と関連していることに注意されたい。

(ウ) 産業廃棄物管理票制度(マニフェスト制度)

(i) 第三者との委託契約により産業廃棄物の運搬又は処分を行う場合については,最終処分までの廃棄物の流れを管理するため,**産業廃棄物管理票制度**(**マニフェスト制度**)が採用された(12条の3)。

すなわち排出事業者は,運搬又は処分の委託時にこの管理票を交付し,環境省令で定める一定期間内(施行規則8条の28。産業廃棄物については交付の日から90日又は180日内)にその送付を受けない場合,又は本法に規定されている事項(最終処分業者の場合には最終処分の終了した旨)が記載されていない管理票の写しもしくは虚偽の記載のある管理票の写しの送付を受けた場合には,処分の状況を確認し,適切な措置(報告書の都道府県知事への提出。施行規則8条の29)を講ずることとされた(なお,マニフェスト制度とWDS〔→ **Column22** (203頁),**6-5**・3(2)(253頁)〕との関係につき,大塚『環境法』9-2-1コラム46〔437頁〕参照)。

これは排出事業者及び関連事業者の自己管理制度であり,不法投棄を防止しようとする趣旨である。管理票交付者,運搬受託者,処分受託者は,それぞれ5年間管理票を保存する義務を負う(12条の3第2項,9項,10項,施行規則8条の21の2,8条の30,8条の30の2)。

(ii) もっとも,以前の方式だと,中間処理業者に委託すると,排出事業者から中間処理業者までで管理票が途切れてしまったため,2000年の改正により,中間処理をはさんだ場合にも,①中間処理業者が他に委託する場合に管理票を交付し,②最終処分業者から中間処理業者に管理票が送付された後,その写しを中間処理業者から排出事業者に戻すことにより,排出事業者にわかるようにした(12条の3第4項)(**図表7-7**)。排出事業者は,委託内容どおりに廃棄物が処理されたことを確認しなければならない(なお,管理票の具体例につき**図表7-8**①,**図表7-8**②)。

(iii) ①産業廃棄物処理業者は,産業廃棄物の運搬又は処分を受託していないのに虚偽の記載をしてマニフェストを交付してはならないし(12条の4第1項),②運搬受託者又は処分受託者は,マニフェストの交付を受けていないにもかかわらず産業廃棄物の引渡しを受けてはならない(同条第2項)。

②は2010年改正で導入された。運搬受託者等のこのような行為は委託者と共犯ともいえることから,違法であることが明確にされた。マニフェストが用いられない場合が生じるのを防いだのである。

(iv) マニフェスト制度の違反は勧告,命令(12条の6),措置命令(19条の5第1

【図表 7-7】排出事業者が最終処分まで確認する流れ

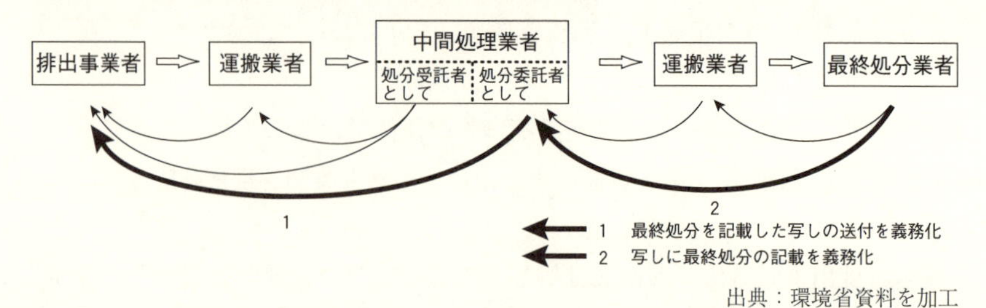

出典：環境省資料を加工

【図表 7-8 ①】産業廃棄物管理票（マニフェスト）A 票

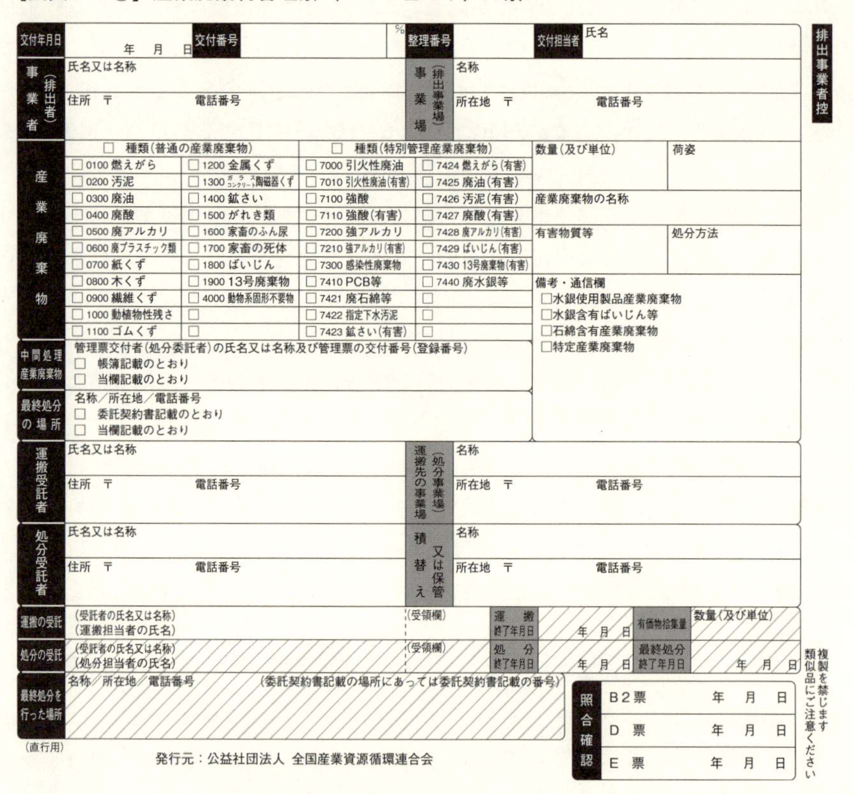

交付年月日　年　月　日　交付番号　整理番号　交付担当者　氏名

排出事業者控

事業者（排出者）　氏名又は名称　住所 〒　電話番号

事業場（排出事業場）　名称　所在地 〒　電話番号

産業廃棄物

□ 種類（普通の産業廃棄物）		□ 種類（特別管理産業廃棄物）	
□0100 燃えがら	□1200 金属くず	□7000 引火性廃油	□7424 燃えがら(有害)
□0200 汚泥	□1300 ガラス・コンクリート・陶磁器くず	□7010 引火性廃油(有害)	□7425 廃油(有害)
□0300 廃油	□1400 鉱さい	□7100 強酸	□7426 汚泥(有害)
□0400 廃酸	□1500 がれき類	□7110 強酸(有害)	□7427 廃酸(有害)
□0500 廃アルカリ	□1600 家畜のふん尿	□7200 強アルカリ	□7428 廃アルカリ(有害)
□0600 廃プラスチック類	□1700 家畜の死体	□7210 強アルカリ(有害)	□7429 ばいじん(有害)
□0700 紙くず	□1800 ばいじん	□7300 感染性廃棄物	□7430 13号廃棄物(有害)
□0800 木くず	□1900 13号廃棄物	□7410 PCB等	□7440 廃水銀等
□0900 繊維くず	□4000 動物系固形不要物	□7421 廃石綿等	□
□1000 動植物性残さ	□	□7422 指定下水汚泥	□
□1100 ゴムくず	□	□7423 鉱さい(有害)	□

数量（及び単位）　荷姿

産業廃棄物の名称

有害物質等　処分方法

備考・通信欄
□水銀使用製品産業廃棄物
□水銀含有ばいじん等
□石綿含有産業廃棄物
□特定産業廃棄物

中間処理産業廃棄物　管理票交付者（処分委託者）の氏名又は名称及び管理票の交付番号（登録番号）
□ 帳簿記載のとおり
□ 当欄記載のとおり

最終処分の場所　名称／所在地／電話番号
□ 委託契約書記載のとおり
□ 当欄記載のとおり

運搬受託者　氏名又は名称　住所 〒　電話番号

運搬先の事業場（処分事業場）　名称　所在地 〒　電話番号

処分受託者　氏名又は名称　住所 〒　電話番号

積替え又は保管　名称　所在地 〒　電話番号

運搬の受託　（受託者の氏名又は名称）（運搬担当者の氏名）　（受領欄）　運搬終了年月日　年　月　日　有価物拾集量　数量（及び単位）

処分の受託　（受託者の氏名又は名称）（処分担当者の氏名）　（受領欄）　処分終了年月日　年　月　日　最終処分終了年月日　年　月　日

最終処分を行った場所　名称／所在地／電話番号　（委託契約書記載の場所にあっては委託契約書記載の番号）

照合確認
B2票　年　月　日
D 票　年　月　日
E 票　年　月　日

複製を禁じます 類似品にご注意ください

（直行用）

発行元：公益社団法人 全国産業資源循環連合会

項3号）及び直罰等の罰則（27条の2，29条3号～13号）の対象となる。

（v）　もっとも，排出事業者（中間処理業者を含む），運搬業者，処分業者の3者のみが関与する現在の制度では，その効果は必ずしも明確でない面もある。「**電子マ**

【図表 7-8 ②】産業廃棄物管理票（直行用）

対象：産業廃棄物が処分受託者に直接運搬される場合

A 票　排出事業者の保存用

B1票　運搬受託者の控え

B2票　運搬受託者から排出事業者に送付され，運搬終了を確認

C1票　処分受託者の保存用

C2票　処分受託者から運搬受託者に送付され，処分終了を確認（運搬受託者の保存用）

D 票　処分受託者から排出事業者に送付され，処分終了を確認

E 票　処分受託者から排出事業者に送付され，最終処分終了を確認

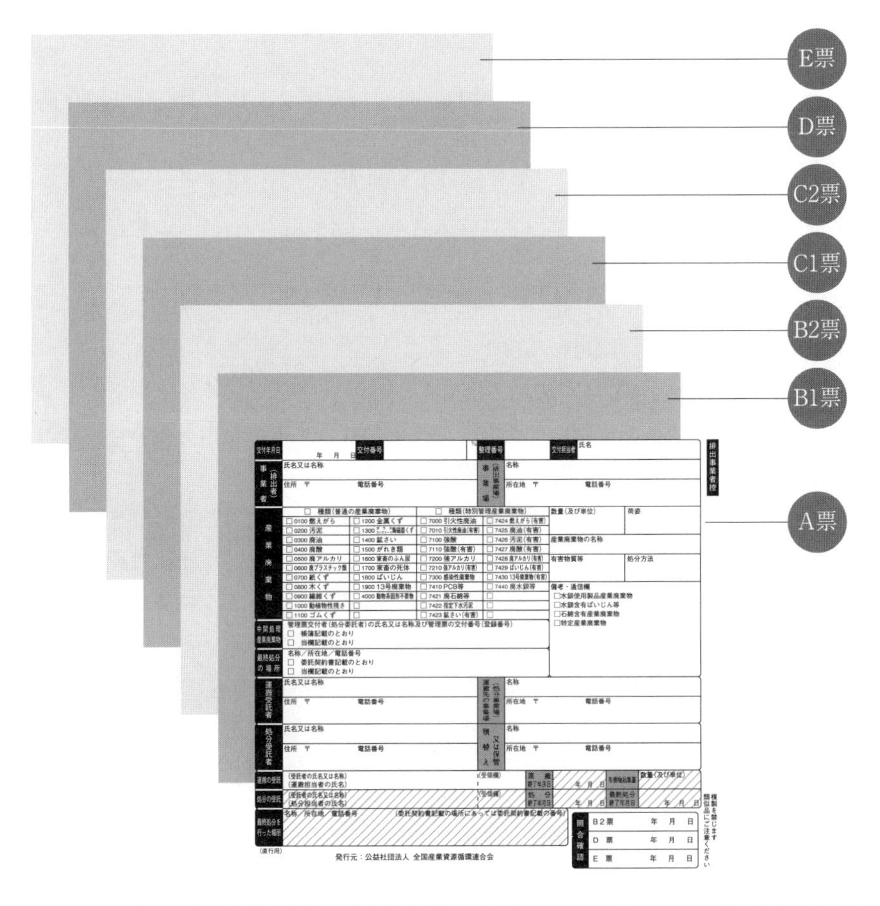

交付年月日　年　月　日　交付番号　整理番号　交付担当者　氏名　排出事業者控

事業者（排出者）　氏名又は名称　住所　〒　電話番号

事業場（排出事業場）　名称　所在地　〒　電話番号

産業廃棄物

□ 種類（普通の産業廃棄物）		□ 種類（特別管理産業廃棄物）	
□0100 燃えがら	□1200 金属くず	□7000 引火性廃油	□7424 燃えがら（有害）
□0200 汚泥	□1300 ガラス・コンクリート・陶磁器くず	□7010 引火性廃油（有害）	□7425 廃油（有害）
□0300 廃油	□1400 鉱さい	□7100 強酸	□7426 汚泥（有害）
□0400 廃酸	□1500 がれき類	□7110 強酸（有害）	□7427 廃酸（有害）
□0500 廃アルカリ	□1600 家畜のふん尿	□7200 強アルカリ	□7428 廃アルカリ（有害）
□0600 廃プラスチック類	□1700 家畜の死体	□7210 強アルカリ（有害）	□7429 ばいじん（有害）
□0700 紙くず	□1800 ばいじん	□7300 感染性廃棄物	□7430 13号廃棄物（有害）
□0800 木くず	□1900 13号廃棄物	□7410 PCB等	□7440 廃水銀等
□0900 繊維くず	□4000 動物系固形不要物	□7421 廃石綿等	□
□1000 動植物性残さ	□	□7422 指定下水汚泥	□
□1100 ゴムくず	□	□7423 鉱さい（有害）	□

数量（及び単位）　荷姿

産業廃棄物の名称

有害物質等　処分方法

備考・通信欄
□水銀使用製品産業廃棄物
□水銀含有ばいじん等
□石綿含有産業廃棄物
□特定産業廃棄物

中間処理産業廃棄物　管理票交付者（処分委託者）の氏名又は名称及び管理票の交付番号（登録番号）
□ 帳簿記載のとおり
□ 当欄記載のとおり

最終処分の場所　名称／所在地／電話番号
□ 委託契約書記載のとおり
□ 当欄記載のとおり

運搬受託者　氏名又は名称　住所　〒　電話番号

運搬先の事業場（処分事業場）　名称　所在地　〒　電話番号

処分受託者　氏名又は名称　住所　〒　電話番号

積替え又は保管　名称　所在地　〒　電話番号

運搬の受託　（受託者の氏名又は名称）（運搬担当者の氏名）　（受領欄）　運搬終了年月日　年　月　日　有価物拾集量　数量（及び単位）

処分の受託　（受託者の氏名又は名称）（処分担当者の氏名）　（受領欄）　処分終了年月日　年　月　日　最終処分終了年月日　年　月　日

最終処分を行った場所　名称／所在地／電話番号　（委託契約書記載の場所にあっては委託契約書記載の番号）

照合確認　B2票　年　月　日　D 票　年　月　日　E 票　年　月　日

複製を禁じます　類似品にご注意ください

（直行用）

発行元：公益社団法人 全国産業資源循環連合会

出典：①②とも（公社）全国産業資源循環連合会『マニフェストシステムがよくわかる本』

ニフェスト制度」はこの点を改善しようとするものである。電子マニフェストとは，管理票に代え，電子情報処理組織を使用するものであり（12条の5），そのために，全国に1つ，情報処理センターが指定されている（13条の2以下）。

電子マニフェスト制度は，導入初期のコストがかかるものの，センターが一括保存するため紛失・破棄のおそれがない，登録後の情報改ざん，偽造がなされにくい，迅速かつ正確な情報整理が可能であるなどの長所があるほか，不法投棄防止の観点から情報を一元的に管理し，行政が廃棄物の移動に関する全体像を把握する上で有効である。紙のマニフェストでは量が厖大で行政は対応しきれないのに対し，電子マニフェストは情報管理を合理化し，監視業務を合理化することができるのである。

なお，2008年度以降，管理票交付者は，毎年度マニフェストの交付状況に関する報告書を作成し，都道府県知事に報告することが義務付けられた（12条の3第7項，施行規則8条の27）。ただし，違反に対する罰則はない。電子マニフェストを用いる排出事業者には，年に1度のマニフェストの交付状況の行政への報告が不要となる点にメリットがある。

(vi) マニフェスト制度の強化——一定の者に対する電子マニフェストの義務化

①電子マニフェストの使用の義務化

本法の2017年改正により，環境省令で定める産業廃棄物を多量に排出する事業者に，紙マニフェストの交付に代えて，電子マニフェストの使用を義務付けることとした（12条の5）。

電子マニフェスト制度は，前述のように，事業者及び都道府県等の事務を効率化させ，原因究明を迅速に行うことができ，透明性を向上させ，不適正処理を未然に防止することが期待できる。この点の改正は，従来からの電子マニフェスト化の推進を強化するものである（電子マニフェストは2016年に普及率50%とすることを目標としていたが〔第3次循環型社会形成推進基本計画〕，2020年度は65%）。

(i) 電子マニフェストの義務付けの対象は，多量の産業廃棄物（環境省令〔施行規則8条の31の2〕で特別管理産業廃棄物に絞られた。法律上は，将来，産業廃棄物に広げうる点に意義があろう）を生ずる事業場を設置する事業者で環境省令（施行規則8条の31の3）で定めるもの（前前年度の同廃棄物の発生量が50トン以上〔PCB廃棄物は含めない〕とする。将来裾切り基準を下げうる）（「電子情報処理組織使用義務者」）である（法12条の5第1項）。「有害性」と「多量であること」の双方から対象を限定する。紙マニフェスト交付義務も元来特別管理産業廃棄物から始まったので（廃掃法の1991年改正による），先例はあったといえよう。これにより，全国3300事業所，特別管理産業廃棄物の排出量の98%を捕捉できることになった。

義務の内容は，当該産廃の運搬・処分を他人に委託する場合，運搬受託者及び処分受託者から運搬・処分が終了した旨の報告を求め，期間内に一定事項を情報処理センターに登録することである。この場合，紙マニフェスト交付の義務は不要となる。義務の対象者について，適用除外が省令で認められた。

ⅱ　廃掃法12条の5第2項は，電子マニフェストを任意に用いる場合についての，2017年改正前12条の5第1項と同様の規定である。

ⅲ　廃掃法12条の5第3項以下は，電子マニフェストを任意に用いる場合も義務付けの場合も共通の規定とした。

2点補足しておく。

第1に，マニフェスト交付義務は排出事業者にあるから，電子マニフェストについても排出事業者の義務として構成されており，処理業者は回付の義務しかない。排出事業者が交付すれば処理業者はそれに対応するものと考えられており，制度上処理業者の義務は重視されていない。

第2に，罰則に関しては，電子マニフェストについては直罰は科されていない。改善命令前置主義が採用されている（12条の6）。すなわち，電子マニフェストの義務対象である者が紙マニフェストを交付した場合には，勧告，改善命令を経て，罰則が科される（27条の2第11号）。この点については，将来，電子マニフェストが産業廃棄物処理業者に全面的に義務化されるときは，直罰を科することも可能となろうが，現在はまだ紙がベースであり，特定の場合に電子マニフェストが用いられる状態であることが前提とされている。

ちなみに，従来は，電子マニフェストは任意に行われるにとどまっていたため（12条の5第1項），電子の登録をせず紙マニフェストを交付しない場合は紙マニフェストの義務違反となったが，法改正後は，電子マニフェスト義務対象者が1）電子マニフェストの登録をせず紙マニフェストも交付しない場合は直罰（27条の2第1号）が科されるとともに，12条の6も適用される（勧告及び命令）。また，2）電子マニフェストの登録をせず紙マニフェストを交付した場合は電子マニフェスト交付義務を遵守しておらず，12条の6が適用される。

なお，電子マニフェストの虚偽登録の場合にも，直罰が科される（27条の2第9号）。

②マニフェストに関する罰則強化

マニフェストの不交付，または，12条の3第1項の規定事項を記載せず，若しくは虚偽の記載をしたマニフェストの交付の場合等について，罰則を強化した（27

条の2）。虚偽記載のマニフェスト交付の罰則強化は，後述するダイコー事件（→15(2)〔322頁〕）に対応している。

➡ 産業廃棄物管理票制度は何のために導入されたか。それには何か問題点があるか。

(エ) 排出事業者のその他の義務

産業廃棄物を排出する事業者には，ほかにもいくつかの義務が課せられた。

まず，排出事業者は，当該事業場ごとに産業廃棄物処理責任者（12条8項。特別管理産業廃棄物については，特別管理産業廃棄物管理責任者。12条の2第8項）をおかなければならない。

また，多量の産業廃棄物を生ずる事業場を設置している事業者（**多量排出事業者**）は，産業廃棄物の減量その他その処理に関する計画を作成して，都道府県知事に提出し，また計画の実施状況を報告しなければならない（12条9項，10項。特別産業廃棄物について12条の2第10項，第11項）。計画提出，実施状況報告義務に違反した場合には，過料に処せられる（33条2号，3号）。計画の充実化を図るため，2010年に改正された点であるが，過料では対応としては弱いといえよう。都道府県知事は，その計画及び実施状況について公表することとしており（12条11項，12条の2第12項），これにより国民が監視の役割を果たすことが期待される。

(2) 処理業の規制

(a) 処理業の許可

産業廃棄物処理業者は，**都道府県知事の許可**を受けなければならない（14条1項，6項。収集・運搬業と処分業とでは別の許可が必要である）。許可の性格については，元来は，処理業者は排出事業者のために役務を提供しているにすぎないとの理解がなされてきたため，**警察許可**に近いものと捉えられている。要件が充足されていれば必ず許可をしなければならず，都道府県知事に効果裁量はない（和歌山地判平成12・12・19判自220号109頁）。収集運搬業については，積込地と積降地の双方の所管する都道府県知事の許可が必要となる。

(b) 許可の要件等

Q12 産業廃棄物処理業の許可に関する欠格要件についてはどのような問題があるか。

(ア) 許可要件には，①事業用施設及び申請者の能力の要件のほか，②一定の**欠格要件**が定められている。従来，この要件が緩やかで不法投棄が助長されたと考えられたため，度重なる改正により許可要件が強化された（14条5項，10項）。暴力団の排除が重要である（14条5項2号ロ）。申請者が法人である場合，その役員等に，「禁錮以上の刑に処せられ，その執行を終わり，又は執行を受けることがなくなった日から5年を経過しない者」がいれば（14条5項2号イ，7条5項4号ハ），当該法人は欠格要件に該当するとされる（14条5項2号ニ）。具体的には，処理業者の会社の取締役が欠格要件に「該当するに至った」場合に，その収集運搬業許可の取消処分がなされることになる。

欠格要件に該当するとき，違反行為が行われ特に情状が重いとき等の場合には，許可権者は必ず処理業の許可を取り消さなければならない点も一般廃棄物と同様である（14条の3の2）。その理由としては，廃棄物処理業の許可をめぐって，行政に対する暴力や不当要求がなされたという過去の実態があげられる。

もっとも，欠格要件の中に，（上記の例でいえば）役員の行為が会社の業務と無関係である場合が含まれていること，他の環境法令違反が含まれていることなど，幅広く要件が課されている上に，一定の場合に義務的取消しの規定がおかれているところから，欠格要件の規定及び本件取消処分が憲法31条や比例原則との関係で争われることが少なくない（許可取消処分の取消しが求められた事件について，東京高判平成18・9・20［42］は，悪質な処理業者の迅速な排除により適正処理体制を確保する必要があること，本件規定に必要性と合理性が認められることを指摘し，請求を棄却した。→**12-4・6**〔609頁〕）。もっとも，他の環境法令違反は，コンプライアンスの観点からは不法投棄等と同等の意味をもつ場合があると思われる。

廃掃法2010年改正は，許可の取消しが「欠格要件に該当するに至った」役員の兼務先である他の処理業者の許可の取消しにまで連鎖する場合は，廃掃法上特に悪質な場合に限ることとし，また，特に悪質な場合でも1次連鎖に限ることとした（7条5項4号ホ，7条の4第1項，14条の3の2第1項。**図表7-9**）。すでに通知改正がなされていた部分的な規制緩和を法律改正に結実したものである。

(イ) 産業廃棄物処理業者は，産業廃棄物の処理を適正に行うことが困難となり，又は困難となるおそれがある事由が生じたときは，当該処理を委託した者に通知する（14条13項，14条の4第13項）とともに，当該通知の写しを保存しなければならない（14条14項，14条の4第14項）。2010年改正で導入された点である。廃棄物の処理がいわば宙に浮いていることを委託者（排出事業者）に知らせ，適切な措置を講じさせるためである。通知を受けた者（排出事業者）は，速やかに処理の状況を把握し，適切な措置を講じなければならない（12条の3第8項）。

(c) 許可の特例

もっとも，この許可については特例が設けられている。

Q13 産業廃棄物処理業の許可にはどのような特例が認められているか。

一般廃棄物処理業と同様，4つの特例がある（一般的な特例は①～③である）。

①排出事業者が産業廃棄物を運搬・処分する（いわゆる「自ら処理」をする）こと

【図表 7-9】廃棄物処理法上の許可取消しの連鎖の仕組みの改正（無限連鎖の手当て）

改正前　廃棄物処理業者である法人Ａ又はその役員ａが欠格要件に該当することを発端に，許可の取消しが役員の兼務先にまで無限に連鎖していく仕組みとなっている。

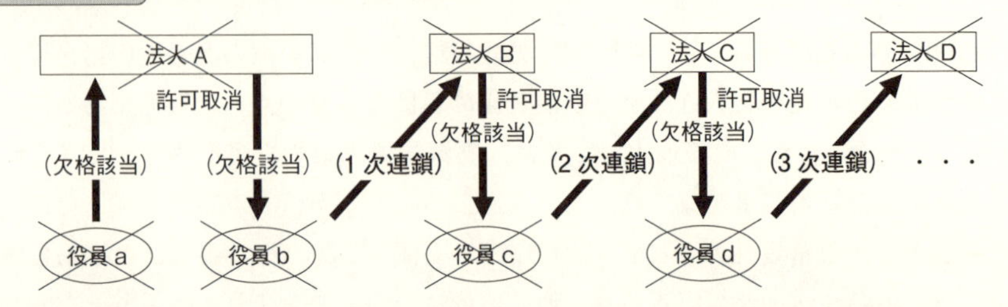

改正後　廃棄物処理法上の悪質性が重大な場合か否かによって連鎖の仕組みを考え，①重大な場合には１次連鎖まで，②重大でない場合には連鎖しないことにする。

パターン①　法人Ａの許可取消原因が，廃棄物処理法上重大な悪質性を有する場合

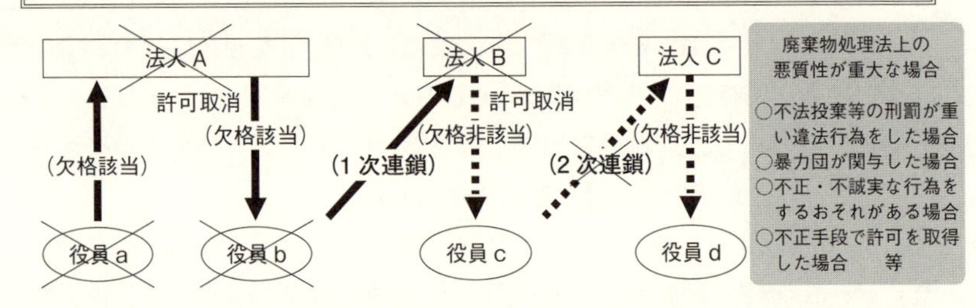

パターン②　法人Ａの許可取消原因が，廃棄物処理法上重大な悪質性を有しない場合

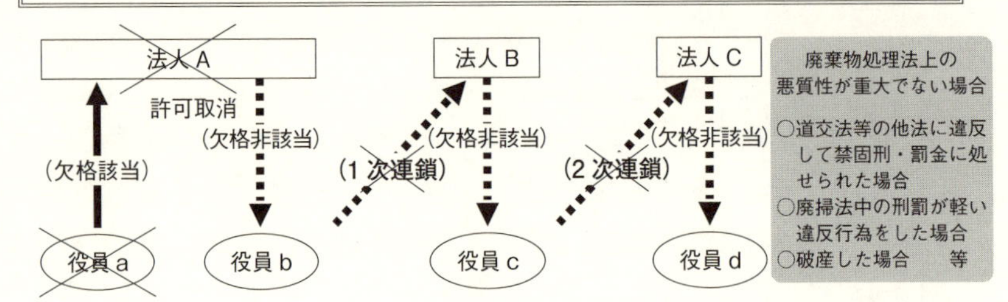

※　上記のいずれの場合でも，役員ｂは法人Ａと法人Ｂの役員を兼任し，役員ｃは法人Ｂと法人Ｃの役員を兼任していることを想定。

出典：環境省資料を加工

は可能であるほか，「専ら再生利用の目的となる産業廃棄物のみ」の収集・運搬・処分を「業として行う者その他環境省令で定める者」は許可を要しない（14条1項但し書，同条6項但し書）。後者を**業の許可の特例制度という**。「専ら再生利用の目的となる産業廃棄物」（「専ら物」と呼ばれる）には，古紙，くず鉄，あきびん類，古繊維があたる。

最判昭和56・1・27（刑集35巻1号1頁）は，「もっぱら再生利用の目的となる産業廃棄物」とは，「その物の性質及び技術水準等に照らし再生利用されるのが通常である産業廃棄物」をいうとし，当時，一般に再生利用されることが少なく，通常，専門の廃棄物処理業者に対して有料で処理の委託がなされていた自動車の当時の廃タイヤは，たとえ被告人がこれを再生利用の目的で収集運搬したとしても，14条1項但し書にあたらないとした。

②環境省令で定める産業廃棄物の再生利用を行い，又は行おうとする者は，環境大臣の認定を受ければ，産業廃棄物の収集，運搬又は処分業の許可，及び産業廃棄物処理施設の設置の許可を受けることを要しない（**再生利用認定制度→9**〔304頁〕）。

③広域的なリサイクル等の推進のため，環境大臣が認定した者は，廃棄物処理業の許可を要しない（**広域認定制度→9**〔304頁〕）。

④石綿含有産業廃棄物の無害化処理に係る特例として，環境大臣の認定を受けた場合には，個々の業の許可及び施設設置の許可を受ける必要がない。この認定にあたっては，処理施設の生活環境影響調査が必要であることなども一般廃棄物と同様である（15条の4の4）。

(d) 特別管理産業廃棄物処理業の許可

特別管理産業廃棄物処理業者は，産業廃棄物処理業の許可とは別に，特別管理産業廃棄物処理業の許可を要する（14条の4第1項，6項）。そこでは，施設や能力についてのより厳しい要件が定められている。それは，特別管理産業廃棄物については産業廃棄物と比較してより高度な処理施設，知識・技能，資本が必要となるからである。

(e) 優良産業廃棄物処理業者

産業廃棄物処理業者の許可要件を厳格化して暴力団等の排除に努めるだけでは十分でなく，**優良産業廃棄物処理業者を育成**し，その情報を排出事業者等に提供することが必要である。

これについては，第1に，1997年改正により設置された「産業廃棄物適正処理推進センター」が，産業廃棄物処理業者に関する「情報を収集し，事業者に対し提供すること」とされ（13条の13第2号），突破口が開かれた。

第2に，2005年には，省令により，産業廃棄物処理業者の優良性の判断に係る評価制度が導入され，2010年の廃掃法改正により，この制度を発展させた「優良産廃処理業者認定制度」が設置された（14条2項，7項，施行規則6条の9，6条の11）。これは，ⅰ）5年以上産廃処理業を営んでいる実績及び遵法性，ⅱ）事業の透明性，ⅲ）環境配慮の取組（環境大臣が定める環境マネジメントシステムの認証制度による），

iv）電子マニフェスト，v）財務体質の健全性の観点から設定された評価基準に適合する産業廃棄物処理業者に対して，都道府県知事等が確認し，優遇するシステムである。

このシステムに参加するメリットとしては，

①産業廃棄物処理業の許可の更新・変更の際に提出する申請書類の一部を省略させることができること（施行規則9条の2第4項，10条の4第3項），

②更新許可等の申請の時点で評価基準への適合を確認した旨を許可証に記載することにより，他の都道府県等における審査の際や，排出事業者等の第三者にその旨を提示できるようにすることのほか，2010年の廃掃法の改正により，

③許可の有効期間が他の処理業者（5年）よりも長期の7年と設定された（法14条2項，7項，14条の4第2項，第7項，施行令6条の9第2号，6条の11第2号，6条の13第2号，6条の14第2号）

ことがあげられる。

さらに，④中国等の使用済みプラスチック等の輸入禁止措置により，国内で処理される廃プラスチック類が増加したことによる，廃プラスチック類の保管量増加傾向に伴い，2019年の省令改正により，優良産廃処分業者について，保管量の上限を2倍にすることとした。

このシステムが適用される要件としての，産業廃棄物処理業の「実施に関し優れた能力及び実績を有する者」の基準は省令（施行規則9条の3，10条の4の2）で設定されている。そこでは，許可の有効期間において一定の不利益処分を受けていないこと，ISO14001に適合していること，自己資本比率が10%以上であること，最終処分場について維持管理積立金の積立てをしていることなどがあげられた。

(3) 処理施設の規制

(a) 施設設置の許可

産業廃棄物処理施設の設置については，**都道府県知事の許可**を受けなければならない（15条）。この許可についても，裁判例上，警察許可であり，効果裁量は認められないと解されている（札幌高判平成9・10・7判時1659号45頁）。同条が本来は自由であるはずの財産権の行使を，公共の福祉の観点から制限するものであることが理由とされる。もっともこれに対しては，学説上，施設の許可は業の許可とは環境リスクが著しく異なることから，効果裁量を認めるべきであるとする見解も示されている（北村）。この点については，許可基準に関する規定（15条の2第1項）の構造や，処理施設の周辺地域の生活環境の保全について適正な配慮がなされたものであることが基準に含まれていることなどを総合的に判断する必要がある。産廃処理

施設の許可事務は法定受託事務であるが都道府県の事務であるため，その基準について法律実施条例で横出しをすることはありうるが，都道府県知事の効果裁量まで認めるべきかについては慎重な検討が必要であろう。

施設の設置許可について特色のある点に触れておきたい。

(ア) 対象施設

対象施設については施行令7条に定められている。産業廃棄物の最終処分場についても，1997年に規模要件が撤廃され，**ミニ処分場**が許可対象とされた。

(イ) 許可基準

許可基準については，ほぼ一般廃棄物処理施設と同様の要件が15条の2（技術上の基準に関しては，中間処理施設については施行規則12条，12条の2，最終処分場については最終処分場に係る省令2条）に定められており，①技術上の基準，②適正配慮要件（→(ウ)），③能力要件，④欠格要件非該当のいずれにも適合することが必要である。

第1に，技術上の基準に関してはどのような問題があるか。

産業廃棄物の最終処分場は投入する廃棄物の性質によって，**安定型**，**管理型**（一般廃棄物処分場はこれのみである。施行令3条3号参照），**遮断型**に分けられ（**図表7-10**），この順番に技術上の基準が厳しく定められている（施行令7条14号）。安定型処分場は，①廃プラスチック類，②ゴムくず，③金属くず，④ガラスくず，コンクリートくず，陶磁器くず，⑤がれき類といった安定型産業廃棄物（施行令6条1項3号イ(1)〜(5)）及びこれに準ずるもの（同号イ(6)）のみを投入するための施設で，最も多く建設されている。安定型処分場についても各地で処分場の設置・操業の差止訴訟が提起され，認容された例（例えば，仙台地決平成4・2・28判時1429号109頁［38］）は，むしろ管理型処分場よりも多くなっている。これは，従来，安定型処分場に，実際には安定型産業廃棄物以外の産業廃棄物が投棄され，汚水の漏出等が起こったためである。「安定型処分場には安定型産業廃棄物しか入れられないはずである」という基準があるだけでは十分でなく，これをいかに遵守させるかが問われているのである。

産業廃棄物の中間処理施設（焼却施設）についても，ダイオキシンの発生による住民の健康侵害のおそれを理由として操業禁止の差止めを認めた例が少なくない（津地上野支決平成11・2・24判時1706号99頁［37］）。

許可にかかる技術上の基準等に違反した場合には，許可が取り消され（15条の3），又は改善命令もしくは使用停止命令（15条の2の7第1号）が出される（違法な改善命令に違反したとして15条の3第1項2号に基づき施設設置の許可が取り消された場合に国家賠償が認容されたものとして，名古屋地判平成26・3・13判時2225号95頁〔技術基準等

【図表 7-10】最終処分場の類型

●最終処分場の状況・施設の現況

	処分される廃棄物の種類	施設の概要
安定型処分場	廃プラスチック類，ゴムくず，金属くず，ガラス・陶磁器くず，がれき類	○水に溶けず，腐らない廃棄物をそのまま土に埋め立てる施設 ○ 1997 年 12 月より面積要件（3000 m^2）を撤廃 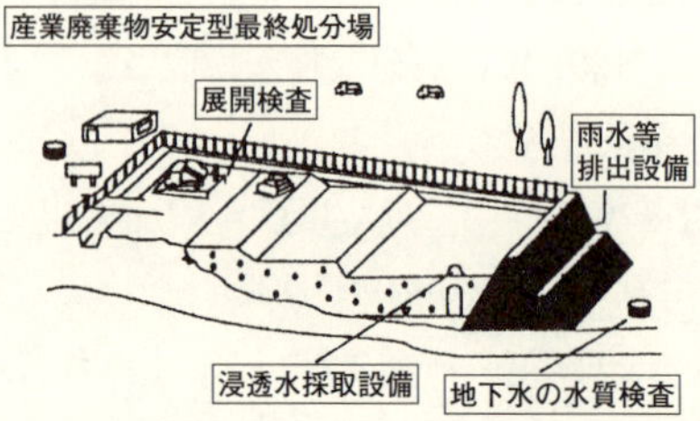
管理型処分場	紙くず，木くず，繊維くず，動植物性残さ有害性が一定レベル以下の燃え殻・ばいじん・汚泥等	○遮断型処分場に埋め立てるほどの有害性はないものの有機性の汚水が生じるおそれがある廃棄物を埋立処分する施設で，遮水シートを敷き，汚水の処理のための設備が備えられているもの ○ 1997 年 12 月より面積要件（1000 m^2）を撤廃 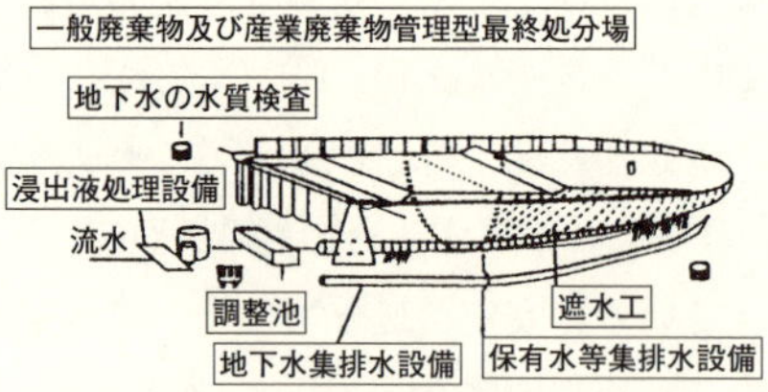
遮断型処分場	一定のレベル以上の有害性を有する燃え殻・ばいじん・汚泥・鉱さい等	○有害な重金属等を含む産業廃棄物をコンクリート槽等によって封じ込めることにより雨水や土に接触させない形で埋立処分する施設 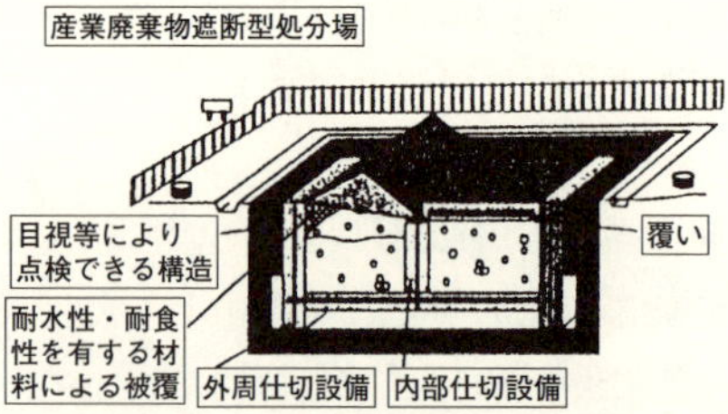

出典：環境省資料を加工

に適合しない「おそれ」がある（15条の2の7第1号参照）として改善命令が出された事件〕）。

第2に，人的要素に関してはどのような問題があるか。

2000年改正により，施設設置についても許可基準に，申請者の能力（**経理的基礎**を含む）（15条の2第1項3号），**欠格要件**（同項4号）といった人的要素が追加された。さらに，2003年改正により，欠格要件に該当するとき，違反行為が行われ特に情状が重いとき等の場合には，許可権者は必ず処理施設の許可を取り消さなければならないとされた（15条の3）。

この点に関して，申請者の経理的基礎を重視する取消訴訟の裁判例が出されていることが注目される（千葉地判平成19・8・21判時2004号62頁［43］）（→**12-4**・4(2)〔602頁〕）。

(ウ) 許可手続

許可手続についても一般廃棄物の場合と同様であり（15条2項～6項），1997年改正により，廃棄物処理施設の設置の許可に適正配慮要件が追加され，その申請にあたって**生活環境影響調査手続**が導入された。一般廃棄物処理施設の場合と同様に，申請者は申請書の提出にあたり，生活環境影響調査の結果を記載した書類の添付が義務付けられ（同条3項），都道府県知事による①申請書等の公告縦覧（同条4項），②関係市町村長からの意見の聴取（同条5項），③利害関係者の意見書提出（同条6項）の手続を経ることになる。

Q14 産業廃棄物処理施設についての住民同意については，どのような法的問題があるか。

産業廃棄物処理施設については，特にいわゆる**住民同意**等を要求する地方自治体の要綱等の問題があることに注意を要する。従来，自治体では，要綱等により，処分場の設置の許可申請者に対して，申請に先立って関係地域の住民の合意書の添付を要求したり，自治体との事前協議を要請するなどの仕組みを備えているところが少なくない（福岡地判平成6・3・18判タ843号120頁［52］は，福岡県宗像市の条例の規定〔廃掃法の規制の対象外の処理施設も取り入れた上で，「自然環境の保全又は紛争の予防を図るための措置が必要であると認めるとき」という広範な裁量を認める要件の下に，その設置等に係る計画の変更・廃止の指導・勧告を罰則の制裁つきで規定している〕について廃掃法15条の目的を阻害し，違法であるとした）。1997年の廃掃法の改正に基づく生活環境影響調査における意見聴取手続の導入は，このような地方自治体の要綱等によって産業廃棄物処理施設の建設が滞ったことを回避する目的を有していたが，その後も自治体の要綱行政は変更されておらず，その試みは結果的には成功しなかった。もちろん，これは，住民への情報提供及び住民参加に関して第一歩を踏み出したものと評価することができる（学説上，意見提出権を有する利害関係人には，許可取消しの原告適格が認められるとする見解が示されている。阿部泰隆，福士明）。

廃棄物処理施設の設置許可にあたり付近住民の同意を条例で要求することは廃掃法との関係で困難であるが（また，行政指導において〔業者に〕求めた住民同意が得られず，業者も行政指導に協力できないことを明らかにした後になっても都道府県が行政指導を継続して許可申請の審査をしないことは違法となる→**12-4**・4(9)(b)〔608 頁〕。また，行政庁に同意の不取得を理由として申請を拒否する裁量はなく，このような不許可処分は原則として違法となる〔札幌地判平成 9・2・13 判タ 936 号 257 頁〕），他方，廃掃法の住民参加手続が十分なものということはできず，住民参加手続の充実が必要である。

Column33 ◇産業廃棄物処理施設と事前手続条例

住民同意まで要求するのではなく，廃掃法の許可申請前の手続の履行を施設設置者に求める条例を制定している都道府県は少なくない。その背景には，廃掃法の生活環境影響調査制度に必ずしも十分でない面が残っていることがあげられる。環境影響評価制度と比較しても次の点が指摘できる。①関係者の意見を聴く時点が許可申請後であり，その時点ではすでに施設の設置場所，施設の容量などほとんどのことは決められていることが多い。②利害関係人の意見を聴くのみであり，公聴会はもちろん説明会についても開催は義務付けられていない。③調査項目が環境影響評価に比べて限られている。④ 1 回限りの意見聴取であり，それを踏まえて施設設置者が対応することは必ずしも期待し難く，また，都道府県知事がそれを踏まえて許可をするかの判断をすることも考えにくい制度となっている。

このような観点から，事前手続条例は，廃掃法の許可手続と同一目的の規定ということもできるが，当該条例が紛争の予防調整のための手続を定めているのであれば，住民に拒否権を与えるものでない限り，廃掃法の規定の不備を補うものであり，地方の実情に応じた制定が廃掃法によって許容される（徳島市公安条例事件最高裁判決〔最大判昭和 50・9・10 刑集 29 巻 8 号 489 頁〕参照）ものと解される。

もっとも，事前手続条例が廃掃法とリンクした形で（具体的には，廃掃法 15 条 1 項について言及して）規定をおいていない場合には，行政手続法 7 条により，条例の手続が終了していなくても，廃掃法に基づく申請が施設設置者からなされれば，直ちに審査を開始する義務が都道府県知事に発生してしまうという問題がある（北村）。これをしない不作為を違法とした下級審裁判例（仙台高判平成 11・3・24 判自 193 号 104 頁）も存在する。この点からは，事前手続条例を廃掃法とリンクした形で規定する方が自治体にとっては望ましいといえよう。

(エ) 公共関与

産業廃棄物処理施設の設置については，住民の反対が強く新規立地が困難なため，1991 年の改正で，いわゆる**公共関与**により，住民の理解を得て設置することとされた。すなわち，特別管理産業廃棄物等の適正かつ広域的処理の確保のために，自治体と事業者が資金を出して基金を設け，各都道府県に1つずつ第三セクター方式で廃棄物処理センターを設置して処分場を設置管理し，また，緑化・スポーツ・レクリエーション施設等の周辺整備，施設建設により住民の反対に対処し処理施設の建設を促進すること（産業廃棄物の処理に係る特定施設の整備の促進に関する法律〔産廃処理施設整備法〕。平成4年法律62号）となった。

しかし，これでも十分に公共関与が進まなかったため，2000年の改正で，強化が図られた。すなわち，①廃棄物処理センターとして指定される対象を公益法人から，国・地方公共団体の出資等に係る法人（株式会社等を含む）及び「民間資金等の活用による公共施設等の整備等の促進に関する法律」（PFI法。平成11年法律117号）」の選定事業者（PFI会社）に拡大し，②各都道府県に1カ所とする設置数の制限を撤廃し，③廃棄物処理センターの業務を拡大したのである（15条の5，15条の6）。さらに，上記産廃処理施設整備法が一部改正され，対象となる特定施設に最終処分場等と共同利用施設等から構成される一群の施設を追加するなど，特定施設の要件が緩和された。

(b) 定期検査義務と，熱回収を行う者についての認定制度

一般廃棄物処理施設と同様である（15条の2の2，15条の3の3）。

(c) 施設の維持管理・廃止

産業廃棄物処理施設の維持管理・廃止に関する規定は，一般廃棄物処理施設の場合と同様である（15条の2の3～15条の3）。最終処分場は，最終処分場に係る省令2条2項の基準に従う。安定型処分場では，いわゆる展開検査の基準に従わなければならず，これが遵守されないと，改善命令，使用停止命令が発出され（15条の2の7），許可が取り消されうる（15条の3）。なお，遮断型の処理施設の廃止は実際には困難である。

許可を取り消されて設置者が不在となった産業廃棄物の最終処分場について，その許可を取り消された者又は承継人が，引き続き維持管理の義務を負う点も一般廃棄物の最終処分場と同様である（15条の3の2。この場合に委託した者に対する通知が必要なことについて，→8 (2)(b)(イ)〔295頁〕）。

(d) 最終処分場跡地の形質変更

最終処分場跡地の形質変更については，一般廃棄物と同様である（15条の17～15条の19，19条の11）。

9　リサイクルのための規制緩和（許可の不要化）

リサイクルのための規制緩和（特例）は3つある。すでに一般廃棄物，産業廃棄物について触れたが，ここでまとめておこう。

第1は，従来から存在した**業の許可の特例制度**（→8(2)(c)〔295頁〕）である。

第2は，1997年改正のときに導入された**再生利用認定制度**である。この制度の目的は，処理施設の設置が困難になる中，生活環境の保全を十分に担保しつつ，再生利用を大規模かつ安定的に行う施設を確保することにある。認定対象者としては，安定的な生産設備を用いた再生利用を自ら行う者が想定されている。

環境省令で定める廃棄物の再生利用を行い，又は行おうとする者は，環境省令で定めるところにより，次の各号のいずれにも適合していることについて，環境大臣の認定を受けることができる。その要件は，①当該再生利用の内容が生活環境の保全上支障のないものとして環境省令で定める基準に適合すること，②当該再生利用を行い，又は行おうとする者が環境省令で定める基準に適合すること，③②にいう者が設置し，又は設置しようとする当該再生利用の用に供する施設が環境省令で定める基準に適合することである（9条の8第1項，15条の4の2第1項）。この制度によって環境大臣の認定を受けた者は，廃棄物の収集，運搬又は処分業の許可，及び廃棄物処理施設の設置の許可を受けることを要しない（9条の8第4項，5項，15条の4の2第3項）。もっとも，処理基準や改善命令等は適用される。

第3は，2003年改正時に導入された，**広域認定制度**である。これは，**拡大生産者責任**に基づく広域的なリサイクル等の推進のため，環境大臣が認定した者は，廃棄物処理業の許可を要しないこととする等の特例制度である（9条の9，15条の4の3）。従来から省令上の制度として広域再生利用指定制度があったが，これを法律上の制度に格上げをし，処理基準にかからしめ，不適正処理に対しては改善命令を発することができるようにするとともに，より迅速な認定を目指すこととしたものである。二輪車，パソコンなどで認定が進んでいる。生産者には，いくつかの個別リサイクル法が存在する場合を除き，基本的に廃棄物処理の責任はないことから，この仕組みは，いわば自主的な拡大生産者責任の実施を生産者がすることを想定した制度ということができる。

再生利用認定制度も広域認定制度も，リサイクルが廃棄物処理にあたる場合にも原則として市町村ごと，都道府県ごとの処理業や施設設置の許可を必要とすることが，リサイクルの障害となっているとの認識から，一定の廃棄物のリサイクルについては，生活環境の保全等に配慮しながら規制緩和措置をとることにしたものである。

10　廃掃法における情報開示・提供

先に触れたように（→7〔277頁〕，8〔286頁〕），廃掃法においては，廃棄物行政に対する住民の不信感を解消するため，情報開示・提供の制度が整備されてきている。

情報開示・提供は，①市民一般に対するもの，②利害関係人に対するもの，③処理に関する当事者間の情報開示にすぎないものの3種類に分けられるが，

①市民一般に対するものとして，(i)廃棄物処理施設の設置許可に際しての生活環境影響調査書と申請書の縦覧制度，(ii)廃棄物適正処理センターによる，産業廃棄物処理業者の許可情報，経営情報の提供，(iii)産業廃棄物処理業者の優良性判断に係る評価基準に基づく自主的な情報開示，

②利害関係人に対するものとして，(i)廃棄物処理施設の維持管理に関する記録の閲覧及び(ii)最終処分場の台帳の閲覧，

③処理に関する当事者間の情報開示として，マニフェスト制度があげられる。

さらに，④2010年改正により，施設の維持管理情報をインターネット等で公表することが義務付けられた（15条の2の3第2項）。

将来的には，これらの情報開示・提供以外にも，許可処分の理由，行政命令文書，法令に違反したことの情報の開示が認められるべきであろう。また，マニフェスト制度についても，市民の信頼性を高める見地から，市民への情報開示を認めていくべきであると考えられる（北村）。

11　廃棄物の投棄禁止，監督措置

(1)　投棄・焼却等の禁止

(a)　何人も，みだりに廃棄物を捨ててはならない（16条）。また，焼却も，処理基準に適合するなど一定の場合を除き禁止される（16条の2）。これらの義務違反に対しては直罰が科され（25条14号，15号），両罰規定もおかれている（32条1項1号）。

「**みだりに**」とは，「生活環境の保全及び公衆衛生の向上を図るという法の趣旨に照らし，社会的に許容され」ないことをいい，「**捨てる**」とは，廃棄物を占有者の手から離して自然に還元することまで必要ではなく，廃棄物を「不要物としてその管理を放棄」することをいう（最決平成18・2・20刑集60巻2号182頁［50］――工場で排出された廃棄物について，従業員らをして工場敷地内に設けられた穴に埋め立てることを前提に，その脇に「野積み」にした事案について，「その態様，期間等に照らしても，仮置きなどとは認められず」，「みだりに」「捨てる」行為にあたるとした）。

では，「野積み」（先行行為）にした後，別の者が「覆土」行為（後行行為）をした場合はどうか。このような場合にも「覆土」は廃棄物を最終的に自然に還元する典

型的な処分であり，この場合に後行行為としての覆土は不法投棄にあたらないとするのは「非常識」であるとされる（東京高判平成21・4・27東高刑時報60巻1号～12号44頁）。先行行為（野積み）とともに後行行為（覆土）も，廃棄物を「捨てる」行為にあたる。

(b) さらに，不正軽油の密造の際に生成する硫酸ピッチの不適正処理が多数にのぼり（その多くが不適正保管），漏出，二酸化硫黄の発生などの問題を生じたため，2004年の廃掃法改正により，硫酸ピッチを人の健康又は生活環境に重大な被害を生ずるおそれがある性状を有するものとして政令で「指定有害廃棄物」に指定し，政令で定める基準に従って行う場合等を除き，処理（保管，収集，運搬又は処分）を禁止し（16条の3），違反に対して罰則を設けた（25条1項16号）。従来，保管についてはまず改善命令，措置命令を出し，その違反の場合に刑罰を科していたが，その間に密造者が逃亡してしまうことが少なくなかったため，保管基準違反についても罰則（直罰）を設けた点に特色がある。

最高裁は，硫酸ピッチの処理を委託された者が不法投棄をした場合において，委託した排出事業者が委託の際に，不法投棄におよぶ可能性を強く認識しながらそれでもやむをえないと考えていたときは，不法投棄罪の未必の故意による共謀共同正犯の責任を負うとした（最決平成19・11・14刑集61巻8号757頁）。

(2) 「有害使用済機器」の保管・処分

(a) この点は，本法の2017年改正で導入された。とくに問題となったのは雑品スクラップであり，これは，乱雑に扱われる点で廃棄物に近い特徴を有するとともに，相当程度の資源価値はあるので，不要物として不法投棄されるわけではなく，収集されるという特色を有する。改正法は，人の健康や生活環境に係る被害を防止するため，新たに「有害使用済機器」（雑品スクラップ等の有害な特性を有する使用済機器）という概念を設け，これらの物品の保管又は処分を業として行う者に対し，都道府県知事への届出，処理基準の遵守等を義務付け，また，処理基準違反があった場合等における命令等の措置を定めた（17条の2）。廃棄物に近いが，相当程度の資源価値を有する点が異なるため，廃棄物に準ずる扱いをし，届出制で足りるとしたのである。

この点は，本法改正案と同時に国会に提出され可決されたバーゼル国内法の改正事項にも関連する（大塚『環境法』9-2-6・2(2)(b)〔518頁〕参照）。すなわち，従来，雑品スクラップがバーゼル国内法の手続を経ずに不適正に輸出されていることが指摘されてきたが，既存の同法の具体的な規制対象範囲については告示で定められており，法的位置づけが曖昧で，取締りの実効性が低いことが一因であると考えられたため，「特定有害廃棄物等」（規制対象）の範囲を法的に明確化しようとしたのである（バーゼル国内法2条1項1号イ。「処分の目的ごとに，かつ，輸出及び輸入の別に応じて環境省令で定めるもの」とした）。

こうして，雑品スクラップについては，国内では廃掃法によって規制の対象となることが法律上示され，（規制対象か否かを短時間で判断することが必要となる）輸出についてはバーゼル国内法の対象であることが明確に判断できる基準が環境省令で整備されたことになる。

本法のこの改正は，わが国の廃掃法の下の廃棄物（廃掃法2条1項。同施行令2条4号の「不要物」）の定義が，バーゼル条約における廃棄物の定義と異なり（→3(1)(f)），有害性ではなく，取引価値の有無を中心とする総合判断説を基礎としていること（→3(1)〔267頁〕）と密接に関連している。雑品スクラップは，その有害特性から，バーゼル条約及びバーゼル国内法では輸出の規制の対象となるが，有価性をもちうるために廃掃法では廃棄物とされるかが曖昧であり，国内では規制の対象となりにくく，そのため，輸出の際の完全な規制も困難となるという結果を生じたのである。

雑品スクラップについては，使用済みの家電製品に関する3・19通知（→3(1)(d)〔271頁〕）があったが，これだけでは十分な根拠とならないとの指摘が市町村からなされていたところ，抜本的な対処方法としては，①バーゼル国内法を輸出入段階だけでなく国内でも適用される法律とするか，②本法で雑品スクラップを廃棄物とみなす規定をおくか（廃棄物みなしの規定は，例えば自動車リサイクル法121条に存在する），③雑品スクラップを，廃棄物ではないが本法の対象とし，廃棄物に準ずるものとして扱う規定をおくか，という3つの方法が存在した。このうち①については，バーゼル国内法の目的規定の改正が必要となり，そのハードルが高いため断念された。②は規制が厳しくなることに対する警戒感から見送られた。③については，厳密には廃棄物でないものを本法で定めることに違和感を持つ向きもあろうが，これが採用されたのである。

本条はこのような「有害使用済機器」の保管，処分を業として行おうとする者の届出等の規制をし，義務違反には罰則を科し，廃棄物に準じた扱いをするのであるが，ここには2つの限定がある。第1は対象が「有害使用済機器」（政令で定める。→(b)）に限定されていること，第2は不用品回収業者等による収集運搬行為は対象とされず，国内のスクラップヤードでの保管，処分（と，外為法及びバーゼル国内法の下での輸出）に焦点をあてた規制をしており，それによって，不用品回収業者等が利潤を上げにくい状況をつくることが企図されていることである。第2点については，不用品回収業者自体に対する新たな規制を導入すべきであるとの見解もあるが，不用品回収業者の行政による取締りに限界があること，不用品回収業者を法律上位置づけることに対して一般廃棄物処理業者からの批判があること，雑品スクラップは相当程度の資源性はあるため――乱雑な扱いはされるが――不法投棄のおそれは乏しいことなどが，関連している。

(b) 届出義務（廃掃法 17 条の 2 第 1 項）を負う者の保管・処分の対象となるのは，「有害使用済機器」，すなわち，「使用を終了し，収集された機器（廃棄物を除く。）のうち，その一部が原材料として相当程度の価値を有し，かつ，適正でない保管又は処分が行われた場合に人の健康又は生活環境に係る被害を生ずるおそれがあるものとして政令で定めるもの」である。この点については，循環基本法の「廃棄物等」の定義（→**7-4**(2)(b)〔364 頁〕）と関連しているが，異なるものとなっている（同法 2 条 2 項 2 号が，「廃棄された物品」を廃棄物でないとする点はわかりにくいと考えられた）。

法律の規定上は，家庭から出されるものも，事業者から出されるものも含まれうる。

廃棄物の総合判断説との関係では，「相当程度の」価値はあるが，それほど大きい価値があるわけではなく，他方で廃棄物にはあたらないものである。3・19 通知は改正のうえ，維持された。

対象は条文上「機器」とされ，物品ほど広くはない。バイク，自転車（鳥取県使用済物品放置防止条例の「使用済物品」では対象とされている），汚泥は「機器」には含まれにくい。他方，法文上は電子機器には限定されていない。

「政令で定める」という点については，今般の政令では，特定家庭用機器再商品化法（家電リサイクル法）の政令による対象 4 品目，及び使用済小型電子機器等の再資源化の促進に関する法律（小型家電リサイクル法）の政令による対象 28 品目が指定された（施行令 16 条の 2）。この対象品目については，技術的検討会（「有害使用済機器の保管等に関する技術的検討会」）で「中間とりまとめ」が出された。そこでは，適正処理ルートがある場合はそちらに誘導すること，人の健康・生活環境被害に着目すること，運用コストも勘案することを基本的な考え方とし，上記の 4＋28 品目を指定する考え方を示した。家電リサイクル法及び小型家電リサイクル法は家庭用機器を対象としているが，「有害使用済機器」としては，家庭用機器との差異について現場の判断が容易でない場合には，業務用機器も対象とする。

もっとも，「有害性」の観点からはこれでは狭すぎるのであり，特に，給湯器，配電盤，UPS（無停電電源装置）は，量が多く，環境リスクも高い点で将来指定を急ぐ必要があろう。また，鉛蓄電池，リチウムイオン電池も，有害性が高く対象とすべきであるが，「部品」であり「機器」ではないため，厳密には法改正が必要となろう。バイク，フロン類を含む自動販売機，ショーケースなども「有害使用済機器」に指定することを検討すべきである。今後対象機器を新たに指定するため，種々の面での実態把握が必要であることも指摘されている。

なお，混合物自体として指定することも考えられたが，自治体が取締りに迷いを生じることに配慮し，このような指定はなされなかった。

(c) 保管・処分を「業として行おうとする者」（有害使用済機器保管等業者）が都道府県知事に対する届出義務を負う。「業として行おうとする者」とは，「有害使用済機器」を継続的に保管又は処分しようとする者を指す。業である点では廃棄物処理業に類似している。有害使用済機器は一部に資源が含まれており，有価性はあり，一方的に廃棄されることはないため，不法投棄の対象ではないが，資源としての価値があるのみであり，製品としての価値はないので，適正管理のインセンティブは働かず，不適正処理の可能性はあるのである。「適正な有害使用済機器の保管を行うことができるものとして環境省令で定める者」は有害使用済機器保管等業者から除外される。

(d) 有害使用済機器保管等業者は，政令で定める保管・処分基準を遵守しなければならない（17条の2第2項）。政令では，廃棄物の保管処分の基準を基本とし，特に火災のリスクに着目した基準が設定された（施行令16条の3）。このような基準遵守の義務付けにより，「有害使用済機器」の保管処分にはある程度設備投資が必要となるため，既存の家電リサイクルや小型家電リサイクルのルートに誘導され，また，海外への流出が抑止されることを企図している。なお，ここにいう保管処分の基準は業の基準であり，施設の基準ではない。

(e) 有害使用済機器の保管又は処分を業とする者について，報告徴収，立入検査，改善命令，措置命令の規定を準用している（17条の2第3項）。

排出事業者に一定の場合に措置命令を発出する19条の6の規定は準用されていない。一般廃棄物に類する物が多いためであるとされている。

立入検査の結果，有害使用済機器ではなく，廃棄物であることが判明する場合もあろう。「廃棄物であることの疑い」がある物について報告徴収及び立入検査を可能とした本法2003年改正（18条・19条）との関係で見れば，「廃棄物であることの疑い」がある物である確証がない場合であっても，有害使用済機器の保管・処分を業とする者には報告徴収及び立入検査ができるようにしたとみることができる。

(f) 有害使用機器の保管・処分を業とする者の届出義務違反，虚偽の届出には罰則が科される（30万円以下の罰金。30条6号）。

(g) なお，この改正による副作用もありえないではない。第1に，従来，家電リサイクル法がリサイクル費用の排出時負担方式を採用したことにより，不法投棄の可能性が高まっている状況を，不用品回収業者が緩和していた面は否定し難いが，本規定の導入により，不法投棄が増加する可能性がないわけではない。自治体の監視が必要である。第2に，本規定よりも対象品目や対象事業者が広い鳥取県の条例のような先行条例の運用を阻害しないことも重要である（なお，この改正後も，3・19通知〔→**3**(1)(d)（271頁）〕は維持された→**15**(5)〔326頁〕)。

(3)　報告の徴収及び立入検査

都道府県知事又は市町村長は，本法の施行に必要な限度において，事業者，一般廃棄物もしくは産業廃棄物もしくはこれらであることの疑いがある物の収集，運搬もしくは処分を業とする者，一般廃棄物処理施設の設置者もしくは産業廃棄物処理施設の設置者等（「その他の関係者」を含む）に対し，必要な報告を求めることができる（18条）。また，都道府県知事又は市町村長は，その職員に，上記の者の事務所・事業場・土地・建物等に立ち入り，検査等をさせることができる（19条）。報告をせず，又は検査等を拒んだ場合には，30万円以下の罰金に処される（30条7号，8号）。

2003年の改正により，廃棄物であることの疑いがある物の処理について，地方公共団体の長が，報告徴収又は立入検査ができることとしたことが重要である。上記のように，廃棄物の定義について論じられていた問題について，別の観点からアプローチしたものである。なお，緊急時においては環境大臣がこの事務を執行することが規定された（24条の3）。

(4)　改善命令

監督措置としては，まず，一般廃棄物の処理が処理基準に適合しないで行われた場合においては市町村長が，産業廃棄物の場合には都道府県知事が，その処理を行った者に対し，処理方法の変更その他必要な措置を講ずるよう命じうる（改善命令。19条の3。処分場の許可にかかる技術上の基準等に違反した場合の改善命令については，9条の2。→**7**(3)(a)〔281頁〕)。

本条における改善命令と（次に触れる）措置命令の違いはなにか。改善命令は，処理基準に適合しない処理が行われた場合に，抽象的な危険を避けるために処理基準に適合するようにその処理方法の変更その他の措置を講じるように命ずるものであるのに対し，措置命令は，処理基準に適合しない処理が行われたために，現に発生した生活環境の保全上の支障を除去するための措置を講じるように命じ，又は支障を生じるおそれという具体的な危険の発生防止のための措置を講じるよう命じるものである（廃棄物処理法編集委員会編著『廃棄物処理法の解説』〈平成24年版〉377

頁)。

(5) 措置命令

(a) 一般廃棄物の処理基準違反の場合

一般廃棄物について処理基準に適合しない収集・運搬・処分（以下,「処分等」という）が行われた場合には，市町村長は，

①処分等を行った者，

②委託基準に適合しない委託を行った者

に対して，その支障の除去又は発生の防止のために必要な措置を行うよう命ずることができる（措置命令。19条の4。なお，広域認定制度の認定業者について，19条の4の2参照)。これは，原状回復，処分のやり直し等の命令を意味している。条文上，措置命令は，生活環境の保全上の支障の除去及び発生防止のために「必要な限度」で命じられる。すなわち，生活環境の保全上の支障の除去及び発生防止のために必要であり，かつ経済的にも技術的にも合理的と考えられる範囲内で講ずべき措置を選択してその実施を命じなければならない。

廃棄物処理基準に適合しない「収集」又は「運搬」についても，2010年改正により対象とされた。廃棄物の収集・運搬に伴う保管であると主張して，措置命令の対象から逃れようとする者を含める趣旨である（以下，同様である)。

なお，広域処理の認定制度の創設に伴い，広域認定業者も補完的に措置命令の対象としている（19条の4の2)。

(b) 産業廃棄物の処理基準等違反の場合

産業廃棄物について処理基準又は保管基準に適合しない処分等が行われた場合には，都道府県知事は，①（法人の場合は，不適正処理を指示した役員，不適正処理が行われていることを知りながらそれを阻止する措置を講じなかった役員などが該当する。前掲環境再生・資源循環局廃棄物規制課長通知「行政処分の指針について｣)，②の場合のほか，

③産業廃棄物管理票（マニフェスト）に係る義務に違反した者，

④①～③の者が下請負業者である場合の元請負業者，

⑤①～④の者に対して不適正処理・違反行為を要求し，唆し，又は助けるなどの関与をした者を措置命令の対象とし（19条の5)，さらに，

⑥(i)不適正処分等を行った者等（①～⑤の者）に資力がない場合で，かつ，(ii)排出事業者が処分等に関し，適正な対価を負担していないとき，又は不適正処分等が行われることを知り，もしくは知ることができたとき等の場合については排出事業者（広域認定業者も含む）を措置命令の対象とする（19条の6)。

措置命令の対象は，当初は産業廃棄物についても①，②に限られていたが，1997

【図表 7-11】措置命令制度（産業廃棄物）

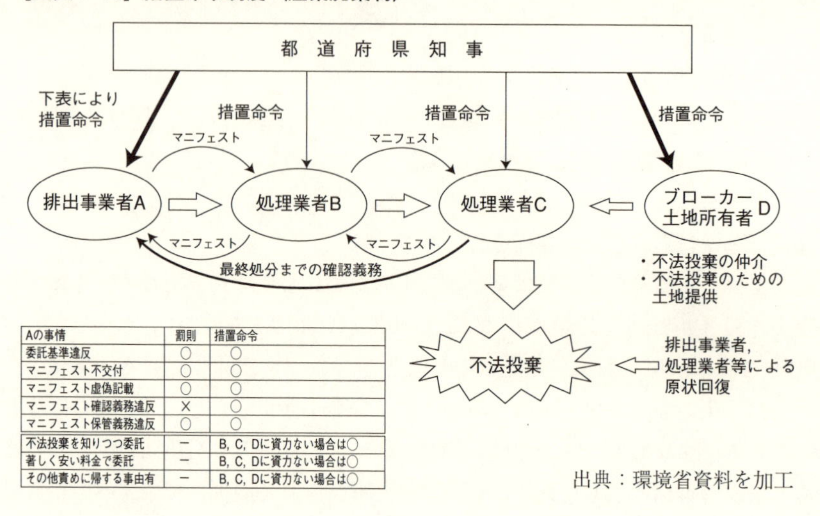

Aの事情	罰則	措置命令
委託基準違反	○	○
マニフェスト不交付	○	○
マニフェスト虚偽記載	○	○
マニフェスト確認義務違反	×	○
マニフェスト保管義務違反	○	○
不法投棄を知りつつ委託	−	B, C, Dに資力ない場合は○
著しく安い料金で委託	−	B, C, Dに資力ない場合は○
その他責めに帰する事由有	−	B, C, Dに資力ない場合は○

出典：環境省資料を加工

年及び2000年の改正で拡大された。③の一部及び⑤，⑥は2000年の改正で新たに措置命令の対象とされたものである（図表 7-11）。④は2010年改正で導入された。

(ア) ③，⑤，⑥に措置命令の対象を拡大した理由は，不法投棄者に資力のないケース等において公費の負担で支障等の除去措置を行うことについて，社会通念，社会的公平の観点から，不合理，不公平であると解されたことにある。③は手続違反に対するものである。特に⑥は特色のある規定である。すなわち，排出事業者が処理業者に対して優越的地位にあることが不法投棄・不適正処理の一因となってきたことから，排出事業者が適法に委託した場合にも，処理責任が公法上は遮断されないという法制が望ましいことがかねて指摘されてきたが，2000年改正はこれを相当程度成し遂げたものである。ドイツの循環経済法の考え方をわが国に導入したものであり，民事上の委託契約によって公法上の責任を遮断しないとしたところに特色がある。

(イ) ⑥については，排出事業者は，「産業廃棄物の運搬又は処分を委託する場合には…当該産業廃棄物について発生から最終処分が終了するまでの一連の処理の行程における処理が適正に行われるために必要な措置を講ずるように努めなければならない」との一般的注意義務の規定をおく12条7項が前提となった。この規定も2000年の改正で挿入されたが，この規定をおくことにより，19条の6を過失責任とすることができるようになったからである（実質的には無過失責任に近いが）。法的に無難な途を選んだと評することができるが，措置命令の要件の明確性についての議論の余地はありうるであろう。

他方，「適正な対価を負担していない」という要件については，委託者が不法投棄の可能性を認識できることから説明されるし，この規定によって，不当に安い値段での委託をなくしていくという効果も期待される。もっとも，この要件については，行政庁に証明責任がある。

この要件について，前述の環境再生・資源循環局廃棄物規制課長通知（「行政処分の指針について」）は，都道府県において，「その地域における当該産業廃棄物の一般的な処理料金の範囲を客観的に把握」し，「その処理料金の半値程度又はそれを下回るような料金で処理委託を行っている排出事業者については，当該料金に合理性があることを排出事業者において示すことができない限りは，『適正な対価を負担していないとき』に該当する」とし，半値程度以下の場合について証明責任を転換する考え方を示した。また，「当該処理料金の半値程度よりも高額の料金で処理委託をした場合においても，これ［筆者注：適正な対価を負担していないこと］に該当する場合があることは言うまでもない」とする。

⑥の命令の程度は，相当の範囲に限定される（19条の6第1項柱書）。

19条の6の規定は比例原則に反しないか。本来は，排出事業者責任原則（3条，11条）に基づき，その責任の範囲内で具体的義務を負うとする政策を採用したものである。①～⑤の者によっては生活環境保全上の支障を除去することが困難な場合に，公費によって都道府県等がその支障を除去せざるを得ないとすれば，社会通念及び社会正義に照らして不公平，不合理であるといえよう。他方，排出事業者は自己の経済活動に伴い廃棄物を排出し利益を得ており，また，自己の判断において他者を使用して処理責任を果たす選択をしたことから，このような責任を負わされても比例原則に反するものではないと考えられる。同様の理由から，⑥の命令は，本規定の施行前の不適正処理・違反行為にも発出できると解される（前掲『廃棄物処理法の解説』391頁）。

(ウ)　⑤の不適正処分等に関与した者としては，違反行為を要求・依頼・教唆・幇助した者があげられており，不法投棄を承認した土地所有者も含まれることにも注意を要する。これは，土壌汚染に関する土地所有者の責任とも関連する重要な点である。また，不法投棄の資金を提供した者や，不法投棄を知りつつ低い料金で処理を委託する者も含まれる（前掲『廃棄物処理法の解説』385頁）。

(エ)　④の元請業者が措置命令の対象となる場合には，行為者，委託基準違反者，又はマニフェストに関する義務違反者である下請業者とともに，措置命令の対象となる。ただし，元請負業者が廃棄物の処理を他人に適正に委託しているのに，下請負業者が不適正処理をした場合を除く（19条の5第1項4号括弧書）。これに対し，元請業者が委託基準又は再委託基準に違反して不適正な委託をした場合において下請業者が不適正処理をしたときは，元請業者は同号に基づいて措置命令を受けるのである。

ちなみに，元請業者は排出事業者として19条の6の措置命令の対象ともなりうる。これに対し，下請業者は21条の3の各規定においても，19条の6の適用は受けないため，同条の措置命令を受けることはない。費用負担等については元請業者の役割が重視されているのである。

(c) 措置命令の発動

措置命令全般についての要件は，かつては「生活環境の保全上重大な支障が生じ，又は生ずるおそれ」を必要としていたため，命令の発動件数が極めて少なかったが，1991年の改正により，「重大な」という要件をはずして要件を緩和した。それに伴って罰則も強化された（25条）。また，2010年改正により，措置命令の対象を，廃棄物処理基準に違反した収集運搬，産業廃棄物保管基準に違反した保管にまで拡大した。収集運搬については，積替保管の基準（収集運搬の処理基準の一部）に違反した場合が最も問題となる。

従来自治体は措置命令の発動を躊躇する傾向があった。これは自治体と措置命令の対象者との癒着による場合もあったであろうが，基本的には，措置命令を発出しても，違法処理をした者等を確知できなかったり，その者に資力がないなどの場合には，自治体自身が代執行をし（→(6)）費用を一部負担することとなるためであったと考えられる。これに対し，環境省は，2000年改正の運用が厳格に行われるよう，2001年5月，都道府県に対し，躊躇なく行政処分を行うなど違反行為に対しては厳正に対処することを内容とする環境再生・資源循環局廃棄物規制課長通知（「行政処分の指針について」）を出した。これが一因となって，都道府県の措置命令の件数は増加してきた（2005年，2013年及び2018年，2021年に，同通知は改正された。なお，⑥の措置命令の発出件数は2015年末まで0であるが，指導の根拠となっている）。

➡ 廃掃法の措置命令に関して2000年改正にはどのような意義があるか。

(d) 土地所有者等の通報努力義務

土地所有者又は占有者は，自己が所有等する土地において，他の者によって不適正に処理された廃棄物を発見した場合には，速やかにその旨を都道府県知事又は市町村長に通報する努力義務が課された（5条2項）。不適正処理においては，土地所有者等が不法投棄者と結託している例もないではなく，それに対して，廃掃法は従来，措置命令の対象の関与者の中に土地所有者等が入りうる程度であったが（→上記(b)⑤〔311頁〕)，この規定は土地所有者等に対する責任の強化の契機となろう。通報しない場合には，措置命令を発出しやすくなる効果があるからである。2010年改正で導入された点である（ほかに，同改正により，→(3)〔310頁〕の報告徴収，立入検査〔18条，19条〕の対象として，「その他の関係者」という語が加えられた点，についても，土地所有者等が意識されている)。

将来的には，さらに，不適正処理が行われた土地の所有者等が実行者又は関与者と疑われる場合には，これらの者に対して報告徴収，立入検査が行えることを明確に規定すべきであろう。

➡ 廃掃法において土地所有者等にはどのような義務が課されているか。土壌汚染対策法と比較してどうか。

(6) 行政代執行及び産業廃棄物適正処理推進センターの基金

(a) 行政代執行

措置命令は，違法処理をした者等が確知できなかったり，資力がないなどの場合には，効果がない。①措置命令を受けた「処分者等」が，期限までにその命令に係る措置を講じないとき，講じても十分でないとき，又は講ずる見込みがないとき」，又は②「過失がなくて……措置を講ずべき処分者等を確知することができないとき」は，命令を発した行政庁が自ら支障の除去措置を行い，その費用を徴収する。排出事業者等又は広域認定業者（9条の9第1項の認定を受けた者）が①の場合も同様である（19条の7，19条の8。行政代執行)。行政代執行法の代執行の要件が厳格であることから，1997年の廃掃法改正により，特別規定をおき，措置命令に係る代執行につき，一般の場合よりも要件を緩やかにしたものである。

「講ずる見込みがないとき」とは，措置命令を受けた者が，措置を講じない意思を明確に表示していること，措置を講ずるに足りる経理的基礎がないことなど，期限までに措置が講じられないことが明らかな場合である（前掲「行政処分の指針について」)。

さらに2000年改正では，処分者等，排出事業者又は広域認定業者について③「緊急に支障の除去等の措置を講ずる必要がある場合において」，措置命令を「命ずるいとまがないとき」にも代執行（緊急代執行）を行うことができるようにした（19条の7第1項4号，19条の8第1項4号)。③は，不適正処理された廃棄物が河川や地下水に流出したり，害虫等の発生が差し迫っているような著しく不衛生な状況下で大量の廃棄物が放置されているなど，直ちに支障の除去等の措置を講じなければ生活環境保全上の支障を生ずるおそれがあり，かつ，発出予定の措置命令の履行期限までに処分者等が措置を講じても重大な生活保全上の支障を取り除くことが困難な場合をいう。

代執行により支障の除去等の措置に要した費用については，当該処分者等に負担させることができる（19条の7第2項以下，19条の8第2項以下）。この費用には措置の調査費用は含まれないが，これは民法697条以下の事務管理として回収されうる（名古屋高判平成20・6・4判時2011号120頁［51］）。代執行に要した費用は，国税滞納処分の例により，これを徴収しうる（行政代執行法6条）。

Column34 ◇キンキクリーン事件──一般廃棄物処理についての市町村の義務と事務管理

津山圏域東部衛生施設組合（Y）は，敦賀市（X）にある民間廃棄物処理業者であるキンキクリーンセンター（株）（以下，キンキクリーン）に委託して，一般廃棄物の最終処分をしたところ，同処分場では，産業廃棄物と一般廃棄物が処分されていたが，容量を超過する量の処分がなされ，かつ，処分場内の保有水及び周辺地下水から環境省令で定める排水等基準を超過する汚染が判明した。そこで，2006年に，一般廃棄物についてはXがキンキクリーンに措置命令を発出したが，履行されなかったため，2008年に，行政代執行として，水質調査，遮水擁壁設置等の工事及びその維持管理の措置を講じた。Xは，Yを承継した3市町を相手とし，上記措置を被告に関する限りで事務管理と構成し，同市が支出した費用を有益費として，その償還を請求した。なお，キンキクリーンは，2002年に倒産し，2007年に破産手続開始決定を受けた。

福井地判平成29・9・27判タ1452号192頁は，Xの請求の一部を認容し，次のように判示した。原告Xは地方公共団体であるが，本件訴えは，Xが，財産権の主体として，事務管理に基づく費用償還請求権等の私法上の債権について保護救済を求めるものであって，法律上の争訟にあたる。市町村は，その区域内における一般廃棄物を生活環境の保全上支障が生じないうちに処理するものとされており，一般廃棄物の処理について，その支障除去等のために必要な一切の措置を講じるべき法的義務（「支障除去等の包括的措置義務」）を負う（→詳しくは，599頁）。

(b) 産業廃棄物適正処理推進センターの基金

1997年改正により，産業廃棄物について，都道府県知事が行う支障の除去措置の支援等を業務とする機構として，産業廃棄物適正処理推進センターが設置された（19条の9，13条の12以下）。適正処理推進センターに業務に要する基金を設けることとされ，環境大臣は基金への出捐について，事業者等に対して必要な協力を求めるよう努めることとされた（13条の15）。いわば任意の拠出によるシステムであり，この基金は1998年度は4億円とされ，産業界が半分，国と都道府県が4分の1ずつ負担した（原状回復の仕組みについては**図表7-12**）。2013年度から15年度は負担割合は4：3：3となった。この基金の適用は1998年6月17日以後に開始された不法

【図表 7-12】原状回復の仕組みについて

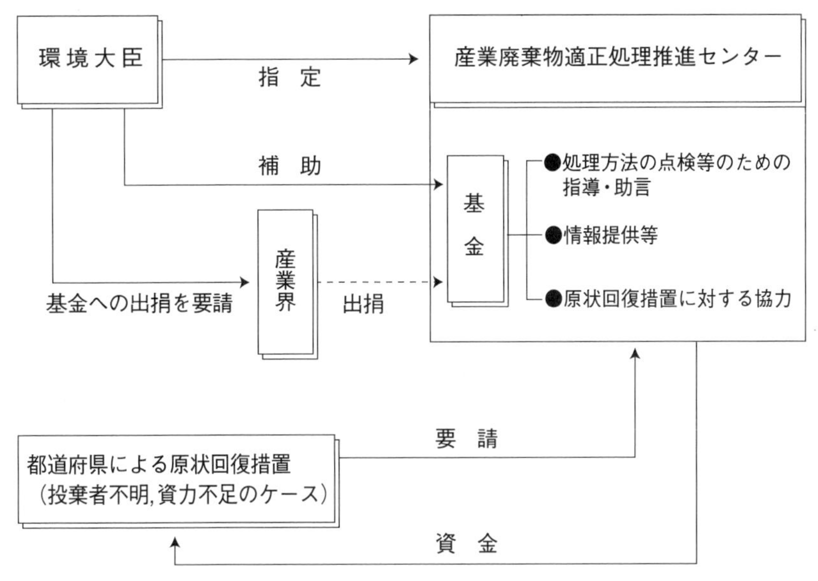

出典：環境省資料を加工

投棄・不適正処理に限られている（それ以前に開始された不法投棄等については，産廃特措法が制定され，代執行による原状回復の支援措置が制度化された）。産業が相互に連関しているため，経団連等を含む産業界全体で自主的に不法投棄等に関する基金に出捐するものである。行為者及び排出事業者に対する（狭義の）原因者負担原則を貫徹できない場合であって，（不法投棄等に対する）都道府県の対応に大きな問題がない場合において，産業界が，社会貢献の名の下に広義の原因者負担を行う例として注目された。

なお，その後，この基金における産業界の拠出については，（不法投棄等の残存量は1,594万トン〔仕組みの変更が議論された2014年度末〕に上るものの）不法投棄の件数及び量が減少してきたこと等から，産業界の負担に関しては，産業廃棄物に関係する者に広く薄く協力を求めるとの考え方に立ち，産業廃棄物の排出から最終処分に至るまでマニフェストが幅広く利用されていることに鑑み，2016年度以降，マニフェストを販売等している団体等に対して，必要な協力を求め，経団連は出捐を免れるスキームが導入されることになった（任意拠出である点は変わらない）。

この仕組みは，産業廃棄物の受入県の不利益，すなわち，地域間の不公平を少しでも解消し，都道府県知事が行政代執行を恐れて措置命令の発出を逡巡する事態の発生を防ぐ上で有益である。基金は発足以来2020年までで108件（59億円）の支援をしており，全国の不法投棄防止のためのセーフティネットとして大きく貢献している。2020年現在，産業界からの拠出が満額に満たず，基金の枯渇が問題視されている。基金が，都道府県が（行政代執行について過度に懸念することなく）措置命令を発出する重要な拠り所とされていることからすると，基金の枯渇が措置命令発出の遅延，それに伴う不法投棄の増加，住民の産廃施設に対する反対の増大，都道府県による流入規制の強化，産廃の行き場の不足とそれに伴う（別の都道府県での）新たな不法投棄の増加などの負の連鎖をもたらす契機になる可能性もあり，十分な注意が必要である。現在の社会貢献に基づく基金は持続可能とは言い難く，一種の経済的手法として，マニフェスト（今後は主として電子マニフェストになるが）に賦課金を課するなど，安定的な制度の導入が望まれる。また，産業廃棄物税を地方基幹税とし，その財源を，産業廃棄物受入県が行政代執行をし，費用回収ができない場合の財源に充てることも考えられよう。

(7) 許可を取り消された者等に対する措置の強化

2017年改正で入れられた規定である。いわゆるダイコー事件（→15(2)〔322頁〕）では，愛知県がダイコーに対して改善命令を発出・維持できなくなることを懸念して処理業の許可取消しができなくなったのは本末転倒であると認識されたことから，改正規定がおかれた。

(a) 措置命令の規定の準用

市町村長，都道府県知事等は，廃棄物処理業の許可を取り消された者等が廃棄物の処理を終了していない場合において，これらの者が処理基準に適合しない保管を行っていると認められるときに，これらの者に対して必要な措置を講ずるよう命令ができることとした（19条の10）。

改善命令でなく措置命令とした理由は何か。元来改善命令を許可取消し後も発出できる規定をおくことが考えられていたが，そもそも許可を得ずに一般廃棄物・産業廃棄物の処理を業としていた者も対象とすることとなったため，改善命令にとどめず，措置命令の規定を準用することとした。その際，従来の措置命令の要件である「生活環境の保全上支障が生じ，又は生ずるおそれがあると認められるとき」を，「処理基準……に適合しない一般廃棄物……の保管を行つていると認められるとき」に置き換えた。生活環境の保全上の支障に関する要件が必要とされないことに注意を要する。

この結果，市町村（1項），都道府県（2項）は，早い段階で措置命令により，処理基準に従って保管することその他必要な措置をとることを命令できるようになった。また，許可の取消しをしてもこの種の措置命令は発出できるため，許可の取消しも行いやすくなったといえる。行政代執行の規定は特におかれてはいない。

なお，元来は改善命令を考えていたため，罰則も改善命令と同様の扱いがなされた（26条）。

(b)　許可を取り消された者等の排出事業者に対する通知義務

なお，同改正により，許可を取り消された者等に対して，排出事業者に通知するよう義務付ける規定が置かれた。3点まとめて取り上げておきたい。

①産業廃棄物の収集・運搬・処分の全部または一部を廃止した者であって当該事業に係る産業廃棄物の収集・運搬・処分を終了していないものは，遅滞なく，事業の全部または一部を廃止した旨を委託者に書面で通知しなければならない（14条の2第4項）。処理困難通知に関する既存の14条13項とほぼ同趣旨である（特別管理産業廃棄物については，14条の5第4項を改正した）。

②許可を取り消された者についても①と同様の規定がおかれた（14条の3の2第3項。特別管理産業廃棄物については，14条の6により14条の3の2が準用される）。

③ ①，②の者がマニフェストに関連する適切な措置を講じる義務が定められた（12条の3第8項）。

12　廃棄物の処理施設における事故時の措置

2003年の三重県でのRDF施設の爆発事故を契機とし，翌年の廃掃法改正により，①政令で定める廃棄物処理施設の設置者は，施設で事故が発生し生活環境の保全上の支障が生ずる等のおそれがあるときは，応急措置を講ずるとともに，事故の状況及び講じた措置を都道府県知事に届け出るべきこととされ（21条の2第1項），応急措置が講じられていない場合には，都道府県知事はそれを講ずべきことを命じることができる（同条2項）こととされた。

13　罰　則

本法は各種違反に対する罰則を設けている。ここでは不法投棄・不法焼却に限って触れておく。

不法投棄及び不法焼却については，5年以下の拘禁刑もしくは1,000万円以下の罰金，又はその併科，法人の代表者・代理人，使用人その他の従業者による違反の場合には，法人に対し罰金3億円以下である（25条1項14号，15号，32条1項1号。**両罰規定**。**法人重科**）。法人に対する罰金は2010年改正で引き上げられた。高額になったため，不法投棄による利得の吐き出しについても，一定の効果が期待される。

2003年改正により，不法投棄・不法焼却について未遂罪が創設された（25条2項）。不法投棄等の未遂罪には，不法投棄等を行おうとする者が実行の着手をすることが必要となる。例えばダンプカーの荷台操作等の一連の投棄行為を始めた直後に，警察官等の制止，監視等に気づいたことにより行為を打ち切った場合が考えられよう。

2004年改正により，不法投棄・不法焼却の目的で廃棄物の収集運搬した者については，3年以下の拘禁刑もしくは300万円以下の罰金が科され，又はそれらが併科されることとなった（26条6号）。これらの行為の実行に着手する前の準備段階であるこれらを目的とした行為（予備的行為）を独立の犯罪としたいわゆる目的犯である。このような規定の導入は，不法投棄が特に処罰の必要性の高い犯罪であるものとして，社会的に認知されたことを反映している。未遂罪の成立する場面がかなり狭いのに対し，目的犯の成立する場合は少なくない。ダンプカーが深夜に高速道路から人気の少ない田舎道に他に用もなく入り込んだ時点で，認められる可能性もあるといえよう。

なお，2000年改正により，不法投棄が組織犯罪処罰法の対象とされたため，不法収益の没収に同法が活用されることが予想された。もっとも，不法投棄による犯罪収益の範囲を確定しにくい（同法2条2項1号，別表第3の57号参照）ことから，期待はずれの状態にとどまっている。

14　廃掃法の度重なる改正と「産業廃棄物処理の構造改革」

以上，廃掃法を概観したが，1990年代以降の度重なる改正の骨格について記しておこう。

1990年代以降，産業廃棄物に関しては，不法投棄等不適正処理の頻発，処分場の建設困難といった問題が生じ，環境行政はその対応に追われたが，その問題の根幹にあったものは何か。これについては，①廃棄物が「バッズ」であり，産業廃棄物処理業が過当競争の状況にあることを背景として，排出事業者が適正な処理コストを負担するインセンティブがないため，②「安かろう悪かろう」という処理がなされ，優良処理業者が市場の中で優位に立てなくなり（悪貨が良貨を駆逐する状態），そのために，③不法投棄等の不適正処理が頻発し，それが産業廃棄物に対する国民の不信感の増大につながり，④処分場の建設困難，処分場の逼迫，⑤さらなる不法投棄の増大という「悪循環」に陥るという構造的な問題があることが認識されるに至った（厳密には，④は③のみを原因とするものではないなどの問題はあり，この構造が産業廃棄物の問題全てを表しているわけではないが）。

このような構造を断ち切って，どのような社会が目指されるべきか。目指されたのは，ⓘ排出事業者が適正な処理コストを負担し（排出事業者による原因者負担の徹底），最終処分のところまで処理に責任をもつとともに，ⓘⓘ排出事業者が優良事業者を選択し，市場において悪質業者を排除することによって，ⓘⓘⓘ適正な処理を確保し，産業廃棄物に対する国民の信頼の下にⓘⓥ健全な循環型社会を構築することであった。出発点というべきⓘは，環境法の基本原則である**原因者負担原則**の徹底と関連していること，そして，ここでは**排出事業者による原因者負担**が問題となっていることに注意されたい。

そのために，1990年代以降の改正，特に，1997年，2000年，2003年の改正では，3つの主要な改正をしてきたといえる。

第1は，排出事業者責任の強化である。これは，措置命令の拡充，マニフェスト制度の強化などに表れている。なお，2010年改正による排出事業者の現地調査努力義務規定導入もこの一環である。3者契約から2者契約への転換（91年改正による）もこの点と関係する。

第2は，不適正処理対策である。これは，処理業者・処理施設の許可要件の強化，一定の悪質業者に対する許可の義務的取消の導入，罰則の強化，不法投棄による犯罪収益の没収などとともに，優良産業廃棄物処理業者の育成の制度化に表れている。行政処分の執行の強化（前掲「行政処分の指針について」の通知による）もこの点と関連する。

第3は，適正な処理施設の確保である。これは，廃棄物処理施設設置手続の強化・透明化，廃棄物処理センターなどの公共関与による補完などに表れている。

これらの改革は「**産業廃棄物処理の構造改革**」と呼ばれている。不法投棄・不適正処理の量が近時減少していることからすると，その目的はある程度達せられたとみることができよう。もっとも，すでに指摘したように，産業廃棄物処理施設（特に最終処分場）に対する民事差止訴訟，取消訴訟で原告が勝訴するものが現れており，上記④の適正な処分施設の設置についてはなお問題が残されている。

15　直近の改正――本法2017年改正

(1)　総　説

廃掃法の2010年改正法の附則に基づいて，2017年2月，中央環境審議会循環型社会部会廃棄物処理制度専門委員会「廃棄物処理制度専門委員会報告書」（以下「報告書」という）が作成され，中央環境審議会循環型社会部会で審議・了承され，中央環境審議会「廃棄物処理制度の見直しの方向性（意見具申）」として環境大臣に提出され，これを基礎として，改正法は，同年6月に成立し，公布された（施行は，

2018年4月。電子マニフェストの義務化の部分のみ，施行は2020年4月）（本改正について，大塚直「廃棄物処理法2017年改正」L＆T78号1頁）。

⑵　改正の背景

2017年改正の背景となった問題は2つあった。第1は，ダイコー事件であり，第2は，いわゆる雑品スクラップ問題である。

第1の事件は，2016年1月，食品製造業者（壱番屋）等から処分委託を受けた食品廃棄物が，愛知県の産廃処理業者（ダイコー）によって，食品として売却（横流し）されていたことが発覚した事件である。廃掃法18条の報告及び19条の立入検査の結果を踏まえ，同年2月，愛知県はダイコーに対して改善命令を発出した。同年4月，岐阜県及び三重県はダイコーの廃棄物処理業（収集運搬業）許可を取り消したが，愛知県は廃棄物の撤去を優先するため，許可の取消しはせず，改善命令を維持した。同年6月，愛知県は，措置命令（さらに行政代執行）の手続をとることをやめ，愛知県は産業廃棄物（排出事業者不明分），稲沢市は一般廃棄物について，廃棄物関係団体の協力を得て，事務管理に基づいて，撤去を開始した。同月27日，愛知県はダイコーの産廃処理業の許可を取り消した。同事件に対しては，食品リサイクル法の判断基準等（6省の省令）の見直しと，食品廃棄物の不正転売防止のための措置に関するガイドラインの策定が行われたが，そのほか，対応策として，①虚偽記載のマニフェストに対する対応を強化すること，②電子マニフェストの活用により，不適正事案の早期把握や原因究明をすること，③許可取消後の廃棄物処理業者等が廃棄物をなお保管している場合にも改善命令等が発出できるようにすることなどが考えられた。

第2は，鉛等の有害物質を含む使用済電気・電子機器が混入した金属スクラップ（雑品スクラップ）について，かねて不用品回収業者による回収やスクラップヤードにおける不適正な処理・保管がなされ，火災や有害物質の漏出等による生活環境保全上の支障が発生してきたという問題である（火災等の事故は月1件以上起きており，福岡では2017年4月に火災で船ごと沈没した例がみられる）。これに関しては，相当程度資源も含むため，E-wasteとして輸出されるが，海外で金属回収の際，健康被害，水・土壌汚染を引き起こすおそれがあること，海外に廃家電が相当量輸出される結果，国内の家電リサイクル法のリサイクルレジームの基盤が崩されるおそれがあること，適正な処理業者との競争上の不公平が生ずることなどの問題も生じており，海外と国内の双方の問題がある。環境省はこの問題に関してまず，通知で対処した。すなわち，前述した2012年の3・19通知は，使用済家電製品に関して，廃棄物の定義についての総合判断説を維持しつつ，有価であっても，廃棄物であることの疑いがあると判断できる場合は，なお廃棄物とすることを宣明した（大塚『環境法』9-2-1・3⑴⒟〔417頁〕参照）。

その後，雑品スクラップについて，上記の3・19通知だけでは十分な根拠を持った規制ができないとの指摘が市町村からなされ，管理の適正化のため，法律による規制の必要が論じられるようになったのである。

⑶　改正法の概要

改正法は，⒜適正処理，⒝雑品スクラップ対応，⒞その他に分けられるが，前二者は，上記の背景として述べた点と関連している（立法担当者によるものとして，相澤寛史「廃棄物処理法の見直しの動向について」環境管理53巻5号27頁）。各所で触れたのでごく簡単に記すにとどめる。

⒜　適正処理

㋐　許可を取り消された者等に対する措置の強化

この改正は背景の第1点に対応するものである。愛知県がダイコーに対して改善命令を発出できなくなることを懸念して処理業の許可取消しができなくなったのは本末転倒であると認識されたことから，改正規定がおかれた。

(i)　市町村長，都道府県知事等は，廃棄物処理業の許可を取り消された者等が廃棄物の処理を終了していない場合において，これらの者が処理基準に適合しない保管を行っていると認められるときに，これらの者に対して必要な措置を講ずるよう命令ができることとした（19条の10）。

ほかに，このような事業者等に対して，排出事業者に通知を義務付ける規定が置かれた。

(ii)　産業廃棄物の収集・運搬・処分の事業の全部または一部を廃止した者であって当該事業に係る産業廃棄物の収集・運搬・処分を終了していないものは，遅滞なく事業の全部または一部を廃止した旨を委託者に書面で通知しなければならない（14条の2第4項）。

(iii)　許可を取り消された者についても(ii)と同様の規定がおかれた（14条の3の2第3項。特別管理産業廃棄物について14条の6により14条の3の2が準用される）。

(iv)　(ii)，(iii)の者がマニフェストに関連する適切な措置を講じる義務を定めた（12条の3第8項）。

㋑　マニフェスト制度の強化

(i)　一定の者に対する電子マニフェストの義務化

環境省令で定める産業廃棄物を多量に排出する事業者（具体的には，特別管理産業廃棄物の多量排出事業者）に，紙マニフェストの交付に代えて，電子マニフェストの使用を義務付けることとした（12条の5）。

(ii) マニフェストに関する罰則強化

マニフェストの不交付，または，12条の3第1項の規定事項を記載せず，若しくは虚偽の記載をしたマニフェストの交付の場合について，罰則を強化した。1年以下の拘禁刑又は100万円以下の罰金に処せられる（27条の2第1号）。虚偽記載のマニフェスト交付の罰則強化はダイコー事件に対応している。

(b) 雑品スクラップ対応

改正法は，人の健康や生活環境に係る被害を防止するため，新たに「有害使用済機器」（雑品スクラップ等の有害な特性を有する使用済機器）という概念を設け，これらの物品の保管又は処分を業として行う者に対し，都道府県知事への届出，保管・処分基準の遵守等を義務付け，また，保管・処分基準違反があった場合等における命令等の措置を定めた（17条の2）。廃棄物に近いが，相当程度の資源価値を有する点が異なるため，廃棄物に準ずる扱いをし，届出制で足りるとしたのである。

(ア) 届出義務（17条の2第1項）を負う者の保管・処分の対象となるのは，「有害使用済機器」，すなわち，「使用を終了し，収集された機器（廃棄物を除く。）のうち，その一部が原材料として相当程度の価値を有し，かつ，適正でない保管又は処分が行われた場合に人の健康又は生活環境に係る被害を生ずるおそれがあるものとして政令で定めるもの」である。

(イ) 保管・処分を「業として行おうとする者」（有害使用済機器保管等業者）が都道府県知事に対する届出義務を負う。

(ウ) 有害使用済機器保管等業者は，政令で定める保管・処分基準を遵守しなければならない（17条の2第2項）。

(エ) 有害使用済機器の保管又は処分を業とする者について，報告徴収，立入検査，改善命令，措置命令の規定を準用している（17条の2第3項）。

(オ) 有害使用機器の保管・処分を業とする者の届出義務違反，虚偽の届出には罰則が科される（30万円以下の罰金。30条6号）。

(c) その他

(ア) 親子会社による一体的処理の特例（「自ら処理」の拡大）

分社化等の後は，排出実態が変わらないにもかかわらず，産業廃棄物処理業の許可を別に取得するか，産業廃棄物処理業の許可を受けた処理業者に委託しなければならなくなっていることから，産業界が，実質的に一体的に経営がなされていれば，「自ら処理」として処理業の許可を不要としてほしいとの要望を提出し，今般の改正に至ったものである。

改正法は，親子会社が一体的な経営を行うものであること，及び，産業廃棄物の適正な収集，運搬又は処分ができる等の基準に適合することについて都道府県知事の認定を受けた場合には，当該親子会社は，産廃処理業の許可を受けないで，相互に親子会社間で一体として産廃の処理を行うことができるとした（12条の7第1項）。

認定を受けた親会社と子会社は，自ら処理をすべき廃棄物については一体として許可が不要となるとともに，排出事業者責任を共有する（双方が行政上の義務を負う）（12条の7第4項）。他方，都道府県知事は，認定を受けた双方に対して「一の事業者とみな」し，報告徴収，立入検査，改善命令，措置命令，行政代執行を行う（同条5項）。命令は連名で行う。また，欠格要件は，認定を受けた者のうち他の事業者についても適用される（同条6項）。

認定を受けた者が廃掃法12条の7第1項各号の要件のいずれかを満たさなくなった場合には，都道府県知事は，認定を取り消すことができる（同条10項）。親会社が子会社の株式を売却した場合などがこれにあたる。

(イ) 産業廃棄物処理施設に対する停止命令等の明確化

届出を行い，特例として一般廃棄物の処理を行うことができる産業廃棄物処理施設（15条の2の5）が，施設の維持管理基準等に違反した場合において，産業廃棄物処理施設としての停止命令等だけでなく，一般廃棄物処理施設としても停止命令等を行うことができることを明確化した（15条の2の7）。

(4) 法律改正及び政省令改正以外の課題

2017年2月に出された「報告書」は，ほかにも種々の課題を掲げていた。このうち排出事業者の責任徹底についてのみ触れておきたい。

「報告書」では，排出事業者の責任において主体的に行うべき適正な処理事業者の選定や処理料金の確認・支払等の根幹的業務が自治体の規制権限の及ばない第三者に委ねられることにより，排出事業者としての意識が希薄化することが懸念されると指摘されていた。この点については，「廃棄物処理に関する排出事業者責任の徹底について」（平成29・3・21環廃対発1703212号・環廃産発1703211号）の通知が出された。この通知は事業系一般廃棄物と産業廃棄物の双方を対象としている。特に，ブローカーにより一般廃棄物処理業者が値下げを強要されている例が問題とされている。事業系一般廃棄物については3条の規定にもかかわらず，事業者が十分な処理費用の負担をしていないことが，かねて汚染者（原因者）負担原則から問題であると批判されてきたが，この点を改める趣旨である。

(5) 今後の検討課題

今般の改正の主要点は，電子マニフェストについての一部義務化と雑品スクラップ問題への対処にあった。

後者は，「有害使用済機器」という概念を生み出した。かねてわが国の廃棄物の定義をバーゼル条約に近づけ，有害性に着目したものとする必要が説かれてきたが（山田洋『ドイツ環境行政法と欧州』146頁），雑品スクラップ問題は，条約（輸出規制）と国内法（国内規制）に隙間を生じさせることによって増幅される具体的な課題であり，廃棄物の定義についてのわが国のいわば地域限定的なルールが現実に問題を引き起こすことを明らかにした。

「有害使用済機器」の概念の創設は，水銀環境汚染防止法の「水銀含有再生資源」（2条2項）とともに，従来の取引価値中心主義の廃棄物の定義に風穴をあけるものと見ることもできるが（大塚直「水銀に関する水俣条約の国内法対応とその評価」環境法政策学会編『化学物質の管理』76頁），隙間問題は他の廃棄物についても生じうるのであり，有害であれば取引価値があっても規制できるとする，廃棄物についての国際的ルールに徐々に転換していくべきであろう。廃棄物の定義に関しては，かつて占有者の意思を重視する主観的定義から，取引価値を重視する客観的定義に向かったが，さらに，有害性を重視する定義へと移行していくことが望まれる。

また，EUでは廃棄物について有害性に着目した定義をしつつ，廃棄物終了の概念を個別品目に持ち込む考え方を採用しており，わが国がそこからどのような示唆を得ることができるかが，今後の課題として注目されるところであるが（大塚直「わが国の環境法・政策の過去・現在・未来」『早稲田民法学の現在』〔浦川道太郎先生・内田勝一先生・鎌田薫先生古稀記念〕642頁以下），廃棄物終了を明確な概念として定める際にも，廃棄物の定義についての明確化が必要であり，上記の議論とセットで検討されるべきであろう。この点は廃棄物の定義に関して，いつまでも総合判断説に安住していられるかという問題とも関連しているのである。

なお，上述したように，3・19通知は基本的に維持されたが，その理由は次の2点にある。第1に，従来この通知を使って規制してきた自治体はあるし，環境省自身，輸出入確認の際，この通知を用いてきたため，行政の継続性の観点が重要であること，第2に，改正法により保管・処分基準等の遵守が義務付けられた結果雑品スクラップを取り扱う者がもしいなくなれば，雑品スクラップは無価（廃棄物）であったことになるため，雑品スクラップが廃棄物となる余地も残しておく必要があることである。

とはいえ，3・19通知の下で廃棄物となる場合と，改正法により有害使用済機器となる場合との区別は困難であり，メルクマールについての通知が必要となろう。

16　今後の課題

従来の廃掃法の改正は基本的な発想が廃棄物処理に傾いていることは否定できず，今日では廃棄物処理・リサイクルを一体とした法制度が必要となっている面も非常に重要ではあるが，この点は後に触れるとして（→**7-4**〔362頁〕），ここでは廃棄物処理に関する残された問題点をあげておく。

第1に，**廃棄物の定義**における「占有者の意思」の問題については，上述したように，2000年の廃掃法の改正等に関する国会の委員会での答弁をきっかけに，新たな通知が出され，占有者の意思の客観的解釈がなされるようになった。また，2003年の改正により，都道府県知事，市町村長の調査権限が拡充され，廃棄物であることの疑いがある物の処理について，地方公共団体の長は，報告徴収又は立入検査ができることとなった。今後の課題としては，廃棄物の定義を少なくとも**告示**で定めること，さらに，一定の要件の下に，行政の調査義務の規定をおくこと（桑原勇進）が検討されるべきであろう。

第2に，環境省の中央環境審議会，旧厚生省の生活環境審議会等でかねて指摘されてきた産業廃棄物と一般廃棄物の分類の不合理性の問題は，なお残っている。前述のように，市町村が処理責任を負う「家庭系廃棄物」，事業者が処理責任を負う「事業系廃棄物」，製造者が引取り・処理責任を負う「製品廃棄物」の3分類への転換が検討されるべきである。

第3に，処理施設については，2000年改正で都道府県廃棄物処理計画を定めることとされた（5条の5）ことにより，この計画の中で産業廃棄物処理施設の整備に関する事項が記載されることになった。進んでドイツの州の廃棄物管理計画のように，処理施設の立地についての誘導を行うことも検討すべきである。また，1997年改正の際，処分場について一定地域への立地規制をすることが要望されていたが，結局入れられなかった。この点についても，都道府県の廃棄物処理計画で対応することが検討されるべきであると考える。2000年の改正等により処理施設の立地についての公共関与が強められたが，今後の処理施設の状況によっては，さらなる強化が必要となることが想像される。処分場については，その信頼性の確保の必要から，公的関与をより推進していくべきものであるからである。産業廃棄物の処理に関する排出事業者責任の原則（11条）は，排出事業者が廃棄物について適正な費用負担をすることを求めるものではあっても，都道府県が処分場を設置したりその誘導をすることと矛盾するものではないといえよう。

なお，操業中の処分場の汚染の調査については，現行法では基本的には管理者に委ねられているが，これでは付近住民の信頼を得ることは困難であり，処分場設置に対する反対にもつながると考えられる。行政による調査を行うか，それが行政リソースの限界から困難であれば，最終処分業者に外部の専門家による調査を義務付けるべきであろう。

第4に，廃棄物処理施設に関する民事差止めや許可取消しの訴訟に対する配慮は乏しいともみられる。処理施設の許可基準等については，法8条の2第1項，15条の2第1項で定められており，経理的基礎についても，施行規則4条の2の2第2号，12条の2の3第2号で扱われているが，基準の明確化，さらなる強化が必要であると考えられる。また，安定型最終処分場に安定型5品目以外の廃棄物が付着・混入することは少なくなく，これを防止するための仕組みの強化や，最終処分場において浸透水等のチェック機能の強化等を行うべきである。

第5に，廃棄物に関連する情報の重要性はますます高まっているところから，マニフェスト制度を再生資源にも拡大し，リサイクルに関する情報とともに，上記のような廃棄物に関する種々の情報を管理し，公開するための包括的な「産業廃棄物情報管理センター」を構築することを検討すべきであると考えられる。

第6に，中間処理施設が処理能力を超えて大量の産業廃棄物処理を受託するケースがあるが，これに対しては，立入検査により帳簿の調査等をして対処するほかない。これについては，許可施設とされていないミニ中間処理施設を許可の対象とすることも検討されるべきであろう。

第7に，地方自治体によっては，廃棄物処理施設設置に関して住民同意を求め，また，県境を越えた産業廃棄物の移動に対して流入規制を行っているという問題がある（2020年度産廃振興財団調査によると，事前協議の条例・要綱等を有する都道府県は30，政令市は31〔全国の都道府県・政令市の48%〕，事前届出の条例・要綱等を有する都道府県は6，政令市は10〔全国の都道府県・政令市に13%〕に上る。協議・届出の内容は，搬入経路，排出された都道府県等で処理できない理由，処分方法等である）。

前記のように，**住民同意**を許可の要件とする条例を作ることは廃掃法との関係で疑義を生ずるが，廃棄物処理施設の紛争予防という観点から許可申請前の紛争予防調整手続を条例で設けることは，仮に廃掃法と目的が重なっているとしても廃掃法の規定の不備を補うものであり，廃掃法に抵触するものではない。一方，住民同意が問題となる原因である処理施設に対する不信感については，都道府県の廃棄物処理計画の中での立地に関する誘導，生活環境影響調査制度に基づく許可制における土地利用調整の視点の強化及び住民参加の強化，処分場の公共関与の拡大など，抜本的な対応が必要である。

また，**流入規制**については，条例で真に規制するときは，憲法の営業の自由との関係で問題が生ずるおそれがある。さらに，事前協議等の流入規制はその運用を含めた検討が必要である。流入規制の根拠として，都道府県（実際には道と県のみ）からは，他県からの産廃の流入の場合，他県の産廃業者には自らの監督権限が及ばないため，不法投棄防止のためには必須であるとの指摘があり，そのとおりであるが，同時に，県内外の産廃に対して差別のない扱いが必要である。この点を確保しないと，それぞれの都道府県が自己の都道府県内での不法投棄防止を目的として流入規制を強化する結果，全国的には産廃の行き場がなくなり，他の都道府県での不法投棄のおそれが生ずるからである。また，多くの都道府県が流入規制措置をとる場合には処理業者の規模が矮小化され，優良な処理業者が育成されないとの指摘もなされている。

第8に，規制改革の動きとの関係で，産業界から，廃棄物関係の規制緩和の要望が数多く出されてきた。適正なリサイクルを促進するための合理的な規制緩和は望ましく，ぜひ進めるべきであるが，他方，これまでの不法投棄防止のための試みを無駄にしない範囲にとどめるべきであろう。具体的には廃棄物の定義についてすでに触れた点や，本法の2010年改正及び政省令改正でも取り上げられた産業廃棄物処理業の許可制度の簡素化，許可の欠格要件の連鎖についての一部見直し等が関連している。

Column35 ◇ごみ屋敷問題と条例

いわゆるごみ屋敷による近隣の生活環境への悪影響（悪臭，景観悪化等）に対しては，2008年制定の荒川区良好な生活環境の確保に関する条例を嚆矢として，各自治体による対応が始まっているが，それほど多くの条例が制定されているわけではない。この問題には精神障害者が関連している場合が多いことが条例制定の難しさにつながっていることが指摘されている（北村喜宣「条例によるごみ屋敷対応をめぐる法的問題」日本都市センター編『自治体による「ごみ屋敷」対策――福祉と法務からのアプローチ』）。条例（や将来的に法律）を制定する際の注意点としては，第1に，措置よりもまず支援が問題となること，第2に，措置としては，指導，勧告，命令等があげられるが，その先の問題として，行政代執行法による行政代執行の要件（2条のうち，「不履行を放置することが著しく公益に反すると認められる」との要件）の緩和が検討されるべきことがあげられる。履行確保の手段としては，民法の事務管理（民法702条）を用いる条例もあるが（2014年制定の豊島区建物等の適正な維持管理を推進する条例11条3項），将来法律を制定する場合には，事務管理を用いることは，その性質上必ずしも望ましくはないであろう。

高齢化が一因となって生じた，わが国の現代的な廃棄物問題であるとともに，福祉問題とも密接に関連する課題である（詳細については，板垣勝彦『「ごみ屋敷条例」に学ぶ条例づくり教室』など参照）。

7-3 リサイクル等3R関連法

1 序

1991年に廃掃法が大改正されたのを受け，その目的（1条）に新たに「廃棄物の排出」「抑制」と「再生」が加えられ，同時に，「再生資源の利用の促進に関する法律」（再生資源利用促進法）が制定され，リサイクル活動が推進されることとなったが，その後も廃棄物は減少せず，リサイクル等が十分に進んでいるとはいえない状況にある。その最大の理由は，円高等を1つの原因として再生資源価格が低落し，回収物の逆有償引取りの現象が生じたことにあった。

他方，リサイクル等3Rの必要は高まってきた。最終処分場の新規立地が困難となり，既存処分場の残余容量は少なく，焼却炉についても有害物質（ダイオキシンなど）の排出のおそれが生じるなど，種々の問題が引き起こされた。また，一般廃棄物の処分費用も上昇し，国民生活に影響を及ぼすおそれが生じた。さらに，資源の有効利用の必要性も重視されている。

このような状況の下で，ある程度コストをかけてもリサイクル等を促進するよう，社会システム全体を変えていくべきことが提唱されるようになり，1995年以降，容器包装，家電機器，自動車について個別のリサイクル推進法が制定された。これらの個別法の特徴は，従来は市町村が回収，処理の義務を負っていたのに対し，そのうちの再商品化（容器包装リサイクル法），引取り及び再商品化（家電リサイクル法・自動車リサイクル法〔ただし，シュレッダーダスト等一定の物に限る〕）について，製造事業者等の責任としたことにある（**拡大生産者責任→Column37**〔331頁〕。家電リサイクル法，自動車リサイクル法については，大塚『環境法』9-3-4〔544頁〕，9-3-6〔571頁〕参照）。それは，市町村よりも製造業者の方が，製造の設計等に際し，廃棄物減量を考慮することができ（市町村が住民税で廃棄物を処理している限り，廃棄物減量のインセンティブは生じない），また，リサイクル等に際し，その製品の組成等を熟知しているためにその処理の能力を有していると考えられるからである。もっとも，その費用を誰が支払うかについては，容器包装リサイクル法は製造事業者等としているのに対し，家電リサイクル法と自動車リサイクル法は消費者としており，相違があるといえる。

さらに，2000年には循環型社会形成推進基本法が制定されるとともに，再生資源利用促進法が改正され，「資源の有効な利用の促進に関する法律」（資源有効利用促進法）となり，リサイクル対策の強化とともに，リユースや廃棄物等の発生抑制（リデュース）対策が盛り込まれた。同年には建設資材，食品関係の個別リサイクル法も制定された。もっとも，これらの2つの法律には，拡大生産者責任の規定はおかれていない。

なお，上述したように，廃掃法においても3Rの推進に関連する規定は少なくない。多量排出事業者処理計画制度（廃掃法12条9項，10項）による多量排出量事業者の減量の促進，再生利用認定制度（同法9条の8第1項，3項，4項，15条の4の2）による再生利用の促進，広域認定制度（同法9条の9，15条の4の3）による広域的リサイクル等の促進があげられるほか，より一般的なものとして，「廃棄物の減量その他その適正な処理に関する施策の総合的かつ計画的な推進を図るための基本的な方針（基本方針）」，「廃棄物処理施設整備計画」（→**7-2**・6〔276頁〕）も3Rの推進を図っている。

もう1つ注意されたいのは，個別リサイクル法は，対象物が廃掃法上の廃棄物であることを前提としつつ，処理の方法について，再商品化義務，再資源化義務等を課していることである。これらは廃掃法の特別法という位置づけになるのである。したがって，再商品化，再資源化の後，廃棄物でなくなるものと，残渣物としての廃棄物とに分かれることになる。

Column36 ◇リサイクルとは何か

リサイクルとは，廃棄物を原料（資源）として再利用することをいう。「再資源化」，「再生利用」とも呼ばれる。狭義としては，新製品に使う原料として再資源化（再生利用）するマテリアル・リサイクル（原料リサイクル）を意味する概念として用いられる。広義には，マテリアル・リサイクルとともに，ごみを燃やしてその際に発生する熱をエネルギーとして利用する，サーマル・リサイクル（熱回収）を含めた概念として用いられる。

循環型社会形成推進基本法では，施策の優先順位として，マテリアル・リサイクルを第3番目，サーマル・リサイクル（熱回収）を第4番目においている（7条）。

Column37 ◇拡大生産者責任

「拡大生産者責任」とは何か。従来自治体が回収・処理をしていた一般廃棄物について，なぜ製造事業者等に回収・リサイクルの責任を負わせるのが適当なのか。

回収・リサイクルの費用を製造事業者に負わせる考え方は，1990年代初めからドイツ，フランスなどで法制化されてきており，わが国にも影響を与え，その後，OECD（経済協力開発機構）を中心に議論がなされている（OECDは，2000年に拡大生産者責任に関するガイダンスマニュアルを作成した。なお，2016年にアップデート版が出された。大塚直「EPR ガイダンス現代化とわが国の循環関連法」廃棄物資源循環学会誌 29 巻 1 号 14 頁〔2018〕。大塚直＝松本津奈子翻訳・OECD「拡大生産者責任・効率的な廃棄物管理のためのガイダンス現代化」環境法研究〔信山社〕6 号 221 頁）。この考え方は，拡大生産者責任（Extended Producer Responsibility：EPR）と呼ばれており，循環基本法でも採用された。今後のリサイクルの責務についての重要な概念である。

「拡大生産者責任」とは，OECD ガイダンスマニュアルによれば，「**物理的［及び／又は］金銭的に**，製品に対する生産者の責任を製品のライフサイクルにおける消費後の段階まで拡大させる，という環境政策アプローチ」である。すなわち，拡大生産者責任には，物理的責任（回収・リサイクル等の実施の責任）と金銭的責任（費用支払責任）の双方が含まれる。循環基本法に定められているように，拡大生産者責任には，①廃棄物等になることの抑制措置，②表示，設計の工夫，③回収（引取り）・リサイクルの措置，④循環資源を利用できる者の利用が含まれるが（11 条。なお，拡大生産者責任概念の萌芽は，環境基本法 8 条 2 項，3 項にも表れていた），元来は拡大生産者責任の概念は，③に関して，―物理的責任を課することは当然の前提としつつ―費用支払責任（事業者による使用済製品の無償引取り）の点に特に重点がおかれてきた。OECD ガイダンスマニュアルでは，それ以外に，物理的責任のみを果たす考え方も，EPR として追加的に許容され，それがわが国の循環基本法に定められているということになる。

どうして生産者等の事業者に回収・リサイクルの費用の負担を行わせるのがよいかというと，それは，製品システムにおけるマイナス面（外部性）に対処する費用（廃棄物処理，リサイクル等の費用）を製造者に負担させることが，製品の設計を通じて，製品のライフサイクル全体でもたらされる環境負荷を最小化するからである。言い換えると，生産者等の事業者が（リサイクルしやすい素材の選択，有害物質の使用の回避や軽量化などを行い），最も環境適合的な製品を作り出す（**環境配慮設計：Design for Environment, DfE**）能力・情報をもっているからである。この費用を生産者等に支払わせ製品の販売価格に反映させれば，リサイクルしやすい製品を作った方が生産者等は製品の価格を安くすることができ，製品の販売市場を使って環境適合的な製品を作ることができるのである。その基本的な発想は OECD の汚染者負担原則（PPP）と同様である（ただし，汚染者負担原則と最も適合するのは，金銭的責任である）。「拡大生産者責任」においては，「**汚染者**」の概念が「市場における製品の製造から廃棄までの循環についてコントロールする力をもっている者」（実際には，リサイクルについての技術的能力，知識，情報，製品設計における選択可能性等の点で，最終的な製造者である場合が多い）に置き換えられているといえる（大塚直「環境法における費用負担論・責任論」城山英明＝山本隆司編『融ける境 超える法⑤環境と生命』121 頁以下）。この議論は主に上記の③に関する費用負担について行われてきた。「**拡大生産者責任**」と「**汚染者負担原則**」とは，1）生産者と汚染者という主体の相違があるほか，2）前者が廃棄物・3R（物質循環）の分野に限られていること，3）前者が DfE のためにインセンティブを与えることを目的としていることにおいて異なっている。

ただ，「拡大生産者責任」の③に関する費用負担は，あくまでも環境保全の効果から最も効率的な方法を示したものであり，法的にみて公平の見地から誰に負担させるべきかということは，別に考える必要がある。すなわち，金銭的責任としてのEPRを導入するときは，(当該製品については) 法的には，リサイクルの費用負担を事業者のみに(消費者ではなく) 課することになるため，比例原則から，その要件については相当程度の限定が必要となろう (ドイツ循環経済法23条3項参照)。

使用済製品の引取り・リサイクルの措置を製造・販売等を行う事業者に課する要件としては，第1に，質的又は量的に環境負荷が高く (例えば，有害物質を含む)，通常のシステムではリサイクル困難なものであることを要するというべきである (循環基本法18条3項参照)。その理由は，このようなモノについては，製造行為によって社会に質的・量的に危険を発生させたといえ，そのために別ルートでの回収・処理が必要となったと考えられるからである。拡大生産者責任の考え方は，当面のところ，工業製品にはあてはまるとしても，食品 (例えば，農産物，伝統的・自然的産品については，環境負荷が特に高いとはいい難い) についてはあてはまらないといえよう。

第2に，当該製品等の設計，原材料の選択，循環資源の収集等の観点から，事業者の果たすべき役割が重要と認められるものであることである (同法18条3項) (→**7-4**(2)〔363頁〕)。

第3に，金銭的責任としてのEPRについては，製品の通常予想される使用期間があまりに長い場合には，その後の社会経済事情の変動により，あらかじめ費用をとっておいたことがほとんど意味をもたなくなる可能性もあり，使用期間が相当期間 (例えば10年程度) 内であることが付随的要件として必要である。

また，製品の通常予想される使用期間が相当程度に及ぶ場合に無償引取り方式を採用するときは，あらかじめ製品価格に転嫁をして徴収されたリサイクル料金については，――一定期間経過後にそれをリサイクルに用いるために――企業が課税されることを避けるべきではないかという問題がある。ドイツでは廃車について，所得税法の改正により，引当計上の損金処理が認められている。このような場合に損金処理が認められないときは，廃棄時点での有償の引取りが検討されるべきである (これは，モノの性状や循環の形態に応じて役割分担を考えるべきであるとする発想に基づくものである)。ほかに，実際に製造者による引取りの義務を課する場合には，社会的な費用を過大にしないという観点から，当該製品の組立の製造企業の数も問題とならざるをえないし，中小規模の製造者についての裾切りの問題も生ずるであろう。もっとも，これらについては，指定法人を活用することによってある程度解決されよう。

なお，効率性の観点から，拡大生産者責任を根拠づけるには，**外部費用の内部化** (類似) の考え方をとる必要があり，そのためには，生産者による無償引取り (事業者が上記の「金銭的責任」を果たす場合) の方が望ましいと考えられるが，有償引取り (事業者が上記の「金銭的責任」は果たさないが，「物理的責任」は果たす場合) であっても，リサイクルの効果はそれなりに存在する。法的には，費用支払の問題とともに，誰がリサイクルを実施するか (物理的責任) も重大な問題であり，拡大生産者責任には，無償引取りの場合と，有償引取りの場合の両者が含まれる。

さらに，前述したように，廃棄物となることの抑制や，表示や設計の工夫のように，引取り・リサイクルとは直接関連しない責任も「拡大生産者責任」の内容とされていることも注意しておこう（手頃な文献として，大塚直・法教255号80頁をあげておく）。なお，引取り・リサイクルを内容とする拡大生産者責任が課されている部分は，通常の市町村が処理をする一般廃棄物処理体制と，一般廃棄物について一種の「分業」をしていることになる（勢一）。拡大生産者責任は，通常の一般廃棄物の処分量を削減し，自治体と住民の負担を軽減するものである。製造事業者が往々にして製品が使用された後の廃棄物処理に関心を持たない状況を変革するものとして期待される。

以下では，リサイクル等3Rに関連する現行法制度として，資源有効利用促進法と容器包装リサイクル法について概観することにしたい。

2　資源の有効な利用の促進に関する法律（資源有効利用促進法）

(1)　目 的 等

資源有効利用促進法の目的は，「資源の有効な利用の確保を図るとともに，廃棄物の発生の抑制及び環境の保全に資する」ことにある（1条）。循環型社会への移行のため，製品又は輸入に遡って，廃棄物をできるだけ出さないことを目指している。

本法にいう再生資源とは，使用済物品等又は工場などで発生する副産物のうち有用な資源として利用できる物である。その中には，一度使用され収集・廃棄されたもの，及び，使用されずに収集・廃棄されたもの（使用済物品等）と，製品の製造，加工，修理もしくは販売，エネルギーの供給，建設工事等の操業により副次的に得られた物品（副産物）とがあるが，ともに，有用なものであって，原材料として利用することが可能でなければならない。リサイクルの方法としては，本法はマテリアル・リサイクルを対象としている（2条6項）。

本法の2000年の改正は，最終処分場の制約，資源の制約といった環境資源制約が，21世紀におけるわが国の持続的発展の最大の課題となっているとの認識の下に，①従前から存在したリサイクル対策に，事業者による製品の回収・リサイクルの実施を追加するなどの強化を行うとともに，②製品の省資源化・長寿命化等による廃棄物の発生抑制（リデュース）対策や，③回収した製品からの部品等の再使用（リユース）対策を新たに講ずることによって，循環型経済システムの構築を目指すことを企図している。標語的には，「リサイクル（1R）から，リデュース，リユース，リサイクル（3R）へ」ということになる（このような観点から，法律名も「資源」の有効な利用の促進に関する法律に改められたのである）。

(2)　概　要（図表7-13）

(ア)　本法は，主務大臣が各種の「判断の基準となるべき事項」を設け，事業者の自主的努力によってリサイクルを推進することを基本的姿勢としている。

【図表 7-13】資源有効利用促進法の概要

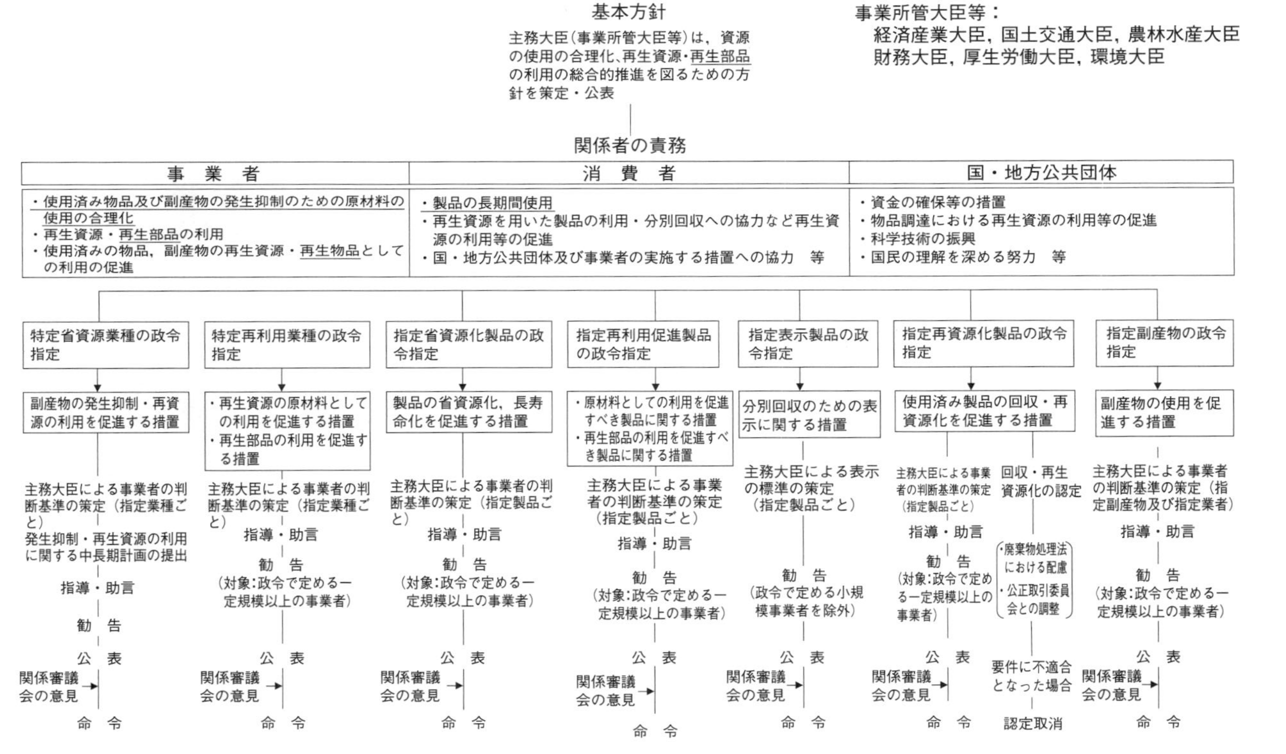

出典：経済産業省資料

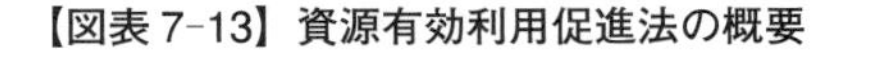

本法の下では，事業者の主務大臣は，リサイクルの総合的・計画的推進のための基本方針を策定・公表することとしており（3条），これは法律施行と同時に策定・公表された。また，関係者の責務についての訓示的な規定がなされており（4条～9条），事業者の責務としては，再生資源を利用するように努めること，使用後の製品をリサイクルできるようにすること，副産物をリサイクルすることがあげられ，消費者の責務としては，リサイクル製品を積極的に利用することなどがあげられている。

同法は，基本方針に従って，法的措置が必要な製品と業種について，

(i) 副産物の発生抑制等が技術的及び経済的に可能であり，かつ，副産物の発生抑制等を行うことが資源の有効利用を図る上で特に必要な業種（特定省資源業種〔10条以下〕。製鉄業等，紙・パルプ製造業，自動車製造業が指定されている），

(ii) 再生資源又は再生部品の利用が技術的・経済的に可能であり，かつ，この利用が資源の有効利用を図る上で特に必要な業種（特定再利用業種〔15条以下〕。紙製造業，ガラス容器製造業，建設業等が指定されている），

(iii) 省資源化，長寿命化による使用済物品等の発生抑制を促進することが資源の有効利用を図る上で特に必要な製品（指定省資源化製品〔18条以下〕。自動車，パソコン，金属製家具，ガス・石油機器，家電製品等が指定されている），

(iv) 製品が再生資源又は再生部品として利用しやすいような設計・製造を行うことや，回収した使用済製品から取り出した部品等を新たな製品において再使用することが，資源や部品の有効利用を図る上で特に必要な製品（指定再利用促進製品〔21条以下〕。自動車，パソコン，複写機等が指定されている），

(v) 類似の物品と混同されやすく，分別回収のための表示が当該再生資源の有効利用を図る上で特に必要な製品（指定表示製品〔24条以下〕。スチール缶，アルミ缶，ペットボトル，小形2次電池，プラスチック製容器包装，紙製容器包装，塩化ビニル製建設資材等が指定されている），

(vi) 製品の回収・リサイクル対策を推進するため，使用後に廃棄される量が多く，事業者が自主回収をすることが経済的に可能であって，その自主回収したものの再資源化が技術的及び経済的に可能であり，かつ，その再資源化が資源等の有効利用を図る上で特に必要な製品（指定再資源化製品〔26条以下〕。パソコン，小形2次電池が指定されている），

(vii) 再生資源としての利用の促進が，当該再生資源の有効利用を図る上で特に必要な副産物（指定副産物〔34条以下〕。電気業から発生する石炭灰，建設業から発生する土砂，コンクリートの塊，アスファルト・コンクリートの塊，木材が指定されている）

の7分類について，主務大臣が「判断の基準となるべき事項」（ガイドライン）を設けることとしている。

リデュースに関するのが(iii)，部品等のリユースに関するのが(ii)，(iv)，リサイクルを目的とした，事業者による回収・再生資源としての利用の促進のための措置に関するのが(vi)，副産物の発生抑制・再生資源としての利用の対策に関するのが(i)，(vii)，容器包装等の分別回収のための表示に関するのが(v)である。(i)に関しては，一定の生産量を超える場合には，副産物の発生抑制等のために必要な措置の実施に関する計画を作成し，主務大臣に提出させることが義務付けられた点（12条）が重要である。

(vi)は，家電リサイクル法の対象との関係で，法的な強制の度合いが異なることとなり（本法の下での規制の方が強制の程度は弱い），家電とパソコンでなぜ違いを設けるかについて，公平の見地からは疑問の余地があるが，パソコン等についてはすでにリサイクルが始まっていること，パソコンは企業が一度に機種変更を行うことが多く，販売店が対応できないこと，ノート型パソコンは家庭ごみに混ぜられる可能性が高いことなどが，本法の下で「自主回収」の制度を新設した理由とされている。

2003年には，家庭用パソコンも指定再資源化製品に追加され，製造等業者による新たな自主回収・再資源化の仕組みが開始された（「パーソナルコンピュータの製造等の事業を行う者の使用済パーソナルコンピュータの自主回収及び再資源化に関する判断の基準となるべき事項を定める省令」の改正に基づく）。自主回収・リサイクルであるから担保措置は極めて限定されるが（判断の基準となるべき事項に照らして著しく不十分と認めるときは，勧告，命令を経て罰則に至る場合がある），企業ごとの会計の中で「内部化」を実現したものであり，拡大生産者責任の観点を取り入れたものと評価する余地はあると思われる。

(イ)　本法の下では，事業者の再生利用が基準に照らして著しく不十分であっても，指導，助言，勧告，公表等により，事業者が自主的努力によってリサイクルを促進することが基本とされる。公表された後においてもなお，事業者が正当な理由なく従わないときは，主務大臣は，関係審議会の意見を聴いた上で，措置命令を課することができ，その違反に対しては，罰則も定められているが（42条），措置命令が発動された例はない。

(ウ)　このように，資源有効利用促進法では，企業の自主性を尊重しつつ，基本的には行政指導により誘導していく方法がとられており，技術的・経済的にリサイクルできるもののみを対象とする点で微温的な性格を有している。自主的取組についてはフリーライドが生ずる可能性が高いため，目標の達成の程度に関する情報公開義務などを課し，取組についての透明性を高める規定をおくべきであったと考える（27条には，指定再資源化事業者が自主回収及び再資源化の認定を主務大臣から受ける制度があるが，「受けることができる」とされているにすぎない）。

3　容器包装に係る分別収集及び再商品化の促進等に関する法律（容器包装リサイクル法）

⑴　制定の背景

産業廃棄物の処理については，1993年度段階で，リサイクル率は39%であったものの，一般廃棄物の処理については，リサイクル率はわずかに8%にとどまっていた。これは，前者では事業者に処理責任があり，後者では市町村に処理責任があることと大いに関係があるとみられた。市町村では増大した一般廃棄物の処理に悩むようになり，中でも容積で生活系一般廃棄物の6割，重量でその2割強を占める容器包装廃棄物について，関連する主体の役割分担を考えることが急務となってきた。循環型社会の構築のため，事業者等にもコストを負担させて廃棄物減量及びリサイクルのインセンティブを与えるということである。わが国の市町村からの要請とともに，1990年代にドイツ，フランスにおいて，容器包装廃棄物について事業者がその回収及びリサイクルの義務を負うシステムが導入され，また，EU指令が採択され（その後2004年に改正された），容器包装廃棄物に関する回収率・リサイクル率が定められたことが，この動きに大きな影響を与えた。このような中で，容器包装リサイクル法が，1995年6月に成立した。その後，2006年に本法は以下の基本的方向で改正された。① **3R推進**の基本原則に則った循環型社会構築の推進（リデュース，リユースの促進。リサイクルについては効果的効率的な推進，質の向上），②**社会全体のコストの低減**（循環型社会の構築等に係る効果とのバランスを考慮しつつ，社会全体のコストを可能な限り低減する），③国・自治体・事業者・国民等全ての**関係者の協働**である。

⑵　概　要（図表7-14）

⒜　目 的 等

本法は，容器包装廃棄物（容器包装が一般廃棄物となったものをいう。2条4項）の排出の抑制ならびに分別収集及び再商品化を促進することにより，一般廃棄物の減量及び再生資源の利用を図ることを目的とする（1条）。そして後述するように，本法の最大の特色は，従来，一般廃棄物は市町村が分別収集し，焼却又は埋立てをすることとされていたのに対し，本法の下では，容器包装廃棄物については，分別収集は市町村の責務であるが，分別収集されたものの「再商品化」は事業者の責務であ

【図表 7-14】容器包装リサイクル法のフレーム

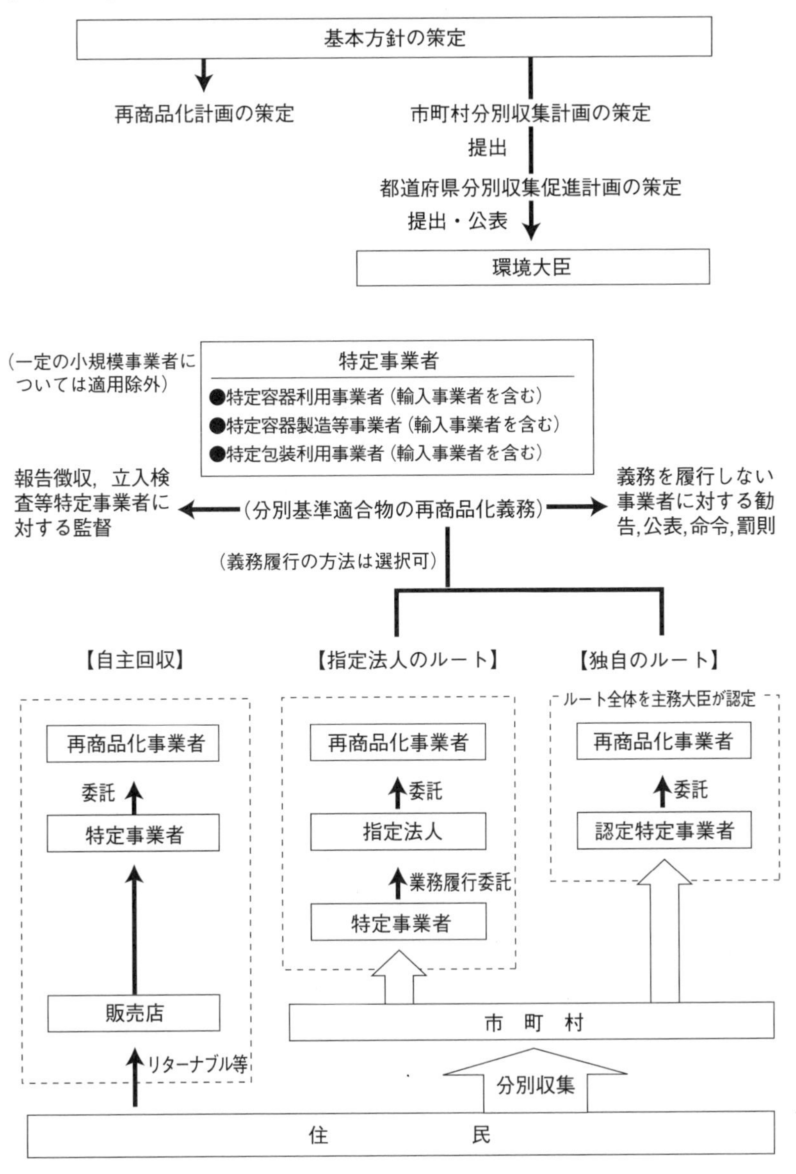

出典：経済産業省資料を加工

るとされたことである。換言すれば，市町村は，事業者にこのような責務を発生させるためには，分別収集をしなければならないということである。排出抑制の目的は2006年改正で追加された。

(b) 適用範囲

本法における「容器包装」とは，商品の容器及び包装であって，当該商品が費消され，又は当該商品と分離された場合に不要になるものをいう（2条1項)。「容器包装」は，「**特定容器**」(2条2項）と「**特定包装**」(容器包装のうち特定容器以外のもの。2条3項）に分かれる。「特定容器」とは，施行規則1条（別表第1）に掲げられたものであり，容器包装に該当するもののうち，商品を入れるためのものと認識されるものをいう。

本法の対象となる容器包装がどのようなものかについては，「容器包装に関する基本的考え方について」(平成18・12・1経済産業省）を判断の目安とする。①スチール缶，②アルミ缶，③ガラスびん，④指定表示ペットボトル，⑤紙パック，⑥④以外のプラスチック製の容器包装（その他プラ)，⑦紙製の容器包装，及び⑧段ボールである（このうち①，②，⑤，⑧は，市町村が分別収集した段階で有償のため再商品化の義務は生じない。2条6項，施行規則3条)。

対象事業者（2条11項～13項）は，(i)**特定容器利用事業者**（中身の充塡事業者)，(ii)**特定容器製造等事業者**のほか，(iii)**特定包装利用事業者**である（いずれも，輸入業者を含む)。(i)，(ii)は製造事業者，(iii)は流通業者である。(i)のような容器を利用する立場である中身の製造事業者が義務を負うのは，それがどのような容器包装にするかについての選択権を有するからである。容器の素材を決めるのは(i)であるが，容器の形状等の決定には(ii)も参加することから，両者を対象事業者としている。容器の場合と異なり，包装については，製造事業者を特定しにくいなどの理由でこれを利用する流通業者のみが再商品化費用を負担する。

一定の小規模事業者（中小企業基本法にいう小規模企業者その他の政令で定める者であって，政令で定めた売上高以下の者など）は適用が除外される（2条11項4号)。

なお，本法にいう「**再商品化**」とは，製品の原材料として利用することであるが，政令で指定するものについてのみ燃料製品の原材料としての利用が認められている（2条8項1号)。すなわち，マテリアル・リサイクルのほか，コークス炉化学原料・高炉還元剤，ガス化，油化のようなケミカル・リサイクルも認められており，さらに紙製容器包装及びプラスチック製容器包装から生成される固形燃料等としての利用（一種のサーマル・リサイクル〔熱回収〕→**Column36**〔331頁〕，**7-4**(2)〔363頁〕）も例外的に許容されているのである。

Column38 ◇マテリアル・リサイクルとケミカル・リサイクル

マテリアル・リサイクルとは，新製品に使う原料として再資源化（再生利用）することである（原料リサイクル）。

ケミカル・リサイクルは，廃棄物を化学分解し，その後に組成変換して再生利用を図るものであり，広義のマテリアル・リサイクルには含まれるが，狭義のマテリアル・リサイクルには含まれない。

循環型社会形成推進基本法は施策の優先順位として「再生利用」を第３番目にあげているが（5条，7条），これは広義のマテリアル・リサイクルを意味している。本書では，容器包装リサイクル法との関係では，マテリアル・リサイクルの語を狭義で用いることを原則としたい。

「再商品化」の対象は，市町村が分別収集をして得られた物のうち，環境省令で定める基準（「**分別基準**」。容器包装廃棄物の分別収集に関する省令２条。10トン車１台分程度の量が集まっていること等）に適合するもの（「分別基準適合物」。有償又は無償で譲渡できることが明らかで再商品化する必要がない物として主務省令で定める物を除く。2条6項，施行規則３条）であり，当初は，ガラスびんとペットボトルであったが，2000年４月以降は，プラスチック製の容器包装，紙パック以外の紙製容器包装の全てが適用対象とされた。これらは，主務省令で定める設置基準（施行規則２条）に適合する施設（概ね人口30万人ごとに１カ所）に保管される（2条6項）。

(c) 基本方針及び再商品化計画等

本法における主務大臣は，環境・経済産業・財務・厚生労働・農林水産大臣である（43条）。

「容器包装廃棄物の排出の抑制並びにその分別収集及び分別基準適合物の再商品化の促進等に関する基本方針」（3条に基づく）に即して，前述の５主務大臣は，主務省令で定めるところにより，市町村の分別収集した分別基準適合物の再商品化に関する計画を策定し，公表しなければならない（7条）。

(d) 排出の抑制

Q15 容器包装リサイクル法はリデュースについてどのような仕組みをもっているか。

2006年の法改正により，事業者に対する排出抑制を促進するための措置として，レジ袋等の容器包装を多く用いる小売業者等（指定容器包装利用事業者）が容器包装の使用の合理化による排出抑制を促進するために取り組むべき措置について「**判断の基準となるべき事項**」を主務大臣（経済産業大臣）が定めることとし（環境大臣に対して協議する，また，環境大臣は必要に応じて意見を申述できる），これに基づく指導・助言，定期報告義務，著しく取組が不十分な容器包装を大量に利用する事業者に対する勧告・公表・命令制度（7条の4～7条の7。さらに，命令違反の場合の罰則について

46条の2）が規定された。この基準に従い，容器包装の使用合理化のための目標の設定，容器包装の有償化，マイバッグの配布等の取組が求められる。一種の枠組規制である。

2006年の法改正を契機として，レジ袋に関して，市町村と市民団体，スーパーマーケット等がその削減や有料化について協定を締結することが増えてきた（2015年1月には，4割の都道府県，政令市等で協定が導入されている例があった）。環境政策の手法の1つである**協定手法**の活用例として注目される（なお，レジ袋への対応について→(4)〔349頁〕）。

(e) 分別収集に関する措置

容器包装廃棄物の分別収集に関しては，①**市町村**が基本方針に即し，かつ，再商品化計画を勘案して，分別収集に関する計画を策定し，これを公表するよう努めるとともに，都道府県知事に提出しなければならない。分別収集をするか否かは市町村の自由であるが（8条1項参照），事業者に再商品化を行わせるためには，これが不可欠である。②**都道府県**は，基本方針に即し，かつ，再商品化計画を勘案して，容器包装廃棄物の分別収集の促進に関する計画を策定し，これを公表するよう努めるとともに，環境大臣に提出しなければならない。③容器包装廃棄物を排出する者は，市町村の定める基準に従い，当該容器包装廃棄物を適正に分別して排出しなければならない（8条～10条）。

容器包装廃棄物の排出者（消費者）の役割については，各市町村が決定する。本法は，1つの方向づけとして，分別の基準を定めた市町村は，処理手数料の額を定める際に，分別収集しない一般廃棄物について従量制をとるなど，容器包装廃棄物の適正な分別を促進するために必要な措置を講ずるよう努めるものとしている（10条4項）。

(f) 再商品化義務の内容・量

再商品化義務の対象となるのは，前述のように「分別基準適合物」のみである（11条～13条）。特定容器（主務省令で定める自主回収基準に適合する方法により自ら回収する特定容器〔後述の第1ルート〕を除く）に関して，特定容器利用事業者及び特定容器製造等事業者は，容器包装の区分ごとに主務省令で定められる「分別基準適合物」（「特定分別基準適合物」。2条7項）について，その使用量又は製造量に応じて，再商品化義務量の再商品化をしなければならない（11条，12条）。

再商品化義務総量は，

①特定分別基準適合物の収集見込量に特定事業者（特定容器利用事業者，特定容器製造等事業者及び特定包装利用事業者）責任比率を乗じて得た量に，前年度までに再商

品化義務が果たされなかった場合の繰越分を加えた量と，

②再商品化計画の再商品化量（7条2項1号。施設の能力等に基づく再商品化能力）とを比べ，いずれか小さい方を基礎として主務大臣が定める量とされる（11条3項，12条2項）。

重要なのは，①の特定容器利用事業者と特定容器製造等事業者の「責任比率」は，当該年度の**販売見込額**を基礎として算出されることである。このため，特定容器利用事業者の責任比率は90％を超えることが多い（→**Column39**）。

この再商品化義務総量を，容器包装廃棄物の排出量に応じて，業種（例えば，食料品製造業，小売業）ごとに分け，その上で，排出見込量によって，個々の事業者の負担分が算定される。

特定包装に関しても，特定包装利用事業者は，特定包装を用いる量に応じて同様の義務を負う（13条）。

➡ 特定容器利用事業者の再商品化義務が厳しいといわれるのはなぜか。

Column39 ◇ライフ事件

上記の点に関連し，本法11条2項2号ロ（本件規定）によって算出される再商品化義務の負担割合が特定容器製造事業者より特定容器利用事業者の方が大きいことが憲法14条等に違反するとして，特定容器利用事業者である原告が，被告国に対し国家賠償法1条1項の損害賠償を求める訴訟が提起された（ライフ事件訴訟。東京地判平成20・5・21判タ1279号122頁［57］〔請求棄却，確定〕）。この事件の背景には，上記のように，特定容器利用事業者と特定容器製造等事業者の「責任比率」が販売見込額を基礎として算出されるため，特定容器利用事業者の責任比率が非常に高いことがあげられる。

本件において原告は，特定容器の製品設計を熟知している特定容器製造事業者の方が特定容器利用事業者よりも特定容器の製造の主な選択権を有しており，容器包装リサイクル法が製品設計等の制御可能性よりも製品価格への費用の内部化を重視するのは，容器製造という環境破壊行為を行う特定容器製造事業者を優遇するという点で，汚染者負担原則及び拡大生産者責任の趣旨に反すると主張した。

これに対し，裁判所は，主な選択権があるのは，利用するか否かを最終的に決定できる特定容器利用事業者であり，特定容器製造事業者は特定容器利用事業者の選択の枠内で技術的側面から容器の諸特性を定める従たる選択権を有している（にすぎない）と判示した。そして，本件規定が定める「業種別特定容器利用事業者比率」は，特定事業者各自の再商品化すべき量を，費用が内部化されるべき販売額を基礎として案分するものであり（11条2項参照），拡大生産者責任の考え方に依拠した1つの合理的な定め方であって，再商品化を促進するという立法目的と合理的な関連性があるとした。したがって，本件規定は特定容器利用事業者に対する不合理な差別とはいえないから憲法14条1項に違反しないし，また，本件規定に基づき特定容器利用事業者に対して再商品化に要する費用を負担させることは，財産権に対する，公共の福祉の実現を図るために必要な合理的な制約であって，憲法29条1項，3項に反するものではないとしたのである。

確かに現行の仕組みは立法裁量論との関係で違憲とはいい難いが，販売見込額のみを基礎とすることは，特定容器利用事業者に選択権があるということだけからは説明ができず，環境負荷の低減・資源の有効利用という循環基本法の目的に照らして，特定事業者各自の再商品化義務の負担割合（再商品化委託料金。本法14条参照）も環境負荷の程度（容器包装の材質，重量，素材数，色のほか，詰め替えを可能としているか等）を考慮しつつ決定する必要があろう（調整費用〔modulated fee〕）。これはフランスやドイツでは行われている点であり，拡大生産者責任の目的である環境配慮設計のためのインセンティブを与えるという観点からはぜひとも検討すべきである。

(g) 再商品化義務の履行方法

市町村で分別収集した後に特定事業者が再商品化するには，主に2つ，例外を含めれば3つのルートがある（**図表7-14**〔339頁〕）。

まず，①特定事業者が**指定法人**に自らの商品の義務量についての再商品化を委託することである。このルートが最も多く使われている。指定法人としては，**（公財）日本容器包装リサイクル協会**が指定されている（23条1項）。委託し，その債務を履行することによって，特定事業者は，その委託量に相当する特定分別基準適合物の量について再商品化したものとみなされる（14条）。事業者は，その義務量に応じて委託料金を指定法人に支払う（**指定法人ルート**〔第2ルート〕）。

次に，②特定事業者が自ら又は指定法人以外の者に委託して再商品化を行うルートである。これは主務大臣の認定を受けなければならない（15条。**独自ルート**〔第3ルート〕。この者を「認定特定事業者」という）。このようなルートを作ったのは，第2ルートのみだと，指定法人による独占の弊害が生ずる可能性があり，それを避けるためである。もっとも，実施例はない。

さらに，例外として，③特定事業者が特定容器，特定包装を自ら回収し，又は他の者に委託して回収するもの（リターナブルな商品で，市町村の分別収集も行われないもの）については，当初から事業者の義務量に含めないこととされる（18条。**自主回収ルート**〔第1ルート〕）。これについては，その行う特定容器又は特定包装の回収方法が一定の回収率（概ね90%。施行規則20条）を達成するために適切である旨の主務大臣の認定が必要である。2019年現在で138種類のガラスびん等152種類の容器がこの認定を受けた。3Rのうちのリユースを行うために重要なルートである。

なお，再商品化義務総量のうち，本法の適用除外とされている小規模事業者の分は，上記の日本容器包装リサイクル協会と市町村との間の契約で，市町村が負担することとされている。

(h) 再商品化義務の不履行の場合の手続

事業者がこの3つのルートのいずれも用いないときは，まず，主務大臣が勧告をし，従わないと公表，さらに命令をし（20条），それでも行わないと罰金に処せられる（46条）。2005年から翌年にかけて，経済産業省は，この再商品化義務を果たしていない事業者を初めて勧告，公表し，勧告に係る措置をとるよう命令した。最近では，2015年度に7社，2017年度に1社，2018年度に1社について公表されている。

(i) 対象事業者が市町村に資金を拠出する仕組み

2006年の法改正により，事業者が一定の資金を市町村に拠出する仕組みが創設された（10条の2）。すなわち，市町村による分別収集の質を高め，再商品化の質的向上を促進するとともに，容器包装廃棄物のリサイクルに係る社会的コストの効率化を図るため，毎年度，実際に要した再商品化費用が想定額（再商品化に要すると見込まれた費用の総額〔市町村から引渡しの申込みを受けた特定分別基準適合物の量×主務大臣が定める単価〕）を下回った場合，その下回った部分（差額）のうち，市町村の分別収集による再商品化の合理化への寄与の程度を勘案して，事業者が市町村に資金を拠出する仕組みである。この規定は，循環基本法の規定の影響を受けつつ，フランスの仕組み（→(3)(b)(ア)）を参考に，曲がりなりにも拡大生産者責任の規定を導入したものである。

上記の合理化に対する寄与は，市町村と事業者の取組の双方によると考えられるため，合理化分に寄与する程度に応じて，事業者から市町村へ拠出される。事業者による再商品化の効率化（リサイクルしやすい容器包装を作ることなどが含まれる）と，自治体の分別収集の質の向上，のそれぞれの寄与は半分ずつとされ，上記の差額の2分の1が拠出される。

この拠出金については全国レベルで算出されるが，それを各自治体にどのように分配するか。これについては，「分別基準適合物の質的向上」と「再商品化費用の低減」の2つの評価項目における寄与度に応じて各市町村で案分されることとなった（施行規則7条の2～7条の4）。2008年度から資金拠出制度が施行されている。

(j) そ の 他

(ア) 素材メーカーは，容器包装についての素材の選択可能性が小さいため，直接，再商品化の義務を負うことはないが，資源有効利用促進法の下で，特定再利用業種，指定表示製品を対象として，一定の義務が課されている（36条）。

(イ) レジ袋を有料化すると，レジ袋は有価であるから，容器包装廃棄物でなくなり，本法の対象外となるのではないかという問題がある。この点については，旧法ではそのように整理されていたが，2006年改正法は，有価であっても容器包装については本法の対象であることを明文で規定したため（2条1項，2項），この問題は解決された。

(k) マテリアル・リサイクルとケミカル・リサイクルの優劣

本法にいう「再商品化」に関しては，上記のようにマテリアル・リサイクルとケミカル・リサイクルが認められており，素材をそのまま生かすという観点からマテリアル・リサイクルが優先されてきた。しかし，近時，この優先を維持すべきか，どの程度優先すべきかが問題とされている。

2010年，環境省では，マテリアル・リサイクル手法の評価をした結果，①環境負荷の低減と資源の有効利用の点ではケミカル・リサイクル手法と「同等程度」である一方，②経済コストの点ではケミカル・リサイクル手法に比べて評価が低いとされた。そして，現時点では，マテリアル・リサイクル手法の優先的取扱いを廃止するに十分な材料が得られていなかったため，次期の容器包装リサイクル法の見直しまで，容器包装リサイクル協会の入札においては，マテリアル・リサイクルについて優先的取扱いはするが，上限を設定することとし（市町村見込量の50%），また，マテリアル・リサイクルの優先枠の運営において優良な事業者を育成することとした。

この問題は，従来からのマテリアル・リサイクルの優先という要請と，再商品化の合理化（再商品化コストの低減化）の要請との調整が議論される重要な例である。

(3) 本法の成果と問題点

(a) 本法の成果

本法の制定を1つの要因として，2014年度には一般廃棄物のリサイクル率が20.6%にまで上がったこと（生活系一般廃棄物の量のうち容器包装廃棄物が占める割合も，2013年度には容積比で53.2%に漸減した），それに伴い一般廃棄物の最終処分場が延命化されたことなど，相当の効果が認められる。これらの点は大いに評価されるべきであると考えられる。

(b) 本法の問題点

もっとも本法は，容器包装廃棄物の発生の抑制の観点が十分に取り入れられておらず，廃棄物をいかに処理するかという発想から抜け出していない。さらに，リサイクルについても本法は十分なものではない。以下，本法の特色と問題点について，主に4点触れておきたい。

(ア) 第1に，本法は，前述のように，製造事業者等に再商品化の義務を課したものであり，その一方で，分別収集の義務は市町村に課している。これは，再商品化という段階に限定してではあるが，製造事業者等の責務を認めたものとして特筆に値する。廃棄物の減量及びリサイクルの促進という観点からは，それについての費用を地方自治体が負担するのでなく，製造事業者に負担させるのが効率的であり，また，減量・リサイクルのインセンティブを与えるべきことはかねて指摘されてきた（拡大生産者責任）。製造事業者は，製造の設計等に際し，廃棄物減量を考慮することができ，また，リサイクルに際し，その製品の組成等を熟知しているためにその処理の能力を有していると考えられるからである。

しかし，本法のシステムは，それがモデルとしたドイツやフランスのシステムに比べて，事業者負担が著しく小さい点に問題がある。ドイツにおいてもフランスにおいても，包装材の製造業者等は，包装廃棄物の回収及びリサイクルの義務ないしその費用の支払いの義務を課されている。廃棄物の回収にかかる費用は，その処理費用全体の相当の部分を占めており，本法のシステムの下での事業者の負担は相当に少ない。そして，そのことは，本法のシステムの下では，市町村に分別収集を行うインセンティブが与えられていないこととも直結している。

もっとも「エコ・アンバラージュ社」と呼ばれる指定法人を中心とするフランスのシステムの下では，包装廃棄物の回収は自治体によって行われ，製造業者等はエコ社を通じて自治体の分別・回収を支援・補助することとされており，ドイツの仕組みとはやや異なっている。

すなわち，この点については，①現在自治体が行っている分別収集の実施を誰の責任とするか，②その費用を誰の負担（支払）とするか，という2つの問題があるが，ドイツは①についても「拡大生産者責任」を及ぼし，製造・利用事業者に分別収集をさせる考え方，フランスは②についてのみ「拡大生産者責任」を及ぼし，製造・利用事業者に自治体の分別収集にかかる費用を何らかの形で支払わせる考え方を採用しているのである。

本法は，2006年改正により，フランスのシステムを参考に若干修正したが（→(2)(i)〔345頁〕），これは，②を「再商品化費用の余剰金の半分」についてごく部分的に実施したにすぎない。また，改正法における事業者が市町村に資金を拠出する仕組みについては，種々の批判がありうるであろう。まず，2006年改正に際しては，自治体の3,000億円の分別収集費用，事業者の400億円の再商品化費用の額があまりにも異なることが議論されていたのであるが，拠出金額は2012年度は20億円未満，さらに，2021年度にはすべての品目について0円となった。元来，拠出金額は，毎年度，実際に要した再商品化費用（実際の単価×実際の再商品化量）が想定額（再商品化計画の想定単価〔3年度の平均〕×想定再商品化量）を下回った場合，その差額の半額を原資としているが，想定単価が下がること，想定再商品化量は実際の量に当然近づいていくことのため，拠出金の額は自ずから減少してきた。そのため，この仕組みの持続可能性についてはかねて疑問が呈されていたものである。

このように，分別収集についての「拡大生産者責任」のあり方についてはなお問題が残されている。2点指摘しておきたい。まず，②の方式を採用する場合には，自治体において非効率な収集運搬がなされることを防ぐため，自治体の廃棄物会計の透明化が前提となる。次に，2006年改正は，そもそも②の方式をとったために，事業者は，自治体への「青天井」の「ばらまき」拠出を要請されることを恐れ，矮小化された形での拠出にとどまる結果となったともいえる。ドイツのように①の方式を採用すれば事業者が自ら分別収集をするため，このような問題が生ずる余地がなかったからである。このように，将来的には，自治体による分別収集を維持することが絶対的な要請なのか，容器包装廃棄物については事業者が分別収集もすることにした場合の社会的な追加コストはどの程度で，それは制度が開始した後に減少していくものか否か等について，白紙の状態から検討する必要があるといえよう。

➡ 容器包装リサイクル法の2006年改正に導入された10条の2の規定はどのような意義を有するか，この規定の仕組みに限界はあるか。

➡ 容器包装リサイクル法は循環基本法にいう拡大生産者責任との関係ではどのように評価されるか。

(イ) 第2に，本法については，2000年4月から，20万社ともいわれる中小企業の義務免除がなくなり，また，プラスチック製容器包装，及び紙パック以外の紙製容器包装についても本法が適用された。紙類，プラスチックともに，従来の適用対象（ガラスびん，PETボトル）以上に再商品化は容易ではなく，そのため，分別収集を実施している市町村の数はなお不十分である（2018年度に「その他プラスチック」の分別収集を実施している市町村は76.7%，紙製容器包装については34.7%にとどまっている）。特に中小企業で再商品化義務を果たしていない事業者は少なくなく，大手スーパーマーケットから不満が表明されるなど，問題が生じている。

(ウ) 第3に，より根本的な問題として，本法は容器包装のリサイクルを進めてきたが，その発生抑制については何ら寄与してこなかったという問題がある。これらの点を含め，2006年に法改正である程度対応されたが，基本的には事業者の自主的取組に委ねられており，注視していく必要があろう。より根本的には，**デポジット制度**（→**3-2**・2(1)〔75頁〕），**ワンウェイ容器に対する賦課金制度**のような経済的手法の導入が検討されるべきである。

(エ) 第4に，「再商品化」の実施及びその費用負担についてはなお全体像が不透明な点が残されている。容器包装リサイクルのフローの透明化を図るため，指定法人は，検査体制を強化し，再商品化事業者に対する不定期の立入り検査の回数を増強し，再商品化製品利用事業者に対しては，同利用量を証明する書類の提出を求めることとするとともに，分別収集された当該市町村の容器包装廃棄物がどのような再商品化製品となり，それがどのように利用されているかといった情報について，市町村が利用しやすい形で情報提供すべきである。

(4) レジ袋に関する判断基準（省令）の2019年改正

2019年，プラスチック製買物袋の使用の合理化を推進するため，容器包装リサイクル法の枠組みを基本としつつ，同法（7条の4）の判断基準（小売業に属する事業を行う者の容器包装の使用の合理化による容器包装廃棄物の排出の抑制の促進に関する判断の基準となるべき事項を定める省令）の改正により，有料化が実施された（2020年7月施行)。小売事業を行う際には容器包装の使用の合理化が義務付けられており（法7条の4第1項)，従来，具体的な手段としてa）容器包装の有料化，b）容器包装を利用しない場合のポイント還元，c）マイバッグの提供，d）声がけの推進等，のいずれかを行うことが定められていたが，プラスチック製買物袋については，a）を必須としたのである（同省令2条1項。なお，2項新設)。

有料化義務づけの対象となるプラスチック製買物袋（レジ袋よりは広い。風呂敷状のもの，ギフトラッププも入りうる〔詳細は「プラスチック製買物袋有料化実施ガイドライン」による〕）は，①消費者が商品の購入に際し商品を持ち運ぶために用いる，②プラスチック製の袋であり，③消費者が辞退することが可能なものである。これら全体を基本方針では対象とするが，以下のものは省令上有料化の義務付けはしない。1）繰り返しの使用が可能でプラスチックのフィルムの厚さが50マイクロメートル以上のものであって，その旨が表示されているもの，2）海洋生分解性プラスチックの配合率が100％であってその旨が表示されているもの，3）バイオマス素材の配合率が25％以上であってその旨が表示されているもの。

省令上義務付けをしないこれら3つについては，環境価値があるものであり，小売事業者はその点をPRして有料化をしていくことが推奨される。消費者のライフスタイル変革を促すべく，プラスチック製買物袋については有料化することを基本とした上で，環境価値のあるものについては事業者の自主性の余地を残したものといえよう。

詳細についてはガイドラインに記される。中身が商品でない場合（役務の提供に伴うプラスチック製買物袋）についても自主的取組として同様の措置を講じることが推奨されること，国の取組を超える自治体の取組は尊重されるべきことも，ガイドラインに含まれる。レジ袋はプラスチックの使用量の2％にすぎないが，今後のプラスチック対策の出発点とすべきものといえよう。

4　プラスチックに係る資源循環の促進等に関する法律（プラスチック資源循環促進法）

⑴　背　景――海洋プラスチック問題とそれに対する対処

(a)　海洋でのプラスチック（以下，「プラ」という）による汚染は，海岸での漂着ごみ（個数の7割程度をプラが占める），及び海洋で漂流するマイクロプラスチックの問題であり，これにより，生態系を含めた海洋環境への影響，船舶航行・観光・漁業，沿岸域居住環境への影響が生じている。既に海洋のプラが魚に摂取され，それを通じて人間に摂取されていることが明らかになっている。プラが有害物質を吸着する性質を有することから，人の健康被害の可能性も懸念されているが，現在，この点はまだ明らかにはなっていない。海洋でのプラ汚染は地球規模で生じており，世界経済フォーラムの報告書（2016年）によると，2050年までに海洋中のプラの量が魚の量を上回ると予測されている。日本近海はプラ汚染のホットスポットである。

(b)　国内ではこれらの問題に対処するために，第1に，海岸漂着物処理推進法が2018年に改正され，その下で，海岸漂着物等地域対策推進事業として，都道府県市町村等が実施する海洋ごみに関する地域計画の策定，海洋ごみの回収処理等に対する補助金による支援が進められている。

第2に，第4次循環型社会形成推進基本計画（2018年）を踏まえつつ，政府の関連9省庁は，2019年5月，「プラスチック資源循環戦略」を策定した。そこでは，基本原則として「3R（リデュース，リユース，リサイクル）＋Renewable」を打ち出すとともに，マイルストーンとして6点が打ち出された。すなわち，（リデュースとして）① 2030年までにワンウェイプラを累積25％排出抑制する，（リユース・リサイクルとして）② 2025年までにプラ製容器包装・製品のデザインを，リユース・リサイクル可能なデザインにする，③ 2030年までにプラ製容器包装の6割をリユース・リサイクルする，④ 2035年までに使用済みプラをリユース・リサイクル等により，100％有効利用する，（再生利用・バイオマスプラとして）⑤ 2030年までにプラの再生利用を倍増する，⑥ 2030年までにバイオマスプラを約200万トン導入する。

第3に，上記資源循環戦略に基づき，上述したように，レジ袋などプラ製買物袋の無料配布禁止を進めるため，2020年2月，容器包装リサイクル法の省令（判断基準）改正によって対応した。

(c)　海洋ごみについては，2012年のRio＋20の合意事項（「我々の求める未来」）においても，2025年までの大幅削減達成が宣言され，2015年に国連で決議された

SDGs（持続可能な発展の目標）にもあげられた（目標14のターゲット1）。2019年6月には，包括的なライフサイクルアプローチを通じて，2050年までに，海洋プラごみによる追加的な汚染をゼロにまで削減することを目指す「大阪ブルー・オーシャン・ビジョン」がG20首脳間で共有された。

(d) 廃プラに関しては，最近，輸出が困難になったことにも留意が必要である。すなわち，2017年，中国政府は廃プラなどを含む固体廃棄物の輸入規制の方針を明らかにし，2017年から2019年にかけて段階的に廃プラの輸入禁止措置を発動した。わが国においては，廃プラの国内資源循環が重要となり，不法投棄・不適正処理を防止するため，当面，国は焼却に対する補助金政策を活用した。

(e) 上述した海洋プラごみ問題，中国等の廃プラ等輸入規制強化，さらに，温室効果ガス（GHG）の削減ポテンシャルがプラ対策にあると見込まれることを契機として，国内におけるプラの資源循環を一層促進する重要性が高まったことから，多様な物品に使用されているプラについて，包括的に資源循環体制を強化する必要が生じた。

このような観点から，2021年6月に「プラスチックに係る資源循環の促進等に関する法律」が国会で成立した（6月11日公布。令和3年法律60号。2022年4月施行）。

本法は，プラのライフサイクル全体でのフローに対応し，資源循環の高度化に向けた環境整備をし，循環経済への移行を図ろうとしている点に特徴がある。プラのような素材に着目して，上流から下流までを対象として3R等を推進する法律は従来なく，わが国の3R等リサイクル法の中でも新たな特徴を備えた法律が制定されることになったのである。

(2) 概　要（図表7-15参照）

(a) 目的，基本方針，責務（1，2章）

(ア) 目　的

本法は，国内外におけるプラ使用製品の廃棄物を巡る環境の変化に対応して，プラに係る資源循環の促進等を図るため，プラ使用製品の使用の合理化，プラ使用製品の廃棄物の市町村による再商品化並びに事業者による自主回収及び再資源化を促進するための制度の創設等の措置を講ずることにより，生活環境の保全及び国民経済の健全な発展に寄与することを目的としている（1条）。再商品化が市町村によるとされている点については，容器包装リサイクル法の考え方とはやや異なったものとなったといえよう。

(イ) 基本方針

主務大臣は，プラに係る資源循環の促進等（プラ使用製品廃棄物及びプラ副産物の排

【図表 7-15】プラスチック資源循環促進法の概要（個別の措置事項）

設計・製造

【環境配慮設計指針】

●製造事業者等が努めるべき**環境配慮設計に関する指針**を策定し，指針に適合した製品であることを**認定**する仕組みを設ける。

➢認定製品を**国が率先して調達**する（グリーン購入法上の配慮）とともに，リサイクル材の利用に当たっての**設備への支援**を行う。

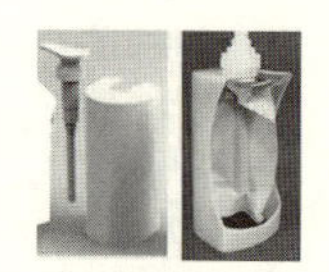

＜付け替えボトル＞

販売・提供

【使用の合理化】

●ワンウェイプラスチックの提供事業者（小売・サービス事業者など）が取り組むべき**判断基準を策定**する。

➢主務大臣の**指導・助言**，ワンウェイプラスチックを多く提供する事業者への**勧告・公表・命令**を措置する。

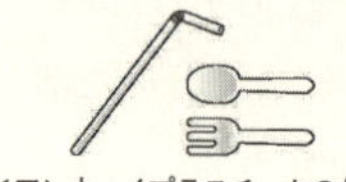

＜ワンウェイプラスチックの例＞

排出・回収・リサイクル

【市区町村の分別収集・再商品化】

●プラスチック資源の分別収集を促進するため，**容リ法ルートを活用した再商品化**を可能にする。

＜プラスチック資源の例＞

●市区町村と再商品化事業者が**連携して行う再商品化計画**を作成する。

➢主務大臣が認定した場合に，市区町村による**選別，梱包等を省略**して再商品化事業者が実施することが可能に。

【製造・販売事業者等による自主回収】

●製造・販売事業者等が製品等を**自主回収・再資源化する計画**を作成する。

➢主務大臣が認定した場合に，認定事業者は廃棄物処理法の**業許可が不要**に。

＜店頭回収等を促進＞

【排出事業者の排出抑制・再資源化】

●排出事業者が排出抑制や再資源化等の取り組むべき**判断基準を策定**する。

➢主務大臣の**指導・助言**，プラスチックを多く排出する事業者への**勧告・公表・命令**を措置する。

●排出事業者等が**再資源化計画**を作成する。

➢主務大臣が認定した場合に，認定事業者は廃棄物処理法の**業許可が不要**に。

出典：環境省資料を加工

出の抑制並びに回収及び再資源化等の促進）を総合的かつ計画的に推進するため，以下の事項等に関する基本方針を策定する（3条1項）。プラ廃棄物の再資源化に資する環境配慮設計（同条2項2号），プラ使用製品の排出の抑制，ワンウェイプラ使用の合理化（同項3号），プラ廃棄物の自主回収，再資源化等（同項5号）など。

本法は，基本方針は，海洋環境の保全及び地球温暖化の防止を図るための施策に関する法律の規定による国の方針との調和が保たれたものでなければならないとしている（3条3項)。本法制定のきっかけが上記の「大阪ブルー・オーシャン・ビジョン」とカーボンニュートラル（CN）であったことが，このように他の環境法との関係について定める規定を置くことにつながっている。

プラ資源戦略には，上述したように，従来からの3R（循環基本法5条，7条参照）とともにRenewable（素材転換）の考え方が入ったが，この点は基本方針に記載された。

(ウ) 責務規定

事業者及び消費者，国，地方公共団体の責務について規定がおかれている（4条～6条)。

(b) 個別の措置事項（設計・製造段階）――プラスチック使用製品設計指針（3章）

本章では，製造事業者等が努めるべき環境配慮設計に関する指針を策定し，指針に適合した製品であることを認定する仕組みを設け，認定製品を国が率先して調達する（グリーン購入法上の配慮）とともに，リサイクル材の利用に当たっての設備への支援を行うこととした。すなわち――，

主務大臣は，プラ使用製品製造事業者等（プラ使用製品の製造を業として行う者〔その設計を行う者に限る〕及び専らプラ使用製品の設計を業として行う者）が設計するプラ使用製品についてプラに係る資源循環の促進等を円滑に実施するために同製造事業者等が講ずべき措置に関する指針（プラ使用製品設計指針）を定める（7条1項)。そして，プラ使用製品製造事業者等は，同指針が定められたときは，これに即してプラ使用製品を設計する努力義務が定められた（同条5項)。このような設計の指針を定めた点は，本法の重要な進展である。

プラ使用製品設計指針で定める事項は，プラの使用量の削減，プラに代替する素材の活用その他のプラに係る資源循環の促進等を円滑に実施するためのプラ使用製品の設計又はその部品もしくは原材料の種類についての工夫に関して取組むべき事項等とされている（7条2項)。このような環境配慮設計の例としては，付け替えボトル，易解体性の椅子，100％リサイクル素材のペットボトルなどがあげられる。また，指針の中には，再生利用を阻害する添加剤等の使用を避けることについて検討することが書き込まれた（同指針2⑵②)。

プラ使用製品製造事業者等は，その設計するプラ使用製品の設計について，主務大臣の認定（設計認定）を受けることができる（8条1項)。主務大臣は，設計認定の

申請があった場合において，当該申請に係るプラ使用製品の設計がプラ使用製品設計指針に適合していると認めるときは，設計認定をするものとする（8条及び9条）。製品の認定である点に特色がある（ちなみに，容器包装リサイクル法の判断基準は事業者の措置についてのものである）。

プラ使用製品製造事業者等が設計認定を受けるメリットは次の2点である。第1に，国は，グリーン購入法の基本方針の策定・変更の際に，設計認定に係るプラ使用製品（認定プラ使用製品）の調達の推進が促進されるように十分配慮しなければならないことである（10条1項）。第2に，認定プラ使用製品製造事業者等は，産廃処理事業振興財団（産廃の処理に係る特定施設の整備の促進に関する法律16条1項により指定）から，施設整備事業に必要な資金についての債務保証や，研究開発に関する助成金を受けられることである（54条）。なお，事業者及び消費者についても，認定プラ使用製品を使用する努力義務の規定が入れられた（10条2項）。上記指針については，①業界のガイドラインレベルのものと，②トップランナー的なものの2段階とし，認定は②について行うことが考えられている。

これによって，設計認定を受けたプラ使用製品と，設計認定を受けないプラ使用製品の双方が社会に存在することとなるが，消費者には前者を購入してもらう（10条2項参照）ための情報的手法として，前者にはロゴマークを付けることが考えられるが，2022年現在，業界の反対で実現していない。指針の中身も，段階的に向上させていくことが考えられる。

(c) 個別の措置事項（販売・提供段階）――特定プラスチック使用製品の使用の合理化（4章）

本章では，ワンウェイプラの提供事業者（小売・サービス事業者など）が取り組むべき判断基準を策定し，主務大臣の指導・助言，ワンウェイプラを多く提供する事業者への勧告・公表・命令の規定を定める。すなわち――，

主務大臣は，プラ使用製品廃棄物の排出を抑制するため，主務省令で，その事業において特定プラ使用製品（商品の販売又は役務の提供に付随して消費者に無償で提供されるプラ使用製品として政令で定めるもの。容器包装リサイクル法2条1項の容器包装を除く）を提供する事業者であって，特定プラ使用製品の使用の合理化を行うことが特に必要な業種として政令で定めるものに属する事業を行うもの（特定プラ使用製品提供事業者）が特定プラ使用製品の使用の合理化によりプラ使用製品廃棄物の排出を抑制するために取り組むべき措置に関し，当該特定プラ使用製品提供事業者の判断の基準となるべき事項を定めるものとする（28条1項）。特定プラ使用製品の概念としては，「付随して……無償で提供される」という点がポイントである。元来は

使い捨てプラとすることが考えられたが，販売時には，使い捨てられるかが外形上明らかではないため，無償提供の点に着目したものである。例としては，無償で提供される，スプーン，ストロー，ホテルのアメニティ，クリーニングのハンガーがあげられる。無償か否かは外形的に判断される。

主務大臣は，プラ使用製品廃棄物の排出を抑制するため必要があると認めるときは，特定プラ使用製品提供事業者に対し，28条1項の判断基準となるべき事項を勘案して，排出の抑制について必要な指導及び助言をすることができる（29条）。また，主務大臣は，特定プラ使用製品多量提供事業者（特定プラ使用製品提供事業者であって，その事業において提供する特定プラ使用製品の量が政令で定める要件に該当するもの）の同製品の使用の合理化によるプラ使用製品廃棄物の排出の抑制の状況が上記の判断基準となるべき事項に照らして著しく不十分と認めるときは，勧告，公表，さらに，公表後，正当な理由なく勧告措置をとらなかった場合において，プラ使用製品廃棄物の排出の抑制を著しく害すると認めるときは，審議会等の意見を聴いて勧告に係る措置を命令することができる（30条。命令違反の罰則については62条）。

特定プラ使用製品の使用の合理化の例としては，（受け取るか否かについての）消費者への意思確認，有料化，ポイント還元，薄肉化・軽量化されたものの使用，代替素材を用いるものの使用があげられる。

(d) 個別の措置事項（排出・回収・リサイクル段階）――市町村の分別収集・再商品化（5章。その1）（プラ資源としての一括回収）

プラ資源の分別収集・再商品化を促進するため，容器包装リサイクル法ルートの活用を可能にする。すなわち――，

第1に，市町村は，その区域内におけるプラ使用製品廃棄物の分別収集に当たっては，当該市町村の区域内においてプラ使用製品廃棄物を排出する者が遵守すべき分別基準の策定等の措置を講ずるよう努める。そして，市町村が分別の基準を定めたときは，当該市町村の区域内においてプラ使用製品廃棄物を排出する者は，当該分別の基準に従い，同廃棄物を適正に分別して排出しなければならない（31条）。この点については，一般廃棄物であるので市町村が分別基準を定めるのは当然であり，確認的規定であると考えられている（もっとも，容器包装リサイクル法ではそうではない。容器包装廃棄物の分別収集に関する省令2条）。本条は，製品プラを含めて幅広く廃プラが市町村によって分別収集されることを意味している。また，産業廃棄物（合わせ産廃）も市町村の分別収集の対象に含まれる（31条，36条。後述する）。

第2に，市町村は，分別収集物（2条7項。32条により，環境省令で定める基準に適合するものに限る）の再商品化を，容器包装リサイクル法21条1項に定める指定法

人（容器包装リサイクル協会。以下，「容リ協会」）に委託できるものとする（32条）。これにより，製品と容器包装が混ざっていても容リ協会に委託されうる。容リ協会や同協会から再委託を受ける者は，分別収集物の再商品化に必要な行為等について廃掃法の許可が不要とされる（36条1項。また，36条7項は一般廃棄物処理基準不適合の場合に指定法人〔容リ協会〕は措置命令の処分者等に該当するものとみなすとしている）。

（市町村が再商品化を委託する）分別収集物についての環境省令で定める基準は，容器包装リサイクル法の分別基準と比べて遜色のないものになっている（分別収集物の基準並びに分別収集物の再商品化並びに使用済プラスチック使用製品及びプラスチック使用製品産業廃棄物等の再資源化に必要な行為の委託の基準に関する省令1条）。容器包装リサイクル法の分別基準適合物との相違の1つは，分別基準適合物は容器包装のみの基準であるのに対し，分別収集物はそれ以外のプラも含めたものである点である。

なお，36条により，容リ協会は，合わせ産廃についても委託を受けることとなる。この点は，市町村からの要請に基づく規定である。ちなみに，容器包装リサイクル法では容器包装リサイクル協会は産廃を受け入れられないこととなっていたが，本法では，プラ使用製品廃棄物の分別収集物に関しては委託を受けられることになったのである（2条7項にいう「分別収集物」も，31条にいう「プラ使用製品廃棄物」も，産業廃棄物を除外していないが，産業廃棄物を含むことは36条各項で明文で示されている）。プラ使用製品廃棄物については，容器包装リサイクル法の仕組みを実質的に産業廃棄物に拡張したことになる（もっとも，容器包装リサイクル法の対象となる分別基準適合物は，引き続き一般廃棄物に限られる）。市町村は合わせ産廃の処理に当たって手数料を徴収し，容リ協会に対しては，その手数料をもとに支払いをすることになる。

市町村としては，当面は（対応のしやすさから）このような容器包装リサイクルルート（一括回収）を活用し，最終的には(e)の認定を受けて中間処理工程を省略する方向を目指すであろう。

(e) 個別の措置事項（排出・回収・リサイクル段階）——市町村の分別収集・再商品化（5章。その2）（中間処理工程の一体化・合理化）

市町村は再商品化事業者と連携して行う再商品化の計画を作成する。すなわち——，

市町村は，単独で又は共同して，主務省令で定めるところにより，分別収集物の再商品化の実施に関する計画（再商品化計画）を作成し，主務大臣の認定を申請することができる（33条）。市町村が再商品化事業者と一体となってこのようなリサイクルをするというスキームである。この点は，条文からは必ずしも明確ではないが，再商品化計画に掲げる事項である33条2項6～8号，及び再商品化計画の認定

基準としての同条3項1号にそれが表れている。

再商品化計画の認定の効果は何か。認定された再商品化計画（認定再商品化計画）に記載されたプラ容器包装廃棄物は，容器包装リサイクル法の分別基準適合物とみなされる（35条）。すなわち，主務大臣が認定した場合に，プラ容器包装廃棄物が認定再商品化計画に記載されていれば，市町村による選別，梱包等を省略しており分別基準適合物ではない場合であっても，（容器包装リサイクル法によって収集されたものについては分別基準適合物とみなして同法の規定が適用され），再商品化事業者がこの作業を実施することが可能になったのである。これが中間処理工程の省略であり，本条は，プラ容器包装廃棄物について，認定再商品化計画に記載されていれば，市町村と再商品化事業者との役割分担の（従来の）線引きを変えることを意味している。容器包装廃棄物について，市区町村による選別，梱包等を省略し効率化してリサイクルに伴う社会的費用を低減させることは，容器包装リサイクル法の2006年改正前の審議でも重要な論点であったが，実現しなかった。本法は，この点を，プラ容器包装廃棄物に関して部分的に（再商品化計画の認定を受けた市町村について）実現したものといえる。

再商品化計画の認定基準（33条3項1号）は省令により，収集，選別，（圧縮），梱包，さらに運搬，選別，減量化という一連の工程が効率化されることが定められる。容器包装リサイクル法の対象部分については従来通り，特定事業者が再商品化の費用を支払うものの，特定事業者の費用負担が増えないことが必要となる（施行規則4条9号）。

市町村が計画の認定を申請しないことはありうるが，市町村が認定を申請する原動力としては，①選別の手間を省ける（コストを低減させうる）こと，②リサイクルに関する市民への説明がしやすくなる（入札の結果，某製鉄所のケミカル・リサイクルに回っているということがないなど，リサイクルに対する不満を持たせなくてすむ）こと，③市町村自らがどういうリサイクルをするかのコントロールができることなどが考えられる。このうち，特に①のメリットを達成するためには，リサイクル業者を市町村の近くに配置する必要が生じる。

再商品化計画の作成の際，リサイクル業者は市町村と1対1の関係でなくてもよく，複数でもいいし，市町村も共同でもよい（33条1項）。

市町村は自らの創意工夫により，他の市町村と複数で合同の広域計画を立て，自ら分別収集したものを複数のリサイクル業者と連携して，廃掃法の特例を受けつつ，再商品化する。プラ容器包装廃棄物についても容器包装リサイクル法の分別基準適合物とみなされる。こうして，協力しないとリサイクル事業が成り立たない中で各主体が連携し，再商品化のコストをカットし地元の目に見えるリサイクルをし，さらにリサイクル品が地元で用いられるという状況を生むことが期待されている。

なお，5章の規定の適用除外として，38条が定められている。家電も自動車も製品にプラが含まれているが，家電リサイクル法の対象や自動車リサイクル法の対象製品も適用除外されている。小型家電はここには挙げられていないが，分別収集物の環境省令による基準（32条参照）で対象としない趣旨である。

(f) 個別の措置事項（排出・回収・リサイクル段階）——製造事業者等による自主回収及び再資源化（6章）

本章では，製造・販売事業者等が製品等を自主回収・再資源化する計画を作成するものとし，主務大臣がこれを認定した場合，認定事業者は廃掃法の業の許可が不要となる。すなわち——，

自らが製造し，もしくは販売し，又はその行う販売もしくは役務の提供に付随して提供するプラ使用製品が使用済となったもの（使用済プラ使用製品。他社製品が混入された場合を含む）の再資源化のため，同製品の収集，運搬，及び処分の事業（自主回収・再資源化事業）を行おうとする者（自主回収・再資源化事業者）は，主務省令で定めるところにより，同事業の実施に関する計画（自主回収・再資源化事業計画）を作成し，主務大臣の認定を申請することができる（39条）。

自主回収・再資源化事業計画の認定を受けた自主回収・再資源化事業者（及びその委託を受けて使用済プラ使用製品の再資源化に必要な行為を業として実施する者）は，廃掃法の規定による許可を受けないで，認定自主回収・再資源化事業計画に従って行う使用済プラ使用製品の再資源化に必要な行為（一般廃棄物又は産業廃棄物の収集もしくは運搬又は処分に該当するものに限る）を業として実施することができる（41条1項）。これにより，現在行われている店頭回収の位置づけを明確にし，それを促進することを企図している。

もっとも，自主回収・再資源化事業者及び上記の受託者それぞれについて，処理基準，名義貸しの禁止等，廃棄物処理業者としての義務を受ける場合が定められている（41条4項，5項）。これらの者は改善命令の適用を受ける（同条6項）ほか，一般廃棄物処理基準違反の収集，運搬，処分が行われた場合において，認定自主回収・再資源化事業者が，収集・運搬・処分を行った者に対して，当該収集等を要求，教唆等したときは，廃掃法19条の4（措置命令）の規定の「処分者等」に該当するものとみなされる（41条7項）。

主務大臣は，認定自主回収・再資源化事業者に対し，必要な指導及び助言を行うものとする（42条）。

このような自主回収・再資源化事業計画の認定制度を梃にして，プラ使用製品の製造・販売事業者等が連携し，排出事業者―リサイクル業者―上流素材メーカー製造業者―小売業者というサプライチェーンをつなげることが期待されている。

なお，本章（6章）の規定の適用除外としては，家電リサイクル法，自動車リサイクル法，小型家電リサイクル法の対象製品があげられている（43条）。

(g) 個別の措置事項（排出・回収・リサイクル段階）――排出事業者による排出の抑制及び再資源化等（7章）

本章では，排出事業者が排出抑制・再資源化等に取り組むべき判断基準について定める。排出事業者等が再資源化事業計画を作成し，主務大臣がこれを認定した場合には，認定された事業者は廃掃法の業の許可が不要になる。すなわち――，

まず，主務大臣は，プラ使用製品産業廃棄物等の排出の抑制及び再資源化等を促進するため，主務省令で，排出事業者（小規模企業者その他政令で定める者を除く）がその排出抑制・再資源化等を促進するために取り組むべき措置に関し，当該排出事業者の判断基準となるべき事項を定めるものとする（44条1項）。主務大臣は，プラ使用製品産業廃棄物等の排出の抑制及び再資源化等を促進するため必要があると認めるときは，排出事業者に対し，44条1項の判断基準となるべき事項を勘案して，プラ使用製品産業廃棄物等の排出の抑制及び再資源化等について必要な指導及び助言をすることができる（45条）。また，主務大臣は，多量排出事業者（排出事業者であって，プラ使用製品産業廃棄物等の排出量が政令で定める要件に該当するもの）のプラ使用製品産業廃棄物等の排出の抑制及び再資源化等の状況が上記の判断基準となるべき事項に照らして著しく不十分と認めるときは，当該多量排出事業者に対し，必要な措置をとるべき旨の勧告，公表をし，さらに，公表後，正当な理由なく勧告措置をとらなかった場合において，プラ使用製品産業廃棄物等の排出の抑制及び再資源化等を著しく害すると認めるときは，審議会等の意見を聴いて勧告に係る措置を命令することができる（46条。命令違反の罰則については62条）。

排出事業者の排出抑制・再資源化等の促進のために取り組むべき措置としては，（製造工程の工夫による端材の削減など）プラ使用の合理化，プラの分別排出の徹底・リサイクルの推進などが挙げられる。具体的には，特定プラスチック使用製品提供事業者は，その事業で提供する特定プラスチック使用製品の使用合理化に関する目標を定め，これを達成するための取組を計画的に行う（目標については，特定プラスチック使用製品提供事業者の特定プラスチック使用製品の使用の合理化によるプラスチック使用製品廃棄物の排出の抑制に関する判断の基準となるべき事項等を定める省令1条）。排出事業者には，工場等だけでなく，オフィス系の事業者も含まれる。

次に，①自らが排出するプラ使用製品産業廃棄物等について再資源化事業（プラ使用製品産業廃棄物等の再資源化のための同廃棄物等の収集，運搬及び処分の事業）を行おうとする排出事業者，及び②複数の排出事業者の委託を受けて，これらの者が排出するプラ使用製品産業廃棄物等について再資源化事業を行おうとする者は，再資源化事業の実施に関する計画（再資源化事業計画）を作成し，主務大臣の認定を申請することができる（48条）。再資源化事業計画の認定を受けた再資源化事業者等（認定再資源化事業者等。①，②及び②の委託を受けて使用済プラ使用製品産業廃棄物等の再資源化に必要な行為を業として実施する者）は，廃掃法の許可を受けないで，認定に係る再資源化事業計画に従って行うプラ使用製品産業廃棄物等の再資源化に必要な行為を業として実施することができる（50条1項，51条1項）。②の認定再資源化事業者及び上記の受託者それぞれについて，処理基準，名義貸しの禁止，改善命令等，廃棄物処理業者としての義務を受ける場合が定められている（51条4項，5項）。

主務大臣は，認定再資源化事業者に対し，必要な指導及び助言を行うものとする（52条）。

48条〜52条の規定については適用除外として，家電リサイクル法，自動車リサイクル法，小型家電リサイクル法の対象製品があげられている（53条）。

(h) 雑　則（8章）

2点触れておきたい。

第1に，主務大臣の報告徴収，立入検査の規定である（55条，56条）。

第2に，本法の主務大臣は，基本的には，経済産業大臣及び環境大臣であるが，プラ使用製品設計指針，及び特定プラ使用製品の使用の合理化については，経済産業大臣及び事業所管大臣とし，プラ使用製品産業廃棄物等の排出事業者の判断基準となるべき事項の策定等については，経済産業大臣，環境大臣及び事業所管大臣としている（58条1項）。

(3) 本法の評価

第1に，制度の対象について（従来，容器包装リサイクル法では容器包装廃棄物のみを対象としていたのを）製品プラを含めてプラ全体に広げたことであり，従来のような個別物品についてのリサイクル制度とは異なる，素材横断的なリサイクル制度を創設したものとして積極的に評価できる。本法制定以前には，容器包装プラ以外の使用済プラも制度対象に含めるとしても，①生活系一般廃棄物の中で拡大するにとどめるか，②事業系一般廃棄物や産業廃棄物にも拡大するかが問題となったが，本法は②を含めた制度を設けたものであり，一般廃棄物と産業廃棄物を横断したリサイクル法になったという意義もある。

第2に，自主性重視の制約の中での従来の制度を最大限活用したことである（自主性の尊重自体については，第3点で触れる）。すなわち，環境配慮設計（DfE）に関して指針で定め，指針に適合した製品であることを認定する仕組みを設け，また，ワンウエイ・プラの提供事業者が取り組むべき判断基準を策定しこれに対する勧告等をする仕組み（筆者のいう「判断基準グループの法律」）を食品リサイクル法及び容器包装リサイクル法から借用し（さらに，排出事業者に対しても排出抑制・再資源化等に取り組むべき判断基準及び勧告等の仕組みを入れ），リサイクル事業者を含めた関係者のループの仕組みを食リ法から借用している。また，認定を用いて廃掃法の特例を与えることによって再資源化を進める方法は特に小型家電リサイクル法で用いられてきたものである。

第3に，（第2点とも関連するが）本法には，規制の回避という趣旨としての自主性の尊重の特色がみられる。判断基準とその違反に対する勧告等の仕組み，計画の策定・認定に伴う廃掃法の特例の仕組みが多用されている一方，費用負担の仕組みは導入されていない。費用負担の仕組みの欠如は，容器包装リサイクル法との大きな相違点となっている。

第4に，本法はDfEとの関係で指針を策定した点に特色がある。指針については，（これに基づく）主務大臣の指導の規定は入らなかったが，これに即した製造事業者等の設計努力規定（7条5項）や，認定プラ使用製品についての，国の調達推進促進の配慮（10条1項），及び事業者・消費者の使用努力（10条2項）の規定が定められた。プラ全体のDfEに関して法定の指針を定めることは単なるガイドラインよりも強い効果が期待される。また，この指針や認定が製品を対象としていることも本法の重要な特色である。従来循環管理に関する法制では製品に踏み込んだ規定は存在していなかったからである。

第5に，市町村や事業者の従来の主張との関係はどうか。上記のように自主性が尊重されているため，少なくとも事業者の費用負担が増加するとはいえない。市町村が再商品化計画の認定ルートを用いる場合に選別・梱包等の中間処理工程を一体化・合理化できることは，（市町村，特定事業者を含めて）プラのリサイクルの社会的費用を低減させるものとして重要である（→(2)(e)参照）。

第6に，本法には，輸入業者についての規定がない。本法は国内関係者のみを対象としているようにみえるが，この点は本法が促進法の一種であることと関連している。自主的取組の指導によって実質的に外国事業者との競争上の公平が害される可能性もあり，輸入事業者を通じて外国事業者にも何らかの誘導をすることを検討すべきであろう。

今般の新法の特徴は，第1点で触れたようにプラ全体に制度対象を広げた点にあるが，それと引き換えに，手法についてはマイルドなものとなっている。ある意味で両者がバーターとなっているのである。本法によってプラ資源循環戦略（→**4**(1)）のマイルストーンが達成できないときは，EPRや表示制度を含めて様々な施策を導入する必要が生じよう（本法に関する衆・参両議院の附帯決議参照）。

7-4 物質循環法制の課題
――循環型社会形成推進基本法と今後の課題

(1) 物質循環をめぐる問題点の解決の視点

これまで（→**7-2**〔261頁〕，**7-3**〔330頁〕），廃棄物，リサイクルのそれぞれの法制度を扱ったが，前述の5つの問題点（→**7-1**・1〔255頁〕）に対してはどのような解決が考えられるのか。

5つの問題点のうち第5点は過去の汚染に対応するものとして性質を異にするが，第1～第4の問題を解決するにあたっては，物質の循環をトータルに考察する必要があり，その骨子は，以下の点であった（総合法制ワーキンググループ提案・環境法政策学会誌2号39頁。以下，「骨子」という）。

第1は，わが国においては，廃棄物に関する法制度（廃掃法）とリサイクルに関する法制度（現行の資源有効利用促進法。ほかに，容器包装リサイクル法・家電リサイクル法も関連する）の2本立てのシステムがとられているが，これが物質循環を2つの世界に分断し，これらの問題を生じやすくしているという観点から，マテリアル・フロー（投入される物資の総量）を踏まえて廃棄物に関連する環境負荷を総合的に低減する施策を講ずることを，物質循環法制の目的に据えることである。そのためには，(i)ドイツ，フランスなどにみられるように2種類の法律を統合する，(ii)2種類の法律はそのまま存続するが双方を取り込んだ枠組法を作るという2つの方法が考えられるとした。

第2は，目標設定と計画的対応の必要があることである。

第3は，リサイクル全体の理念と枠組の設定の必要があることである。その後，個別のリサイクル関連法ができてきたが，未だにリサイクル全体についての理念がみえていない。資源有効利用促進法も，再生された資源の利用の促進という，物質循環のごく一部のみを対象とした，事業官庁所管の行政指導の法律であり，全体的な理念は見出し難い面がある。そこで，物質循環全体を捉え，各主体の環境保全の要請を総合的に行える法律，枠組法が必要であると考えられるが，枠組法の内容としては，まず，上述の「目標設定と計画的対応」，発生抑制，リサイクルを優先する「施策の優先順位の基本原則」があげられよう。

第4に，廃棄物とリサイクルの対象の区分を廃止し，一体化する必要があることである。これは，前述のように，資源と廃棄物を分けることが物質循環を二分し，今日の廃棄物問題を生じさせているという観点から，両者を一体として把握した上で，物の量や質（危険性）から，循環的利用をすべきもの，環境保全措置が必要なものを対象にしていくのが適当であると考えられるからである。これは，枠組法の対象についての問題となる。

第5に，枠組法に各主体の責務規定を入れ，拡大生産者責任について法的に明確化することが必要であることである。また，事業者の情報提供義務（事業者の行政庁に対する情報提供義務，事業者保有情報に対する市民の情報請求権）についても法的に明らかにすることが重要であろう。また，安価な処理費用による委託の結果，処理業者が不法投棄・不適正処理をすることを防止するため，排出事業者の廃棄物のリサイクル・処分義務は，第三者への適正な委託によっても，公法上は消滅しないとする規定をおくべきである。

第6に，枠組法に物質循環システム構築のための施策を規定する必要がある。廃棄物発生抑制・適正利用・適正処分推進のため，経済的手法，直接的手法，廃棄物の回収・リサイクルの企業化による経済的手法，自主的取組，各主体の取組を促すための情報提供等，基本的な施策をメニューとして法制化し，具体的な問題に応じて理念，基本原則に沿って個別法で組合せを明らかにしていくのが適当である。

第7に，処分施設については，その信頼性を確保するため，水源地等一定の地域には処分場の設置を認めないことを明確にするとともに，処分場の立地に行政が計画を通じて関与する必要があると考えられる。

以上の主要点は，①拡大生産者責任，②施策に関する優先順位の基本原則の確立，③目標設定と計画的対応の3点にあった。

⑵　循環基本法の概要

廃棄物等の発生量が増大し，かつ，廃棄物等の循環的な利用が不十分である現状を変えていくために，廃棄物・リサイクル関連の基本法を制定すべきであるとの指摘が1998年頃から環境庁等を中心になされ，2000年6月に循環型社会形成推進基本法（循環基本法）が制定された。本法は，環境基本法の下に位置する廃棄物・リサイクル関連の基本法である。この点に関しては，1つ問題がある。それは，「循環」には，自然の物質循環と経済社会システムにおける物質循環があるが，本法がどの範囲をカバーするかという点である。第2次環境基本計画では，自然の物質循環を損なうことによる環境の悪化を防止するため，資源循環，エネルギーの効率化等により，経済社会システムでの物質循環をできるだけ確保することとしており，この2つの循環が密接に関連していることはいうまでもないが，本法は，この経済社会システムでの物質循環のうち，廃棄物・リサイクルに関連する部分を対象としたものである。性質の異なる自然エネルギーの問題をこの法律に含める必要は乏しかったと思われる。

本法は，主に，以下の6点から構成されている。

(a) 第1に，形成すべき「循環型社会」とは，①廃棄物の**発生抑制**，②循環資源の**循環的な利用**，③**適正な処分**が確保されることによって，天然資源の消費を抑制し，環境への負荷ができる限り低減される社会をいうとされる（2条1項）。大量生産・大量消費のパラダイムを転換することを企図したものとして，注目される。

(b) 第2に，法の対象として「廃棄物等」という概念を作る（2条2項）とともに，そのうちの有用のものを「循環資源」と位置づけた（2条3項）ことである。従来，行政上，廃棄物（廃掃法の対象）は無価物に限るとして扱われてきたが，このことが有価物であると偽って廃掃法の潜脱を図る事件（豊島事件〔→**Column27**（266頁）〕など）を発生させた1つの原因となったことが指摘されてきた。他方，市況の変化により廃掃法の適用を受けたり受けなかったりすることがリサイクルの妨げになるとの観点も必要であるとされた。本法は廃棄物の概念自体を変更するものではないが，(a)廃棄物と，(b)それ以外の物品（(ア)一度使用された物品，(イ)使用されずに収集もしくは廃棄された物品〔(ア)，(イ)について，現に使用されているものを除く〕，(ウ)人の活動に伴い副次的に得られた物品）を合わせて「廃棄物等」とし，これについては，有価無価を問わないものとした。従来，有価の物には処分の規制はなかったことを変更し，有価物に対しても規制がなされうることになった点が重要である。(b)については，EUの定義がある程度参考にされている。さらに，「廃棄物等」のうち有用な物を「循環資源」と位置づけ，その循環的な利用を促進することにした。規定上は，「廃棄物等」の中に無用な物も存在するように読めるが，立法担当者によれば，ある産業で出された廃棄物等は，必ず他の産業の資源として用いられる可能性があり，全ての物が経済的制約を無視すれば有用であり，循環資源であるとの前提で定められている。

(c) 第3は，施策の優先順位の基本原則を初めて法制化したことである。①発生抑制（リデュース），②再使用（リユース），③再生利用（マテリアル・リサイクル），④熱回収（サーマル・リサイクル），⑤適正処分という順序で，「技術的及び経済的に可能な範囲で」できる限り上位の処理を行うこととされた（5条〜7条）。ドイツの循環経済法の影響がみられる点である。ここにいう「技術的及び経済的に可能な範囲で」とは，業界単位の技術・経済水準ではなく，個々の業者の技術・経済水準であると解されているが，同時に，現状追認的なものではなく，「相当な努力」をした上で達成できる程度である（国会委員会答弁）と考えられている。「技術的及び経済的に可能な範囲」について，基準を作ることは予定されていない。また，この規定の違反に対しては罰則は設けられていない。なお，7条柱書後段では，「環境への負荷の低減」の観点から，この順序とは異なる扱いがなされるべき場合があることが示されていることにも注意を要する。

(d) 第4は，国，地方公共団体，事業者及び国民の役割分担を明確化したことである。特に，(i)**事業者の排出者責任**（11条1項。なお，18条1項。文言上は「責務」とされる）及び(ii)――「適正な処分に関し国及び地方公共団体の施策に協力する責務」という限度で――**国民の責務**（12条1項。なお，18条2項）を明らかにしたことと，ならびに，(iii)生産者が自ら生産する製品等について，使用されて廃棄物になった後まで一定の責任を負うとする「**拡大生産者責任**」についての一般的責務規定をおいたことである（特に11条3項。なお，同条その他各項，18条3項）。

(i)，(ii)については，事業者の責任についてはすでに廃掃法で明らかにされており（廃掃法3条。産業廃棄物については11条），国民の責務についても類似の規定があった（廃掃法2条の4）ため，本法に特に意義があるわけではない（ただ，拡大生産者責任の前提として排出者責任があることを規定した点は，――当然のことではあるが――重要である）。

これに対し，(iii)については，すでに容器包装リサイクル法，家電リサイクル法が拡大生産者責任についての規定をおいていたが，本法がこの概念を一般的に提示した点に意義があるといえる。

Q16 循環基本法は拡大生産者責任についてどのような考え方を示しているか。

この法律は，拡大生産者責任について，(i)廃棄物等となることの抑制措置（11条1項。この中に一定の製品の製造・販売の禁止が入るか不明だが，含みうるであろう），(ii)表示，設計の工夫（同条2項），(iii)引取り・リサイクルの措置（同条3項），(iv)循環資源を利用できる者の利用（同条4項）の4つのものを含ませている。

拡大生産者責任の中でも，(iii)が最も環境負荷低減に効果的である反面ドラスティックな面があるが，本法はその要件を規定している。一般的に，事業者に引取り・リサイクルの責務を課する要件（11条3項）については，

①国，地方公共団体，事業者及び国民の適切な役割分担が必要であるもの（＝市町村が全部役割を負担していてはうまく循環しないもの），

②設計，原材料の選択，循環資源の収集（＝販売の過程を回収に使える）等の観点

から，事業者が果たすべき役割が重要と認められるもの（農作物については，農家は，設計，原材料の選択を行うことは困難であり，この要件を満たさない場合が多いであろう），とされているが，引取り・リサイクルの規制措置を導入する要件としては，上記の2つの要件のほか，

③当該循環資源の処分の技術上の困難性（＝例えば，適正処理困難物〔廃掃法6条の3参照〕か，排出量が多いか，有害物質を多く含むか），

④循環的な利用の可能性（事業者が利用できるかどうか）等を勘案するものとされている（18条3項）。

これらの要件は，例えば，大型の冷蔵庫（家電リサイクル法の対象）などを考えれば，これにあてはまることが理解されよう。

前述（→**Column37**〔331頁〕〔拡大生産者責任〕）の中では，本法18条3項の要件とともに，製品の通常予想される使用期間がそれほど長くないことを要件としてあげたが，この点は後述する無償引取りの要件の問題を扱ったものである。

本法では，拡大生産者責任の費用負担（支払）の議論については規定されなかった。この点については，一般的には製品販売のときに価格に上乗せ（内部化）する方法（廃棄時には無償引取りがなされる）が最も望ましいと考えられるが，物によって，内部化（無償引取り）すべきものと，そうでないもの（有償引取り）があるとの整理がなされたことによる。

有償引取りであっても，リサイクルの効果はそれなりに存在する。法的には，費用支払の問題とともに，誰がリサイクルを実施するかも重大な問題であり，拡大生産者責任には，無償引取りの場合と，有償引取りの場合の両者が含まれるといってよい。したがって，本法の発想自体には問題がないが，無償引取りの類型（例えば，「第一種製品廃棄物」と呼ぶ），有償引取りの類型（例えば，「第二種製品廃棄物」と呼ぶ）とを分けて枠組を規定し，それぞれの要件を掲げることも検討されるべきであったと考える。

なお，より具体的な問題として，11条3項，18条3項の要件からすると，**容器包装リサイクル法**の改正の可能性が見込まれていたといえよう。同法制定時には，容器包装については，②の設計，原材料の選択，循環資源の収集（＝販売の過程を回収に使える）等の面からみて事業者の果たすべき役割が重要であるという整理がされていなかったことになるが，この点については，その後，2006年に同法の一部改正がなされた（もっとも，改正によって導入された拠出金の仕組みは実質的にその後無効化される）。

(e)　第5に，循環型社会の形成を総合的・計画的に進めるため，政府は「**循環型**

社会形成推進基本計画」を次のような仕組みで策定することとされた（15条）。①原案は，中央環境審議会が意見を述べる指針に即して，環境大臣が策定する。②計画の策定にあたっては，中央環境審議会の意見を聴取する。③計画は，政府一丸となった取組を確保するため，関係大臣と協議し，閣議決定により策定する。④計画の閣議決定があったときは，環境大臣は，これを国会に報告するとともに，公表する。⑤計画の策定期限，5年ごとの見直しを明記する。⑥国の他の計画は，循環型社会形成推進基本計画を基本とする（16条2項。この点は環境基本計画を凌駕した点である。環境基本法15条，環境基本計画参照）。中央環境審議会は，指針と計画案の作成の2度にわたって意見を述べることとされた。

なお，政府は国会に，循環資源の発生，利用，処分の状況（進渉状況），講じた施策，講じようとする施策について，報告・提出の義務（14条）がある。

➡ 循環型社会形成推進基本計画と環境基本計画は，国の他の計画との調整について，どのような相違があるか。

(f) 第6は，循環型社会の形成のための国の施策を明示したことである。①廃棄物等の発生抑制のための措置（17条），②排出者責任の具体化のための規制等の措置（18条1項），③拡大生産者責任の具体化のために必要な措置（製品等の引取り——18条3項，循環的な利用の実施——18条4項，製品等に関する事前評価，設計の工夫への技術的支援，国民への情報の提供〔表示〕のために必要な措置——20条），④再生品の使用の促進のために必要な措置（19条），⑤環境保全上の支障が生じる場合，原因事業者にその原状回復等の費用を負担させる措置（22条），⑥原材料等が廃棄物等となることの抑制などに関する経済的措置（23条），⑦国による必要な調査の実施（29条）等である。これらの中にはすでに環境基本法，廃掃法，（従来の）再生資源利用促進法に含まれていたものも少なくないが，廃棄物・リサイクルに関する措置を横断的に取り上げたことにより，施策の全体像を明らかにし，不十分な点を明確にする効果があると考えられる。

③のうち，製品の引取り・リサイクル義務は，具体的には家電リサイクル法，容器包装リサイクル法（再商品化のみ），自動車リサイクル法（一定の物に限る），資源有効利用促進法（「指定再資源化製品」について）で定められている。循環的な利用の実施のために必要な措置には，既存のものとしては資源有効利用促進法の特定業種があげられる。また，グリーン購入法は，④に対応しているが，③の循環的な利用の実施のために必要な措置の問題でもある（公共事業を行うときは，行政が事業者となる）。また，製品等に関する事前評価（20条1項）の具体化としては，資源有効利用促進法の製品対策としての「指定省資源化製品」があげられる。事前評価の内容に，

耐久性，処分困難性など（ごみになりにくい物を作ることが期待されている）のほかに，有害物質の種類，量その他製品等が循環資源となった場合における処分に伴う「環境負荷」が入れられたことは重要である（20条1項4号）。これは，製品のライフサイクル・アセスメントを行うことを内包しており，有害物質を含まない製品づくりに向けた取組の基礎を作るものである。

⑤の具体的規定は，廃掃法の2000年改正で入れられた（廃掃法19条の6）ので，本法では抽象的規定がおかれたのみである。

⑥の中にごみ処理料金の有料化は明記されていないが，23条2項に入るであろう。デポジットも同項の1つの方法と考えられる。

⑦には，国によるマテリアル・フローの把握も含まれうると解される。

(3) 循環基本法の評価

(a) 全体として，循環基本法はどのように評価できるだろうか。先に（→(1)〔362頁〕）触れた骨子と比べると，①拡大生産者責任，②施策に関する優先順位の基本原則は導入された。③目標設定と計画的対応については，達成率を掲げてそれを目指して取り組む法的仕組みは入れられていなかったが，循環型社会形成推進基本計画に目標値が掲げられた。

(b) 骨子の各点について個別的にみると，第1～第3点については，上述したように，目標設定の規定が循環基本計画に委ねられたことを含めれば，ほぼ達成された。第1点については，廃棄物とリサイクル等3Rの双方の理念的上位法が制定されたのであり，廃棄物法体系にコンセプト転換をもたらしたといえる（勢一智子「一般廃棄物・資源循環法制の現状と課題」『環境保全の法と理論』299頁）。

第4点については，「廃棄物等」の概念が導入されたことにより，生産等の過程で生ずる製品以外の物全てを包含する概念が巧みに打ち立てられたものとみられる。この概念の導入により，有価のものについても規制を強化するきっかけができたといえよう。もっとも，現在の資源有効利用促進法を中心とするリサイクル関連法の規制は決して十分ではなく，今後，循環基本法に基づいてリサイクルに関する規制を行う個別立法が必要となることはいうまでもない。

第5点のうち，拡大生産者責任について法的に明確化されたことは一応評価できる。廃掃法の問題として前述したように，本法の制定の結果，廃棄物の分類については今後考え直すべきであろう（拡大生産者責任が重視されれば，廃棄物を，「事業系廃棄物」，「家庭系廃棄物」，「製品廃棄物」に分けるべきである）。

第6点の個々の施策については，多くのメニューが示された。このうち，自主的取組については，十分な取組をした者とそうでない者の公平が図れず，また，フリーライドが生ずる可能性が極めて高いため，目標の達成の程度についての情報公開義務などを課し，取組についての透明性を高めることに留意すべきであるが，このような仕組みについての規定が本法におかれていないのは問題であろう。再商品化後の再生品の利用の確保については，18 条 4 項，19 条が関係する。バージン資源賦課金，一定のモノ（再生品）の利用の義務付け（ミニマムコンテント），製造者の引取りの義務付け，再生品の規格化等の施策をこの中に含めて個別法を制定すべきである。

第 7 点の処理施設の立地に関する公共関与については，前述のように，廃掃法の課題として残されている。

このようにいくつかの問題は残されているが，冒頭（→**7-1**〔255 頁〕）に述べた第 1 ～第 4 の問題の解決の道筋はできたといえよう。本法を原動力として廃棄物・3R 立法が進展することが望まれる。

(4) 個別リサイクル法の残された課題

先に（→**7-3**〔330 頁〕）触れた個別リサイクル法は，循環基本法の理念を必ずしも反映していない。個々のリサイクル法全体を通じた残された課題について簡単に記しておきたい（(5)を含め，より詳細には大塚直「総論：循環管理法政策の展開 ―― その過去・現在・未来」環境法政策学会誌 25 号〔電子版〕参照）。

第 1 は，法律制定・改正の際に，理念実現の意欲が乏しいことである。特に「拡大生産者責任」との関係で問題となるが，これについては前述（→(2)(d)〔365 頁〕）したとおりである。循環基本法よりも先に個別法が制定されていたため，3R の推進等の循環基本法の理念が個別法に反映されていないという問題があるのである。

第 2 に，リサイクルにコストがかかることがあまり考慮されず，リサイクルの際の企業間の競争については関心が乏しいことがあげられる。

第 3 に，わが国では，手法としては自主的取組が重視され，その程度はますます拡大している。自主的取組にはメリットとデメリットがあり，両者を勘案した対応が必要であるといえよう。

第 4 に，（3R の第 1 順位の）発生抑制（リデュース）のための政策が弱いことがあげられる（もっとも，食品の分野では食品ロスの削減に対する取り組みが始まっている）。また，リユースは近年横ばいか減少の傾向にあり，リユースへの経済的インセンティブを与えるなど，抜本的な対応が必要である。

第 5 に，中古品等の海外輸出にどう対処するかという問題がある。この点は廃家電等の電気電子廃棄物（E-waste）について特に課題となっているといえよう。

(5) その他の循環政策の課題

個別リサイクル法以外の課題についても若干触れておく。

第1に，上記のように，地球温暖化及びエネルギー政策との関係では，2010年の廃掃法改正において，廃棄物処理施設について熱回収に関する認定制度が導入された（9条の2の4及び15条の3の3）。温暖化対策・エネルギー政策とリサイクル政策の統合の問題であり，この点は2020年の菅総理大臣によるカーボン・ニュートラル宣言により，極めて重要な課題となった。

なお，温暖化対策を推進すると，太陽光パネル，蓄電池，炭素繊維強化プラスチック（CFRP）のように，より高度な素材の普及が進むことになるが，こうした低炭素製品が3Rを阻害しないよう検討すべきである。

第2に，循環型社会を，低炭素社会，自然共生社会とともに相乗的に発展させること（「21世紀環境立国戦略」〔2007年閣議決定〕に始まる），資源活用の観点からより効率的な体制を備えるため，第5次環境基本計画（2018年）の「地域循環共生圏」の考え方を推進することが重要である。

第3に，近年，循環基本計画の指標のうち，資源生産性は天然資源等投入量の減少により増大傾向にある一方，入口側及び出口側の循環利用率はいずれも横ばいから減少傾向となっている。最終処分量は長期的に減少傾向にある。SDGsの資源効率の向上（目標8のターゲット8.4），持続可能な生産と消費（目標12）などを達成できるよう，循環型社会形成の取組みをさらに進める必要があることを銘記しておきたい。

第4に，近時の循環型社会形成に関する重要な課題として，高齢化社会への対応をあげることができる。特にわが国の循環管理政策は，諸外国に比べ，消費者の分別に対する真面目さに依存している面があるが，これが高齢化社会の到来によって根底から覆る可能性があるからである。現在の対応としては，市区町村において，行政の社会福祉部門と連携しつつ，高齢者へのごみ出しの支援が行われており（2021年1月時点で，34.8%の市区町村が行っている），また，環境省から，紙おむつリサイクルの実施の際の留意点をまとめた「使用済紙おむつの再生利用等に関するガイドライン」が策定されている（なお，ごみ屋敷について→ **Column35**〔331頁〕）。

第8章　自然環境・生物多様性に関する法

8-1　総　説

第1章であげた自然環境・アメニティに関する法には，地域的自然環境の保全に関する法，野生生物の保全に関する法，海浜・河川環境の保全に関する法，歴史的環境・景観アメニティを含めたアメニティの保全に関する法などが含まれる。

この中には，海浜・河川環境の保全に関する法である公有水面埋立法，海岸法，河川法や，景観アメニティに関する法である総合保養地域整備法（リゾート法）のように，基本的には開発を目的とした法も含まれるが，これらについても，環境保全が近時法律の目的に入ったものが少なくなく，新しい傾向がみられるところである（「諸法の環境法化」〔及川敬貴〕，「環境法家族論」〔交告尚史〕，「開発法のグリーン化」〔北村〕）。

本章では，自然環境・アメニティに関する法の中でも，自然環境・生物多様性に関する法を取り上げる（アメニティに関する法については，大塚『環境法』〈第3版〉13-3・3〔624頁〕参照）。

汚染排出の防止・削減に関する法（→**第6章**〔147頁〕）が，多くの場合，汚染物質の排出行為について排出基準の遵守を強制することを目的とするのに対し，自然環境・生物多様性に関する法は，現在の自然・文化環境を形成している地域等を保全することを目的として，必要な地域指定を行い，その地域内では一定の開発行為の規制（公用制限）をするという地域規制（ゾーニング）の手法を採用している点に特色がある（自然環境保全に関する地域指定制度の概要について，**図表8-1**）。また，自然環境・生物多様性に関する法は，その土地，地域と密接に関連しているため，汚染排出の防止・削減が問題となる場合以上に，地域の実情に応じた柔軟な手法（土地の買取り，税の減免，補助金，協議等）が求められるとともに，住民参加の必要性もより高いものといえることに注意しなければならない（畠山）。

以下では，地域的自然環境の保全法に特に重点をおいて概説する。

【図表 8-1】 自然環境保全に関する地域指定制度の概要

自然環境保全地域 (2019年3月31日現在)	自然公園 (2019年3月31日現在)	生息地等保護区 (2018年3月現在)	鳥獣保護区 (2019年11月1日現在)
自然環境保全法 (1972 制定)	自然公園法 (1957 制定)	絶滅のおそれのある野生動植物の種の保存に関する法律 (1992 制定)	鳥獣の保護及び管理並びに狩猟の適正化に関する法律 (2002 制定，2014 年改称)
自然環境を保全することが特に必要な区域等の生物の多様性の確保等の推進	優れた自然の風景地の保護と利用の増進	野生動植物種の絶滅の防止・保護増殖	鳥獣の保護，管理，適正な狩猟秩序の維持
【制限行為の概要】 特別地区：工作物設置，木竹伐採等の許可制 野生動植物保護地区：指定動植物種の捕獲採取等の許可制 普通地区：各種行為届出	【制限行為の概要】 特別地域：工作物の設置，木竹伐採，指定植物種の採取等の許可制 特別保護地区：動植物の捕獲採取等の許可制 普通地域：各種行為届出 海域公園地区：許可制	【制限行為の概要】 管理地区：工作物設置，木竹伐採，指定動植物の捕獲等の許可制 監視地区：各種行為届出	【制限行為の概要】 鳥獣保護区：狩猟の禁止 特別保護地区：工作物の設置等の許可制
原生自然環境保全地域 5地域：5,631ha	国立公園 34 公園 2,194,552ha 特別地域1,603,414ha うち特別保護地区 290,196ha 普通地域 591,137ha	生息地等保護区 9カ所：890ha 管理地区：390ha 監視地区：500ha	国設鳥獣保護区 86カ所： 59.3万ha うち特別保護地区 71カ所 16.4万ha
自然環境保全地域 10地域：22,542ha 特別地区 17,266ha 野生動植物保護地区 14,868ha 海域特別地区 1,077ha	国定公園 56 公園 1,409,727ha 特別地域1,307,601ha うち特別保護地区 65,021ha 普通地域 102,126ha		都道府県設鳥獣保護区 3,657カ所 293.6万ha うち特別保護地区 541カ所 14.3万ha
都道府県自然環境保全地域 546地域 77,414ha 特別地区 25,482ha 野生動植物保護地区 2,826ha	都道府県立自然公園 311 公園 1,974,248ha 特別地域 711,887ha 普通地域 1,262,361ha		
合計 105,587ha	合計 5,578,527ha		合計 352.9万ha

出典：環境省資料を加工

8-2 自然環境の保全

1 自然環境の保全と生物多様性

(1) 序

自然環境保全の目的については，1992年の生物多様性に関する条約（以下，生物多様性条約）の採択以来，**生物多様性**の保護にあるとする考え方が一般化してきた（2008年には生物多様性基本法が制定され，2009年には自然環境保全法と自然公園法，2013年には「絶滅のおそれのある野生動植物の種の保存に関する法律」の目的規定〔それぞれ1条〕に，生物多様性の確保が入れられた）。自然を生物群を含む生態系であると捉えるときには，このような考え方が支持される。

生物多様性とは，「様々な生態系が存在すること並びに生物の種間及び種内に様々な差異が存在すること」をいう（生物多様性基本法2条1項）。生物多様性条約は，(i)**遺伝資源の多様性**，(ii)**生物種・群の多様性**，(iii)**生態系の多様性**の3つの保護が含まれるとしており（さらに，(iv)景観の多様性を含める定義もある），本法もこれらをあげている（生物種内の多様性とは，遺伝子の多様性を意味する）。

自然環境の保全に関する法律には，

①生物多様性基本法（平成20年法律58号），

②もっぱら地域的自然環境の保全を目的とする法として，自然環境保全法（昭和47年法律85号），

③自然公園について定めたものとして，自然公園法（昭和32年法律161号），

④自然環境の再生について扱うものとして，自然再生推進法（平成14年法律148号），さらに，

⑤野生生物の保護について定めたものとして，鳥獣の保護及び管理並びに狩猟の適正化に関する法律（鳥獣保護管理法）（平成14年法律88号。2014年に法律名を含めて改正された），絶滅のおそれのある野生動植物の種の保存に関する法律（平成4年法律75号），特定外来生物による生態系等に係る被害の防止に関する法律（平成16年法律78号），遺伝子組換え生物等の使用等の規制による生物の多様性の確保に関する法律（カルタヘナ法）（平成15年法律97号）などがある。

⑥自然環境の保全に配慮しながら地域の創意工夫を生かしたエコツーリズムに関する枠組を定めたエコツーリズム推進法（平成19年法律105号），

⑦鳥獣によるいわゆる食害の防止のための施策を定めた「鳥獣による農林水産業等に係る被害の防止のための特別措置に関する法律」（鳥獣被害防止特別措置法）（平成19年法律134号），

⑧地域における多様な主体の連携による生物の多様性の保全のための活動の促進等に関する法律（生物多様性地域連携促進法，里地里山法）（平成 22 年法律 72 号），

⑨地域自然資産区域における自然環境の保全及び持続可能な利用の推進に関する法律（地域自然資産法）（平成 26 年法律 85 号）（国立・国定公園や名勝地などを地方自治体が区域指定して，それらの保全にかかる費用を「入域料」として徴収できる仕組みを定める），

⑩その他，森林法（昭和 26 年法律 249 号），文化財保護法（昭和 25 年法律 214 号）などがある。

本節では，①〜③を中心に触れることにしたい。

(2) 生物多様性基本法

(a) 概　要

最初に，生物多様性基本法に触れておきたい。本法は，2008 年に議員立法により制定，公布された。

本法は環境基本法の下に位置づけられる（1 条参照)。本法の内容は 7 点に分かれる。

第 1 に，**前文**で生物多様性が人類の存続の基盤のみでなく地域独自の文化の多様性を支えている一方，国内外における生物多様性が危機的な状況にあることなどを指摘する。

第 2 に，本法の**目的**は，生物多様性の保全及び持続可能な利用に関する施策を総合的かつ計画的に推進することにより，豊かな生物多様性を保全し，その恵沢を将来にわたって享受できる自然と共生する社会の実現を図り，あわせて地球環境の保全に寄与することにある（1 条)。

第 3 に，**基本原則**として，①生物多様性の保全が，野生生物の種の保全等が図られるとともに，多様な自然環境が地域の自然的社会的条件に応じて保全されることを旨として行われること（3 条 1 項），②生物多様性の利用は，生物多様性に及ぼす影響が回避され又は最小となるよう，国土及び自然資源を**持続可能**な方法で利用することを旨として行われること（同条 2 項）をあげる。そして，保全や利用に際して，③科学的に解明されていない事象が多いこと及び一度損なわれた生物の多様性を再生することが困難であることから，**予防的・順応的取組方法**を旨とすること（同条 3 項），④長期的な観点を旨とすること，⑤温暖化防止等に資するとの認識のもとに行われることをあげる。

3 条見出しは「基本原則」とされており，②，③は生物多様性に関して**持続可能な発展原則**，**予防原則**を定めたものということができる。

③の「**順応的管理**」とは何か。野生生物や生態系の保護管理は，基本的情報が得

られない不確実性，絶えず変動しうる非定常性を備えている。そのため，当初の予測では想定していなかった事態に陥ることをあらかじめ管理システムに組み込み，目標を設定し，計画がその目標を達成しているかを絶えずモニタリングによって検証しながら，その結果に合わせて，多様な主体との間の合意形成に基づいて柔軟に対応していくこと（フィードバック管理）が必要となる。このような管理の仕方を「順応的管理」という。

第4に，国・地方公共団体・事業者・国民及び民間団体の責務を定める（4条以下）。

第5に，政府は年次報告として白書を作成し，国会に提出しなければならない（10条）。

第6に，政府は「**生物多様性国家戦略**」を定める義務を負う（11条）。地方公共団体は単独又は共同して地方版の戦略（「生物多様性地域戦略」）を定めるよう努めなければならない（13条）。

「生物多様性国家戦略」は，従来は，生物多様性条約に直接基づくものであったが，この規定により，法律に基づくものとなった。同戦略は環境基本計画を基本として策定される。環境基本計画及び同戦略以外の国の計画（例えば，森林・林業計画）は，生物多様性の保全及び持続可能な利用に関しては，同戦略を基本とするものとする（12条）。生物多様性地域戦略については，2018年末現在，43都道府県，93市区町村で策定されている。

第7に，**基本的施策**が掲げられる（14条以下）。

「保全」に重点をおいた施策として，①地域の生物多様性の保全，②野生生物の種の多様性の保全等，③外来生物等による被害の防止が定められている。

「持続可能な利用」に重点をおいた施策として，④国土及び自然資源の適切な利用等の推進，⑤遺伝子など生物資源の適正な利用の推進，⑥生物多様性に配慮した事業活動の促進，「保全」と「持続可能な利用」に共通する施策として，⑦地球温暖化の防止等に資する施策の推進，⑧多様な主体の連携・協働，民意の反映及び自発的な活動の促進，⑨基礎的な調査等の推進，⑩試験研究の充実など科学技術の振興，⑪教育，人材育成など国民の理解の増進，⑫事業計画の立案段階等での環境影響評価，⑬国際的な連携の確保及び国際協力の推進が定められている。

①の地域の生物の多様性の保全の中に，里地，里山の保全が加えられたこと（14条2項）も注目される。

Column40 ◇生物多様性国家戦略

1995年に，生物多様性条約6条に基づき，わが国の生態系保全の基本方針と施策の展開の方向を示す「生物多様性国家戦略」が地球環境保全に関する関係閣僚会議で決定された。その後，2002 年に「新・生物多様性国家戦略」，2007 年に「第三次生物多様性国家戦略」が策定され，生物多様性基本法の制定に伴い，2010 年，法定計画としての「生物多様性国家戦略 2010」が策定された。2012 年には，生物多様性条約第 10 回締約国会議で採択された愛知目標（→**Column41**）の達成に向けたわが国のロードマップを示すため，「生物多様性国家戦略 2012-2020」が策定（閣議決定）された。

「生物多様性国家戦略 2012-2020」について若干触れておく。

この戦略では，「自然共生社会実現のための基本的考え方」として「自然のしくみを基礎とする真に豊かな社会をつくる」ことを提示し，自然を損なわない，持続的な経済を考えていくことが必要であるとしている。

「生物多様性の危機」として，①開発など人間活動による危機，②自然に対する働きかけの縮小による危機，③外来種など人間により持ち込まれたものによる危機，④地球温暖化や海洋酸性化など地球環境の変化による危機の 4 つをあげ，「生物多様性に関する課題」として，①生物多様性に関する理解と行動を促し，「生物多様性を主流化すること」（生物多様性の保全と持続可能な利用を，地球規模から身近な市民生活のレベルまでの様々な社会経済活動の中に組み込むこと），②担い手と連携の確保，③生態系サービス（生態系の恵み。生態系によってもたらされる，人間が生きていくために必要で有益なもの）の需給関係にある地域としての「自然共生圏」の認識，④人口減少等を踏まえた国土の保全管理，⑤科学的知見の充実をあげる。

「目標」としては，「長期目標」（2050 年）として，生物多様性の維持・回復と持続可能な利用を通じて，わが国の生物多様性の維持を現状以上に豊かにするとともに，生態系サービスを将来にわたって享受できる自然共生社会を実現すること，「短期目標」（2020 年）として，生物多様性の損失を止めるために，上記の愛知目標の達成に向けたわが国における国別目標の達成を目指し，効果的かつ緊急な行動を実施することが謳われた。また，「自然共生社会における国土のグランドデザイン」を 100 年先を見通して考える「100 年計画」を示した。

基本的視点の中に「科学的認識と予防的かつ順応的態度」が打ち出されたこと，基本戦略の中に「生物多様性が有する経済的価値の評価の推進」，「科学的基盤を強化し，政策に結びつけること」が取り上げられたことが注目される。

愛知目標の国別目標の達成に向けた 48 の主要行動目標，国別目標達成状況を把握するための 81 の指標を設定し，政府の「行動計画」として約 700 の具体的施策，50 の数値目標があげられていることも重要である。

Column41 ◇愛知目標と昆明・モントリオール生物多様性枠組

生物多様性条約第 10 回締約国会議（2010 年）では，生物多様性条約の「ポスト 2010 年目標（2011-2020 年）」（愛知目標）が採択された。

愛知目標は，まず，①ビジョン（展望）として，「自然と共生する」世界，すなわち，「2050 年までに，生物多様性が評価され，保全され，回復され，賢明に利用され，それによって生態系サービスが保持され，健全な地球が維持され，すべての人々に不可欠な恩恵が与えられる」世界を掲げ，②中期的ミッション（使命）として，2020年までに「生物多様性の損失を止めるために効果的かつ緊急の行動を実施する」。そして，これらを実施するために，③5つの戦略目標（と，20の下位目標）が立てられた。

もっとも，愛知目標の世界での達成率は2020年までの段階で1割とされ，2022年12月の生物多様性条約第15回締約国会議第2部では，2020年以降の生物多様性に関する世界目標（愛知目標の後継目標）として「昆明・モントリオール生物多様性枠組」が採択された。この枠組では，生物多様性の観点から2030年までに陸と海の30%以上を保全する「30by30目標」が主要な目標の1つとして定められた（ターゲット3。なお，ターゲット6は，2030年までに侵略的外来種の導入率・定着率を半減させるとする)。これに伴い，環境省は国土の30%以上を自然環境エリアとして保全することを打ち出しており，このため，保護地域をさらに拡充・管理するだけでなく，社寺林，企業有林，企業緑地，里地里山など，保護地域以外の場所（民有地）で生物多様性保全に貢献する場所（OECM）を活用することが考えられている。

Q1 生物多様性基本法にはどのような特色，意義があるか。

(b) 特　色

本法において特に注目されるのは，**予防原則**と，**事業計画の立案段階等での環境影響評価**の規定が入れられたことである。また，生物多様性の概念が定義され（2条1項)，法律の名称になった点，生物多様性国家戦略が**法定計画**となった点にも意義がある。

前記⑫事業計画の立案段階等での環境影響評価（25条）は計画アセスメントであり，戦略的環境影響評価にもつながりうるものとみられる。要件として，「生物の多様性に影響を及ぼすおそれのある事業」とされており，「著しい影響」（環境影響評価法1条，2条2項，3項）とされていない点が，環境影響評価法と異なっているものといえよう（本法制定後，2011年に環境影響評価法が改正されたが，この点の相違は残されたままである)。

(c) 本法の発展的意義

従来，野生生物，地域的自然保護に関連する法律はばらばらに施策が行われており，縦割り行政の弊害が著しい。生態系はつながっているのであり，省庁，自治体の区分は意味をなさないのにそれを認識した対応がなされてこなかった。生物多様性基本法は，**生物多様性国家戦略**の下に諸施策を計画的に進め，省庁間の連携，多様な主体の連携に努めることを謳っている。また，生物多様性基本法は**附則**で，政府は，この法律の目的を達成するため，「生物の多様性の保全に係る法律の施行の状況について検討を加え，その結果に基づいて必要な措置を講ずるものとする」（2条）としている。

本法及び生物多様性国家戦略の導入により，次の２点が展開しつつある。

第１は，省庁間の連携，多様な主体の連携の強化である。

第２は，生物多様性基本法の考え方を個別法に具体化し，開発法制を生物多様性保全に向けて改変していくことである。生物多様性概念の導入により，また，本法の制定（特に附則２条）及び生物多様性国家戦略の策定により，①自然・文化環境保全法に属する個別法，②都市計画法，海岸法，森林法，河川法，漁業法などの諸法を含めた各種の法律が「つながり」を志向するようになり，法律間での対話が生まれたことを積極的に評価する指摘がなされている。具体的には，多くの開発法の目的規定に生物多様性の保全が入れられたことが注目される。これを１つの要因として，森林法については，国有林の管理において野生生物の移動経路の確保を考慮した「緑の回廊」が設置されたり，河川法については，河川管理において森林のダム代替機能が正面から取り上げられたりするようになってきたのである（及川）。

Column42 ◇自然資源利用法の環境法化

自然資源利用法（開発法）が，その目的規定等において「環境法化」を始めている（交告，北村，及川）。河川法改正（1997年。1条。また，樹林帯を河川管理施設の1つとして特定した〔3条2項〕），海岸法改正（1999年。1条），港湾法改正（2000年。1条），森林・林業基本法改正（2001年。2条1項），水産基本法（2001年。2条2項），土地改良法改正（2001年。1条2項），文化財保護法改正（2004年。134条）などである。また，目的規定以外に環境関連規定が設けられたものも少なくない（森林・林業基本法2条1項，森林法10条の10，10条の11）。これらは，行政に対して，環境配慮（環境基本法19条）を行わせるものであり，行政は，各種の公共事業を実施する場合，また，私人の開発行為に対する許認可等を判断する場合に，改正法の目的規定その他の環境関連規定に従わなければならなくなった点に大きな意義がある。

判例においても，海岸の占用の許可の判断にあたって，傍論ではあるが，行政財産の管理としての側面からだけでなく，海岸法の目的の下で地域の実情に即してその許否の判断をしなければならないとするものが現れている（最判平成19・12・7民集61巻9号3290頁）。

以下では，地域的自然環境の保全を中心として扱い（→**2**），生物種に着目した野生生物の保護について簡単に触れた後（→**3**〔405頁〕），今後の課題について記す（→**4**〔407頁〕）ことにする。

2　地域的自然環境の保全

わが国の自然保護法制は，地域的自然環境の保全が中心的位置を占めてきたため，自然公園法と自然環境保全法という２つの法律が最も重要なものとなっている。今日でも地域的自然環境の保全について2つの法律が併存しているが，これには，①行政組織の権限争いに基づく歴史的背景と，②自然公園法が保護と利用という2つの側面をもつことに由来する限界が関係している。

歴史的には，自然公園法の方が先に制定された（自然公園法は，1931年制定の国立公園法を1957年に改正したものである）。

1873年，太政官布達によって初めて公園制度が設けられ，松島，天の橋立，厳島の日本三景等が公園に指定されたが，アメリカのナショナル・パーク制度等の発展の影響を受け，国立公園制度が導入されたのは，国立公園法が制定された1931年である。1934年3月には瀬戸内海，雲仙，霧島がわが国の最初の国立公園として指定され，同年12月には阿寒，大雪山，日光，中部山岳，阿蘇が指定された。

1949年には，同法が改正され，国立公園に準ずる区域（今日の国定公園）の指定制度が追加されるとともに，従来の特別地域内に特別保護地区を指定し，自然保護のための規制が強化された。その後，都道府県においては，条例に基づく都道府県立自然公園が徐々に指定されていたが，1957年には，国立公園，国定公園と都道府県立自然公園とを法制上一元化するため，従来の国立公園法が廃止されるとともに，自然公園法が制定された。これによって現在の自然公園制度の体系が確立した。

さらに，1960年代後半に入ると，高度経済成長の中での開発が進み，自然公園においても自然破壊がみられるようになった。そこで，個々の自然を特定の観点から捉えて保護していた自然公園法では，自然環境の保全の基本理念が明らかにされておらず，自然の保護を総合的に捉えるべきことが指摘されるようになった。このような見地から，1972年に自然環境保全法が制定された。同法の制定にあたっては，当初，同じ自然資源の管理を目標とするものとして，自然環境保全法と自然公園法を一本化することが構想されたが，自然環境保全法の制定による開発規制に対する官庁での反発が強く，一本化すると従来の国立公園程度の規制しかできなくなることから，2つの法制を残したまま，現在に至っているのである（自然環境保全法の立法過程については→(2)〔396頁〕。なお，自然公園法は2002年，2009年に，自然環境保全法は2009年，2019年に改正された）。

以下では，それぞれの概観をした上で，地域的自然環境の保全に関する法制度の問題点に触れる（なお，地域的自然環境の再生に関する自然再生推進法については，大塚『環境法』10-3・4〔649頁以下〕参照）。

(1) 自然公園法

本法について概観する前に，わが国の自然公園の特色について一言しておく。それは，本法の前身である国立公園法は，アメリカ合衆国のナショナル・パーク制度を手本としたものの，アメリカとは公園の所有形態が全く異なる点である。すなわち，アメリカでは，土地自体が公園の専有地となっている**営造物公園**が主であるが，わが国では，公有地化が困難であったため，国有地・私有地を問わず一定の地域を指定し，利用活動を規制する「**地域制（ゾーニング）公園**」の形式がとられているのである。権限を取得せずに公用制限を課する方式である（2019年3月末現在，私有地の占める割合は，国立公園の25.9%，国定公園の42.1%，都道府県立自然公園の47.0%に及ぶ）。これは，狭い国土の中で土地の多目的利用を前提とせざるをえないというわが国の事情に基づくものであったといえよう。

本法は1957年に制定された後，1970年改正で海中公園地区を創設し，1990年改正で植物損傷，動物殺傷，車馬乗り入れの規制がなされ，2002年改正では，利用調整地区，風景地保護協定，公園管理団体が導入された。2009年改正では生物多様性確保が目的規定に追加された。現行法について示した後，特に，2009年改正については項を改めて記すことにしたい（→(f)〔393頁〕）。

(a) 本法の目的，財産権尊重規定

(ア) 本法の目的

Q2 自然公園法の目的規定にはどのような問題点が含まれているか。

(i) 自然公園法は，その目的を①「優れた自然の風景地を保護」するとともに，②「その利用の増進を図ることにより，国民の保健，休養及び教化に資する」ことにおいている（1条）。ここでは，自然の「**保護**」と「**利用**」の両方を推進するという考え方が示されている。さらに，2条は，国立公園を「我が国の風景を代表するに足りる傑出した自然の風景地」とし，国定公園もこれに準ずるものとしており，そこでは，「**優れた自然**」のみを優先するという考え方が示されている。

自然の「**保護**」という点については，「人間をはじめとして生けとし生けるものの母胎」としての自然を守るという自然保護憲章（1974年6月。自然保護団体が結成した同憲章制定国民会議による）の立場からは，「平凡な自然の風景地」も守らなければならず（山村恒年），対象範囲が狭いと考えられることになる（もっとも，優れた自然と平凡な自然の保護の方法は当然異なってこよう）。

自然の「**利用**」という点は，この法律全体としては，むしろ自然の「保護」以上に重視されている（利用のために便所・休憩所・橋などの施設を造ることが定められている）。また，「自然公園選定要領」（1952年策定，1971年改正）も，国立公園指定の要件として「我が国の風景を代表するとともに，世界的にも誇り得る傑出した自然の風景であること」（第1要件），「自然公園候補地への到達の利便又はその収容力，利用の多様性若しくは特殊性よりみて多人数の利用に適していること」（第4要件）をあげており，生態系的に優れた自然であっても，アクセスが不可能な場所は，多人数の利用に適せず，国立公園に指定されないことになる。1970年の改正により自然公園法2条の2（現3条1項）が追加され，その後，環境基本法の制定に伴って，現在では「環境基本法……第3条から第5条までに定める環境の保全についての基本理念にのつとり」という文言が入れられているが（自然公園法3条1項），依然として，「保護」重視になっているかは疑わしい。

(ii) こうした中，自然公園法の2002年改正により，**生物多様性の確保**を重視した施策を講ずることが国等の責務として規定され（3条2項），さらに2009年改正により，「生物の多様性の確保に寄与すること」が1条の目的規定に追加された。同年改正では，同時に，**生態系維持回復事業**が導入されている（→(f)〔393頁〕）。

わが国の自然公園が「**地域制公園**」の形式を採用していることが，公園の利用規制を困難にし，自然の「保護」を重視できない点で，自然公園の環境保全機能を弱いものとしていることは否定できない。ただ，近時，生物多様性の保全のために積極的・能動的な管理が必要となってきたことから，「地域制公園」において公園内部や周辺に居住等している多くの人を公園管理に積極的に参加・協力してもらうことにより，むしろ「地域制公園」の弱点を将来への発展可能性を秘めた長所に転換していくことができるとする見解も示されている（加藤峰夫）。生物多様性の確保の目的規定への追加のほか，エコツアーのような適切な利用のための情報提供や環境整備の必要の増大，里山のような二次的自然環境への人々の関心の増大などを要因として，最近では，従来の開発規制に代表される自然の「消極的な管理」だけでなく，被害を受けた環境を再生し，また適切な利用を推進するという，自然の「**積極的・能動的管理**」にも焦点があてられていることが注目される。地方分権推進の結果，国立公園の管理が国の直轄事業となることにより地域住民の協力が得られにくくなる中，環境省では地域住民を巻き込んだ国立公園の「**協働型管理**」が目指されている。

(イ) 財産権尊重規定

上記の「地域制公園」の形式とともに，わが国の自然公園の環境保全機能を弱めているものとして，自然公園法における財産権の尊重の規定があげられる。**財産権尊重**を謳う本法4条は，「一種の調和条項」として，自然保護施策にブレーキをかけているのである（阿部）。

(b) 自然公園の種類・指定

(ア) 自然公園の種類

自然公園法上の自然公園には，国立公園，国定公園，都道府県立自然公園の3種がある（2条）。「**国立公園**」とは，「わが国の風景を代表するに足りる傑出した自然の風景地」である。環境大臣が関係都道府県及び中央環境審議会の意見を聴いて指定される（2条2号，5条1項）。「**国定公園**」とは，「国立公園に準ずる優れた自然の風景地」である。関係都道府県の申出により，環境大臣が同審議会の意見を聴いて指定される（2条3号，5条2項）。「**都道府県立自然公園**」とは，上記の2つ以外の優れた自然の風景地である。都道府県が，条例の定めるところにより指定する（2条4号，72条）。国立公園及び国定公園の公園区域の指定は告示によってなされる。

国立公園等の選定の要件及び手続は，前記の「自然公園選定要領」に基づくものであり，その第一要件により，国立公園は①「景観の規模」，②「自然性」，③「変化度」について，国定公園は①，②について各基準が満たされていることが必要とされる。2022年3月現在，国立公園は34カ所，約220万ha，国定公園は58カ所，約149万ha，都道府県立自然公園は311カ所，約197万haである。公園区域の指定にあたっては，当該土地の地権者の同意を得ることは法律上は求められていない（ただし，自然公園選定要領においては，私有地を包含する場合には，土地の所有者その他関係者が特別地域の設定に協力的であることを基準としている）。しかし，実際には，地権者の一応の納得が必要とされることが多く，これが得られないことが公園区域を拡大しにくい大きな原因となっている。

(イ) 自然公園内の地域・地種区分

(i) 自然公園は，景観の優秀性，自然状態を保持する必要性，公園利用上の重要性の程度によって，特別地域（20条），特別保護地区（21条），利用調整地区（23条），海域公園地区（22条），普通地域（33条）に区分される（ただし，都道府県立自然公園については，特別保護地区，海域公園地区は設けられない〔73条〕）（**図表8-2**）。

「**特別地域**」は，風致維持の必要度に応じて，第一種から第三種までに分類される（施行規則9条の2。この分類は，国立公園内の国有林や民有林の伐採について大きな意味をもつ。→**図表8-5**）。ちなみにここにいう「風致」には，歴史的・文化的景観も含まれるし，静かさ，小川のせせらぎ，野鳥のさえずりなど，風景（人の視覚に関するもの）以外も含まれる（東京高判昭和63・4・20判時1279号12頁［68］）。

「**特別保護地区**」は，「特別地域」の中で景観維持のため特に必要のあるときに指定される。

「**利用調整地区**」は，いわゆる地域・地種区分ではないが，過剰利用によって自然環境が破壊されるおそれが生じたり，適正で円滑な利用が損なわれたりしている地域について，公園の風致・景観の維持とその適正な利用を図るため特に必要のある場合に，「特別地域」又は「海域公園地区」の中に指定される。

【図表 8-2】国立公園・国定公園内の地種区分等（陸域）

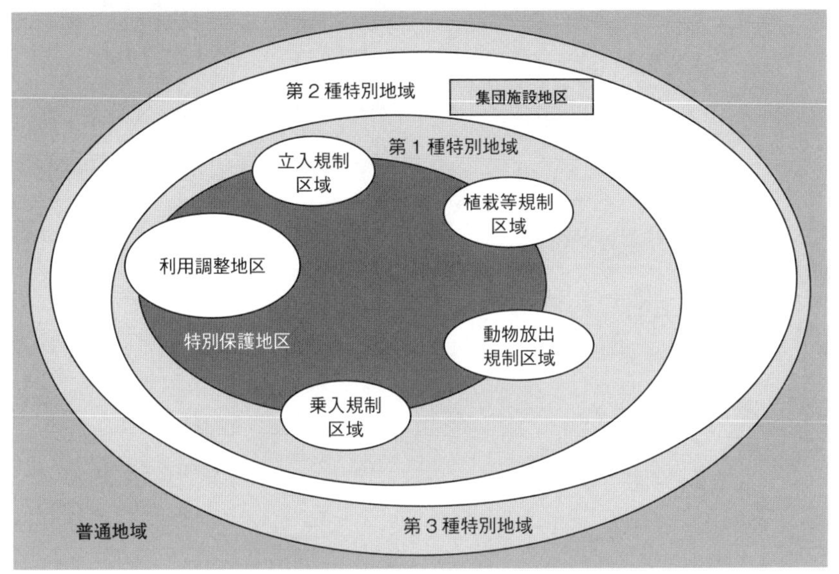

出典：阿部泰隆＝淡路剛久『環境法』〈第 4 版〉328 頁［加藤峰夫］に追加

「**海域公園地区**」は，海域（海中及び海上）のすぐれた景観を維持するために指定される。

「**普通地域**」は，公園区域のうち，「特別地域」にも「海域公園地区」にも指定されていない地域である。普通地域は特別地域と公園地区以外の区域とのバッファーゾーンの役割を果たしている。

国立公園・国定公園内の地域・地種区分としては，特別保護地区，第一種～第三種特別地域，海域公園地区，普通地域の 6 つに分かれることになる。地域・地種区分の指定も**告示**によってなされる。この指定は，用途地域を指定する都市計画決定と同じく地域内の不特定多数者に対する一般的抽象的な制約とみれば，具体的権利侵害を伴うものではなく，抗告訴訟の処分性は認められないことになる（もっとも，特別地域の指定の無効確認・取消しを求める訴訟を適法とした裁判例もある。岡山地判昭和 53・3・8 訟月 24 巻 3 号 629 頁）。

(ii) 以上のほか，特別地域の中にいくつかの地域が指定されうる。

原則として第二種特別地域の中に，公園の利用のための施設を集団的・総合的に整備する地域として，「集団施設地区」（36 条）が指定される。指定されると，集団施設地区計画に基づいて各種施設の整備が図られる。中部山岳国立公園の上高地地

【図表 8-3】 公園計画の内訳

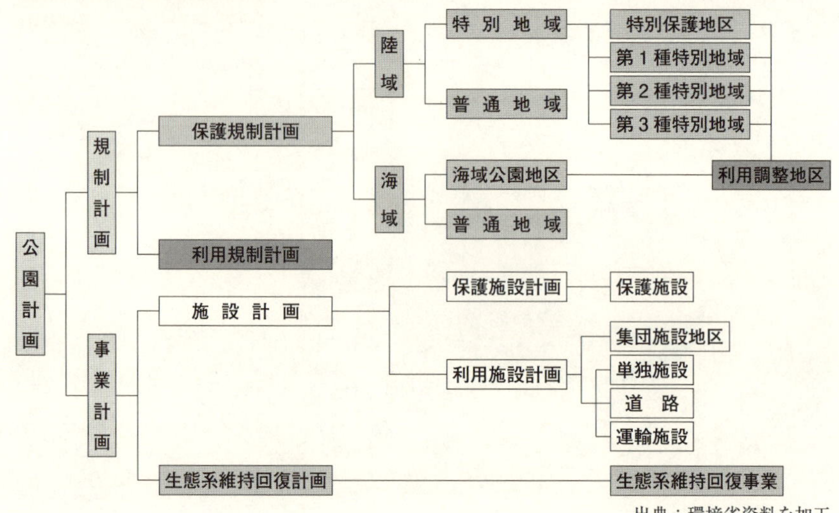

出典：環境省資料を加工

区などが代表的であり，温泉街，旅館街もこの例である。

また，環境大臣が特別地域内に指定するものとして，①立入規制区域（20条3項16号），②乗入規制区域（同項17号），③植栽等規制区域（同項12号），④動物放出規制区域（同項14号）がある。③と④は当該区域の風致の維持のため，2009年改正で導入されたものである。

(c) 公園計画と公園事業

(ア) 自然公園では，自然の風景地の保護と利用の増進という異なる目的を達成するため，あらかじめ，「**公園計画**」を立て，計画に従って開発行為を規制するとともに，施設を整備するなどの「**公園事業**」を行う必要がある（7条，9条）。

(イ) 「**公園計画**」とは，国立公園又は国定公園の**保護**又は**利用**のための**規制**又は**事業**に関する計画である（2条5号）。公園計画は，「**規制計画**」と「**事業計画**」に分かれ，規制計画は「**保護規制計画**」と「**利用規制計画**」に分かれる（図表 8-3）。

規制計画のうち「保護規制計画」が特に重要であるが，これは，公園の風致景観を保護するための行為規制に関する計画を定めるものであり，特別保護地区，第一種〜第三種特別地域，海域公園地区及び普通地区の6種に分けて規制に強弱がつけられる。また，利用調整地区では，立ち入ることのできる期間や人数を制限し，良好な自然景観と適正な利用を図っている。利用規制計画は，特に優れた景観地において，適正な利用と周辺の自然環境の保護を図るために利用の増大に対処するための計画である。マイカーの利用の禁止がこれにあたる。

事業計画は「**施設計画**」と「**生態系維持回復計画**」に分かれる。「**施設計画**」は，登山道や遊歩道のような，適正に公園を利用するために必要な施設などを定める。「**生態系維持回復計画**」は，シカやオニヒトデによる食害や外来種による在来動植物の駆逐のように，規制的手法のみでは生態系の維持が難しい場合に行われる，環境に被害を与える生物の駆除を含む被害防除対策などについての計画である。

(ウ) 「**公園事業**」とは，公園計画に基づいて執行される事業であって，国立公園や国定公園の保護又は利用のための施設で政令で定めるものに関するものをいう（2条6号）。道路，広場，宿舎，休憩所，野営場，車庫，自然再生施設等が公園事業施設とされる。不特定多数の利用者に開放されていなければならない。

(エ) 国立公園は，環境大臣が公園計画・公園事業を決定し，主に国が公園事業を執行する。国定公園は，公園計画は環境大臣が，公園事業は都道府県知事が決定し，公園事業の執行は主に都道府県が行う（7条，9条，10条，16条）。都道府県立自然公園の管理運営は，都道府県が条例に基づいて行う（72条以下）。

このように**公園事業の執行**は，国立公園の場合は国，国定公園の場合は都道府県によって行われるのが原則であるが（10条1項，16条1項），国立公園の場合には地方公共団体その他の公共団体，国定公園の場合には都道府県以外の公共団体が，それぞれ環境大臣，又は都道府県知事に協議して一部執行することができる（10条2項，16条2項）。さらに，私人（民間企業等）も，環境大臣又は都道府県知事の認可により営利施設に関する公園事業を執行できる（10条3項，16条3項）。この認可は特許に近いと解されている。このような認可を受けた者が国立公園事業を廃止した場合等において，国立公園の景観を害するような事態に陥ったときは，環境大臣はその者に対して原状回復を命ずることができる。これについては行政代執行の規定もおかれている（15条）。このように，公園事業を民間企業が執行する場合には認可が必要であるが，これは元来国が公園事業を実施しようとしたという経緯がある（しかし，実際には殆ど民間によって行われている）。

国立公園を管理するために自然保護官（レンジャー）がおかれているが，2015年現在，全国で273名にすぎず，全く不足している。

(オ) わが国の自然公園が「地域制公園」であるため，私有地を公園区域としている場合には，公園事業の実施主体は私有地の**所有者の承諾**を得て私有地を公園事業の中に位置づける必要がある。私有地の所有者の承諾を得られなければ自然公園の管理は窮地に陥りかねないという問題がある。

(d) 行為規制と補償

(ア) 行為規制（図表 8-2〔383 頁〕，図表 8-4）

特別保護地区，特別地域，海域公園地区については**許可制**，普通地域については**届出制**がとられている。行為規制の内容は，特別保護地区が最も厳しく，次いで特別地域である。普通地域は最も規制が緩やかである。海域公園地区では，海域に特有の行為も規制されており，特別保護地区と特別地域を合わせた程度の規制がなされている。

(i) 特別保護地区，特別地域，海域公園地区について，法律の定める行為をしようとする者は，国立公園については環境大臣の，国定公園については都道府県知事の**許可**を受けなければならない（20 条 3 項，21 条 3 項，22 条 3 項）。特別保護地区では，一般の特別地域よりも許可対象行為の類型が多くなっている。

許可基準については，施行規則 11 条に示されている。これは，全国で統一された基準を示すことによって，行為者に事前に明確な基準を与えるとともに，大規模開発を抑制することを意図している。

他方，これらの地域の許可制の適用除外として，公園事業の執行として行う行為，通常の管理行為，軽易な行為があげられている（20 条 9 項，21 条 8 項，22 条 8 項）。また，国の機関が行う行為も，環境大臣や都道府県との協議や通知によって可能となっている（68 条）。

なお，許可制とは関係なく，これらの地域では，公園利用に関してみだりにごみ捨て，騒音の発生等の行為をすることが何人に対しても禁止されている（37 条）。

(ii) いわゆる地域・地種区分ではないが，**利用調整地区制度**は，利用可能人数の設定等により自然生態系の保全と持続的利用を推進しようとするものである。立入りにあたっては，環境大臣又は都道府県知事の認定を受けなければならず（24 条），その際の手数料の規定もおかれている（31 条）。この手数料は「実費を勘案して」政令で定められるものであり，立入人数の抑制効果は期待されていない。申請の認定作業は，環境大臣又は都道府県知事が指定する指定認定機関が行うことが想定されている（25 条。この制度についてはさらに後述する→(e)(イ)〔391 頁〕）。

(iii) 普通地域については，大規模な影響のある一定の行為に関して，行為の種類，場所，施行方法，着手予定日などの事前の**届出義務**が課せられるにとどまる（33 条 1 項）。

もっとも，環境大臣又は都道府県知事は，風景を保護するために必要な限度において，当該行為を禁止し，又は必要な措置を命ずることができる（届出をした者については届出日から 30 日以内の期間に限る）（33 条 2 項，3 項）。この 30 日以内という期間

【図表 8-4】自然公園内の地域・地種区分と，それぞれにおける保護と規制

<table>
<tr><td rowspan="12">陸域</td><td rowspan="11">特別地域</td><td colspan="3">比較的すぐれた自然景観あるいは特色ある人文景観を有し，公園利用上重要な地域。風致維持の必要度に応じて，さらに第1種〜第3種に分けられる。工作物の新築，改築または増築，木材の伐採，指定動物の捕獲，湿原等環境大臣が指定する区域への立入りその他の行為は，許可を要する。</td></tr>
<tr><td>特別保護地区</td><td colspan="2">特にすぐれた自然景観または原始状態を保護している地域。原則として現状変更は行わない。特別地域での規制項目に加えて，木竹の植栽，家畜の放牧，火入れ又はたき火，植物または落葉・落枝の採取，動物の捕獲，動物の卵の採取，湿原等環境大臣が指定する区域への立入りその他の行為は許可を要する。</td></tr>
<tr><td>第1種特別地域</td><td colspan="2">特別保護地区に準ずる景観を有し，現在の景観を極力保護することが必要な地域。</td></tr>
<tr><td rowspan="2">第2種特別地域</td><td colspan="2">第1種及び第3種以外の地域であって，特に農林漁業活動についてはつとめて調整を図ることが要求される。</td></tr>
<tr><td>集団施設地区</td><td>自然公園の利用拠点に宿舎，野営場，園地などを総合的に整備する地区として，公園計画に基づき環境大臣が指定する地区。第2種特別地域内に指定される。</td></tr>
<tr><td>第3種特別地域</td><td colspan="2">風致維持の必要性が比較的低く，特に通常の農林漁業については，原則としてその活動が認められる地域。</td></tr>
<tr><td>立入規制区域</td><td colspan="2">湿原その他これに類する地域のうち，立入が規制される区域。</td></tr>
<tr><td>乗入規制区域</td><td colspan="2">道路，広場，田，畑，牧場及び宅地以外の地域のうち，車馬もしくは動力船を使用し，又は航空機を着陸させることが規制される区域。</td></tr>
<tr><td>植栽等規制区域</td><td colspan="2">当該区域が本来の生育地ではない植物で環境大臣が指定するものを植栽することが規制される区域。</td></tr>
<tr><td>動物放出規制区域</td><td colspan="2">当該区域が本来の生息地ではない動物で環境大臣が指定するものを放つことが規制される区域。</td></tr>
<tr><td>利用調整地区</td><td colspan="2">将来にわたって自然公園の風致景観を維持するとともに，適正な利用を推進するため公園計画に基づき特別地域又は海域公園区域内に指定される公園利用の制限地区。地区内に公園利用者が入る場合には，環境大臣又は都道府県知事（指定認定機関が指定されている場合は指定認定機関）の認定を受けなければならない。認定基準として，利用者数や滞在日数に関する基準が地区ごとに定められる。</td></tr>
<tr><td>普通地域</td><td colspan="3">公園区域の陸域における上記以外の地域であり，行為の規制は届出の要求にとどまる。</td></tr>
<tr><td rowspan="3">海域</td><td rowspan="2">海域公園地区</td><td colspan="3">わが国の周辺の海域で海域景観のすぐれた地域。その保護及び規制の度合いにおいては特別保護地区及び特別地域に匹敵する。熱帯魚，サンゴ，海そうその他の環境大臣が農林水産大臣の同意を得て指定する一定の動植物の採補など，海中の景観を損なうおそれのある行為は許可を要する。</td></tr>
<tr><td>利用調整地区</td><td colspan="2">陸域における利用調整地区参照。</td></tr>
<tr><td>普通地域</td><td colspan="3">公園区域の海域における上記以外の地域であり，行為の規制は届出の要求にとどまる。</td></tr>
</table>

出典：環境省資料を加工

【図表 8-5】地域・地種区分ごとの林業施業基準

特別保護地区	伐採禁止。各地区につき環境大臣が農林水産大臣と協議。
第1種特別地域	原則として伐採禁止だが，風致維持に支障のない限り10% 以内の単木択伐可能。
第2種特別地域	原則として択伐（用材林は現在蓄積量の30% 以内，薪炭林は60% 以内）だが，風致の維持に支障のない限り2ha 以内の皆伐が可能。
第3種特別地域	全般的な風致の維持を考慮するが，特に施業の制限はない。
普通地域	風致の保護及び公園の利用を考慮するが，特に施業の制限はない。

は合理的な理由があるときは，延長することができる（同条4項）。大気汚染防止法や水質汚濁防止法にはない，期間の延長規定であり，自然保全の性質に応じた規定として注目される。

(iv) 国立公園及び国定公園内の森林の伐採は，「自然公園区域内における森林の施業について」（昭和34年国発643号，都道府県知事宛国立公園部長通知）に基づき，国立公園等における地域・地種区分に応じてその方法が定められている（**図表 8-5**）。

(イ) 違反行為への対応

(i) 許可制を実効あらしめるため，本法は，①要許可行為を許可を受けずに行ったり，②許可に付せられた条件を遵守しなかった場合には，無許可等の行為自体を処罰する（83条）ほか，①，②及び③普通地域における命令に違反した場合は，国立公園については環境大臣，国定公園については都道府県知事が，行為の中止を命じ，又は，違反状態の回復のため，**原状回復**もしくはそれに代わるべき必要な措置を命じうるものとした（34条）。

原状回復が不可能な結果をもたらす無許可行為に対しては，6カ月以下の拘禁刑又は50万円以下の罰金に処されるにすぎず（83条），課徴金や自然資源（環境）損害の賠償の考え方の導入が必要である。

(ii) 上記のように，国立公園及び国定公園の特別地域，海域公園地区，集団施設地区内では，公園利用に関してみだりにごみ捨て，騒音の発生等の行為をすることが何人に対しても禁止されており，国又は都道府県の職員は，そのような行為をしている者に対して**中止**を指示することができる（37条）。

(iii) 例えば民間事業者がした行為のために公園事業として設置されている施設が破壊された場合には，国又は地方公共団体は公園事業としてその**修復等**を行い，原因者から費用を回収できる（59条）。環境基本法37条の**原因者負担**の規定と同趣旨のものである。負担金については強制徴収をすることができる（66条）。

㈦ 不許可補償

Q3 不許可補償についてはどのような考え方の対立があるか。

他方，不許可の場合，許可に条件が付された場合等，本法に基づく規制により損失を受けた者に対して，国は，**通常生ずべき損失を補償**するものとしている（64条）。立法者は本条を憲法29条3項に基づく補償の具体化と解していた。もっとも，本条の下で不許可補償が認められた例はない。

(i) 不許可補償に関し，裁判例及び学説は分かれているが，第1に補償の要否が問題となる。これについては，土地の公共性や自然保護の必要性を理由として，合理的な範囲において規制に服するのは財産権に内在する制約であり，規制が上記範囲にとどまる限り補償は必要ないとする考え方（**内在的制約説**）を採用するかが重要な判断の分かれ目となる（東京高判昭和63・4・20判時1279号12頁［68］〔損失は「当然に受忍すべき範囲内のもの」とする〕などが内在的制約説を採用しているとみられる）。これに対し，学説上は，土地所有権の本来の効用を害さない限り現状の利用状況を自然保護の見地に照らして変更することは法の枠内において可能であると解しつつ，その際には補償が与えられるべきであるとの見解も示されている（塩野宏）。

内在的制約説をとる場合であっても，地域指定をしていればそれだけで保護の必要性や土地利用制限の範囲が合理的なものとなるわけでなく，個々の事案においてそれらが合理的なものであるかを判断しなければならない（桑原）。不許可処分による制限が特別の犠牲にあたるか否かの判断にあたっては，①周辺地域の風致・景観を保護すべき程度，②利用行為による風致・景観への影響，③不許可処分により本件土地の従前の状況から客観的に予想され得る利用が著しく困難になるか等の事情を総合的に検討して判断されるべきである（東京地判平成2・9・18判時1372号75頁）。

なお，補償の必要性を積極的に認める立場においても，申請権が濫用される場合には請求は認められない。**申請権の濫用**については，①補償金取得を意図して過大な計画を立て，不許可となった事例のように異論なく濫用と考えられる場合もあるが，裁判例においては，さらに，②自然公園法の趣旨・目的に鑑み，地域指定の趣旨に著しく反する許可申請は申請権の濫用になると解されている（前掲東京高判昭和63年，東京地判昭和57・5・31行集33巻5号1138頁など）。申請権の濫用となるか否かの判断にあたっては，許可申請の内容が地域指定の趣旨に反するかという客観的要素と，補償目当てか否かという主観的要素の双方が考慮されている。

(ii) 第2に，補償の範囲については，①不許可により申請者に現実に発生した損失（調査費用，営業が不可能になったことによる物権移転費等）を補償すれば足りるとする**積極的実損補償説**（東京地判昭和61・3・17行集37巻3号294頁），②不許可によって顕在化した地価の低下を補償すべきであるとする**地価低落説**（前掲東京地判昭和57年），③不許可処分と相当因果関係のある全ての損失を補償すべきであるとする**相当因果関係説**（これをとる裁判例はない），に分かれる。

①は内在的制約説を背景としている。②は自然公園法に基づく土地利用規制は財産権の効用とは無関係に課される制限であり，規制が財産権の本質的内容を侵害する場合には，財産権の内在的制約を超え憲法上補償が必要となるとする考え方を基礎としている。③は補償額が申請者の主観的意図に左右されるとか，損失補償は損害賠償と異なるなどの理由で批判されている。現状の利用状況を自然保護の見地に照らして変更する場合に限って②地価低落説を採用することが適当であろう（高橋滋）。

(iii) 不許可補償が認められていない背景には，そもそも，補償要求が予想される場合には，行政側が妥協して申請を許可するし，指定に際して，あらかじめ土地所有者や事業者の意向をある程度考慮に入れた区域設定がなされているなどの問題があることが指摘されている。自然公園法の地域指定を実効的に行うためには，むしろ不許可補償について一定程度積極的な姿勢を示すことが必要であると思われる。

(iv) 損失補償制度を補完するものとして，国立・国定公園の特別保護地区及び第一種特別地域の民有地を買い上げる制度が設けられている（これについては，対象地域の拡大が望まれる）。例としては，1960年代後半に生じた，吉野熊野国立公園の大台ケ原の森林伐採問題における民有地の買上げなどがある。もっとも，その予算は十分ではない（毎年1億円程度）。

(v) 自然公園法が損失補償を考慮せずに特別地域の指定について規定していることは憲法29条に違反するか。

山林にゴルフ場の開設を計画していた者が，同地が国定公園の特別地域に指定されたため，事実上同計画を断念せざるをえなくなったとして上記の主張をし，指定処分の無効確認及び取り消しを求めた事件において，広島高岡山支判昭和55・10・21訟月27巻1号185頁は，許可を得られない等の場合には損失補償を求める規定があるのであり，同法が特別地域の指定それ自体による損失補償の考慮をしていないからといって憲法29条に反するとは言えないとした。

(e) 自然の積極的・能動的管理のための制度の導入

Q4 自然公園法の2002年改正以後に導入された自然の積極的・能動的管理のための制度とは何か。

2002年の本法改正以後，自然の積極的・能動的管理のための制度が導入されてきたとみられる。これは生物多様性基本法で定められた**順応的管理**の考え方にも表れている。その背景には，人口の減少，薪炭林の伐採の減少に伴い，人が自然に働きかける場面が減る一方，地球温暖化等の影響もあり，シカ，サル等の繁殖が進み，生態系が破壊される状態が生じ，従来のように開発規制のみに重点をおいているわけにはいかなくなったという事情がある。**自然の積極的・能動的管理の制度**としては，①NGO等の参加・協力，②過剰利用の調整，③生態系の維持回復の3点があげられる。

(ア) 公園管理団体制度，風景地保護協定制度の導入

2002年の本法改正に伴い，地元NGO等を活用して地域密着型の自然公園管理を推進するため，環境大臣は国立公園について，都道府県知事は国定公園と都道府県立自然公園について，そのような活動等を行う一般社団法人又は一般財団法人，特定非営利活動法人（NPO）等を「**公園管理団体**」として指定する制度が創設された（49条以下，75条)。従来から地元NPO等は環境保全活動を行ってきたが，この規定はそのような活動を一層推進するために，一定の能力を有するNPO等を指定しようとするものである。公園管理団体は，次に述べる協定に基づく風景地の保護のほか，公園内施設の維持・管理など様々な活動をすることが期待されている（50条)。

上記改正において同時に，環境大臣もしくは地方公共団体又は公園管理団体が，土地所有者等と協定を締結して自然公園内の自然の風景地を管理する「**風景地保護協定制度**」が導入された（43条以下，74条)。これは，「協議・協働による自然保護」という新たな自然公園管理の手法を示すものであり，人為的な管理が必要な，里山など二次的な自然風景地を土地所有者等によって維持することが，過疎など社会経済状況の変化により難しくなってきたことを踏まえてつくられた制度である。土地所有者等に代わって，環境大臣，自治体，NPO等の公園管理団体が管理を行うものであり，個々の地域における地域住民の参加を図るものとして注目される。協定の締結には，区域内の土地所有者全員の同意が必要である。協定の認可，公告があった後には，同協定には将来の土地所有者に対する**承継効**が発生するのであり（48条)，この点が自然保護を継続する観点からは重要である。

協定の第1号は，2004年に阿蘇くじゅう国立公園，第2号は2011年に上信越高原国立公園において公園管理団体等と土地所有者との間で締結された。なお，その後，同制度は，多くの都道府県において条例化された（74条参照)。

(イ) 過剰利用の調整のための制度の導入

多数の利用者が一時期に集中するために生ずる，植物の枯死，し尿や雑排水による付近の河川や湖沼の汚濁や富栄養化などの「**過剰利用**」の調整は，公園の規制計

【図表 8-6】西大台利用調整地区の概要

指定年月日	平成 18 年 12 月 16 日
指定区域	奈良県吉野郡上北山村大字小橡字大台山の一部
面積／土地所有者	450 ha／ほぼ全域が環境省所管地
自然の概況	吉野熊野国立公園大台ヶ原は，トウヒ林やブナ林など，紀伊半島では少なくなった貴重な森林生態系が残る地域である。トウヒ群落を主とする「東大台」に対し，「西大台」はウラジロモミ-ブナ群落が主となっており，静寂で原生的な雰囲気を体験できる地域となっている。
利用調整期間	毎年 4 月中旬～11 月下旬 （この期間内でも冬期通行止めの期間は，立入認定を行っていない）
立入可能人数 （1 日あたり）	利用集中期の土日祝日：100 人 利用集中期の平日，利用集中期以外の土日祝日：50 人 上記以外の平日：30 人 （一団体人数の上限：10 人）
滞在できる期間	1 日以内（日帰り）
禁止行為	• 生きた動植物の持ち込み • 野生動物への給餌 • 野生動物に影響をおよぼす撮影，観察等 • ごみ等の廃棄 • 球技等の野外スポーツ • 花火，拡声器等の使用
注意事項	• 自己の責任において安全管理の徹底を図るとともに，必要な情報の入手，技術の習得に努めること。 • 10 人を超える団体で利用しないこと。 • 網，竿，その他動植物の捕獲及び採取道具を持ち込まないこと。 • 立入りの前に，近畿地方環境事務所が行う事前レクチャーを受講すること。 • 立入り時に得られた自然環境等の情報を地方環境事務所に報告するよう努めること。
立入認定手数料	1,000 円（12 歳未満は 500 円） 立入認定証の再発行：600 円
立入手続	立入りにあたっては，事前に手続を行い認定を受けることが必要

出典：環境省資料を加工

画の中で行われてきたが，「地域制公園」の弱点のため，十分には行われてこなかった。

これに対しては，第 1 に，2002 年改正で，自然公園の特別地域内で，湿原や高山植物群落のような脆弱で環境保全に特別の配慮が必要な場所について，指定された期間の立入りを規制する「**立入規制区域**」を環境大臣が指定できることになった（20 条 3 項 16 号，21 条 3 項 1 号）。

第 2 に，やはり本法の 2002 年の改正により，上記のように，**利用調整地区制度**

が導入された（23条，73条）。これは，環境省令で定める利用方法（利用可能人数，滞在期間，利用時期等）に適合すると環境大臣又は都道府県知事が認定した場合にのみ立入り等が認められるとするものであり（24条），過剰利用を積極的に管理することを目的としている。立入規制区域との相違は，利用調整地区は，利用方法について限定は加えるものの，利用も目的としている点にある。

もっとも，どの自然地域をどのレベルで守るかについての基準が明確でなく，期待されたほどの効果は上げていない。2022年現在，吉野熊野国立公園の大台ヶ原西大台（**図表8-6**），知床国立公園知床五湖が利用調整地区に指定されている。なお，利用調整地区の指定にあたっても，その区域内の土地所有権等の財産権を尊重し，土地所有者等と協議することが必要とされている（施行規則13条の4）。

(ウ) 「生態系維持回復事業」の導入

本法の2009年改正により，新たな生態系管理の活動として，上記のように，「**生態系維持回復事業**」（2条7号，38条以下）を国，地方公共団体，民間事業者が実施することとした。これは，自然公園におけるシカの食害や外来種による在来種の駆逐のような生態系被害を防止するため，環境に被害を与える生物の駆除を含む被害防止対策や，生態系の維持回復状況のモニタリング活動の積極的な自然管理活動を，公園管理の中で行うものである。

(f) 2009年改正

2009年5月に自然公園法（及び後述の自然環境保全法）が改正され，翌年4月に施行された。すでに各所で触れたが，便宜のため，改正の概要を記しておく。

(ア) 第1に，目的規定に「**生物の多様性の確保**」が追加された（1条）。生物多様性基本法の制定など生物多様性保護の高まりを受けたのと，下記の生態系維持回復事業が導入されたこととの関連である。

(イ) 第2に，海域における保全施策の充実を図るため，①**海域公園地区制度**を創設（従来の海中公園地区制度を改める）する（22条）とともに，②海域における**利用調整地区制度**を創設し（23条），③海域公園地区の行為規制の項目を拡充した。

①は従来海中だけを対象としていた海中公園地区を，海上を含む制度に変更し，海中と海上が一体的に豊かな生物多様性を育むものとし，干潟や岩礁域等の保全を推進するものとした。

②は観光船による無秩序のウォッチングツアー等により野生生物の生態への悪影響や過剰な利用に伴う珊瑚の損傷などが起きていることをコントロールし，海域の生態系の保全と持続可能な利用を推進する利用調整地区制度を陸域のみでなく海域にも導入したということである。

③は海域公園地区内の動植物の捕獲等について都道府県知事の許可が必要となる対象種を拡大するとともに，海域公園地区全体ではなく，同地区の中に採捕規制区域を環境大臣が指定することとした。また，海域公園地区内での動力船の使用について一定の場合に許可を受けなければならないとした（22条3項。さらに，緊急に行為規制を行う必要が生じた場合に備えて，要許可行為を政令に委任する規定も導入された）。動力船については無秩序なウォッチング・クルーズ等による野生動物への影響など優れた海域の風景地の保護に支障が生じていることを理由とする。

(ウ)　第3に，国立公園等でのシカの食害等の生態系被害を防止するため，防護柵の設置等をはじめとした「**生態系維持回復事業**」（2条7号）を国，地方公共団体，民間事業者が実施し，生態系の維持回復を促進することとした。

国立公園では，環境大臣又は国の機関の長が計画を定め（38条1項），国，環境大臣の確認を受けた地方公共団体，又は環境大臣の認定を受けた民間事業者が執行する（39条）。国定公園では，都道府県知事が計画を定め（38条2項），都道府県，知事の確認を受けた市町村，又は知事の認定を受けた民間事業者が執行する（41条）。公園事業と類似した仕組みである。民間団体を含めてこの事業を実施するものとして，霧島錦江湾国立公園，屋久島国立公園に例が見られる。

自然再生推進法に基づく自然再生事業との相違は，本事業の方が未然防止の観点をも含む点にある。このような事業を認定されて行う公園事業者は自然公園法の中で個別の許可が不要となる。

(エ)　第4に，特別地域等における動植物の放出等にかかる規制を強化し，生態系に被害を及ぼす動植物の放出等についての行為規制を追加した。従来施行令で特別保護地区についてのみ規定されていたものを，法律に格上げにするとともに，特別地域に拡大したのである。具体的には，まず，特別保護地区では動物を放ち又は植栽することを要許可行為に追加し（21条3項），特別地域では環境大臣が指定する区域において当該区域が本来の生息地等でない動植物で環境大臣が指定するものを放ち又は植栽することと，環境大臣が指定する区域内において木竹を損傷することを要許可行為に追加した（20条3項）。

(オ)　第5に，公園事業の執行に関する規定を政令から法律に格上げするとともに拡充した（10条以下）。

(g)　その後の動向

観光の観点から世界水準のナショナル・パークを実現するため，「国立公園満喫プロジェクト」が2016年に策定され，その中で8公園が選定された。

2021年，協働型管理運営の推進，国立公園満喫プロジェクトの推進等の取組状況等を踏まえた課題に関する検討をした中央環境審議会自然環境部会自然公園等小委員会の答申（自然公園法の施行状況等を踏まえた今後講ずべき必要な措置について）を踏まえ，本法が改正された。

本改正は，保護に加えて利用面での施策を強化することにより，「保護と利用の好循環」を実現し，地域の活性化にも寄与するために必要な措置を講じようとするものである。第5次環境基本計画の地域循環共生圏の発想が自然公園法に導入されたものである。

「利用」の観点から2つの仕組みが導入された。

第1は，地域主体の自然体験活動の促進に関する仕組みの法定化と手続の簡素化である。すなわち，国立公園の区域をその区域に含む市町村又は都道府県（さらに国定公園の区域をその区域に含む市町村）は，当該市町村等，ガイド事業者，土地所有者等からなる協議会を設け（42条の2，42条の3），同協議会が自然体験活動促進計画を作成し，国立公園では環境大臣，国定公園では都道府県知事に認定（42条の4第3項）を受けた場合，認定計画に基づく事業の実施に必要な許可等を不要とする特例を定めた（20条9項3号，21条8項3号，22条8項3号，23条3項5号，33条7項3号）。これにより，地元関係者が一体となって，自然体験アクティビティの開発・提供，ルール化等が行われることを狙っている。事業の実施者等は協議会を組織するよう要請できる（42条の2第3項）。計画には，区域，基本的な方針，目標，事業の内容及び実施主体，計画期間等を記載する（42条の4第2項）。協議会は，自然体験活動促進計画の作成のために必要な公園計画の変更を提案できる（8条の2）。

第2は，（公園利用の拠点となる旅館街等の街並みの整備のような）利用拠点整備を地域主体が法定化し，その手続を簡素化することである。すなわち，国立公園の区域をその区域に含む市町村又は都道府県（さらに国定公園の区域をその区域に含む市町村）は，当該市町村等，旅館事業者，土地所有者等からなる協議会を設け（16条の2，16条の7），同協議会が（公園事業に係る施設の整備計画を中心とした）利用拠点整備改善計画を作成し，国立公園では環境大臣，国定公園では都道府県知事の認定（16条の3第4項，16条の7第3項）を受けた場合，関連する認可を受けたこととし（16条の6），また，事業の実施に必要な許可等を不要とする（20条9項1号，21条8項1号，22条8項1号，23条3項3号，33条7項1号）特例を定める。これにより，地域関係者が一体となって行う，廃屋撤去や拠点の機能の充実，景観デザインの統一など，自然と調和した街並みづくりを促進することを狙っている。事業の実施者等は協議会を組織するよう要請できる（16条の2第3項）。計画には，区域，基本的な方針，目標，事業の内容及び実施主体，計画期間等を記載する（16条の3第2項）。協議会は，利用拠点整備改善計画の作成のために必要な公園計画の変更や公園事業の決定・変更を提案できる（8条の2，9条の2）。

なお，国立公園・国定公園の中に複数の協議会が設置され，複数の自然体験活動促進計画や利用拠点整備改善計画が策定されることは当然ありうる。

また，ほかにも，①クマ，サル等の野生動物への餌付け等の規制によって人身被害を予防することとし（37条），②国立公園事業者又は国定公園事業者（国及び公共団体以外の者。10条3項，16条3項）が公園事業の全部を譲渡する場合には，――従来は前事業者が事業を廃止し次の事業者が新規の認可を取得する必要があったが――予め環境大臣（国立公園の場合）又は都道府県知事（国定公園の場合）の承認を受けたときは譲受人は譲渡人たる公園事業者の地位を承継することとした（12条，16条4項）。②は，所有・経営・運営の分離に伴い，公園施設の設置後に，設置者とは別の者が経営・運営を担うケースが増加したことに対応したものである。また，③国立公園又は国定公園の利用増進に資するための，国及び都道府県の国内外へのプロモーションの努力義務（66条の2），関係者の連携協力の努力義務について定めた（3条）。さらに，④特別地域等における行為規制の違反に対する罰則を引き上げ（82条），また，⑤公園管理団体の指定数が少ないことを打開するため，その指定にあたり，利用者への助言指導や調査研究等の実施能力を必須とした（50条1項3号～6号の削除，同条2項の新設）。

⑵ 自然地域を保全する自然環境保全法

⒜ 序

㈠ 立法過程

すでに触れたように，自然環境保全法は，自然公園法と異なり，古くからある法律ではない。この法律は，自然環境の総合的保全を図ることを目的として制定されたが，同時に，当時，都道府県において自然保護に関する条例を制定する動きがあり，条例制定権限の限界との関係で論議が巻き起こり，国の法律で対応する必要性が説かれたことが立法の原動力となった。

この法律は，1971年に環境庁が設置された翌年に制定されたが，立法過程では，当時の環境庁と，林野庁及び建設省との交渉が難航した。当初は，①自然公園法との一本化をすることが想定されており，これが実現しなかったことは前述のとおりであるが，ほかにも，当初企図されていた，②国有林を含む良好な自然環境を対象にゾーニングをかけること，③都市市街地・近郊緑地を現状で凍結することについては，ともに日の目を見ることはなかった。②に関しては，自然保全の必要の高い国有林地については，開発許可制や伐採許可制を敷くことも想定されていたが，林野庁との折衝の結果，保安林は自然環境の対象から除外されることになったし，③は，身近な自然についても本法の自然の対象とする意図に基づくものであり，「自然」を広く捉えていた点で注目されるが，これは都市計画の問題となるため，建設省との折衝が必要であり，同省はすでに当時都市緑地保全法案を検討していたため，この点も自然環境保全法の対象とはなしえなかったのである。

(イ) 特徴的な法構造

自然環境保全法は，自然環境が国民の健康で文化的な生活に不可欠であるとの観点から，自然保護の基本理念を明確にし（1条），自然保護行政の総合化を目指し，自然環境保全基本方針（12条）や自然環境保全基礎調査（4条）などについて定める，自然分野の基本法としての部分（1章，2章）と，全国各地に良好な自然環境の保全地域を配備することを目的とする実施法としての部分（3章〜8章）とに分かれていた。これは，本法に公害対策基本法に匹敵する自然分野の基本法としての位置づけを与える趣旨であったが，公害と自然環境をともに規定する基本法である，環境基本法が1993年に制定されたことにより，1章，2章の規定の多く（6条〜11条，13条）は削除された。

(ウ) 2009年，2019年改正

本法は，2009年に改正され，若干修正された（2010年4月施行）。また，2019年改正では，沖合域における海洋保護区が導入された（2020年4月施行）。以下，本法を概観した上，これらの改正については末尾に記す（→(d)〔399頁〕，(e)〔400頁〕）。

(b) 目 的 等

自然環境保全法は，自然環境を保全することが特に必要な区域等の生物の多様性の確保その他の自然環境の適正な保全を総合的に推進することにより，広く国民が自然環境の恵沢を享受するとともに，将来の国民にこれを継承できるようにすること等を目的としている（1条。下線部は2009年改正で入れられた）。環境基本法とはやや文言は異なるものの，1972年の時点ですでに将来の国民に対する自然環境の継承について触れられていた点は，慧眼というべきであろう。

国は，自然環境の保全を図るための基本方針（自然環境保全基本方針）を定めなければならない（12条）。同方針（昭和48年総告30号）は，第1部「自然環境の保全に関する基本構想」（前半は理念，後半は施策），第2部「自然環境保全地域等に関する基本的事項」により構成される。

自然環境保全法は，自然公園法とともに，自然環境法制の2本柱となっているが，自然公園法とは異なり，原生の状態を保持するなど，自然性の高い地域を保全することを目的とするものとなっている。すなわち本法の目的としては，優れた自然環

【図表 8-7】自然環境保全法における地域指定の種類

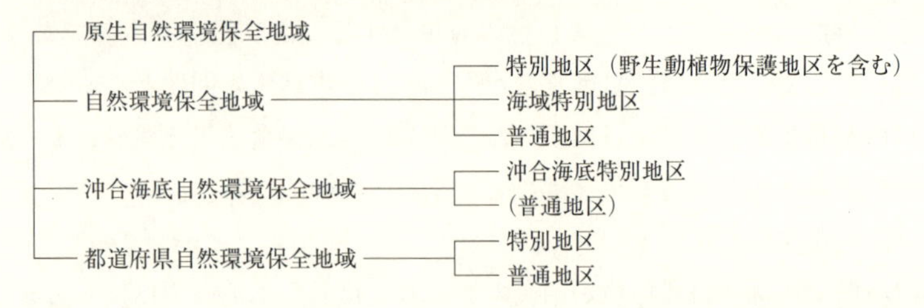

境の保全と利用との両立はあげられていないのである。本法の下では，保全の対象及び行為規制の程度によって，原生自然環境保全地域，自然環境保全地域，沖合海底自然環境保全地域（2019 年改正で追加）及び都道府県自然環境保全地域の 4 種類の地域指定がなされる（各地域については，**図表 8-7**）。なお，自然環境保全法の指定地域と自然公園法の指定地域は重複して指定されることはない（自然環境保全法 22 条 2 項，45 条 2 項，自然環境保全基本指針第 2 部 7，自然公園法 71 条，81 条）。この点については，景観保全や利用を目的とする自然公園と，自然生態系保全を目的とする自然環境保全地域とでは目的を異にするのであり，一部については自然公園からの指定換えを実施すべきであったが，実際には行われていない。

(c) 各種の指定地域

(ア) 原生自然環境保全地域は，この法律により，新たに創設された厳格な行為規制のかかる地域である。「人の活動によって影響を受けることなく原生の状態を維持して」いる地域で，原則として 1,000 ha 以上の面積が確保されることを要件とする。私有地は対象とされず，国・地方公共団体の所有する土地に限られる（14 条 1 項）。さらに，保安林は，人為的管理が必要であるとの理由で，この種の地域指定はできないとされている（14 条 1 項括弧書。しかし，場合によっては，保安林指定を解除して原生自然環境保全地域の指定を進めるべきである）。また，すでに伐採がなされた地域も指定されないし，上述のように，自然公園法の指定地域と重複して指定されることはない。このように原生自然環境保全地域に指定できる地域は極めて限られており，2022 年 3 月現在の指定は，遠音別岳，十勝川源流部，大井川源流部，南硫黄島，屋久島の 5 地域（計 5,631 ha）にとどまっている。原生自然環境保全地域を今後拡大するには，私有地を買い上げて公有化することが必要となる。

この地域では各種の行為が環境大臣の許可を要するものとされているが（17 条），これに違反した場合には，環境大臣は，行為の中止，原状回復を命ずることができる（18 条）。この命令は自然保護取締官によって行わせることもできる（18 条 2 項）。

また，環境大臣は，立入制限地区を指定することができる（19条）。

(イ) 自然環境保全地域は，原生自然環境保全地域に次いで，自然的・社会的条件からみて自然環境を保全することが特に必要な地域である。高山性植生又は亜高山性植生，天然林，特異な地形・地質，優れた自然環境を維持している海岸，湖沼，湿原，河川区域，野生動植物の生息地・自生地等が指定される（22条）。

環境大臣は，自然環境保全地域の中に，さらに特別地区（25条），海域特別地区（27条）を指定できる。また，特別地区内に野生動植物保護地区（26条）を指定できる。どの地区にも指定されない区域は普通地区（28条）となり，他の地区の緩衝地帯としての機能を果たす。

自然環境保全地域は，私有地も対象になりうるが，実際にはほとんど指定されていない。自然環境保全地域についても，一定の規模が要求されること（例えば，高山性植生又は亜高山性植生の森林，草原については1,000 ha），自然公園について重複指定はなされないことなどから，2022年3月現在の指定は10地域（22,542 ha）にとどまっている。1992年には白神山地が，世界遺産に登録する目的で，自然環境保全地域に指定された。

行為規制は，原生自然環境保全地域（(ア)）よりは緩やかであるが，地区によって異なる（25条4項，26条3項，27条3項，28条1項）。普通地区では，許可制ではなく，届出制がとられているが，環境大臣は，届出から30日以内に限り，行為の禁止を命令できる（28条2項）。規制に違反した場合の原状回復等については，原生自然環境保全地域（(ア)）と同様である（30条）。不許可に対しては，通常生ずべき補償がなされることが定められているが（33条），この規定は活用されていない。自然環境保全地域を保安林に指定することは可能であるが，その開発は全面的に，環境大臣の許可から除外されており（25条4項，28条1項），森林法の許可（同法34条）では生態系の考慮は十分にされないという問題がある。

(ウ) 都道府県は，条例に基づき，自然環境が自然環境保全地域に準ずる土地の区域を，都道府県自然環境保全地域に指定することができる（45条）。都道府県自然環境保全地域は，2022年3月現在で546地域（77,414 ha）に及ぶが，1地区あたりの面積は狭く，また，十分な環境規制が行われているとはいい難い。

(d) 2009年改正

2009年，自然環境保全法についても自然公園法と同様の改正がなされた。自然公園法の2009年改正（→(1)(f)〔393頁〕）について触れたところと対応する第1点（自然環境保全法1条），第2点（27条），第3点（30条の2以下），第4点（原生自然環境保全地域について17条，特別地区について25条，野生動植物保護地区について26条）は，自然環境保全法についても同様の改正が行われた。もっとも，第2点②については，自然環境保全法では利用がそもそも想定されていないので，関連の改正はない。

(e) 2019年改正

2019年，沖合域における海洋保護区の設定のため，自然環境保全法が改正された。

(ア) 経　緯

従来，わが国における海洋保護区（自然公園法，自然環境保全法，鳥獣保護管理法，水産資源保護法，海洋水産資源開発促進法，漁業法など）は沿岸域について指定されていたが，沖合域については指定されてこなかった。しかし，沖合域についても，海底地形の特徴に応じて様々な生態系が形成されており（特に海山，海溝，熱水噴出孔については生態系が豊かであるとされる。沖合域の生物には，ラブラ，ダイオウイカ，ニシオンデンザメ，ダイダラボッチなど），様々な人為活動に伴う影響のうち，海底を中心とした生態系に対する直接的な人為活動による影響を軽減または回避するためには，海洋保護区の設定が有効な手段となりうる。

生物多様性条約第10回締約国会議で採択された愛知目標の2020年目標（目標11）は，締約国が沿岸域及び海域の10％を海洋保護区に設定することとされているが，わが国の海洋保護区は8.3％であったため，これを10％にする必要があった（→ **Column41**〔376頁〕）。この点が本改正の最大の背景事情である（この点は，第3期海洋基本計画〔2018年5月閣議決定〕においても対応が必要とされていた）。2019年1月に自然環境部会の答申がなされ，本改正の骨格となっている。なお，法改正の準備作業として，生物多様性の観点から重要度の高い海域（重要海域）について専門家による検討が行われた。

(イ) 概　要

本改正の眼目は，従来，自然環境保全地域は沿岸域までしか指定されていなかったのに対し（西表島の崎山湾・網取湾〔合わせて1件〕が指定されている），沖合域に自然環境保全地域を創設したことにある。環境大臣は，沖合の区域において沖合海底自然環境保全地域を指定する。規制対象は，鉱物の掘採，探査のうち集中的サンプリング探査法，海底動植物の捕獲等のうち動力船による曳航行為があげられる。規制方法は，沖合海底特別地区では許可制，それ以外では届出制とした。

やや詳しく示しておくと，

第1に，自然環境保全基本方針に定める事項として，沖合海底自然環境保全地域の指定等に関する事項を追加する（12条2項2号）。

第2に，沖合海底自然環境保全地域の章（第4章の2）を設け，環境大臣は，同地域を指定し，同地域に関する保全計画を決定する（35条の2，35条の3）。

沖合域（内水及び領海〔水深200 m を超える海域に限る〕，排他的経済水域並びに大陸棚に係る海域）において，その区域の海底の地形，地質，又は海底における自然現象に依存する特異な生態系を含む自然環境が優れた状態を維持していると認めるもののうち，自然的社会的諸条件からみてその区域における自然環境を保全することが特に必要なものを，沖合海底自然環境保全地域として指定することができる（35条の2第1項）。指定にあたっては，環境大臣は，関係地方公共団体の長と中央環境審議会の意見を聴かなければならず，また，指定案は公告縦覧され，指定案に関しては利害関係人は意見書を提出することができる（同3項〜5項）。異議がある旨の意見書の提出があったときなどには環境大臣は，公聴会を開催する（同6項）。環境大臣が，同区域の指定，沖合海底特別地区の指定及び沖合海底自然環境保全地域に関する保全計画の決定等をしようとするときは，関係行政機関の長に協議しなければならない（43条1項）。

第3に，環境大臣は，沖合海底自然環境保全地域内に，沖合海底特別地区を指定することができ，当該区域においては，特定行為（鉱物の掘採，探査のうち集中的サンプリング探査法，海底動植物の捕獲等のうち動力船による曳航行為）は許可制に服する（35条の4第1項，3項）。例外として，同特別地区外からの斜め掘りによる試錘（ボーリング）はこの限りでない（35条の4第8項，施行規則31条の6）。

第4に，沖合海底自然環境保全地域のうち，沖合海底特別地区に含まれない区域（いわゆる普通地区）において特定行為をしようとする者は，あらかじめ，環境大臣に対し，所要の事項を届出なければならない（35条の5第1項）。環境大臣は，届出日から30日以内に限り，届出に係る特定行為を禁止し，制限し，または必要な措置をとるべき旨を命じうる（35条の5第2項）。

第5に，環境大臣は，沖合海底自然環境保全地域において，船舶の船長その他の特定行為に関係があると認められる者に対し，特定行為の実施状況その他必要な事項について報告を求め，又はその職員に，船舶その他の必要な場所に立ち入り，特定行為の実施状況の検査等をさせることができる（35条の6第1項）。実際には，海上保安庁等の関係省庁と連携して実施される。

第6に，沖合海底自然環境保全地域における一定の違反者（特別地区で，許可を受けずに特定行為をした者又は許可条件に違反した者，いわゆる普通地区で，届出をせずに特定行為をした者又は措置命令等に違反した者）に対して特定行為の中止命令等を発出しうる（35条の7，18条の準用）。

第7に，環境大臣は，沖合海底自然環境保全地域にかかる関係行政機関の長等に対し，必要な協力を求めうる（35条の9）。環境大臣，農林水産大臣，経済産業大臣は，本法の施行にあたっては，沖合海底自然環境保全地域における自然環境の保全に関する事項について，相互に緊密に連絡し，協力しなければならない（35条の10）。

第8に，沖合海底自然環境保全地域における規制違反行為についての罰則については，1年以下の拘禁刑または100万円以下の罰金とされ，外国船舶における違反行為については，拘禁刑を排し，代わりに罰金額を通常の10倍の金額とした（53条～56条）。

第9に，国は，沖合区域の生物の多様性の確保その他の自然環境の保全に関する科学的知見の充実のための措置を講ずるよう努めるものとされた（35条の8）。

㈦　沖合海底自然環境保全地域の指定

沖合海底自然環境保全地域指定は，国内の専門家によって検討された「重要海域」について，資源開発・利用等との調整を図って，社会的選択として選定される。重要海域において，可能な限りどの生態系の種類もいずれかの海洋保護区に含めるよう指定する必要があるとされる。2020年12月，環境省は，「日本海溝の最南部及び伊豆・小笠原海溝周辺の海域」など4海域を同地域に指定した。沖合域では生物相が変化すること等から，自然的社会的諸条件の変化が確認された場合には，必要に応じて指定の見直しなどが順応的に行われる（基本方針）。

本法により沖合海底特別地区に指定されたが，そこから有望な鉱脈が見つかった場合，どう対処するか。多くの場合は，当該区域の指定を解除するであろうが，その代わりにオフセットとして別の重要な海域を指定することが想定されている（基本方針。基本方針は閣議決定によるため，実効性がある）。では，自然環境保全地域のいわゆる普通地区について同様の事態に至ったらどうするか。行為の届出の結果，やはり解除されることになろう。

㈤　今後の課題

今後の課題としては，沿岸域についての自然環境保全地域の指定（現在は上述した1件のみ）の拡充があげられる。また，沖合区域の生物の多様性の確保その他の自然環境の保全に関する科学的知見の充実が重要である。

⑶　地域的自然環境の保全に関する法制度の問題点

自然公園法の問題点としては，第1に，同法における，自然の「保護」と「利用」の両方を推進するという考え方，「優れた自然」のみを優先する考え方は，生物多様性の確保の観点からは十分とは言えないし，自然公園の指定により，観光開発を促進し，自然を破壊するという結果をもたらしてきたことがあげられる（自然公園法における利用の規制に関する規定は少なく，37条が他の利用者の迷惑となる行為を規制しているにすぎない)。しかし，自然環境を保全しなければ自然公園自体が成り立たなくなることから，「利用」は自然の「保護」と両立する範囲でのみ認められるべきである。これは，持続可能な利用（生物多様性基本法3条2項），持続可能な発展（環境基本法4条）の原則の反映である。

「利用」との関係で特に重要なのは，RV車（Recreational Vehicle），オフロード車，スノーモービルの乗入れによる自然破壊の規制，尾瀬国立公園のような「過剰利用の規制」である。この問題に対しては，根本的には，国立公園ごとに，受入れ可能な「収容力」を自然科学的調査と社会科学的調査から求め，その観点から利用者総数の規制，滞在時間の制限等を行うことが考えられる。入園料の徴収のような経済的手法も活用されるべきである。

第2に，わが国の自然公園の環境保護機能が弱いことは，それが地域制公園であることにも基づいている。前記のように，自然公園内にも民有地が多く，国有地についても，そのほとんどは林野庁が管理する国有林野であり，国立公園の専用地域は総面積の1% 未満にすぎない。管理を実効的に行うため，国立公園専用地域の拡大が必要である。

第3に，第1点とも関連するが，利用を目的の1つとし，生態系保全ではなく景観の保全の視点から開発規制をしている自然公園法で自然環境を保全することには限界があることから，環境保全の観点が重要な地域については，自然環境保全地域への指定換えを進めるべきである。

第4に，自然公園法（4条），さらに自然環境保全法（3条。なお，35条，46条1項後段）には，財産権や開発との調整に留意する条項がおかれているが，このような規定は国土利用全体との関係でおかれることはありうるものの，自然保護に関する法律の中におくのは適切でないといえよう（ちなみに，財産権尊重規定は希少種保存法3条，文化財保護法4条3項にもおかれている)。

第5に，特別地域の中でも，第二種，第三種特別地域の行為規制が緩いことが問題である。行為規制を強化し，立入禁止区域の設定も可能とすべきであろう。

特に，自然公園内の森林伐採に関しては，第三種特別地域については施業に制限がなく，伐採が放任されていること（林業施業基準についての**図表8-5**〔388頁〕参照），林野庁は，森林施業計画の策定にあたっては，自然公園法上は国立公園にあっては環境省と協議することになっているが（自然公園法68条1項），環境省が抑止的機能を果たしているとはいい難いことなどの問題がある。

第6に，第1点にも触れたが，わが国では経済的手法を自然保護の分野で用いることが極めて少ない。その最大の理由は，わが国の自然公園が地域制公園であるため，費用徴収の権原があることについて確信が持てないことにあるといわれている（加藤峰夫）。ちなみに，法律上は，地域自然資産法に入域料（2条1項）の規定がおかれた（→**3-2**・3(2)〔80頁〕）。また，2013年7月，静岡県と山梨県は富士山登山について試験的に入山料（保全協力金。任意。基本一人1000円〔2016年〕）を徴収することを決定し，2014年6月から本格導入した。富士山の環境保全と，登山者の安全対策に用いられている。協力率が60％台にとどまることから，2020年2月に義務化の方針が示された。

第7に，運用の問題として，国立公園の自然保護官（レンジャー）がわずかに273名（2015年）しかいないという現状は，わが国の自然保護行政の貧困を物語っているというほかない。自然公園の管理にあたる人員及び予算の早急な改善が必要である。

他方，自然公園法及び自然環境保全法の運用上の最大の問題点は，地権者や森林所有者の同意が得られないなどのため，地域指定が進まないことである。地権者の同意は，特別地域について自然公園選定要領に関連規定があるほか，利用調整地区について施行規則（13条の4）に関連規定があるにすぎないが，上記のように財産権尊重条項があることもあり，実際には，非常に重視されてきている。地域指定されると行為規制がなされ，地価が下がるなどの不利益が地権者に生じるのに，これに代わるメリットも特に存在しないためである。難問であるが，上記のように損失補償や特定民有地買上事業の活用によって対処することが考えられる。

また，自然環境保全法については，生態系保全を考慮した指定がなされていない（特に自然環境保全地域は狭い）という運用上の問題もある。さらに，自然環境保全法においては，指定がなされた場合にも，その地域の行為規制について，公共事業は例外とされ，国の機関又は地方公共団体については環境大臣との協議で足りるものとしているが（自然環境保全法21条，30条，35条の7，50条），これでは十分でない。自然公園法において，国の機関が行う行為に関して，環境大臣又は都道府県知事に協議ないし通知すれば足りるとしていること（68条→(1)(d)(ア)(i)〔386頁〕）についても同様である。

なお，指定にあたって既着手行為には規制がなされないため（自然公園法20条6項，21条6項，22条6項，33条7項5号，自然環境保全法17条4項，25条8項，27条7項，28条6項6号，35条の4第6項），駆け込み事業を規制しにくく，十分な規制がなされないという課題も残されている。

3　野生生物の保護

2019 年 5 月，世界の科学者・専門家が参加する「生物多様性及び生態系サービスに関する政府間科学-政策プラットフォーム」（IPBES）総会第 7 回会合は，「生物多様性と生態系サービスに関する地球規模アセスメント報告書」を受理した。そこでは，人類の活動（主に人類の食糧とエネルギー需要の増大）によって，800 万の動植物種のうち，100 万種が今から数十年内に絶滅しかねないと警告され，この絶滅のペースは過去 1000 万年の平均より 10 倍から 100 倍速いとした。また，主な陸上生息環境の生物種の豊富さは，1900 年以来，平均で少なくとも 20% 減少したこと，両生類の 40% 以上，海洋哺乳類の 3 分の 1 以上，昆虫については暫定的な推定で約 10% が絶滅の危機にさらされていること，脊椎動物については，16 世紀以来少なくとも 680 種が絶滅に追いやられ，現在も，少なくとも 1000 種が絶滅の危機にあることを指摘する。

すでに触れたように生物多様性条約の採択以来，生物の多様性の維持，生態系の保全を自然環境保全の目的とすることが国際的な関心事となった（→ **8-2**・1〔373 頁〕）。生物種は，①遺伝資源，生物資源として医薬品の開発や農産物の品種改良に役立つなどの人類にとっての直接の価値のみでなく，②学術研究やレクリエーションなどの非経済的利用価値，③人々が野生生物に関心をもつという存在自体の価値をも有している。さらに，④多様な生物が生存する生態系の存続は，人類の存続の基盤をなすものである。

わが国においては，IUCN（国際自然保護連合）の基準に基づいて環境省で作られたレッドリスト 2020 登載の絶滅危惧 I 類は 2,110，同 II 類は，1,606 に及ぶ。このように多くの野生生物が絶滅の危機に瀕している原因としては，開発による生息地の破壊，乱獲，外来種（移入種）の増加等があげられる。野生生物の保護は，これらの原因ごとに対処していく必要があろう。開発の中止，捕獲・取引の禁止，外来種の移入の未然防止及び捕獲である。

しかし，わが国の野生生物の保護の法制度は，従来，生物多様性や生態系維持の観点をもっておらず，1993 年に制定された環境基本法と，1992 年に制定された絶滅のおそれのある野生動植物の種の保存に関する法律（希少種保存法）がわずかにこのような規定をおいているにすぎなかった。1995 年には，生物多様性条約に基づき，わが国の生態系保全の基本方針と施策の展開の方向を示す「生物多様性国家戦略」が地球環境保全に関する関係閣僚会議で決定され，その後同戦略は改定を重ねてきた（→ **Column40**〔375 頁〕）。そして，今日では，生物多様性基本法をはじめ，特定外来生物による生態系等に係る被害の防止に関する法律（特定外来生物法），遺伝子組換え生物等の使用等の規制による生物の多様性の確保に関する法律（カルタヘナ法），鳥獣の保護及び管理並びに狩猟の適正化に関する法律（鳥獣保護管理法）（2002年改正），自然再生推進法，さらに自然環境保全法及び自然公園法（ともに2009年改正）が，生物多様性や生態系の維持を目的とするようになった。

野生生物の保護に関しては，国内法についても，国際条約との関係が特に重要である。

今日，生物多様性を維持するための条約のうち，生物種を保全するものとしては，①生物の多様性に関する条約（生物多様性条約。1992年採択），②絶滅のおそれのある野生動植物の種の国際取引に関する条約（ワシントン条約。1973年採択），③移動性野生動物種の保全に関する条約（ボン条約。1979年採択），④渡り鳥等保護に関する諸条約・協定（わが国が米・露・豪・中各国と締結しているものとして，それぞれ，1972年，73年，74年，81年）があり，生態系を保全するものとして，⑤特に水鳥の生息地として国際的に重要な湿地に関する条約（ラムサール条約。1971年採択），⑥世界の文化遺産及び自然遺産に関する条約（世界遺産条約。1972年採択）がある（このうち，わが国が締結しているものは，①，②，④～⑥である）。ほかに，⑦水産業に関する諸条約（国連海洋法条約〔1982年採択〕の関連規定のほか，国際捕鯨取締条約〔1946年採択（日本脱退）〕，国連公海漁業協定〔1995年採択〕など。ほかにも，地域ごとの条約がある），特定の地域における⑧ベルン条約（1979年採択），⑨ ASEAN自然及び天然資源の保全に関する協定（1985年採択）などがみられ，また，関連するものとしては，⑩森林原則声明（1992年採択）や⑪国際熱帯木材協定（1994年採択。旧協定は1983年採択）がある。

わが国の野生生物保護のための国内法制度としては，(i)特定の生物種に着目した法制度（鳥獣保護管理法，文化財保護法，希少種保存法）と(ii)特定の地域に着目した法制度（自然環境保全法，自然公園法）とがあり，さらにその後，(iii)外来種等，別異の生物による生物多様性影響に着目した法制度（特定外来生物法，カルタヘナ法）が導入された。(i)は，保護の対象をすぐれたもの，特異なもの，絶滅のおそれのあるものなどに限っている点に限界がある。(ii)は，指定された地域の中での動植物の採捕や生態系に影響を及ぼす行為を禁止しているが，野生生物の保護に焦点をあてたものではない（野生生物保護に関する諸法については，大塚『環境法』10-4-2〔676頁以下〕参照）。

4 今後の課題

今後の課題についてはすでに触れたが（→2の末尾〔402頁〕），さらに自然環境保全全体に関わる問題を付言しておく。

第1に，自然環境保全の基本的な考え方としては，**生物多様性の確保**を掲げ，その上で，脆弱な生態系に対しては，その「保全」を，他方，すでに人為の影響を受けている生態系や絶滅のおそれのある特定の種の野生生物や，増加しすぎた野生生物に対しては，その「管理」を推進すべきである。前者は自然環境保全地域制度を範型とするものであり，後者は水田や里地のような2次的自然の保護や，絶滅のおそれのある野生生物の繁殖の制度が対応する。

第2に，このような自然環境保全を実効あらしめるために必要な法的手段としては，すでに触れた以外に，訴訟による解決，行政の意思決定段階への公衆参加などが考えられる。

訴訟については，行政事件訴訟法を活用して**原告適格**を拡大するとともに，立法論としては，環境保護団体の**団体訴訟**を認めるべきである。自然の権利に基づく訴訟なども提起されているが，限界があり（→**2-3**・3(2)〔53頁〕），立法的解決が望まれる。

行政の意思決定段階への公衆参加としては，環境影響評価のみでなく，開発計画段階での法的チェックを行うための**戦略的環境アセスメント**が必要となろう。なお，開発行為との関係では，生態系に配慮した事前評価と事後のフォローアップの体制を確立すべきであるが，環境影響評価法は，2011年改正により，計画アセスメントに近づいたものの，なお戦略アセスメントには至っていないし，事後のフォローアップについては同年改正により環境保全措置等について許認可権者に対する報告が義務付けられたものの，供用開始後の措置，調査については十分でない点に憾みがある。

第3に，わが国において自然環境保全が十分に行われていない地域として，特に**湿地**があげられる。湿地は，生態系の保全のみでなく，水質の浄化にも寄与することが明らかになっており，ラムサール条約の「国際的に重要な湿地」の選考基準には湿地自体に関する基準も用いられているのに，わが国ではその重要性が認識されておらず，水鳥のみに着目した選考がなされている嫌いがある。アメリカでは湿地について“no net loss”（失われる自然とトータルで同等以上の自然の回復・創出を確保すること）の政策が実施されているが，わが国でも，全国的に重要な湿地を保全するため，ゾーニング制を導入し，また，慎重な環境影響評価を行うとともに，代替案が適切でない場合には人工湿地の創設によるミティゲーション（代償措置）が行われるべきであろう。特に，わが国は，諫早湾の干拓により，重要な干潟を失い，今日の紛糾を生んでいることを重大な教訓とすべきである。

第4に，2005年度のいわゆる三位一体補助金改革以降，地方自治体による生物多様性保全のためのモニタリングは減少している。地方分権推進の結果，環境モニタリングが不十分なものになっていく事態は回避しなければならない（→**Column20**〔191頁〕。なお，これとは別に2003年以降，環境省自然保護局生物多様性センターが，個別生態系の経時的な変化の把握を目的として「重要生態系監視地域モニタリング推進事業（モニタリングサイト1000）」を実施している）。

第9章　環境保護の費用負担に関する法

環境保護のために必要となる費用負担としては，種々のものがある。原因者負担原則が第一義的に適用されるべきであるが，それ以外にも，現代福祉国家における国や地方公共団体は，国民の健康と財産を保護し，快適な国民生活を守る一般的責務を負っているところから，公共負担や，また，受益者負担がなされる場合もある（→**2-4**〔55頁〕）。

各分野での具体的な費用負担についてはそれぞれの制度の中で検討されるべき問題である。ここでは，費用負担について独自の制度が設けられている公害健康被害の費用負担制度及び公害防止事業を中心として扱う。

9-1　公害健康被害の費用負担

公害健康被害の費用負担としては，①「**公害健康被害の補償等に関する法律**」がある。また，公害健康の費用負担に関連するものとして，2009年には②「**水俣病被害者の救済及び水俣病問題の解決に関する特別措置法**」，2006年には③「**石綿による健康被害の救済に関する法律**」が制定された。以下では①，②について触れることにしたい（③については，大塚『環境法』11-1・3〔722頁〕参照）。

1　公害健康被害の補償等に関する法律

(1)　制度の背景と沿革

公害による健康被害の救済に関しては，損害賠償による民事上の救済が可能であるが，訴訟には相当の時間と労力を要するし，公害問題に関しては因果関係の究明が困難な場合や，被害者が勝訴しても加害企業が無資力であるために支払えない場合も存在する。また，財産等の物的損害に対する事後的な補償の場合とは異なって，日々治療を要するものであるため，一刻も放置できないという緊急の必要がある。

1960年代後半に四大公害訴訟が提起される中，公害による健康被害に基づく損害を迅速に塡補するため，国における健康被害者救済制度が必要であることが痛感されてきた。

1967年に制定された公害対策基本法は公害健康被害救済制度を確立することを定めていたが（21条2項。現在では環境基本法31条2項に引き継がれている），これに基づいて，1969年に「**公害に係る健康被害の救済に関する特別措置法**」（昭和44年法律90号。以下，「旧救済法」という）が制定された。この法律は，著しい大気汚染又は水質汚濁による疾病（公害病）が多発した地域について，当該疾病を対象とし，都道府県知事が認定患者に対して応急的な救済を行い，それに要する費用の半分は公費で負担し，残りの半分を産業界が負担するものであった。しかし，この法律は，①狭い範囲の医療救済にとどまり，障害補償等による被害者の「生活保障」については対象外とされていたこと，②事業者の負担が本質的には自発的な寄付としての任意負担であることから，制度の安定性の観点から問題があったこと，③財源としての公費負担が大きいことなどの限界をもっていた。

1972年の四日市公害訴訟判決（津地四日市支判昭和47・7・24判時672号30頁［2］）が大気汚染による被害の損害賠償を認めたことを契機として，1973年に「**公害健康被害補償法**」が制定された（昭和48年法律111号。以下，これを「改正前公健法」という。同法は1987年に一部改正され，「**公害健康被害の補償等に関する法律**」と改称された。以下，これを「公健法」という）。

(2) 制度の概要

(a) 公健法は，著しい大気の汚染又は水質の汚濁の影響による健康被害に係る損害を填補するための補償，公害保健福祉事業，大気の汚染の影響による健康被害を予防するための事業を行うことにより，被害者等の迅速かつ公正な保護及び健康の確保を図ることを目的としている（1条）。

(b) 公害健康被害補償制度とは，公害の原因となりうる事業活動を営む全国の事業者から徴収した賦課金を財源として，公的機関が簡易な手続で公害病を認定し，迅速・確実に被害者の救済を行おうとする制度である。その特色としては，第1に，旧救済法とは異なり，補償の性格が公害原因者の**民事責任**を踏まえた損害賠償と位置づけられ（「**汚染者負担原則**〔PPP〕」の表れとも解されている），医療費の実費のみでなく，被害者の逸失利益や慰謝料の要素をも考慮した補償給付がなされること，第2に，汚染物質を排出する事業者に賦課される汚染賦課金は，当該汚染物質の排出量に応じて算出され，強制徴収されうること，第3に，救済に要する費用は，全額事業者に対する賦課金から支払われ，公的資金は，この制度の実施に係る事務費にのみ用いられること（この点も旧救済法と異なる点である），第4に，本法の下での第一種地域では，迅速に給付を行うため，因果関係の個別的認定は必要とされず，**因果関係に関する制度的割切り**がなされていることがあげられる（ただし，1987年改正の下での第一種地域の指定解除について→(e))。

(c) 公健法は，補償を受けうる被害者の地域（「指定地域」）として，第一種地域と第二種地域とに分けている（2条）。**第一種地域**とは，相当範囲にわたる著しい大気汚染が生じ，その影響により慢性気管支炎，気管支ぜん息等の非特異性疾患が多発している地域として政令で定める地域をいう。**第二種地域**とは，相当範囲にわたる著しい大気汚染又は水質汚濁が生じ，その影響により水俣病，イタイイタイ病等の特異性疾患（原因物質が特定している公害病）が多発しているとして政令で定める地域をいう。どちらの地域の疾患についても，政令で定められる（「指定疾病」）。

第二種地域の**特異性疾患**については，個別的に因果関係が認定されるが，**第一種地域**の**非特異性疾患**については，①「指定地域」に一定期間以上居住ないし通勤し（「**曝露要件**」），②「**指定疾病**」にかかっていることが認められれば，都道府県知事が認定する（4条1項）制度的割切りがなされている。

第一種地域は41地域が指定されていたが，現在は全て解除されている。第二種地域は水俣病，イタイイタイ病，慢性砒（ひ）素中毒症について5地域が指定されている。

補償給付には，診察・薬剤支給・治療などの療養の給付及び(i)療養費，障害の程度に応じて支給される(ii)障害補償費，(iii)遺族補償費，(iv)遺族補償一時金，(v)児童補償手当，症状の程度に応じて支払われる(vi)療養手当，(vii)葬祭料の7種類がある（3条，19条以下）。(ii)障害補償費の額は，公害被害の特質，この制度における因果関係についての考え方等を勘案し，全労働者の平均賃金と社会保険諸制度の給付水準の中間となるような額とされている（労働者の性別及び年齢階層別の平均賃金の80%相当）。(iii)遺族補償費は，認定患者が公害病で死亡したとき，患者によって生計を維持していた遺族に，一定の期間，平均賃金の7割相当額が支給される。なお，(ii)〜(v)については，慰謝的要素も考慮して給付される。

公害保健福祉事業とは，指定疾病によって損なわれた健康を回復させ，回復した健康を保持・増進させる等のために都道府県等が行う事業であり，リハビリテーションに関する事業，転地療養に関する事業等を含む（46条）。健康被害予防事業とは，旧第一種地域を中心とした，健康診査，機能訓練等により健康の確保・回復を図る事業，健康被害の予防に関する調査研究・計画作成等を含むものであり，独立行政法人環境再生保全機構等によって行われる（68条）。

(d) 被害者への補償のための財源は，第一種地域の非特異性疾患については，一定の規模以上のばい煙発生施設を有する設置者から，排出された硫黄酸化物の量に応じて徴収される**汚染負荷量賦課金**（52条以下）と，大気汚染に大きく寄与をしている移動発生源の中心である自動車に関して，政府から交付される**自動車重量税**

収入の一部（附則9条）によって支弁される。固定発生源からの汚染負荷量賦課金と自動車重量税の分担割合は，改正前公健法制定当時の硫黄酸化物と窒素酸化物の排出量をもとに算出した結果，8対2とされた（公健法施行令附則6項。改正前公健法施行令附則5項も同様）。汚染負荷量賦課金は全国の事業者から徴収され，その賦課料率は毎年変動し，指定地域とそれ以外の地域とで（さらに指定地域内でも汚染の度合いに応じて）格差が設けられている。

他方，第二種地域の特異性疾患については，当該疾患の原因となる物質を排出している特定の事業者からその原因の度合いに応じて徴収される**特定賦課金**（62条以下）が，補償の財源となる。この制度で給付される補償金は，第一種地域の場合と異なり，最終的には，特定賦課金の徴収によって全額原因企業によって負担される。これは，原因と疾患との因果関係が明確であることに基づいている。

これらの賦課金の徴収等は，独立行政法人環境再生保全機構によって行われる（52条，62条。独立行政法人環境再生保全機構法10条1項1号イ）。

公害保健福祉事業に用いられる費用は，それが福祉施策の性格をもっていることから，事業者（賦課金・自動車重量税）と，公費（国と，都道府県又は市）が半額ずつ負担するシステムとなっている（48条2項，49条，51条）。一方，健康被害予防事業の費用は，固定発生源の事業者，自動車工業会からの任意拠出を中心とし，一部国が出資した基金を財源とする（独立行政法人環境再生保全機構法14条）。これは，この事業が，国等が行っている健康被害予防のための一般的施策を補完するための制度と考えられたことに基づく。

Q1 公害健康被害補償法の1987年改正及び同法施行令改正はどのような趣旨で行われたか。

(e) 1987年の公健法改正及び同法施行令改正により，①全国の第一種地域を全て解除し，新規の患者認定を打ち切る（既存の認定患者については補償を継続する）とともに，②環境保健施策の一環として前記の健康被害予防事業を行うこととした。

①については，賛否両論が繰り広げられたが，改正の契機は，第1に，1970年代から大気中の硫黄酸化物の濃度が相当に改善され，指定地域の指定要件をかなり下回るようになったにもかかわらず，年々第一種地域の被認定者の数は増え続け（1987年には9万8,694名に上った），事業者の費用負担が1,000億円を超えたこと（1986年度），第2に，当初は第一種地域内の事業者が総額の半分以上を負担していたが，第一種地域内の硫黄酸化物排出量がその他の地域に比べて著しく減少したため，1986年度には総額の3分の1に減少したことなどから，（当時の）経済団体連合会（経団連）を中心とする産業界（第2点については，第一種地域外の企業）の地域指定の

解除を求める要請が極めて強くなったことにあった。

(3) 制度の評価

この制度は，迅速な手続により，不法行為に基づく損害賠償に匹敵する充実した補償を与えるものとして，諸外国においても注目されていたものである。

制度の中心である第一種地域についての汚染負荷量賦課金制度は，①その第1次的目的が汚染防除ではなく，**被害補償**のための財源確保にあった点，②①において，被害との因果関係等について制度的割切りが行われていたために，当初の目的から逸脱した**賦課料率の高騰**がもたらされ，その結果，(意図されない形ではあるが) 相当程度の汚染防除のインセンティブが企業に与えられた点に大きな特色がある。

この制度は，上記のように汚染者負担原則を具体化したものであるが，①第一種地域の認定者の救済を全国の事業者が負担するシステムとなっており，その他の地域から徴収される賦課金額が，徴収総額の7割に近い点，②汚染賦課量賦課金の賦課の指標として硫黄酸化物のみが用いられてきた点などに，同原則から乖離する面ももっていたと評することができよう。

1987年の改正により第一種地域の指定を全て解除したことについてはやむをえない面もあったが，幹線道路周辺の住民の大気汚染による呼吸器系疾患有症率が，他の地域より依然高かったことからすると，幹線道路周辺地域について，浮遊粒子状物質（微小粒子状物質＝PM2.5を含む。→**6-2**・5(2)〔180頁〕）や二酸化窒素を指標として追加した第一種地域の制度設計を検討すべきではなかったかという問題がある。

ちなみに，**東京大気汚染訴訟**は公害健康被害補償制度の第一種地域の復活をも目的とした一種の政策志向型訴訟であった。東京高等裁判所の勧告に基づいて2007年8月に成立した和解条項には，①自動車メーカーの解決金の支払いとともに，②東京都による医療費助成制度の創設（資金拠出は国，東京都，旧首都高速道路公団，自動車メーカーによる)，③国，都，旧首都高による環境対策の実施が盛り込まれた。②は，都内に継続して1年以上住所を有する，現に気管支ぜん息に罹患している18歳以上の者を対象としている。国から都には60億円の拠出をすることとされた（国は環境再生保全機構に指示し，本法の下での予防事業の実施に充てるために，公害健康被害予防基金から，68条2号により東京都に助成金が交付された)。

2 水俣病被害者の救済及び水俣病問題の解決に関する特別措置法（水俣病救済特別措置法）

水俣病（その認定に関する訴訟について→**12-7**・1〔621頁〕）については1995年に自社さ連立政権の際に最終解決の決定がなされたが，**水俣病関西訴訟最高裁判決**（最判平成16・10・15民集58巻7号1802頁［84］）が，全身性の感覚障害を有する者その他四肢末梢優位の感覚障害を有する者に準ずる者についてもメチル水銀中毒症の罹患を認める原判決（大阪高判平成13・4・27判時1761号3頁）を維持し，また，国及び熊本県の規制権限不行使の国家賠償責任を認めたのを受け，多数の訴訟（熊本6件，新潟2件）が再度提起された。他方，チッソは1995年の「最終的かつ全面的な解決」を再度蒸し返されることを渋るとともに，多額の債務を金融機関等に負っていることから，信用力を高めるため，好調な事業部門を分社化することを国に対して要求してきた。これらを背景として，2009年，議員立法により，本法が制定された。

⑴　前文，目的等

前文では，水俣病問題に対する最終的解決に向けた決意を表明し，公健法の判断条件を満たさないものの救済を必要とする人々を水俣病被害者として受け止め，その救済を図ることが謳われている。

本法は2つに大別される。救済策の部分（1章～3章）と，分社化の部分（4章，5章）である（熊本水俣病のチッソは両方に，新潟水俣病の昭和電工は救済策の部分のみに関係する）。ほかに，地域振興等（6章）の規定がおかれている。

本法の目的は，水俣病被害者の救済と水俣病問題の最終解決である（1条）。そのために，本法では，①救済措置の方針を明らかにし，②水俣病問題の解決に向けて行うべき取組を明らかにするとともに，③必要な補償の確保等のための事業者の経営形態の見直し（分社化）に関する措置等を定めている。

さらに，本法は，救済及び解決の原則を掲げる（3条）。すなわち，継続補償受給者（すでに認定されている者）は，将来にわたり補償が確実に行われること，これから救済を受ける者については「あたう限りすべて救済されること」，関係事業者（チッソ等）は，救済にかかる費用の負担について責任を果たすこと等である。

⑵　救済策の部分

救済策のうち，①救済措置の方針については，政府は，関係県の意見を聴いて，対象者を早急に救済するため，一時金，療養費及び療養手当の支給に関する方針を定め，公表するものとする（5条）。救済措置の対象者の範囲としては，(i)過去に通常起こりうる程度を超えるメチル水銀の曝露を受けた可能性があること（**曝露要件**）と，(ii)四肢末梢優位の感覚障害を有する者か，全身性の感覚障害を有する者その他四肢末梢優位の感覚障害を有する者に準ずる者であること（**症候要件**）の2要件を備えていることが必要となる。(ii)は，上記最高裁判決によって維持された原判決の内容が盛り込まれている。すでに水俣病の補償又は救済を受けた者，公健法の認定申請をしている者，訴訟を提起している者は除外される。同方針の具体的内容については，2010年4月，政府が閣議決定で定めた。給付内容としては，一時金と療養費，療養手当があるが，一時金はチッソが支給し，療養費等は関係県が支給し，政府が関係県に必要な支援を行う。一時金の額は210万円とされた。

なお，一時金等の対象となる程度の感覚障害を有しないまでも，一定の感覚障害を有し，本法の施行の際に現にその医療にかかる措置を要するとされている者については，水俣病被害者手帳が交付され，療養費を関係県が支給する（政府は，関係県に必要な支援を行う）（6条）。

②水俣病問題の解決に向けた取組としては，本法による救済措置を求める者に対しては，3年以内を目途に対象を確定すること，公健法の認定申請をし，また，訴訟を提起している者に対しては，できるだけ早期に紛争の解決を図ることとしている（7条）。救済措置の方針に基づく申請は2012年7月で受付が終了した。申請者は6万5,000名を超える数となった。

Column43 ◇水俣病被害者救済の給付申請に係る判定結果に対する不服申立ては認められるか

本法の特殊性を強調すると次のような考え方を採用することになろう。行政不服審査法1条2項の「処分」とは，行政事件訴訟法の抗告訴訟についての処分性と同義と解されているところ，特措法の目的は，救済措置の方針及び水俣病問題の解決に向けた取組を明らかにすることにあり（1条），救済の具体的内容は，関係者の合意を前提とするものである。救済措置の方針に基づく判定は，法令の規定に基づくものではなく，当事者の合意に基づく行為であって，行政庁の「処分」とは言い難い。また，判定により一時金等対象者とされたとしても，救済措置を受けるかどうかはその者の判断に委ねられるのであって，判定によってその者の直接の法律上の地位に影響を与えるものではない（平成24・7・25環保企発120725003号）。もっとも，この点には争いがある。

(3) 分社化に関する措置

③分社化については，特定事業者の指定（8条。チッソが指定される），事業再編計画の申請及び認可（9条）が定められた。また，通常の会社法の手続の下では分社化が認められないところから，裁判所の代替許可の規定がおかれている（10条1項）。分社化の際の売却益と，分社化された事業会社（子会社）からの配当が，救済の原資に充てられる。事業会社の株式の譲渡については，環境大臣の承認が必要であり（12条3項），救済が終了するまで凍結される。特定事業者の倒産に備えて，指定支給法人が認定患者に補償給付の支給を行うルートも確保されている（18条）。特定事業者及び事業会社には税制の優遇措置が認められている。

⑷ その他

その他，政府及び関係地方公共団体は，事業会社の地域での事業の継続により，地域振興等に努めること（35条），指定地域及びその周辺の地域における福祉事業と地域社会の絆の修復（「もやい直し」）に努めること（36条），地域に居住していた者の健康に係る調査研究その他メチル水銀が人の健康に与える影響等について調査研究を積極的に行い公表すること（37条）が定められている。

⑸ 評価等

本法に関してまず問題となるのは汚染者（原因者）負担原則との関係であるが，これについては2点において不明瞭である。第1に，チッソの行為との因果関係が必ずしも明確でない者が含まれているため，汚染者負担原則の問題と言い切れない部分がある。第2に，上記の関西訴訟最高裁判決は，国・熊本県の国家賠償責任を認めたが，国・県とチッソの責任の関係に関して最高裁が維持した原判決では国・県はチッソの賠償義務の4分の1の範囲においてこれと不真正連帯の関係に立つとしたところであり，国・県の責任とチッソの責任との関係をどう整理するかという問題があるが，この点についての本法の姿勢は明らかでない。汚染者負担原則だけでは対応しきれない問題が含まれているとみることもできよう。

なお，被害者の救済費用については，国がまず支払ってその後に原因者であるチッソに求償することが一般的には考えられるが，本法がそのような仕組みをとっていないのは，上記のように因果関係が必ずしも明らかでないため，国が支払った後にチッソに対して求償することは極めて困難であるという問題があったのである。

⑹ 各地での和解と最判平成25・4・16〔85〕

水俣病関西訴訟最高裁判決を契機に新たに各地で水俣病訴訟が提起されていたが，2010年，各地裁でそれぞれの原告と国，県，チッソ，昭和電工（新潟地裁の和解には新潟県は入っていない）が和解の基本合意に達し，翌11年3月，和解が成立した。

これらにより，水俣病の救済は，裁判上の和解と水俣病救済特別措置法による救済策の2本柱で決着が図られることになった（前記の救済措置の方針についての同年4月の閣議決定により，同法に基づく救済策と和解による救済策は同様にされることとなった）。

和解内容としては，一時金210万円，療養手当，医療費（自己負担分を補償）のほか，団体加算金が支払われること，支給の対象となるかは第三者委員会が判定すること，全ての原告の判定を年内を目途に終了するよう努力することなどが定められた。

なお，その後，最判平成25・4・16の2つの判決は，感覚障害のみの水俣病が存在しないという科学的な実証はないと判断した（→**12-7**・1⑹〔627頁〕）。

➡ 水俣病に関しては昭和 40 年代から，患者とチッソ，国，熊本県の間で激しい紛争が生じた。そこでは何が問題となったのか。

9-2　公害防止事業の費用負担

本章の冒頭に触れたように，国や地方公共団体は，国民の健康を保護し，快適な生活を確保する一般的責務を負っていることから，環境保全に関する施策を策定し，実施しなければならない（環境基本法 6 条，7 条）。公害対策もこの中に含まれる。これらに必要な費用は国又は地方公共団体によって負担される。

また，公害がすでに発生した地域，又は発生が予想される地域では，国や地方公共団体が広い意味での公害防止事業（一種の公共事業）を実施して地域環境の汚染を防止し，除去する必要がある。しかし，公害防止事業は，公害の予防・除去を目的とするものであるから，汚染者（原因者）負担原則の見地からすると，その費用を公共が負うことには問題も少なくない。そこで，公害防止事業費事業者負担法（昭和 45 年法律 133 号）は，事業者に公害防止費用の全部又は一部を負担させることとしている。

以下では，公害防止事業費事業者負担法の下での事業者の負担について触れた上で（→1），地方公共団体に対する国の財政措置（→2〔421 頁〕），事業者に対する助成措置（→3〔422 頁〕）について簡単に述べることにする。

1　汚染原因者（事業者）の負担
——公害防止事業費事業者負担法の下での事業者の負担

(1)　事業活動によって生じる公害については，国又は地方公共団体がそれを防止するための事業（「公害防止事業」）を実施し，その費用の全部又は一部を事業者（汚染原因者）に負担させる制度がつくられている（公害防止事業費事業者負担法。以下，「負担法」という）。これは，**汚染者負担原則**に基づくものであるが（ただ，この法律の制定は 1970 年であり，OECD の理事会勧告〔→**2-4**・1（55 頁）〕よりも 2 年前であることにも留意する必要がある），「公害防止事業」は「防止」という語を用いてはいるが，そこには未然防止としての「汚染防止」のみでなく，「環境復元（原状回復）」を目的とするものも含まれていることに注意しなければならない。負担法は，「公害防止のための事業に要する費用の負担について」法律で定めることを規定していた旧公害対策基本法 22 条に基づいて制定された（現在の環境基本法にはこれに直接対応する規定はない）。

(2)　本法の下で事業の対象となる「公害防止事業」は，①緩衝緑地等の設置・管理，②河川，湖沼，港湾等の浚渫（しゅんせつ），導水等，③汚染農用地又はダイオキシン類により土壌が汚染されている土地の客土，農用地施設の施設改築等，④特定公共下水道等の設置，⑤工場等の周辺の住宅の移転，学校等の公共施設の防音工事等である（2条2項）。①は「汚染防止」，②，③は「環境復元」，⑤は「汚染防止」と被害救済の性格をもっているといえよう。④はより一般的な公共事業に関するものである。事業の範囲としては，人の健康・生活と密接な関係のあるもののみでなく，生活環境そのものの悪化を防止する事業も含まれていることが重要である。従来行われた事業は，①〜③がそのほとんどを占める。これまで行われた事業のうち，国が施行者となったものはない。

(3) 費用負担者は，「当該公害防止事業に係る公害の原因となる事業活動を行ない，又は行なうことが確実と認められる事業者」である（3条）。この費用負担の性格は，人的公用負担の一種としての「広い意味」での**原因者負担**とされている。任意の拠出ではない点が重要である。

「広い意味」での原因者負担としたのは，通常の原因者負担（河川法67条，港湾法43条の3など）においては，原因と結果の関係が明確に把握されることが要求されるのに対して，本法の費用負担については，それが公法上の特別負担と解されるところから，各費用負担者の事業活動と具体的な個別の被害との事実的因果関係の証明が要求されるものではなく，当該地域の事業活動による公害を全体として把握し，負担者の事業活動はその原因に何らかの形・程度で寄与していれば足りる（これを「**包括的因果関係**」と呼ぶ）と考えられているからである（高橋達直，藤田耕三）。条文上，負担額について，公害を全体として把握して，その原因となると認められる程度に応じて負担総額を決め，さらに，個々の事業者の負担額を割り出す方法がとられていることも，上記の点と密接に関連しているといえる。したがって，個々の事業者は，具体的な因果関係が明確でないということのみでは，負担金の決定通知に対する異議の申立ては認容されず（公害対策本部編『公害防止事業費事業者負担法の解説』47頁），行政庁の裁量権の逸脱にあたる場合にのみ認められると解する。

ただし，個々の事業者の行為と結果との因果関係に関する上記の議論は，「公害防止事業」の③のダイオキシン類により土壌が汚染されている土地については適用されない（ダイオキシン類対策特別措置法31条7項）。そこでは，負担法の適用について「事業者によるダイオキシン類の排出とダイオキシン類による土壌の汚染との因果関係が科学的知見に基づいて明確な場合」であることを要求しているからである。もっとも，この点については，ダイオキシン汚染地の場合のみを他の場合と区別する理由は見あたらず，立法論的には問題があると思われる（→ **Column44**）。

⑷　負担法の明文にはないが，事業者が負担を課される要件としては，**無過失責任**で，かつ，法制定前の行為についても責任が**遡及**するものと解されている（名古屋地判昭和61・9・29判時1217号46頁。原田）。これは，本法3条の文言からみて可能な解釈であるし，立法の経緯からも明らかである。また，この責任の遡及が憲法29条，39条に違反するか否かについては，下級審裁判例が，遡及に合理的理由があり，公共の福祉に適合するため，合憲であるとの判断を行っている（前掲名古屋地判）。

⑸　徴収される事業者負担金の額は，まず，当該事業について事業者全体に負担させる費用の総額である負担総額を定め，次にそれを各事業者について配分した額を定めるという手順を踏む。

この負担総額は，「費用を負担させるすべての事業者の事業活動が当該公害防止事業に係る公害についてその原因となると認められる程度に応じた額」（負担法4条1項）である。この費用の中には，事前調査費のように，直接公害を防止するものでない費用は含まれない（同法施行令2条）。上記の①〜③及び⑤の類型の事業については，(i)事業に公害防止機能以外の機能がある場合，(ii)事業に係る公害の程度が低い場合，(iii)事業に係る公害の原因物質が長期間にわたって蓄積された場合（蓄積性公害の場合）には，衡平の見地から，**減額**が認められる（負担法4条2項）。新しいデータが公表されていないが，2004年3月末現在までの事業についての事業者負担割合は，平均して約42%である（環境省資料による）。

次に，このようにして定められた負担総額は，公害防止事業の種類に応じ，事業活動の規模，公害の原因となる施設の種類及び規模，原因物質の量及び質等を基準とし，各事業者の事業活動が公害の原因となる程度に応じて配分される（5条）。

⑹　公害防止事業の施行者（国・地方公共団体）が公害防止事業を実施する場合に，本法を適用して事業者に負担を課するかどうかについては，施行者の裁量に委ねられる。しかし，公害防止事業に係る公害の原因となる事業活動を行い，又は行うことが確実と認められる事業者が明らかに存在する場合に，地方公共団体が負担を課さないときは，**住民訴訟**の対象となる。判例も，地方公共団体が河川・港湾のヘドロ堆積に係る汚水排出者への請求権の行使を違法に怠った事実により被った損害の補塡を，地方自治法旧242条の2第1項4号の代位請求により汚水排出者に求めることができるとした（田子の浦ヘドロ事件判決〔最判昭和57・7・13民集36巻6号970頁[17]〕。なお，本号は2002年に改正された。→**11-2**・4⑴〔557頁〕）。

公害防止事業の施行者は，事業を実施するに際し，審議会（施行者に応じ，国の公害防止事業費負担審議会，都道府県の環境保全に関する審議会，市町村の環境保全に関する審議会などが該当する）の意見を聴いて費用負担計画を定めなければならず，その中で，費用を負担させる事業者を定める基準，公害防止事業費の額，負担総額及びその算定基礎等を定めることとされている。この計画の要旨は公表される（6条）。

そして，施行者は，当該計画に基づき，費用を負担させる各事業者及び事業者負担金の額を定めて，各事業者に通知しなければならない（9条）。この通知は行政処分となり，不服申立てや取消訴訟の対象となりうる。事業者負担金を納付しない事業者があるときは，施行者は，督促をしたうえ，国税滞納処分の例により，強制徴収することができる（12条）。

中小企業者の費用負担に関しては，負担金の配分基準等について適切な配慮がなされる（16条）。

Column44 ◇公害防止事業費事業者負担法の負担とダイオキシン類対策特別措置法

東京都知事は，2006年，ダイオキシン類特別対策措置法31条1項に基づいて「北区α地域ダイオキシン類土壌汚染対策計画」を策定し，同計画に基づきダイオキシン類土壌汚染対策事業が実施された。その後，公害防止事業費事業者負担法6条1項に基づき費用負担計画が策定され，そこでは，α地域におけるダイオキシン汚染の原因者はA～Cであるものとされ，同負担法9条1項に基づき，A及びBに対して，前記事業に要した費用の一部につき，負担決定がされたところ（Cは不存在のため負担させることができない），A及びBはそれぞれ自己に対する負担決定の取消しを求め，取消訴訟を提起した。

東京地判令和元・12・26は，第1に，負担法施行前の行為によって生じた公害について，当該行為者に対し同法に基づく負担をさせること（遡及適用）は違憲ではないとした。第2に，ダイオキシン類対策特別措置法31条7項は「事業者によるダイオキシン類の排出とダイオキシン類による土壌の汚染との因果関係が科学的知見に基づいて明確な場合」に負担法を適用するとしているが，この意義についての解釈を示している。

すなわち，東京地判は，第1点については，「法律で一旦定められた財産権の内容が事後の法律により変更されることによって法的安定に影響が及び得る場合における当該変更の憲法適合性については，当該財産権の性質，その内容を変更する程度及びこれを変更することによって保護される公益の性質などの諸事情を総合的に勘案し，その変更が当該財産権に対する合理的な制約として容認されるべきものであるかどうかによって判断すべきものであ」るとし，「既に発生した公害について，その除去，防止に係る事業を行って地域環境の汚染の拡大を防止するとともに，汚染された環境の回復を図ることは，社会的な要請であるといえるところ，このような事業を行う費用については，①経済的観点や正義，公平の観点等に照らすと，原因行為が負担法施行後にされたか否かを問わず，当該公害の原因をもたらした事業者に負担させることには合理性があるものといえる」，また，②負担法は，公害が同法施行前の事業活動に起因する場合に負担額を減額することができるようにして，事業者の負担が過度に厳しくならないように配慮しているものといえる」，「そして，③負担法制定前の事業活動に起因する公害について，同法に基づく事業者負担金が支払われることによって，公害防止事業の財政的基礎が強化され，当該事業の早急かつ円滑な実施が可能となり，地域環境の汚染の拡大が防止され，汚染された環境の回復が図られるものといえる」とし，「これらの事情に鑑みれば，負担法制定前の事業活動に起因する公害について同法に基づき事業者負担金を課すことは，公害の原因となる事業活動を行った事業者の財産権に対する合理的な制約として容認されるべきものと解するのが相当である」とした。本判決のこの部分は，負担法の遡及に関する前掲名古屋地判昭和 61・9・29 を踏襲するものとして重要である。①正義・公平という点は，汚染者負担原則の趣旨を取り上げていると解される（桑原）。名古屋地判昭和 61・9・29 のいう公共の福祉としては，③を取り上げる。

第 2 点については，ルンバール事件最高裁判決（→ **11-1**・1 (2)(b)〔494 頁〕）を引用しつつ，「事業者によるダイオキシン類の排出とダイオキシン類による土壌の汚染との因果関係については……原因・結果の関係を是認し得る高度の蓋然性を通常人が疑いを差し挟まない程度に真実性の確信を持ち得る程度に証明することが求められるというべきである」とした。上述したように（→ **9-2**・1 (3)〔418 頁〕），負担法に基づく事業費負担は，包括的因果関係としての（広い意味での）原因者負担であるとされているが，ダイオキシン法 31 条 7 項は，その例外として，費用負担者の事業活動と土壌汚染との個別的な因果関係が証明されることを要求しており，同条項はこのことを判示したものであろう。

(7) 費用負担の観点からみた，公害防止事業費事業者負担制度の特色をあげておきたい。

第 1 は，公害防止事業の主体が，事業者等ではなく，国又は地方公共団体とされている点，第 2 は，私人の費用負担の主体として，拡大されてはいるが，原因者のみがあげられている点，第 3 は，負担が課せられる要件としては，無過失責任主義で，かつ，法制定前の行為についても責任が遡及するものと解されている点，第 4 に，費用を負担すべき事業者が不明・不存在の場合については国・地方公共団体が負担する点（4 条 1 項の「費用を負担させるすべての事業者」に該当しないことになる）である。

2 地方公共団体に対する財政的措置

環境保全施策に必要な経費は国と地方公共団体が分担するが，環境基本法は，国は，地方公共団体が環境保全施策を策定し，実施するための費用について，必要な財政上の措置を講ずるよう努めるものとしている（39 条）。

3　国による助成

事業者の公害防止措置に対する助成に関しては，公害関連の様々な法律で行われている（環境基本法22条1項，大防法29条，水濁法25条など。公害財特法の特別財政措置は2020年度末をもって基本的に終了した→ **Column11**〔103頁〕）。また，税制上の優遇措置が租税特別措置法（昭和32年法律26号）及び地方税法（昭和25年法律226号）で定められている。

事業者の公害防止措置に係る費用は，汚染者負担原則からすれば，原則として事業者自身が負担する必要があり，国や地方公共団体による助成は，あくまでも例外的なものでなければならない（→**2-4**・4〔58頁〕）。この点はわが国の環境法全体に関する重要な問題である。

第10章　地球温暖化問題に関する法

本章では地球温暖化（わが国では温暖化の語が用いられることが多かったが，国際的には，特に欧州を中心として，「気候変動」の語を用いることの方が多い。気候変動の方が，人類にとって切迫する問題を端的に表しているといえよう）問題に関する国内法を中心に記述するが，その基礎には国際的取組があるため，これについても必要な範囲で触れることにしたい（詳しくは，大塚『環境法』12-1〔737頁〕以下。地球温暖化以外の地球環境問題については，同12-3〔793頁〕以下などを参照）。

10-1　国際的取組

1　気候変動枠組条約

地球温暖化（気候変動）とは，人間活動の拡大に伴う温室効果ガス（GHG：二酸化炭素，メタン等）の排出量の増大（世界全体の二酸化炭素排出量は2012年に約326億トンである）によって温室効果ガスの大気中の濃度が高まり，地表面の温度が上昇し，その結果，海水の膨張，極地の氷解による海面上昇，気候メカニズムの変化による異常気象（極端な豪雨を含む）の頻発等，病害虫の増加，農作物等の質の低下，デング熱等感染症のリスク地域の拡大等が生ずることである。ひいては，沿岸部の侵食，洪水や砂漠化，農作物の生産の減少や生態系への悪影響，新たな伝染病の発生などがもたらされることになる。そして，究極的には，海洋の大循環が止まったり速度が緩やかになるなどの場合には，地球の気候全体が大きく異常をきたすこととなることが懸念されている。

このような現象は一部の科学者によって1930年代から主張されていたが，1985年にはオーストリアのフィラハで温暖化に関する初めての科学者国際会議（フィラハ会議）が開催され，1990年代に入ると，温室効果をもつ物質の増加が地球温暖化をもたらすおそれがあることについて，科学者の間でかなりのコンセンサスが得られるようになってきた。特に，気候変動に関する政府間パネル（IPCC）第1次評価報告書（1990年）が，温室効果ガスの対策を行わない場合，2100年には，1990年と比較して，地上の気温が1.5～4.5℃上昇するとしたことが大きな影響力をもった

(その後，1995 年に第 2 次，2001 年に第 3 次，2007 年には第 4 次，2013・14 年には第 5 次の評価報告書が出された。第 5 次評価報告書では，1886 年から 2012 年の間に世界の平均気温は 0.85 ℃上昇したとし，温暖化現象が人為的起源で起きていることについては，95% 以上の蓋然性があるとした。また，従来より評価の確度が上がった。3 ℃上昇すると大規模で不可逆な特異現象が起きるとされ，2 ℃上昇に留めることが重要となるが，温室効果ガスの累積排出量と気温上昇が比例関係にあり，2 ℃上昇に留めるには，現状の排出を続けるとすると約 30 年以内に世界の温室効果ガスの排出をゼロにする必要があることを指摘する。2 ℃上昇に留めるシナリオの達成には低炭素型エネルギー〔原発，再生可能エネルギー，バイオマス，火力発電の場合の炭素貯留（CCS)〕の大幅な普及が必要であり，温室効果ガスの排出をマイナスにする必要があるとする。その後，IPCC は 2018 年に 1.5 ℃ 特別報告書を公表した)。このような温室効果ガスの排出を規制するため，1992 年の環境と発展（開発）に関する国連会議において，国連気候変動枠組条約が採択された（1994 年発効。わが国は 93 年 5 月に同条約を締結した)。

この条約の究極の目的は，地球温暖化防止のため，大気中の温室効果ガスの濃度を「気候系に対する危険な人為的干渉を防止する水準」で安定化させることにある（2 条）（これに対し，その後の国際文書では，カンクン合意〔→ **2**(6)（428 頁)〕以降，パリ協定を含め，産業革命以後の気温の上昇を 2℃〔ないし 1.5℃〕に抑えることが目標とされている)。

この条約は，温暖化防止が全ての国に共通する責務であるとして途上国にも温室効果ガス排出抑制の努力義務を定める一方，先進諸国（西側先進諸国と旧東側諸国。「**附属書Ⅰ国**」と呼ばれる）には差異のある責務として，さらに重い責任を負わせている（「**共通だが差異ある責任**（CBDR)」。前文，3 条 1，4 条，12 条→**Column47**)。

途上国を含めた全締約国の責務としては，排出と吸収の目録の作成と更新，報告などを行うことがあげられている（4 条 1)。

先進諸国については，①温室効果ガス排出を 2000 年までに 1990 年のレベルに戻すことを目標として措置をとり，②そのための計画を公表し，その達成状況を締約国会議に定期的に報告し，締約国会議で審査し，改善措置を検討することとした（4 条 2，7 条)。これを「**誓約・審査方式**（Pledge and Review)」という。また，③二酸化炭素規制は，途上国の開発に影響を与えるので，旧東側諸国を除いた西側先進諸国（「附属書Ⅱ国」と呼ばれる）が「新規かつ追加的な」資金援助を行うこととされている（4 条 3)。資金メカニズムとしては，暫定的に，1991 年に世界銀行等によって設置された「地球環境ファシリティ（GEF)」を利用することとされている（21 条 3)。

条約の締結過程では，アメリカが，温暖化についての科学的知見が不確実であり，「後悔しない政策（no regret policy）」をとるべきであるとの主張を繰り返したが，**「予防原則」**の考え方から，この条約が採択された。条約には，締約国は，気候変動を最小限にするために予防措置（precautionary measures）をとるべきであると定められている（3条3）。

この条約に対しては，具体的措置が規定されていないという批判が示されたが，条約名にもあるように，これは枠組条約であり，科学的不確実性が存在し，各国の利害が複雑に絡み合う問題について枠組が策定されたことに一定の意義があったというべきである。

その後，③に関しては，2001年7月に開催された第6回締約国会議再開会合（COP 6 bis）（ボン合意）及び同年11月の第7回締約国会議（マラケシュ合意）において，GEFを通じた資金プロセス及び，多国間・二国間の資金拠出が，「予測可能で適切なレベル」で行われることについて合意がなされ，「特別気候変動基金」（温暖化への適応措置，技術移転等を支援するための基金）などの設立（全てGEFによって設置される）について合意された。

Column45 ◇ GEF（地球環境ファシリティ）とは

1989年に世界銀行，UNEP，UNDPのパイロット計画として発足し，1994年に正式に発足した，地球環境の保全又は改善のための基金である。途上国及び市場経済移行国が，地球規模の環境問題に対応した形でプロジェクトを実施する際に「追加的に負担する費用」につき，原則として無償で資金を提供する。GEFは，4つの環境関連条約（気候変動枠組条約，生物多様性条約，砂漠化対処条約，POPs条約）の資金メカニズムであるが，その活動は，これらの条約の範囲に限られない。GEFには，総会，評議会及び事務局がおかれ，評議会はGEFが資金を供与する活動の運営政策の策定，決定を行う。

2　京都議定書

(1)　京都議定書の策定と法的拘束力ある数値目標の設定

しかし，条約の定める目標は情報提供の際に考慮すべき努力目標にすぎず，これでは温室効果ガスの効果的な抑制は確保されない。また，同条約には，2000年以降の対策については触れられていない。

そこで，1997年，第3回締約国会議において，わが国の京都で採択された議定書（京都議定書）では，6種類の規制物質（二酸化炭素，メタン，亜酸化窒素，HFC，PFC，6ふっ化硫黄。附属書A）について排出削減目標値を定め，2008年から2012年の間に先進締約国（附属書I国）全体で1990年レベル（HFC以下の3物質については

1995年レベルとすることができる）の少なくとも5%を削減することとした（3条1項）。附属書Bに掲げる先進締約国（附属書B国。附属書I国の中で条約を批准した国と，条約4条2項(g)に基づいて自主的に約束を引き受けた国）には，個別の削減量が割り当てられた。それは10%増から8%減まで差があるが，EUは8%，アメリカは7%，日本は6%削減となっている。HFC，PFCのような代替フロンについても削減が要請されるようになったことも重要である。これは，法的拘束力のある数値目標と考えられた。他方，途上国については，数値目標などの新たな義務は導入されていない。

この議定書の重要部分（後述する柔軟性メカニズム，遵守手続，吸収源）の詳細の決定は，2000年開催の第6回締約国会議で結論が出ず，さらに，2001年3月にはアメリカのブッシュ政権が京都議定書からの離脱を表明したため，事態は混沌とした。しかし，その後，同年7月に，ボンで第6回締約国会議再開会合において，議定書の中核的要素に関する基本的合意が得られ，11月にはマラケシュで行われた第7回締約国会議で運用細目に関する基本的な合意の文書（マラケシュ合意）が作成された（この合意はその後，2005年に，条約の第11回締約国会議〔COP11〕と同時に開催された議定書の第1回締約国会合〔CMP1〕で採択された）。

議定書は，その後，2005年2月にようやく発効するに至った。

(2) 吸収源等

森林のように温室効果ガスを吸収する機能を有するもの（吸収源）についての配慮も必要であるが（3条3項），ボン合意及びマラケシュ合意において，森林管理による吸収源の割当量について，国別の上限を設けることとされ，わが国は上限枠が1,300万Cトン（3.86%）まで認められた。

(3) 柔軟性メカニズム（京都メカニズム）

(a) 京都議定書は，費用対効果を高めるため，国際的に協調して目標を達成するための種々のメカニズム（柔軟性メカニズム。京都メカニズムとも呼ばれる）を採用した。共同実施，排出枠取引，クリーン開発メカニズムである。

「**共同実施**（Joint Implementation：**JI**）」（6条）とは，数量目標を達成するため，先進締約国は，発生源による人為的排出を削減することあるいは吸収源による人為的除去を増進することを目的としたプロジェクトによる排出削減ユニットを他の先進締約国に移転し，又は他の先進締約国から獲得することができるとするものである。

「**排出枠取引**（Emission Trading）」（17条）とは，先進締約国は，議定書の約束を達成するために，自国の割当量の一部を譲渡することができるとするものである（**図表10-1**）。

【図表 10-1】排出枠取引

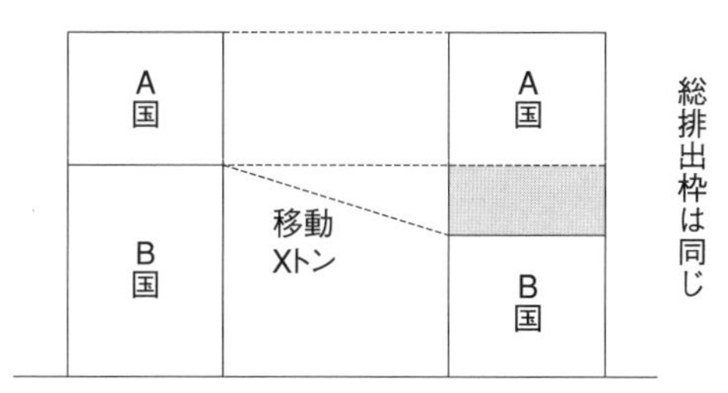

出典：環境省資料を加工

「**クリーン開発メカニズム**（Clean Development Mechanism：**CDM**）」（12条）とは，途上国の締約国が持続可能な発展と気候変動枠組条約の目的を達成することを支援し，かつ先進締約国の数量目標の達成を支援するためのメカニズムである。このメカニズムにより途上国の締約国は，温室効果ガスの排出削減につながるプロジェクト（例えば，発電所の発電効率を上げるプロジェクト）の実施による技術・利益が得られ，先進締約国はこうしたプロジェクトによって生ずる「認証された削減量」を自国の数量目標の達成のために使用できる。先進締約国には削減の技術があるが，一方，エネルギー効率の改善の余地は途上国に多く残されていることから，このような仕組みがつくられたのである（図表 10-2）。「クリーン開発メカニズム（CDM）」事業が認証を得るためには，当該プロジェクトによって真に温室効果ガスの排出削減につながるよう，排出削減についての「**追加性**（additionality）」（12条5(c)）が重要な要件となる。「共同実施」と「クリーン開発メカニズム（CDM）」は類似しているが，前者は先進締約国間，後者は先進締約国と途上国の間で行われる点が大きく相違している。

これら3つの京都メカニズムのうち，「排出枠取引」はキャップ・アンド・トレード方式であるが，「共同実施」及び「クリーン開発メカニズム（CDM）」はベースライン・アンド・クレジット方式である（→**Column8**〔76頁〕）。

(b) 排出枠取引については，国の経済運営や企業活動等の低迷による排出量の減少によって生じたいわゆる「ホット・エア」を売買，特に購入することに対する批判があり，先進国では，排出枠の移転に伴う資金を温室効果ガスの排出削減及びその他の環境政策に用いることを目的とする「グリーン投資スキーム」が行われるようになったが，これは法的な仕組みとはならなかった。わが国の政府はウクライナ，チェコなどから排出枠を購入したが，その際に「グリーン投資スキーム」実施に向けたガイドラインへの署名を行った。

【図表 10-2】クリーン開発メカニズム

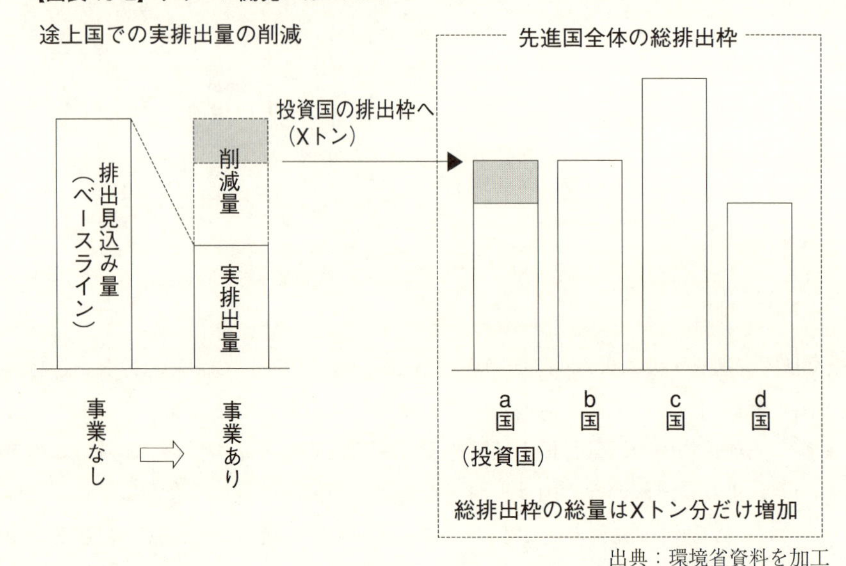

出典：環境省資料を加工

(4) 排出量の推計，報告等

附属書Ⅰ締約国は第1約束期間開始の1年前までに，自国の排出量及び吸収量の推計のための国内制度を整備しなければならない（5条1項）。また，気候変動枠組条約に基づき提出する毎年の排出目録や国別報告書に議定書履行に関連した補足情報を含めなければならない（7条1～3）。

議定書の締約国会合としての締約国会議は，割当量の計算方法を決定する（7条4）。この規定に基づいて割当量の算定，発行，移転，取得の手続等が合意され，附属書Ⅰ締約国は，自国の割当量や京都メカニズムの利用による排出枠やクレジットの発行，移転，取得等の登録及び管理のために国別登録簿を整備することとされた。

(5) 発効要件

この議定書の発効要件（25条）としては，これを批准した先進締約国の合計の二酸化炭素の1990年の排出量が，全附属書Ⅰ国の合計の排出量の55% 以上を占め，かつ，条約締結国のうち55カ国以上が締結することが必要とされていたが，最終的にはロシアの締結により，上記のように発効した。

(6) 2013年以降の国際的枠組に関する交渉経過

(a) 京都議定書については，1990年レベルで附属書Ⅰ国全体のCO_2の排出量の36.1% を占めたアメリカが締結しておらず，また，世界の総排出量からみれば3分の1の国しか義務付けられていないということは憂慮すべき事態となった。

また，途上国による温室効果ガスの排出量は2020年には先進締約国のそれを上回ると予測されており，途上国に対しても何らかの取決めが必要と考えられた。

(b) 議定書においては，第1約束期間後の検討を2005年には開始することとなっており（3条9項），2005年に開催された条約の第11回締約国会議（COP11）＝議定書の第1回締約国会合（CMP1）で検討が開始されたが，2007年にインドネシアのバリで開催されたCOP13/CMP3で，2013年以降の各国の行動のための包括的プロセスを定めた「バリ行動計画」（バリ・ロードマップ）が採択された。そこでは，(i)全ての先進国による「排出制限及び削減（緩和）の数量目標を含む約束又は行動」，ならびに(ii)途上国による「MRV（測定，報告，検証）が可能な方法での削減（緩和）の行動」が行われること，そのために――議定書の下での特別作業部会（AWG-KP）のほかに――条約の下に新たな特別作業部会（AWG-LCA）を設置し，正式に交渉することを決議した。その結果，ポスト2012年の枠組については，この2つのトラックで議論することとなった。

2009年にコペンハーゲンで開催されたCOP15/CMP5では，条約締約国会議として「**コペンハーゲン合意**」に「留意（take note)」することが決定された。この合意の主な内容は，第1に，世界全体の長期目標として，産業化以前からの気温上昇を2℃以内に抑えること（パラグラフ2)，第2に，附属書Ⅰ国は2020年の削減目標を，非附属書Ⅰ国は削減行動を，それぞれ付表1及び2に記載すること，各国は2010年1月末までに記載事項を提出すること（パラグラフ4，5）などであった。

この「合意」は「留意」にすぎず，法的拘束力が全くなかったが，翌2010年にカンクンで開催されたCOP16/CMP6では，コペンハーゲン合意に基づき，COP決定（**カンクン合意**）が採択され，工業化以前に比べ気温上昇を2℃以内に抑えるとの観点からの大幅な削減の必要性を認識し，2050年までの世界規模の大幅排出削減及び早期のピークアウトについて合意がなされた。カンクン合意は，各国が（2020年の）目標を自主的に決定する仕組みである（わが国も目標を提出した）ことのほか，2050年までに世界のCO_2の排出量を半減すること，ピークアウトの時期を明確にすることには至っていないという点に問題が残された。

わが国は，カンクンのCMP6において，主要排出国が参加する仕組みでなければ条約としては意味がないとする観点から，京都議定書を延長しても参加しない意思を明確にし，京都議定書から離脱はしないものの，第2約束期間には参加しないこととなった。

2011年にダーバンで開催されたCOP17/CMP7では，全ての国に適用される将来の法的枠組構築に向けた道筋を作ることについての合意がなされた（京都議定書の第2約束期間等についても合意がなされ，合せて**ダーバン・パッケージ**と呼ばれる）。具体的には，2020年以降の新たな法的枠組交渉が開始され，そのための作業部会（**ダーバン・プラットフォーム作業部会**。遅くとも2015年までに終了する）設置が決められた。

翌2012年にドーハで開かれたCOP18/CMP8では，**ダーバン・プラットフォーム作業部会**の作業計画が採択された。また，ドーハの会合では，議定書作業部会で，京都議定書第2約束期間の設定について改正案が採択され，EUほか38カ国が削減義務を負った（世界の排出量の15%にあたる）。わが国は，ロシア，ニュージーランドとともに第2約束期間の数値目標は設定しなかった。

2013年にワルシャワで開催されたCOP19/CMP9では，ワルシャワ決定が行われた。すなわち，①全ての国に対し，2020年以降の約束について，各国が自主的に決定する約束のための国内準備を開始して，2015年12月のCOP21に十分先立ち，約束草案（Nationally Determined Contributions：NDC）を示すことを招請することが決定され，②気候変動の悪影響に関する損失・損害（Loss & Damage）について「ワルシャワ国際メカニズム」を設立することが合意された。

2014年にリマで開催されたCOP20/CMP10のダーバン・プラットフォーム作業部会では，①（新たな法的枠組に関する）2015年合意の全体像，②2020年以降の排出削減目標等，③2020年までの削減努力の強化という3点について進展があり，②については，COP21に十分先立って，準備のできる国は2015年3月までに各国はNDCを提示することについての決定文書が採択された。NDCのcontributionはcommitmentと異なり，各国が自ら決定する形がとられた。NDCには，「適応」（→**3**(1)）の要素を含めるように検討することが合意された。

3　パリ協定

(1)　パリ協定の概要と意義

こうしてCOP20では主要国が全て参加する取り決めに向けた土台が構築され，各国から提出された約束草案（NDC：2025年目標の国と2030年目標の国に分かれる。わが国は，2030年度に2013年度比26.0%削減〔2005年度比25.4%削減〕とすることを目標とした）を基礎として，2015年11月から12月にCOP21/CMP11がパリで開催され，COP決定の附属書として，新たな法的枠組であるパリ協定（agreement）が採択された（2016年11月発効）。そこでは，第1に，世界共通の長期目標として2℃目標を設定しさらに1.5℃に抑える努力を追求するとされ（2条1。科学的知見の充実により，GHG濃度を一定にする条約の究極目標より厳しくなっていることに注意すべきである），主要排出国を含む全ての国が削減目標を5年ごとに提出・更新し，共通かつ柔軟な方法でその実施状況を報告し，レビューを受けること（4条9）とされた。第2に，わが国の二国間クレジット（JCM）を含む市場メカニズムの活用が位置付けられた（6条）。第3に，5年ごとに世界全体の実施状況を確認する仕組みを入れた（14条。グローバル・ストックテイク〔世界的な成果検証〕）。第4に，適応の長期目標が設定され各国の適応計画のプロセスと行動の実施について定められた（7条1）。第5に，先進国が途上国に緩和と適応の両面で引き続き資金を提供することと並んで，途上国も自主的に資金を提供することを奨励した（9条）。第6に，協定の発効について，世界の温室効果ガス（GHG）排出量の少なくとも55%を占めると推計される，少なくとも55カ国の締約国の批准書等の寄託を要件とした（21条）。

また，第1点の目標及び緩和措置に関して，できるだけ早く地球のGHG排出のピークアウトを達成し，今世紀後半に人為起源のGHG排出を正味ゼロにするよう急激な削減を目指すとしたこと（4条1。「人為的なGHG排出と人為的な吸収源による除去の均衡を達成する」），全ての国が（2020年までに）長期のGHG低排出開発戦略を策定・提出するよう努めるものとされたこと（4条19）も重要である。また，目標を修正する場合，次の目標は以前の目標を後退するものであってはならず，その国のできる限りの高い野心を反映するものとなる（4条3）。本協定全体の中で目標が掲げられているのは，上記の①2℃（及び1.5℃）目標のほか，②適応能力の拡充等を行うこと，③低GHG社会に向けた資金フローをつくることである（2条1）。

この協定は目標達成の結果に対しては法的拘束力がないが，自ら達成しようと意図する継続的な緩和目標の準備・提出・維持，目標達成に向けた国内緩和措置の追求については法的拘束力がある（4条2）。そして，5年のサイクルで目標を作成し，提出し，達成に向けて国内措置を実施することを全ての国の共通の法的義務としているのである（4条2，4条9）。「共通だが差異ある責任」原則に関しては，従来のような先進国・途上国二分論は避け，排出削減や行動の透明性については各国の国情の違いを認めつつ，全ての国を対象に行動を求めている点（4条3）が注目される（→ **Column47**）。

こうして，① 2020年以降の新たな法的枠組と，②京都議定書の2つに分かれていた2013年以降の国際的枠組は，①に収束された。

パリ協定の意義は，第1に，全ての主要国が参加する公平かつ実効的な枠組となったこと，第2に，先進国と途上国の二分論は必ずしも採用されず法的な同等性が確保されたこと，第3に，各国の目標の実施に向けた進捗確認のシステムができたこと，第4に，市場メカニズムの活用が位置付けられたこと，第5に，大気中の

GHGの濃度を安定させるための同ガスの削減（**緩和**）だけでなく，温暖化による気候変動やそれに伴う気温・海水面の上昇などに対して人や社会・経済のシステムを調節することによって影響を軽減しようとする**適応**についても目標に含めたことにあるといえよう。もっとも，各国が提出したNDCが実施されても2.7℃上昇することが見込まれており，今後，5年ごとの全体進捗の評価がなされることが重要である。パリ協定については，利害が異なる国に配慮した最低限の合意であるとし，目標達成の結果に法的拘束力がない点に対して批判する声も少なくないが，他方，全ての国が削減目標をもって対応することとなった点では大きな意義があるといえよう。このような歴史的意義のある協定が採択された背景には，新興国を含めて再生可能エネルギーが普及しコストが下がったこと，アメリカのシェールガス開発が進んでいたこと等があげられる。

Column46 ◇ COP決定とパリ協定，アメリカの締結

パリ協定はCOP決定（「パリ協定の採択」。Decision-/CP.21）の附属書であり，COP決定自体は政治的合意の文書にすぎないが，パリ協定は今後法的拘束力が生ずるものである。パリ協定は，気候変動枠組条約の議定書（同条約17条）でも附属書（同16条）でもなく，同条約との関係での位置づけは明確ではない。同協定の採択に関して，同COP決定は「気候変動枠組条約2，3，4条を想起しつつ」としているにすぎない。

なお，パリ協定においては，アメリカで議会の締結手続を不要とすることが重要な課題となった。議定書の形態を採用しなかったこともこれと密接な関係がある。アメリカ法では，「国際協定」に，「条約」と「条約でない国際協定」が含まれ，後者については，締結にあたり，上院の3分の2の助言と同意を要しない。気候変動枠組条約はすでに「条約」として締結され効力を発生しているため，パリ協定も同「条約」に基づく「国際協定」として，上院を通さずに締結された（髙村ゆかり・法教428号49頁）。

その後，トランプ政権がパリ協定からの脱退を打ち出し，各国の取組みへの影響が懸念されたが，バイデン大統領の選出によりこの懸念は現実化せずに済んだ。他方，アメリカの州や民間企業は，気候変動対策に前向きな対応を継続させている。

Column47 ◇ CBDR（共通だが差異ある責任）とパリ協定

CBDR（Common But Differentiated Responsibilities）とは，現在および将来の世代のために地球環境を保護することは全ての国の責任であるが，先進国と途上国の間の衡平性に配慮し，先進国に途上国よりも重い責任を認めるべきであるとする考え方である（高村，遠井，鶴田）。CBDRは持続可能な発展概念の要素の一つとされ，また，衡平原則に基づくとされるが，過去及び現在の各国の寄与度，各国の財政的技術的能力によって根拠づけられるものであり，前者は汚染者負担，後者は受益者負担に概ね対応している。CBDR は，国際的な環境保全に関する規則を定立するにあたって多くの国の参加を確保する機能，条約規則を解釈し実施する際の指針となるという機能を有している。

CBDR は，1990 年の第 2 回気候変動閣僚会議で示され，92 年のリオ宣言第 7 原則に定められた。そして，気候変動に関しては，気候変動枠組条約 3 条 1，京都議定書で採用された。

CBDR は，パリ協定では CBDRRCILDNC（Common But Differentiated Responsibilities and Respective Capabilities, in the light of different national circumstances：各国の異なる事情に照らした，共通だが差異ある責任及び各国の能力）とされた（4 条 2，同条 3)。「各国の異なる事情に照らして」という語が付加されたことにより，先進国・途上国の二分を固定的に分類する差異化ではなく，締約国の異なる事情に照らした個別的で可変的な差異化が明文化されたのである。もっとも，パリ協定における先進国と途上国の関係は，資金提供については，南南支援が可能となった程度であり，それほど変わっていない。これに対し，そもそも NDC を途上国も提出することは，従来の，先進国のみが義務付けられてきたこととは大分異なるともいえよう。CBDR の考え方に対し，パリ協定では先進国と途上国は同心円状にあるとの説明が有力である（二分法的差異化の変容)。ちなみに，途上国の卒業条項に関連する規定が透明性枠組み（FCCC/CP/2018/L23 パラ 6）にある。そこでは，柔軟性のスケジュールを必要とする能力の制約からいつ卒業できるかを明示することとされている。

Column48 ◇パリ協定とレビュー制度

パリ協定は，（途上国やアメリカを参加させることを理由の 1 つとして）プレッジ・アンド・レビュー方式を採用したものであるが，この点の最大の特色は，国際的なレビュー制度にある。レビュー制度は，①透明性の枠組み（13 条）にもとづく，国家による通報と 2 年ごとの報告書（BTR)，国際的な評価・検討（同条 4)，NDC の実施状況と先進国の経済的支援に関する「促進的な多数国間の検討」(同条 11)，技術的専門家による検討を通じた各締約国の改善点の特定（同条 12)，②専門家で構成される委員会による実施・遵守促進制度（15 条)，③ 2023 年以降 5 年ごとに実施される，長期目標達成に向けた締約国全体の進捗状況の定期的検討（グローバル・ストックテイク。14 条）から成る。特に③が京都議定書にはなかった試みである。②は促進的，非敵対的，非懲罰的な性格を有しており，京都議定書の遵守手続よりも緩やかになったものと見られる。

(2) パリ協定実施指針の策定とその後の展開

2017 年 11 月にボンで開催された COP 23 及び CMA 1-2（パリ協定第 1 回締約国会合第 2 部）では，緩和，透明性枠組み，市場メカニズムなどのパリ協定実施指針の要素について交渉の土台が整えられ，また，2018 年促進的対話（フィジー語で「タラノア対話」という）の基本設計が提示された。

2018 年 12 月，ポーランドのカトヴィチェで開催された COP 24 において，パリ協定の実施指針が採択された。全ての国に共通の実施指針が合意された。緩和に関する追加ガイダンス，支援のための透明性枠組みが定められ，その中で，①排出削減目標の内容明確化のための情報，②排出削減目標達成状況や排出量に関する報告内容（透明性の確保。一部項目については，途上国に柔軟性を付与した），③各国の裁量の範囲内での資金支援の見通しの提供などが定められた。①について，定量情報であること，また，CMA 決定において，最初の BTR は，すべての国が遅くとも 2024 年末までに提出することが定められた。CBDR の語は用いられていない。

気候資金については，2025 年以降の支援目標について 2020 年に検討することとされた。技術移転については，気候技術センター，技術執行委員会が設置されている。

市場メカニズムについては，ダブルカウント禁止については既に協定に定められているが，それ以外については，次回以降に委ねられた。

2019 年にマドリードで開催された COP25 の主なテーマは，次の 3 点であった。第 1 に，パリ協定 6 条（市場メカニズム）については，合意には至らなかった。わが国からは二重計上防止と環境十全性の確保を訴えてきたところである。ブラジルから強い意見があり，調整に手間取った状況にあった。引き続き交渉は継続される。第 2 に，野心の引き上げが論議とされたが，パリ協定を超える決議はなされなかった。次回の COP26 が正念場となると考えられる。第 3 に，ロスアンドダメージについては，ワルシャワ国際メカニズム（WIM）のレビューが行われ，技術支援促進の成果文書が出された。その他，ESG 金融の広がりが注目された。

2021 年にグラスゴーで開催された COP26 では，1.5℃ までに気温上昇を抑える努力を決意を持って追求することが宣言され（1/CP. 26，パラ 16），2050 年カーボンニュートラル実現とともに，この 10 年（2030 年ごろまで）の排出削減が決定的に重要であることが表明された。また，パリ協定 6 条における市場メカニズムの枠組みが確定し，パリ協定ルールブックが完成した。さらに，すべての国に対して，排出削減対策が講じられていない石炭火力発電の低減及び非効率な化石燃料補助金からのフェーズアウト（段階的廃止）を含む努力を加速すること，先進国に対して 2025 年までに途上国の適応支援のための資金を 2019 年比で最低 2 倍にすることが求められることになった。

2022 年にシャルムエルシェイク（エジプト）で開催された COP27 では，1.5℃ 目標の追求への決意を含む，今後 10 年の間に取り組む具体的な目標が定められた「シャルムエルシェイク適応作業計画」，2030 年までの緩和の野心と実施を向上させるための「緩和作業計画」が採択された。また，損失と損害への支援のための措置を講じること及びその一環としてのロス＆ダメージ基金（仮称）を設置することを決定するとともに，この資金面での措置の運用化に関してCOP28に向けて勧告を作成するため，移行委員会の設置が決定された。損失と損害への支援についての議論は進められたが，1.5℃目標に向けたさらなる踏み込みはなかったともいえる。COPの交渉の外では，石炭火力の早期閉鎖に向けたパートナーシップの拡大などの成果もみられた。

4　その他の国際的動向

その他の国際的動向としていくつかの点をあげておく。

第1に，パリ協定が対処していない国際航空，国際海運の分野でも進展が見られる。国際民間航空機関（ICAO）が，2016年，国際線の航空機から排出されるCO_2を2020年の水準より増加させず，各航空会社に割り当てられた排出量を超過した分について排出枠の購入を義務付ける規制に合意したことは特に注目される（さらに2022年10月には，国際民間航空分野で2050年までにCO_2の排出を実質ゼロにする長期目標が採択された）。これは，民間企業が国とは別にキャップをもって義務を負う総量規制＋取引の仕組みを受け入れた先例となるものである。民間航空において国際競争が激しい中でこのような合意がまとまった背景としては，自らの排出枠取引スキーム（ETS）を国際航空にも適用しようとするEUからの圧力があったこと（米国，中国，インドは反発した），パリ協定の採択，アメリカのオバマ政権のリーダーシップのインパクトが大きかったことがあげられよう。

また，国際海事機関（IMO）は，2018年に国際海運からのGHG排出削減のビジョンを定める「GHG削減戦略」を策定した。そこでは，2050年までに年排出量を2008年比で少なくとも50％削減することが目標とされている。

第2に，2016年10月には，モントリオール議定書第28回締約国会合で，オゾン層破壊物質の代替物質として使用量が増加している強力なGHGであるHFCについて，対象物質に追加し，段階的に消費を削減する旨の同議定書の改正案（キガリ改正）が採択されたことである。

第3に，金融業界，経済界の動向が注目される。すなわち，事業運営を100％再生可能エネルギーで調達することを目標に掲げる企業が参加する国際ビジネスイニシアティブである“RE100”が2014年に発足し，世界の390社（2022年12月）が参加し，また，世界の平均気温の上昇を2℃未満に抑えるために（企業に対し）科学的知見と整合した削減目標を設定することを推奨するCDP（Carbon Disclosure Project）に参加する企業が（世界で）18,000社以上に上っていること，G20の財務大臣・中央銀行総裁の要請を受け，金融安定理事会（FSB）は，2016年に，企業の気候変動関連財務情報開示に関する特別作業部会（TCFD）を設置し，2017年6月，企業の情報開示のあり方に関する提言を公表したことなどである。

また，2018年7月，日本生命保険及び三井住友信託銀行が，国内外の石炭火力発電に対する新規投融資を停止したことは重要な動きであった（石炭火力発電については→ **10-2**・2⑵⒝参照）。企業がGHG削減に向かう理由は，損害保険会社についてみれば気候変動による保険金の増大に悩まされているからであるが，より広く投資家が投資先の企業が脱炭素化にいかに対処しているかについての情報を求めるようになったことが関連している。

さらに，温暖化問題に限らず，2015年に国連で採択された「持続可能な発展のための2030アジェンダ」の中核をなす「持続可能な発展目標（SDGs）」（→ **2-1**・1⑵〔32頁〕）に対する世界的な取組が進む中，わが国の経団連では，SDGsに配慮しつつ，「企業行動憲章」を改訂し，2017年に公表した。今後，経営にSDGsが取り込まれ，（リーマン・ショック，東日本大震災で途切れていた）環境への取組を再度主流化させるチャンスが生まれたといえよう。

10-2　国内の取組

1　取組の状況

⑴　政府の計画，産業界のカーボンニュートラル行動計画

わが国では，1989年に地球環境保全に関する関係閣僚会議が設置され，90年には，同会議によって，2000年の二酸化炭素等の排出量の1990年レベルでの安定化（二酸化炭素については，1人あたりの排出量の安定化と，排出総量の安定化努力）を目標とした「地球温暖化防止行動計画」が策定された。1993年に気候変動枠組条約を締結するとともに，同年に制定された環境基本法において，地球環境保全が基本理念の1つにあげられ，温暖化対策が環境法体系の中に正式に組み込まれた。

京都議定書採択直後の1997年12月に，政府は，地球温暖化対策推進本部を設置し，この問題を大きく取り上げ，翌98年6月には，2010年に向けて当面政府として緊急に取り組むべき「地球温暖化対策推進大綱」が策定された（これにより，地球温暖化防止行動計画は，役割を終えた）。2002年3月には新大綱が決定され，さらに，2005年の議定書発効に伴い，「**京都議定書目標達成計画**」（2013年の地球温暖化対策推進法の改正後は「**地球温暖化対策計画**」と改称された）として，地球温暖化対策推進法（→⑵⒜〔438頁〕）に位置づけられた。

そこでは，1990年度比で(i)エネルギー起源の二酸化炭素排出量，(ii)非エネルギー起源の二酸化炭素排出量，(iii)代替フロン等3ガス，(iv)森林吸収源による吸収とい

う部門別の削減目標を立て，(v)削減目標（6% 減）と国内対策の差分（1.6%）を京都メカニズムより賄う，とする目標が設定された。また，部門別の施策にとどまらず，分野横断的な施策として，「自主参加型の国内排出量取引制度」が加えられたことが注目された。

2015 年 12 月には，地球温暖化対策推進本部において「パリ協定を踏まえた地球温暖化対策の取組方針について」が決定され，そして，上記の約束草案と同決定を踏まえつつ，2016 年 5 月には地球温暖化対策計画及び政府実行計画が策定された。ここでは，2030 年度の中期目標とともに，2050 年 80% 削減の長期目標も掲げられた。

2019 年 6 月には，パリ協定に基づく成長戦略としての長期戦略が閣議決定された。パリ協定は長期の低排出発展戦略の策定と 2020 年までの提出を求めており（4 条 19），それに基づくものである。そこでは，「21 世紀後半のできるだけ早期に」脱炭素社会を実現すること（脱炭素の点を長期戦略で指摘したのは，この時点では G7 で初めてであった）と，2050 年までに GHG の 80% を削減することの 2 つを目標とした。

さらに，2020 年 10 月，菅内閣総理大臣は，所信表明演説において，わが国は，2050 年までに，GHG の排出を全体としてゼロにすることを目指すことを宣言した（カーボンニュートラル〔CN〕宣言）。同宣言に基づいて，上記計画・戦略の練り直しが行われてきている。

産業界においては，1997 年 6 月，経団連の呼びかけに応えて，36 業種，137 団体が温暖化，廃棄物対策などについて環境改善目標を自主的に設定し，経団連が取りまとめた「**自主行動計画**」が策定された（2012 年には 114 業種。エネルギー起源二酸化炭素排出量の 5 割を占めた）。温暖化に関しては，「2008～2012 年度平均で産業部門及びエネルギー転換部門からの二酸化炭素排出量を 1990 年度レベル以下に抑制するよう努力する」という統一目標が掲げられた（京都議定書の第 1 約束期間が終了する 2012 年度までを期間とする）。これは「京都議定書目標達成計画」における産業部門を中心とした対策，施策として同計画の重要な柱とされ，各業種の自主行動計画の進捗状況は，経団連のほか，毎年関係審議会でレビューされた。産業界の自主的取組として重要な位置づけが与えられた（→**3-1**・3(2)(b)〔71 頁〕）。

2013 年度以降の産業界の取組については，「自主行動計画」を発展させた「**低炭素社会実行計画**」が経団連の下で策定された。同計画では利用可能な最善の技術（BAT）が重視されている点に特徴がある。その後，経団連は，2050 年 CN 実現のため，低炭素社会実行計画をカーボンニュートラル行動計画に改め，2021 年 11 月に公表した。

(2) 緩和（削減）に関する主要関連法

温暖化対策については関連法が相当数に上るが（大塚『環境法』〈第 3 版〉6-1・2(1)(b)〔158 頁以下〕参照），ここでは 3 つの法律を扱うことにしたい（このほか，近時重要性が増している法律として，エネルギー供給事業者による非化石エネルギー源の利用及び化石エネルギー原料の有効な利用の促進に関する法律〔エネルギー供給構造高度化法〕がある。大塚『環境法』12-2・1(2)(c)〔766 頁以下〕参照）。また，部門横断的施策及び関連制度については項を改めて言及することにしたい（→(3)〔462 頁〕，(4)〔463 頁〕）。

(a) **地球温暖化対策の推進に関する法律**（地球温暖化対策推進法）（**図表 10-3**）

本法は 1998 年 10 月に成立した（法律 117 号）。

(ア) これは，温暖化対策の枠組法であり，国，地方公共団体，事業者，国民のそれぞれが取組を行う責務を定め，政府が地球温暖化対策についての「基本方針」を定めるとするとともに，上記の各主体が自ら排出する温室効果ガスの排出抑制に関する措置を計画的に進めるための枠組を設けている。また，地球温暖化防止活動推進センターの設置についても規定された。ただ，本法の審議過程で事業者の対策の

【図表 10-3】地球温暖化対策推進法の全体像

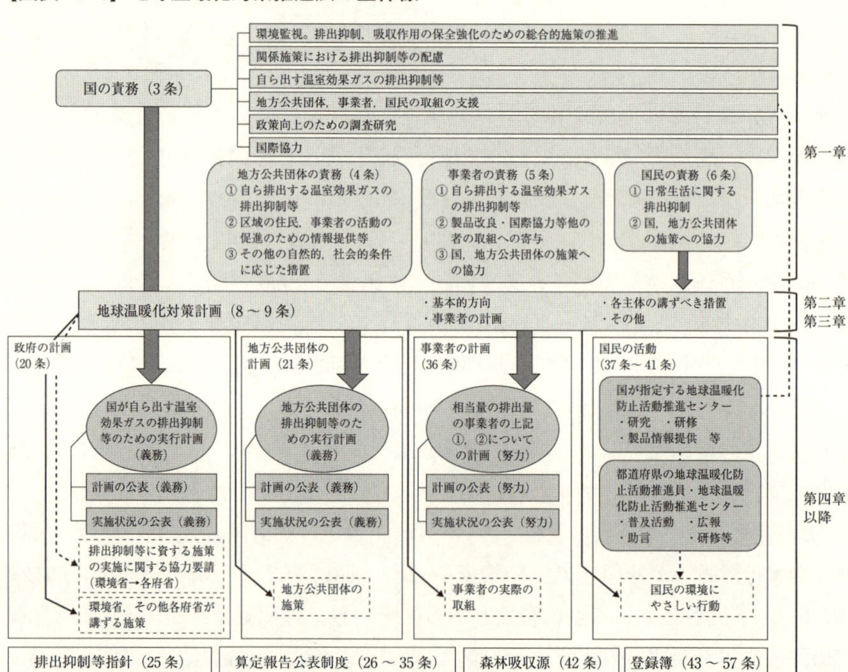

出典：環境省資料を加工

内容が大きく後退し，事業者に対して計画の策定と公表に努めることを求めるにとどまった点は，問題を残した。

本法は，その後改正を経て今日に至っているが，主要な改正としては2005年に情報的手法に基づく手続規制が入っただけで，未だに実体の規制は導入されていない（この点は基本的には自主的取組に委ねられている）。

(イ) 同法は2002年に改正され，政府による京都議定書目標達成計画の策定（上記新大綱を見直し・評価したもの。議定書発効とともに策定された）の規定の追加（上記の「基本方針」の組換え），地球温暖化対策地域協議会の設置等，微修正が行われた。同計画については，各省庁がそれぞれの分野の施策を提案し，審議会でチェックしたうえで策定された。

(ウ) さらに，2005年の改正により，次の規定が追加された。

(i) ①政府が，京都議定書目標達成計画に即して，政府自身の事務・事業に関する温室効果ガスの排出の量の削減ならびに吸収作用の保全及び強化のための措置に関する計画（政府実行計画）を策定するものとした（20条）。

(ii) ②「**温室効果ガス排出量算定・報告・公表制度**」を導入した（26条以下）。

これは，――2008年改正を含めて説明すると――産業，業務，運輸を問わず，温室効果ガス（6種類を対象とする，現在は7種類）（→(カ)〔442頁〕）を多量に排出する（省エネ法対象事業者か，エネルギー起源二酸化炭素以外の場合はCO_2換算で年間3000トンCO_2以上排出し，かつ事業者全体で常時使用する従業員数が21名以上の事業者。また，貨物輸送量が3000万トンキロメートル以上の荷主も対象となる）事業者等（「**特定排出者**」。公的部門も含む）について，毎年度（特定排出者が政令で定める規模以上の事業所〔「特定事業所」〕を設置している場合には，当該事業所ごとに），温室効果ガスの排出量を算定し，事業所管大臣に報告することを義務付け（26条1項），報告されたデータを事業所管大臣が環境大臣及び経済産業大臣に通知し，2大臣がこれを電子ファイルに記録するとともに，集計し，公表する（28条，29条）ものとする制度である。これにより，わが国全体の排出量の約50％をカバーすることになった。

公表は**企業単位**，**業種単位**，**都道府県単位**で温室効果ガスごとになされる（温室効果ガス算定排出量等の報告等に関する命令8条）。また，何人も，主務大臣に対してファイル記録内容，すなわち**事業所ごと**の排出量の開示請求を行うことができる（30条）。請求を受けた主務大臣は，ファイル記録事項のうち，当該開示請求に係る事項を速やかに開示する義務がある（31条）。開示請求は年200件程度行われている。

なお2008年の本法改正によって，この制度については，従来の事業所単位の報告から，企業（事業者）単位の報告に変更し，また，フランチャイズ単位での報告を求めることとなり，業務部門を中心に対象範囲が拡大した（業務部門については，算定・報告・公表制度の対象は14% から50% に拡大した)。これは，1つは，経営戦略の一環として企業単位・フランチャイズ単位で排出量を削減する動きがあったのをさらに加速する趣旨，もう1つは省エネ法の同年改正により，エネルギー管理の規制対象者が事業所単位から，企業単位・フランチャイズ単位に変更されたのに平仄を合わせる趣旨であった。なお，それまで報告のあった一定規模以上の事業所単位の排出量についても，「内訳」という形で報告が継続されることとなった。

この算定・報告・公表においては，エネルギー起源の二酸化炭素のうち，他人（電気事業者）から供給された電気の使用については，電気事業者が発電する際に排出した二酸化炭素を，電気の使用者が間接的に排出したものとみなすこととされている。二酸化炭素排出量の算定は，［企業の電気使用量（kWh）×1 kWh あたりの CO_2 排出量（$kgCO_2/kWh$）（排出係数）］であり，排出係数は各電気事業者で異なるものとされる（地球温暖化対策推進法施行令6条)。

なお，公表においては，実排出量とともに，事業者が自主的に行う京都メカニズムクレジットの取得及び政府への移転等に評価・考慮した排出量も示されることになった。

Q1 温室効果ガス排出量算定・報告・公表制度はどのような目的で設けられた制度か。

「温室効果ガス排出量算定・報告・公表制度」は，**情報的手法**（→**3-3**〔84頁〕）の実践である。多量排出事業者に限られた措置ではあるが，（自主行動計画のように業界ごとではなく）主体（企業）ごとの対応を促すものである点が重要である。その目的は，特定排出者が自らの排出実態を認識すること，さらに国がそれを公表することにより，国民・排出者全般の自主的取組を促進し，その気運を高めることにある。また，エネルギー起源の二酸化炭素については，この仕組みの導入により，特定排出者（企業）が排出係数の小さい電気事業者を選択するインセンティブを与え，電気事業者が二酸化炭素の排出量の少ないエネルギー源に転換する可能性がある。

この制度の下では，企業秘密について一定の配慮がなされており，特定排出者は，排出量の情報が公にされることにより，排出者の権利，競争上の地位その他の正当な利益が害されるおそれがあると思料するときは，特定事業所排出者が報告する事項については，当該特定事業所排出者に係る温室効果ガス算定排出量を事業ごとに合計した量（特定事業所排出者が報告する特定事業所に係る事項については，特定事業所ごとに合計した量）をもって通知するよう理由を付して事業所管大臣に請求することができる（**権利利益の保護に係る請求**。27条，温室効果ガス算定排出量等の報告等に関する命令7条)。2006年度は29件認められた。2010〜12年度のヤフー及びアット東京の請求は，データセンターの規模が明らかになることを防止したいとの理由であった（が，国会で批判され撤回）。

この制度については，省エネ法との関係が問題となりうるが，省エネ法はエネルギーを主として対象とするのに対し，二酸化炭素などの温室効果ガスについては本法で扱うという整理がなされたことになる。省エネ法との手続の不合理な重複がないよう，エネルギー起源の二酸化炭素については，みなし規定がおかれている（34条）。

省エネ法に基づく定期報告書の情報の開示請求事件について，判例が本法の権利利益の保護に係る請求との関係を踏まえて判断したことについては後述する（→**Column49**〔453頁〕，**12-6**〔616頁〕）。

報告義務の懈怠，虚偽の報告に対しては20万円以下の過料が課される（68条1号）。

Q2 温室効果ガス排出量算定・報告・公表制度とPRTR制度とはどこが異なるか。

ここで，温室効果ガス排出量算定・報告・公表制度とPRTR法（→**6-5**〔243頁〕）とを比較しておこう。両者ともに情報的手法の適用例であるが，本制度はPRTR制度と次の2点で異なっている。

第1に，上記のように，報告に際して都道府県を経由していないこと，第2に，企業秘密に関する配慮の要件として，情報公開法の考え方を採用したことである（省エネ法の下の情報についての情報公開請求と扱いを揃える趣旨である）。ほかに，PRTR法については現在運用上，事業所単位の情報も公表することとなったので，開示請求の規定（10条）は事実上意味がなくなったが，地球温暖化対策推進法の開示請求の規定も2021年改正で削られたため，同様の扱いとなった。第1点については，地球環境問題であるため，都道府県の関心が必ずしも高くない場合があろうが，データの正確性を担保する必要性が高い点はPRTRの場合と同様であり，本法について今後の見直しを検討すべきであろう。

(エ) 上記の点以外にも，2008年改正では，いくつかの点が改正された（もっとも，改正内容は小ぶりなものにとどまった）。

第1に，事業者は，事業活動に伴う排出の抑制等のために必要な措置（23条），及び情報提供等国民の取組に寄与する措置等（24条）を講ずるよう努めなければならないとし，それに資するよう主務大臣（環境大臣，経済産業大臣及び事業所管大臣。以下同じ）は，排出抑制等指針を策定することとした（25条）。

排出抑制等指針は，①事業活動に伴う排出抑制のための指針（高効率設備の導入，冷暖房抑制，オフィス機器の使用合理化等），②日常生活に関する排出抑制のための指針（日常生活用製品等の製造等を行う事業者が講ずべき措置〔省エネ製品の開発や製品等に

【図表 10-4】国と地方公共団体の温暖化対策に関する計画

	国	地方公共団体
国・地域内での温暖化対策の推進計画	地球温暖化対策計画（8条）	地方公共団体実行計画（区域施策編）（21条3項）
政府・地方公共団体自身の事務及び事業に関する温暖化対策の計画	政府実行計画（20条）	地方公共団体実行計画（21条1項）

関する CO_2 可視化推進」）に分かれる。

第2に，**地方公共団体実行計画**が充実したものとされた（21条関係）。

地方公共団体実行計画の中で，都道府県，指定都市及び中核市は，その区域の自然的社会的条件に応じて，温室効果ガスの排出の抑制等のための施策について定めることとする。従来，都道府県・市町村については自ら率先して削減努力を行う計画としての実行計画を策定することが規定されていたが（旧21条。現21条1項），都道府県，指定都市及び中核市については，さらに地域の計画（区域施策編）を策定することが規定された（21条3項。これも実行計画に含められる。国の計画との対応関係については**図表 10-4**）。この計画は，都市計画や農業振興地域整備計画などの施策の実施に反映される（同条4項）。また，この計画の策定及び計画の実施にあたっては，地方公共団体が組織する地方公共団体実行計画協議会と協議されるとともに，連絡調整がなされる（22条）。

第3に，エネルギー供給や事業に伴う CO_2 排出量の可視化，ライフスタイルの改善の促進等が行われることとされた（35条，59条，附則3条）。

(オ)　なお，本法の2006年改正では，京都メカニズムによって発生した割当量，クレジット等（「算定割当量」）の割当量口座簿制度についての規定が導入された（→(4)〔463頁〕）。

(カ)　京都議定書目標達成計画に基づく取組は2012年度末で終了した。わが国は京都議定書第2約束期間（2013〜20年）には実質的には加わらないものの，気候変動枠組条約の下のカンクン合意に基づき，引き続き温暖化対策に取り組んだ。

本法の2013年改正は，第1に，京都議定書の改正に対応し，対象となる温室効果ガスの種類に三ふっ化窒素を追加し（2条3項7号。対象ガスは7種類となる），第2に，政府は京都議定書第1約束期間終了後も引き続き地球温暖化対策の総合的かつ計画的な推進を図るため，**地球温暖化対策計画**を策定し（8条1項），少なくとも3年ごとに検討を加え，必要に応じて変更することにした（9条）。

(キ)　なお，本法は2016年に若干の改正がなされ，同年ようやく温暖化対策計画が閣議決定された（同改正については後述する→2(2)(d)〔476頁〕）。

(ク) 2020年の菅総理の2050年CN宣言を受けて，2021年6月に改正法が成立・公布された。温対法の改正は，新たな法政策の導入という観点からも重要な意味を持つものになった。以下では3点をあげておきたい。

(i) 基本理念と目標が法定化された。

パリ協定の締結，IPCC 1.5℃特別報告書の公表，菅総理の2050年CN宣言等の動きを踏まえ，あらゆる主体の取組に予見可能性を与え，その取組とイノベーションを促す観点から，法律において脱炭素社会の実現を牽引する趣旨を明らかにする必要がある。このような趣旨から，温対法改正にあたり，基本理念として，①パリ協定の目標（2℃目標・1.5℃目標）や脱炭素社会の実現など地球温暖化対策の長期的方向性を法に位置付け（2条の2），さらに，②2050年CN（脱炭素社会）の実現を旨とするという形で規定を置いた（2条の2）。

目標を法定化することは，企業，投資家，国民，自治体に対し，活動（企業活動，イノベーション，投資，街づくりなど）の予測可能性や財政的基礎を与えるために必須である。今般法律に目標の規定が入ったことにより，国の不退転の確定的決意をした点に大きな意義があるといえよう。

(ii) 地域の脱炭素化に向けた地方公共団体実行計画制度等の見直しが行われた。

再エネのポテンシャルは地域により異なるが，わが国全体としては，エネルギー需要全体の2.2倍の再エネの供給力があるといわれる。冒頭に触れたゼロカーボンシティを含めた地域の脱炭素化の取組を促進するためには，地域資源である再エネの活用が重要である。しかし，太陽光発電をはじめとする再エネ発電施設に関しては，再エネ事業の地域社会との共生，持続可能な発展への取組が課題となってきている。すなわち，大規模開発への懸念がある，事業者の顔が見えない，地域の利益が生じていない，景観悪化や騒音等，地滑り等の地域のデメリットがあるなどの課題である。そのため，再エネ設備の導入を条例で制限する自治体も増加している（2021年4月1日時点で149）。このような状況を改善し，地域における合意形成の促進や地方公共団体による取組への支援等が必要である。本法改正の第2点は，このような問題意識に基づくものであった。

このような観点から，以下の改正が行われた。

まず，実行計画の実効性向上の観点から，都道府県及び指定都市等の実行計画に，施策の実施に関する目標を設定する（21条3項5号）。

次に，合意形成促進のため，地方公共団体実行計画協議会を活用しつつ（21条12項），①再エネを活用した脱炭素化プロジェクト（「地域脱炭素化促進事業」）の促進を検討するエリア（「促進区域」），②地域の環境保全への配慮事項，③地域貢献等の地域経済・社会への配慮事項等を実行計画に位置づける（21条5項～7項）。

そして，当該配慮事項等地方公共団体実行計画に適合する等の要件を満たす事業を市町村が認定することができるような仕組みを導入する（22条の2第1項）。

併せて認定事業に対する関係許認可手続等のワンストップ化等の政策的な支援を行う（22条の2第4項～第9項，22条の4～22条の10）。具体的には，22条の2第4項以下の同意の規定は，22条の2の特例は民間事業者が事業主体のケース，22条の4の特例は自治体が事業主体のケースであり，書き分けられている。

この点に関しては，まず，22条の2第4項以下の同意の規定は，地域脱炭素化促進事業計画に係る行為について22条の5～22条の10により各特例法の許可等を受けたものとみなすこととする（許可等手続のワンストップ化）ため，事業計画の認定に先立ち，当該許可等に係る基準に照らして許可等権者が事業計画の内容について，協議を受けて同意をする手続を講じることにより，特例を措置する法的担保としている。

一方，22条の4は，計画策定市町村が事業主体となる場合等，地方公共団体が事業主体となる場合には，通常の事業計画の申請・認定手続において審査というよりは，協議手続とすることがより適切であるため，用例も踏まえつつ，地方公共団体間の協議規定を置いたものである。

なお，環境影響評価法についても，計画段階環境配慮書手続が省略される（22条の11）。

地方公共団体実行計画の「区域施策編」について，従来主体として規定されていなかった，市町村（指定都市等を除く）についても定める努力義務を規定した（21条4項）。

国及び都道府県は，市町村に対し，地方公共団体実行計画の策定・実施に関し必要な情報提供，助言その他の援助を行うよう努めるものとした（22条の12）。

また，計画策定市町村は，認定された地域脱炭素化促進事業を行う者（「認定地域脱炭素化促進事業者」）に対し，指導・助言を行い，また，実施状況について報告徴収を行うことができることとした（22条の13，22条の14）。

なお，農林漁業の健全な発展と調和のとれた再生可能エネルギー電気の発電の促進に関する法律（農山漁村再エネ法）は，同じ市町村が主体であり，今般の温対法改正のスキームと類似性が高いことから，温対法に吸収する形で規定がおかれた（21条の2）。

(iii) 事業者の脱炭素化に向けた温室効果ガス算定・報告・公表制度等の見直しが

行われた。

事業者の脱炭素化の取組を後押しする観点から，算定・報告・公表制度により報告された情報が投資家，地方公共団体，消費者，事業者等にできるだけ活用されるようにすることで事業者の取組を促進するとともに，地域の事業者への脱炭素経営の普及を図っていくことが重要である。

このため，温対法について次の2点が改正された。

第1に，電子システムによる報告を原則とする（法63条の削除，省令の改正による）。

第2に，事業所等の情報について，開示請求の手続なく公表することとする（30, 31条の削除。29条1項，32条3項）。

第1点は，電子報告システムを活用し（デジタル化をし），排出量データの報告から公表まで現在2年かかっているのを1年にしようとするものである。第2点は，事業所等の情報について，市民の情報アクセスを容易にするものであり，PRTR法の2006年の事実上の見直しと同趣旨である。これらは，ESG投資家，関連企業，消費者等から評価されることであり，グリーン投資の普及の制度的基礎となる。なお，権利保護請求についてはここ数年認められたケースはないが，この規定は残される。

なお，法律上の問題ではないが，積極的な取組の見える化のため，任意報告を充実させるべきである。また，将来的には，報告事項のあり方を含め，脱炭素社会の実現に資する算定・報告・公表制度のあり方について，引き続き検討すべきである。

さらに，地域地球温暖化防止活動推進センターの事務に事業者向けの啓発・広報活動を明記した（38条2項1号）。また，全国及び地域の地球温暖化防止活動推進センターの活動の内容に，GHG排出の量の削減等のための措置が入ることを明示した（38条2項2号，39条2項2号）。

(iv) この改正により，本法の地方公共団体実行計画へ再エネの促進事業等が導入された意義に触れておきたい。

本法の地方公共団体実行計画へ再エネの促進事業等を導入する意義としては，第1に，ゾーニングを行い，戦略的環境アセスメントを導入すること，第2に，複数案を検討しアセスメントをする中でその中から適切な案を選定すること，そこには位置・規模の選定も含まれることがあげられる。この仕組みは，自治体が再エネのあるべき姿を地方公共団体実行計画に描いて事業者に示して，事業者にこの計画を遵守してもらうこととし，その際の事業者のメリットとして特例を設けるものである。メリットとしては，許認可のワンストップ化，協議会で導入の要件が決められ，事業の予見可能性が高められること，自治体は可能であれば支援もすることなどがあげられる。民間事業の活動について一定の環境配慮に向けさせるには行政の指針が必要であり，（環境影響評価法の対象の中で稀な純粋の民間事業である）再エネ事業についてこのような戦略アセスメント的なものを導入することには理由があるといえよう。

この点は，環境影響評価における複数案における経済社会的要素の考慮が行われるという点でも画期的である。新21条5項5号ロには，地域経済との関係も定められているし，地域資本が再エネを導入することは，複数案の経済の考慮に含まれるといえよう。従来，複数案の検討自体は，既存の環境影響評価法の計画段階環境配慮書制度にあるが，複数案の検討における経済的・社会的要素の考慮については，国交省所管の公共事業ではいくつか行われてきたものの，環境省所管の環境影響評価では，行われてこなかった。再生可能エネルギーは上位計画がなく，上記計画のマネジメントが必要なこと，再生可能エネルギー特措法ではマネジメントできず，電気事業法も電気事業関係の安全性を見ているのみである一方，再生可能エネルギー施設は徐々に迷惑施設化していることが，今般の改正につながったのである。

再エネの促進事業等を温暖化対策推進法に入れる必要性はどこにあったか。第1に，多くの自治体がゼロカーボンシティ宣言をしており，自治体自身も温暖化対策をやる気になったことを活かす趣旨である。第2に，ゾーニングを制度化するために，温対法の目標とセットにすることが必要であることである。すなわち，従来地方公共団体の環境部局はレッドゾーンをつくることだけに焦点を当ててきた面があるが，導入の目標を決めそれとセットで地域の環境配慮についても考える，すなわち，規制と促進の総合的な発想が重要となっていることである。

(b) エネルギーの使用の合理化及び非化石エネルギーへの転換に関する法律（省エネ法），建築物のエネルギー消費性能向上に関する法律（建築物省エネ法）

(ア) **エネルギーの使用の合理化及び非化石エネルギーへの転換に関する法律**（昭和54年法律49号）は，1993年改正により，その目的を「内外におけるエネルギーをめぐる経済的，社会的環境に応じた燃料資源の有効な利用の確保に資する」こととし（1条），現在に至る温暖化対策とも関わる規制の体系を確立した。具体的な対策はまず，1998年6月改正により行われた。これは，①工場や事業場におけるエネルギー使用合理化の徹底を図るとともに，②温暖化に関連する自動車や家電製品などの機器（特定エネルギー消費機器等。2020年2月現在，政令で29品目が定められている。法78条，施行令21条）に関する燃費基準や省エネルギー基準などの目標値を強化するというものである。

①は，従来のエネルギー管理指定工場等（「工場等」とは，工場又は事業所その他の

事業場）として，この法律の対象とされていたものを「第一種エネルギー管理指定工場等」（前年度のエネルギー使用量が原油換算で3,000 kl以上。約7,400事業所）として，計画の作成と提出を求めるとともに，これ以外に，別の（より幅広く全業種の事業者を対象として）「第二種エネルギー管理指定工場等」（同1,500 kl以上。約7,500事業所）を設けて，エネルギー管理員の選任義務などを課したのである（なお，「第一種エネルギー管理指定工場等」については，以前よりエネルギー管理士の選任が義務付けられていた）。ともに，エネルギーの使用状況等について主務大臣に対して定期報告をする義務を負う（16条）。

②は，目標値の設定にあたっては，トップランナー，つまり，現在商品化されている製品のうち，エネルギー効率が最も優れているものを基準として，これに今後予想される技術進歩を勘案して設定するというものである（**トップランナー方式**。144条以下）。対象は徐々に広がっている（なお，②については，本法の2013年改正において，住宅・建築物の断熱材等〔特定熱損失防止建築材料。2020年2月現在，政令で3品目が定められている。法150条，施行令21条〕に対象を拡大した）。

①に関しては，経済産業大臣が定める判断基準（エネルギーの使用に係る原単位を年1%改善すること）に照らして使用合理化が著しく不十分な場合には，第一種エネルギー管理指定工場等については，合理化計画の作成提出を指示し，公表，命令が出され，罰則（17条，170条）が科されることになっている。②については，基準に照らして性能の向上を相当程度行う必要がある場合に，勧告，公表，命令が行われ（146条。なお，151条），罰則が科されうる（170条2号）。もっとも，①，②のいずれについてもこれらが実際に出された例はない。指導・助言，勧告を命令に前置する仕組みであり，このような仕組みについては，非申請型の義務付け訴訟を通じて命令の発出を求めることができないと解される可能性がある（北村）。規制の実効性の観点から問題がある。

(イ)　省エネ法は，さらに2002年，2005年，2008年にも改正，強化された。

第1は，工場・事業場のエネルギー管理については，従来，一定規模以上の熱の使用者及び一定規模以上の電気の使用者を規制対象としてきたが，これを一本化し，一定規模以上のエネルギーの使用者は全て規制対象とすることにし，規制対象を拡大した。また，第二種エネルギー管理指定工場等についてもエネルギー使用量等の定期報告を義務付けた。

第2は，エネルギー需要の増加傾向が著しい民生業務部門等における対策の強化である。①について，第一種エネルギー管理指定工場等の対象業務の限定を撤廃し，大規模オフィスビル等にも指定を拡大した。また，業務部門等に係る省エネルギー対策の強化のため，工場・事業場を含め，事業者（企業。「特定事業者」という。7条3項，同条1項）単位の規制体系を導入した（7条～9条。ただし，エネルギー管理者・管理員の選任，判断基準の遵守などについて，従来からの工場・事業場単位の義務は継続する）。そして，フランチャイズチェーンについても一事業者として捉え，事業者単位の規制と同様の規制を導入した。

第3は，運輸部門への適用対象の拡大である。国は，輸送者，荷主等に対し，省エネに関する判断基準を策定し，一定規模以上の輸送能力を有する輸送者，一定規模以上の貨物輸送を発注する荷主は，これに関して省エネ計画を策定するとともに，エネルギー消費量等の報告等をする義務が課せられ（地球温暖化対策推進法においても，温室効果ガス排出量算定・報告義務が課された），省エネの取組が著しく遅れている場合には，主務大臣により，勧告，命令，罰則の手続がとられることになった。

第4は，住宅・建築物分野での拡大である（なお→(ウ)参照）。大規模な（2,000 m^2 以上の）住宅・建築物（非住宅）（**第一種特定建築物**）の新築・増改築・大規模修繕の場合にまで届出義務を課した。さらに，第一種特定建築物の建築をする者について省エネルギーの措置が著しく不十分な場合について，従来からあった指示，公表の規定をおくとともに，これらに従わない場合について命令，処罰を行う規定を導入した（75条4項，95条2号）。また，一定の中小規模の住宅・建築物（**第二種特定建築物**）も届出義務の対象とし（75条の2），さらに，住宅を建築し販売する事業者に対し，住宅の省エネ性能の向上を促す措置を導入した（76条の4以下）。

第5に，消費者による省エネの取組を促すため，消費者に対してエネルギー供給事業者及び機器の小売業者が情報を提供する規定が整備された。

(ウ) 2013年の本法の改正では，需要家が，従来の省エネ対策に加え，蓄電池やエネルギー管理システム，自家発電等により電力需要ピーク時の系統電力の使用を低減する取組をした場合にこれを評価できる体系とすること，建築材料等（窓，断熱材，水回り設備等）をトップランナー制度の対象とすることなどが定められた。

(エ) 2015年には，建築物におけるエネルギーの消費量が著しく増加していることに鑑み，建築物のエネルギー消費性能の向上を図るため，省エネ法とは独立して，**「建築物のエネルギー消費性能の向上に関する法律」**（建築物省エネ法）が制定，公布された（平成27年法律53号）。建築物で消費されるエネルギー量はわが国の最終エネルギー消費の約1／3を占めること，OECD 34カ国中28カ国で建築許可などの際に省エネ基準適合義務を課していることが，本法制定の原動力となった。

(i) 本法は第1に，大規模な非住宅建築物（特定建築物）について，新築時等におけるエネルギー消費性能基準への適合義務及び適合性判定義務を課し，これを建築確認によって確保する点が注目される（11条以下）。適合性判定制度とは，基準への適合を確保するため，所管行政庁又は登録建築物エネルギー消費性能（省エネ性能）判定機関（国土交通大臣により登録を受ける）がその適合性を判定する制度であり（12条，15条），基準に適合しなければ建築確認がおりない（着工禁止）ことになる。なお，住宅と非住宅の複合建築物については，非住宅部分のみ適合義務が課され，適合性判定が必要となる。具体的に対象となる建築行為は，①特定建築物の新築，②特定建築物の一定規模以上の非住宅部分の増築，③増築後に特定建築物となる一定規模以上の非住宅部分の増築である。

省エネ法は事業者に対して義務付けをする法律とは考えられていないが（努力義務，届出義務，勧告を中心とする），本法は建築物について基準適合の義務付けをし，建築確認制度を用いて，適合しなければ着工禁止をする点に特色がある。

第2に，中規模以上の建築物については，新築時等における省エネ性能の確保のための構造・設備に関する計画を所管行政庁に届け出ることを義務付け，所管行政庁は，届出のあった計画がエネルギー消費性能基準に適合せず，建築物の省エネ性能の確保のために必要があると認めるときは，計画変更その他の措置を行うべきことの指示ができることとし，正当な理由なく当該指示に係る措置をとらなかったときは，その指示にかかる措置命令が発出できることとした（19条）。省エネ法のときとの相違点としては，①指示を行う要件が「基準に適合せず必要があると認めるとき」とされ，認められやすくなっていること，②中規模建築物については，省エネ法では所管行政庁による「勧告」であったのに対し，本法では「指示・命令等」に引き上げられたことがあげられる。他方，定期報告制度は存置されていない。

また，第3に，省エネ性能の高い建築物の価値が市場で適切に評価され，選別されることになれば，建築物の所有者の性能向上のインセンティブが働き，省エネ化が促進されることから，建築物の所有者は，当該建築物がエネルギー消費性能基準に適合していることについて，行政庁の認定を受けてその旨を広告などで表示できる仕組みを創設した（23条以下）。また，建築物の販売又は賃貸を行う事業者は，その販売又は賃貸を行う建築物について，省エネ性能を表示するよう努力する義務が定められた。

本法が施行された2017年4月より，省エネ法の建築物に係る措置等に関する条文（第5章）（(b)(イ)第4点）は，エネルギーの使用の合理化及び電気の需要の平準化に関する努力義務を定める143条（2018年改正前の72条）以外は削除された。

大規模非住宅については，本法の活用が期待されるところである。大規模非住宅以外の建築物については，届出制度の的確な運用，表示制度の普及などのほか，各種支援策を講じることが望まれる。また，今後，既存建築物についても，より省エネ性能の高い建築物が市場で適切に評価される環境整備が重要となる（須藤知香「建築物省エネ法の制定」時の法令1994号28頁）。

(ii)　その後，2016年のパリ協定の発効等を踏まえ，住宅・建築物の省エネ性能の一層の向上を図るため，同法は2019年に改正された（一部を除き同年施行）。住宅・建築物の規模・用途ごとの特性に応じた実効性の高い総合的な対策が盛り込まれた。具体的には，主に4点である（仲井侑馬「住宅・建築物の省エネルギー対策を強化」時の法令2094号47頁）。

第1に，建築物（オフィスビル等）に対する措置として，①省エネ基準への適合を建築確認の要件とする建築物（(i)第1点）の対象に，中規模のオフィスビル等を追加した（11条）。

第2に，住宅（マンション等）に対する措置として，届出制度における所管行政庁による計画の審査（省エネ基準への適合確認。(i)の第2点）を（民間審査機関を活用しつつ）合理化した（19条4項）。

第3に，（戸建住宅等）小規模の住宅・建築物の新築等の際に，設計者である建築士から建築主に対して省エネ性能に関する説明を義務付ける制度を創設し（27条），小規模の住宅等について省エネ基準への適合を推進し，また，トップランナー制度の対象に，注文戸建住宅や賃貸アパートを供給する大手住宅事業者（特定建築主）を追加し（28条），大手住宅事業者にトップランナー基準（29条）に適合する住宅を供給する責務を課し，国による勧告・命令等により実効性を確保した（30条）。

第4に，気候・風土の特殊性を踏まえて，地方公共団体が独自に省エネ基準を強化できる仕組みを導入した（2条2項）。

(iii)　その後，同法の2022年改正では，以下の改正がなされた（法律名は「建築物のエネルギー消費性能の向上『等』に関する法律」に改称された）。建築物分野がエネルギー消費の3割を占めることが強調されている。

第1は，省エネ性能の底上げと，より高い省エネ性能への誘導である。従来，中規模・大規模の非住宅のみに義務付けられてきた省エネ基準を，すべての新築住宅・非住宅に義務付けることとした（2025年度から義務化される見込みである）。また，大手事業者により段階的な省エネ性能を向上させていくトップランナー制度を拡充するとともに，誘導基準の強化等により，ZEH（ゼロエミッションハウス）・ZEB（ゼロエミッションビル）の水準に誘導していくこととした。販売時・賃貸時における省エネ性能表示も推進することとした。

第2に，既築の住宅・建築物の省エネ改修や再エネ設備の導入促進である。既築の住宅・建築物の省エネ改修に対する住宅金融支援機構による低利融資制度を創設することとした。また，市町村が定める再エネ利用促進区域内について，建築士から建築主への再エネ導入効果の説明義務を導入した。省エネ改修や再エネ設備の導入に支障となる高さ制限等の合理化をすることとした。

さらに，関連して，建築基準法が改正され，木材による吸収源対策を強化する目的で，防火規制の合理化が図られた。すなわち，大規模建築物について，大断面材を活用した建物全体の木造化や，区画を活用した部分的な木造化を可能とするなどの規定を置いた。建築物分野での木材利用が，木材需要の約4割を占めることが背景にある。

ちなみに，屋根上太陽光の設置は，業務・家庭部門での対応として有用であるが，建築物省エネ法改正では義務化には踏み込まなかった。しかし，東京都の環境確保条例の2022年改正では，延べ床面積2000 m^2 以上の建物の新築の際には建築主（発注者）に建築物環境計画書の提出を義務付け，より小さい建物の新築の際にはハウスメーカー等が大手（年間都内供給延べ床面積が合計2万 m^2 以上）の場合に限って太陽光発電設備等の設置を求めることとし，これにより，年間着工戸数の半数が設置義務の対象となる見込みである。

(オ) 2018年に省エネ法が改正された。改正の主要点は2点である。第1は，企業連携による省エネの評価制度が創設された。すなわち，産業部門・業務部門・運輸部門のさらなる省エネを促進するため，複数事業者が連携する省エネの取組である「連携省エネルギー計画」を認定し，認定を受けた事業者は省エネ量を分配して定期報告をすることを認めることにより，各事業者の取組が適切に評価される制度を創設した（46条〜50条，117条〜121条，134条〜138条）。また，グループ企業が一体的に省エネの取組を行うことについて認定（認定管理統括事業者の認定）を受けた場合，親会社による省エネ法の義務（定期報告等）の一体的な履行を認めることにした（29条〜44条，113条〜116条，130条〜133条）。第2に，貨物の「荷主」の定義を見直し，また，「準荷主」の概念を新設した。すなわち，貨物輸送のさらなる省エネを促進するため，現行法の「荷主」の定義を見直し（105条），貨物の所有権を問わず，契約等で貨物の輸送方法を決定する事業者を「荷主」とすることにより，ネット小売事業者を本法の規制対象に確実に位置づけ，省エネの取組を促進することにした。また，到着日時等を適切に指示することができる貨物の荷受人を「準荷主」と位置づけ，「荷主」の省エネの取組への努力を求めることにした（106条）。なお，ほかに，省エネの取組の優良企業を対象として，中長期計画の提出頻度を軽減することにした（15条，26条，37条，110条，114条，102条，126条，140条）。これによって毎年の提出が数年に一度になることが想定されている。

(カ) 同法の2022年改正では，以下の改正がなされた。

第1に，目的規定（1条）に「非化石エネルギーへの転換」が入り（「エネルギー」の定義が変更された。2条1項），法律名を「エネルギーの使用の合理化及び非化石エネルギーへの転換等に関する法律」に改称したことである。また，目的規定における「電気の需要の平準化」は「電気の需要の最適化」に変更された。

第2に，工場等で使用するエネルギーについて，化石エネルギーから非化石エネルギーへの転換（非化石エネルギーの使用割合の向上）を求め（5条2項。経済産業大臣が定める判断基準。業種によって異なる），特定事業者等に対して，非化石エネルギーへの転換に関する中長期的な計画の作成を求めることとした（15条2項）。

第3に，再エネ出力制御時への需要シフトの促進（この時に電力需要が増加すれば，出力制御は不要となるため）や需給逼迫時の需要減少の促進のため，従来の「電気の需要の平準化」を「電気の需要の最適化」に変更し，電気を使用する事業者に対する指針の整備等を行うこととした（5条3項）。また，電気事業者に対し，電気の需要の最適化に資するための措置に関する計画（電気の需要の最適化に資する取組を促すための電気料金の整備等に関する計画）の作成等を求めることとした（159条）。

ここにいう「電気需要の最適化」とは，再エネの余剰電気が発生している時間へ需要シフトを促すため，電気の需給状況の変動に応じて，電気の一次エネルギー換算係数を変動させることをいう。工場等の事業者は原単位の年平均1% 以上の改善を求められるのであるが，この原単位が，通常のエネルギー消費原単位か，又は上記の電気換算係数に基づき算出した電気需要最適化原単位とされたのである。

第2点に関しては，本改正は，エネルギー使用の合理化と，エネルギーの非化石化という異なる目標を経済産業大臣の判断基準となるべき事項に組み込もうとし，両者の調和を図ることとした（5条5項）。具体的には，エネルギー消費原単位等の算定に当たり，非化石燃料の熱量換算時に補正係数（1未満）を乗じることが考えられる。この補正係数（両者の調和の図り方）は時間とともに変わり得るといえよう。

本改正が目的とする，エネルギーの非化石化を進めるためには，小売事業者が販売する際の電源種の開示を義務化することが必要不可欠と考えられるが，未だに，この点は努力義務に留まっている（165条）。様々な困難はあろうが，義務化に向けた前進は必要となろう。

(キ) 省エネ法は，温暖化対策の観点から一定の意義があるが，エネルギー効率を改善する目的の法律であり，温室効果ガスの削減を直接の目的としていないこと，指導・勧告を中心とする法律であり，かつ，かつて勧告の例はほとんどないことなどの限界がある。

また，トップランナー方式の対象をさらに広げるとともに，同法の判断基準を強化すべきである。対象製品の大型化により効果が相殺されているとの批判もあるが，これに対しては対象製品の区分の仕方を大きさによってあまり細分化しないように変更することを検討すべきである。もっとも，温暖化対策としては，省エネのみではどうしても大幅なエネルギー需要の抑制は困難であるという限界があることは否定できず，むしろ，使用機器の保有やエネルギー使用量自体に対する制約に関する議論が必要となっている。

なお，本法においては，特定事業者（16条），輸送事業者（特定貨物輸送事業者。103条），荷主（特定荷主。111条）に関して，主務大臣に対する，エネルギーの使用状況や建築物の維持保全状況についての定期報告制度が導入されたものの，これを公表して情報的手法として活用する姿勢はみられない。そのため，権利利益の保護に係る請求についての規定もない。もっとも，定期報告の情報の開示請求をすることにより，企業の温室効果ガス排出量低減への機運を高めることを目的とした訴訟が提起されている（→**Column49**）。

Column49 ◇省エネ法のエネルギーの使用状況等に関する情報の開示請求事件

本法の下での「定期報告書」（現16条。改正前15条）について，環境保護団体から情報公開法に基づく開示請求がなされ，主務大臣が個別事業者の権利利益を害するおそれがあるという理由（情報公開法5条2号イ）でこれを不開示とすることができるかが，争われてきた。省エネ法の定期報告書の情報は直接にはエネルギーの使用状況に関する情報であるが，同時にエネルギー起因 CO_2 の排出量の情報ともなるため，温暖化対策に関する情報として重要性を有する。そのため，環境保護団体からこのような請求が提起されるのである。具体的には，行政庁の一部不開示決定の取消し及び不開示部分（数値情報）の開示決定の義務付けが求められることになる。

これについて，最判平成23・10・14判タ1376号116頁［97］は，請求を認めた原判決を破棄自判し，「省エネルギー法の報告制度の趣旨に鑑みると，情報公開法による定期報告書の開示の範囲を検討するに当たっては……当該情報の性質や当該制度との整合性を考慮した判断が求められる」とし，「本件数値情報の内容，性質及びその法制度上の位置づけ，本件数値情報をめぐる競業者，需要者及び供給者と本件各事業者との利害の状況等の諸事情を総合勘案すれば」，本件数値情報は，競業者にとっても，需要者や供給者にとっても有益な情報であり，「本件数値情報が開示された場合には，これが開示されない場合と比べて」「本件各事業者はより不利な条件の下での事業上の競争や価格交渉等を強いられ……ることによって本件各事業者の競争上の地位その他正当な利益が害される蓋然性が客観的に認められる」とした（詳しくは→ **12-6**〔616頁〕参照）。

(c) 電気事業者による再生可能エネルギー電気の調達に関する特別措置法（再生可能エネルギー特措法）

(ア) 再生可能エネルギー利用の必要性とその促進のための２つの方策

再生可能エネルギーは，発電等に利用する際に二酸化炭素を放出することがないため，①温暖化対策の推進の観点から重大な意義を有している。ほかにも，再生可能エネルギーは，②非枯渇性の持続可能性を備えたエネルギーであること，国産エネルギーであり，③１次エネルギーの自給率が極めて低いわが国にとって特に重要であることから，その必要性が高いことを指摘できる。2011年の東日本大震災及びそれに伴って生じた福島第１原発事故のため，脱（減）原発の動きが強まる中，温暖化を進め，わが国の貿易赤字を増大させてしまう化石燃料による発電の増加を回避するには，再生可能エネルギーがほとんど唯一の手段となったのである。

再生可能エネルギーの普及・拡大の方策としては，世界的に，(i)電気事業者に再生可能エネルギー発電からの固定価格での買取りを義務付ける（固定価格買取〔Feed-in-Tariff：FIT〕制度）と，(ii)一定規模以上の電気事業者に対し，販売電力量の一定割合又は一定量の再生可能エネルギーを保有することを義務付け，その量についての市場での売買を認める方法（再生可能エネルギー証書基準〔Renewables Portfolio Standard：RPS〕制度）がある。RPSは電気事業者が全体の発電量のうちの一定「割合」又は「量」を再生可能エネルギーとすることを義務付けるのに対して，FITは再生可能エネルギーを一定「価格」で買い取ることを電気事業者に義務付けるものである。RPSは競争によるコストの低減（経済的効率性），FITは導入量の拡大に重点をおいている。

FITは，再生可能エネルギーの事業者に，固定価格によって投資回収のより安定的な見込みを示せる点で優位性があり，再生可能エネルギー市場が未成熟の状態でそれを飛躍的に導入するためにははまずFITを導入し，後にRPSに移行することが適切であることが指摘されていたが，わが国ではまずRPSを導入してしまった。確かに理論的にはRPSであっても，導入目標量を増加させれば再生可能エネルギーが大きく増大することとなるが，実際には，関係者の様々な抵抗にあい，政治的に十分な目標量を決定することが難しいのに対し，FITは価格が設定されているだけであとは市場の中で導入量が決められ，再生可能エネルギー発電事業者には長期・一定価格での売電が保障されるため，いわば予想を超える導入が可能になるということである。

RPSは，一定「**量**」ないし「**割合**」の再生可能エネルギーの保有という一種の規制と，取引を認める経済的手法とを結合させたものであり，排出枠取引と類似するが，環境負荷物質でなく，環境保全に資するものを対象としている点に特色がある。

一方，FIT は電気事業者に一定「**価格**」での買取りを義務付けるという一種の**規制**であり，また，電気事業者にとっては（徴収の主体は国ではないが）**賦課金**に類する負担となるが，買取額は結局電気料金に上乗せされることから，最終的には需要家によって一種の利用者（受益者）負担がなされる仕組みである。他方で，FIT は，再生可能エネルギー発電事業者に対しては（政府からではなく民間から）**補助金**を与えることになる（再生可能エネルギー発電事業者は環境負荷を発生させる者ではなく，原因者負担原則が問題となるケースではなく，同原則と補助金との関係が問題となるものではない）。

2002 年に制定された「電気事業者による新エネルギー等の利用に関する特別措置法」（新エネ発電法）は，RPS を導入し，電気事業者に新エネルギー（経済産業大臣の認定を受けた発電設備を用いて風力，太陽光，バイオマス，中小水力等を変換して得られる電気）の利用を義務付けた。電気事業者に対しては，毎年度，前年度の販売電力量に応じ一定割合（2010 年度は 1.35%）以上の新エネルギー等電気（基準利用量）の利用を義務付け，電気事業者は，この義務を履行するに際して，①自ら発電するか，②他から「新エネルギー等電気」を購入するか，又は，③他の電気事業者に義務を肩代わりさせるかを選択することができるとされた。

しかし，同法の最大の問題点は，利用目標量の設定にあたって利害関係者も含めた交渉が行われた結果，目標量が僅少であったことである。上記の RPS の問題点がまさに露呈してしまったわけである。

(イ) 電気事業者による再生可能エネルギー電気の調達に関する特別措置法（2020 年改正により，「再生可能エネルギー電気の利用の促進に関する特別措置法」に改称。再エネ特措法）の制定

上記のように，東日本大震災と福島第 1 原発事故により，再生可能エネルギーの利用拡大の必要性が極めて高くなる中で，2011 年 8 月，本法が制定，公布され（平成 23 年法律第 108 号），2012 年 7 月に施行された。本法は明確に再生可能エネルギー全体について FIT を導入したものである。本法の施行とともに新エネ発電法は廃止された（附則 11 条）。

以下は 2011 年制定当時の本法の概要である（本法の課題とそれに対応した 2016 年改正，2020 年改正については後述→(vi)(viii)）。

(i) 買取対象　本法で電気事業者による調達義務の対象となる再生可能エネルギー源としては，わが国で現在一定程度普及している，太陽光，風力，中小水力（3 万 kW 未満），地熱，バイオマス（紙パルプ等他の用途で利用する事業に著しい影響が

ないもの）があげられる（2条4項。なお，同条同項6号）。

本法は，発電設備及び発電の方法が一定の基準を満たしているか否かについて経済産業大臣が認定を行うこととしており（6条），この認定を受けた発電設備・発電方法によって発電された再生可能エネルギー電気が，電気事業者の調達義務の対象となる。

なお，買取対象は基本は新設の施設と考えられていたが，既存の施設についても対象とすることになった。

(ii)　調達価格・調達期間　①調達価格・②調達期間については，毎年度再生可能エネルギー源の種別や利用形態，設備の規模等に応じて以下の点を勘案等して定められる（3条1項〜3項）。

①調達価格　再生可能エネルギー電気を供給する場合に必要となる発電コスト，再生可能エネルギー電気の供給者が受けるべき利潤等

②調達期間　再生可能エネルギーの発電設備が設置されてから設備の更新が必要になるまでの標準的な期間

調達価格及び調達期間（以下，「調達価格等」という）の設定次第では，賦課金の負担が電気の使用者にとって過重なものとなることから，調達価格等を定めるにあたってはこの点に配慮しなければならない（現3条6項）。調達価格等は経済産業大臣が毎年度定めるが，それにあたっては中立的な第三者委員会である**調達価格等算定委員会**（委員は国会同意を得た上で任命される）（現67条）の意見を尊重するものとされる。また，経済産業大臣は，再生可能エネルギー発電設備にかかる所管に応じて農林水産大臣，国土交通大臣又は環境大臣と協議し，及び消費者問題担当大臣の意見を聴くものとされている。なお，調達価格及び調達期間は毎年度定められる（価格・期間は毎年度定めるが，当該年度に導入された施設については20年などの定められた期間，定められた固定価格でずっと買い取られるという趣旨である）。

(iii)　電気事業者の特定契約の申込み及び接続の請求に応じる義務等

①特定契約の締結に応じる義務　電気事業者は，経済産業大臣の認定を受けた再生可能エネルギー発電設備を用いて再生可能エネルギー電気を供給しようとする者（特定供給者）から申込みを受けた場合には，正当な理由がない限り，当該認定発電設備から供給される再生可能エネルギー電気を買い取る契約の締結を拒否してはならない（現16条）。契約自由の原則に対する例外である。

②接続の請求に応じる義務　特定供給者から接続の請求があった場合に一般送配電事業者又は特定送配電事業者は，例外的な場合を除き，これを拒否してはならない（5条1項。現行法では削られた→(vi)）。

①，②の義務違反に対して，経済産業大臣による勧告，命令，さらに罰則の規定がおかれた（4条3項，4項，5条3項，4項，45条〔現行法は①について16条3項，4項，84条1号〕）。

(iv) 電気事業者間の費用負担の調整　上述したように本法では電気事業者が買取に必要とした費用について最終的には電気の使用者が負担することとしているが，再生可能エネルギー導入による便益は全国規模で享受されるものであるから，地域ごとに負担に偏りが出ないよう，経済産業大臣が，全国で1つ指定する費用負担調整機関を通じてkWhごとの負担が全国どこでも同じになるよう，調整することとしている（現28条，31条）。

(v) 賦課金（サーチャージ）　各電気事業者には，それぞれの需要家から，電気の供給の対価の一部として，経済産業大臣が定める全国一律の納付金単価に各需要家使用電力量を乗じて得た賦課金を回収することが認められる（現36条）。これは，電気事業者は，自らが選択しない電源による発電の購入を押し付けられるともいえるためである。費用負担の方法としては，諸外国の例も踏まえ，電気料金に上乗せする方式とされた。また，全ての需要家が公平に負担する観点から，電気の使用量に応じて負担する方式が採用された。なお，賦課金については，国会における修正で，減免が認められる2つの場合が設けられた。第1は電力多消費事業者，第2は東日本大震災により著しい被害を受けた施設等にかかる電力需要家に関連する。

(vi) 2011年法の課題と2016年改正　本法の制定は，再生可能エネルギーの普及拡大に資するものであり，基本的に好ましいものであった。もっとも，その普及拡大，及び，普及拡大によって生ずる問題への対処のために検討すべき課題は少なくなかった（詳しくは，高橋滋＝大塚直編著『震災・原発事故と環境法』第2章参照）。このうち，改正の契機となった点は，①未稼働案件が大量に発生し，接続保留の問題が生じたこと，②買取価格を毎年設定していたため，再生可能エネルギー発電事業者に事業の予測可能性が与えられなかったこと，③国民の負担の抑制のためにコスト効率性を図る必要が生じたこと，④電力システム改革を反映する必要が生じたことなどである。中でも注目されたのは，2014年9月に九州電力が再生可能エネルギー（具体的には太陽光）発電設備の電力系統への接続申込に対する回答を保留したことを嚆矢として，最終的に一般電気事業者5社が同様の措置をとったことであった。その最大の理由は，本法の下での買取価格の確定が「設備認定時点」となっていたところ，同認定がずさんで，実際に工事に入らない者が続出したこと（接続枠の「空押さえ」がなされたこと）に由来した（2015年1月以降，①太陽光発電については調達価格の決定は接続契約の締結のときに行われるとし，また，②運用を変更し，付款として認定通知書に期限をつけ，その期間以内に土地・設備の確保が確認できない場合，認定が失効するというルールが設けられた）。

本法の2016年改正（賦課金減免の見直し以外は，2017年4月施行）の主要点（以下，改正法の条数をあげる）としては，上記各点と対応して，①未稼働案件の発生を踏まえ，発電事業者の事業計画についてその実施可能性（系統接続の確保等）や内容等を確認し，適切な事業実施が見込まれる場合に認定を行う制度を創設した（9条。設備認定だけでなく，事業実施計画の認定となった）。そして，適切な事業実施を確保するため，事業開始前の審査に加え，事業実施中の点検・保守や，事業終了後の設備撤去等の遵守を求め，違反時の改善命令・認定取消しを可能とした（9条，13条，15条）。②再生可能エネルギーの発電事業者に予測可能性を与えるため，中長期的な買取価格の目標を設定し，また，数年先の認定案件の買取価格まであらかじめ設定できるようにした（3条）。数年先の認定案件の価格提示は，住宅用太陽光や風力について価格低減のスケジュールを示すとともに，地熱等のリードタイムの長い電源の導入を拡大する意義がある。③再生可能エネルギーのコスト効率的な導入を図るため，事業用太陽光を対象として，入札制を導入した（4条～8条）。④電力システム改革を反映して，再生可能エネルギー電気の買取義務の対象を，小売電気事業者から一般送配電事業者に変更した（16条。連系線の空き容量の効率的活用を目的としている）。⑤接続の請求に応じる義務の規定（5条）が削られ，他の電源と同様，接続拒否事由についても，電気事業法の一般送配電事業者のオープンアクセス義務の規定（17条4項）によることになった。なお，⑥電力多消費事業所における賦課金の減免制度（37条）について，減免の要件及びその額の見直しを行うこととした（高村ゆかり「電気事業者による再生可能エネルギー電気の調達に関する特別措置法（FIT法）の2016年改正の評価と再エネ法政策の今後の課題」環境法研究〔信山社〕6号181頁，日高圭悟「再生可能エネルギー電気の固定価格買取制度の見直し」時の法令2031号4頁）。なお，再エネ導入の阻害要因となっている送配電網の系統問題に関しては，下位法令において徐々に改善しつつある（送配電の地域間連系線における先着優先の利用ルールの廃止と間接オークションの導入，域内系統における送電線の空き容量確保のための日本版「コネクト&マネージ」導入，系統接続費用に関する「費用負担ガイドライン」における「原因者負担」からSemi-Shallow方式への変更などについて，島村健「再生可能エネルギーと公物・環境法理論」論究ジュリ28号〔2019〕77頁以下参照）。

(vii) 本法の制定の結果，太陽光発電が急増したのに対し，その他の再生可能エネルギーはあまり増加していない。風力発電については，環境影響評価の迅速化（→ **Column13**〔118頁〕，大塚『環境法』6-3・7〔191頁〕参照），ゾーニングの導入，洋上風力発電等の海域の安定的利用（→ **Column50**）が問題とされている。

(viii) 2020年，本法の改正がなされた。本改正に伴い法律名も「再生可能エネルギー電気の利用の促進に関する特別措置法」に改称された（「強靱かつ持続可能な電気供給体制の確立を図るための電気事業法等の一部を改正する法律」〔2020年6月公布・法律49号，2022年4月1日施行〕の一部として改正された）。その概要は，①再生可能エネルギー発電事業者の投資予見可能性を確保しつつ，市場に連動した行動を促すため，固定価格買取に加えて，新たに，市場価格に一定のプレミアムを上乗せして交付する制度（Feed In Premium：FIP）を導入すること，②従来，地域の送配電事業者が負担していた，再生可能エネルギー導入拡大に必要な地域間連系線等の系統増強の費用の一部を，賦課金方式で全国で負担する制度を導入すること，③太陽光発電が適切に廃棄されない懸念に対応するため，発電事業者に対し，廃棄のための費用に関する外部積立義務を課することである。

➡ RPSとFITは，環境政策の手法としてはどのように整理できるか。

(ix) 本法の2020年改正後においても，再エネに対する地域の紛争は存続・増大しており，自然環境・景観などとの調和を図る条例を制定する自治体も増加している。太陽光発電については土砂崩れ，景観，風力発電については景観，バードストライク，低周波音などが懸念されているのである。

以下では，本法の認定事業の実施の流れに沿って課題を摘出する。認定事業の実施の流れは，①土地開発前の段階，②土地開発後から運転開始までの段階，③廃止・廃棄の段階に分かれる。①については，認定にあたり，設備の設置場所の土地の確保，電力会社との系統の接続契約，関係法令遵守の誓約等が必要となる。土地開発までに，森林法の開発許可，宅地造成及び特定盛土等規制法の許可，砂防三法（砂防法，地すべり等防止法，急傾斜地の崩壊による災害の防止に関する法律）の開発許可等が必要となるが，現行の電気事業法及び再エネ特措法では，認定段階では関係法令の許認可の取得までは求めていない点が重要である。②については，運転開始までに電気事業法上，工事計画届，使用前自己確認届出等が必要となり，運転開始後も各種の法令遵守の義務が課される。③については，再エネ特措法の2020年の改正により，上述したように，廃棄等費用積立てがなされるようになったところである。①〜③の各段階につき，近時様々なガイドラインが策定された。

以下，本法に関する今後の課題に触れておく（「再生可能エネルギー発電設備の適正な導入及び管理のあり方に関する検討会 提言」〔2022年10月〕参照）。

① 土地開発前の段階については，第1に，電気事業法及び再エネ特措法では，認定段階では関係法令の許認可の取得までは求めていない点を改めるべきであろう。

再エネ特措法については，これを許認可の申請要件とすることが考えられる。電気事業法においては，工事計画の届出時に関係法令の遵守状況を確認する必要がある。第2に，森林法に基づく林地開発許可については，太陽光発電設備の開発実態を踏まえ，許可対象となる基準の引き下げや防災施設の先行設置を要請することが検討されている。

② 土地開発後から運転開始までの段階については，第1に，違反の未然防止や違反状況の早期解消のため，関係法令の違反状態の場合に認定取り消しや改善命令を行うとともに，売電収入（FIT 交付金）の交付を留保するなどの仕組みを再エネ特措法に導入する。この点は，認定取り消しや改善命令について執行コストがかかることに対する経済産業省の躊躇がある。このようなものの導入も重要であろう。第2に，事業者の予見可能性を高めるため，系統整備のマスタープランや広域系統整備計画の進捗状況などについて随時公表することが必要である。

③ 廃止・廃棄の段階については，再エネ特措法改正による太陽光発電設備の廃棄等積み立て制度の導入は評価できるが，さらに，第1に，リサイクル等の促進のため，外国産メーカーを含め，太陽光パネルの含有物質に関する情報の表示の義務付けが必要である。さらに，輸入品が多い製品の廃棄物に関する循環管理の法的ルールを策定する必要がある。この問題は，非 FIT，非 FIP についても重要な問題であることを強調しておく。第2に，付近住民としては太陽光発電設備が事業廃止後に放置されることへの懸念がある。現在，電気事業法，再エネ特措法で事業の廃止届が出されるだけであるが（再エネ特措法 11 条），太陽光発電設備についてはパネルが発電できる状態で事業が廃止されると，環境担当行政としては対応のしようがない。絶縁して安全に解体できるまでは事業者の方で対応してもらう必要がある。その上で廃棄物みなしをして，リサイクル等に流れる仕組みを作ることが重要である。廃掃法の最終処分場と同様，廃止については，行政による確認の手続が必要であろう。

さらに，横断的問題として，第1に，再エネ特措法において，一定規模以上の発電設備については説明会の開催の義務化が考えられる。この点は環境影響評価法とも関連しよう。地域住民の知らないままに事業譲渡がなされていることがトラブルの原因になる例も少なくなく，事業譲渡の変更認定に説明会を義務付けることも必要である。現行法では，再エネ特措法施行規則 8 条で変更認定をし，10 条で届出が必要であるが，住民には知らされない（施行規則 4 条の 2 参照）。第2に，風力発電特有のアセスの必要がある。第3に，低圧の小規模再エネ設備について，事故の発生状況等を踏まえながら，電気事業法において，柵や塀の設置義務を検討する必要がある。全体として，今後，非FIT，非FIP電源が増加することが見込まれるが，それに対処する法律はなく，当面電気事業法に依拠するしかない。当面，電気事業法の強化によって対応する必要がある。

Column50 ◇風力発電――環境影響評価，ゾーニング，及び占用許可

(1) 風力発電と環境保全との両立は重要な課題である。両者の両立を目的として，環境省は，2018年3月に「風力発電に係る地方公共団体によるゾーニングマニュアル（第1版）」を取りまとめた（第2版は2020年3月に取りまとめられた）。事業計画が立案される前の早期の段階で，関係者の協議の下，環境影響評価手続（計画段階環境配慮書等）に先駆けて実施するものであり，実施主体は地方公共団体である（デンマークのセントラル方式が参考にされている）。環境保全と風力発電の導入促進を両立させるため，関係者間で協議しながら，総合的評価をした上で，区域設定をし，それを活用する取組である。

ゾーニングにあたっての基本的考え方として，将来的に風力発電が導入されうる見通しを把握することが重要であり，基本的には希少種，景観などに関する既存情報の収集がなされるが，一部現地調査もなされうる。ゾーニングマップのエリアは3種類を基本とする（保全エリア，調整エリア，促進エリア。調整エリアは導入の可能性は残っているものである）。騒音，鳥類，景観，法定の保護地域等，社会的調整が必要な項目のそれぞれについて「レイヤー」を作成し，マップに落としていく作業がなされる（農業・漁業との関係など，社会的要素も含まれている点に特色がある）。自治体内部での連携や，関係者との合意形成の手法についても記載されており，多くの自治体では協議会が設置される。ゾーニングによりSEAと同様の効果を果たすことになるとともに，現行のアセスメントの迅速化・簡素化に資すること（具体的には，計画段階配慮書手続の効率化，意見手続の短縮化に資すること），風力発電事業者にとって事業の予見可能性が高まることが期待されている。

(2) 洋上風力発電等，再生可能エネルギー発電設備の海域での整備についてはどうか。

2016年，港湾法改正（法律45号）により（同年施行），港湾区域内の水域等を占用する施設の設置に関する手続を導入し，港湾区域内で再生可能エネルギーと漁業者との調整を比較的行いやすくしたが（37条，37条の3以下），さらに一般海域での対処が必要であるとして，2018年に海洋再生可能エネルギー発電設備の整備に係る海域の利用の促進に関する法律（再エネ海域利用法。法律89号）が制定された（2019年4月施行）。すなわち，従来，海域利用（占用）の期間は短期（3～5年）であるため，安定的な対応ができず，中長期的な事業予見可能性が乏しく，資金調達が困難であったので，一般海域について国が洋上発電事業を実施可能な促進区域を指定し，長期の（最長30年）の占用許可を認め，事業の安定性を確保することにした。この点が本法の最大のポイントである。

経済産業大臣及び国土交通大臣は，漁業関係者等との調整のため，協議会を設け，その意見を聴くとともに，農林水産大臣，環境大臣その他の関係行政機関の長と協議し，その意見を聴いた上で（8条5項），促進区域とすることにより，再生可能エネルギー発電事業者の予測可能性を向上させ，負担を軽減する。コスト重視の観点から，入札制が導入される。

本法の対象である海洋再生可能エネルギーは，政令で洋上風力をあげるにとどまるが，潮流発電等も後に追加できるようにした。本法の内容は次の4点である。

第1に，政府が基本方針を作成する（7条）。2019年5月に策定された基本方針の中には，関係府省庁の長と協議し，環境地方公共団体の長や協議会の意見を聴くこととされている。

第2に，経済産業大臣及び国土交通大臣は区域の状況を調査し，促進区域を指定する（8条）。促進区域の指定基準として，自然的条件と出力の量，航路等への影響，港湾との一体的利用，系統の確保，漁業への支障等が挙げられている（8条1項）。促進区域の指定に際しては，上述したように，協議会を組織することができる（9条）。促進区域の指定プロセスは年度ごとに行われ，中長期的に見た場合に年度ごとの導入量に隔たりが生じないかという観点を踏まえつつ（100万kWh/年程度が想定されている），計画的，継続的に運用される。関係行政機関の長は，協議会の構成員の求めに応じて，協議会に対し，必要な助言その他の協力を行うことができる（9条5項）。

第3に，公募に基づいて事業者が選定される。経済産業大臣及び国土交通大臣が公募占用指針を作成し（13条），事業者は公募占用計画を提出し（14条），審査（15条1項），計画の評価（15条2項）の上，経済産業大臣及び国土交通大臣は，最も適切な事業者を選定し，計画を認定する（15条2項，3項）。計画の審査においては，価格とそれ以外の双方を考慮する。この審査は，第三者委員会の評価を踏まえて行われる（15条4項が関連する）。公募占用指針において，公募の競争性を確保するための方策が定められる。

第4に，その他の問題として，区域指定の要件として，系統接続の見込みがあることがあげられている（8条1項4号）。系統容量確保に向けた国の積極的な政策が求められるところである。

なお，公募占用指針には，（着床式の洋上風力）発電設備の撤去に関する事項についても定められるが（同法13条2項12号），この点については，2つ問題がある，1つは，（完全な原状回復が却って環境に悪影響があるとの観点から）ドイツ，デンマークなどでは例外的に一部残置が認められており，わが国でも参考になること（わが国の海洋汚染防止法43条の2第1項参照），もう1つは，倒産時を含めて撤去を確実に行わせるため，財務的保証の必要があることである（もっとも，この点は，事業者自身に確保させ，許可にあたり審査することが考えられている）。

個々の洋上風力発電に関する環境影響評価は占用許可後に行われる。再エネ海域利用法における占用許可（19条）は，環境影響評価手続とリンクしておらず，又，同法と環境影響評価法はリンクしていない点に大きな問題がある。また，再エネ海域利用法も一種のSEAを導入するものであり（主体が行政である点からもそのように解される），環境影響評価法の配慮書手続と，再エネ海域利用法の環境調査は手続が重複する面があるといえる。

(3) 地球温暖化対策税

地球温暖化対策のための経済的手法としての税・賦課金については，わが国では

1990年代初頭から検討されてきたが，2012年3月にようやく「租税特別措置法等の一部を改正する法律」が成立し（90条の3の2，附則〔平成24年3月31日法律16号〕），同年10月，「地球温暖化対策のための石油石炭税の税率の特例」が施行された（以下，「地球温暖化対策税」という）。これは，化石燃料の全てについて，従来賦課されてきた石油石炭税に，二酸化炭素排出量に応じた税率（従量税）が上乗せされることになった。環境政策としての経済的手法の導入として極めて重要である。税率については，激変緩和のため，3年半をかけて段階的に引き上げていくこととされた。

地球温暖化対策税はいわゆる目的税ではなく，**一般財源**に組み入れられるが，税収の使途としては，①家庭用の低炭素機器の普及促進，②未利用熱の面的利用の促進，③温暖化対策投資の推進などの補助金に用いることが考えられている。

税率は高いとはいえないが，［**環境税の賦課＋税収を活用した補助**］という2つの複合措置によって温暖化対策を推進することが想定されている。

地球温暖化対策税は，環境基本法との関係でみれば，同法22条2項の賦課金等の導入に対して付されている様々な条件（→**3-2**・3⑴〔80頁〕）をようやくクリアし始めたとみることができよう。もっとも，上記のような複合措置が想定されているものの，この程度の税額では二酸化炭素削減に十分なインセンティブとならないのではないかという問題は残されている。

⑷　排出枠取引及び関連制度

国レベルで排出枠取引制度に関連する制度が導入され，また，東京都，埼玉県では本格的な排出枠取引制度（ただし，欧米のものとは性格が異なる）が導入された。

第1に，2006年の地球温暖化対策推進法の改正により，京都メカニズムによって発生した割当量，クレジット，附属書Ⅰ国における森林面積の増加による吸収量等（「**算定割当量**」。2条6項）の取得，保有及び移転の記録を行い，算定割当量の取引の安全を確保するための割当量口座簿制度が創設され，算定割当量の帰属は割当量口座簿の記録により定まり（44条），譲渡は譲受人が口座に記録を受けなければ効力を生じないこと（50条）（**効力要件主義**），国又は口座名義人はその口座における記録がされた算定割当量を適法に保有するものと推定されること（53条），振替により口座において算定割当量の増加の記録を受けた国又は口座名義人は，悪意又は重大な過失があるときを除き，当該算定割当量を取得すること（54条）（**善意取得**）などが定められた。本法の対象であった京都メカニズムによって発生したクレジット等については，動産と類似の法的規律が基礎とされており，ある種の財産権的性格が認められていたといってよい。割当量口座簿制度の導入にあたっては，社債等振替法の仕組みが参考にされた。

第2に，2008年10月，国として，「排出量取引の国内統合市場の試行的実施」（試行的実施）が開始された。試行的実施の中心は①試行排出量取引スキームであり，これを，②国内クレジット，③京都クレジットが補完する関係にあった。①のスキームは，参加者が自主的に排出削減目標を設定するものであったが，③とともに2012年度に終了した。②の国内クレジット制度は，大企業の技術・資金等を提供して中小企業等が行った二酸化炭素の排出抑制のための取組による排出削減量を認証し，大企業が自主行動計画等の目標達成のために活用する制度（ベースライン・アンド・クレジット型）であり，京都議定書目標達成計画に根拠を有するものであった。

第3に，カーボン・オフセット（社会の構成員が，他の場所で実現した温室効果ガスの排出削減・吸収〔クレジット〕の量を購入し，又は，他の場所で排出削減・吸収を実現するプロジェクトや活動を実施すること等により，その排出量の全部又は一部を埋め合わせること）を行うためのオフセット・クレジット（これを，Verified Emission Reduction〔VER〕という）制度として，環境省はJ-VER制度を2008年から開始し，森林管理プロジェクトもこの対象とされた。上記の国内クレジット制度もオフセット・クレジット制度の一種である。このJ-VER制度は，2013年4月以降は，上記②の国内クレジット制度と統合して「**J-クレジット**」制度となった。

第4に，東京都では，2008年の6月に，都民の健康と安全を確保する環境に関する条例（東京都環境確保条例）が改正され，総量削減の義務付け及び排出枠取引が導入された。具体的には，2010年4月に大規模事業所に対する総量削減義務が施行されるとともに，**キャップ・アンド・トレード型の排出枠取引制度**が施行されることとなった。総量削減義務が導入された大規模事業所は1,300程度，排出量としては都内の2割程度であった。東京都における大規模事業所に対する二酸化炭素総量削減義務と排出枠取引制度の導入は，わが国で最初である点に大きな意義がある。なお，東京都の制度は，排出枠取引といっても削減量の取引であり（東京都環境確保条例5条の11第1項），かつ，削減量が期末に確定してから取引がなされるものであること（事後清算方式）から，通常のキャップ・アンド・トレード型の排出枠取引制度とは異なっている。埼玉県も，排出量の削減目標を含む計画の策定は義務付けるものの，その実施は努力義務とした（埼玉県地球温暖化対策推進条例12条）上で，東京都と類似した，削減量についての排出枠取引制度を2011年から導入した（「目標設定型排出量取引制度」と呼ばれる）。

以上のうち，第4点は義務的なキャップ・アンド・トレード型の排出枠取引であるが，第1～第3点は自主的な制度であり，かつ，ほとんどがベースライン・アンド・クレジット型の（広義における）排出枠取引である（第2点の①は排出総量目標を有する参加企業のみ，自主的なキャップ・アンド・トレードということになる）。

2010年に制定される予定であった地球温暖化対策基本法案（→2⑵⒜〔473頁〕）は，13条において，義務的なキャップ・アンド・トレード型を基本とする排出枠取引制度を導入することを規定していた。もっとも，その後，このような本格的な国内排出枠取引制度の導入にあたっては，①わが国の産業に対する負担やこれに伴う雇用への影響，②海外における排出枠取引制度の動向とその効果，③国内において先行する主な地球温暖化対策（産業界の自主的な取組など）の運用評価，④主要国が参加する公平かつ実効性のある国際的な枠組の成否等を見極め，慎重に検討を行うこととされた（「地球温暖化問題に関する閣僚委員会」〔2010年〕）。この制度の検討にあたっては，この制度の持つ費用効果性という特徴を踏まえつつ，環境と経済（特に，企業の海外移転により，国内経済が衰退し，世界における温室効果ガス削減にもつながらないおそれ。「カーボン・リーケージ」という）の双方に配慮した対応，法学的発想も取り込んだ制度設計が必要である（大塚直『国内排出枠取引制度と温暖化対策』参照）。その後，2022年，岸田政権は，GX（グリーン・トランスフォーメーション）経済移行債を用い，脱炭素の政策として，今後10年間で計20兆円規模の支援を行うことを決定した。そして，この移行債について2050年までに償還することとし，返済財源としてはカーボンプライシング（CP。排出枠取引及び炭素賦課金）を活用することとした。CPに関しては，GX関連法案が作成される予定である。その基本方針によれば，排出枠取引と，化石燃料の輸入業者への賦課金を組み合わせるとし，排出枠取引については，第1フェーズ（2023年度～。試行。目標も含めて自主的な対応にとどまる），第2フェーズ（2026年度～。本格施行。政府指針を踏まえた削減目標を策定することとし，民間の第三者認証を必要とする，目標達成に向けて指導監督，遵守義務等を検討する。もっとも，参加は自主的なものにとどまる），第3フェーズ（2033年度～。発電部門について段階的に有償化する）に分かれるとする。賦課金については，2028年度から，炭素排出に応じた一律の賦課金とし，化石燃料輸入事業者等を対象に，上流で徴収するとする。

⑸　気候変動の適応

気候変動対策は従来，緩和（mitigation 削減）を中心に行われてきたが，近時，適応（adaptation）も重要な課題となってきた。

⒜　気候変動適応計画と気候変動適応法制定の前史

適応策とは，気候変動の影響に対して自然や人間社会を調整することにより，被害を防止・低減し，又は気候変動による便益の機会を活用する施策をいう。気候変動の影響によって生じた損失・被害への対策も含む。(気候変動枠組条約4条にも適応準備の規定が存在したが）パリ協定が適応について両者を含めて相当の規定をおいている（2条，7条，13条）ことは前述したとおりである（→ **10-1**・**3**(1)〔430頁〕)。気候変動適応法は「気候変動影響に対応して，これによる被害の防止又は軽減その他生活の安定，社会若しくは経済の健全な発展又は自然環境の保全を図ること」と定義している（2条2項)。

わが国の年平均気温はこの100年で1.19度上昇しており，既に気候変動の影響は現れている。西日本における米の白濁による品質低下，温州みかんの浮皮症，ワインの産地の山梨から長野への移行，サンゴの白化，魚の遊泳地の変化，デング熱を媒介するヒトスジシマカの分布北上，北海道への台風の上陸等，様々な影響が現れている。2018，19年の夏の豪雨，台風被害と猛暑も（温暖化との関係については慎重な検討が必要であるが）記憶にあたらしいところである。

2015年11月に「気候変動の影響への適応計画」が閣議決定された。そこでは，基本的な考え方，分野別の施策，基盤的・国際的施策が示されている。適応の例としては，高温耐性品種への転換，堤防等の水位変化に対応できる設計，熱中症の注意喚起，サンゴのモニタリングなどがあげられる。

その後，2016年8月，国立環境研究所を「気候変動適応情報プラットフォーム」とし（web page の作成），また，翌年7月，全国を6ブロックに分け，国，自治体，研究機関等が一体となった地域適応コンソーシアム事業が開始された。

諸外国では，イギリス（気候変動法），フランス（環境グルネル法），中国，韓国等，法律に基づき適応計画を策定したところは少なくない（アメリカは大統領令による)。わが国は適応計画の策定自体は諸外国よりもやや出遅れたが，適応に限定した法律を制定し，適応計画を法定計画とした点にわが国の特色がある。

なお，適応計画については，国と自治体のそれぞれの計画の策定が必要である。気候変動適応法施行前，地方公共団体の適応計画は，すべての都道府県で策定されていたが，具体的施策を挙げているものは少なかった。

(b) 気候変動適応法の概要

2018年6月に気候変動適応法が制定された。

本法においては，気候変動適応を法的に位置づけ，「適応に関する計画の策定，……情報の提供その他必要な措置を講ずることにより」関係者が一丸となって「気候変動適応を」強力に「推進」することが目的とされている（1条参照)。

同法は，政府が気候変動適応計画を策定し（7条)，適応の進展状況について，把握・評価する手法を開発するよう努めることとし（9条），また，環境大臣は，おおむね5年ごとに，気候変動影響の総合的な評価について報告書を作成し，これを公表しなければならないとする（10条1項）。そして，政府は，その総合的な評価等を勘案して検討を加え，必要があるときは，計画を変更しなければならないとしている（8条1項）。それに基づいてさらに適応策が実施され，それについても，毎年進捗確認が行われる。

また，適応の情報基盤の中核として国立環境研究所を位置づけた（11条。これに基づき同研究所は2018年12月，気候変動適応センターを設立した）。国立環境研究所は従来は気候変動について学術研究を行っていたが，行政事務として気候変動に取り組むこともその本来業務とするとともに，地方自治体や（後述の）地域気候変動適応センターに対する技術的助言・援助をするとされたのである（11条1項3号）。国立環境研究所は，国民一人ひとりが日常生活において得る気候変動影響に関する情報の有用性に留意することとされている（11条2項）。国立環境研究所の情報の受け手として，都道府県及び市町村は，（適応に関する情報の収集，整理，分析及び提供並びに技術的時限を行う拠点としての）「地域気候変動適応センター」の機能を担う体制を確保するよう努める（13条）（地域気候変動適応センターを各県に設けることまでは決められていない）。また，国の地方行政機関，自治体等が「気候変動適応広域協議会」を組織し，連携して地域における適応策を推進する（14条）。

また，都道府県及び市町村に地域気候変動適応計画の策定の努力義務を課することとした（12条）。地域での適応計画の強化は本法の大きな特色である。

適応計画は改めて2018年11月に閣議決定された。

(c) 本法の評価

(ア) 本法にはいくつかの意義がある。3点挙げておきたい。

第1は，適応計画を法定計画とした意義である。わが国が様々な課題を抱える現在，自治体が適応策を進めることは必ずしも容易ではない。そうした中，地方公共団体，国民，事業者等との連携を確保し，（予算獲得を含めて）適応策を推進していく上で，同計画を法定計画としたことには事実上の大きなメリットがあったといえる。これにより，あらゆる関連施策に気候変動を組み込むことが期待されている。

第2に，適応計画については，適応計画の策定，影響評価も環境省が中心となり（7条3項以下，10条。さらに，適応計画に基づいて，環境大臣を議長とし，関係府省庁で構成される「気候変動適応推進会議」が設置された。気候変動適応計画・基本戦略⑦），また，広域的な連携による気候変動適応に関し必要な協議を行うために組織される気候変動適応広域協議会（14条）についても地域協議会が各省を集め環境省の地域環境事務所が中心となって行うこととされた点である（14条4項）。同計画については，各省が実際の対策を実施する中で，環境省が司令塔となり，各省の事業の結果としての気候変動影響を評価し，進行管理をすることが重要であるが（筆者中央環境審議会意見），本法8条〜10条はそれに近い運用を可能とするであろう（もっとも，気候変動の影響の評価であり，各省の政策自体を評価するわけではない）。この点に関しては，各省の事業実施に屋上屋を架するとの批判があるが，各省の事業実施が気候変動適応の観点からも合理的なものとなるよう環境省が関与すべきであり（例えば，洪水対策も過去の降水量のみを考えるのでは不十分である。また，国交省が国土強靭化計画を実施するための事業においても，気候変動適応の観点を含ませる必要がある。この点は，まさに環境政策と経済・社会政策の統合である〔前掲第5次環境基本計画参照〕。→**4-2**・4(2)〔95頁〕），個別行政分野について環境省もそのような役割を果たすことが期待されるようになったということである。

第3に，自治体の地域気候変動適応計画の策定，対策実施が極めて重要であるが，国立環境研究所が情報提供をし，自治体等を支援する（11条1項2号，3号）役割を果たすことになった。この点は，適応実施のための柱であり，本法の大きな特徴である。同研究所の活躍のため，同研究所への人的・財政支援が必要である。

このように本法には意義があるが，課題も存在する。

第1に，本法は科学的知見についての情報提供に意義があるが，その段階にとどまっており，情報を生かして，環境影響評価手続を実施し，許認可をすることは今後の課題である（下村英嗣「気候変動時代の環境法の課題」環境法研究〔信山社〕8号83頁は，アメリカ法との関係でこの点を指摘する）。特に許認可については，原子力発電所について福島第一原発事故以後，バックフィットの仕組みが原子炉等規制法に導入されたように，気候変動との関係で従来の許認可をそのまま維持はできず，遡及的に変更を命ずることができるようにすることも必要になるであろう。なお，情報提供を前提とした行政の対応が不十分な場合に，規制権限不行使による国家賠償につながる可能性も生じるといえよう。

第2に，本法の制定が，気候変動の適応が相当程度可能であるとの幻想を抱かせたのではないかとの懸念もないわけではない。すなわち，残念ながら，――生物多様性への影響をはじめとして――適応対策の実施が困難なものは多々あり，計画を立てれば対応が可能かどうかは，まさに今後の運用にかかってくるのである（実際には極めて困難なものも少なくない）。依然として（日本を含めた）各国の緩和対策が重要であることはいうまでもない。

第3に，本法には基本法としての性格はない。例えば，河川法の目的規定や，都市計画法の目的規定に温暖化適応対策を入れ，災害リスクを考慮した土地利用を進める必要があるが，そのために温暖化対策の基本法の制定を推進すべきである。

第4に，本法に基づく適応対策を行う際に，他法における実体規定とのリンクがないため，実効性に疑問がある。

第5に，適応推進会議の運用にもよるが，計画の改定や，内部的な進捗管理がなされるわけではない。

第6に，地方自治体の地域気候変動適応計画については，国立環境研究所を通じた支援にとどまっていることに限界があるといえよう。

第7に，適応計画に限った問題ではないが，市民参加の規定は必要ではないか。例えば，EU洪水リスク評価・管理指令（2007/60/EC）（9条，10条）には情報の公表，公衆との協議の規定がある。

(イ) 本法については，国会等でも種々の議論がなされた。

第1に，本法を新法として制定したのはなぜか，なぜ地球温暖化対策推進法の中に適応の規定を入れなかったのか。

これについては，2015年に地球温暖化対策推進法の中に，適応計画の規定を入れることが検討されたが，その場合には同法の目的規定・責務規定を改正する必要があることなどから，断念された経緯がある。

第2に，第1点と類似しているが別の観点の問題として，温暖化の緩和と適応が車の両輪であるといわれるが，そうであればその趣旨を適応法でも定めるべきではないかという議論があるが，これについては，確かに車の両輪ではあるが，別の法律である以上，各法がそれぞれの事項を定めればよく，それ以上の規定は必要ないとの立場がとられている（車の両輪の軸の役割は環境省が自ら果たすことになる）。

第3に，逆に，適応の名の下に，不要不急の公共事業が行われるべきではないとの議論があるが，この点については環境省が役割を果たすことが期待されている（この点は規定はない）。

第4に，自治体の適応計画策定が努力義務に過ぎないことも批判されているが，この点は分権推進との関係で断念された。

第5に，気候変動の影響評価については，第三者機関を活用すべきであるとの指摘もある。確かに，中立性という点では魅力的な提案ではあるが，科学的な対応ができるところは限定されており，国立環境研究所を活用することは有用な方法であろう。

第6に，事業者の適応への取組をどうするかについては5条の責務規定が定めるのみであり，事業者の取組についての対応が弱いことが批判されている。国や自治体は，情報提供等を通じて企業・市民の取組を支援することとし（19条参照），2018年度末に民間企業向け適応ガイドが公表された。

(d) 気候変動適応計画

上述したように，気候変動適応計画は，本法施行にあわせて2018年11月に改めて策定された（閣議決定）。そこでは，従来の適応計画と異なり，政府以外の役割を含めた定めをし，さらに基本戦略として7つのものをあげた。関係行政機関の緊密な連携協力体制の確保は特に重要である。2020年には，法定計画になって第1回目の気候変動影響評価が行われた。

(e) 気候変動問題に対する法分野の適応の必要

気候変動問題は，今後，法分野にも「適応」を迫る可能性がある（下村・前掲）。第1に，気候変動の適応に際しては，完全な保存修復は困難であることも考慮せざるを得ない。その結果，気候変動前の状態に基づく規制や基準が時代遅れになり（例えば，水温上昇の環境基準への影響を想起せよ），新たな環境の状態や機能に基づく規制目標の設定が必要になることもあろう。環境影響評価の在り方にも影響があり，具体的には，新たな影響評価項目の追加，適応策に応じた調査，予測・評価手法の開発があげられる。環境影響評価における社会経済影響の考慮の必要性はますます高まるであろう（集中豪雨の頻度及び量の増加に対する〔グリーンインフラを含む〕インフラの必要が問題となる場合を想起されたい）。第2に，気候変動が新局面に入った場合，緊急の適応をしなければならない場合（tipping pointを超えた場合）に対処する必要がでてくるかもしれない。これらは，行政の裁量の拡大に繫がる可能性もある。

(f) 「気候変動×防災」

2019年の台風15号，19号等による大規模被害について，気候変動の影響が指摘されており，これに対する防災を含めた対応が必要となっている。対応の一つとして，法的に注目されるのが，災害ハザードエリアからの移転等の誘導策の必要である。2020年6月に都市再生特別措置法等の一部を改正する法律が成立し，その中で，第1に，災害ハザードエリアにおける新規立地の抑制のため，①災害レッドゾーンにおける自己業務用施設の開発の原則禁止（都市計画法33条），②市街化調整区域の浸水ハザードエリア等における住宅等の開発許可の厳格化（都市計画法34条），③居住誘導区域外における災害レッドゾーン内での住宅等の開発に対する勧告・公表（都市再生特別措置法88条），第2に，災害ハザードエリアからの移転の促進として，市町村による災害ハザードエリアからの円滑な移転を支援するための計画作成（都市再生特別措置法81条等）が定められた。さらに税制などの経済的手法の活用が望まれるところである。

2 対策の評価と展望

(1) 対策の評価

このように地球温暖化に対するわが国の取組は，ある程度進んできたが，2008年のリーマン・ショックで温室効果ガスの排出量は減少し，他方，2011年の東日本大震災に伴う福島第一原発事故により，脱（減）原発の動きが強まる中で，旧式の火力発電を多く用いたため，排出量は増大した。CDMクレジット及び国際的排出枠取引によって政府が取得した排出枠を加えて，90年度比8.4％削減となり，京都議定書の第1約束期間（2008～12年）の同年度比6％削減の目標は達成した。

わが国の2008～12年度の温暖化対策は，原発事故を含め，同対策の外部の要因に大きく左右されたが，その後，2013年度14億1000万トンまで増加したのち，減少に転じ，2014年度以降7年連続で削減してきた。

2020年度の総排出量（確報値）は11億5000万トン，吸収量を引くと11億600万トン（CO_2換算）であり，2013年度から21.5％減少した。2020年度については，コロナ禍の影響が見られる。

部門別でみると，2019年度に比べ産業（8.1％減）と運輸（10.2％減）は大幅減，家庭は少し増加（4.5％増）であり，いずれもコロナの影響とみられる。2020年度の電源別電力量（実績）は再エネは19.8％（太陽光7.9％。風力0.9％，水力7.8％，その他の再エネ3.3％）となっている。

以上の状況には，再生可能エネルギー特措法，省エネ法等の影響がみられる。従来の地球温暖化対策を評価しておくことは今後の温暖化対策にとっても重要であろう。簡単に触れておきたい。

(a) 各部門における対策の評価

第1に，わが国の温暖化対策の最大の特徴は，排出量の半分弱を占める産業界について，自主的取組（経団連を中心とする自主行動計画）によって温暖化対策を進めようとしてきたことである。この方法には，手続コストがかからない点に長所があり，透明性を確保すればある程度の効果は期待できようが，いくつかの欠点が指摘されてきた。すなわち，経団連の自主行動計画は，①業界ごとの計画をつなぎ合わせたものにすぎず，各業界の目標自体がばらばらであったこと（その中には，エネルギー消費量を基準とするもの，エネルギー原単位を基準とするものなどが統一されずに含まれている），②計画の履行確保の仕組みが組み込まれていなかったこと，③計画の策定過程及び実施過程における透明性，第三者機関による監査などによる信頼性の確保の仕組みが必ずしも十分でなく，個別企業からのデータが検証困難であったことなどである。③については2002年以来，第三者評価がなされるようになり，その中で業種ごとの評価が開始されるなど，徐々に改善の方向に向かっていたが，なお第三者評価に参加していない業種も存在した。さらに，④公平な競争との関係では懸念があること，⑤2050年カーボンニュートラルという目標をこの手法によって達成することは不可能と考えられることなどの問題もある。構成国間の共通の規則の構築を進めてきたEUと比べると，彼我の国情の違いはあろうが，わが国の炭素生産性（温室効果ガス〔GHG〕排出量当たりのGDP）が先進国の中でも中の部類に入ってしまった今日，自主性を重んじる手法を中心的な対策手法とし続けることは困難であろう。

第2に，産業部門のうち中小企業対策としては，経済産業省及び環境省は，上記のJ-クレジット制度を導入した。これは，中小企業等による温室効果ガス削減により，国産クレジットの創出を認め，自主行動計画の目標達成を指向する大企業等が，これを購入し，また，中小企業等に対して削減技術を提供する任意の制度であり，自主行動計画の延長として位置づけられた。

第3に，運輸部門については，2001年頃から，二酸化炭素排出量が若干減少する傾向が表れた。その最大の理由は，自動車単体のトップランナー基準と自動車税制のグリーン化にあった。もっとも，自動車の大型化により削減が相殺されることが懸念されていた。これは，トップランナー基準についての税制のグリーン化についても，重量クラス別の基準となっているところから，大型車が税制の恩恵を受けていることが関連している。

第4に，民生業務部門に関しては，2005年からGHG排出量が減少に転じた。新築建築物については，一部，省エネ法及び建築物省エネ法の箇所で触れた（→1(2)(b)(イ)〔447頁〕(ウ)〔448頁〕）。既存建築物については，省エネ改修に税制の優遇措置を実施・拡張すべきであったが，実施されていない。制度的には，ビルのオーナーとテナントの双方にインセンティブを与える方法を検討しなければならない。大型ビルのオーナーについて，標準排出量を超過する者と過剰達成者の排出枠取引制度を創設することも提案されている。

第5に，家庭部門については，製品や住宅の省エネ性能の可視化，省エネ住宅の支援などが考えられ，一部実現された。

第6に，フロン類であるHFCsの排出量は年々増加しており，早急な対策が必要である。

(b) 横断的対策

温暖化対策を抜本的に進め，風力や太陽光発電のような再生可能エネルギーを推進し，社会全体を環境低負荷型に変えていくためには，上記のような部門ごとの対策のみでなく，横断的対策が重要である。具体的には，①**地球温暖化対策税**，②**排出枠取引制度**の２つと，さらに③**再生可能エネルギーの固定価格買取制度**が考えられた（ごく最近の動きについて，→1 ⑷参照）。しかし，①と③については，それぞれ2012年，2011年に導入されたが，①については税率が低い。

他方，②排出枠取引制度に関しては，国際的排出枠取引については，監督措置がとりにくく，公式に把握された排出量と実際の排出量のずれ（ホット・エア）が生ずるおそれのある点が批判されているが，国内排出枠取引は，これとは異なり，監督措置をとりやすく，ホット・エアが生じる可能性は低く，何といっても総排出量を抑えられるという積極的な意味があることに注意する必要がある（国内排出枠取引の法的問題については，前掲『国内排出枠取引制度と温暖化対策』参照）。

また，部門別の対応とは異なり，省エネや二酸化炭素削減のため，長期的には都市をコンパクトにする（コンパクト・シティ）ことが真剣に検討されなければならない。

⑵　展望――温暖化対策基本法案の廃案化とパリ協定への対応

(a)　2009年９月，鳩山首相（当時）は国連の気候変動サミットで，主要国の意欲的な参加を前提としつつ，わが国が2020年までに1990年比で温室効果ガスを25％削減すること，2050年までに80％削減すること，そのために国内排出枠取引制度を導入するとの声明を行った。

2010年３月，政府は，地球温暖化対策基本法案の閣議決定を行い，国会に提出した。内容について２点指摘しておく。第１に，中長期目標として，全ての主要国による公平かつ実効性のある国際的枠組の構築及び意欲的な目標の合意を前提として，温室効果ガス排出量を2020年までに1990年比で25％を削減すること，また，2050年までに1990年比で80％削減すること，さらに，一次エネルギー供給に占める再生可能エネルギーの割合を2020年までに10％に達するようにすることが掲げられた。第２に，地球温暖化対策の基本となる事項として，基本的施策を掲げた。特に重要な基本的施策として，①「国内排出量取引制度」の創設（キャップ・アンド・トレード型を基本とし，本法施行後１年以内を目途に成案を得る），②地球温暖化対策のための税，③再生可能エネルギーの全量固定価格買取制度の創設という３つの柱が掲げられた。

いずれも，従来にない抜本的な対策の方向性を示すものであり，エネルギー政策と温暖化対策の統合の観点からも重要であった。2008年にイギリスは気候変動法を制定し，①法定目標の設定，②一定期間に排出可能な二酸化炭素量に上限を設ける「炭素収支（Carbon Budget）」の導入などを定めたが，わが国の同法案もこれに部分的に匹敵するものであった。しかし，本法案は政治の混乱の中で，2012 年に廃案となった。

すでに 2011 年 3 月の東日本大震災及び福島第一原発事故を経て，本法案をそのままの形で立法化することは困難となっていたといえよう。すなわち，施策として掲げられていた原子力の推進（16 条）を存続することは困難となったし，脱（減）原発の方向性が打ち出される中，原発の拡大を前提としていた（条件付きではあるが）2020 年 25% 削減の目標を達成することは難しくなったのである。わが国の東日本大震災後の変化としては，①原発依存度の低減が方向づけられたこと，②原発停止後，化石燃料の依存が高まったこと，③省エネが進展したこと，④再生可能エネルギー特措法の下で太陽光発電の導入が加速したこと，⑤電力システム改革が進行したことがあげられる。もっとも，②と⑤は石炭火力発電の増大につながった。

(b) その後，2013 年 11 月，政府は，原発再稼働がない場合を前提として，2020 年削減目標を 2005 年比 3.8% 削減として公表し，カンクン合意に基づく新目標として国連気候変動枠組条約事務局に登録した。

また，わが国は 2015 年 7 月，2030 年度の削減目標を 2013 年度比 26.0% 削減（2005 年度 25.4%）の水準とすることを地球温暖化対策推進本部で決定し，前述したように，COP21 に向けた NDC（約束草案）として国連に提出した。

わが国のこの時点での取組について，2 点のみ指摘しておく。

第 1 に，途上国に対して優れた低炭素技術・製品・システム・サービス・インフラの普及や緩和活動の実施を加速化し，資金メカニズムと技術メカニズムを有機的に連携させるため，市場メカニズムを活用した経済的手法として，二国間クレジット制度（JCM）が導入され（パリ協定 6 条 2 参照），その後，2022 年 12 月には 25 カ国と協定が締結されている。二国間クレジットについては，2030 年度の GHG 削減目標の基礎とはされていないが，GHG の排出削減・吸収へのわが国の貢献を定量的に評価するものとされている（JCM と CDM の関係について→ **Column51**）。

第 2 に，電力部門の取組について一言しておく。電力部門の二酸化炭素排出量は全国のそれの 4 割を占めることから，電力部門の取組は極めて重要であるが，この点に関して特に懸念されるのは，石炭は安価ではあるものの二酸化炭素の排出が多いため，計画されている石炭火力発電が稼働すると 2030 年度に目標の 26% の比率を大幅に上回ることであった。これについては，新規の石炭火力発電に対する環境影響評価手続において環境大臣が意見を出す一方，2015 年 7 月には電力事業者が自主的な枠組をつくり，2030 年度に一定の排出係数を共同で自主的に達成することを宣言した。さらに，その後，省エネ法において発電効率基準を設定し，また，エネルギー供給構造高度化法の下で，①小売電気事業者の判断基準において，非化石電源（再生可能エネルギー・原発）の比率を 2030 年度に原則 44% 以上とする目標を定め，②この目標を電力事業全体で自主的に共同達成させることとなった。自主的取組と行政指導による対応である。上記の環境影響評価手続における環境大臣意見がこのような両法の下の告示の改正につながったといえよう（→ **5-3**・4〔135 頁〕，**Column52** 参照）。

石炭火力に関しては，その後，2020 年 7 月，経済産業大臣が，非効率な石炭火力のフェードアウトや再エネの主力電源化を目指していく，より実効性のある新たな仕組みの検討を表明した。また，政府は，同年 7 月に決定したインフラ海外展開に関する新戦略の骨子において，石炭火力発電の輸出について，脱炭素以降政策誘導型インフラ輸出支援推進を基本方針とするよう，方針を変更した。2021 年 12 月には，OECD 主要国合意により，わが国から海外の石炭火力発電開発への信用供与は中止され，石炭火力の輸出はストップすることとなった。

Column51 ◇ JCM と CDM

CDM（クリーン開発メカニズム）は，①関係締約国の承認，②気候変動緩和に関する「現実の，測定可能な長期的利益」，③排出量削減の追加性が要件とされ，附属書Ⅰ国の削減努力の補足的なものと位置づけられていたため，CDM 理事会による厳格な国際管理体制がとられてきた（→ **10-1**・2(3)〔426 頁〕）。しかし，CDM に対しては，①審査に長時間かかること，特に妥当性確認の審査に時間がかかること，②対象分野が偏っていること（風力発電，水力発電が多い），③ホスト国が中国等に偏っていることなどが批判されてきた。これに対し，JCM は手続を簡素化し，事前審査と事後検証の第三者機関は同一でも良いとしている。また，特に追加性の証明の困難さを解消する方法が採用されている。また，二国間の協定に基づいて行われるため，CDM に比して分権的な枠組を構築することが企図されている。

Column52 ◇石炭火力発電問題――環境影響評価における環境大臣意見

わが国の石炭火力発電の新設が，2015 年のエネルギー基本計画のいわゆるエネルギーミックスを超えて行われつつあることについては既に触れたが，環境影響評価における環境大臣意見がこれに対するささやかな阻止要因となった。

2009 年にはすでに，小名浜石炭火力発電所の建設に係る環境影響評価準備書について，環境大臣が温暖化対策の問題点を指摘して「是認しがたい」との意見を公表し，その結果，同発電所の建設計画が見送られたケースがあったが，重要なのは 2015 年以後の対応である。

2015 年 7 月，上述したように，経済産業省がエネルギー基本計画を踏まえて，長期エネルギー需給見通し（「エネルギーミックス」）を決定し，そこでは，2030 年時点での石炭火力発電の割合は26％程度とされ，電力の排出係数を0.37-CO_2/kWhとすることも決められた。そして，2030年度には国内のGHGは2013年度比26％削減（2005年度比25.4％削減）の水準とすることが決められた（翌日には，わが国の約束草案〔NDC。2015年7月17日地球温暖化対策推進本部決定〕も提出された）。しかし，当時の石炭火力の新増設の計画はこれに対応する水準を上回っていた。そこで，環境大臣は，2015年6月，西沖の山石炭火力発電所の環境影響評価の準備書段階で，「現段階で是認しがたい」とする環境大臣意見を皮切りに，種々の石炭火力について5件続けて「是認しがたい」とする環境大臣意見が出されたのである。

この点に関しては，環境影響評価法2011年改正により，計画段階配慮書の手続が導入されたため，早期の段階で環境大臣が意見を言えるようになったことが，同大臣の意見表明の機会を増加させたといえよう（他方で，事業者の予測可能性という観点からも早い段階での意見表明は有意義であると考えられる）。そして，環境影響評価の環境大臣意見に端を発し，資源エネルギー庁も重い腰を上げて検討を開始し，上記の2016年の省エネ法の判断基準，エネルギー供給構造高度化法の基本方針及び判断基準の改正につながったのである。この点に関しては，環境影響評価手続において，環境大臣が国の温暖化対策の目標との関係で意見を言うことが制度との関係で問題ないかとの批判もなされたが，環境大臣が温暖化対策を推進している以上，国の目標との関係で意見を言うことは可能である。環境大臣意見とは，環境大臣が地球環境保全を所掌している見地から，許認可権者である主務大臣に対して意見を言うものであり，事業者に対して表明するものではないことに注意を要する。また，環境影響評価を行うにあたって，国や地方公共団体の環境保全施策，目標との整合性の観点から検討すべきことについては，環境影響評価法制定当時から基本的事項に示されていたところである（第四，五(3)イ）。さらに，上記の2法の判断基準が改正された現在では，個別事業者が国の目標との関係で義務を負うことは，2法の下でも認められているといえよう。なお，百歩譲って，仮に一般論として事業アセスで国の目標との整合性を求めることが問題であるとすると，そのことは，CO_2排出との関係では，わが国に（事業アセスではない）戦略的環境アセスメント（SEA）の導入の必要があることを示しているといえよう。

なお，環境影響評価手続における環境大臣意見を重要な原動力として温暖化対策が進められたことは，2011年改正の思わぬ効果であったが，これは地球温暖化に対する環境政策が極めて弱く，また，相変わらず環境省の力が弱い現状を物語っている。本来は，このような方法をとらなくても温暖化対策が進んでいくことが望ましいことは言うまでもない。

石炭火力発電は，パリ協定にある2℃目標との関係でも，わが国が国連に提出したNDCとの関係でも新設をして採算がとれるものとなるとは言い難く，「座礁資産」となることが予想され（世界の化石燃料の推定埋蔵量の1/3が座礁資産となることが指摘されている），その点を踏まえた対応が必要である。

(c) COP21における国際枠組に関する合意の状況を踏まえ，地球温暖化対策推進法（8条）に基づき，2016年春を目指して地球温暖化対策計画，政府の実行計画が策定され，国民運動の強化の取組が示された（「パリ協定を踏まえた地球温暖化対策の取組方針について」〔平成27年12月地球温暖化対策推進本部〕)。

(d) 地球温暖化対策推進法の2016年の改正（5月27日に公布とともに施行）では，第1に，地球温暖化対策計画に，①前述の2030年目標に打ち出されている民生部門の40％大幅削減のため，温暖化対策推進に関する普及啓発の推進を明記するとともに，②JCMや様々な国際協力枠組など，国際協力推進に必要な措置について明記した（8条2項9号，10号)。第2に，地域における温暖化対策をより効果的に推進するため，地方公共団体実行計画を自治体が共同して作成できる旨を規定して（21条1項）広域的対応を促進するとともに，同計画における記載事項として都市機能の集約の促進（いわゆるコンパクト・シティ），低炭素排出となる製品等の利用の促進を追加した（21条3項3号，2号)。また，第3に，京都議定書第1約束期間が終了し，国として約束を履行するための措置を講じることが観念されなくなり，また，わが国が同第2約束期間に実質的に参加しなかったため，民間企業は京都メカニズムクレジットの償却や国際取引ができなくなったことから，これらに関する規定を削ることとした（旧34条3項3号ロの削除など)。

(e) さらに，上述したように，2019年6月には，パリ協定に基づく成長戦略としての長期戦略が閣議決定された。パリ協定は長期の低排出発展戦略の策定と2020年までの提出を求めており（4条19)，それに基づくものである。そこでは，「21世紀後半のできるだけ早期に」脱炭素社会を実現することと，2050年までに80％のGHGを削減することの2つを目標としていた。

(f) 2020年10月，菅内閣総理大臣は，所信表明演説において，わが国は，2050年までに，GHGの排出を全体としてゼロにすることを目指すことを宣言した。長期戦略にみられる従来の目標を超え，2050年に関しては，G7の他の国と同じ目標を打ち出したものとして注目される。これに伴って第6次エネルギー基本計画，改定温暖化対策計画，改定長期戦略が2021年10月22日閣議決定された。

(i) 第6次エネルギー基本計画における2030年度の電源構成の比率は，以下を目標とする。再エネ最優先の原則の下で，再エネの最大限の導入に取り組み，石炭火力発電については，発電効率が悪い老朽火力の削減を進めることとした。

再生可能エネルギー	36～38％（38％以上になることも目指す）
原子力	20～22％
火力	41％
石炭火力	19％
水素・アンモニア	1％

(ii) 改定温暖化対策計画では，2030年度のGHG排出量目標（2013年度比46%削減）の内訳は次のように定められた。

エネルギー起源CO_2	45%削減
産業部門	38%削減
業務部門	51%削減
家庭部門	66%削減
運輸部門	35%削減
エネルギー転換部門	47%削減
非エネルギー起源CO_2	15%削減
メタン	11%削減
N_2O	17%削減
代替フロン等4ガス	44%削減

本計画に位置付けられる主な対策・施策としては，再エネについては，改正温対法に基づく自治体の太陽光等の促進区域の設定，風力等の導入拡大に向けた送電線の整備，利用ルールの見直し，地熱発電の開発加速に向けた科学データ収集・調査，地域調整，省エネについては，住宅や建築物の省エネ基準の義務付け拡大，家電などの省エネ基準の引き上げ，省エネ機器の導入補助金・税制措置が盛り込まれている。新築住宅で平均20%の省エネをすることとし，新築戸建住宅の6割で太陽光発電設備を設置することが見込まれている。

産業・運輸等については，2050年に向けたイノベーション支援として，2兆円基金により水素・蓄電池など重点分野の研究開発及び社会実装の支援，データセンターの30%以上省エネに向けた研究開発・実証支援，電動車の充電設備，水素ステーションの導入支援（2030年までに新車販売に占める次世代自動車を5～7割に，2035年までに電動車100%に），ノンフロンの冷凍冷蔵機器の技術開発・導入支援があげられた。2030年度のHFC排出量の目標値は2013年度比55%減とされている。

横断的取組としては，2030年度までに100以上の「脱炭素先行地域」を創出する（地域脱炭素RM），衣食住や移動の場面で脱炭素型ライフスタイルへの転換を促進する。また，国，自治体をはじめとする公的機関で太陽光パネル設置を標準化するとともに，ZEH・ZEBを支援し，また，発電事業者と需要家を結ぶ電力購入契約（PPA：Power Purchase Agreement）モデルの定着に向け情報提供する方針である。さらに，日本の技術を活用した，新興国での排出削減のため，JCMを活用し，地球規模での削減に貢献する。

なお，政府実行計画も同時に策定された。課題として，2点挙げておきたい。

第1に，進捗管理に関して，当該対策の費用対効果について精査をするとの文言が入り，地方公共団体での施策の費用対効果についても記述しているが，全体的に，コストとの関係について検討が弱いという批判もある。

第2に，本計画の進捗管理として，毎年の点検を実施するとともに，少なくとも3年ごとに本計画に定められた目標・施策について検討し，計画の見直しを行うとされた。この点は従来と変わっておらず，毎年のデータにより計画の見直しをすることは行われていないが，毎年1回の点検によって，個々の対策・施策項目について評価を行い，進捗が遅れている項目を確認し，それらの項目について充実強化等の検討を進めること，その際，新規の対策・施策を含めて検討することが定められた。

(iii) パリ協定に基づく成長戦略としての長期戦略も改定された。

改定長期戦略は，1.5℃ 目標の実現に貢献するため，2050 年 CN 実現に向けた「あるべき姿」としての長期的なビジョンを示すものとなった。これまでの計画や戦略における 2050 年 CN に向けた検討結果を活用しながら記述された。

内容の特徴と課題について一言しておく。

各分野のビジョンとしては，エネルギーについては，再エネ最優先原則，徹底した省エネ，できるだけの電化と電源の脱炭素化を行い，また，水素，アンモニア，原子力などあらゆる選択肢を追求する。産業に関しては，徹底した省エネと，熱や製造プロセスの脱炭素化，運輸に関しては，2035 年に乗用車新車販売は電動車 100 % とする，電動車と社会システムを連携・融合する，充電インフラの電力及び水素ステーションの水素がおおむね再生可能エネルギー等由来となっていることを目指す。地域・くらしについては，家庭も地域脱炭素に向けて脱炭素エネルギーを作って消費する，吸収源対策については，森林吸収源対策や DACCS（Direct Air Carbon Capture and Storage　二酸化炭素直接回収・貯留）を活用する。

また，分野を超えた横断的施策としては，イノベーションの推進，グリーン・ファイナンスの推進，ビジネス主導の国際展開・国際協力，研究開発・社会実装を支援する予算，民間投資を喚起する税制，規制改革・標準化による需要創出と民間投資の拡大，成長に資するカーボンプライシング，人材育成，適応との一体的推進，太陽光や新築の ZEB 化など，政府・地方公共団体の率先的取組，科学的知見の充実があげられる。

コストに関する議論は，全般的に温対計画以上に，長期戦略では必ずしも明確ではないとの批判もある。長期戦略では，費用対効果という語はない。一方，コストを含む経済への影響，対策をとらないことの悪影響は記述されている。長期戦略においても（長期的視点からであるが）できるだけ費用対効果の高い施策を実施することは重要であると思われる。

(ii)，(iii)の計画の内容について，NDCとして国連に提出された。

Column53 ◇シロクマ公害調停と気候訴訟

(1) 環境保護団体，ホッキョクグマ，わが国やツバルなどに住所を有する個人は，一般電気事業者10社及び電源開発を相手として，CO_2 排出量を1990年比29% 以上削減することを求め，公害等調整委員会に対して調停を申請した。公調委はこれを却下した（公調委決定平成23・11・28）。その理由としては，①地球温暖化問題は，環境基本法上「公害」（環境基本法2条3項）とは別の概念として位置づけられている「地球環境保全」（同法2条2項）として取り組まれるべき課題であること，②地球温暖化問題は，国内の排出主体の一部にすぎない電力会社のみとの互譲により根本的に解決できる問題ではないこと，③申請人のいう「大気の汚染」等によりもたらされる被害と電力会社の事業活動との結びつきが客観的に相当程度明らかであるとは言えず「公害に係る被害」に当てはまらないことの3点をあげている。なお，ホッキョクグマには申請人適格が認められないと解されるが（→**2**-**3**・**3**(2)〔53頁〕），この点については，本決定は特に触れていない。申請人らの一部は，この却下決定を受け，2012年5月，当該決定処分の取消訴訟を提起したが，東京地判平成26・9・10は，①を理由としてこれを棄却・（調停の申請人に含まれていない原告については）却下した（なお，ホッキョクグマについては，東京地判平成24・7・6で当事者能力がないとして却下された。東京高判平成27・6・11［98］も控訴棄却〔その後，上告不受理〕。同判決は，東京地判とともに，大気汚染，水質汚濁に該当するためには，毒性等を含む物質等の排出等が必要であると解したのである）。

(2) その後，2017年以降，石炭火力発電所を相手とした民事訴訟及び行政訴訟が仙台，神戸，横須賀で提起されている。請求の仕方は概ね一致しており，民事訴訟では，（CO_2 について）安定気候享受権及び（NOx，PMについて）平穏生活権の侵害に基づく差止め，行政訴訟では，①（石炭火力の地球温暖化に対する大きな影響及び各種大気汚染物質の近隣地域への影響を理由とする）電気事業法の下での，主務大臣の環境影響評価書確定通知（46条の17第2項）の取消し及び②電気事業法に基づく「火力技術基準省令」にパリ協定に整合する CO_2 排出規制がないことの違法確認が求められた。

民事訴訟に関しては，仙台地判令和2・10・28は，被告の仙台パワーステーションの運転差止訴訟について，被告の公害防止協定違反を認めたものの，争点整理の結果，気候変動への影響については争点から外され，大気汚染についても「環境汚染による不安を抱くことなく日常生活を送る権利」（「平穏生活権」とする）を侵害するものとして違法となると認めることはできないとして請求を棄却した（大気汚染について原告は疫学データを用いて，当該汚染物質により，原告らを含む住民らに生じうる健康被害〔早期死亡者数等〕を算定しようとし，この点について「環境汚染による不安を抱くことなく日常生活を送る権利」〔平穏生活権という〕を主張したが，同判決は，違法性の判断について，〔国立景観訴訟最高裁判決に見られる〕相関関係説と受忍限度論を組み合わせた特異な枠組みを用いており，大気汚染に限っても，問題のある判決である）。控訴審判決（仙台高判令和3・4・27判時2510号14頁）は，原判決の判断枠組みは採用せず，本件発電所の運転により大気汚染状況が悪化したことを裏付ける事情はなく，現段階で原告に健康被害が発生する具体的危険性は認められないとした。一般論として，違法性（受忍限度）の判断枠組みとしては，国道 43 号線訴訟最高裁判決のものを用いている。平穏生活権の語の濫用は避けるべきであるが，安定気候享受権の確立に向けた検討が必要である。

行政訴訟の取消訴訟に関して，大阪地判令和 3・3・15 判タ 1492 号 147 頁は，上記①について，環境影響評価書確定通知の処分性は認めたが，地球温暖化への影響に関する原告適格は否定した（他方，大気汚染によって健康又は生活環境に著しい被害を直接に受けるおそれのある者の原告適格は肯定した）。また，確定通知の違法性については，経済産業大臣の裁量権の範囲を逸脱し又はこれを濫用したとはいえず，違法ではないとした。上記②実質的当事者訴訟としての確認訴訟については，「一般的な法規範である主務省令（経済産業省令）の規定の内容それ自体やその違法性の有無が，原告らと被告（国）との間の『法律関係』（行政事件訴訟法 4 条）に当たるものとはいえない」上，原告らに即時確定の利益は認められないとした。①については棄却，②については不適法として却下したのである。

原告らは，控訴審では①のみを請求。控訴審判決（大阪高判令和 4・4・26）は原審とほぼ同様の判断を下し，これを棄却した。同判決は，経済産業大臣の確定通知について，届出に係る火力発電所の設置が工事計画通りの工事ができるという地位を付与する法的効力を有するものであって，それによって直接国民の権利義務を形成し，又はその範囲を確定することが法律上認められているとして，処分性を認めた。しかし，CO_2 排出に係る被害を受けない利益を理由とする原告適格については，環境基本法が地球環境保全を公害と区別していることなどを理由として，わが国の現段階の社会情勢を踏まえると，各人の個別的利益として保障されているとまでは解されないとした（もっとも，なお書きとして「今後の内外の社会情勢の変化によって，CO_2 排出に係る被害を受けない利益の内実が定まってゆき，個人的利益として承認される可能性を否定するものではない」とする。他方，大気汚染による健康・生活環境に係る被害のおそれを理由とする原告適格については，本件発電所建設予定地から半径 25km 程度の距離の範囲内にある X らは原告適格を有するとした）。そして，本件確定通知の違法性については，評価書の審査段階において，当該事業につき環境の保全についての適正な配慮がなされることを確保するため特に必要があり，かつ，適切であると認められるか否かについての判断は，経済産業大臣の広範な裁量に委ねられるとしたうえで，本件発電所の環境影響評価において，（Y が）PM2.5 の影響を検討せずに同大臣が本件確定通知をした判断についても，その裁量を逸脱又は濫用したものと認めることはできないとした。

①に関して確定通知の処分性を認めた点が注目される。発電所の環境影響評価の不備の違法性を争う余地を認めたことになるからである。地球温暖化への影響に関する原告適格については，温暖化によって健康等による被害を受けることは，原告の個別的利益であり，生命・身体という法益は，利益の性質から，一般公益に吸収解消されないと解されてきた（小田急大法廷判決〔最大判平成 17・12・7 民集 59 巻 10 号 2645 頁〕の藤田補足意見など）ことと整合しないとの批判が可能であろう（島村健「一審判決判批」民事判例 23 号 118 頁）。

第３編　公害・環境事件の司法・行政的解決

第11章　公害・環境訴訟と公害紛争処理

公害・環境問題に関する紛争については司法・行政的解決が問われることが少なくない。民事・行政・刑事訴訟と公害紛争処理について記しておきたい。

11-1　民事訴訟

1　損害賠償訴訟

わが国における公害・環境問題に対する法的対応は，悲惨な人身被害事件の加害者に対する民事訴訟から始まった。公害・環境問題に対する民事上の請求には，不法行為に基づく損害賠償請求と私法的差止請求とがあるが，それぞれについて，加害者が一定の要件（損害賠償に関する一般的な規定では，「故意又は過失によって他人の権利又は法律上保護される利益を侵害した者は，これによって生じた損害を賠償する責任を負う」〔民法709条〕と定められている）を満たす場合に限り，責任を負うものとされている。そして，その要件については，被害者の側で立証しなければならないが，公害・環境事件でこれを立証することは必ずしも容易ではない。そこで，公害の特殊性に鑑みて従来の理論を修正すべき場合も多く，その問題が判例・学説上重要な論点とされている。以下では，損害賠償訴訟について説明することにしたい。

(1)　故意・過失，権利・利益侵害

(a)　故意・過失

公害・環境事件で損害賠償の責任が課せられるためには，公害等の発生原因者に故意・過失のいずれかがあることを要するが，故意の有無が問題となる場合は少ない。一方，過失については，一定の状況下における行為義務の違反と解するのが一般であるが，その中核は①予見可能性ないし予見義務違反にあるとするか（**予見可能性説**），②結果回避可能性ないし結果回避義務違反にあるとするか（**回避可能性説**）が争われている。つまり，①結果の発生を予見できたのなら（又は，予見すべき義務に違反したなら），それだけで過失があるといえるのか，それとも，②予見できた結果についてそれを回避する可能性ないし義務違反がある場合に初めて過失があるといえるのか，が争われているのである。①が伝統的な通説，②が判例の立場であっ

たが，今日では，学説上は，基本的には②に依拠しつつ，過失とは，**予見可能性を前提とする損害（結果）回避義務違反**であるとする見解（平井宜雄を嚆矢とする）が多数説となっており（予見可能性を前提とする点は，過失責任と無過失責任の分水嶺となる），その際，予見可能性は，当該状況における予見義務に裏打ちされたものとして理解されている‡。

‡**利根川取水停止事件と関係者の過失**　**Column22** の利根川取水停止事件における排出事業者，処理業者の過失の有無を判断する際にも，このような過失の判断定式が用いられる。下流に浄水場が存在していることについての予見可能性（予見義務によって裏打ちされる）も重要な判断要素となろう（その他の要素について，同 **Column** の **3** 参照）。

Q1　大阪アルカリ事件大審院判決は今日どのような意義を有しているか。

この考え方の対立は，「大阪アルカリ事件判決」と呼ばれる大審院判決（大判大正5・12・22民録22輯2474頁〔1〕）に由来している。これは，大阪アルカリ工場という化学工場から排出された硫煙によって農作物に損害が生じたため，その賠償が求められた事件であるが，大審院は，②の立場に立ち，被告が結果を回避するためにかかる費用を重視した。すなわち，この判決は，被告がその事業の性質に従って相当の設備を施してさえいれば，もはやそれ以上の期待はできないのであって，民法709条にいう故意・過失があるとはいえないとしたのである。この判決は，産業保護に偏するものとして当時から学説による強い批判を受けた。

大阪アルカリ事件大審院判決は，今日どのような意義を有しているか。2点指摘できる。第1は，過失の中核が**結果回避義務違反**にあることについては，先例的意義を維持していることである。第2は，公害により，生命・身体に危害が及ぶおそれのある場合には，被告が結果を回避するためにいくら費用がかかるかについては全く考慮されるべきでなく，万一被告の活動の安全性に疑問が生じたときには，被告企業の操業停止義務が認められるとする立場が四大公害訴訟判決によって示されたことであり（特に，熊本水俣病第1次訴訟判決〔熊本地判昭和48・3・20判時696号15頁〔81〕〕），この点では，生命・身体に危害が及ぶおそれのある事案についてはもはや先例としての意義を失っている。すなわち，②の立場をとりながらも，回避可能性についての判断基準を厳しくしていけば，過失の成立は容易に認められるのであり，現在の判例はこのような考え方を採用していると言える。

上記第2点は，操業し続けることが当然の前提ではなく，損害の発生を避けるための費用が多くかかるなら，操業を停止せよということである。さらに，熊本水俣病第1次訴訟判決は，予見可能性についても，予見義務に裏打ちされたものとして構成するようになっている。これらの点は，被告に対して非常に厳しい義務を課するものであり，「過失の衣を着た無過失責任」が課せられたものとも評されている。

Q2 公害に関連する無過失責任立法としてどのようなものがあるか。

今日でも行為時の過失を証明することの困難さがなくなったわけではない。定型的に危険性を内包している事業は，その危険性に応じた結果回避義務を負っていると考えられるところから（**危険責任の法理**），特別法において無過失責任が課せられている。具体的には，鉱業法109条，原子力損害の賠償に関する法律3条，船舶油濁損害賠償保障法3条などがあげられる。また，事業活動に伴う特定の原因物質の排出によって生命・身体に被害を与えた場合に限ってではあるが，大防法，水濁法に無過失責任の規定がある。

大防法と水濁法の規定について一言しておく。工場又は事業場の事業活動に伴う健康被害物質の大気中への排出による人の生命又は健康への被害の場合に，排出に係る事業者に無過失損害賠償責任が課される（大防法25条）。ここにいう「健康被害物質」とは，ばい煙，特定物質（同法17条参照）又は粉じん（生活環境のみに係る被害を生じるおそれがある物質で政令で定めるものを除く。ただし，政令は未制定）である。同様に，水質汚濁についても，工場又は事業場の事業活動に伴う有害物質（水濁法2条2項参照）の汚水又は廃液に含まれた状態での排出又は地下浸透により，人の生命又は健康への被害の場合に，当該排出又は地下浸透に係る事業者が無過失損害賠償責任を負う（同法19条）。これらの規定は論争の上，1972年に両法に導入されたものであり大きな意義を有するが，四大公害訴訟判決を経て過失の客観化が進んだため，裁判例ではほとんど活用されていない。

Q3 自動車の排出ガスによる呼吸器系疾患について，自動車メーカーに賠償請求をすることは可能か。

近年，自動車の排出ガスによる気管支ぜん息に関して，自動車メーカーに対し，自動車の集中・集積に伴う局地的大気汚染の発生，それによる沿道住民の気管支ぜん息等の罹患のおそれについて予見可能性を認めつつ，①自動車メーカーが自動車の走行について支配・管理の余地がないこと（間接的寄与者としての性格），②過失の結果回避義務の判断について「当該結果回避義務を被告メーカーらに課すことによって被告メーカーら及び社会が被る不利益の内容，程度等を比較考量」する必要があることから，自動車メーカーの結果回避義務違反を否定する判断を示した，東京大気汚染訴訟第1審判決（東京地判平成14・10・29判時1885号23頁‡）が出された。

①については，製造物責任法3条のように使用者の「通常の使用」を前提として

間接的寄与者の責任を追及する規定もあることから，間接的寄与者であっても結果を予見できたかが問題となると考えられる（吉村良一）。また，②については，アメリカの**ハンドの定式**（損害発生率〔Probability〕，損失〔Loss〕，損害発生予防費用〔Burden〕について，P×L>B のときは過失あり，P×L<B のときは過失なしとする定式）と同様の立場を採用したものと考えられるが，行為が有用であっても，付近住民の特別の犠牲の下に，企業や国民一般が利益を受けることが可能かという問題を論じる必要がある。少なくとも，健康被害が及ぶ場合にこの考え方をとることは個人の尊厳を重視すべき観点（憲法 13 条）から問題があるし，公害の場合はそれが継続的に行われることが少なくなく，故意責任と解される場合が多いため，このような比較衡量を重視することには問題が多い（詳しくは，大塚直「判批」判タ 1116 号 35 頁以下参照）。

‡**東京大気汚染訴訟第 1 審判決**　東京都に現在又は過去に居住・勤務していた者が，道路管理者である国，東京都，首都高速道路公団のほか，自動車メーカー 7 社に対して，都内における二酸化窒素及び浮遊粒子状物質の排出差止め及び損害賠償を請求した事件。公害健康被害の補償等に関する第一種地域の復活を狙った政策志向型訴訟でもある（大塚『環境法』11-1・1(3)〔718 頁〕）。被告メーカーらの過失の結果回避義務の判断については，本文で触れたが，その前提として，メーカーらは，遅くとも昭和 48 年頃には，自動車が集中集積する地域では沿道地域に局所的な大気汚染が発生し，沿道住民が呼吸器系疾患に罹患するおそれがあることについて予見可能であったとしている。それ以外の論点としては，1）因果関係について，本件地域全域の大気汚染と本件各疾病の発症等との一般的因果関係（「面的汚染」）については，大気汚染の状況・程度がそれほどのものではなかったとして否定し，道路端から 50 m までの範囲で因果関係を認めた。2）国家賠償法 2 条 1 項の責任については，国道 43 号線最高裁判決（最判平成 7・7・7 民集 49 巻 7 号 1870 頁〔25〕）に従った。3）差止めについては，健康被害が発生し人格権侵害となることが高度の蓋然性で証明される基準を原告が主張しなければならないと判示している点に問題がある（→**2**(2)(c)(キ)〔516 頁〕）。

(b)　権利・利益侵害，違法性

不法行為が成立するためには，故意・過失のほかに，「権利・利益侵害」が立証されなければならない（民法 709 条）。

「違法性」は不法行為の要件か。民法 709 条に「違法性」という語はないが，判例はこれを不法行為の要件としており，学説上も，「違法性」要件の内容である客観的な行為の評価の部分は「過失」要件に吸収しきれないとする見解も有力に主張されている。ここでは，違法性要件を必要とする見解に立って説明する。

「権利・利益侵害」と「違法性」はどのような関係に立つか。709 条の「権利・

利益侵害」については，「違法性」要件と独立して判断する（そして，「権利・利益侵害」の判断の後に「違法性」の判断をする）のが近時の最高裁の判断の仕方であり（→(ウ)〔491頁〕で触れる国立景観訴訟最高裁判決参照），これは特に従来は認められなかった新たな利益侵害の場合には有用であると考えられる（→**Column3**〔45頁〕。簡単な文献として，大塚直「権利侵害論」内田貴＝大村敦志編『民法の争点』266頁参照）。通常の公害・生活妨害では，主に人格権（場合によっては物権についての財産的利益）の侵害があるが，景観利益のような新たな利益侵害の場合に，「権利・利益侵害」要件が満たされるかが問題となるのである。

(ア) 判例における違法性判断

Q4 受忍限度論とは何か。判例は公害・生活妨害の違法性についてどのような考え方を採用しているか。

(i) 民法709条の違法性判断一般については，被侵害利益の種類・程度と侵害行為の態様を相関的に判断すべきであるとする，我妻博士の**相関関係説**を用いることが多い。

しかし，公害・生活妨害に関しては，判例は，下級審裁判例を中心に，加害者・被害者の種々の事情（①被害の程度，②加害行為の公共性，③加害行為の規制基準違反の有無，④損害防除施設の設置状況，⑤〔日照妨害・騒音などについて〕加害者と被害者の先住後住関係）や周辺の事情（日照妨害・騒音などについて，地域性）などを総合的に勘案して，個々の事案における被害の受忍限度を判定し，加害行為の違法性の有無を判断する立場（**受忍限度論**）を採用している。

もっとも，公害（いわゆる積極的侵害）については受忍限度が請求原因の問題か抗弁の問題かについては議論があり，学説上は抗弁とする見解が有力であるが（加藤一郎，大塚），判例は請求原因と解している節がみられる。公害により人格権の侵害がある場合であれば，権利侵害がなされているのであり，違法性ではなく，正当化事由（違法性阻却事由など）が問題となるはずであり，受忍限度は抗弁と解するのが適切であると考えられる。

受忍限度論に対しては，裁判官への白紙委任となり，危険であるとの批判もあるが，元来，違法性は，被侵害利益の種類・程度と侵害行為の態様との相関関係を考慮して判断すると考えられてきたのであり，受忍限度論自体が問題なのではなく，受忍限度の具体的な判断の仕方を問題とすべきであろう。

(ii) 最高裁は，このような批判も意識してか，違法性（受忍限度）については，透明性をやや高めた判断定式（総合衡量的受忍限度判断ではある）を，道路公害及び空港公害に関して導出した。すなわち，国道43号線訴訟上告審判決（前掲最判平成

7・7・7）が，①侵害行為の態様と侵害の程度，②被侵害利益の性質と内容，③侵害行為のもつ公共性の内容と程度，④被害の防止に関する措置の内容等の4点を主に考慮していることが参考になる（空港騒音に関する大阪国際空港訴訟上告審判決〔最大判昭和56・12・16民集35巻10号1369頁［20］〕，厚木基地第1次訴訟上告審判決〔最判平成5・2・25民集47巻2号643頁［21］〕，横田基地第1，2次訴訟上告審判決（最判平成5・2・25訟月40巻3号441頁［22］）もほぼ同様の枠組を用いている）。このうち特に問題となるのは，③加害行為の公共性と，④と関連する防止措置の困難さをどう扱うかである。

最高裁の定式における公共性（③）の判断には2つの特色がある。第1に，公共性は違法性の判断において，考慮はするが，それほど重視はせず，①侵害行為の態様と侵害の程度，②被侵害利益の性質と内容，④被害の防止に関する措置の内容等とともに総合的に考察する立場をとっている。第2に，さらに重要なのは，4つの最高裁判決が，③公共性の考慮にあたっては，周辺住民が当該施設（例えば空港）の存在によって受ける利益とこれによって受ける被害との間に，後者の増大に必然的に前者の増大が伴うというような「**受益と被害の彼此相補の関係**」が成り立つか，被害対策がみるべき効果をあげているかを検討すべきであるとしている点である。「受益と被害の彼此相補の関係」が成り立つ場合としては，例えば，道路に面した小売店舗などが考えられよう（その後，鉄道および道路の公共性を考慮しつつも，道路との関係では，原告である，付近で営業しているガソリンスタンドの事業主ないし勤務者に彼此相補性があるとし〔さらに危険の接近があるとし〕，損害賠償請求を否定した名古屋地判平成30・3・23判自446号52頁，逆に，レストランを経営しているが，便益を受けていることについて被告からの具体的な立証がないとして，彼此相補性を認めなかったものとして，国道2号線訴訟控訴審判決〔広島高判平成26・1・29判時2222号9頁〕がある）。

これに対して，学説は，損害賠償の判断に際しては公共性を考慮すべきでないとするもの（**公共性考慮否定説**）が有力に唱えられている（淡路剛久，澤井裕）。公共性が高い施設によって特別の犠牲を払った者については，それだけ補償の必要が大きいのであり，その負担は社会に転嫁されるべきであると解されることから，公共性考慮否定説が妥当であると考えられる（名古屋新幹線訴訟第1審判決〔名古屋地判昭和55・9・11判時976号40頁〕がこの立場をとる）。

防止措置の困難さ（④）については，住民の生命・健康に対する被害が存在する場合には，考慮されないとするのが前述の下級審判決（熊本水俣病第1次訴訟判決など）の立場であり，これが基本的人権の中でも最も中核的なものに対する侵害であることから，支持すべきであると思われる。

なお，上記の4つの最高裁判決の定式は重要ではあるが，これらは，道路公害，空港公害に関する判断の定式を示したものであり，それ以外の公害・生活妨害を当然射程に収めているわけではなく，その他の公害・生活妨害については，上記の公害・生活妨害全般についての受忍限度論を基礎としつつ，最高裁の定式をどの程度用いうるかを検討しなければならない。ちなみに，4つの最高裁判決は全て国家賠償法2条の営造物責任に関するものであるが，同条の「瑕疵」の違法性について民法709条の下での受忍限度論（違法性）と同様の判断構造を用いていることに注意されたい。

(iii) なお，被侵害利益の客観性を問題とした最近の判例として，住宅地内の葬儀場での棺の搬入等が居室から見えるなどによる被害について，主観的な不快感にとどまるとして，受忍限度を超えて居住者の平穏に日常生活を送る利益を侵害するものではないとしたものがある（最判平成22・6・29判時2089号74頁）。

平穏生活権・利益は，健康リスクに関連する狭義の平穏生活権・利益と，健康リスクには関連しないものを含む広義の平穏生活権・利益に区別されるが，この最高裁判決は広義の平穏生活権・利益に関するものである。狭義の平穏生活権・利益に関する重要な例としては，福島原発事故に伴う自主避難者の損害の賠償請求事件があげられる（原子力損害賠償紛争審査会中間指針で一定限度認められ，仙台高判令和2・9・30判時2484号19頁（生業訴訟），東京高判令和3・1・21訟月67巻10号1379頁（群馬訴訟），東京高判令和3・2・19（千葉1陣訴訟）〔いずれも最決令和4・3・2によって不受理決定がなされた〕等によっても認められた）。

(iv) 公共性が問題とされる新たな例として，保育園の園児が遊ぶ際に発する声等の騒音に対する損害賠償（及び差止）訴訟があげられる。大阪高判平成29・7・18は，他の要素とともに受忍限度を判断する際に，保育園は，公益性・公共性の高い社会福祉施設であり，工場の操業に伴う騒音，自動車騒音などと比べれば，侵害行為の態様に違いがあると指摘できるとし，請求を棄却した（最決平成29・12・19は上告不受理。なお，原審〔神戸地判平成29・2・9——請求棄却〕は，受忍限度超過を否定したが，他の要素とともに受忍限度を判断する際に，保育園の公共性を認めつつ，その開設によって原告が得る利益と被害の間に相関関係〔国道43号線訴訟最高裁判決の「彼此相補性」に対応する〕がないことを指摘し，「保育園が一般的に有する公益性・公共性を殊更重視して，受忍限度の程度を緩やかに設定することはできない」としていた）。都民の健康と安全を確保する環境に関する条例は2015年改正で保育所その他の規則で定める場所における子供の声について，規制基準の適用を除外しており（別表第13，1号），子供の福祉の観点から受忍限度を変えることは検討されるべきであろう。

(イ) 危険への接近

Q5 危険への接近とは何か。

被害者の危険への接近（加害者と被害者の先住後住関係）の問題は，違法性の成立を妨げる事由（**違法性阻却事由，正当化事由**）の1つであると解されており，判例は，空港騒音の事案について，①被害が生命・身体に関わることがなく，かつ，②原因行為に公共性が認められる場合には，③公害の存在を認識しながらそれを容認して居住した者は，認識したところから推測される程度を超える被害を被ったとか，事後に被害が格段に増大したなどの特段の事情が認められない限り，被害を受忍すべきであるとしている（前掲大阪国際空港訴訟上告審判決。5名の反対意見が付されていた）。危険への接近をした場合に賠償請求を認めない趣旨ではあるが，要件としてはかなり限定を加えていることにも注意すべきである（なお，国道2号線訴訟控訴審判決〔広島高判平成26・1・29判時2222号9頁〕は，危険への接近に該当しうるのは勤務者のみであり，その者は必ずしも自らの意思のみで勤務地を選択しうるわけではないことから，この法理を適用しないとした）。

その後，横田基地第1，2次訴訟上告審判決（最判平成5・2・25訟月40巻3号452頁）は，危険へ接近した者について，違法性を阻却するのではなく，慰謝料基準額から2割減額した原判決を維持しており，危険への接近を**過失相殺**の問題として捉えたものとして注目される。過失相殺による方がより柔軟な判断が可能となるといえよう（前掲大阪国際空港訴訟上告審判決環反対意見は過失相殺法理の活用に好意的であった。なお，原告らの深刻な被害が被告によって根本的に解決されずに継続していることを理由として過失相殺も否定したものとして，那覇地沖縄支判平成27・6・11判時2273号9頁）。

(ウ) 景観利益侵害と，権利利益侵害，違法性

Q6 景観利益侵害の場合の権利利益侵害，違法性はどのように判断されるか。

ここで若干注意すべきは，景観利益の侵害は，いわゆる公害や生活妨害ではなく，一種の環境利益の侵害と考えられてきたものであるため（この点が，私法上の利益であることに異論がなかった眺望利益との相違点である），従来判例で用いられてきた受忍限度論をそのまま採用するわけにはいかないことである。上述したように，景観利益がそもそも民法709条の「権利・利益侵害」にあたるかをまず吟味しなければならない。

近時，景観利益侵害を権利・利益侵害にあたるとした国立景観訴訟上告審判決（最判平成18・3・30民集60巻3号948頁［62］）が出された。

これは，709条の「権利・利益侵害」要件については，「①良好な景観に②近接する地域内に居住し，③その恵沢を日常的に享受している者は，良好な景観が有す

る客観的な価値の侵害に対して密接な利害関係を有するものというべきであり，これらの者が有する良好な景観の恵沢を享受する利益（以下，「**景観利益**」という。）は，法律上保護に値する」とした。①〜③が要件とされている。

その上で，最高裁は，違法性の判断については「景観利益の保護とこれに伴う財産権等の規制は，第一次的には，民主的手続により定められた行政法規や当該地域の条例等によってなされることが予定されている」ことからすれば，「ある行為が景観利益に対する違法な侵害に当たるといえるためには，少なくとも，その侵害行為が刑罰法規や行政法規の規制に違反するものであったり，公序良俗違反や権利の濫用に該当するものであるなど，侵害行為の態様や程度の面において社会的に容認された行為としての相当性を欠くことが求められる」とし，地上14階建てのマンション（最高で43m余）の建築は，社会的に容認された行為としての相当性を欠くものとは認め難く，景観利益を違法に侵害する行為にあたるとはいえないとした。

本判決は，従来裁判例上（眺望と異なり）公益とされることが多かった景観を個人の法律上保護される利益として認めた点に第1の意義がある。さらに，我妻博士の相関関係説に依拠し，景観利益の侵害について，「第一次的には，民主的手続によ」るとしつつ，不法行為的救済の可能性を認めたことに特色がある。本判決は，環境利益とされてきた景観利益に対する法的利益性を認める点で，従来の環境権の議論と類似する面もあるが，「支配権」としての環境権を認めたものではない。環境という抽象的な問題ではなく，個別具体的な景観利益の「享受」を問題とすることによって「法律上保護された利益」として扱う一般論を採用したものである。個々人の「享受」，「享有」を重視するところは，「自然享有権」（自然享有利益。ここでは，「都市景観享有利益」）の議論と通底するものがあるとみられる（大塚直「判批」ジュリ1323号70頁参照。差止めとの関係，第1審判決等については後述する→**2**(2)(a)〔509頁〕）。また，民主的手続の重視は，景観利益が公私複合利益である点が関連しているとみられる。

最高裁判決にいう「景観利益」は，国立景観訴訟第1審判決（東京地判平成14・12・18判時1829号36頁）における「景観利益」とは異なっている。後者は，都市の共同形成景観について，地権者らは建築について自己規制をしてきたことに基づき，形成された良好な景観を維持する義務を負うとともにその維持を相互に求める利益（景観利益）があるとするものである。両者を比較すると，最高裁の「景観利益」は，論理的には文化景観，自然景観等にも広がる可能性を有しているが（本判決後，自然景観にもこの法理が及ぶとしたものとして，大阪高判平成26・4・25判自387号47頁。及ばないとしたものとして，仙台高秋田支判平成19・7・4，東京地判平成20・5・12判タ1292

号237頁，東京高判平成22・11・12訟月57巻12号2625頁。法的利益性があるか否かの判断を保留したものとして，神戸地尼崎支判令和元・12・17判時2456号98頁)，第1審の共同形成景観の景観利益の方が「強い法的利益」として違法性が認められやすくなる点にメリットがあるとも考えられる。もっとも，最高裁は共同形成景観を他の景観と区別して重視する立場を採用していない。

景観利益に関しては，(眺望利益も含めた）公害・生活妨害とは異なり，(公益性も有する）新たな権利・利益侵害が扱われていることから，最高裁が違法性の判断について，受忍限度論ではなく，相関関係説を用いているところにも注目されたい。なお，受忍限度論は，私見では，上記のように正当化事由として扱うべきものと考えるが，判例上は，受忍限度論も相関関係説も，(原告が証明すべき請求原因としての）違法性の問題として扱われており，原告にとっての有利・不利という点では異ならない。ただ，相関関係説の方が2つの要素の相関関係によって判断するため，判断の思考過程はより明確になるとはいえよう（他方で，公共性のように，相関関係説では2つの要素のいずれかに配分しにくい要素が存在する場合には，受忍限度論の方が判断しやすい面もあろう)。

なお，その後の下級審裁判例は，景観利益性，違法性の判断について，本最高裁判決を踏襲しようとしている（東京地判平成19・10・23判タ1285号176頁，東京地判平成20・5・12判タ1292号237頁，東京地判平成21・1・28判タ1290号184頁)。

Column54 ◇受動喫煙と人格権侵害

受動喫煙の結果化学物質過敏症になったとして，職場に安全配慮義務違反を求める訴訟も提起されている（盛岡地判平成24・10・5労働判例1066号72頁。職場である地方公共団体が安全配慮義務を負うとは認めつつ，健康増進法及び通達を参照しつつ，職員を受動喫煙から保護する具体的な対策を講ずべき具体的義務を負っていたとはいえないとした)。受動喫煙については，下級審裁判例においては，職場での受動喫煙に限らず人格権侵害となりうることが認められ（京都地判平成15・1・21労働判例852号38頁)，職場での受動喫煙については，安全配慮義務違反となりうることが認められているが，健康被害が統計的手法で示されているにすぎないことから利益衡量は避けられないとされ（名古屋地判平成3・3・22判時1394号154頁)，健康被害に関して慰謝料が認められたものが一部見られるに過ぎない（東京地判平成16・7・12判時1884号81頁)。健康被害との関係が統計的なものとされ，不快感に近い扱いをされているのが現状といえよう。今後，行政，立法（条例を含む）により規制が厳格化されていく中で，民事訴訟における扱いも変わっていくものと思われる。統計的因果関係については，公害の疫学的因果関係と同様の問題を検討する必要があろう。

(2) 因果関係

(a) 因果関係の概念

公害賠償訴訟の最も重要な争点は，加害行為と損害の発生との間の因果関係の立証である。公害被害者が民事上の損害賠償を求めるには，加害行為と損害の発生との間に因果関係がなければならない。この場合，まず，加害行為と損害発生との間の「事実的因果関係」が問題とされ，次に，当該加害者によって生じた損害のうち賠償の対象とされるべき損害の範囲（「賠償範囲」），さらに，その「金銭的評価」が問題となる。従来は，これらの3つは区別されることなく「相当因果関係」の問題として扱われてきたが，最近の学説は，これらを別個のものとして論じることが多い（平井宜雄説を嚆矢とする）。このうち，公害に関して訴訟で特に争われるのは事実的因果関係であり，この概念は下級審裁判例でもよく用いられている。その意味でも事実的因果関係を他と区別することは，環境法において意義が深い。

(b) 事実的因果関係の証明

Q7 事実的因果関係の証明の緩和はなぜ必要か。緩和にはどのような方法があるか。

通説によれば，不法行為における事実的因果関係の証明責任は，被害者にある。しかし，公害被害者においては，発生源と汚染経路の確定が困難であるし，汚染と損害との間の関連性の確定が難しい場合が少なくない。一方，発生源である企業は，この点についての資料を十分に（独占的に）有しているのが通常であるし，大量の技術者や研究者を擁し，資力も有するため，証拠を収集することも容易であることが多い。

そこで，学説上，事実的因果関係の証明の緩和の方法として主に2つないし3つのものが示された。第1は，公害の場合には，原告は因果関係の存在についてかなりの程度の蓋然性（一応の確からしさ）を証明すれば十分であり，これに対して被告が因果関係のないことを証明しなければ，その存在を認定しうるという「**蓋然性説**」である（徳本鎮）。第2は，民事訴訟法における「間接反証論」を公害の因果関係の証明に援用して，被害者の立証負担を軽減しようとする立場（**間接反証説**）である（竹下守夫）。間接反証説とは，被害者が因果関係の存在を示す間接事実のいくつかを証明し，それらの事実から経験則上因果関係の存在が推定（一応の推定）できる場合に，加害者が因果関係の不存在又はその疑わしさを引き出す証明をしない限り，因果関係を肯定すべきであるとするものである（典型的な例は，いわゆる不貞の抗弁）。第3に，疫学的因果関係論があげられるが，これは裁判所の経験則の1つであり，レベルがやや異なるので項を改めて扱う（→(c)）。

このうち，第1の蓋然性説に対しては，その後，疑問が呈され，最近の下級審裁判例は，いわゆるルンバール判決（最判昭和50・10・24民集29巻9号1417頁）の影響の下に，公害賠償における事実的因果関係の立証につき，一般論として「高度の蓋然性」が必要であるとしている。疑問が呈されたのは，なぜ公害に限って証明度を引き下げるのかという点について理論的根拠が不明確であるとの問題があるからである。

第2の間接反証説は，下級審裁判例上も採用された（前橋地判昭和46・3・23判時628号25頁，新潟地判昭和46・9・29下民22巻9＝10号別冊1頁［80］〔新潟水俣病第1次訴訟判決〕。また，イタイイタイ病訴訟控訴審判決〔名古屋高金沢支判昭和47・8・9判時674号25頁［15]〕も，この立場をとるものと評されている）。特に，新潟水俣病第1次訴訟判決は，因果関係論（事実的因果関係論）で問題とされる点を，(i)被害疾患の特性とその原因（病因）物質，(ii)原因物質が被害者に到達する経路，(iii)加害企業における原因物質の排出に分けた上で，(i)，(ii)について矛盾なく説明できれば（いわば企業の門前まで到達すれば），(iii)については，むしろ企業側において，自己の工場が汚染源になりえない理由を証明しない限り，その存在を事実上推認されるとしたものである（「**門前到達説**」とも呼ばれる）。有害物質の放出による公害について，証拠の偏在から合理的な証明の分担を示したものとして重要である。

間接反証論については，民事訴訟法の一般の議論としては学説上争いがあり，これは実質的には，証明責任の分配を変更し，法解釈の1つのあり方を示したものであるとの指摘や，間接反証の対象となる事実は，間接事実ではなく，むしろ主要事実であるとの批判も行われている（高橋宏志）。確かに，間接反証論の一般的な理論に対するこのような批判は正当であろうが，当事者間の実質的衡平の要請から，場合によって証明責任の分配を変更することは可能であり，また望ましいものと思われる（新潟水俣病第1次訴訟判決をこのように理解することができよう。井上治典「判解」環境法判例百選〈初版〉47頁）。

➡ 門前到達説は大気汚染にも適用可能か。

(c) 疫学的因果関係

Q8 疫学的因果関係とは何か。集団的因果関係と個別的因果関係についてどのような問題があるか。

裁判例は，公害賠償における事実的因果関係の立証について「高度の蓋然性」が必要であることを承認しつつも，被害者の立証の負担を緩和する手法として，「**疫学的因果関係**」を用いてきた（イタイイタイ病訴訟第1審判決〔富山地判昭和46・6・30判時635号17頁〕に始まる）。これは，裁判所の**経験則**の1つであり（平井），被害発生の原因について，元来，伝染病等の流行の原因を明らかにするために用いられてきた医学上の手法である「疫学」によって証明できた場合に，原因と被害との因果関係（個別的因果関係）を推認するものである。疫学的因果関係が認められるためには，(i)その因子が発病の一定期間前に作用するものであること，(ii)その因子の作用する程度が著しいほど，その疾病の罹患率が高まること，(iii)その因子が取り去られた場合にその疾病の罹患率が低下し，また，その因子をもたない集団ではその罹患率が極めて低いこと，(iv)その因子が原因として作用するメカニズムが生物学的に矛盾なく説明できることの4つの要件を満たすことが必要である（四日市公害訴訟判決〔津地四日市支判昭和47・7・24判時672号30頁［2］〕）。

裁判例の中には，**非特異性疾患**‡についても，疫学的因果関係が証明されれば，法的因果関係も存在するかのような口ぶりを示すものがみられたが（四日市公害訴訟判決〔ただし，個別の証拠を用いて，他原因によって罹患した可能性のないことを積極的に肯定した〕，千葉川鉄公害訴訟判決‡‡〔千葉地判昭和63・11・17判時臨増［平成元・8・5］161頁［9］〕），近年は，疫学的因果関係の証明のみでなく，他の事実をも考慮した上で，因果関係を推定し，また，原告の個別的レベルで他原因を検討するものが多い（西淀川公害第1次訴訟判決‡‡‡〔大阪地判平成3・3・29判時1383号22頁［10］〕，川崎公害第1次訴訟判決〔横浜地川崎支判平成6・1・25判時1481号19頁。ただし，「推定」でなく，「認定」とした点に問題がある〕，倉敷公害訴訟判決〔岡山地判平成6・3・23判時1494号3頁〕）。

学説上は，集団レベルの因果関係（集団的因果関係。疫学的因果関係はこの一種である）と集団に属する個人レベルの因果関係（個別的因果関係）とは異なるのであり，いわゆる**特異性疾患**‡の場合には，集団的因果関係の証明によって個別的因果関係を認定してもよいが，**非特異性疾患**については，汚染物質にさらされた者の属する集団の罹患率の，そうでない集団の罹患率との比較値（「**相対的危険度（オッズ比）**」）が相当程度高い（4〜5倍）場合でないと，個別的因果関係の推定（民事訴訟法上の「一応の推定」。すなわち，高い蓋然性をもつ経験則に基づく事実上の推定）は認められないとする立場が有力に唱えられている（森島昭夫，新美育文）。これによると先の3判決のうち，イタイイタイ病判決，四日市公害訴訟判決の認定の仕方は肯定されるが，千葉川鉄公害訴訟判決は批判される。その後，尼崎公害訴訟判決‡‡‡‡（神戸地判平成12・1・31判時1726号20頁）は，公害健康被害の補償等に関する法律の曝露要件を満たす患者につき，沿道汚染が気管支ぜん息の発症をもたらす相対的危険度が4倍であることを，個別的因果関係を認定する根拠として用いた。

一方，法的因果関係は科学的因果関係とは別であることを重視し，大気汚染がなかったならばその疾病に罹患しなかったであろうということは証明できないとして，非特異性疾患一般について，集団的因果関係から個別的因果関係を推定することを正当であるとする見解もあるが（淡路，吉村良一），民事訴訟では個別の被害者の救済が求められており，個別の被害者の疾患とある因子との間の因果関係が立証されなければならないと考えられるため，先の有力説を支持しておきたい。

なお，疫学的因果関係が認められるためには，疾病等の被害について広汎な調査研究に基づく疫学的判断資料が存在しなければならず，そのためには多大のコストを要するので，この手法が用いられる場合は限定されざるをえないことにも注意を要する。

‡**特異性疾患・非特異性疾患**　特異性疾患とは，その汚染物質により疾病が引き起こされ，かつ，その物質がなければ疾病にかかることがないという特異的な関係がある場合。例えば，イタイイタイ病，昭和30年代にみられた水俣病が典型例である。非特異性疾患とは，汚染物質と疾病の間に上記の関係がない場合。例えば，慢性気管支炎があげられる。

‡‡**千葉川鉄公害訴訟判決**　疫学調査を中心とする事実により，健康被害と大気汚染との因果関係を認め，他因子の存在によって大気汚染との因果関係を否定するためには，その発症及び増悪が専ら他因子に起因したものであることを証明しなければならないとした。この点が学説から批判されている（前田陽一「判解」環境法判例百選〈第2版〉32頁）。

‡‡‡**西淀川公害第1次訴訟判決**　大阪市西淀川区に居住し，気管支ぜん息等の呼吸器系疾患に罹患し，公健法の認定を受けた患者ら又はその相続人らが，西淀川区及びそれに隣接する尼崎市等に事業者を有する被告企業10社と，同区以内の国道を設置管理する国，同区域内を走行する阪神高速道路を設置管理する同公団に対し，大気汚染物質により健康被害等の損害を受けたとして，汚染物質の排出の差止めと損害賠償を求めた事件。

‡‡‡‡**尼崎公害訴訟判決**　尼崎市内に居住する公健法認定患者とその遺族が，企業9社及び国道を設置管理する国ならびに阪神高速道路を設置管理する同公団に対して，損害賠償と汚染排出物質の差止めを求めた事件。企業については和解が成立した。

Q9　健康被害との間に一般的な因果関係がある大気汚染物質は何か。

ちなみに，大気汚染に関する裁判例は，**硫黄酸化物**と健康被害との一般的な因果関係は肯定しているが，**窒素酸化物**と健康被害とのそれについては，従来の疫学的調査によって必ずしも十分な知見が得られていないことを理由として，これを否定するものが少なくなかった（西淀川1次訴訟判決）。もっとも，近年，工場公害について倉敷公害訴訟判決が（なお，単一の企業が被告となっているケースとしては，千葉川鉄公害訴訟判決も）これを肯定し，さらに，西淀川公害第2～4次訴訟判決（大阪地判平成7・7・5判時1538号17頁［11］。ただし，硫黄酸化物との相加的影響を認める），川崎公害第2～4次訴訟判決（横浜地川崎支判平成10・8・5判時1658号3頁）が道路公害についてもこれを肯定したことが注目に値する（これに対し，尼崎公害訴訟判決〔神戸地判平成 12・1・31 判時 1726 号 20 頁〕は，当該地域の濃度についてこれを否定する)。

他方，道路の**浮遊粒子状物質**と健康被害との関係については，川崎公害第 2〜4 次訴訟判決がこれを認めた。また，浮遊粒子状物質のうちでもディーゼル排気微粒子（DEP）と気管支ぜん息の因果関係を認めるものが現れている（名古屋南部公害訴訟判決〔名古屋地判平成 12・11・27 判時 1746 号 3 頁［12］〕。尼崎公害訴訟判決もこの点を強く示唆していた)。

なお，東京大気汚染訴訟第 1 審判決は，汚染物質と健康被害の一般的因果関係を問題とするのではなく，一定の曝露状況を満たす場合の自動車排出ガスの総体と気管支ぜん息との因果関係を認定する方法を用いている。

➡ 疫学的因果関係論の意義と限界について述べよ。
➡ 損害賠償に関する因果関係の証明の緩和にはどのような考え方があるか。

(d) 確率に応じた損害賠償の動き

近時，比較的軽症の水俣病の罹患の有無が問題となったケースに関して，因果関係の立証について「高度の蓋然性」が必要であるとする一般論を承認しつつも，高度の蓋然性についての証明がない場合であっても，原告が水俣病に罹患している相当程度の可能性が認められるときは，被告の損害賠償責任を否定するのは妥当でなく，むしろこれを認めた上で，その可能性の程度を損害賠償額の算定にあたって反映させるべきであるとする下級審判決が現れた（水俣病東京訴訟判決〔東京地判平成 4・2・7 判時臨増［平成 4・4・25］3 頁［82］〕。同様の趣旨を示すものとして，水俣病関西訴訟第 1 審判決〔大阪地判平成 6・7・11 判時 1506 号 5 頁〕→**12-7**・1 (2)(b))。その理由としては，①比較的軽症例の水俣病について高度の蓋然性がない限り因果関係の立証がないとするときは，医学の限界による負担を水俣病に罹患していると主張する者に課する一方，被害者の犠牲のもとに被告に与することになり，損害の公平な分担の理念に合致しないこと，②水俣病に罹患している可能性の程度は連続的に分布しており，唯一の基準で因果関係の有無を判断することは被害の実態に即したものといえないことなどがあげられている。

また，大気汚染に関しても，大気汚染の疫学等によって認められる集団への関与の割合を，集団に属する個人の被害への関与に置き換えるもの（西淀川公害第 2〜4 次訴訟判決）が現れており，確率に応じた責任を認める点で類似した立場を示したものといえる。

学説においても，下級審裁判例の動きに同調し，「類型的に公害や薬害による人身被害のように，個別の原告について疾病の原因を究明することが困難な事例」においては，疾病と原因物質との間の一般的な因果関係に関する確率的なデータに基づいて，因果関係存在の確率に応じた損害賠償を認めるべきことが有力に説かれている（森島）。

⑶　複合汚染と共同不法行為

⒜　民法の規定

公害は，単一の企業によるものもあるが，多くの場合は，むしろ，複数の企業の事業活動によって引き起こされる。民法は数人が共同の不法行為によって他人に損害を加えた場合には，各自が連帯して，生じた損害全体について賠償責任を負うとしている（719 条 1 項前段）。また，共同行為者のうちいずれが損害を加えたかわからない場合（同項後段），教唆者及び幇助者（同条 2 項）も同様であるとされている。

⒝　判例・伝統的多数説

判例・伝統的多数説は，719 条 1 項前段の狭義の共同不法行為が成立するためには，第 1 に，共同行為者各人の行為が独立して不法行為の要件を満たすものでなければならないとし，その結果，因果関係の要件も各人の行為と損害の発生との間に存在すること（**個別的因果関係**）が必要であると解してきた（山王川事件判決〔最判昭和 43・4・23 民集 22 巻 4 号 964 頁［14]〕）。また，第 2 に，各行為が同条同項前段の「共同の不法行為」となるためには，各自の行為が関連共同していること（「**関連共同性**」と呼ばれる）が必要であるが，この関連共同性は，共謀や共同の認識などの主観的共同がなくても，客観的にみて共同関係にあると認められれば（「**客観的共同**」と呼ばれる）足りるとされた。

⒞　判例・伝統的多数説に対する批判と論争

Q10　共同不法行為論における判例・伝統的通説と有力説の考え方はどこが異なるのか。考え方の相違の理由は何か。

㋐　しかし，その後，有力説（現在の多数説。淡路，平井）及び四日市公害訴訟判決を契機として，先の第 1 点については批判がなされるようになった。それは，①理論的批判と，②実際上の必要性からの批判である。

①理論的批判　　各人の行為が独立に不法行為の要件を満たす場合には，民法 709 条によって当然に不法行為責任を負うはずであり（有力説は，この場合の複数者の責任関係は当然連帯責任となると考える），判例・伝統的多数説のような理解では，「行為の関連共同性」という要件を追加している 719 条の共同不法行為の規定は意義がなくなるのではないか。

②実際上の必要性　　また，特に公害事件では，個々の企業の汚染物質の排出行為と損害との間の因果関係を証明することは，個々の企業の過去の排出量と全体の

排出量を把握しなければならず，極めて困難である。さらに，そもそも，A，B，C各自だけでは損害が発生しないが，三者合わさって初めて損害が発生するケースでは，従来の判例，多数説では，共同不法行為とならず，だれも責任を負わなくなるという根本的な問題がある。

そこで，有力説は，719条1項前段について，「共同の不法行為」という条文の文言に着目し，各人の行為に関連共同性があり，その関連共同性のある「**共同行為**」と損害の発生との間に因果関係があれば，共同不法行為が成立すると解している（淡路）。つまり，例えば，A，B，Cの3工場の間に719条1項の関連共同性がある場合には，Aについて汚染物質の排出行為と損害との個別的因果関係を証明しなくても，3工場の共同行為と損害との間の因果関係が証明されれば，Aは共同行為全体についての損害賠償責任を負うとするのである（これ以外の709条の要件については，各自が満たすことが必要である。**図表11-1**）。

Q11 西淀川公害第1次訴訟判決を含む最近の下級審裁判例は，共同不法行為についてどのような枠組を形成しているか。

下級審裁判例は，四日市公害訴訟判決を契機として，西淀川公害第1次訴訟判決，川崎公害第1次訴訟判決，倉敷公害訴訟判決（ただし，719条1項前段のみに関する）によって，次のような枠組を形成した。

すなわち，関連共同性には，「強い関連共同性」と「弱い関連共同性」の2つがある。

「**強い関連共同性**」とは，例えば，加害者間に製品・原材料の受渡し関係，資本の結合関係，役員の人的交流関係がある場合（例えば，コンビナート）のように，**緊密な一体性**が認められる場合であり（なお，四日市公害訴訟判決は，コンビナート関連工場でも「弱い関連共同性」にとどまる場合があるとしていた），「**弱い関連共同性**」とは，結果の発生に対して**社会通念上1個の行為と認められる程度の一体性**はあるが，それほど緊密な一体性はない場合，例えば，相当な広い範囲に工場が立ち並んで，いわゆる都市型の大気汚染を発生させている場合である（例えば，西淀川区に存在している複数の工場どうしの関係がこれにあたる）‡。

被害者が，加害者間に「（弱い）関連共同性」があり，かつ，共同行為によって結果が発生したことを立証すれば，その個別的因果関係を推定し（被告が減免責のための反証〔証明の程度は本証〕をすることは許される），さらに，加害者間に「強い関連共同性」のあることを証明した場合には，個別的因果関係はそもそも問題とされない（擬制される。被告が減免責のための反証をすることは許されず，共同行為と損害の発生との間の因果関係があれば，各人が全損害の賠償責任を負う）としたのである。

【図表 11-1】719 条 1 項前段の共同不法行為についての 2 つの考え方

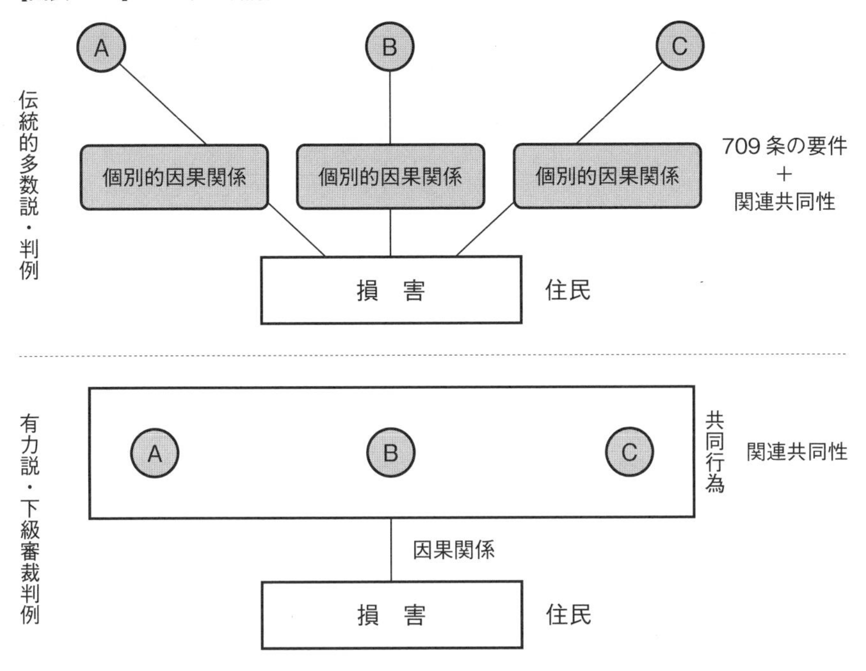

そして，「弱い関連共同性」の場合には 719 条 1 項後段（公害の場合には，正確には類推適用の場面のみが問題となる‡‡），「強い関連共同性」の場合には 1 項前段が適用される。これは有力説（淡路など）に従い，問題を整然と分析したものと評価できる‡‡‡。この点の評価に関しては，民法 719 条は，公害の典型ケースである累積的競合のケース（①加害者間に主観的関連共同性がなく，かつ，②各加害者は損害の発生に寄与しているが，全損害の惹起力はないケース）を扱っておらず，この点は法の欠缺となっていることを前提とする必要があろう。

以上を要約すると，最近の下級審判決及び有力説の立場は次のように整理できる（図表 11-2）‡‡‡‡。

【図表 11-2】強い関連共同性と弱い関連共同性

	行為者間の一体性の程度	根拠規定	効果
強い関連共同性	緊密な一体性	719 条 1 項前段	個別的因果関係擬制
弱い関連共同性	社会通念上の一体性	719条1項後段類推(*)	個別的因果関係推定

＊下級審判決（西淀川 1 次訴訟判決）及び有力説（淡路・大塚）

(イ) 一方，先の第2点に関しては，最近の有力説のように719条1項前段は自己の行為と相当因果関係のない全損害についても責任を負わせるものであるとの立場から，そのような強い効果をもたせるためには，加害者間に主観的共同がなければならないとする学説が展開されるに至っている（前田達明，森島）。

しかし，他方で，719条1項前段の共同不法行為について常に主観的共同を必要とするのでは被害者救済の見地から問題があるとし，客観的共同のみでも関連共同性が認められる場合があるとする学説が依然として多くみられる（淡路，平井）。

判例上は，最近の下級審においても，基本的には，客観的共同説が維持されていると考えられるが，中には，関連共同性の基準として客観的事情と主観的事情を並列するもの（**主観・客観併用説**）も少なくない（西淀川公害第1次訴訟判決，川崎公害第1次訴訟判決，倉敷公害訴訟判決。なお，西淀川公害第2～4次訴訟判決は，共同行為への関与の程度を主要な基準とする点で他の判決と異なっている）。

‡尼崎公害訴訟判決における「関連共同性」　719条1項「前段」の強い関連共同性が認められるか否かの判断要素としては，行為者間の資本的・経済的・組織的な結合関係の有無・程度，排出施設の立地状況，汚染物質の種類，排出の態様，排出量，汚染への寄与度，排出防止策とそれについての相互関与関係の有無，その他の客観的要素があげられ，これに対し，1項「後段」の弱い関連共同性が認められるか否かの判断要素としては，両方の排煙の到達の態様，組成，排煙量の相違，健康被害に対する原因力の相違等があげられている。

‡‡719条1項後段の適用と類推適用　719条1項後段は，本来，いわゆる「択一的競合（「**加害者不明**」）」の場合（被告各自の行為のいずれも，それだけで損害を発生させる原因力（全部惹起力）をもつが，被告らのうちどの者が損害を惹起したか不明の場合）について定めた規定である。これに対し，公害の場合は，加害者不明のケースではなく，「各被告の行為は損害の原因の一部であり，全部惹起力はないが，寄与度が不明の場合」（「**寄与度不明**」の場合）が問題となる。A，B，Cの3社の工場からばい煙が排出され，周辺住民がぜん息になったケースを考えれば，この点を理解できよう。近時の下級審裁判例は，寄与度不明の場合について719条1項後段を用いるが，これは類推適用というべきである。この場合について1項後段の類推を認めるべきかには議論があるが，ここでは，「寄与度不明」の場合に関しても，因果関係に関する被害者の立証の困難については「加害者不明」の場合と異ならず，また，これは加害者側の事情に由来することから，類推適用を認める見解を採用しておきたい（**図表11-3**）。

【図表11-3】719条1項後段の適用と類推適用

719条1項後段	加害者不明の場合
719条1項後段類推	寄与度不明の場合

‡‡‡四日市公害訴訟判決とその後の西淀川公害第1次訴訟判決等の相違点　四日市公

害訴訟判決は，その後の西淀川公害第1次訴訟判決等と次の2点において異なっていた。第1は，四日市判決は弱い関連共同性と強い関連共同性の効果の相違を，被告の免責の主張を許すか否かにおいていたのに対し，西淀川公害第1次訴訟判決等では，弱い関連共同性と強い関連共同性の効果の相違の中に被告の減責の（もちろん免責も）主張を許すか否かも含めたことである。第2に，四日市判決は強い関連共同性のみでなく，弱い関連共同性も，719条1項前段に基づくものとしていたが，西淀川公害第1次訴訟判決では弱い関連共同性を1項後段（正確には「類推」というべきである）に基づくものとしたことである。これらの2点は関連しており，弱い関連共同性しかない場合に被告の減責の主張を認める必要性があるとすれば，1項前段を根拠とすることは困難であると考えられたのである。

‡‡‡‡ 複数行為者の間に緊密な一体性があり，各排出に基づく住民の被害について寄与度不明の関係にある場合には，どの規定が適用されるのか――この場合には，原告は1項前段の適用を求めることになる。寄与度不明ではあってもその方が1項後段を適用するよりも被害者原告に有利であるため，特に問題はないといえよう。

(d) 西淀川公害第1次訴訟判決，川崎公害第1次訴訟判決，倉敷公害訴訟判決の特色――都市型複合汚染の特色

近時出された標記の判決は，**都市型複合汚染**について，四日市公害訴訟判決にはない次の3つの特色を示しており，注目される。

(i) 第1は，都市型複合汚染について，被告ら全体について**寄与度に応じた分割責任**（**「集団的寄与度責任」と呼ばれる**）を認めつつ，各被告の責任の関係については共同不法行為の法理を適用したことである。例えば，西淀川公害第1次訴訟判決は，西淀川区全体における工場等からの排煙等が原因となっているものの，それら全てを被告とすることはできないために，一定時期の被告ら10社全体の寄与度を35%とし，これについて共同不法行為の法理を適用している。

(ii) 第2は（必ずしも都市型複合汚染に限らないが），719条1項後段については，操業開始時期が相当異なり，広範囲の地域に工場等が散在した場合にも関連共同性を認めるとともに，前述のように，**「寄与度不明」の場合**にも**1項後段**を適用する（正確には**類推適用**というべきである）こととしたことである。このように，寄与度不明の場合に1項後段を用いる考え方は，上記のように一般に有用であるが，都市型複合汚染に対処する際に特に必要な論理であるといえよう。これを認めないときには，各企業の709条に基づく責任の競合のみを問題とすることになるが，個々の企業との関係での個別的因果関係は認められにくいからである。他方，この考え方によれば，都市型複合汚染の小規模の発生源が全責任を負う可能性を生ずるという批判もありうるが，そうではなく，このような汚染源にも減免責の主張が許されるのであるから，不当ではない。

(iii) 第3に，同条1項前段についても，**他の共同行為者**（企業）**との関係で公害発**

生・拡大の認識ないし認識義務（公害対策における協力義務）が生じたことを理由として，より緊密な一体性を認めることにより，その適用範囲を拡大していることである。具体的には，西淀川公害第１次訴訟判決では，大気汚染防止法制定から西淀川区大気汚染緊急対策策定（1970年）に至る経過の中で，遅くとも1970年以降においては大企業間ではこのような義務が生じたとする（川崎公害第１次訴訟判決も類似した判断をする）。

上記３点のうち，都市型複合汚染に真に特有の議論は(i)である。他の２つは一般の複数汚染者の場合にも適用されうる。

(e) 建設アスベスト訴訟最高裁判決

その後，種々の現場で石綿建材の粉じんにばく露し，石綿関連疾患にり患した被災者らが，相当数の石綿含有建材メーカーら（さらに国）に対して損害賠償を請求した建設アスベスト訴訟が提起された。粉じんにばく露すると石綿関連疾患にり患する危険があること等を表示することなく同建材を製造販売したことについて不法行為となることを主張したのである。最判令和３・５・17民集75巻５号1359頁，民集75巻６号2303頁は，719条１項後段との関係で最高裁として初めての解釈論を展開した。そのうち，いくつかの点を列挙すると，①１項後段の趣旨を確認し，推定規定として立証責任の転換の効果があることを示すとともに，後段について被告らの特定性（他原因者不存在性。以下，「十分性」という）が必要となることを示した。②複数行為者の競合の事例について１項後段の類推適用となりうることを示した。③１項後段の類推適用において集団的寄与度責任となる場合があることを示した。④１項後段類推の効果として，（集団的寄与度の範囲で）連帯となり，証明責任が転換されることを示した（詳しくは，大塚直「共同不法行為・競合的不法行為論」民商法雑誌158巻５号1166頁）。

これらの点は，寄与度不明の場合について，前掲西淀川１次訴訟判決などで示されていたものであり（ただし，①の「十分性」要件についてはあまり認識されていなかった），最高裁が，建設アスベスト訴訟において（公害との相違点を踏まえつつも）公害に関する下級審裁判例の延長線上にある判断をしたことが注目される。最高裁は，いわばホップ，ステップに当たる，（１項前段の問題としてはいたが，弱い関連共同性に基づく全額連帯責任を認めた）四日市訴訟判決，及び（１項後段に基づき集団的寄与度責任を認めた）西淀川１次訴訟判決を飛び越えて，（各原告について多くの加害者による709条の不法行為が複層しているなどの点で西淀川１次訴訟よりもさらに難問である）建設アスベスト訴訟についてジャンプの判断をすることをいきなり求められたのである。最高裁が，公害の共同不法行為に関して下級審が50年にわたって蓄積してきた考え方を維持し発展させたことは，判例の安定性という観点からも慶賀すべきであろう。

(f) 工場群からの排出と道路からの排出についての共同不法行為

2点を指摘しておきたい。

第1に，道路管理者には「行為」があるか。この点に疑問の余地はあるが（否定説としては，能見善久），「瑕疵」（国家賠償法2条）が損害惹起の要素を含む以上，719条の類推を認めることは可能であると考える。

第2に，工場群からの排煙と道路からの排煙には関連共同性が認められるか。川崎公害第1次訴訟判決及び尼崎公害訴訟判決はこれを否定したが，西淀川公害第2～4次訴訟判決は汚染物質の一体性からこれを肯定した（ただし，1項後段によるのか，1項前段の中での「弱い共同関係」とするのかは明らかでない）。工場群と道路からの排煙には組成物質，排出量，到達の態様，健康被害に対する原因力に相違がある場合が少なくなく，1項前段の強い関連共同性にいう緊密な一体性は認め難く，1項後段の弱い関連共同性にいう社会通念上の一体性があるにとどまるとされることが多いであろう。

なお，複数の道路管理者の関係について，排煙の不可分一体性から1項前段を適用するものがある（尼崎公害訴訟判決。一方，川崎公害第2―4次訴訟判決〔横浜地川崎支判平成10・8・5判時1658号3頁〕は，少なくとも1項後段が適用できるとする）。

(g) 分割責任と大気汚染防止法25条の2等

学説の中には，損害発生にわずかしか関与していない者にも全損害について連帯責任を負わせるのは不都合であるとの見地から，共同不法行為であっても関与の度合いの少ない者はその度合いに応じた範囲においてのみ責任を負うという考え方（分割責任ないし違法性の程度に応じた一部連帯責任）も主張された（品川孝次，川井健）。無過失責任についての共同不法行為適用の場面においては，その主張の趣旨が大防法25条の2及び水濁法20条に反映されているが，このような特別法のない場合に，この主張を採用することは困難であろう。なお，これらの特別法の条文は，事業者の寄与度の小さいことを「しんしゃくすることができる」と規定するのみであるため，判例上は活用されているとはいい難い状況にある（強い関連共同性の存在を前提に民法719条を適用し，これらの条文の適用を排除するものとして，西淀川公害第1次訴訟判決，川崎公害第1次訴訟判決参照）。

➡ 共同不法行為論に関する山王川事件最高裁判決と下級審判決の相違点を述べよ。

➡ 四日市公害訴訟判決と，その後の西淀川公害第1次訴訟判決，川崎公害訴訟判決，倉敷公害訴訟判決を比較せよ。

(4) 損害賠償の方法，請求の方式等

(a) 損害賠償の方法

不法行為による損害賠償は，当事者間の特約がない限り，金銭賠償の方法によるものとされている（民法722条1項）。これは，金銭賠償が原状回復に比べて当事者にとって便利であるとの考えに基づくものであるが，公害の場合には，金銭によって修復が困難な損害もあり，立法論的には問題がある。鉱害賠償については，賠償金額に対して著しく多額の費用を要しないで原状の回復をすることができる場合には，例外的に，被害者が原状回復による賠償を請求しうると定められている（鉱業法111条2項。なお同条3項参照）。

なお，当事者間の特約によって現物賠償を行うことは可能であり，例えば，水俣病の認定患者については，原因者との民事協定に基づいて，医療の給付がなされている。

(b) 請求の方式

損害の金銭的評価としては，財産的損害（治療費のように，既存の財産が積極的に減少することによって生ずる損害〔積極的損害〕と，病気になって働けなくなり将来の収入を失ったように，財産が増加するはずだったのにしなかったという損害〔消極的損害＝逸失利益〕が含まれる），精神的損害（慰謝料）等の個別的項目ごとの具体的な損害額の主張・立証を要求する方式（個別的算定方式）がとられることが通常である。しかし，公害賠償訴訟のように多数の被害者が集団的に訴訟を提起する場合には，このような算定方式では，原告の損害の立証が困難であり，審理が長期化する。このような観点から，公害賠償訴訟に関する最近の下級審判決には，個別的に費目を示さず，逸失利益と慰謝料の全てを包括する請求（**包括請求**）を認めるものが多くなっている。その際，①慰謝料の形で請求を認めるもの（新潟水俣病第1次訴訟判決，熊本水俣病第1次訴訟判決）と，さらに②財産的損害，精神的損害の二分法に従わず，総体としての被害を損害として算定するもの（「**包括慰謝料**」と呼ばれる。西淀川公害第1次訴訟判決，川崎公害第1次訴訟判決，倉敷公害訴訟判決，水俣病東京訴訟判決，新潟水俣病第2次訴訟判決〔新潟地判平成4・3・31判時1422号39頁［2版28］〕，水俣病京都訴訟判決〔京都地判平成5・11・26判時1476号3頁〕など）がみられる（②の方が有力であったが，その後，名古屋南部公害訴訟判決，東京大気汚染訴訟第1審判決が①を採用し，また，尼崎公害訴訟判決が純粋な慰謝料を認める口ぶりを示したことは注目される）。

さらに，同様の理由及び原告団の結束の乱れの防止のため，被害者の収入，死亡時期にかかわりなく同額の賠償を求める**一律請求**がなされることも多いが，下級審裁判例はその適法性は認めるものの，裁判所はそれに拘束されないとしている。も

っとも，裁判例は，何段階かのランクにより，又は何らかの定型的基準によって賠償額を導き出しており，ランク別の一律請求は肯定しているとみることができよう（淡路）。

(c)　損害賠償給付と公害健康被害補償による給付との重複塡補の調整

さらに，民事訴訟による損害賠償給付がなされた場合，これと公害健康被害補償制度による給付との重複塡補の調整の問題がある。近時の下級審の裁判例は，公害健康被害の補償等に関する法律（公健法）の給付分を原告の損害賠償額から控除するものが多い（土呂久第1次訴訟判決〔福岡高宮崎支判昭和63・9・30判時1292号29頁［2版11］〕，千葉川鉄公害訴訟判決，西淀川公害第1次訴訟判決，川崎公害第1次訴訟判決など。反対するものとして，国道43号線訴訟控訴審判決〔大阪高判平成4・2・20判時1415号3頁〕）。最高裁も，他の保険給付と民法上の損害賠償とが同一の事由の関係にある場合，すなわち，同給付の対象となった損害と民法上の損害賠償の対象となった損害とが同性質であり，右給付と損害賠償とが相互補完性を有する関係にある場合には，損益相殺が許されるとしている（最判昭和62・7・10民集41巻5号1202頁〔労働者災害補償保険法等に基づく給付と民事損害賠償の損害との関係に関する〕参照）。公害健康被害補償制度は，公害による健康被害者の迅速・公正な保護を図るために設けられた民事責任を踏まえた制度であり，損害賠償の給付に比べてより包括的な救済の給付となっている。したがって，両者の調整は必要であろう（浅野直人）。

重複塡補の調整が制限される場合は2つ考えられる。第1は，公健法による医療関係の給付である。先の下級審裁判例をみると，この種の給付については控除しないものが多い（千葉川鉄公害訴訟判決，西淀川公害第1次訴訟判決，川崎公害第1次訴訟判決）。これは，医療関係の給付については，給付額が定型的に推計できず，証明が困難であるという事情に基づいている。第2は，純粋の慰謝料の部分である。土呂久第1次訴訟判決は，この部分を控除の対象としない旨を判示する。これは，公健法の給付には，基本的には慰謝料的なものが含まれていないことに基づくものである（もっとも，児童補償手当には含まれている）。なお，この点は，上記の包括請求における①と②の立場の相違とも関連する。②であれば控除の対象とせざるをえないが，①であれば控除の対象としないことが可能となるからである（名古屋南部公害訴訟判決，東京大気汚染訴訟第1審判決は，①に立ちつつ，このような結論を導いている）。

なお，損害賠償給付と補償協定上の地位との関係については，後述する（→**12-7・1**(7)〔629頁〕）。

(5)　期間制限

期間制限については民法724条が適用される（国家賠償請求の場合も同様である）。

同条2号の期間制限20年の期間制限については，最高裁は，これを「被害者側の認識のいかんを問わず一定の時の経過によって法律関係を確定させるため請求権の存続期間を画一的に定めたもの」であり除斥期間であるとしていたが，民法改正により，20年の期間制限も時効（長期時効）とし，また同条1号の3年の期間制限（短期時効）は，生命・身体侵害の場合は，5年とされた（724条の2）。もっとも最高裁が，「損害の性質上，加害行為が終了してから相当の期間が経過した後に損害が発生する場合」には，その起算点は，加害行為時ではなく，損害発生時であるとの立場を採用した（筑豊じん肺訴訟上告審判決〔最判平成16・4・27民集58巻4号1032頁〕，水俣病関西訴訟上告審判決〔最判平成16・10・15民集58巻7号1802頁［84］〕）ことは，現在でも妥当する。その理由としては，このような場合に損害の発生を待たずに時効の進行を認めることは，被害者にとって著しく不公平であるとともに，加害者においても，自己の行為によって生じうる損害の性質からみて相当期間経過後に損害が発生し被害者から請求を受けることを予期すべきであることがあげられる。説得力のある議論であり，支持したい。

(6)　将来の損害賠償

空港騒音公害訴訟においては，将来の損害賠償が請求されることが少なくない。最高裁はこれを認めていない（最判平成5・2・25判時1456号53頁［22］，最判平成19・5・29判時1978号7頁。特に，近時，厚木基地第4次訴訟〔民事訴訟〕において，東京高判平成27・7・30判時2277号84頁が，米軍が平成29年ごろまでに移駐が見込まれることから，平成28年末までの将来の損害賠償請求を認めたのに対し，原告が立証責任を負うべきこと等を理由として破棄したことが注目される〔最判平成28・12・8判時2325号37頁〕）。将来の給付の訴えを提起できる請求権については，①当該請求権の基礎となるべき事実関係・法律関係が既に存在し，継続が予測される，②当該請求権の成否及び内容につき債務者に有利な影響を生ずるような将来における事情の変動があらかじめ明確に予測しうる事由がある，③この事情の変動については請求異議の訴えによってのみ執行を阻止しうるという負担を債務者に課しても不当とは言えない，という3要件を満たす必要があるとされている（最大判昭和56・12・16民集35巻10号1369頁［20］）。②及び③をどの程度厳格に解するかの問題である。

2　私法的差止訴訟

(1)　差止めの法的根拠

不法行為に基づく損害賠償は，被った損害を金銭で塡補することを原則とする。しかし，公害の場合には，健康に対する被害や環境汚染を事前に差し止めることが特に必要である。差止めの内容としては，公害防除施設の設置や操業の停止（短縮）などがある。

差止請求の法的根拠は民法の明文にはなく，(ア)所有権などに基づく物権的請求権，(イ)人格権，(ウ)環境権のような権利構成，(エ)不法行為構成，(オ)権利構成と不法行為構成の複合構成（二元説）などが主張されてきた。(オ)は権利侵害の場合と，権利侵害とはいえない法益侵害の場合を区別し，それぞれについて異なる根拠，要件の下に差止めを認めるものである。

いずれによるべきかについては争いがあるが，裁判例においては，(イ)が今日最も有力である（なお，人格権の一種として，平穏生活権を根拠とする裁判例については，後述する）。もっとも，景観について権利とそれに至らない法益を区別した国立景観訴訟最高裁判決の立場を採用し，かつ，景観利益（権利には至らない法益）への侵害に対する差止めを認めようとするときは，(オ)の位置づけが高まっているとみることもできよう（→**Column3**〔45頁〕）。他方，(ウ)支配権としての環境権については，すでに触れたように，環境利益が原告の個別的利益とは考えられにくく，まして権利とは考えにくいところから，これを根拠とすることには困難な面がある（→**2-3**・1(3)〔43頁〕）。

(2) 差止めの要件

差止めの要件は，(a)権利侵害（二元説では，権利に至らない法益侵害も問題となる），(b)違法性（ないし違法性阻却事由などの正当化事由），(c)実質的被害の発生に対する蓋然性（因果関係）である（(b)について，違法性を要件とするか，正当化事由とするかは，違法性を請求原因と考えるか〔判例〕，抗弁と考えるか〔加藤一郎，大塚〕による）。

(a) 「**権利侵害（ないし法益侵害）**」要件については，人格権侵害となることが明らかな場合（例えば，道路の騒音・大気汚染による精神的侵害の場合）は問題なく要件を充足する。問題となるのは，景観利益のような，公益か個別的利益の集合かについての限界事例である。国立景観訴訟最高裁判決も，「良好な景観の恵沢を享受する利益（景観利益）」を「権利」とすることは当面難しいとし，「法律上保護される利益」としている。

同最高裁判決は，景観利益のように，権利に至らない法益に対する侵害の場合に，差止めが認められるとするか否かについて，態度を明らかにしていない。

この点に関し，国立景観訴訟第1審判決（東京地判平成14・12・18判時1829号36頁）は，国立市の大学通り沿いの区画について70年にわたって住民が建物を20m以下に制限してきたとし，地権者らは，その土地所有権から派生するものとして，形成された良好な景観を維持する義務を負うとともにその維持を相互に求める利益

(景観利益――最高裁とは異なる意味で用いられていることに注意されたい)を有するとし,その侵害が不法行為となるとし,被告明和地所に対し,建物の20mを超える部分の撤去を命じた。本件は(景観一般ではなく)形成された景観であって互換的関係がある事案であると判断したものである。差止めの根拠に関しては,不法行為構成か二元説を採用したことになる(もっとも,控訴審〔東京高判平成16・10・27判時1877号40頁〕は第1審被告敗訴部分を取り消した)。

国立景観訴訟第1審は,地権者らの「**関係性**」に着目し,共同形成景観に限った(相互的な)景観利益を問題としたのに対し,最高裁は,良好な景観の「**享受**」に着目し,良好な景観一般についての景観利益を問題としている。すでに触れたように,第1審のような共同形成景観における景観利益の方が,最高裁のいう一般的な景観利益よりも,相互性・関係性があるため,より強固であり,それが第1審が差止めを認めることにつながったとも考えられる。共同形成景観がある事案では,それを重視した景観利益の構成をすることが適切であろう。

なお,第1審判決については,概ね支持できるものの,同判決が景観が地権者らの所有する土地に付加的価値を生み出したとして,その維持を相互に求める利益に対する侵害を不法行為と構成したことについては,景観が土地に付加価値を生み出しているかの判断は難しく,むしろ,大学通り沿いの住民が「特定環境の共同利用に関する慣習上の法的利益」(中山充)を有していると構成することも考えられよう。

このように,権利に至らない法益に対する侵害を根拠として差止めを請求することも認められるべきであるが,その根拠は,不法行為構成か二元説とすることが考えられる。ここでは**二元説**を支持しておきたい。なお,そうすると,権利か法的利益かでどこが相違するかが問題となるが,これについては,**権利侵害**の場合は違法性が推定されるため,被告が正当化事由を証明しなければならない(正当化事由=抗弁)のに対し,**法的利益侵害**の場合は違法性が推定されないから,原告が違法性について証明しなければならない(違法性=請求原因)と考えられる。

(b) 「**違法性ないし正当化事由**」の要件について,多くの裁判例及び従来の多数説(環境権説を除く)は,どのような法律構成をとるとしても,それとは別に,加害者・被害者の種々の事情を考慮して加害行為の違法性の有無を判断する「**受忍限度論**」をここでも採用することになる。

(ア) 下級審裁判例上,受忍限度としては,(i)加害者の利用方法の地域性への適合の有無,(ii)加害者の被害防止対策(経済的期待可能な措置)実施の有無,(iii)加害行為の公共性の有無・程度,(iv)環境影響評価や住民への説明などの手続履践の有無,(v)法規違反(規制基準違反)の有無,(vi)(日照妨害については)加害者と被害者の先住後住関係などが考慮されてきた（大塚）。

(イ) 差止めは事業活動にとって大きな打撃となるのみでなく，社会的に有用な活動を停止させるおそれがあることから損害賠償の場合と異なり，公共性を考慮せざるをえないことは学説上も認められている。その上で，同様の観点から，裁判例上，差止めの場合には損害賠償よりも高い違法性が要求されるとするものが少なくない（**違法性段階説**）。最高裁判決は，発想としてはこの考え方によりつつも，差止めと損害賠償とで，違法性の判断において各要素の重要性をどの程度のものとして考慮するかには相違があるから，両場合の違法性の有無の判断に差異が生じても不合理であるとはいえないとしており（国道43号線訴訟上告審判決〔前掲最判平成7・7・7民集49巻7号1870頁，2599頁［25］〕），**「ファクターの重みづけ」相違説**とでもいうべき立場を採用している。

(ウ) 最高裁は，道路公害に関して，受忍限度についての枠組を提示した。そこでは，被害の種類・蓋然性と，その事業活動の公共性を特に重視する立場が示されている。すなわち，先の国道43号線訴訟上告審判決によれば，上述したように，損害賠償に関する違法性の判断としては，①侵害行為の態様と侵害の程度，②被侵害利益の性質と内容，③侵害行為のもつ公共性の内容と程度，④被害の防止に関する措置の内容等の4点を考慮し，③の考慮にあたっては，⑤受益と被害の彼此相補性が成り立つか，④被害対策が見るべき効果をあげているかを検討することとしているが，差止めについては①，②及び③のみを取り上げて比較衡量をしている（確かに差止に関しては，④は被害防止措置をとっていても被害が発生していれば問題になりにくいし，⑤も彼此相補性があるのは個々人の問題であり〔損害賠償にはなじむが〕差止の成否を判断するにはなじまないともいえよう）。③に関する判断の仕方は，損害賠償の判断においては当該道路が地域住民の日常生活の維持・存続に不可欠とまではいえないとしているのに対して，差止めの判断においては当該道路が沿道の住民や企業に対してだけではなく，地域間の交通や産業経済活動に対してかけがえのない多大な便益を提供しているとしており，両者で判断の仕方が異なっている。先の**「ファクターの重みづけ」相違説**の立場である。

これに対し，尼崎公害訴訟判決は，国道43号線から発生する浮遊粒子状物質による大気汚染に関して，最高裁判決の判断枠組を基本的に踏襲しつつも，①，②について「人の呼吸器疾患に対する現実の影響であって非常に重大」であり，さらに「沿道の広い範囲で疾患の発症・増悪をもたらす非常に強い違法性がある」とし，③については道路の供用制限が「重大な公益上の関心事」であるとしつつも，差止めを認めたことが注目される（名古屋南部公害訴訟判決も類似しているが，さらに，④について被告国が有効な対策をとってきておらず，大気汚染の調査等も怠り，今後ともこれを行う予定すら明らかにしていないことを考慮している）。なお，尼崎公害訴訟・名古屋南部公害訴訟の両判決とも，判決の不作為命令を履行するには道路の全面供用禁止が求められるわけではないことを重視している。

人の健康被害が生ずる蓋然性の高い場合には，その活動の公共性（むしろ，社会的有用性というべきである）が高度なものであっても，差止めが認められるべきことは，今日，裁判例，学説のいずれにおいても承認されていると考えられるが，上記の尼崎公害訴訟判決，名古屋南部公害訴訟判決はこの点を確認したものといえる。

(c) 第3の要件である，「**実質的被害の発生に対する蓋然性（因果関係）**」についてはどうか。

この要件については，公害・生活妨害においては，実質的被害の発生に対する高度の蓋然性が要求されることが多いが，原発のように，危険性は低いが，一度事故が発生すると甚大な侵害が発生するケースでは，「社会観念上無視しえない程度を超える危険性」が必要であると解されてきた（女川原発訴訟第1審判決〔仙台地判平成6・1・31判時1482号3頁〕を嚆矢とする）。危険ないしリスクを「可能性×侵害の重大性の程度」として捉える発想である。

この要件は重要であるが，裁判例上，一定の場合には，因果関係についての証明の負担の緩和が図られているものが少なくない。すなわち，①施設の稼動の結果生ずる環境を通じた影響についての科学的知見が不明確であること，②当該影響がいったん発生すると不可逆又は深刻な損害を発生させる可能性があること，③上記の科学的知見についての証拠が被告に偏在していること，④施設が稼動前であることの4つの特徴（④は必須の要素ではない）をもつ訴訟が近時増加しているが，このような民事差止訴訟（「**予防的科学訴訟**」と名づけることができよう）においては，因果関係についての証明の負担の緩和等が図られている裁判例がみられる（また，科学的知見が不明確とまでは言えない場合でも，④施設が稼働前で，②を満たし，③′被害の程度に関する証拠が偏在しているときも，下記の第2の「相当程度の可能性アプローチ」を採用する裁判例が見られる）。以下では，この種の訴訟について若干触れておきたい。

これには3つのタイプの裁判例がみられる。第1はまず被告が必要な資料を提出しないと安全性の欠如を事実上推認する方法，第2は相当程度の可能性の証明を原告に要求する方法（**相当程度の可能性アプローチ**），第3は汚染物質が到達する経路を分割し，その一部について被告に証明責任を課する方法（**因果関係分割アプローチ**）である（大塚直「予防的科学訴訟と要件事実」伊藤滋夫編『環境法の要件事実』140頁以下参照）。

なお，差止請求をしても判決の確定までに時間がかかることから，早期の救済を求めるため，仮処分の申立てがなされることが多い。「仮の地位を定める仮処分」（民事保全法23条2項）であり，被保全権利と保全の必要性を疎明することが必要である（同13条）。

(ア) 第1は，行政訴訟である伊方原発訴訟最高裁判決（最判平成4・10・29民集46巻7号1174頁［89］）に影響を受けたものである。同判決は「原子炉設置許可処分についての右取消訴訟においては，右処分が前記のような性質を有することにかんがみると，被告行政庁がした右判断に不合理な点があることの主張，立証責任は，本来，原告が負うべきものと解されるが，当該原子炉施設の安全審査に関する資料を全て被告行政庁の側が保持していることなどの点を考慮すると，被告行政庁の側において，まず，その依拠した前記の具体的審査基準並びに調査審議及び判断の過程等，被告行政庁の判断に不合理な点のないことを相当の根拠，資料に基づき主張，立証する必要があり，被告行政庁が右主張，立証を尽くさない場合には，被告行政庁がした右判断に不合理な点があることが事実上推認されるものというべきである」とした。本判決は，行政庁の裁量権の逸脱・濫用を主張立証する責任を原告に課することを基本としつつ，それを修正したものとみられる。本判決については種々の解釈があるが（事案解明義務を扱ったものとする見解として，竹下守夫），調査官においては，証明責任は原告にあり，事実上の推認について判示したことのみが指摘されている（『最高裁判所判例解説民事篇平成4年度』426頁［高橋利文］）一方，証明責任を転換したことを明確に指摘するものもある（司法研修所編『行政事件訴訟の一般的問題に関する実務的研究』〈改訂版〉181頁）。中でも，同調査官の見解を踏まえつつ，被告行政庁の前提構築義務を課したものと解する見解（交告）が有力である。

本判決の影響を受けた民事裁判例においては，本判決と同様に，まず被告側において安全性に欠ける点のないことについて，相当の根拠を示し，かつ必要な資料を提出した上で立証すべきである（尽くさないと，安全性の欠如が事実上推定される）としている（前掲女川原発訴訟第1審判決，長良川河口堰建設差止訴訟第1審判決〔岐阜地判平成6・7・20判時1508号29頁〕，志賀原発運転差止訴訟控訴審判決〔名古屋高金沢支判平成21・3・18判時2045号3頁［93］（上告棄却——最決平成22・10・28）〕，産業廃棄物焼却施設建設差止訴訟判決〔名古屋地判平成21・10・9判時2077号81頁〕）。もっとも，相当の根拠，必要な資料の提出の点が単に行政基準の遵守となってしまうときには，このアプローチは被告にとっては極めて容易であり，原告の証明の緩和の観点からは意味が乏しくなり，全く歯止めにならなくなることに注意を要する‡。

(イ) 第2に，まず原告が侵害発生の具体的可能性について相当程度の立証をし

（又は，平穏生活権侵害（後述→(カ)〔515頁〕参照）の発生の高度の蓋然性について一応の立証をし），その上で被告が侵害発生の高度の蓋然性がないことを立証ないし反証すべきであるとするもの（丸森町廃棄物処分場建設差止訴訟決定〔仙台地決平成4・2・28判時1429号109頁［38］〕，長良川河口堰建設差止訴訟控訴審判決〔名古屋高判平成10・12・17判時1667号3頁［101］。ただし，災害時の危険についてのみであること，「安全性に対する合理的な疑い」を要求していることに注意を要する〕，水戸市廃棄物処分場差止訴訟控訴審判決〔東京高判平成19・11・29［39］〕，志賀原発運転差止訴訟第1審判決〔金沢地判平成18・3・24判時1930号25頁〕）もみられる（古くは，徳島地判昭和52・10・7判時864号38頁，札幌地判昭和55・10・14判時988号37頁［4］も存在した）。この裁判例は，証明の順序について原告から被告へという流れを示しており，損害賠償について触れた単なる蓋然性説とは趣旨を異にしている。相当程度の立証で足りるのは，証拠の偏在のほか，科学的知見の不明確な状況を生じさせているのがまさに被告であることに基づくものといえよう。

第2グループの裁判例に関しては，(i)被告について，侵害発生の高度の蓋然性がないことを証明すべきである（証明できないと，裁判所としては，侵害発生の高度の蓋然性の存在が認められるものとして扱うのが相当）とするもの（丸森町訴訟決定など）と，(ii)具体的危険性が存在しないことについて，具体的根拠を示し，かつ，必要な資料を提出して反証をすべきである（具体的根拠を示し，かつ反証を尽くさないと，具体的危険の存在を推認される）とするもの（志賀原発運転差止訴訟第1審判決など）に分かれる。

(i)は，被告に本証を求める（立証責任の転換を認める）ものであり，後者は被告に反証のみを求める（事実上の推定を認めるにすぎない）ものである。もっとも，(ii)のように反証を求めるにすぎないとしても，被告が具体的危険性がないことについて反証をしないと具体的危険の存在を推認されてしまうのであり，資料や証拠の偏在（や被告の義務）に相当の重要性を認めていることを指摘できる。

(ウ)　第3に，下級審裁判例においては新たな傾向もみられる。千葉地判平成19・1・31（判時1988号66頁［40］。差止請求認容）は，産業廃棄物処分場の建設・操業に対する差止めの因果関係に関する立証責任の分配について注目すべき考え方を示している。すなわち，「差止めが認められるためには，①有害物質が本件処分場に搬入され，②搬入された有害物質が本件処分場外に流出し，③流出した有害物質が原告らのもとに到達し，④原告らの利益が侵害されるとの各事実が存することが前提となる」が，「証明の公平な分担の見地から，上記②の事実については事業者である被告が立証責任を負う，すなわち，搬入された有害物質が本件処分場外に流出しないことを立証すべきである。他方，上記①，③及び④の事実については……立証責任の一般原則により差止めを求める原告らが，有害物質が本件処分場に搬入されること，本件処分場から流出した有害物質が原告らのもとに到達し，原告らの利益が侵害されることを立証するべきである」とした（控訴審〔東京高判平成21・7・16判時2063号10頁〕は，原判決後の経済基盤の変化等から，原判決の証明責任の分配は維持しつつ，②の蓋然性は存しないものとし，棄却。最高裁〔平成22・9・9〕も上告棄却）。

本判決は，因果関係を分割し，その一部について被告に立証を求めるものであり，前掲新潟水俣病第1次訴訟判決の考え方に類似するが，立証責任の転換をより明確にしたといえよう（なお，水戸地判平成17・7・19〔判時1912号83頁〕は因果関係分割アプローチと相当程度の可能性アプローチを混合したアプローチを採用している。控訴審〔東京高判平成19・11・29〕は第2グループに近い）。支配領域及び法制度・法律上の義務（上記千葉地判，水戸地判）に基づいて立証責任の分配を変える考え方を採用しているといってよい。損害賠償の因果関係について触れた，間接反証説に類似している。

(エ) なお，第4に，やや特殊であるが，「現在の科学的知見に基づいても本件事業［諫早湾干拓事業］により生じた蓋然性が相当程度に立証されているもの」について，被告国が中・長期開門調査を実施しないことは，「もはや立証妨害と同視できると言っても過言ではな」いとし，被告の立証妨害，訴訟上の信義則違反を理由として因果関係の推認をしたものもみられる（諫早湾干拓地潮受堤防撤去等請求事件第1審判決〔佐賀地判平成20・6・27判時2014号3頁〕。判決確定後3年までに5年間堤防の排水門の開門を継続することの請求が認められた‡‡）。

(オ) このように，予防的科学訴訟においては，施設操業開始後の状況を原告が子細に証明することは極めて困難であり，証拠の偏在がまさに重要な問題としてクローズアップされるのであり，下級審裁判例はこれらの3つないし4つの方法で対処しようとしている。民事訴訟における通常の証明の順序を前提とすると，第1グループの裁判例のアプローチよりも第2グループの裁判例のアプローチ（「相当程度の可能性アプローチ」）の方が適切であるとみられる。第3アプローチはこれとは異なる「因果関係分割アプローチ」を採用しているのであり，これは水質汚濁や土壌汚染のように通常の事業活動に伴って徐々に汚染が広がるため，被告の支配領域とそうでない領域が明確に分かれる場合に用いられやすいといえよう。両者は排他的なものではなく，今後裁判例上並立して発展していくものといえよう‡‡‡ ‡‡‡‡。

(カ) なお，因果関係自体の問題ではないが，民事の事前差止訴訟において，――特に，廃棄物処分場の設置・操業をめぐる紛争において，飲用・生活用水にあてるべき適切な質量の水の確保や，生存・健康を損なうことのない水の確保が疑われる場合について――人格権の一種として**平穏生活権**という概念を根拠とすることが認められるようになったこと（前掲丸森町訴訟決定のほか，熊本地決平成7・10・31判時1569号101頁，福岡地田川支決平成10・3・26判時1662号131頁，水戸地麻生支決平成10・9・1など）は，実質的には因果関係の帰着点を前倒しにする機能を果たしている。そこでは，生命・身体に対する侵害の危険が，通常人を基準として，不快感等の精神的苦痛を味わうだけでなく，平穏な生活を侵害していると評価される場合には，人格権の一種としての平穏生活権の侵害として差止請求権が生ずることが判示されている。因果関係の前倒しという効果が認められる点で差止めの重要な根拠を付与するものといえよう。

もっとも，因果関係を前倒しすることは相当異例のことであり，このような結果をもたらすためには，その要件は生命・健康侵害に対する「科学的に不適切とは言えない程度の不安・恐怖感」がある場合に限定されるべきであると考えられる。ここでいう「科学的に不適切とは言えない程度の不安・恐怖感」とは，リスクを確定する必要はないが，科学的にどの程度の範囲のリスクかを鑑定等を用いて分析することによって裁判所が判断することとなろう。

平穏生活権を直接の根拠としていないが，最近，東京地立川支判平成23・12・26判自369号61頁は，エコセメント化施設において，不安感も，原因行為の態様と，不安感の内容，程度によっては，法的保護の対象となるとしつつ，受忍限度内にあるとして差止請求を棄却した。また，福岡地小倉支判平成26・1・30判自384号45頁は，損害賠償請求に関して，東日本大震災により生じた宮城県石巻市の災害廃棄物の受入れ，焼却による健康被害への不安感に基づく国家賠償訴訟において，原告の不安感は抽象的，主観的なものにすぎず，具体的危険性を有するとは認められないとして請求を棄却した。さらに，大阪地判平成28・1・27も，同じく岩手県の災害廃棄物の受け入れについて，生命・身体に害悪が及び又はその蓋然性が生じたとして，人格権・環境権侵害を理由に慰謝料等を求めた事件につき，ICRP（国際放射線防護委員会）の定める年間被ばく線量限度が科学的根拠を欠く不合理なものとは認められないとし，年間1mSv以下の放射線被ばくにより原告らの生命・身体に害悪が及び又はその蓋然性が生じたとはいえず，また，本件事業により原告らの権利・利益が侵害されたとはいえないとした。これらの事案については，何が「科学的に不適切とは言えない程度の不安」かが問題となるといえよう。

(キ)　ちなみに，東京大気汚染訴訟第1審判決は，自動車の排出ガスに関して健康被害を認定しつつ，汚染物質について医学的知見等から十分に証明される差止めの基準値（汚染濃度）を認定しうる証拠はないとして，請求を棄却した。これは差止めの判断にあたり実質的被害についての証明の問題を扱ったものである。尼崎公害訴訟判決が，千葉大調査の自動車排出ガス測定局の数値に達する場合には健康被害が生ずる蓋然性が高いとし，また，名古屋南部公害訴訟判決が，同調査の数値は控え目な数値であり少なくともこの限度で差止めを認めるのが相当であるとしているように，裁判所は，場合によっては鑑定を用いつつ，通常人を基準として蓋然性の高い基準値を見出さなければならないといえよう（→**1**(1)(a)‡〔484 頁〕）。

‡**浜岡原発訴訟判決のアプローチ**　浜岡原発訴訟判決（静岡地判平成 19・10・26）は，被告はまず関連法令の規制に従って原子炉施設の設置，運転がされていることについて主張立証する必要があるとし，被告がその立証をしたときは，原告は，国の諸規制では原子炉施設の安全性が確保されないことを具体的な根拠を示して主張立証すべきであるとする。しかし，これでは，被告の立証は極めて容易であり，証拠の偏在が存在する中で，原告の証明の負担の緩和には全くならない点に問題がある。すなわち，被告の証明すべき対象について，女川判決を嚆矢とする伊方型アプローチには，次の 3 つのバリエーションがあるのであり，このうち，以下の A_1（女川判決）は，原告の立証の緩和を目的とするものといえるが，A_2，A_3 にはそのような目的はなく，単なる行政追随の判決となっているといえよう（大塚直「原発民事差止訴訟の課題――大飯原発控訴審判決」環境法研究〔信山社〕10 号 84 頁）。

A_1：被告の原発（の稼働）に安全性に欠ける点がないこと（相当程度の根拠を示し，かつ，非公開の資料を含む必要な資料を提出したうえで立証すること）。

A_2：（被告の原発〔の稼働〕が）行政基準に適合していること（浜岡原発判決など）

A_3：（被告の原発〔の稼働〕が）行政基準に適合しており，かつ，行政基準（原子力規制委員会の判断）に不合理な過誤がないこと（大飯原発運転差止訴訟控訴審判決〔名古屋高金沢支判平成 30・7・4 判時 2413＝2414 号 71 頁〕，広島高決平成 29・12・13 判時 2357＝2358 号 300 頁など）。

‡‡**諫早湾干拓地潮受堤防撤去等請求事件控訴審判決とその後**　もっとも，物権的請求権に対応する漁業行使権によって正面から開門調査の請求を認めることは，物権的請求権の要件の 1 つである因果関係の証明についての操作をすることにより，その効果として，まさにその要件である因果関係の調査を行わせることとなってしまうとの批判（宮澤俊昭）に対処してか，控訴審判決（福岡高判平成 22・12・6 判時 2102 号 55 頁［73］）は第 1 審（前掲佐賀地判平成 20・6・27）の判断方式を採用していない。高潮に対する防災機能は認められるものの，公益上の必要性はそれほど高くないと判断したのである。同判決は本件事業と漁業被害との間の因果関係について高度の蓋然性を簡単に認定してしまっており（大塚直「判批」判評 632 号 6 頁），開門が漁業被害の回避につながることについての因果関係が検討されていないとの批判もある。なお，同判決は，常時開放を 5 年間の期限付きで認める点は維持しており，その理由として，将来的に，漁業行使権の妨害を回避する措置として常時開放よりも適切なものが発見される可能性があることをあげた。

なお，本判決は開門請求を認容し，国が上告を断念したため，本判決が確定し，それに基づいて間接強制決定を求める申立てがなされ，認容された（佐賀地判平成26・4・11）。他方，諫早湾の干拓地で農業を営む者等により，本判決と矛盾する，開門差止の仮処分が申請され，それが認容され（長崎地決平成25・11・12），この仮処分決定に基づいても間接強制決定が申し立てられた。最高裁はそれら双方の申立てを認容し（最決平成27・1・22判時2252号33頁），「民事訴訟においては当事者の主張立証に基づき裁判所の判断がされ，その効力は当事者にしか及ばないのが原則であるから，当該確定判決により排水門を開放すべき義務を負った債務者が，債権者を異にする別件仮処分決定により同排水門を開放してはならない旨の義務を負ったとしても，間接強制の申立ての許否を判断する執行裁判所としては……当該確定判決に基づき間接強制決定をすることができる」としたため，国は開門をしてもしなくても間接強制金を払い続けなければならない状態が続いた。このような中で本件の紛争を解決するためには，補助参加等による手続的保障のある形で三当事者が一堂に会する手続を踏むことが極めて重要であることが考えられたが，また，農業者等からの福岡高裁判決原告に対する直接請求の必要も指摘されていた（岩橋健定・法教405号63頁）。

その後，諫早湾付近の干拓地で農業を営む者等により，国に対して（本案の）開門差止請求が提起され，長崎地判平成29・4・17判時2353号3頁はこれを一部認容した（国は控訴を取り下げたが，漁業者らはこの訴訟に独立当事者参加の申立てをするとともに控訴を申し立てたところ，福岡高判平成30・3・19はこれを却下し，最決令和元・6・26は上告棄却，上告不受理）。

さらに，国は，福岡高判平成22年の原告に対して，強制執行の不許を求める請求異議訴訟を提起し，佐賀地判平成26・12・12判時2264号85頁はこれを一部認容，一部棄却，一部却下し，国は棄却部分を不服として控訴。福岡高裁は和解を勧告したが，打ち切りとなり，福岡高判平成30・7・30訟月66巻7号772頁はこれを認容した。理由は，本件共同漁業権の存続期間が経過し消滅しており，漁業権から派生する漁業行使権も消滅していることにある。

上告審である最判令和元・9・13判時2434号16頁は，原判決を破棄し，福岡高等裁判所に審理を差し戻した。その理由は，「判示の事情の下では，当該確定判決に係る請求権は，同開門請求権のみならず，同存続期間の末日の翌日に免許された同共同漁業権と同一内容の共同漁業権から派生する漁業行使権に基づく開門請求権をも包含する」としたことにある。もっとも，最高裁は，原審に対し，福岡高裁平成22年の債務名義が特殊な主文を採った暫定的性格を有すること，前訴の口頭弁論終結日から長期間経過していることなどを踏まえ，「前訴の口頭弁論終結後の事情の変動により，本件各確定判決に基づく強制執行が権利の濫用となるか」などの他の異議事由の有無について審理を尽くさせるとしており，ここに最高裁の意図がうかがわれる。

差戻審判決である福岡高判令和4・3・25は，本件各確定判決（佐賀地判平成20・6・27及び福岡高判平成22・12・6）の口頭弁論終結時と比較して，原告らが有する漁業行使権に対する影響の程度は軽減する方向となる一方，潮受堤防の閉切りの防災機能等の公共性等は増大する方向となっており，両者を総合的に考察すれば，現時点において，本件各確定判決で認容された本件各排水門の常時開放請求を，防災上やむを得ない場合を除き常時開放する限度で認めるに足りる程度の違法性を認めることはできないとした。そして，本件各確定判決は，暫定的・仮定的な利益衡量を前提とした上で，期間を限った判断をしているものであり，本争点を判断するに当たっては，前訴の口頭弁論終結後の事情の変動を踏まえて改めて利益衡量を行う必要があるところ，本件各確定判決に基づき，原告らが強制執行を行うことは許されないとした（具体的には，現時点では，排水門を常時開放した場合に生じる防災上の支障は相当に増大したことなどを指摘する）。上記の最高裁判決からはある程度予測できる判断ではあるが，本判決に対しては，従来の判例が，確定判決に基づく強制執行が権利濫用に当たる場合を「債権者の強制執行が，著しく信義誠実の原則に反し，正当な権利行使の名に値しないほど不当なものと認められる場合であることを要する」とした（最判昭和 62・7・16 判時 1260 号 10 頁）ことと整合するか，また，原告らが有する漁業行使権に対する影響の程度は軽減する方向となっているとの判断は適切かなどの問題が指摘されている。福岡高裁が呼びかけた和解協議を実施し，常時開放以外の措置を含めた検討をすることが改めて必要となっているといえよう。

本件のこのような混乱の原因として，次の 3 点をあげることができる。第 1 は，本件干拓事業自体に際しての環境アセスメントが不十分であったことである（環境影響評価法の制定の遅れが関連している）。第 2 に，福岡高判平成 22 年に対して当時の政府が上告しなかったことは，その後の混乱を生む一因になったということはいえよう。第 3 に，この問題は国を被告として各種訴訟が提起されたが，背後に漁業者と農業者の間に利害対立があることが問題を複雑にしたと言えよう。その中で，国は実際には開門に反対であり，漁業者の利益を代弁する訴訟活動はしないため，平成 22 年福岡高判と平成 25 年長崎地決という 2 つの矛盾する判決が出てしまい，混乱を生んだということもできよう。環境法の観点から特に重要なのは第 1 点であるといえる。

***原発差止訴訟**　福島原発事故後，民事の原発差止訴訟が各地で提起されている。第 1 アプローチをとるものが多いが，福井地判平成 26・5・21 判時 2228 号 72 頁［94］（大飯原発運転差止訴訟第 1 審判決――控訴審〔名古屋高金沢支判平成 30・7・4 判時 2413＝2414 号 71 頁〕により取消し・棄却）のように，万一の危険を具体的危険と捉えることによって，第 1，第 2 いずれのアプローチもとらない裁判例も現れている。差止めの違法性判断と規制基準の関係をどのように考えるか，科学的不確実性についてどのように考慮するか（前掲大飯原発運転差止訴訟第 1 審判決と対極的なものとして，福岡高宮崎支決平成 28・4・6 判時 2290 号 90 頁［95］〔川内原発稼働等禁止仮処分申立却下決定に対する即時抗告事件決定〕は，安全性については最新〔現在〕の科学水準を満たしていれば具体的危険についてはそれ以上の安全性は求めるべきでないと割り切った判断をする）が，重要な争点となっているといえよう（大塚直「大飯原発運転差止訴訟第 1 審判決の意義と課題」法教 410 号 84 頁，同「高浜原発再稼働差止仮処分決定及び川内原発再稼働仮処分決定の意義と課題」環境法研究〔信山社〕3 号 41 頁，同「原発の稼働による危険に対する民事差止訴訟について」環境法研究〔信山社〕5 号 91 頁参照）。最新の科学水準を満たしていれば足りるとすることは一見何の問題もないように見えるが，これは，《科学的・技術的不確実性が残されている場合に，それを考慮しなくても，規制基準に不合理な点はないとの結論を導く文言》として用いられていることに留意しな

ければならない（大塚・前掲環境法研究10号77頁）。

広島高決平成29・12・13判時2357＝2358号300頁は，規制委員会の作成した火山ガイドが立地評価に言う火山事象に，限定なく破局的噴火による火砕流を含めていることには疑問があるとしつつ，裁判所の考える社会通念に関する評価と，専門技術的裁量による規制委員会の考え方に乖離がある場合も，原決定（広島地決平成29・3・30判時2357＝2358号160頁）（及び原決定の引用する前掲福岡高裁宮崎支部決定）のように，火山ガイドが考慮すべきと定めた自然災害を限定解釈して判断基準の枠組みを変更することは許されないとし，時限的な差止めを認めた。これに対しては，行政の追随の様相が甚だしく（桑原「判批」環境法研究〔信山社〕10号93頁），また，「社会がどの程度の危険まで容認するか」という問題は，専門技術的判断ではなく，価値判断の問題であるから，裁判所は，社会通念によって判断すべき問題であると指摘されている（山下義昭「判批」判例評論715号6頁。なお，佐賀地判平成30・3・20は，玄海原発の運転差止の仮処分事件において，伊方方式を採用しつつ，火山事象による重大事故発生の具体的危険性は認められないとする）。また，函館地判平成30・3・19は，大間原発の建設運転差止請求について，①新規制基準に不合理な点は認められず，②規制委員会の安全審査が未だなされておらず，具体的危険性を認めるのは困難とした。②については，安全性について規制委員会の判断がないと裁判所は判断できないと言っているに等しく，民事訴訟としての差止訴訟の意義を失わせる判示であるといえよう（この点については，原発以外の専門技術的判断を民事訴訟で扱う場合にも同様の問題が生じることになる）。

‡‡‡‡ **原発の許可取消訴訟**　　行政訴訟であるが，便宜上ここで触れておく。大阪地判令和2・12・4判タ1480号153頁は，原子力規制委員会が行った大飯原発3号機・4号機の発電原子炉の設置変更許可の取消請求を認容した。原発の原子炉設置許可処分を取り消した初めての判決である。基準地震動を策定するに当たり行われた地震モーメントの設定が新規制基準に適合するとした規制委員会の判断に不合理な点があり，同委員会の調査審議及び判断の過程には，看過し難い過誤・欠落があるとしたのである。規制委員会が，実用発電用原子炉及びその附属施設の位置，構造及び設備の基準に関する規則4条3項（当時）に基づく同委員会内規（地震動審査ガイド）に反して，経験式が有するばらつきの考慮の際の検討の不十分さを指摘したものであり，上記の大飯原発運転差止訴訟第1審判決の指摘とも関連する判示である。

➡ 廃棄物処分場をめぐる差止訴訟においては，どのような法律問題が生じているか。
➡ いわゆるリスク訴訟ないし予防的科学訴訟について，民事訴訟に関する下級審裁判例はどのような対応をしているか。

(3) 差止請求の訴訟要件に関する2つの制約

1970年代以降，差止訴訟は増加し，下級審では，公共事業や大規模施設の差止めを認めるものも現れてきた。中でも大阪国際空港訴訟控訴審判決（大阪高判昭和50・11・27判時797号36頁）が空港騒音の差止め（午後9時から翌朝午前7時までの航空機の離着陸の差止め）の請求を認容したことは注目に値する。しかし，1980年代以降，判例において，民事上の差止請求の訴訟要件に関し2つの制約が問題とされるようになった。第1は，行政権の行使との関係での制約，第2は，請求の特定との関係での制約である。

(a) 行政権の行使との関係での制約

(ア) 第1点は，大阪国際空港訴訟上告審判決（最大判昭和56・12・16民集35巻10号1369頁［20］）が，国営空港については，運輸大臣（当時）に「**航空行政権**」（規制権）と，空港（国の営造物）の管理権という2つの権限が帰属しており，両者は，不可分一体的に行使・実現されるとした上で，営造物管理権に関する通常の民事上の請求は，不可避的に運輸大臣の「航空行政権の行使の取消変更ないしその発動を求める請求」を包含することになるとし，原告が行政訴訟によることができるか否かはともかく，民事訴訟としては不適法であるとして，その請求を却下したことに始まる。これに対しては，学説上，強い批判が加えられた。

(イ) また，その後，自衛隊機の騒音の差止請求に関し，その運航に関する防衛庁長官の権限行使は，自衛隊機の運航に不可避的に伴う騒音等について周辺住民の受忍を義務付けるものであり，同権限の行使は周辺住民との関係で「公権力の行使」にあたるとし，差止請求は必然的に防衛庁長官に委ねられた同権限の行使の取消変更等を求める請求を包含するとして同様の結論を示す判決が現れた（厚木基地第1次訴訟上告審判決〔最判平成5・2・25民集47巻2号643頁［21］〕）。これは，批判の強かった，大阪国際空港訴訟判決の「航空行政権論」や「不可分一体論」をとらず，自衛隊機の運航に関する防衛庁長官の権限行使を，周辺住民との関係で直ちに「公権力の行使」にあたるとしたものである。

両判決に対しては，ある作用を個々の行為に分割して公権力の行使か否かを判断する従来の判例・学説の傾向に反するものであり，また，民主国家において処分の直接の相手方以外の第三者に受忍義務を課するためには，それを明示する特別の規定が存在しなければならないなどの反論が行われている。

なお，国道43号線訴訟上告審判決は，大阪国際空港訴訟上告審判決の考え方を採用する余地もなくはなかったが，採用しなかった。その理由は，国道43号線訴訟控訴審判決を見ると，次の点にあったといえる。すなわち，空港の差止請求では，空港の供用や航空機の離発着の差止めの請求であり，公権力の発動によることを要する方法しか考えにくかったのに対し，道路の差止請求では，騒音等を一定の基準以下に引き下げることが求められているが，そのための方法は特定されておらず，道路管理者に交通規制のような公権力の発動によることを要する方法のみでなく，道路管理者による騒音等を遮断する物的設備の設置等の事実行為も想定できるため，原告らは，公権力の発動を求めるものではないと解されたからである（宇賀）。

➡ 大阪国際空港訴訟，厚木基地訴訟，国道43号線訴訟の各最高裁判決を比較論評せよ。

(ウ) その後，厚木基地に離着陸する航空機（自衛隊機及び米軍機）の発する騒音により被害を受けているとする周辺住民が，国に対して，主位的に，抗告訴訟（差止訴訟及び無名抗告訴訟）として自衛隊機の運航差止及び米軍機の基地使用差止を求め，予備的に，公法上の当事者訴訟として，騒音規制を求める給付訴訟，これと同等の効果をもたらす被告国の義務の存在確認又は原告の騒音受忍義務の不存在確認を求める訴訟を提起した事件に関して，厚木基地第4次訴訟第1審判決（横浜地判平成26・5・21判時2277号123頁）は，自衛隊機の運航差止の訴えに限り，無名抗告訴訟としてこれを適法な訴えとし，夜間に限り，また防衛出動等防衛大臣がやむを得ないと認める場合を除き，差止を認めた（一部認容）。これに対して，同控訴審判決（東京高判平成27・7・30判時2277号13頁）は，①自衛隊機に対する抗告訴訟（差止訴訟）について，一定期間の差止を認容し（その余の請求は棄却），原審と異なり法定の抗告訴訟を認めた（同時に提起された民事訴訟については，後述する）。差止の拘束力について，厚木飛行場に駐留する米軍は平成29年頃に岩国に移駐することが決定されているため，平成28年末までの夜間における自衛隊機の運航の差止めを認めた。②米軍機に対する差止請求は，行政処分が存在しないとして却下した。③自衛隊機に対する公法上の当事者訴訟（給付訴訟）は，具体的な法律の規定がない（自衛隊法107条5項参照）以上，給付を求める権利を付与したとは解されないとし，却下した。④米軍機に対する公法上の当事者訴訟に関しては，（給付請求については）被告国の支配の及ばない第三者の行為の差止を請求するものであり主張自体失当として棄却し，（確認訴訟については）確認の利益を欠くとして却下した。

控訴審判決は，①について事実行為としての自衛隊の運行処分を行政処分とする考え方を採用している点が，原判決と異なる。すなわち，──両判決とも，厚木基地第1次訴訟上告審判決（前掲最判平成5・2・25）に沿い，自衛隊機の運航処分が周辺住民との関係で公権力の行使にあたると解するのであるが──，原判決が──同処分が不特定多数の者に対する継続的事実行為であること，その違法性判断が種々の要素を比較検討して定まることなどから──法定差止訴訟が想定する「一定の処分」を観念することはできないとしたのに対し，控訴審判決は，不特定多数の者に継続してなされる事実行為であっても「行政処分の一定性」に欠けるところはなく，審判の対象としての明確性という点でも請求の特定に欠けるものではないとして，法定差止訴訟の対象となるとしたのである。また，控訴審判決は，自衛隊機運航処分により「重大な損害を生ずるおそれ」があるとした。そして，本案審理においては，自衛隊機運航処分は羈束行為ではなく，裁量行為であるとし，防衛活動の重要性は否定できないものの，その全部に緊急性が認められるわけではないとし，特に健康維持のため睡眠の必要から，夜間の運行は，客観的にやむを得ない事由（防衛出動等）がある場合を除き，自衛隊機を運航させてはならないと判断した。

最高裁は，原判決の被告敗訴部分を破棄自判した（原告らの上告を棄却し，被告の上告に基づき，原判決中，被告敗訴部分を破棄し，同部分につき，第1審判決を取り消した上，原告らの主位的請求をいずれも棄却し，同部分に係る原告らの予備的請求に係る訴えをいずれも却下した）（最判平成28・12・8民集70巻8号1833頁［24］）。その主要点は以下の3点である。

①行政差止訴訟の訴訟要件（行訴法37条の4第1項）としての「重大な損害を生ずるおそれ」及び補充性要件について，原告らは睡眠妨害や精神的苦痛を反復継続的に受けていること，「このような被害は事後的にその違法性を争う取消訴訟等による救済になじまない」ことから，これらの要件を満たすとした。

②行訴法37条の4第5項は，裁量処分に関して「個々の事案ごとの具体的な事実関係の下で，当該処分をすることが当該行政庁の裁量権の範囲を超え又はその濫用となることを認められることを差止の要件とする」とする。そして，自衛隊法の規定（8条，107条1項）をあげた上で，防衛大臣の権限行使に当たっては「高度の政策的，専門技術的判断を要すること」からその広範な裁量に委ねられているとし，「裁量権の範囲を超え又はその濫用となると認められる」か否かについては，「同権限の行使が……社会通念に照らし著しく妥当性を欠くと認められるか否かという観点から審査を行うのが相当であり，その検討に当たっては……当該飛行場における自衛隊機の運航の目的等に照らした公共性や公益性の有無及び程度，上記の自衛隊機の運航による騒音により周辺住民に生ずる被害の性質及び程度，当該被害を軽減するための措置の有無や内容等を総合考慮すべき」であるとした。

③そして，「自衛隊機の運航には高度の公共性，公益性があるものと認められ，他方で，本件飛行場における航空機騒音により第1審原告らに生ずる被害は軽視することができないものの，周辺住民に生ずる被害を軽減するため，自衛隊機の運航に係る自主規制や周辺対策事業の実施など相応の対策措置が講じられているのであって，これらの事情を総合考慮すれば，本件飛行場において，将来にわたり上記の自衛隊機の運航が行われることが，社会通念に照らし著しく妥当性を欠くものと認めるのは困難である」としたのである。

本判決は，本件訴訟を法定の差止訴訟とした構成したうえで，本案審理の要件については，高度の政策的・専門技術的な判断に伴う防衛大臣の広範な裁量を認めつつ，裁量権の逸脱濫用に当たるかを判断するとし，その際，防衛大臣が自主規制等の被害軽減対策措置をとったことを重視しつつ，総合考慮により，社会観念審査をすることとした。原判決との判断の相違の理由は，第1に，総合考慮の際，原判決は，受忍限度超過が一律に裁量権の逸脱濫用に当たるとは言えないが，緊急性の認められない時間帯の自衛隊機運航処分については，被害が行政目的と対比して過大であるとしたのに対し，本判決は，被害軽減対策措置をとったことを重視して，社会通念に照らして著しく妥当性を欠くとは言えないとしたことである（小池補足意見は，損害賠償の支払いも上記対策の一環として捉えているとみられる）。第2に，対応措置をとってもその効果が不十分な場合について，原判決は，被害を重視しつつ，運航処分があるものについても運行目的との関係で差別化をしたのに対し，最高裁は，被害と公共性の優劣について言及することなく，公共性を重視した判断をしたといえよう。

本判決に関しては次の5点を指摘しておきたい。

第1に，自衛隊機の離発着差止訴訟において，処分性について考え方を明示せずに認める結果となっており（「自衛隊機の運航に係る防衛大臣の権限の行使」というのみである。この点の上告受理申立ては排除された。なお，小池補足意見は，「自衛隊機の離発着に係る運航を行政処分……と捉えると」とする），この点には問題があるとともに，より重要なのは，処分の要件を法令中に見出すことができない中で，法令の根拠なく，第三者に対して受忍義務を課することの問題（厚木基地第1次訴訟最判の問題）が依然として維持されてしまったことである。この点は無名抗告訴訟とする第1審判決の方が望ましかったといえよう。さらに，（後記第3点とも関連するが）民事差止訴訟を不適法とする厚木基地第1次訴訟最判以来の判断が，自衛隊機離発着差止訴訟以外の分野に拡大しないことが望まれるところである。

第2に，行政差止訴訟の「重大な損害を生ずるおそれ」の要件の判断の際に，原判決は処分の公共性・公益性を考慮していたが，本判決はこの場面では明示的に言及しない。処分の違法性について本案審理に入るか否かを決する場面で公共性・公益性を考慮する必要は乏しく（島村健「判批」新・判例解説 Watch 環境法 No. 67），妥当な判断であると思われる。

第3に，民事差止訴訟と（法定差止としての）行政差止訴訟の相違が，行政裁量に関する判断枠組を用いるか否かであることが改めて明らかになったといえよう。民事差止訴訟である国道43号線差止訴訟上告審判決では，枠組上，被害と公共性を（いわば同等に）衡量しているが，行政差止訴訟である本判決は，裁量権の逸脱濫用にあたるか（著しい逸脱濫用にあたるか）を判断することになり，本判決は「広範な裁量」を認めた結果，原則として公共性を優先する枠組となったといえよう（この枠組の下でも，対抗利益としての毀損される「生活の質」との衡量を行うべきであったとの見解として，島村・前掲。また，受忍限度を超えた騒音を伴う自衛隊機の運航は，行訴法上も違法となるとするものとし，本判決の公共性についての「抽象的で一括した判断方法」を批判するものとして，大久保規子「判批」環境と公害46巻4号65頁）。本判決が睡眠妨害等を認定しつつも，公共性を重視したことには問題がある（他方，健康被害を本判決は明示的には認めてはいない）。民事差止に関しては，国道43号線訴訟最判が踏まえつつ，尼崎訴訟判決や名古屋南部訴訟判決において，健康被害（の高度の蓋然性）があれば公共性があっても差し止められることが打ち出されたが，行政差止訴訟に関しては，上記の判断枠組の下で行政庁の広範な裁量を前提とすると，このような判断に至ることは事実上困難かもしれない。なお，行政差止訴訟による場合，自衛隊機の運航禁止以外の方法での騒音軽減措置を防衛大臣にとらせることはできず，この点では民事訴訟や当事者訴訟による方が適切であるとの指摘もなされている（西田幸介「判批」環境法研究10号53頁）。

第4に，事実認定に関わる問題であるが，本件事件における騒音について，原判決が自衛隊機の騒音が与える影響は大きいとしたのに対し，本判決は，航空機騒音の多くは米軍機の発するものであるとし，自衛隊機の夜間発着回数が限定的になっていることに言及した。（一般論との関係はないが）このような事実についての認識が，本判決の具体的事案の解決に影響を与えている可能性はあろう（大久保・前掲参照）。

第5に，本判決が行政庁のした被害対策措置（及びその費用）を重視したことについては，効果が十分上がっていないため「なぜ考慮（ないし重視）されるのか判然としない」との批判があり（大久保・前掲，島村・前掲），支持するが，他方，今後の被害対策措置の充実につながる可能性はあるといえよう。

なお，最高裁は，民事損害賠償事件の判決で，将来の損害賠償については，2016年末までに期間を限ってこれを認容した本件民事訴訟の原判決（東京高判平成27・7・30判時2277号84頁）を，原告が立証責任を負うべきこと等を理由として破棄した（最判平成28・12・8判時2325号37頁）。原判決は2017年頃にアメリカ海軍空母航空団が岩国に移駐することが予定されていたことを踏まえたものであったが（実際，その後基本的には移駐された），最高裁は，口頭弁論終結の翌日以降の分の請求権の成立要件の証明責任は原告にあり，このような請求は請求権としての適格を有しないとした。将来の騒音の発生等が継続することが相当程度の蓋然性をもって認められるとしても，この判断を左右するに足りないとすること（小池裕補足意見）を示したものであるが，疑問である。

ちなみに，一審判決のように無名抗告訴訟とするのと控訴審判決や最高裁判決のように法定差止訴訟とするのとではどのような相違があるだろうか。ともに公権力の行使の仕方が違法であったかを判断するものであるが，第1に，無名抗告訴訟とする方が原判決のように民事差止訴訟と類似の判断方法を採りやすいのに対し，法定差止訴訟とするときは，当然，裁量権の逸脱か否かを正面から判断することになること，第2に，法定差止訴訟であれば仮の差止が可能であることが異なるといえよう。

(b) 請求の特定の関係での制約

第2点は，原告が自己の居住地に一定程度（例えば65ホン）以上の騒音や一定濃度以上の汚染物質を侵入させないことを求める，いわゆる抽象的差止請求（抽象的不作為請求）は適法かという問題である。この点に関しては，古くは，強制執行が不可能であるとの理由でこれを否定し不適法とするものがあったが（名古屋高判昭和43・5・23下民19巻5＝6号317頁〔傍論〕），これについては，**間接強制**によれば足りると考えられた（名古屋新幹線訴訟第1審判決〔名古屋地判昭和55・9・11判時976号40頁〕，同控訴審判決〔名古屋高判昭和60・4・12下民34巻1～4号461頁［27］〕）。しかし，その後，判決手続における訴訟要件や本案の審理及び被告の防御権行使のために請求の特定が要請されるとの観点からこれを否定するものが再度有力になった（国道43号線訴訟第1審判決〔神戸地判昭和61・7・17判時1203号1頁〕，千葉川鉄公害訴訟判決，西淀川公害第1次訴訟判決など）。

これに対し，単一汚染源の騒音に関してではあるが，近時，最高裁がこれを適法としたことが注目される（横田基地第1，2次訴訟上告審判決〔最判平成5・2・25訟月40巻3号441頁［22］。もっとも，その理由づけは明らかでない〕）。また，自動車の排出ガスによる大気汚染に関し国道43号線訴訟控訴審判決もこれを肯定し，同上告審判決も，黙示的にこの種の差止請求を適法と判断したとみられる（大塚直「判批」環境法判例百選〈第3版〉59頁参照。なお，西淀川公害第2～4次訴訟判決，尼崎公害訴訟判決も一般論としてこれを肯定する）。

もっとも，特に，都市型複合汚染について，汚染物質の排出源は被告以外にも存在しており，被告の排出物質と被告以外の排出物質を区別することができないこと（排出源の区別の困難さ）から，抽象的差止請求では訴訟物が特定しているとはいえないとか（川崎公害第1次訴訟判決。なお，千葉川鉄公害訴訟判決），この種の汚染に関して，連帯的差止めが許容される場合以外について，このような抽象的差止請求では，個別主体に第三者の行為を踏まえた措置を命ずることになり，自己の行為限度を超える過大な義務を負わせる場合があるから，個別の主体が主要な汚染源でない限り，適法であるとはいえないなどとするもの（西淀川公害第2〜4次訴訟判決。ただし，当該事件では，道路端から150 m以内に居住する住民については，発生源が主要汚染源であるため，訴えは適法であるとする）が存在することも忘れてはならない（差止めを肯定した尼崎公害訴訟判決，名古屋南部公害訴訟判決は，この点に直接には触れていない。しかし，少なくとも尼崎公害訴訟判決は，西淀川公害第2〜4次訴訟判決と同様の考え方をとったものと解される。すなわち，尼崎公害訴訟判決は，沿道住民にとっては，被告国及び公団が主要汚染源であり，両者は連帯的関係に立つものと判断したとみられるのである。なお，名古屋南部公害訴訟判決も，沿道住民にとっては，被告国が主要汚染源であると解したとみることができる)。

一方，学説上は，抽象的差止請求を適法であるとするものが有力である。その根拠は，次の点にある。すなわち，①原告は通常，科学的知識に乏しく，有効な防止措置を確知することができないのに対し，被告は防止措置を決める上での資料や情報を握っていることである。②そして，これを実体法の解釈に反映させ，被害者は防止結果にのみ利害関係を有するにすぎないのに対し，加害者はとるべき措置の選択に最も利害関係を有するのであり，加害者には，措置についての**選択権**が与えられることを根拠とするものもある（松本博之。西淀川公害第2〜4次訴訟判決は，この2点を根拠とし，一般論としてこの種の請求を適法とする)。

そして，裁判手続との関係では，提訴時には一応の目安としての特定で足り，原告は被告の防禦反応や訴訟の審理の推移を見ながらそれを適宜変更することが許され，また，裁判所も釈明による変更を促すことができるというように，訴訟物を機能的・段階的に捉える学説が多く（松浦馨。なお，訴訟を紛争解決の中間点にすぎないとする立場から，特定基準の緩和を主張するものとして，井上治典。また，同様の観点から，公共的差止訴訟について「二段階的裁判手続」の導入が望ましいとするものとして，川嶋四郎)，提訴時には，「被告は…原告に〜の損害を与える行為をしてはならない」というような権利侵害の発生源と侵害結果による特定で足りるとするものが有力である(竹下守夫，川嶋四郎)。

このように，上述の①，②の点を根拠として，抽象的差止請求を適法と解すべきであろう。②の点については，差止めの根拠とされる物権的請求権，人格権，又は不法行為請求権が実体法上，相手方に対する不作為請求をも包含していることから，とられるべき措置について被告の選択義務を認めることができる（淡路)。そうすると，このような請求も，被告の防御の対象が特定されていないとはいえないと解される。さらに，一部の下級審判決が指摘するように，判決手続における審理や被告の防御権の行使のために請求の特定が要請される面はあろうが，訴訟を段階的・機能的に考える最近の学説に従えば，訴えの提起時の特定性を緩やかに解しても，この点の不都合はないものと考えられる（なお，強制執行は間接強制により，それが不奏効の場合には，将来のための適当な処分又は代替執行をとるべきである）。

ところで，**汚染源が複数の場合**（特に都市型大気汚染の場合）には，前述のように，被告以外の加害者による排出物質との区別の困難さのため，上述したところとは別の問題が存在する。しかし，実際の裁判例（西淀川公害第1次訴訟判決，川崎公害第1次訴訟判決，西淀川公害第2～4次訴訟判決，川崎公害第2～4次訴訟判決）では，損害賠償との関係で，被告ら全体の寄与度による因果関係の割合的認定が行われており，この点をどの程度重視すべきかは問題である。さらに，汚染源が複数の場合に，他の汚染源から排出されるものを含めた目標値のみを示して個別主体に対して差止めを命ずるときは，個別主体に自己の行為限度を超えた過大な義務を負わせるおそれがあるとの問題も指摘されているが（西淀川公害第2～4次訴訟判決），この場合には，後述のように，一律の削減率を決定的要因とすればよく，このように解すれば，汚染源が複数の場合においても，訴訟物の特定は可能であるし，個々の主体に自己の行為の限度を超えた過大な義務を課することはないと思われる。

⑷　環境保護団体等の当事者適格

環境権訴訟において，原告が自己の環境権を主張するのでなく，地域住民を代表して環境権を主張するときは，環境権の実体法上の扱いだけでなく，訴訟要件としての当事者適格の問題が生ずる。海域を埋め立て，火力発電所の建設・操業を行った電力会社に対して操業差止等を求めた豊前火力発電所事件において最高裁はこの点を取り上げ，原告らの「本件訴訟追行は……法定訴訟担当の場合に該当しないのみならず……任意的訴訟担当の場合にも該当しないのであるから，自己の固有の請求権によらずに……地域住民の代表として……差止等請求訴訟を追行しうる資格に欠ける」と判示した（最判昭和60・12・20判時1181号77頁［6］）。

学説上このような場合に当事者適格を認める論拠として，いわゆる紛争管理権説が主張されてきた（伊藤眞『民事訴訟の当事者』90頁以下）。紛争管理権とは，当該利益を巡る紛争に関して，訴訟提起前に重要な解決行動を行った者を紛争管理権者として，当該利益の帰属主体であるかどうかにかかわりなく，その者に当事者適格を認めるものである。上記最判は，「法律上の規定ないし当事者からの授権なくして右第三者が訴訟追行権を取得するとする根拠に乏し（い）」とした。

紛争管理権説は民事訴訟法学界では評価されているものの，訴訟物である権利義務の帰属と関係なく当事者適格を考えてよいか，紛争管理権者を当事者とする判決の効力が権利義務の主体に対して不利に及ぶことをどう考えるかなどの批判も示されている。そこで紛争管理権論の主張者は，見解を修正し，任意的訴訟担当の中に紛争管理権説を組み込む立場を表明されている（伊藤眞「紛争管理権再論」竜嵜喜助還暦記念『紛争処理と正義』203頁）。この立場によれば，環境保護団体に当事者適格が認められるためには，同団体が環境利益の帰属主体である住民を中心として組織されていること，構成員たる住民から環境利益保護のために裁判上裁判外の手段を執ることが授権されていること，当該団体が住民の環境利益の保護のために継続的に関わっていること等が必要である（伊藤眞「判解」環境法判例百選〈第2版〉25頁）。

重要な議論であり，環境に関して一種の「関与」に基づいて（実体法上の）法的利益を導き出す議論（大塚「環境訴訟における保護法益の主観性と公共性――序説」法時82巻10号116頁）とも通底するところがあるが，この種の授権が認定されることは残念ながらきわめて少ないであろう。他方，紛争管理権説は立法論としての団体訴訟の導入の基礎となることについても注目すべきである。

なお，――環境権を認めるか否かに関連するが――豊前火力発電所事件における原告は地域住民であるから自己の環境権を主張すれば，当事者適格の問題を生じさせずに済んだとも考えられる。むしろ，紛争管理権が真に問題となるのは環境保護団体が訴訟を提起する場合であることに注意されたい（なお，大塚直＝川嶋四郎＝加藤新太郎「損害賠償と差止め」鎌田薫ほか『民事法Ⅲ』350頁以下参照）。

⑸　複数汚染源の差止め

今後の重要な問題として注目すべきなのが，複数汚染源の差止めである。これに関しては，裁判例上は，傍論として，汚染源の主体相互間に主一従の関係や密接な関係があるなどの場合につき連帯差止請求が許容されるとし，それ以外の場合については，個別の主体が主要な汚染源といえない限り，差止請求は不適法であるとした西淀川公害第2～4次訴訟判決がみられるのみである（尼崎公害訴訟判決はこの点に直接触れないが，同趣旨とみられる）。

学説上は，(i)**個別的差止説**，(ii)**分割的差止説**（澤井），(iii)**連帯的差止説**（牛山積，淡路）が分かれ，このほか，連帯的差止説における狙い撃ち的差止めを避けるため，請求を受けた被告は，他の汚染源を共同被告として当該訴訟に引き込み，その寄与度が明らかになれば，その分だけ最初の被告の責任は減縮するという(iv)引込説（霜島甲一）が存在する。

このうち，(i)は，公害発生源がそれぞれ受忍限度を越えるような侵害をしていない限り，個々の侵害に対して差止めを請求しえないとするものであるが，これによると，微量な有害物質の排出が集積して被害を発生させる場合には被害者の救済が不可能となるため，今日では支持されていない。また，(iv)引込説については，原告の了解なしに，被告の数を増やして訴訟の遅延を導いてよいかという疑問がある(澤井)。

今日，争われているのは(ii)か(iii)かである。(ii)は，汚染源である複数企業を被告として汚染を差止基準以下にせよと請求することを認めるが，各企業は，自己の寄与度を主張・立証すれば，その割合に応じた責任を負うにとどまるとし，(iii)は，複数汚染源からの排出物によって差止基準を超える被害が発生している場合には，各汚染源を狙い撃ちすることも共同して訴えることも認め，汚染をそれ以下にすることを請求できるとするものである。(iii)には，民法719条の準用ないし類推適用を根拠とするもの（牛山，淡路），憲法上の自由権，生存権，刑法・民法上の正当防衛，緊急避難的側面から説明するもの（木村保男＝東畠敏明＝坂和章平）があるが，後者は法解釈論としては説得力に乏しいであろう。

注目されるのは，(ii)の提唱者の中に，差止めの場合には，実際には，現実の汚染濃度と閾値をもとに各被告について一律の削減率を決定すればよく，損害賠償のように被告の反証等は問題とならず，また，寄与度も問題とならないと指摘するものがあることである（澤井）。すなわち，例えば，原告に隣接しており，着地濃度寄与度が50%に達するAと，原告から離れているため，着地濃度寄与度が10%のBとがあり，原告居住地が適法レベル濃度の2倍にまで汚染されている場合には，特段の事情のない限り，各社の排出量をそれぞれ半減しなければ目的を達しえないので，結局，A，Bの寄与度とは無関係に，削減率のみが決定的ファクターとなるというのである。これについては，細かくは，汚染物質の排出量と汚染濃度とが正比例の関係に立つかという問題はあろうが（牛山），この点は裁判の認定においても一応のところで満足するほかはなく，基本的に，この見解が妥当であると考えられる。

他方，719条の類推適用を根拠とする(iii)連帯的差止説の下では，通常，各被告の責任が自己の排出量をゼロにするところまでを限度として連帯責任を負うものと解されており（淡路），その限りで被告に不可能なことを命ずるわけではない。しかし，この説によると，狙い撃ちされた企業は，一時的又は永久に他企業の汚染まで自らの責任として操業停止に追い込まれることがありうるが，果たしてこれは妥当であろうか（澤井）。この点については，執行の方法を間接強制とするのであれば，結局金銭の問題となろうが，狙い撃ちされた企業は，差止めをしない限り，未来永劫にわたり金銭の支払いを義務付けられる点で，通常の金銭賠償における連帯責任とは相違があるといえよう。

このように考えると，連帯的差止めを安易に認めることはできないと考えざるをえない。結局，(ii)分割的差止説をとりつつ，前述のように，複数汚染源による汚染を差止基準以下にするため，各被告が一律の削減率を達成するよう命ずる方法をとるほかあるまい。これについては，訴訟の遅延をもたらすとの批判もあるが（牛山），一律の削減率を課するのであるからそのおそれはないといえよう。そして，この考え方によれば，西淀川公害第2～4次訴訟判決におけるような原告の抽象的差止請求を不適法とする場面は生じなくなるといえるのである（なお，尼崎公害訴訟判決は，バックグラウンド濃度の測定をなしうることを詳述するが，バックグラウンド濃度と測定値との差が微小であった場合でも，一定の基準を超えていれば被告に差止めを認めることになるかという問題は論じていない。この点については，本文に述べた議論を展開するのが望ましいと考える）。

11-2　行政訴訟

1　総　説

(1)　序

国等が環境問題で訴訟を提起されるケースは，規制を受ける事業者（規制対象者）が規制その他の行政措置が厳しすぎるのを不服として提起するものと，住民等の第三者が行政庁の措置が不十分であるとして提起するものに分かれる。

規制対象者からのものは，行政庁に対する不服申立て（行政不服審査法による）及び，裁判所に対する行政訴訟の提起（行政事件訴訟法による）である（例えば，大防法14条1項の都道府県知事による改善命令に対してこれらが提起されうる）。

他方，環境保護の必要から，今日，環境問題に関する行政訴訟の中心的位置を占めるのは第三者による訴訟であるが，これは，

(i)　行政庁が事業者に対して許認可等を与え，事業者がそれに基づいて事業活動を行ったため，周辺の環境が悪化し，また住民らに損害が発生した場合，

①許認可等の処分又は裁決をした行政庁が所属する行政主体（国又は公共団体）に対して，処分もしくは裁決の取消しを請求する（取消訴訟）か又は，処分もしくは裁決の存否又はその効力の有無の確認を請求する（無効等確認訴訟），

②国又は公共団体に対して，損害賠償を請求する（国家賠償訴訟。国賠法1条）

(ii)　行政庁が事業者に対して許認可等の処分又は裁決をすべきでないにもかかわらずこれがされようとしている場合に，

③許認可等の処分又は裁決をしようとする行政庁が所属する行政主体（国又は公

共団体）に対して，差止めを請求する（差止訴訟），

(iii) 国又は公共団体が与えられた規制権限を行使しない場合に，

④国又は公共団体に対し，不作為の違法確認を請求する（不作為の違法確認訴訟），

⑤許認可等の処分又は裁決をすべき行政庁が所属する行政主体（国又は公共団体）に対して，その履行を判決で義務付け（義務付け訴訟），

⑥国又は公共団体に対し，規制権限の不行使によって住民らに生じた損害の賠償を請求する（国家賠償訴訟。国賠法１条），

(iv) 国又は公共団体の施設の設置・管理に瑕疵があったときに，国又は公共団体に対し，

⑦それによって生じた損害の賠償を請求する（国家賠償訴訟。国賠法２条）

ことなどに分かれる。

①，③，④，⑤は環境行政訴訟である。他方，②，⑥，⑦は国家賠償法による損害賠償請求であり，形式上は民事訴訟である。通常の環境行政訴訟のほか，国家賠償訴訟のうち②，⑥は許認可や規制権限と関わる問題であり，ここで扱う。なお，⑦は民事訴訟の中で触れた。国家賠償法２条の営造物責任は性質上，民法717条に親近性があるが，すでに触れたように，判例上は，709条の下での受忍限度論と同様の判断構造を用いていることに注意されたい。

環境行政訴訟には，主観訴訟（個人の権利保護を主たる目的とする訴訟）としての抗告訴訟（行政庁の公権力の行使に関する不服の訴訟。行政事件訴訟法〔以下，条文引用の際には「行訴法」と略す〕3条。取消訴訟，無効等確認訴訟，不作為の違法確認訴訟，義務付け訴訟，差止訴訟など）と，客観訴訟（法秩序全体の保護を主たる目的とする訴訟）としての住民訴訟（地方自治法242条の2）がある。

裁判においては，訴訟要件の審理と本案審理が区分されるが，行政訴訟では，民事訴訟に比べて，訴訟要件が厳格に規定されているため，この点が重要な争点となってきた。訴訟要件とは，原告の請求の当否に関する本案審理を行うための前提であり，訴訟要件を欠く訴えは不適法として却下され，いわば門前払いをされることになる。

(2) 2004年行政事件訴訟法改正

2004年の同法の改正により，①原告適格についての規定の追加，②義務付け訴訟・差止め訴訟の法定，③確認訴訟について当事者訴訟の一類型として明示，④抗告訴訟の被告適格の簡明化（行政庁から行政庁の所属する国又は地方公共団体に改められた），⑤執行停止要件の緩和，⑥仮の義務付け・仮の差止訴訟の法定などが行われた（→3〔549頁〕。詳しくは，行政法の文献に委ねる）。改正のキーワードは「国民の権

利利益の実効的救済」であったといわれ（塩野宏），従来の「取消訴訟中心主義」は否定された。後述する処分性の要件については堅持されたが，原告適格については従来よりも柔軟に解釈される可能性を開いたものといえる。

以下では，従来判例が最も多く蓄積されている取消訴訟を中心とし，取消訴訟以外の抗告訴訟（その中で，実質的当事者訴訟についても一言する），住民訴訟についても若干取り上げることにしたい（なお，環境影響評価をめぐる行政訴訟については→**12-1**〔580頁〕）。

2　取消訴訟

(1)　要件審理

取消訴訟の訴訟要件としては，**処分性**，**原告適格**，**訴えの利益**の3つが重要である。以下，これらについて触れることにする。

(a)　処 分 性

取消訴訟の対象は，「行政庁の処分その他公権力の行使に当たる行為」（行訴法3条2項）であるとされている（**処分性**）。この点は，2004年の行政事件訴訟法改正では，修正されていない。

(ア)　従来の判例・通説

従来の判例・通説は，抗告訴訟の対象となる行政庁の処分とは，「行政庁の法令に基づく行為の全てを意味するものではなく，公権力の主体たる国または公共団体が行う行為のうち，その行為によって，直接国民の権利義務を形成しまたはその範囲を確定することが法律上認められているもの」である（最判昭和39・10・29民集18巻8号1809頁）としてきた。

これによれば，第1に，行政庁が**公権力の行使**として，直接国民の権利義務を形成し，又はその範囲を確定する行為（権力的行為。行政行為）でなければならないのであり，行政指導‡，通達，告示‡‡，通知‡‡‡は一般的にはこれにあたらない。公団等の政府関係機関に対する工事実施計画の認可についても，行政組織の内部行為として処分性を否定された例がある（成田新幹線訴訟判決〔最判昭和53・12・8民集32巻9号1617頁〕）。また，行政機関の行う土木事業の実施は事実行為にすぎず，処分性は否定される（ごみ焼却場の建設に係る東京都の一連の行為に関して，設置行為自体については事実行為とする原判決〔東京高判昭和36・12・14〕を維持し，設置を計画し，その計画案を都議会に提出した行為は内部的手続行為にとどまるとし，ともに処分性を否定したものとして，前掲最判昭和39・10・29‡‡‡‡）。

第2に，**紛争の成熟性**が要請され，一連の行政過程を形成する行政庁の行為のうち，当事者の権利義務を決定する最終段階の行為でないと，処分性は認められない。行政計画（都市計画）の決定・変更は権力的行為ではあるが，例えば土地区画整理事業計画について，最高裁は，事業計画は抽象的で利害関係者の権利変動の内容を確定していない青写真にすぎず（いわゆる「青写真論」），具体的な権利変動の生じない事業計画の決定の段階では事件の成熟性がない（一連のプロセスの途中経過にすぎないという「後続行為論」）として，処分性を否定していた（最大判昭和41・2・23民集20巻2号271頁）。

(イ)　有力説及び近時の判例

第1点（**公権力の行使**）については，公権力の行使にあたらない行為であっても，それによって国民が一方的に実質的な不利益を受け，又は受けるおそれがあって，民事訴訟その他の手段では容易に救済が認められない場合には，取消訴訟の提起を許容すべきであるとの学説が主張されてきた（杉村敏正＝兼子仁，原田尚彦）。このような場面で民事訴訟による救済ルートが開かれていないケースもあり，取消訴訟の処分性の弾力的・拡張的解釈が望まれるところである。

第2点（**紛争の成熟性**）については，中間段階における取消しを認めないと，既成事実化してしまい取返しがつかなくなる場合があるとの批判が学説上強く主張されてきたところである（原田）。財産行為と異なり，環境はいったん破壊されると復元が困難であることから，時宜を得た司法的解決の機会を逸しないよう，事件に応じて計画など中間段階での救済も柔軟に認めていくべきである。

近時，最高裁は，上記の最大判昭和41年と同様の事案について判例を変更した（浜松市土地区画整理事業事件〔最大判平成20・9・10民集62巻8号2029頁［65］〕）。すなわち――，

①「事業計画が決定されると，当該土地区画整理事業の施行によって施行地区内の宅地所有者等の権利にいかなる影響が及ぶかについて，一定の限度で具体的に予測することが可能にな」るとし，施行地区内の宅地所有者等は，事業計画の決定がされることによって，土地区画整理事業の手続に従って換地処分を受けるべき地位に立たされるものということができ，その意味で，その法的地位に直接的な影響が生ずるものというべきである。

②また，換地処分を受けた宅地所有者等は，当該換地処分等を対象として取消訴訟を提起することができるが，換地処分等がされた段階では，実質上，すでに工事等も進捗しており，その時点で事業計画の違法性を理由として当該換地処分等を取り消した場合には，事業全体に著しい混乱をもたらすことになりかねないため，事情判決（行訴法31条）がされる可能性が相当程度あるのであり，「換地処分等がさ

れた段階で……権利侵害に対する救済が十分に果たされるとはいい難い」。

③そして，「市町村の施行に係る土地区画整理事業の事業計画の決定は，施行地区内の宅地所有者等の法的地位に変動をもたらすものであって」，「実効的な権利救済を図るという観点から見ても，これを対象とした抗告訴訟の提起を認めるのが合理的である」。

①は最大判昭和 41・2・23 の「青写真論」を，②は同判決の「後続行為論」を否定したものである。このような判例変更にもかかわらず，上記の「行政庁の処分」の一般的な判断基準については変更はなく，ただ，この基準を「実効的な権利救済を図るという観点から……柔軟に解したもの」と理解されている（『最高裁判所判例解説民事篇平成 20 年度』444 頁［増田稔］）。

なお，ほかにも，都市計画法に基づく都市計画事業認可（最大判平成 17・12・7 民集 59 巻 10 号 2645 頁［28］），市町村営の土地改良事業の施行認可（最判昭和 61・2・13 民集 40 巻 1 号 1 頁），第二種市街地再開発事業計画決定（最判平成 4・11・26 民集 46 巻 8 号 2658 頁），土地区画整理組合の設立認可（最判昭和 60・12・17 民集 39 巻 8 号 1821 頁）において処分性が認められているが，都市計画決定について処分性を認めた最高裁判決はない。

‡**行政指導**は法的拘束力を有しないところから，処分性がないと解されてきた。勧告は，法律に基づくものであっても，処分性がなく，民事訴訟又は公法上の当事者訴訟を提起するしかない。もっとも，近時，行政指導に従わない場合には法的不利益がもたらされることが相当程度の確実性をもって予想されるときは，不利益の重大さに鑑み，当該行政指導（病院開設中止勧告）に処分性を認める判決（最判平成 17・7・15 民集 59 巻 6 号 1661 頁）が出されている。また，法律上の根拠のある勧告について公表されようとしている場合について，公表の事前の差止請求を肯定する学説が有力に唱えられている（塩野宏『行政法Ⅰ』〈第 6 版〉267 頁）。

‡‡**告示**のように，特定の名宛人のない行政庁の行為（一般処分）については，裁判例では，個々のケースにおいて処分性が判断されるようになっている。①その一般処分が特定人に具体的な法的効果を発生させるか，②根拠法令上その行為につき不服申立て等の行政争訟が認められているか，などが手掛かりとなる。

環境基準の告示については，東京高判昭和 62・12・24 行集 38 巻 12 号 1807 頁［8］は，上記のように，事業者に対して法的拘束力をもつ大気汚染防止法の排出基準値や総量規制基準値と，環境基準値が法的連動性を有していないことを理由として処分性が否定された（その問題点については→**6-1**・2(1)(c)〔155 頁〕）。さらに，廃掃法においては大気環境基準が中間処理施設の許可基準とされている（廃掃法 8 条の 2 第 2 項，15 条の 2 第 2 項）ことから，この基準には処分性が肯定される。

自然公園法に基づく自然公園内の地域・地種区分の指定は，地域内の不特定多数者に対する一般的抽象的な制約とみれば，処分性は認められないこととなる（→**8-2・2**(1)(b)〔381頁〕)。他方，森林法に基づく保安林指定については，指定に対する不服申立て規定（190条）及び義務的な指定補償の規定（35条）があり（義務的な補償規定があることを処分性を肯定する理由に用いる裁判例として，道路区域決定に関する東京高判昭和42・7・26行集18巻7号1064頁参照)，当該行為につき取消訴訟の対象性を前提とする趣旨であると解されるため，処分性を認められることになる（長沼ナイキ基地訴訟上告審判決〔最判昭和57・9・9民集36巻9号1679頁〕は処分性があることを前提としている)。

‡‡‡**通知**についても従来処分性が否定されてきたが，最高裁は近時，土壌汚染の調査に関して，都道府県知事の，施設設置者以外の土地所有者等に対する，施設の使用廃止等の事項の「通知」(土壌汚染対策法3条3項）について，処分性を肯定した（最判平成24・2・3民集66巻2号148頁［33］→**Column26**〔237頁〕)。そこでは，実効的な権利救済を図ることが重視されている。

‡‡‡‡本判決は，個々の行為について処分性を検討する。これに対し，処分概念を弾力的に解釈し，歩道橋設置行為について，起工決定と私法行為の複合した一体的行為と把握して処分性を認めたものとして，東京地決昭和45・10・14行集21巻10号1187頁（国立歩道橋事件決定）がある（一体的構成。もっとも，控訴審は処分性を否定した。東京高判昭和49・4・30行集25巻4号336頁［2版95］)。しかし，その後同趣旨の裁判例はない。

(b)　原告適格（行訴法9条）

(ア)　**原告適格**とは，取消訴訟において処分性が認められた場合にその処分の取消しを求めて出訴することのできる資格（法的地位）をいう。行政事件訴訟法は，取消訴訟の原告適格について，「処分又は裁決の取消しを求めるにつき法律上の利益を有する者」に限り，提起することができる（行訴法9条）としている。これは，裁判所の限られたリソースが，意味の乏しい事件によって浪費されることを防ぎ，真に裁判による保護を必要とする者に対して十分な救済の途を付与するとともに，被告となる行政庁が無用な訴訟に応訴して時間を空費することを回避するためである。

「**法律上の利益**」とは何か。一般に不利益処分を受けた相手方は，行政庁により直接自己の権利・利益を侵害された者であり，当然に処分の取消しを求める法律上の利益があるとみられるが，処分の相手方以外の第三者（例えば，地域住民など）が他人に対する処分によって不利益を受けた場合に，どのようなときに法律上の利益があるとみるかが問題となる。

原告適格の範囲の確定については，判例・通説である「法律上保護された利益説」と，有力説である「法律上保護に値する利益説」とが対立してきた。

「**法律上保護された利益説**」は，侵害された利益を処分の根拠となる法規が保護しているか否かによって，原告適格を判断しようとするものであり，法の趣旨・目的が判断基準となる。例えば，最高裁は，質屋営業法は公益的見地から規制を定めるものであって，既存業者の権益保護を目的とするものではないと解し，同法に違反する近隣の質屋の営業が許可されたことにより既存の質屋が営業上不利益を受けても，それは反射的利益の侵害にすぎないから，既存の質屋は新規の質屋の営業許可を争うことはできないとしている（最判昭和34・8・18民集13巻10号1286頁）。

他方，「**法律上保護に値する利益説**」（原田，阿部，宮崎良夫ほか）は，実定法の趣旨・目的の解釈に拘泥することを止め，違法な行政処分によって受けた実生活上の不利益が裁判上の保護に値する実質を備えている者に原告適格を認めようとする。すなわち，法の趣旨ではなく，原告が現実に受ける不利益の性質，程度など被害の実体を基準とするのであり，その被害がその者を一般国民から区別して裁判で保護に値する実質的な内容を備えているといえるかどうかを判定基準として，原告適格を個別的に判断しようとするのである。

「法律上保護に値する利益説」に対しては，濫訴の弊害，基準の曖昧さなどの批判がなされており，裁判上保護に値する利益は何かという，困難な解釈論的作業が必要となるとの指摘がなされている（塩野）。他方，「法律上保護された利益説」に対しては，基本的人権の保障に立脚する現代の行政訴訟制度に適合的でない，この説の下でも個々の行政法規の趣旨目的は客観的に明確とはいえない（原田）などの批判がなされるほか，「法律上保護に値する利益説」について，訴訟には費用も時間もかかるので濫訴を招くとは限らない，ドイツやフランスに比べてわが国の行政訴訟は異常に少ない等の指摘もなされている（宮崎）。結局は，基準の明確さや法的安定性の重視と，行政の民主的統制の重視のいずれをとるかという判断になるが，後者を支持したい。

(イ) 最高裁は，公正取引委員会の果汁飲料等の表示についての公正競争規約の認定に対する不服申立資格を扱った，いわゆる**主婦連ジュース不当表示訴訟判決**（最判昭和53・3・14民集32巻2号211頁）で，「法律上の利益を有する者」とは，「当該処分により自己の権利若しくは法律上保護された利益を侵害され又は必然的に侵害され」るおそれのある者をいい，「法律上保護された利益」とは，「行政法規が私人等権利主体の個人的利益を保護することを目的として行政権の行使に制約を課していることにより保障されている利益であつて，それは，行政法規が他の目的，特に公益の実現を目的として行政権の行使に制約を課している結果たまたま一定の者が受けることとなる反射的利益とは区別されるべきものである」としており，これは「法律上保護された利益説」の立場を明言したものと解されている。

その後の最高裁判決においても，この原則は維持されているが，**新潟空港訴訟判決**（最判平成元・2・17民集43巻2号56頁〔2版36〕）は，どのような場合に個々人の利益を保護していることになるかについての解釈基準を明らかにした。同判決は，それを「当該行政法規及びそれと目的を共通する関連法規の関係規定によって形成される法体系の中において，当該処分の根拠規定が，当該処分を通して右のような個々人の個別的利益をも保護すべきものとして位置づけられているとみることができるかどうか」によって決すべきであるとした。さらに，原子炉等規制法に係る原子炉設置許可に対する付近住民の原告適格が争われた**もんじゅ原発訴訟判決**（最判平成4・9・22民集46巻6号571頁［91］）は，原告の受ける被害の性質も考慮に入れて処分根拠法規の趣旨を検討すべきであるとして，炉心から58 kmの範囲内に居住する原告全員の原告適格を認めた。また，都市計画上の開発許可によってがけ崩れ等の危険にさらされる者について，やはり被害の性質を考慮し，開発許可（都市計画法33条1項）の取消しを求める原告適格を肯定した判決（最判平成9・1・28民集51巻1号250頁）や，林地の（森林法に基づく）開発許可によって土砂の流出又は崩壊，水害等の災害により，生命，身体等に直接的被害を受けることが予想される者についてのみ，取消訴訟の原告適格を認めた判決（最判平成13・3・13民集55巻2号283頁）も現れた。

このように，判例においては，「法律上保護された利益説」を維持しつつも，従来よりも原告適格の範囲を柔軟に解するものがみられるようになってきた‡。最高裁は，根拠法規の解釈において被害の性質を考慮し，付近住民が生命，身体等に直接の被害を受けることが想定される場合には，形式的な根拠法規だけでなく，より実質的な判断を行う趣旨を示したものとみられる。

‡他方，都市計画法に基づく道路拡幅事業の認可及び地下道路事業の承認に対する取消訴訟について，事業地内の土地所有者等の原告適格を肯定しつつ，周辺住民等の原告適格を否定した最高裁判決も出され（最判平成11・11・25判時1698号66頁），道路公害という被害の性質を考慮すれば，周辺住民等にも原告適格を認めるのが適当ではないかとの批判が学説上なされていた（山下竜一）。

(ウ) 行政事件訴訟法は，2004年改正により，このような判例の蓄積を取り入れ，9条2項を新設した。すなわち，原告適格の判断にあたっては，当該処分又は裁決の根拠となる法令の規定の文言のみによることなく，

①当該法令の趣旨及び目的ならびに②当該処分において考慮されるべき利益の内容及び性質を考慮すること，

③ ①の考慮にあたっては，当該法令と目的を共通にする関連法令があるときはその趣旨及び目的をも参酌するものとし，

④ ②の考慮にあたっては，当該処分又は裁決がその根拠となる法令に違反して

された場合に害されることとなる利益の内容及び性質ならびにこれが害される態様及び程度を勘案するものとすること

が定められた。

このように，改正行政事件訴訟法は，9条1項の「法律上の利益を有する者」という文言は変えずに，従来の判例の立場であった「法律上保護された利益説」を維持しつつ，その実質的拡大を図るための解釈指針として，必要的考慮事項を法定したのである。

③については，例えば，公共事業等に係る行政処分について周辺住民が取消訴訟を提起する場合に，許可等について環境への悪影響を考慮要素とする横断的立法である環境影響評価法を「関係法令」として参酌すべきことがあげられている。また，④の「利益侵害の態様・程度を勘案する」点は，従来の判例がともすればカテゴリカルに，生命身体への被害が予想される場合については原告適格を認め，環境への被害については認めてこなかった点を改め，いったん破壊すると回復が困難であり人の生存基盤を脅かす環境利益についても，救済を認める可能性を広げるものといえよう（礒野）。④については，紛争の実質について考慮しなければならないという点で「法律上保護に値する利益説」への親和性があるとの見解も有力に主張されている（橋本博之。さらに，高木光）。

(エ)(i)　こうした中，**小田急訴訟大法廷判決**‡（最大判平成17・12・7民集59巻10号2645頁［28］）は，9条2項を新設した行政事件訴訟法改正を踏まえつつ，**関連法令**としては，都市計画法13条1項において都市計画決定は公害防止計画に適合してなされなければならないこと，東京都には環境影響評価条例が存在したこと，都市計画法66条が施工者に付近住民の意見を聴取等し，その協力確保に努めるよう求めていることなどから，都市計画事業の認可に関する都市計画法の規定は，事業に伴う騒音，振動等によって，事業地の周辺地域に居住する住民に健康又は生活環境の被害が発生することを防止することもその趣旨及び目的とするものと解した。そして，事業の実施により著しい被害を直接受けるおそれのある者は，取消訴訟における法律上の利益を有する者として原告適格を有するとし，具体的には，（当時の）東京都環境影響評価条例の関係地域内に居住している原告について，原告適格を認めた。行政事件訴訟法の改正の趣旨を重視し，前掲最判平成11・11・25（→(イ)‡）を変更したものとして注目される。なお，本判決は，違法な都市計画の決定又は変更による周辺住民の直接の被害について，このような被害の内容，性質，程度等に照らせば，この具体的利益は一般的公益の中に吸収解消させることが困難であると認定しており，被害が一般国民から区別してその者を保護する実質的な内容を備えているかを判定基準とする従来の「法律上保護された利益説」の考え方は，維持されている。

ちなみに，同判決藤田補足意見では，小田急訴訟のように都市計画施設の利用行為によって生ずる健康被害等が問題となるケースでは，処分の根拠となる法規が第三者をも保護する意図を含むか否かによって原告適格の有無を判断する考え方（法律上保護された利益説）では十分でなく，行政庁に，当該施設が将来利用されることに起因する一定の損害を受けるリスクから第三者（周辺住民）を保護する法的義務（**リスクからの保護義務**）が課されていると考える必要があるとの立場が示されたことが注目される。その根拠は，都市計画法の規定，生命健康等の享受について国民に与えられる憲法上の保障（人格権）におかれている。

(ii) ほかにも，――取消訴訟に限らないが――，周辺住民の原告適格についていくつかの注目すべき裁判例が出されている（なお，周辺住民の居住は必ずしも必要でなく，茶畑で農作業に従事する場合〔横浜地判平成 11・11・24 判タ 1054 号 121 頁（ダック事件［2 版 48］）〕，通勤する場合〔さいたま地判平成 19・2・7 判自 297 号 22 頁〕にも原告適格は認められうる）。

①**産業廃棄物処分業**等の許可処分の取消訴訟等において，近時，最高裁は，産業廃棄物処分業の許可に関する廃掃法の規定の趣旨及び目的，これらの規定が産廃処理業の許可の制度を通して保護しようとしている利益の内容及び性質等を考慮すれば，同法は産廃の最終処分場からの有害な物質の排出に起因する公害によって健康又は生活環境にかかる著しい被害を直接に受けるおそれのある個々の住民に対して，そのような被害を受けないという利益を個別的利益としても保護しているとし，このような周辺住民について許可処分の取り消し等を求める法律上の利益を有するとした（最判平成 26・7・29 民集 68 巻 6 号 620 頁［49］）。このような判断をするにあたり，1）廃掃法の目的規定（1 条），2）産廃処分業に関する許可規定（14 条 6 項）と許可基準（14 条 10 項 1 号），3）産廃処理施設の設置許可要件としての省令の技術基準と周辺地域への生活環境保全への適正配慮（15 条の 2 第 1 項 1 号，2 号），4）産廃処分業の許可の際の生活環境の保全上必要な条件付与（14 条 11 項）とその違反の場合の事業停止命令及び許可取消し（14 条の 3 第 2 号，3 号，14 条の 6），5）業許可に関する更新制（14 条 7 項），6）設置許可にあたっての環境影響調査報告書の添付と生活環境影響調査手続の実施等に関する規定（15 条 3 項）をあげている。

同判決は，上記の個別的利益性を満たすかを判断するにあたり，1）処分場の種類・規模等，2）その位置と居住地との距離関係，3）環境影響調査報告書において調査の対象とされる地域に含まれるかをあげ，処分場の中心から 1.8 km 以内の地域に居住する者の原告適格を認めた（20 km 以上離れた，3）の対象外の地点に居住する者については否定した）（→**12-4**・4(1)〔601 頁〕）。

産業廃棄物処理施設（管理型処分場）の不許可処分の業者からの取消訴訟については，「当該施設から有害な物質が排出された場合に直接的かつ重大な被害を受けることが想定される範囲の」周辺住民が，被告（県知事）への補助参加をする利益を有することを認めた最高裁決定がみられる（最決平成 15・1・24 裁時 1332 号 3 頁［45］）ほか，産業廃棄物処理施設が設置されることにより「人体に有害な物質の排出による健康又は生活環境に係る著しい被害を直接的に受けるおそれのある」周辺住民は，その施設の設置許可の取消訴訟において原告適格を有するとした下級審裁判例（東京高判平成 21・5・20［48］——管理型処分場から 3 km 離れた地域に居住する，井戸からくみ上げた地下水を生活用水等に利用している者等について。名古屋地判平成 18・3・29 判タ 1272 号 96 頁——PCB 等の分解施設及びその処理物の洗浄施設の設置予定地から 6.4 km の範囲内に居住する者について〔「施設から有害な物質が排出された場合に直接的かつ重大な被害を受けることが想定される範囲内」とする〕）が示されている（他方，一般廃棄物処理施設から 1 km 以上離れた地域に居住する者について「直ちに……生活環境に直接にかつ著しい被害を現に受けているか又は受けることが想定され……ない」として否定したものとして，福井地判平成 22・6・25 判自 340 号 87 頁 —— 一般廃棄物収集運搬処分業の許可の取消の義務付け訴訟に関する）。

これらの 2 つの最高裁判決はいずれも「著しい被害を直接に受ける」ことを要件としているが，「著しい」被害の場合に限定しなければならないか，については疑問もあり，学説上議論がなされている。

②また，**公有水面埋立ての免許の差止請求**において，瀬戸内海環境保全特別措置法のような特別法の規定を読み込んで，同免許に係る公有水面を含む周辺地域の良好な景観の恵沢を日常的に享受している者等の原告適格を肯定した判決（鞆の浦公有水面埋立差止訴訟判決〔広島地判平成 21・10・1 判時 2060 号 3 頁［64］〕）が注目される。

③**建築確認処分の差止請求**においても，良好な景観に近接する地域内に居住し，その恵沢を日常的に享受している者に原告適格を認めた判決が現れている（那覇地判平成 21・1・20 判タ 1337 号 131 頁。重大な損害の要件を欠くとしてこれらの者について却下）。

④さらに，風俗営業所（パチンコ店）の周辺住民について営業所拡張変更承認処分の取消訴訟の原告適格を肯定する下級審判決（大阪地判平成 20・2・14 判タ 1265 号 67 頁‡‡），⑤建築確認に対する取消訴訟において，建築確認に係る建築物により日照，採光，通風等を阻害される周辺の他の建築物に居住する者の原告適格を肯定し

た下級審判決（大阪高判平成20・8・28）も示されている。

他方，競輪の場外車券発売施設の設置により生活環境が悪化するとして周辺住民が設置許可の取消しを求めた事案について，施設敷地の周辺から1000 m以内の地域にある医療施設等の位置等を記載した見取り図を提出することが根拠法令上義務付けられていること等を根拠に原告適格を肯定した原審を一部破棄し，施設から800 m離れた場所にある医療施設の開業者について原告適格を否定した判決も出されており（最判平成21・10・15民集63巻8号1711頁［100］〔場外車券発売施設設置許可処分取消請求事件，**大阪サテライト事件**‡‡‡〕），判例の動きはなお流動的である（東京高判平成20・6・19‡‡‡‡）。

‡**小田急訴訟大法廷判決**　線路の連続立体交差化を内容とする鉄道事業，及び同事業に付属してなされる付属街路事業がそれぞれ違法であるとして，周辺住民及び付属街路事業地内に土地所有権等を有する者が事業認可の取消しを求めた事件。建設大臣は，平成6年5月19日付で，東京都に対し，都市計画法59条2項に基づき，①小田急線の一定区間の連続立体交差化事業の鉄道事業認可及び②付属街路事業認可を行った。①は，建設大臣が昭和39年に決定し，平成5年2月1日付で，東京都知事が変更を告示した都市計画に基づくものである。また，②は，平成5年2月1日付で世田谷区が告示した都市計画に基づくものである。最高裁は，①の鉄道事業の周辺に居住する者にのみ原告適格を認め，②の付属街路事業を求める周辺住民については，②の付属街路事業が①の鉄道認可事業と密接な関連を有するものの，別個のそれぞれ独立した都市計画事業であることを重視し，原告適格を否定した。

‡‡これは，風俗営業所の営業許可の取消しについての周辺住民等の原告適格を否定した最判平成10・12・17（民集52巻9号1821頁）と異なる傾向を示すものである。もっとも，本件大阪地判の本案では，原告らが居住するマンションが営業制限地域外の準工業地域にあることから，風営法等の規定が原告らの法律上の利益を保護する趣旨で設けられたものと解されない（行政事件訴訟法10条1項参照）として，請求は棄却された。

‡‡‡本判決は，場外施設が設置された場合に周辺住民等が被る可能性のある被害は，生活環境の悪化であって，生命，身体の安全や健康，財産に著しい被害が生じることまでは想定し難いとし，公益に属するとしている。しかし，本件では，交通の増加に伴う自動車の排ガスや騒音など，個々人に具体的な不利益が発生することは容易に想像されるところであり，一方で（民事訴訟ではあるが）国立景観訴訟上告審判決で，景観という公私複合利益を民法709条の法律上保護される利益とした最高裁が，このような判断をすることは均衡を失すると思われる。なお，原告適格の判断においては，原告の不利益の性質を，根拠法規の趣旨・目的とともに問題とすることになるが，原告の不利益の性質に根拠法規の趣旨・目的とどの程度独立して捉えるべきかについては議論されている（さしあたり，「改正行政事件訴訟法施行状況検証研究会報告書」〔平成24年11月〕89頁参照）。なお，本判決に関しては，社会の構成員によって評価に大きな幅がある利益について法令の具体的な手掛かりがない中で事例的判断をしたものであり，射程は狭いとする評価が示されている（同87

頁)。

‡‡‡‡東京高判平成 20・6・19 は，一般有料自動車専用道路及びジャンクションの新設工事等の事業に係る起業地について，周辺住民らが大気汚染，騒音，振動等を理由として，国土交通大臣がした土地収用法 16 条所定の事業の認定の取消しが請求された事件。土地収用法は起業地内に財産権を有しない周辺居住者の利益を保護する趣旨とは解されず，このような者の原告適格は認められないとした（最決平成 21・11・13 は原告らの上告を棄却した）。土地収用法に基づく事業認定が問題となった事案ではあるが，小田急訴訟大法廷判決と同じように，関係法令を柔軟に解釈し，都市計画法などを斟酌し，原告適格を認める余地があったのではないかが論じられている（前掲「改正行政事件訴訟法施行状況検証研究会報告書」88 頁）。

(オ) なお，行政処分によって侵害される利益が広く地域住民等に共通の利益として把握できる場合において，そのような多数人の共通利益を法律上又は事実上代表する**住民団体**，**環境保護団体**等が取消訴訟を提起したとき，その団体に原告適格を認めるか否かについては，判例は消極的である‡。学説上は，多数人の集団的利益に関する紛争を一挙に解決するのに適していること，団体は多くの場合個人よりも訴訟追行能力が優れていることなどから，①組織構成，②活動目的，③活動実績ないし活動可能性に鑑み，当該団体が集団的利益を代表出訴するのに適した組織であると判断される場合について，団体の代表的出訴資格を積極的に認めようとする見解（兼子仁。なお，原田，宮崎）が有力に唱えられている。行政事件訴訟法改正後は，個々人について原告適格を認め難い場合について，団体訴訟に関する立法的措置の検討が必要であるとともに，改正法の運用を通じて集団的利益の救済のあり方を考慮すべきことが説かれるようになっている（塩野）。

現行の行訴法 9 条の下で団体訴訟の原告適格を認めることは困難であるが，立法論としては，行訴法の改正による方法と，（環境分野においては）環境個別法（例えば環境影響評価法）の改正による方法とが考えられる（環境影響評価法改正による団体訴訟導入について，大塚直「公害・環境分野での民事差止訴訟と団体訴訟」加藤一郎先生追悼記念論文集参照）。なお，自然の権利訴訟は，個人的利益救済の実現に集中し，団体訴訟・市民訴訟を立法上認めていない現行法の枠組の中での問題提起という側面がある（→**2**-**3**・3〔52 頁〕）。

‡学術研究者の代表的出訴資格を否定したものとして，最判平成元・6・20 判時 1334 号 201 頁［78］（伊場遺跡訴訟判決）があげられる。史跡の指定解除処分の取消請求については，史跡を研究対象としてきた研究者の団体のメンバーに原告適格を認めていない。

(c) 訴えの利益

処分が取り消されても現実に法律上の利益の回復が得られない場合には，**訴えの**

利益は認められず，訴えは却下される。もっとも，行政処分が事情の変更によってその実質的存在を失っても，処分の取消しによって回復できる利益が派生的にでも残っている限り，訴えの利益はある（行訴法9条1項括弧書）。

建築確認のように建築という行為を適法に行わせるための処分は，建築工事が完成してしまうと処分の効果が完了し，その処分の取消しを求める訴えの利益は失われる（最判昭和59・10・26民集38巻10号1169頁）。

一方，公有水面埋立事業，土地改良事業，土地区画整理事業のように，処分に基づいて工事等が実施されて，処分を取り消しても原状回復が困難になった場合はどうか。これについては，①訴えの利益自体が失われるとする立場と，②訴えの利益は失われないが事情判決（行訴法31条）によるとする立場が分かれており，かつての下級審判決には①をとるものが多かったが，最高裁判決は，土地改良事業の事業計画に係る工事及び換地処分が終了し原状回復が困難になっても，土地改良事業の認可を争う利益は失われず，そのような事情は事情判決をするにあたって考慮されるべき事柄であるとし（最判平成4・1・24民集46巻1号54頁），②をとることを明らかにした。訴えの利益の判断にあたり，復元の困難性については厳格な判断を要するというべきであろう。また，廃棄物処理業許可の取り消し訴訟において，従前の許可を前提とした更新許可がされても従前の許可の取消訴訟は訴えの利益を失わないとする下級審裁判例がみられる（さいたま地判平成19・2・7判自291号22頁。ただし，控訴審〔東京高判平成21・7・1〕は，施設が廃止されたため，許可の取消を求める訴えは，もはや判決の効果によって侵害状態を解消し法益を回復することができなくなったとし，訴えの利益が喪失したとして却下した）。

なお，訴えの利益が工事等の実施によって消滅するか否かが問題となるケースについては，本来，執行の停止がなされるべき場合が少なくないと考えられるが（なお，行政事件には仮処分は認められない。行訴法44条），行政事件訴訟法は，処分の取消訴訟について「重大な損害を避けるため緊急の必要があるとき」にしか，執行停止効を認めておらず（行訴法25条。**執行不停止の原則**），環境行政訴訟における認容例は極めて少ない（福岡高決昭和48・10・19判時718号38頁，松山地決昭和43・7・23行集19巻7号1295頁）。

➡ 小田急訴訟大法廷判決と大阪サテライト事件最高裁判決を比較論評せよ。

(2) 本案審理・執行停止

(a) 本案審理

取消訴訟の本案審理においては，処分自体の適法性，つまり，処分を取り消すべきか否かの審理が行われる。

本案審理においては，処分の違法性一般が審理の対象になる。法令の解釈は第一次的には行政庁が行うといっても，裁判所の専権に属することであるし，事実の認定についても，裁判所は自らの認定権を行使する。このように裁判所は，全面審査を行うのを原則とするが，この原則は裁量行為の審査については必ずしもあてはまらない。

裁量行為の審査については，裁判所は，行政庁の判断が裁量権の逸脱・濫用にあたる場合に限り，取り消すことができる（行訴法30条）。

裁量権の逸脱・濫用にあたるか否かを認定するための基準としては，①**重大な事実誤認**，②**目的違反・動機違反**，③**平等原則違反**，④**比例原則違反**などがあるが，判例は，これらに加え，裁量処分にいたる行政庁の判断形成過程に着目し，その合理性の有無という観点から裁量審査を行う方法（判断過程審査）をとる場合がある。

すなわち，まず，判例は，原子炉設置許可処分に係る「**専門的技術的裁量**」についてこれを一定程度取り入れた（伊方原発訴訟判決〔最判平成4・10・29民集46巻7号1174頁［89]〕，福島第2原発訴訟判決〔最判平成4・10・29判時1441号50頁［90]〕。その後，一般廃棄物処分場建設のための土地収用法に基づく事業認定処分について，都の「専門技術的な裁量」を認めつつ，その合理性の有無という観点から審査を行ったものとして，東京高判平成20・3・31判自305号95頁［2版63]〔最決平成21・7・2で上告棄却〕）。

さらに，裁判例の中には代替案の検討，費用便益の比較が合理的選択の要件であるとするものも現れていたが（**日光太郎杉事件控訴審判決**‡〔東京高判昭和48・7・13行集24巻6＝7号533頁［77]〕，**二風谷ダム事件判決**‡‡〔札幌地判平成9・3・27判時1598号33頁［79]〕，小田急訴訟第1審判決〔東京地判平成13・10・3判時1764号3頁〕，**圏央道あきる野IC事業認定・収用裁決事件第1審判決**‡‡‡〔東京地判平成16・4・22判時1856号32頁〕。また，水戸地判平成3・9・17判自93号86頁は，土地収用の事業認定について，土地収用法20条3号に関して代替案の検討を義務付けるが，広い裁量を認める），近時，最高裁は，都市計画事業認可の前提となる都市計画変更決定の違法性が争われた事例において，都市計画決定の裁量性を認めた上で，行政決定の「基礎とされた重要な事実に誤認があること等により重要な事実の基礎を欠くこととなる場合，又は，事実に対する評価が明らかに合理性を欠くこと，判断の過程において考慮すべき事情を考慮しないこと等によりその内容が社会通念に照らし著しく妥当性を欠くものと認められる場合に限り，裁量権の範囲を逸脱し又はこれを濫用したものとして違法となる」とした（**小田急訴訟本案判決**〔最判平成18・11・2民集60巻9号3249頁［29]〕）。複雑な法的利害の調整が必要とされる行政決定に関する紛争において，行政審査の密度を向上させようとするものである。このような判断過程の統制の方式は判例に定着しつつあるといえるが，このような審査方法を裁判所がとりうる理由としては，**説明責任の原則**があげられている（塩野）。裁量権の逸脱・濫用の判断の方法については，小田急訴訟本案判決は「著しく妥当性を欠く」場合に限定している点が異なっているが，このような限定を都市計画決定のみでなく，土地収用の事業認定にも用いる判決も現れており（東京地判平成25・9・17判タ1407号254頁 ── 新石垣空港），土地収用法20条3号の文言の解釈としてこれが適切か否かが問題となってきているというべきである。

今後は，さらに環境関連の法律における手続の整備を行うとともに，裁判所の実体審理の手掛かりとなる法理についての検討（例えば，「環境配慮義務」の法理化）を進めていくべきであるといえよう（高橋滋，高木，北村）。

‡ **日光太郎杉事件控訴審判決**　オリンピック開催時の道路混雑回避を目的とした日光国立公園内の幹線道路の拡幅工事のために，被告である起業者栃木県知事のした土地収用法上の事業認定につき，事業対象地内の土地所有者である宗教法人東照宮が原告となって，太郎杉を含む巨杉15本の伐採等により日光表玄関の比類なき景観が破壊されるとして，土地収用法20条3号違反等を理由に事業認定の取消しを求めた事案である。控訴審では，本件事業計画が**土地収用法20条3号**の要件（「事業計画が土地の適正且つ合理的な利用に寄与するものであること」）を満たすかどうかを検討し，被告の事業認可の判断は，「かけがいのない文化的諸価値ないしは環境の保全という本来最も重視すべきことがらを不当，安易に軽視し，その結果右保全の要請と自動車道路の整備拡充の必要性とをいかにして調和させるべきかの手段，方法の探究において，当然尽すべき考慮を尽さず」，「オリンピックの開催に伴なう自動車交通量増加の予想という，本来考慮に容れるべきでない事項を考慮に容れ」，かつ「暴風による倒木（これによる交通障害）の可能性および樹勢の衰えの可能性という，本来過大に評価すべきではないことがらを過重に評価した」点で，裁量判断の方法ないし過程に過誤があり，これらの過誤がなければ被告の判断は異なった結論に到達する可能性があったとして，本件事業認可を違法とした。

‡‡ **二風谷ダム事件判決**　本件は，北海道の1級河川沙流川系二風谷ダム建設工事に伴い，収用裁決の対象とされた土地の所有者の相続人が原告となり，事業認定の際にダム建設によるアイヌ民族及びアイヌ文化に対する影響が考慮されなかった違法があるとして，収用裁決の取消しを求めた事案である。裁判所は，本件事業計画の達成によって得られる公共の利益と本件事業計画の実施により失われる利益の比較衡量にあたっては，後者の利益がB規約（市民的及び政治的権利に関する国際規約）27条及び憲法13条で保障される人権であることに鑑み，その制限は必要最小限度においてのみ認められるべきであるから，国の行政機関である建設大臣としては，先住少数民族の文化等に対し，特に十分な配慮をする責務を負っているとし，本件において建設大臣は，「本件事業計画の達成により得られる利益がこれによって失われる利益に優越するかどうかを判断するために必要な調査，研究等の手続を怠り，本来最も重視すべき諸要素，諸価値を不当に軽視ないし無視し」て

「事業認定をしたことになり，**土地収用法20条3号**において認定庁に与えられた裁量権を逸脱した違法がある……。したがって，本件事業認定は土地収用法20条3号に違反し，その違法は本件収用裁決に承継されるというべきである」とした。もっとも，事情判決により請求を棄却した。

*****圏央道あきる野IC事業認定・収用裁決事件第1審判決**　この判決は控訴審で取り消された（東京高判平成18・2・23判時1950号27頁［26］）。東京都知事により都市計画決定のなされた圏央道の区間のうち，日の出ICからあきる野IC間の建設事業について土地収用法に基づく事業認定及びそれに続く明渡裁決がなされたため，起業地の所有者，賃借者及び周辺住民が原告となり，建設大臣（後の国土交通大臣）のした事業認定の取消し（第1事件）及び裁決の取消し（第2事件）を求めた事件（第2事件については省略する）である。

第1審判決（東京地裁）は，周辺住民の原告適格を否定したが，それ以外の原告らについて，事業認定の黙示の前提要件として，瑕疵ある営造物を設置してはならない義務を負うが，事業認定庁は事業の施行により受忍限度を超える騒音が発生することは容易に認定できたにもかかわらずそれを看過したなどとして，事業認定を取り消した。また，念のため，**土地収用法20条3号**の要件充足性について検討してみると，事業の必要性を真摯に検討しておらず，代替案の検討を行っていないのは不合理であると判断している。

これに対して，控訴審判決は，事業認定をするか否かにあたっての考慮要素は，**土地収用法20条1号ないし4号**の要件充足性の検討に尽きるものであり，それ以外の黙示的な前提要件があるとは解されないから，（黙示的な前提要件として主張される）完成後の営造物から騒音が発生する危険性があるかどうかは，土地収用法20条3号の要件充足性の判断の中で行えば足りるとした。そして，圏央道には重要な機能があること，事業の用に供される不動産に対する所有権等の喪失に対しては補償があること，生じうる騒音・大気汚染は環境基準以下であることなどを考慮すれば，20条3号の要件充足性の判断において，事業認定庁の裁量権の逸脱・濫用はないとした（原判決一部取消し）。

(b)　執行停止

行政事件訴訟法では，立法政策上，行政活動の停滞を防ぎ，行政目的を迅速・円滑に実現をすることを重視し，**執行不停止原則**を採用している。しかし，取消訴訟が提起されてから終局判決が確定するまで，一定の期間を要するため，この間の原告の権利の保全が必要である。そこで，同法は，仮の救済制度として，訴えの提起後に原告の側から申立てをさせ，その申立てが一定の要件を備えている場合に，裁判所の決定によって行政行為の効果の一時停止，つまり，執行の停止を認めることにしたのである（25条1項〜3項）。仮の義務付け，仮の差止めとともに，仮の権利救済制度の一種である。

なお，民事紛争の場合には，民事保全法に基づく仮処分など権利保全のための制度が整備されているが，行政事件訴訟法は行政庁の処分その他公権力の行使にあたる行為については，仮処分をすることができないと定めている（44条）。

執行停止の対象は「処分の効力，処分の執行又は手続の続行の全部又は一部」である（25条2項）。執行停止の決定は，疎明によって行う（同条5項）。

執行停止をするには，①本案訴訟が適法に係属していなければならない。

②執行停止の積極要件として，「処分，処分の執行又は手続の続行により生ずる重大な損害を避けるため緊急の必要がある」こと（同項。2004年改正により「回復の困難な損害」から「重大な損害」に改められた），③消極要件として，「公共の福祉に重大な影響を及ぼすおそれがあるとき」，又は「本案について理由がないとみえるとき」（同条4項）は，執行停止をすることができない。

「**重大な損害**」の判断については，2004年改正により，「損害の回復の困難の程度を考慮するものとし，損害の性質及び程度並びに処分の内容及び性質をも勘案するものとする」という解釈指針が新設された（同条3項）。

執行停止の決定に対して即時抗告が可能であるが，それだけで決定の執行が停止されるわけではない（25条7項，8項）。この点は仮の義務付け決定，仮の差止め決定も同様である。

旧法下は執行停止を認めた例はほとんどなかったが（例外的に，圏央道あきる野IC代執行手続執行停止事件第1審決定〔東京地決平成15・10・3判時1835号34頁〕。もっとも，抗告審〔東京高決平成15・12・25判時1842号19頁〕で覆され，最高裁〔最決平成16・3・16〕でも上告が棄却され，抗告審が維持された），改正により，より緩やかに執行停止が認められることが期待された（宇賀克也，越智敏裕）。

こうした中，たぬきの森事件高裁決定（東京高決平成21・2・6判自327号81頁［67］。最決平成21・7・2判自327号79頁は抗告を棄却し，本決定が確定した）は，建築確認事件について執行停止の要件を緩やかに認めたものとして注目される‡（→なお，**12-4・4**(8)〔607頁〕）。

‡本件は，通称「たぬきの森」と呼ばれていた土地を敷地として計画された，鉄筋コンクリート造地上3階地下1階建ての建築物（本件建築物）の建築計画について，平成18年7月31日付で新宿区（抗告人）の建築主事が行った建築確認（本件処分）に対して，平成19年5月26日付で本件建築物の近隣住民ら（申立人）が，本件処分の取消等を求めた訴訟の第1審及び控訴審で取消判決を得た後に，本件処分の効力の停止を求めて執行停止申立（行訴法25条2項）を行ったという事例である。なお，本件建築物の建築等の工事は，平成19年4月頃に着工しており，執行停止申立てがなされた段階では，完了間近（仕上げ工事にさしかかっており，平成21年4月に完了検査，同年5月末に引渡予定）の段階にあった。

東京高裁は，「このまま建築工事が続行され，本件建築物が完成すると，本件建築物の倒壊，炎上等により，Xらはその生命又は財産等に重大な損害を被るおそれがあ」る。しかも，「本件建築物の建築等の工事は完了間近であるところ，本件建築物の建築等の工事が完了すると，本件処分の取消しを求める訴えの利益は失われ……上告審において本件処分の取消しを求める訴えは不適法なものとして却下されることになって」，X らが，本件処分にかかる本件建築物の倒壊，炎上等による損害を被ることを防止することができなくなる。このような事態は，法が申立人らに対し，建築確認取消訴訟の原告適格を認め，同人らが当該建築確認に係る建築物により損害を被ることを防止する手段を与えていることと実質的に適合しないとして，執行停止を認容した。

本判決が「重大な損害を避けるため［の］緊急の必要」として，「生命又は財産等に［対する］重大な損害」を問題にする点は，従来と異ならないが，火災その他の災害時に発生しうる倒壊，炎上等のような抽象的な損害の可能性も「重大な損害を避けるため［の］緊急の必要」に該当するものとした点が注目される。建築物の建築等の工事が完了すると本件処分の取消しを求める訴えの利益が失われる点は「緊急の必要性」を肯定する考慮要素とされていると考えられる。また，本件のように，本案について理由があることが明白である場合には，「重大な損害を避けるため緊急の必要」という要件を緩やかに解することができると考えられる（伊藤智基）。本決定を契機として，今後は執行停止を認める裁判例が増加する可能性がある。

3　取消訴訟以外の抗告訴訟

取消訴訟以外の抗告訴訟としては，無効等確認訴訟，義務付け訴訟，差止訴訟，不作為の違法確認訴訟があり，取消訴訟に関する規定が準用されることが多い。

⑴　無効等確認訴訟

無効等確認訴訟とは，処分・裁決の有効・無効又は存在・不存在の確認を求める訴えであり（行訴法 3 条 4 項），重大（及び明白）な瑕疵ある処分・裁決がされたことを前提として，当該処分等の無効の確認を求める無効確認訴訟が代表である。行政行為の無効を前提とするため，出訴期間の制約がなく，不服申立前置の制約もない。この意味で無効等確認訴訟は，時機に遅れた取消訴訟としての機能を有する。

原告適格については取消訴訟に関する 9 条は準用されない一方，36 条がおかれている。もっとも，無効等確認訴訟を提起するために「法律上の利益」が必要なことは明らかであり，判例も，取消訴訟の原告適格の場合と同義に解することを相当とする（もんじゅ原発訴訟〔最判平成 4・9・22 民集 46 巻 6 号 571 頁，1090 頁［91］〕）。

無効等確認訴訟の原告適格（36 条）は，行政事件訴訟法の立案関係者の説明によると，①「当該処分又は裁決に続く処分により損害を受けるおそれのある者」（予防訴訟としての無効等確認訴訟），②「その他当該処分又は裁決の無効等の確認を求めるにつき法律上の利益を有する者で，当該処分若しくは裁決の存否又はその効力の有無を前提とする現在の法律関係に関する訴えによって目的を達することができないもの」に限られる（塩野，宇賀）。

「現在の法律関係に関する訴えによって目的を達することができないもの」という要件（**補充性の要件**）について，前掲もんじゅ原発訴訟最高裁判決は，「当該処分に起因する紛争を解決するための争訟形態として，当該処分の無効を前提とする当事者訴訟又は民事訴訟との比較において，当該処分の無効確認を求める訴えのほうがより直截的で適切な争訟形態であるとみるべき場合をも意味する」として，無効確認訴訟の訴えの適法性を認めた。無効確認の利益が否定される「現在の法律関係に関する訴え」とは，処分もしくは裁決の存否又はその効力の有無を前提とするものと解されている。原子力発電所の運転の差止めを求める民事訴訟は，原子炉設置許可処分の有効，無効を前提にしていないので，民事の差止訴訟が提起されているからといって，無効確認訴訟の補充性が満たされないわけではないのである。

なお，無効等確認訴訟に関しては，仮の救済について取消訴訟の規定が準用される（38条3項）。

(2) 不作為の違法確認訴訟

不作為の違法確認訴訟とは，私人が行政庁に対して法令に基づく申請をしたにもかかわらず，行政庁が処分・裁決をしないことの違法確認を求める訴訟である（行訴法3条5項）。私人に申請権限があることが前提となる。不作為に対する申請人の救済という意味では，行政庁に対し，当該申請を満足させるような処分をするよう求める義務付け訴訟が，より直接的である。不作為の違法確認判決は，行政庁の不作為が違法であることを確認するものであり，判決の拘束力により行政庁は申請に対する応答を直ちにしなければならないものの，申請を認容することを義務付けられるわけではない。したがって，申請拒否処分等がなされるおそれがあり，この場合には改めて取消訴訟を提起する必要が生じてしまう。

原告適格は「処分又は裁決についての申請をした者」が有する（行訴法37条）。本案勝訴要件は，行政庁が申請に対し「相当の期間内」に処分・裁決を行わないことである。行政手続法6条にいう標準処理期間が設定されていた場合，その期間の徒過が直ちに「相当の期間」の経過にあたるというわけではないが，裁判所が「相当の期間」の経過を判断するにあたっての重要な考慮要素となる。

不作為の違法確認訴訟については執行停止に関する規定は準用されていないが（行訴法38条4項参照），2004年の行訴法改正により，義務付け訴訟を併合提起し（37条の3第3項1号），そこで仮の義務付けを申し立てることが可能になった。

(3) 義務付け訴訟

(a) 義務付け訴訟とは，行政庁が一定の処分・裁決をすべきであるにもかかわらずこれがされない場合に，行政庁がその処分・裁決をすべき旨を命じることを求める訴訟であり，申請型義務付け訴訟（行訴法3条6項2号）と非申請型義務付け訴訟（同項1号）に分類して定められている。

施設の周辺住民が施設の操業に関して，行政庁の規制権限の発動を求めるケースのように，環境訴訟においては，多くの場合，非申請型義務付け訴訟が問題となる。

(b) **非申請型義務付け訴訟**は，法令上の申請権がない者に行政権の発動を求め，法令が正面から予定していないルートで裁判所が行政庁に「一定の処分」の発動を命じるものであるため，訴訟要件，本案審理要件が厳格になっている。

非申請型義務付け訴訟の**訴訟要件**は，①「一定の処分がされないことにより重大な損害を生ずるおそれ」があること（**損害の重大性要件**），及び②「その損害を避けるため他に適当な方法がない」こと（**補充性要件**）である（37条の2第1項）。①については解釈指針が法定されている（同条2項）。

①**損害の重大性要件**は，行政庁が事案の調査・解明を継続するか否かを決定する裁量を制限する要素であり，この場合には，違法な状態が存在することについての合理的疑いがあれば，行政庁には事案の調査・解明義務が生ずるのである（山本隆司）。損害の重大性の要件は，例えば，違法建築物の除去命令の義務付け訴訟では，火災などで生命・身体に危険が及ぶ場合とされることが少なくないが（このような場合に損害の重大性要件を満たすとしたものとして，東京高判平成20・7・9，大阪地判平成21・9・17判自330号58頁），このような場合に限定すべきではなく，住環境の悪化であっても生活の基盤に影響する場合にはこの要件を満たすことはありうるというべきである。この点について，執行停止に関する行訴法25条3項の損害の重大性要件と特に別に解する理由はないと思われる。

また，損害の重大性要件について第三者の利益を考慮することができるかという問題がある。これについては第三者の利益を考慮しないとした裁判例も存在する（東京高判平成18・5・11，東京地判平成21・11・26）。抗告訴訟が主観訴訟であることから原告自身に重大な損害が発生することは必要であるが，第三者の利益も本人の利益と言える場合はあると考えられる。

②**補充性要件**は，法律上別の救済手段が仕組まれている場合に，あえてこの訴訟類型を防ぐ趣旨である。もっとも，民事訴訟によることができるということだけでは「他に適当な方法」があることにはならない（産業廃棄物処理施設の設置許可処分の取消しの義務付けの訴えについて，この趣旨を判示するものとして，福島地判平成24・4・24判時2148号45頁［55］）。

非申請型義務付け訴訟では，処分の相手方でない第三者による訴えの提起が想定されることから，訴訟要件として，さらに原告適格の認定が重要な問題となる。この点については，取消訴訟の場合と同様，法律上の利益の有無を基準とする（行訴法 37 条の 2 第 3 項，4 項）。

非申請型義務付け訴訟の**本案勝訴要件**（「一定の処分」をすべき旨を命ずる判決をするための要件）は，「行政庁がその処分をすべきであることがその処分の根拠となる法令の規定から明らかであると認められる」こと，又は「行政庁がその処分をしないことがその裁量権の範囲を超え若しくはその濫用となると認められる」ことである（37 条の 2 第 5 項）。この要件は，行政裁量に対する司法的コントロールの問題と関連している。

「一定の処分」については，訴訟における請求の趣旨の特定についての考え方を参考にしつつ，社会通念上合理的な特定がなされていれば，これにあたる（宇賀）。

また，この種の義務付け訴訟には，裁判所が処分することを命ずる場合に，当該処分につき法定された行政手続を踏まないことをどう考えるかという問題があり，義務付け訴訟の中で処分の直接の相手方や利害関係人に訴訟告知をするなど，手続的防禦権を行使する何らかの機会を与えなければならないであろう（櫻井敬子＝橋本博之）。

義務付け訴訟としては，省エネ法の規定に基づくエネルギー使用量等の情報の開示請求についての一部不開示決定に対して，環境保護団体が不開示決定の取消しと開示決定の義務付けを認容した例（エネルギー消費数値一部非公開決定取消訴訟〔名古屋高判平成 19・11・15［2 版 106］〕。もっとも，上告審で破棄された。最判平成 23・10・14 判時 2159 号 59 頁［97］→**12-6**〔616 頁〕），県知事に対する廃掃法 19 条の 5 第 1 項の措置命令の義務付けを認容した例（福岡高判平成 23・2・7 判時 2122 号 45 頁［54］〔上告審である最決平成 24・7・3 は，上告及び上告受理申立てを却下→**12-4**・7⑴〔612 頁〕〕。他方，さいたま地判平成 23・1・26 判自 354 号 84 頁は，同じタイプの請求について，廃棄物による原告の環境権，所有地の財産権の侵害や，予定していた事業利益を取得できないことなどの損害が，塡補可能であり，重大な損害とはいえないとして却下した）がある。

また，眺望権の侵害等を理由に河川敷に工作物等を置いて不法占用していた者に対して自然公園法の原状回復命令等を発することを求めた事件（大津地判平成 18・6・12 判自 284 号 33 頁。河川法に基づく監督処分がされたため，訴えの利益がないとして却下），民間事業者が行った河川工事によって原告の経営するオートキャンプ場付近の河川の流路が変更されたため，原告の所有地等につき，越流によって溢水の危険が現に生じているとして，県に対し，同事業者に，自然公園法の原状回復命令等を発することを求めた事件（横浜地判平成 23・3・9 判自 355 号 72 頁。重大な損害を生ずるおそれが認められないとして却下）がある。今後，環境訴訟分野における義務付け訴訟の活用が期待される。

(c) **申請型義務付け訴訟**とは，法令上の申請権があることを前提に，申請に対する応答がない場合あるいは拒否された場合に，行政庁に当該処分をするように義務付けを求めるものである。2004年の行訴法改正前は，法令上の申請に対してなんら処分がなされない場合には，不作為違法確認訴訟を提起することしかできず，違法が確認されても，行政庁が拒否処分をすれば，申請者は取消訴訟を提起しなければならなかった。

この場合に原告適格を有するのは「法令に基づく申請又は審査請求をした者」である（行訴法37条の3第2項）。行政庁が相当の期間内に処分・裁決をしない場合に申請義務づけ訴訟を提起する場合には，不作為の違法確認訴訟を併合して提起しなければならない（同条3項1号）。申請を拒否する処分・裁決がされた場合には，取消訴訟又は無効等確認訴訟を併合提起しなければならない（同条3項2号）。

申請型義務付け訴訟の**本案勝訴要件**は，①併合提起された訴訟の請求に理由があると認められること，及び②行政庁がその処分をすべきであることがその処分の根拠となる法令の規定から明らかであると認められること，又は，行政庁がその処分をしないことがその裁量権の範囲を超えもしくはその濫用となると認められることである（行訴法37条の3第5項）‡。

‡**生活妨害に関する申請型義務付け訴訟の例**　養豚業者が，市に対して水路の一部を使用することの許可を申請したところ，不許可の処分がなされたため，市が本件申請を許可すべき旨を命ずることを求めた事件について，公共用財産としての水路の用途又は目的を妨げるという事情が認められない本件では，本件水路の使用の必要性があることは重要な考慮要素となり，また，本件豚舎の悪臭の事実は重視すべき事情とはいえないとして，市長の判断は裁量の範囲を超え又は濫用があったため違法となるとし，請求を認容した例がある（新潟地判平成20・11・14判自317号49頁）。

(d) 義務付け訴訟における仮の救済は，**仮の義務付け訴訟**による（37条の5第1項）。

仮の義務付けが認められるためには，義務付け訴訟が適法に係属していなければならない。

積極要件として，①「その義務付けの訴えに係る処分又は裁決がされないことにより生ずる償うことのできない損害を避けるために緊急の必要」があること，及び②「本案について理由があるとみえる」ことを必要とする（行訴法37条の5第1項）。

また，消極要件として，「公共の福祉に重大な影響を及ぼすおそれがあるとき」は仮の義務付けをすることができない旨が定められている（同条3項）。

(4) 差止訴訟

(a) **差止訴訟**とは，「行政庁が一定の処分又は裁決をすべきでないにかかわらずこれがされようとしている場合において，行政庁がその処分又は裁決をしてはならない旨を命ずることを求める訴訟」である（3条7項）。

ここにいう「一定の処分」も，義務付け訴訟と同様，裁判所が請求を特定して判断することが可能な程度まで請求の特定性が要求されるものの，原告の実効的救済という観点から，個別事案に応じた一定程度柔軟な解釈が許されるべきである。もっとも，裁判例上は，処分の特定性を厳格に解するものが少なくない（東京地判平成20・1・29判時2000号27頁〔小田急訴訟〕。鉄道事業法に基づく鉄道施設変更工事を巡る処分の取消し及び差止訴訟。同工事によって完成した高架鉄道施設に，小田急電鉄が鉄道を複々線で走行させることを許す行政庁の一切の処分の差止めを求めた）。

なお，この点に関連して，差止訴訟における紛争状況は，具体的処分がなされる前の段階であることから，引き続いて予想される処分の前提条件となる権利義務関係の確認訴訟としての実質的当事者訴訟と並行的になる可能性があり，この2つの訴訟は，相互排他的なものとして扱われるべきではない（櫻井＝橋本）。

差止訴訟の訴訟要件は，①行政庁が一定の処分・裁決をする蓋然性があること（行訴法3条7項），及び②「一定の処分又は裁決がされることにより重大な損害を生ずるおそれがある」こと（**損害の重大性要件**）（37条の4第1項本文）である。消極的要件として，③「その損害を避けるため他に適当な方法があるとき」は差止訴訟を提起できない（**補充性要件**。同項但し書）。

②**損害の重大性**の要件は，処分がなされる前に差止訴訟を提起するのか，具体的な処分が行われた後に取消訴訟等を提起して執行停止をかけるのかというルート選択が問題になるときに，後者のルートが原則としては優先することを示したものと解されている。すなわち，差止訴訟については，事後的な処分取消訴訟及び執行停止では救済できない「重大な損害を生ずるおそれ」のあることが訴えの提起段階で必要とされるのである。

このため，裁判例上は，取消訴訟と執行停止により十分な救済が受けられる場合には差止訴訟は認められないとする傾向が強い（差止めが認められないとしたものとして，大阪地判平成18・2・22判タ1221号238頁〔産廃処分業の許可に関する〕）。もっとも，現実には執行停止が認容されることは少なく，その点を踏まえた判断をする下級審判決も現れている（鞆の浦公有水面埋立差止訴訟判決〔広島地判平成21・10・1判時2060

号3頁［64］）は，埋立免許の差止めに関して，「埋立免許がなされた後，取消しの訴えを提起した上で執行停止の申立てをしたとしても，直ちに執行停止の判断がなされるとは考え難い」として，差止めの請求を認容した）。損害の重大性の要件は，廃棄物処理業の許可処分の差止訴訟では，生命・健康又は生活環境にかかる著しい被害を受ける事態が想定しうるかによって決められる（大阪高判平成19・1・24。義務付け訴訟について→**12-4**・7(1)〔612頁〕）。

差止訴訟の原告適格は取消訴訟の場合と同様である（37条の4第3項，4項）。本案勝訴要件については，非申請型義務付け訴訟と同様である（同条5項）。

Column55 ◇鞆の浦公有水面埋立差止訴訟判決後の展開

同判決が出された後本件は広島高裁に係属していたが，2016年2月，広島県側が免許申請を取り下げる方針を伝え，住民側が訴えを取り下げて訴訟は終結した。もっとも，代替策として県が提示する県道拡幅による交通混雑を解消する事業は行われる見通しである。さらに，砂浜の一部に防災の観点から護岸施設の設置も検討されているが，これについてはなお景観侵害のおそれがあり，紛争が再燃する可能性がある。住民側が住民訴訟を提起し，護岸施設に防災機能があるとは言い難いこと，費用効果性がないことを主張することは可能であろう。

(b) 差止訴訟についても，仮の救済として，**仮の差止め**が法定化され，その要件は仮の義務付けと同様である（行訴法37条の5第2項）。

仮の差止めについては，「重大な損害を避けるため緊急の必要がある」ことを要件とする執行停止（同法25条2項）と異なり，「償うことのできない損害を避けるため緊急の必要」があることが要件とされていることから，裁判例上認められにくい傾向がある（大阪地決平成17・7・25判タ1221号260頁〔産廃処理業の許可に関する〕，広島地決平成20・2・29判時2045号98頁〔鞆の浦公有水面埋立仮の差止訴訟決定〕）。差止訴訟は公権力の行使により現状が原告に不利に変更されるのを防止するために提起されるのであり，判決が出される前に許認可等がなされてしまえば，訴えの利益は失われてしまう。このように差止訴訟においては早期に仮の救済（仮の差止め）を与えることが重要であり，この点に十分配慮した運用がなされるべきである。

(5) 当事者訴訟

行政事件訴訟法4条は，公法上の当事者訴訟を，抗告訴訟と並ぶ行政事件訴訟の一類型として位置づけている。4条前段は**形式的当事者訴訟**，後段は**実質的当事者訴訟**（当事者間の公法上の法律関係に関する訴訟）について定める。環境訴訟において重要となるのは後者である。

2004年の行訴法改正により，実質的当事者訴訟には，確認訴訟が一類型として含まれることが明示された。4条後段は，処分性のない行政の行為であっても，その行為に起因して具体的な紛争が生じ，司法審査を及ぼすに足りる紛争の成熟性が認められる場合（確認の利益が認められる場合）には，公法上の権利義務関係の存否を確認しうることを明文で示したものである。**確認の利益**が認められるか否かは，一般に，①即時確定の現実的利益（紛争の成熟性），②訴訟類型選択の補充性（抗告訴訟をはじめとする他の訴訟によることができないか），③確認対象選択の適切性（確認対象として選んだ訴訟物が現在の法律関係であるか），を基準として判断される。

実質的当事者訴訟の環境訴訟においてその適法性を認めた例としては，一般廃棄物処理計画に定める場所（ダストボックス）以外の場所（マンション内のごみ置き場）から市がごみを収集する義務の確認を求めた事件（東京地判平成6・9・9行集45巻8＝9号1760頁〔棄却〕），有料指定収集袋を使用しないごみを市が収集する義務の確認を求めた事件（横浜地判平成21・10・14判自338号46頁［58］〔棄却〕），諫早湾干拓による潮受堤防締切り後に漁業被害が生じたことから，潮受堤防の各排水門を開門して調査を行う義務が国に発生したとして，付近沿岸の海について漁業権を有する漁業組合が，同調査義務を負うことの確認を求めた事件（福岡地判平成18・12・19判タ1241号66頁〔棄却〕），条例が定める環境影響評価手続を履践していないとして市に対して同手続上の義務を履行すること等を求めた事件（給付訴訟。横浜地判平成19・9・5判自303号51頁［47］〔棄却〕――神奈川県環境影響評価条例上，公聴会開催が義務付けられているなど，関係住民にアセス手続に参加する権利を広く保障していること等から，原告・被告との関係は，公法上の法律関係に属するものとし，訴えは適法としたが，アセスの実施請求権はないとした）がある。

他方，適法性を認めなかった例としては，レジャー活動として外来種を採捕した場合には再び琵琶湖に放流してはならないと規定する県条例の規定は釣り人である原告の権利を侵害するとして再放流禁止義務の不存在の確認等を求めた訴訟について，当該禁止義務の存否の確定は事実の確定にすぎず，また本件規定には罰則がないから，紛争解決にもつながらないので原告には確認を求める法律上の利益がないとしたもの（大阪高判平成17・11・24判自279号74頁〔確認請求について却下〕），廃棄物処理施設を使用しようとする者が，同施設が廃掃法施行令の1997年前から存在した既設ミニ処分場であって同施行令施行後も許可を要しない地位にあることの確認を求めた訴訟について，具体的な公法上の地位ないし権利義務を対象としたものではないし，仮にそうでないとしても，不利益処分を待ってこれに対する訴訟等で事後的に本件許可の取得の要否を争ったのでは回復し難い重大な損害を被るおそれがあるとはいえないから確認の利益を欠くとしたもの（東京高判平成19・4・25〔却下〕）がある。後者の判決は，確認の利益を厳格に解しすぎているとみられる。

なお，事業者が排出基準の策定手続等について疑義があるときに，この訴訟を活用し，その遵守義務の不存在を確認する訴訟を行うことが考えられる。今後，この訴訟を活用しようとする場合には，「公法上の法律関係」や「確認の利益」をどこまで柔軟に解しうるかが問題となろう（大久保）。

ちなみに，公法上の当事者訴訟を本案として仮の救済を得ようとするときは，公権力の行使にあたる行為が問題となっている場合ではないので，民事仮処分が用いられる（行訴法7条）。

➡ 鞆の浦公有水面埋立免許の差止めに関する広島地判平成21・10・1（判時2060号3頁）は，環境訴訟においてどのような意味をもつか。それは，国立景観訴訟最高裁判決とどのような関係にあるか。

4　住民訴訟

(1)　住民訴訟は，地方公共団体の機関（執行機関又は職員）による「財務会計上の違法な行為」を住民が追及し，その是正を求めるものであり，客観訴訟の一種である民衆訴訟に属する（行訴法5条，地方自治法242条の2）。その制度目的は，住民の直接参政の手段，地方公共の利益の擁護，財務会計の運営に対する司法統制の3つにある（最判昭和53・3・30民集32巻2号485頁）。

住民訴訟は，①抗告訴訟と異なり，原告適格の制約がなく，住民としての資格に基づいて1人からでも訴訟を提起できること，訴えの対象は必ずしも処分に限られていない（ただし，**2号請求**を除く）こと，②民事訴訟と異なり，個人の生命，身体等に関する被害の発生が要件とならないことなど（地方自治法242条の2第1項），利用しやすい面があり（他方，住民訴訟については監査請求前置主義がとられており，監査請求を経ていないと訴訟を提起できない），近時，この訴訟を用いて環境問題が争われることも少なくない。環境住民訴訟には，市民オンブズマン的な機能があるといえよう。

もっとも，住民訴訟が適法とされるためには，当該行政が**財務会計上の行為**に該当することが必要であり（地方自治法242条の2，242条），この点がネックとなる可能性が高い（→(2)〔559頁〕）。また，訴えが適法とされた場合においても，本案で違法性の判断基準が環境保護法規上明らかである必要がある点にもハードルがある。

住民訴訟で請求することのできる裁判は，次の4種である（地方自治法242条の2第1項）。

①普通地方公共団体（自治体）の執行機関（自治体の長，委員会，委員。地方自治法138条の4）又は職員に対する違法な財務会計上の行為の全部又は一部の差止めの請求（**1号請求**）

②違法な行政処分の取消し又は無効確認請求（**2号請求**）

③執行機関又は職員に対する違法に怠る事実の違法確認請求（**3号請求**）（行政機関の公金の賦課・徴収における怠慢などをチェックする）

④執行機関又は当該職員に対し，職員又は（違法な行為もしくは怠る事実に係る）相手方に損害賠償・不当利得返還の請求をなすよう求める請求（**4号請求**）

4号の規定は，従来は，職員に対して自治体に代位して行う損害賠償，不当利得請求，行為の相手方に対して自治体に代位して行う損害賠償，不当利得，原状回復，妨害排除の請求であったが（旧4号請求），2002年3月の地方自治法の一部改正により，上記のように組み替えられた。これにより，住民が自治体に代位して自治体の長や職員個人に請求するという構成がとられないこととされた。代わりに，①住民が，執行機関又は職員を被告として，長（もしくは職員）個人又は相手方に対する損害賠償等を求める訴訟を提起し（このとき訴訟を提起された執行機関又は職員は，損害賠償等を求められた職員又は相手方に対し，遅滞なくその訴訟の告知をしなければならない），それに住民が勝訴した場合，さらに②長（もしくは職員）個人又は相手方に対して自治体（ただし，長個人に対しては，監査委員が自治体を代表する）が損害賠償金等の支払いを（訴訟等により）請求するという複雑な仕組みがとられることとなった（地方自治法〔平成14年改正後のもの〕242条の2第1項4号，7項，242条の3）。

このような改正に対しては，本来共通の利害を有する住民と自治体の関係を敵対関係にするのはおかしいこと，訴えを提起する住民は自ら弁護士費用等，訴訟に関する費用を負担するのに対し，長個人等が訴訟に係る負担を自治体に負わせるのは不公平であることなどの批判がなされている。

環境破壊や生態系破壊が想定される場合は，事前の防止が最も望ましく，そのためには1号請求が効果的であるが，住民に勝訴の可能性があるのは，事実上，損害賠償請求をはじめとする4号請求に限られていた（ただし，下記の泡瀬干潟第1次訴訟判決は1号請求を一部認容している）[‡]。

[‡]1号請求として，長浜入浜権訴訟判決（松山地判昭和53・5・29行集29巻5号1081頁［2版83］〔棄却〕），織田が浜埋立公金支出差止訴訟上告審判決（最判平成5・9・7民集47巻7号4755頁〔破棄差戻し〕），泡瀬干潟第1次訴訟判決（福岡高那覇支判平成21・10・15判時2066号3頁［2版86］〔一部変更（原告の請求を一部認容。ただし，新たな土地利用計画に経済的合理性が認められないことを理由とする〕），同第2次訴訟判決（福岡高那覇支判平成28・

11・8〔控訴一部却下，一部棄却し，原告の請求を否定〕)，2号・3号請求として，日比谷公園隣接高層ビル建築許可取消訴訟判決（東京地判昭和53・10・26行集29巻10号1884頁〔却下〕)，旧4号請求として，田子の浦ヘドロ事件上告審判決（最判昭和57・7・13民集36巻6号970頁［17］〔破棄差戻し〕)，やんばるの森広域基幹林道事件判決（那覇地判平成15・6・6判自250号46頁〔一部認容〕。広域基幹林道事業において，保安林解除の手続をしないまま，立木伐採等をしたことが森林法に違反し，県の本件事業に関する支出が違法となるとした。もっとも，福岡高那覇支判平成16・10・14によって取り消された)，新4号請求として，新石垣空港訴訟判決（那覇地判平成21・2・24〔一部却下，一部棄却〕）などがある。

(2) 自治体の環境行政をめぐって住民訴訟が提起される場合の最も大きな論点は，当該行政行為が財務会計上の違法な行為に該当するか否かである。これは，訴えの適法性に関する問題である。

(a) この点については，住民訴訟の対象を純粋な財務会計行為（財務的処理を直接の目的とする行為）に限らず，財政支出の原因となる非財務的行為の違法も住民訴訟で争うことができるとする裁判例と，住民訴訟の対象を純粋な財務会計上の行為に限定する裁判例とが分かれている。

前者の立場を採用した田子の浦ヘドロ訴訟上告審判決は，静岡県が行った田子の浦港内のヘドロ浚渫事業に要した費用について，当該地方公共団体が行政上当然に支出すべき部分とその行政裁量により特別の支出措置を講ずるのを相当とする部分を除き，汚水排出者の不法行為等による損害の補塡に該当し終局的には当該汚水排出者に負担させることを相当とする部分については，住民が当該地方公共団体に代位して汚水排出者に対して損害賠償請求権を行使しうるとした（長浜入浜権訴訟判決も，漁港築造について，同様の立場をとり，却下ではなく棄却した)。

他方，その後，京都市保安林工事訴訟上告審判決（最判平成2・4・12民集44巻3号431頁）は，原審の判断を覆して，後者の立場をとった。すなわち，森林法に違反して市道建設工事に関わった市建設局長らの行為は，道路建設行政の見地からする道路行政担当者としての行為であって，保安林の価値の維持・保全を図る財務的処理を直接の目的とする財務会計上の行為にはあたらないとしたのである（日比谷公園隣接高層ビル建築許可取消訴訟判決もこの立場をとるものといえる)。

このように，財務会計行為の前提となる非財務的行為の違法を問題としうるかについて，判例は帰一していない。

住民にとっては，原因行為の環境保護規範違反を争う余地が広がれば，環境行政上の違法な措置に基づいて地方公共団体が出費をした場合について，間接的に行政庁の取組の違法について裁判所に判断を求めやすくなる。すなわち，「非財務的行為に対する住民訴訟の間接的統制」の機能（原田）である。住民訴訟は自治体の財務会計上の行為を適正にするための特異な制度であり，行政一般の監督是正を目的としていないこと，行政一般の違法の責任を職員個人に負わせるのは酷であることなどから，このような考え方に反対する立場もあるが，自治体財政を健全化させるという住民訴訟の機能を保持するためには，財政支出の原因となった非財務行為についても，一定の場合には，違法とすべきである。その基準としては，原因行為たる非財務的行為であっても財務会計の適正な執行の確保という見地から看過できない瑕疵がある場合には，その適否を住民訴訟の対象としうるとするのが適当であろう（最判平成4・12・15民集46巻9号2753頁参照）。

なお，訴えの適法性に関する別の問題として，財務会計行為の特定性の問題がある[‡]。

(b) 訴えの適法性が認められた後に，さらに，本案において，違法性の判断が必要とされる。前記の田子の浦訴訟上告審判決では，違法性を認める方向が示されたが，その事案では，被告企業の廃水が水質指導基準の数値をはるかに超えることが決め手になったところから，このように環境保護法規が明確な基準を備えていれば，裁判所による財務会計行為又は原因行為の違法性の判定が容易になり，原告にとって満足の得られる結果が得られることが指摘されている（常岡孝好）。

[‡]織田が浜埋立公金支出差止訴訟上告審判決は，港湾管理者である市長に対して公有水面埋立工事が違法であるとして，工事のためにする一切の公金支出の差止めが請求された（1号請求）事件で，「当該行為の適否の判断」，「当該行為が行われることが相当の確実さをもって予測されるか」の判断，及び「当該行為により当該普通地方公共団体に回復の困難な損害を生ずるおそれがあるか」の判断が「可能な程度に，その対象となる行為の範囲等が特定されていることが必要であり，かつ，これをもって足りる」とし，「本件公金支出の範囲を識別」しうるから，対象も特定できるとした。

5 国家賠償訴訟

国家賠償請求訴訟は，環境行政上の措置の違法性を問うものとして重要である。国家賠償法1条の「公権力の行使」は，判例上，国・公共団体（地方公共団体のほか，各種公共組合，特殊法人を含む）の活動のうち，私経済活動及び2条の公の営造物の設置管理作用を除いた全ての作用をいうと解されている。国家賠償訴訟は形式上は民事訴訟であり，不法行為訴訟の一種であることに注意すべきである。近年，行政権限の不行使の違法を追及し，国家賠償を求める例が増加しており，以下では，「規制権限不行使に基づく国家賠償」に限定して触れておく。

環境行政に関する「**規制権限不行使に基づく国家賠償**」が問題とされた判決とし

ては，一連の水俣病国家賠償訴訟が著名である（→**12-7**・2〔631頁〕）。水俣病関西訴訟において，最高裁は，国が，昭和34年11月末の時点で，水俣病による健康被害の拡大防止のために水質二法に基づく規制権限を行使しなかったこと，熊本県も同じ時点で，水俣病による健康被害の拡大防止のために熊本県漁業調整規則に基づく規制権限を行使しなかったことは，国家賠償法1条1項の適用上違法となるとした（最判平成16・10・15民集58巻7号1802頁〔84〕）。

法令上の規制権限不行使が国家賠償法1条の違法性を帯びるには，公務員が作為義務に違反したことが必要とされるが，どのような場合に作為義務が生ずるか（作為義務の要件）については，従来の裁判例及び学説は，(i)権限行使は行政庁の裁量に属するとした上で，その不行使が裁量の範囲を逸脱し，裁量権の濫用にあたる場合には，当該権限不行使が違法とされるとするもの（**裁量権消極的濫用論**），(ii)権限行使は行政庁の裁量に属するとした上で，一定の場合には裁量権が収縮し，権限の不行使が違法となるとするもの（**裁量権収縮論**），(iii)(i)(ii)のような立論をすることなく，具体的事実関係の下において，権限を行使しないことが著しく合理性を欠くと認められる場合には，その不行使が違法となるとするもの，(iv)これらとは別に，国民の生命・身体・健康が危険にさらされている時であれば行政の裁量の余地はなく端的に規制権限の行使の義務を導けるとする立場（健康権説＝作為義務論）などに分かれていた。学説上は裁量権収縮論の立場が有力であるが，最高裁は(iii)の立場を採用してきた（最判平成元・11・24民集43巻10号1169頁，最判平成7・6・23民集49巻6号1600頁）。(i)及び(ii)においては，権限行使が義務化される要件がほぼ特定されており，①危険の切迫性，②危険の予見可能性，③結果回避可能性，④国民の期待，⑤権限行使の補充性があげられることが多い。

学説上は，(ii)の立場を承認しつつも，重大な健康被害が続出した場合には，裁量を問題とすることなく，予見可能性のみを問題とすべきであるとか（阿部），(iv)の立場をとりつつ，行政便宜主義を肯定した上で例外的に作為義務を認める裁量収縮論をとるべきではなく，むしろ権限の目的に着目し，行政庁は，国民の基本的権利たる生命・健康の権利を保障する見地から個々の国民に対して損害防止義務を負う（下山瑛二）などの見解も有力に主張されている。

また，法令上根拠のない行政指導であっても，一定の緊急時には，条理に基づき，その不作為が国家賠償法上違法となるといえよう（熊本水俣病第3次訴訟第1陣第1審判決〔熊本地判昭和62・3・30判時1235号3頁〕，水俣病関西訴訟控訴審判決〔大阪高判平成13・4・27判時1761号3頁〕）。行政指導をするかは行政機関の裁量に委ねられているが，一定の事実上の効果が期待できる場合もあるから，国民の生命・健康が問題となる緊急事態においては，行政指導の作為義務が認められるべきであろう（宇賀）。その要件については，条理上の作為義務であるため，法令上のそれよりは厳格に解するのが適当である。具体的には，法令上の権限不行使の場合よりも，生命・健康への危険の切迫性がより重大であること，既存の法令では適切に対応することができず，新たな立法も待っていられない事態があること，という2つの要件が加重されるべきである（大塚。これに対し，国の基本権保護義務の見地から，行政指導の作為義務について通常の規制権限行使の義務よりも要件を厳しくすることに反対するものとして，桑原）。

Column56 ◇環境民事訴訟と環境行政訴訟にまたがる問題

ここで両訴訟にまたがる問題を3点あげておく。

⑴　行政庁の許可，民事差止訴訟及び取消訴訟

例えば産業廃棄物処理施設の設置の際に，都道府県知事の許可を受けている場合であっても，民事の差止請求は可能だろうか。

この点，わが国の裁判例は，行政の許可を受けている施設であっても，民事の差止請求は可能であるとしてきた（丸森町廃棄物処分場建設差止訴訟決定〔仙台地決平成4・2・28判時1429号109頁［38］〕，千葉地判平成19・1・31判時1988号66頁［40］）。この解釈の背景には，わが国では，行政訴訟で行政行為の撤回（取消しとは異なり，後発的に発生した事由に対するもの）の義務付けが一般的には実体審理において認められていないという事情がある。

そして，行政の許可は**処分時**に許可要件を満たしていることのみを保障し，取消訴訟も基本的に処分時において許可要件を満たしていたかどうかを判断するのに対し，民事差止訴訟においては，**判決の時点**において違法か否かが判断されるという大きな相違が存在する。このため，民事差止請求を，行政の許可を受けている施設に対して活用することには重大な意義があるというべきである。

なお，原子力発電所の取消訴訟については，最高裁は，「現在の科学技術の水準」に照らして司法審査をすることとしており（伊方原発訴訟最高裁判決），この判決の解釈については，「科学的経験則説」と判決時説が分かれているが，原発のようにリスクが現実化すると極めて重大な損害が発生するものについては，取消訴訟においても，少なくとも処分時において許可要件を満たしていたかだけを判断すればよいこととはされていない。ちなみに，原子力発電所については，その後の2012年の原子炉等規制法の改正により，いわゆるバックフィットの制度が導入され，事後的に改定された基準に適合しない原発施設に対して基準適合命令が出されることになった（43条の3の23）。

⑵　不法行為の損害賠償請求における「法律上保護される利益」と，抗告訴訟の原告適格についての法律上の利益説

㈠　国立景観訴訟最高裁判決が景観利益について判示した民法709条の「法律上保護される利益」にあたるか否かという問題と，小田急訴訟大法廷判決（最大判平成17・12・7民集59巻10号2645頁［28］）が判示した行政事件訴訟法9条の原告適格が認

められるかという問題は，――元来は全く別の問題であるが――これらの判決において親近性のある問題として扱われているし，抗告訴訟に関するいくつかの下級審判決は国立景観訴訟最高裁判決を引用し，原告適格を認めている（鞆の浦公有水面埋立差止訴訟判決〔広島地判平成21・10・1判時2060号3頁［64］〕，那覇地判平成21・1・20判タ1337号131頁。また，大阪高判平成26・4・25判自387号47頁は，国立景観訴訟最高裁判決を1つの理由として，自然公園法に基づく一般廃棄物処理センター建設の県知事の許可の差止訴訟において，「自然風致景観利益」を法律上の利益としつつ，近隣住民に原告適格を認めた）。

もちろん，この2つの問題は，一方が本案の要件，他方が訴訟要件の問題であるし，一方が民法709条における利益という事実レベルの問題を扱っているのに対し，他方が抗告訴訟における「法律上の利益」について，原告の不利益要件（個別保護要件）よりも，法令による保護の範囲・仕組み（保護範囲要件）に重点がおかれており，利益の性状の前に保護範囲要件を検討すべきであると学説上解するものが多い点に相違がある。ただ，これらの相違点を踏まえてみても，民事訴訟において不法行為法上の「法律上保護される利益」にあたる事案については，――その利益が，当該処分に関する法令で保護されている利益の範囲に属するものである限り――，抗告訴訟における原告適格が認められるとするのが素直な解釈であろう（なお，その後，景観についても，景観法や景観条例は良好な景観を享受する利益を個別的利益として保護する趣旨を含むものとは解しえないとする判決が表れているが〔東京高判平成25・10・23判時2221号9頁（銅御殿事件。最決平成26・11・25は棄却，上告不受理。――控訴審判決は，文化庁長官が，銅御殿の隣地に高層マンションを建てた者に対し，文化財保護法45条1項に基づく重要文化財の保存のための環境保全命令を出すことの義務付けを求めた訴訟において，国立景観訴訟最高裁判決は不法行為の成否を判断する際に一定の判断の景観利益を法律上保護される利益として認めたにすぎず，義務付け訴訟の原告適格について一般に景観利益を法律上保護された利益としたわけではないとする），仙台地判平成25・12・26〕，これらの判決は国立景観訴訟最高裁判決が一般公益に解消されない利益である民法709条の法律上保護される利益としたことと矛盾するというべきであろう）。

もっとも，上記の点は，――仮に現在の判例の立場を前提として論ずるとしても――，抗告訴訟の原告適格の個別的利益性の判断において，民法709条の「法律上保護される利益」と同程度の利益が必要であることを意味するわけではない。むしろ，一方が本案要件，他方が訴訟要件であることからすると，抗告訴訟の原告適格の個別的利益性の方がより広い利益を対象としうるといえよう。

(イ) しかしながら，その後出された最判平成21・10・15民集63巻8号1711頁［100］（大阪サテライト事件上告審判決）は，場外施設が設置された場合に周辺住民等が被る可能性のある被害は，生活環境の悪化であって，生命，身体の安全や健康，財産に著しい被害が生じることまでは想定し難いとし，公益に属するとした。本件では，交通の増加に伴う自動車の排ガスや騒音など，個々人に具体的な不利益が発生することは容易に想像されるところであり，一方で国立景観訴訟上告審判決で，景観という公私複合利益を民法709条の法律上保護される利益とした最高裁が，このような判断をすることは均衡を失すると思われる。さらに，利益侵害の程度を見れば，本判決のいう「生活環境の悪化」として具体的に問題となる自動車排ガスによる大気汚染や騒音等は生活妨害の中でも積極的侵害であるのに対し，景観利益侵害は私益（生活妨害）か否かが争われる（日照妨害のような消極的侵害にあたるか否かも明確ではない）侵害であったことからすると，かなり違和感のある判決である（→2 (1)(b)(エ)〔539 頁〕)。「生活環境の悪化」にも種々のものが含まれるのであり，本判決のこの文言をあまり一般化しない努力が必要であると考えられる。なお，近時，行政法学の議論において，同質のものとみられるような利益の侵害であることがうかがわれるのに，処分やその根拠法規が異なるものにつき，原告適格の判断が大きく異なることに疑義を呈する見解が主張されている（「改正行政事件訴訟法施行状況検証研究会報告書」〔平成 24 年 11 月〕88 頁）。

(3) 環境訴訟（公害訴訟）における，健康被害（ないしそのおそれ）の有無の重要性

環境訴訟（公害訴訟）では，**健康被害（ないしそのおそれ）**があるか否かによって判断を分ける場合が少なくない。健康被害（のおそれ）の有無は環境訴訟において相当重要な意義があることになる。例をあげておこう。

①不法行為の過失の判断で，回避可能性（回避費用）を考慮するかが変わる（熊本水俣病第 1 次訴訟判決参照）。ハンドの定式の利用できる場面は何かという点も関連する（東京大気汚染訴訟第 1 審判決はこの点を考慮していない点が学説によって批判されている）。

②不法行為の違法性阻却事由について危険への接近を考慮するか否かを判断するための要件とされている（大阪国際空港訴訟上告審判決参照）。

③不法行為の違法性（受忍限度）の判断において，国道 43 号線訴訟上告審判決の定式の「対策措置の内容・困難さ」を考慮するか否かが変わる（学説）。

④差止めの判断において，活動の公共性（ないし社会的有用性）が高度なものであっても，差止めが認められる（尼崎公害訴訟判決，名古屋南部公害訴訟判決，学説）。

⑤健康被害のおそれがあれば，取消訴訟等で周辺住民の原告適格が認められやすくなる（もんじゅ原発訴訟上告審判決など）。もっとも，原告適格が認められるために健康被害（のおそれ）が必要ということではない。

なお，健康被害とは，何らかの「疾病」があることを言うことが多い。例えば，騒音でテレビの音が聞こえないとか，睡眠不足になったというだけでは健康被害とはいえないことが多い。これに対し，一定期間の睡眠不足の結果頭痛が生じれば健康被害となる。

11-3 刑事訴訟——環境刑法

1 環境保護のための刑法の活用

環境基本法は，国，地方公共団体，事業者及び国民の責務を定めており（1 条），環境保護が国家，国民の責務である以上，刑法も環境保護のために積極的に用いられるべきであると考えられる。

もっとも，そのためには従来の刑法の基本的な考え方を 3 つの点で変革をする必要があることが説かれている。①刑法の社会秩序形成機能を——限定的にせよ——

肯定すること，②超個人的法益の保護を正当化すること，③法益侵害から遠く離れた「形式犯ないし抽象的危険犯の処罰」を正当化することである（山中敬一）。

すなわち，①は刑法の機能を謙抑的な法益保護に限ることを限定的にせよ否定し，②は刑法の保護法益として「将来の世代の法益」を付加することを認め，③は環境刑法の多くが行政実現の補強手段として用いられることを認めることを必要としているのである。

①に関しては，環境問題について，行政目的を達成する上で刑罰を利用する場合，刑罰が行政取締法規の執行力を担保するだけでなく，違反行為を事前に抑止する規制的機能を担っていることは明らかである（佐久間修）。環境問題について刑罰規定は社会秩序形成機能を有するといえよう。

②に関しては，「純粋人間中心的法益概念」，「純粋生態学的法益概念」，「人間中心主義的生態学的法益概念」（将来世代の保護もこの中に含まれる）のどれを採用すべきかについての争いがみられる。刑罰が「個人の自由領域への強力な介入」であることから，何らかの保護法益を論ずる必要があると考えるべきであろうが，その上で，法律が基本的には人間の保護を最終目的としてきたことに鑑みると，環境刑法においても，保護法益は「人間中心主義的生態学的法益概念」とすることが適切である（町野朔）。希少種保存法，カルタヘナ法など，この概念に基づく刑罰規定もおかれていると考えられる。このように（人間の生存基盤である）生態系を保護するための刑罰規定も今後増えていかざるをえない状況にあるといえよう。

2　環境刑法の特色

環境刑法の特色としては，第1に，上記のように，多くの場合，行政実現の補強として用いられることがあげられる。環境刑法は，行政への依存の度合いによって，絶対的行政独立刑法（環境に関する法益の侵害ないし危殆化を行政法とは全く独立に処罰するもの），絶対的行政従属刑法（刑罰の構成要件の中に行政法や行政命令に対する違反という条件を含むもの），相対的行政従属刑法（行政執行や行政官庁のコントロールを補強するために用いられるもの），行政従属形式犯刑法（法益保護を直接目的としないで行政目的を達成するための処罰方式）の4つの類型に分けられる（山中）。わが国の環境刑法は絶対的行政従属刑法の規定が圧倒的に多い。これに対し，人の健康に係る公害犯罪の処罰に関する法律（公害罪法）は絶対的行政独立刑法に属するが，この類型の刑罰規定は，法益侵害との因果関係の証明や危険の認定において適用が困難となるという宿命をもっている。

行政従属性については，例えば刑罰の契機となる排出基準が政令で定められる場合のように，刑罰が行政法規範に基づくこと（第1の従属性），その執行が行政命令（例えば改善命令）に基づくこと（第2の従属性），騒音振動などのように行政命令の前に行政指導（勧告）を必要とすること（第3の従属性）の3つに分ける見解がみられる。

第2に，行政法規自体の違反は人の生命，身体を直接害するものではなく，国民の健康及び生活環境への危険（抽象的危険）の段階で予防することとされる。**廃掃法の投棄禁止違反罪**（16条）は生活環境の保全を保護法益とする抽象的危険犯であるし，**大防法のばい煙の排出基準**（13条）は被害の発生の可能性（抽象的危険）を排出基準という形で設定し，その違反に対して刑罰を科しているのである（廃掃法25条14号，大防法33条の2第1項1号，2項）。

第3に，環境刑法では届出義務違反に対して形式犯として罰則を科し，行政目的を側面から援護しているのである。

これらは，通常の刑法犯と異なる環境刑法の特色である。

3　環境刑法を統一的に扱う試み

環境法分野の刑罰規定は，公害罪法を除き，各環境個別法の中に規定がばらばらに存在しており，それらを「環境刑法」という形で統一的に扱う試みは従来はあまりみられなかったところである。

近時，刑法学において「環境刑法」を統一的に扱い，問題点を指摘するものが少なくない。そこでは，第1に，環境刑法の行政従属性が民主的統制の観点から問題があること，第2に，環境犯罪は事業活動と極めて密接に関連させた規定ぶりになっているが（公害罪法の適用を狭める最高裁の解釈もこの点に関係する），事業活動と無関係の汚染者も存在するのであり，主たる当罰的行為を事業活動から切り離すことによって犯罪主体を拡張するのが適当であること，第3に，国外犯の処罰の必要があるのにその例がほとんどなく，そのような規定を導入すべきこと，第4に，廃掃法など過失犯が必要とされることが想定されるのにその種の規定がないものも少なくないこと，第5に，環境法違反の罰金が低額なことが多く（廃掃法の不法投棄は例外），ほとんどが略式処分で終わっていることなどが問題とされている。

このうち，第1点については検討すべき課題が少なくない。第2点は直ちにどれほどの必要性があるか疑問もあるが，第3，第4，第5点は重要な指摘であると考えられる。

第1点に関して行政従属性を払拭する観点からは，**直罰主義**の拡張が主張されている。直罰主義は現在のところ，**大気汚染**，**水質汚濁**，**廃棄物**，**自然保護**などでとられているが（廃掃法の2000年改正で，屋外焼却行為について改善命令前置から直罰主義に変えられたことは特筆すべきである。同法16条の2，25条1項15号，32条1項2号。自然公園法については86条9号参照），廃棄物，自然保護分野を除きあまり用いられていない。直罰主義の最大の問題は執行が十分にできないことである（ポイ捨て条例はその典型例である）。行政についてもリソースの限界はあるが，直罰の場合，誰が実際に執行できるかという問題がある。

また，行政従属性を改めるために，行政犯規定を刑事犯規定にすること，さらには，各個別環境法の刑罰規定を刑法典なり特別法にまとめることなども提案されている。もっとも，刑事犯としてもどのような基準で刑罰を適用すべきかが明らかでないという問題を生ずるであろう。個別の環境法の刑罰規定をまとめることについては，環境犯罪に対する一般予防的効果は高まるであろう（もっとも，一時的なものにすぎないのではないかという批判もみられる。町野）。

このように，行政従属性には問題がないではないが，処罰の基準の設定，捜査の端緒の認知のために行政の助けを借りざるをえないことは少なくなく，この点については当面現状を維持するほかないであろう。

さらに，環境法の観点からは，刑罰もそれ自体独立して存在するのではなく，環境政策の戦略との関係でシステムの一翼を担うものとして検討されるべきものであること（例えば，産業廃棄物戦略全体との関係で不法投棄の罰則についても検討されるべきであること）を指摘しておきたい。

4　環境刑法の適用

環境刑法の適用をみると，環境犯罪の検挙件数は増加してきたが，近時減少傾向にある（2010年－7,179件，2014年－5,628件）。このうち廃掃法違反が最も多いが（2015年－5,195件），鳥獣保護管理法違反（同－327件）などの野生生物関連の検挙件数も少なくない（「絶滅のおそれのある野生動植物の種の保存に関する法律」の下での譲渡し等の禁止違反が増加している（同－23件））。近時の検挙件数の減少傾向には，廃掃法，個別リサイクル法等の強化が関連していると指摘されている。

環境刑法の執行にあたっては，司法機関は，被害者からの告発に依存できず，行政官庁からの告発を待たなければならないことが多い。これは，環境刑法の刑罰規定の多くが被害者を特定できない犯罪を対象としていることに由来している。そして，行政官庁は，事業者との信頼関係を維持するため，往々にして告発には消極的であることが指摘されてきた（北村。この点は上記の「環境刑法の行政従属性」とも関連するといえよう）。このような行政官庁の姿勢は環境保全の観点からはあながち非難されるべきではない場合も少なくないが，刑罰の公平な適用という観点からは問題の余地があると思われる。もっとも，このような傾向は，廃掃法違反に関してはあてはまらなくなっている。廃掃法違反の検挙件数の増加は，不法投棄等に対処するための「産業廃棄物処理の構造改革」（→**7-2**・14〔320頁〕），その一環としての廃掃法の厳罰化（→**7-2**・13〔319頁〕），2001年に出された産業廃棄物課長通知（「行政処分の指針について」。その後度々改正され，最終的には2021年に改正された。現在では，環境再生・資源循環局廃棄物規制課長通知となっている）（→**7-2**・11(5)(c)〔314頁〕）等と関連している。

以下では，絶対的行政独立刑法としての公害罪法について取り上げたい。

5　人の健康に係る公害犯罪の処罰に関する法律（公害罪法）

(1)　公害罪法の内容

「人の健康に係る公害犯罪の処罰に関する法律」（公害罪法。昭和45年法律142号）は1970年に制定され，翌年に施行された。

その内容は，故意又は過失によって「工場又は事業場における事業活動に伴つて人の健康を害する物質……を排出し，公衆の生命又は身体に危険を生じさせた者」を処罰することとされている（2条）。その特色としては，①傷害という形で人の健康に直接実害が発生しなくても「危険を生じ」た段階で処罰ができること（**具体的危険犯**），②危険の発生について個人責任を問うだけでなく法人をも処罰できるようになっていること，③排出された有害物質と具体的に生じた危険状態との間に具体的な因果関係が証明されなくても**因果関係を推定**する規定が設けられていることの3点があげられる（藤木英雄）。

(2)　公害罪法の運用

上記のような特色をもつことを考えれば，それまで刑法上の業務上過失傷害・致死によってしか対応できなかった種類の公害の防止と取締りに対して非常に強力な効果を発揮すると考えられる。しかし，2000年までの段階でこの法律が適用されて起訴された人数は12人と非常に少なく，近年ではほとんど適用がない。つまり現状ではほとんど活躍の場のない法律となってしまっているのである。

その最大の理由は，最高裁が，後述の大東鉄線塩素ガス噴出事件や日本アエロジル塩素ガス流出事件などで，公害罪法の規定について厳格な解釈をしたことにあり，その結果，検察が公害罪での立件をしにくくなったとも考えられる。
具体的には，本法2条，3条の「事業活動に伴つて」の「排出」とは何かが最も重要な問題である。

「[**事業活動に伴う**] **排出**」の概念については，従来，事業主体が自己の支配外に出すこと一切をいうのではなく，不要物として放出し，又は流出させるような形態において出すことを意味するとする「**狭義説**」(堀田力）と，事業主体が有害性のある物質を，何人にも管理されない状態において事業所外の公衆の生活圏に放出することとする「**広義説**」(藤木）とが対立していた。

この間にあって最高裁は，先にあげた大東鉄線塩素ガス噴出事件判決（最判昭和62・9・22刑集41巻6号255頁［108］）において，「工場又は事業場における事業活動の一環として行われる廃棄物その他の物質の排出の過程で，人の健康を害する物質を工場又は事業場の外に何人にも管理されない状態において出すことをい」うとして，「排出」については広義説を採用しつつも，排出が事業活動の一環として行われなければならないとし，有害物質たる原材料の受入れ，貯蔵や製品の事業場構内での運搬の過程等を除外した（なお，本判決は「人の健康を害する物質の排出が一時的なものであることは必ずしも同法3条の罪の成立の妨げにならない」ともしているが，この点はミスリーディングであると評されている。伊東研祐)。

このような解釈は最高裁では確定しているといってよい（日本アエロジル塩素ガス流出事件判決〔最判昭和63・10・27刑集42巻8号1109頁［109］〕)。これに対しては，公害罪法の社会的背景・立法過程，立法立案者の説明，適用範囲が広がりすぎることへの警戒から積極的に評価するものもあるが（江藤孝)，多くの学説は，この判断が事故型の排出について一般的に適用の余地を否定するものではないにしても，実質上公害罪法は事故型汚染に対する有効性を失ったとして批判しているところである（伊東)。

最高裁のように「事業活動に伴う」を「事業活動の一環として」と限定的に読むとしても，有害物質たる原材料の受入れ等が製造活動のために日常的に行われている場合には，特段の事情のない限り，その一連の過程を事業活動の一環と捉えることは十分に可能であったし，また，そうすべきであったと思われる（宮本忠＝立石雅彦)。

11-4 公害紛争処理制度

1 法律制定の経緯

わが国における公害紛争としては，明治期の足尾銅山鉱毒事件，別子煙害事件等が存在していたが，1960年代以降の高度経済成長の中で，水俣病，四日市ぜん息，イタイイタイ病等の公害疾病が多発し，被害住民と企業との間に従来にない大規模な紛争が生じた。このような公害紛争は，①被害が広範囲に及びかつ被害者が多数にわたること，②被害の認定が困難であるとともに，被害が財産的なものにとどまらず，人の生命や健康に及ぶこと，③加害者の特定が困難である上に，場合によっては多数の加害者が関係し責任分担が明確でないこと，④加害行為と被害の因果関係の立証，被害額の算定が困難である等の特質がある。

これに対しては，民事訴訟手続による対応が考えられるが，民事訴訟手続については，①手続が厳格であり，判決の確定による解決までに相当の期間と多額の費用を要すること，②弁論主義をとることにより，因果関係の解明，被害範囲の認定，被害額の算定については，被害者が立証の責任を負い，被害者の負担が大きくなること，③訴訟当事者の個別的，相対的な解決にとどまり，地域全体としての総合的な解決策がとりにくいこと等の問題があり，大規模公害・環境紛争の迅速かつ適正な解決のためには十分といえなかった。

そこで，1967年に制定された公害対策基本法は，「政府は，公害に係る紛争が生じた場合におけるあつせん，調停等の紛争処理制度を確立するため，必要な措置を講じなければならない」と規定し（21条1項），これに基づいて1970年には公害紛争処理法（昭和45年法律108号）が制定された。本法の下には，公害紛争処理機関として，国には中央公害審査委員会，都道府県には都道府県公害審査会が設置された。従来の和解の仲介のほか，調停や仲裁をもなしうるものとし，文書の提出や立入権限を与え，中央公害審査委員会に専門調査員をおくなど，公害紛争処理機関の権限が相当に強化された。また，公害苦情処理制度も整備された。司法制度のほかに行政委員会による紛争処理制度を設けた意義は，①（弁論主義ではなく）**職権証拠調べ，職権事実調査等**によって，社会的経済的地位の差異に基づく当事者間の能力の格差による実質的不平等を是正し，②手続費用の主要部分を国庫負担とすることにより，当事者の負担を軽減し，③手続の形式的厳格性を緩和し能率化することによって，紛争の迅速な処理を図ることができることのほか，④専門的知識，経験等に基づく紛争の処理が図られ，⑤紛争処理の経過で得られた成果等が公害行政に反映されやすいことにある。裁判所以外で民事紛争の法的な解決手続がとられるのであり，「裁判外紛争処理機関（Alternative Dispute Resolution: ADR）」の一種といえる。本法の規定上は，民事紛争が前提となった制度であることもここで確認しておきたい（26条，42条の12第1項，42条の27第1項→**4**〔575頁〕）。

さらに，1972年には公害紛争処理法が一部改正され，中央公害審査委員会と，1951年に設置された土地調整委員会とが統合され，公害等調整委員会が設置される（国家行政組織法8条機関から3条機関に格上げされた）とともに，司法手続に準ずる裁定（責任裁定及び原因裁定）手続が導入された。

1993年に制定された環境基本法も，公害紛争処理について，公害対策基本法を継承した規定をおいている（31条1項）。

2　公害紛争処理機関の組織・権限

公害紛争の処理機関としては，国に**公害等調整委員会**が設置され（公害紛争処理法〔以下「法」という〕3条），都道府県には公害審査会が設置されうる（公害審査会については，必置ではない。法13条）。必要な場合には関係都道府県による都道府県連合公害審査会を設けることができることとされている（法20条）。公害等調整委員会と都道府県公害審査会については，事件の性質に応じて法律により管轄が定められている。

⑴　公害等調整委員会

公害等調整委員会（以下，「公調委」という）は，総務省の外局としての独立行政委員会であり（公害等調整委員会設置法2条。国家行政組織法3条2項に基づく），委員長1名，委員6名の下に事務局がある（同法6条，19条）。委員には，職権行使の独立性と身分保障が与えられている（同法5条，9条）。

公調委は，公害紛争について損害賠償責任（**責任裁定**）及び因果関係に関する裁定（**原因裁定**）を専属的に行うほか（法42条の12，42条の27），次に掲げる紛争について，あっせん，調停及び仲裁を行う（法24条，施行令1条，2条）。

(a)　**重大事件**　　大気汚染，水質汚濁により生ずる著しい被害に関する事件（法24条1項1号，施行令1条）

(b)　**広域処理事件**　　航空機や新幹線の騒音に係る事件（法24条1項2号，施行令2条）

(c)　**県際事件**　　2以上の都道府県にまたがる事件で，都道府県連合審査会を設置しなかった場合（法24条1項3号，27条）

上記の3つの場合以外にも，一定の場合には，あっせん，調停，仲裁を行う（法27条の2，27条の3，38条，42条の24，24条3項）。また，公調委は，地方公共団体が行う公害に関する苦情の処理について指導等を行う（法3条）。

⑵　都道府県公害審査会等

公害紛争処理法は，条例で定めるところにより，都道府県公害審査会（以下「審査会」という）をおくことができるものとし，その所掌事務，組織等について規定している（法13条～17条の2）。

審査会等（審査会をおかない都道府県にあっては都道府県知事）は，公調委が管轄する紛争以外の公害紛争について，あっせん，調停及び仲裁を管轄する（法24条2項）。

裁定事件は取り扱うことはできない。

3　公害紛争処理の手続（図表 11-4〔573 頁〕）

⑴　手続の種類

公害紛争処理法による公害紛争処理手続には，あっせん，調停，仲裁及び裁定の4種の手続がある。ほかに，地方公共団体の公共事務としての公害苦情処理がある（→⑷〔575 頁〕）。

「**あっせん**」とは，紛争当事者の間の自主的な話合い，交渉が円滑に進むように，公調委・審査会等の公害紛争処理機関の委員のうちから指名された3人以内のあっせん委員が仲介し，当事者の話合いを側面から援助するものである（法 28 条以下）。

「**調停**」とは，公害紛争処理機関の3人の委員からなる調停委員会が，当事者の出頭を求めて意見を聴くほか，現地調査，参考人の陳述，鑑定等を通じ，当事者間の話合いに積極的に介入し，自ら調整案を作成し，当事者にその受諾を求めるものである（法 31 条以下）。調停手続は非公開で行われる（法 37 条）。双方の当事者がこれを受諾すると，これが和解契約の内容となる。

「**仲裁**」とは，紛争当事者の双方が，あらかじめ第三者の判断に服することを約して，第三者に紛争の解決を委ねることをいう。公害紛争処理機関の委員のうちから当事者が選定した者，選定がなされなかった場合は同機関の長が同機関の委員のうちから指名する者3人からなる仲裁委員会が，尋問・鑑定等により，仲裁判断を下して紛争の解決を図る手続である（法 39 条以下）。その裁断は確定判決と同一の効力をもち，特段の事情のない限り当事者はこの判断に不服を申し立てることができない（法 41 条）。

「**裁定**」とは，公調委の3人又は5人の委員からなる裁定委員会が証拠調べ等の手続を経て，法律判断を下し，請求権の存在を確認できた場合には，加害者に対し，損害賠償金の支払いを命令するものである（法 42 条の 2 以下。上記のように，裁定は公調委のみが行うことができる）。裁判所ではなく，専門的な行政委員会が，その専門的知識に基づいて判断するところに，裁判と異なる意義がある。他方，裁定が民事裁判と同様の法律判断をする作用をもつことから，裁定委員の少なくとも1人は，弁護士となる資格を有する者でなければならない（法 42 条の 2 第 3 項，39 条 3 項）。裁定は行政審判の一種である。裁定には，「**責任裁定**」と「**原因裁定**」の2種がある。

責任裁定の申請があった事件について訴訟が係属するときは，受訴裁判所は，責任裁定があるまで訴訟手続を中止することができる（法 42 条の 26）。専門的な行政委員会による迅速・適正な解決への期待が現れているといえよう。もっとも，責任

【図表 11-4】 公害紛争処理の手続

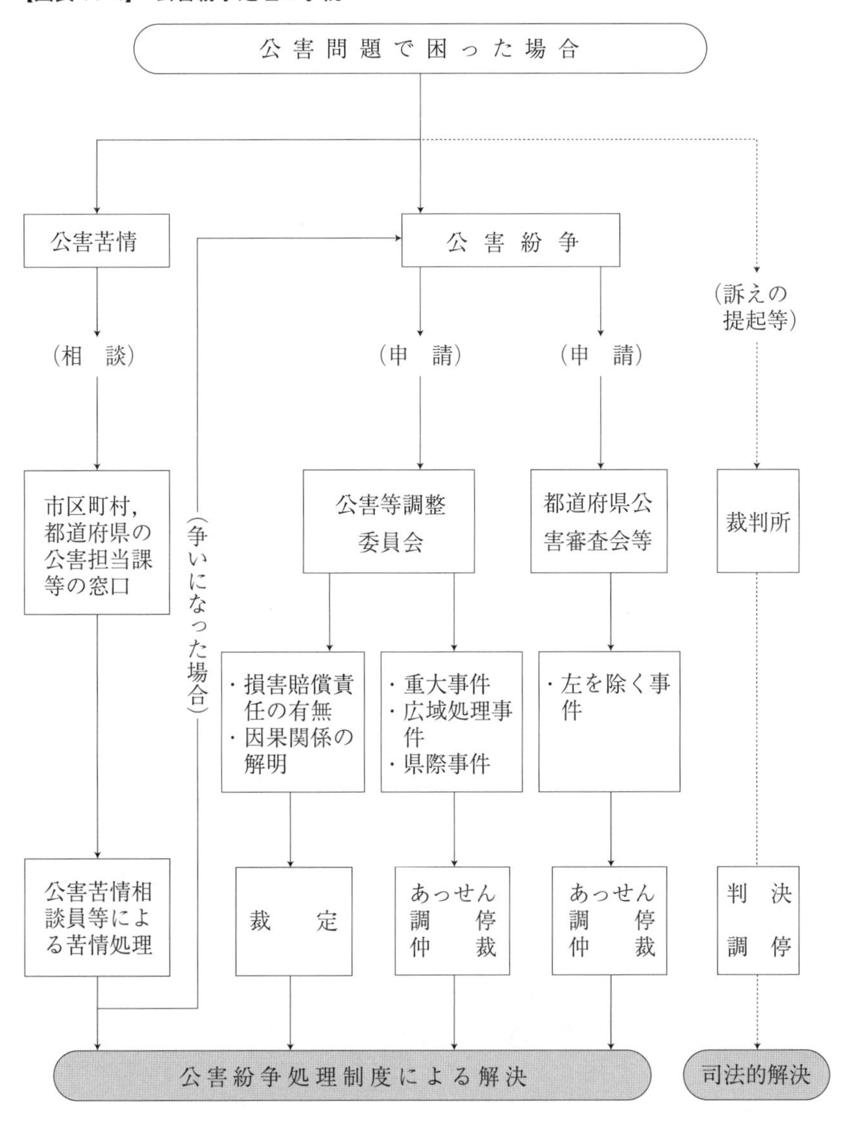

出典：公害等調整委員会資料を加工

裁定に不服のある当事者は，裁定書の正本が当事者に送達された日から30日以内に限り，損害賠償に関する民事訴訟を裁判所に提起することができる。この場合，裁判所は，責任裁定に何ら拘束されることはなく，裁判所における新証拠の提出が制限されることもない。他方，責任裁定の裁定書の当事者への送達の日から30日以内に訴えが提起されないとき，又はその訴えが取り下げられたときは，その損害賠償に関し，当該責任裁定と同一の合意が成立したものとみなされる（法律上の擬制的合意。法42条の20第1項）。この点に責任裁定の主要な意義がある。責任裁定は民事紛争を対象とするものであり，これに不服の場合につき民事訴訟のほかに行政訴訟を認めるのは手続の煩雑さを招き，紛争の迅速な解決を図る本法の趣旨に適合しないことから，責任裁定及びその手続に関してされた処分は，行政訴訟の対象とならない（法42条の21）。

原因裁定も因果関係の存否についての行政の判断をするものである。公害紛争においては因果関係の存否が争われることが最も多いことから，因果関係の問題を専門的・集中的に審理し，早期に判断を下すことによって，当事者間の損害賠償その他の民事上の紛争を事実上解決しやすくすることを目的としている。しかし，法的には，損害賠償その他の関連訴訟において裁判所を拘束するものではないし，また，当事者の権利義務を確定するものではないから，行政処分ではなく，行政訴訟の対象とはならない（法42条の33，42条の21）（裁判所が公調委に原因裁定を嘱託する例もみられる〔出し平ダム排砂漁業被害原因裁定嘱託事件（公調委裁定平成19・3・28判時1972号45頁）など〕）。

なお，公害紛争処理機関は，調停，仲裁，責任裁定により義務を負う者に対し，権利者の申出に基づき，その義務を履行するよう勧告することができる（法43条の2）。

(2) 公害紛争処理手続の手法

公害紛争処理手続の手法としては，通常の司法手続と異なる種々の工夫がなされている。

第1は，**職権主義**が導入されていることであり，その内容としては，①調停委員会，仲裁委員会による文書等の提出要求及び工場等の立入検査権（法33条，40条），②調停，仲裁の手続における職権での関係人，参考人の陳述要求もしくは意見の聴取，及び鑑定依頼（施行令10条），③調停委員会，仲裁委員会又は公調委事務局職員による事実の調査（公害紛争の処理手続等に関する規則16条2項，24条），④裁定手続における職権による証拠調べ及び事実の調査（法42条の16，42条の18）等があげられる。

第2は，当事者の費用負担が軽減されていることであり，調停，仲裁，裁定を申請する者の納めるべき手数料は，民事調停や民事訴訟に比べてずっと低額になっているし（施行令18条，別表），手数料の納付が困難な者に対しては，手数料の減免，猶予の制度も設けられている（施行令19条）。また，調査費用を含め，紛争処理の手続に要する費用の大部分が国又は都道府県によって負担されることとなっている（法44条，施行令17条）。

第3は，専門的知識の活用が図られていることであり，公害紛争処理機関には法学関係のほか，さまざまな分野の専門知識と経験を有する人材がおかれている。また，公調委には30人以下の専門委員がおかれる（公害等調整委員会設置法18条）。

(3) 公害紛争処理機関と関係行政機関との連携

公害紛争処理機関は，専門的な知識を用いて公害・環境紛争の解決にあたる結果，公害環境行政に有用な意見が形成されることが少なくない。

そのため，公調委には，1972年改正前から，内閣総理大臣（現在では**総務大臣**）又は関係行政機関の長に対する公害防止施策の改善についての意見の申出の権限が与えられており（法48条。都道府県審査会にも当該都道府県知事に対して同様の権限がある），さらに，同年の改正により，原因裁定があった場合に，公調委がその内容を関係行政機関の長又は関係地方公共団体の長に通知するほか，公害拡大防止等に関する必要な措置についての意見を述べうることが付加された（法42条の31）。

後者は前者（法48条）の特別規定的なものであるが，原因裁定は独立性・専門性の高い機関が客観的見地から出した結果であるから，これを公害・環境行政に直ちに反映する必要があるとの考えに基づいている（六車明）。法42条の31の「公害の拡大の防止等」に関する「必要な措置についての意見」の方が，事柄の性質上，法48条の公害防止施策の改善についての意見よりも行政が迅速な対応を求められる内容となる場合が多いであろう。「公害の拡大の防止等」に関する「必要な措置についての意見」の申出は，原因裁定の1つの重大な機能を担っているといえる。

(4) 公害苦情処理

公害紛争処理法は，公害苦情処理を，公害紛争処理制度の一環として規定した。地方公共団体は，関係行政機関と協力して公害に関する苦情の適切な処理に努めるものとされ，都道府県及び市町村は，公害苦情処理相談員をおくことができるとしている（法49条）。公害苦情処理相談員は，住民の相談に応じ，苦情処理のために必要な調査，指導，助言をし，関係行政機関への通知等を行う。住民からの苦情をもとに，環境破壊・公害に早期に対応し適切な解決を図ることは，未然防止の観点からも極めて重要である。公害苦情処理は，地方公共団体にとって，住民の福祉を守るための大切な責務である。公調委は，地方公共団体の公害苦情処理について指導を行うこととされている（法3条）。

4　公害紛争処理の実績

公害紛争処理法が施行された1970年度から2014年度末までに公調委（及び中央公害審査委員会）に係属した事件は969件であり，その内訳は，あっせん3件，調停725件，仲裁1件，責任裁定148件，原因裁定86件，義務履行勧告申出6件である。都道府県公害審査会等の2014年度末までの係属件数は1,426件ある。また，地方公共団体の公害苦情相談窓口で受け付けた公害苦情件数は2018年度で66,803件である。近年は新規係属件数の多くが裁定事件となっている。

主要な調停事件としては，不知火海沿岸における水俣病事件，大阪国際空港騒音事件，渡良瀬川沿岸における鉱毒調停事件，スパイクタイヤ粉じん被害等調停申請事件，山梨・静岡ゴルフ場農薬被害等調停事件，北陸新幹線騒音防止等調停事件，豊島産業廃棄物被害等調停事件などがある。裁定事件としては，都営地下鉄10号線建設工事被害責任裁定事件，小田急線騒音被害等責任裁定事件，杉並区不燃ゴミ中継施設健康被害原因裁定事件（公調委裁定平成14・6・26判時1789号34頁〔104〕），有明海における干拓事業漁業被害原因裁定事件などがある。最近の公害紛争の特徴として，都市型・生活環境型の紛争が増加していること，裁定事件の割合が高いこと，騒音・大気汚染をめぐる事件の割合が高いことが指摘されている。

調停については，将来に向けて継続的な対策が必要な案件について，調停手続を利用して，関係当事者の協議等を繰り返して解決に導く「公害行政代替機能」（豊島産廃被害等調停事件など），調停の条項に，申請人と被申請人との間で協議機関を設置する合意を含み，調停成立後に，協議機関による「フォローアップ機能」（尼崎大気汚染訴訟の和解に係る公調委への申請事件）なども認められる（淡路剛久「公害紛争の司法的解決と公害紛争処理制度による解決」立教法学65号23頁以下）。

最近，調停事件においては，①「おそれ」公害（リスク）段階での申請や②実質的に行政的・立法的措置を要求する申請が増加している。中でも重要なのは，スパイクタイヤ粉じん被害等調停申請事件である。この事件は1987年秋に公調委に係属し，翌年6月に調停が成立した。その内容は調停申請者の要求どおり，3年でスパイクタイヤの販売を停止するものであった。調停の成立時に調停委員長から，内容的にみて，法48条に基づく公調委の意見申出と同様の談話が発表された。このような経緯をきっかけとして，1990年には「スパイクタイヤ粉じんの発生の防止に関する法律」が制定された。なお，スパイクタイヤ事件ほど明確な関係はないが，1993年の豊島の産廃撤去調停申請（2000年6月6日に香川県と調停が成立した）が，2000年以降の廃掃法改正と密接な関係を有している（→ **Column27**〔266頁〕）ことも指摘しておく。

①「おそれ」公害段階での調停事件の申請については，確かに公害紛争処理法は「民事上の紛争が生じた場合」であることを要求しているが（法26条1項），これは「民事上の紛争が」生じたことを要求しているのみであり，被害が将来生ずる具体的なおそれがある旨の主張があり，かつ，すでに紛争状態にある場合には，申請を受理すべきである（南博方）。あっせん，仲裁も同様である（公害等調整委員会事務局編著『解説　公害紛争処理法』84頁同旨）。ただし，「おそれ」公害に対する裁定は認められていない（法42条の12第1項）。

②行政的・立法的措置を要求する調停事件の申請については，これが「民事上の紛争」にあたるかという問題があるが，調停審理の流動性に鑑み，申請の要件としては公害に関する紛争の主張があれば十分であるとの見解（南）を支持したい。この種の措置を要求する調停事件の申請を認めることは，市民の行政・立法に対する要求を公調委を通して行政が汲み上げる可能性を広げるものであるが，このような運用は，公害紛争処理制度にまさに期待されているところであると考えられるからである。

5　今後の課題

公害紛争処理制度は，訴訟ではない，行政による紛争解決システムであり，わが国の環境法の特徴の1つである。中でも公調委の調停は，迅速かつ安価な紛争処理をするとともに，現状維持的機能を果たしていること，当事者間の継続的信頼関係の創出に役立っていることが指摘されている（高橋裕）。公調委による調停は，司法判断の枠内でその基準に従って解決を図るものであるが，当事者の話合いを重視するものであるがゆえに，例えば，ゴルフ場の農薬の使用を制限したり，建設するゴルフ場の規模を縮小するなど，全か無かの司法的判断では得られにくい解決を行う可能性を有している（淡路剛久）。

しかし，課題は少なくない。

第1に，主に調停についての課題として，受理件数が少なく，調停成立のケースが減少してきている。これは，公害は賠償金額等が多額に上ることが多く，当事者の合意が成立する可能性が高くないこと，調停に和解契約の効果しか与えられていないことなどに起因するものと思われる。これに対する1つの立法論的対処の方法として，公害紛争処理の調停にも，民事調停法の調停（民事調停法16条）同様の，確定判決と同一の効力を認めることがあげられよう（南博方＝西村淑子）。

第2に，1972年の改正時に大きな期待がかけられた「裁定」については，その後の裁判所の審理を何ら拘束しない中途半端な性格のものになっている点に強い批判が加えられている。近時，内閣における準司法手続の見直しの中で公害等調整委員会の改革が議論され，その中で，①実際に利用されておらず，利用するにしても東京に1箇所しかなくユーザーサイドからみて不便であること，しかも，②現在の組織は費用対効果あるいは簡素で効率的な行政の観点からみて非効率であることといった問題が指摘された。特に，裁判所と異なり，原因裁定について専門的調査の能力が高いことがこの委員会の特色であるため，この長所を生かす方策を検討しなければならない。かねて，指摘されていたように，責任裁定についても原因裁定についても，その事実認定について実質的証拠法則を認めること，委員会の責任裁定に対する不服は第1審を略して高等裁判所に出訴させること（原田）などにより，裁定に存在意義を与え，同時に紛争解決を迅速化する必要があるといえよう。

第3に，根本的には，環境紛争を対象とすることが必要である。①残土や積み上がった廃棄物の崩壊，太陽光発電パネルによる土砂崩れのおそれ，携帯電話基地局の電磁波などの，典型7公害以外の健康・生活環境被害，②日照妨害，眺望侵害，シックハウス，マンションでの騒音のような，相隣関係的紛争における（「相当範囲にわたる」〔環境基本法2条3項〕とはいえない）健康・生活環境被害，③自然，生態系の侵害など，多くの場合健康・生活環境被害とは言えない事案の3つの事案類型が問題となり，いずれにも対象を拡大することが理想的であるが，従来の公害紛争処理との類似性では，まず①，②に拡張することが考えられる（なお，地球環境問題は，気候変動への影響のように，健康・生活環境被害に関連する場合もあるが，申請者と被申請者が互譲により解決しにくい場合が多い→ **Column53** シロクマ公害調停）。特に①のうち，太陽光発電については，国も再生可能エネルギーを推進する観点から重大な関心があるはずであり，この制度の対象とすることに意義を見出すべきではないか。

第4に，この制度がリスクに関して十分に対応していないという問題がある。具体的には，あっせん，調停，仲裁については現行法26条でも差止は可能だが，責任裁定については認められておらず（法42条の12第1項），差止裁定を認めることが必要である。もっとも，強制力（執行力）を認めるときは，職権調査の柔軟性が制限されることにつながるとの懸念があり（「公害紛争処理制度に関する懇談会報告書」（以下，「報告書」）〔2015〕32頁），現行の責任裁定と同様，民事上の和解としての効力を持たせることに留めることが考えられる。

第5に，（上述した点とも関連するが）行政庁を被申請者とし得ることを明示すべきではないかという問題がある。豊島事件もこの例であるが，行政については非権力的行政作用も重要であるため，対象とすることが考えられる。行政を引き込むことは，行政に監督権限がある場合には特に強い効果が期待される。もっとも，あっせん，調停，仲裁のみについて認めるのか，裁定についても認めるのかについてはさらに議論が必要であろう。行政に対して勧告ができるような制度とすることも望ましいと思われる。

公害紛争処理手続は，残念ながら公害対策基本法の時期の制度が温存されてしまっており，基本法が環境基本法に変わったことが何ら反映されていない。抜本的な対象の拡大が必要となろう。

第6に，現行法では，調停の際の調査権限（法33条は法24条1項1号に掲げる紛争に限定して適用される）や証拠調べの制度が欠けている（法42条の16のような規定がない）ため，この点の強化が必要である（日弁連「公害紛争処理制度の改革を求める意見書」〔2020〕9頁）。

第7に，都道府県との関係では，都道府県公害審査会から公調委に原因裁定の嘱託ができるようにすることなどが考えられる（前掲「報告書」12頁，18頁）。

第8に，近年，公調委への申立件数は年間20～40件，都道府県公害審査会への申立件数は年間30～50件程度にとどまっており，これは，上記の地方公共団体の公害苦情相談窓口で受け付けた公害苦情件数とはかけ離れている。都道府県の公害紛争審査会を市町村の苦情窓口と連携させることを検討しなければならない。また，申立件数が少ないことから，経験に乏しい都道府県公害審査会の事務局が消極的な対応をする例もみられるとの指摘があり（日弁連・前掲12頁），このような悪循環の解消に努めるべきである。

➡ 公害紛争処理制度はあまり機能していないようにみえる。しかし，この制度には様々な長所がある。どのような長所があるか。また，どのようにすれば，この制度を活性化し国民に役立つものにすることができるか。

6　その他の裁判外紛争処理機関

原子力損害賠償については，原子力損害賠償法の下，原子力損害賠償紛争審査会が設置され，和解の仲介も行ってきたが，2011年の同法改正により，同審査会の下に原子力損害賠償紛争解決センターが設立された。同センターは，被害者の申し立てにより，弁護士の仲介委員等が原子力損害賠償に関する紛争について和解の仲介手続きを行い，当事者間の合意形成の推進を通じて，紛争の迅速な解決を図ることを目的とする。こうして，原子力損害賠償の紛争については，①発災原子力事業者との直接交渉，②同センターによる和解の仲介，③訴訟という3つのいずれかの方法で解決が目指されたのである。

第12章　各種の環境訴訟

訴訟については各所で法制度や訴訟制度との関係で触れたが，注目される訴訟を分野別にいくつか取り上げて補充しておきたい。

12-1　環境影響評価に関する訴訟

近時，環境影響評価をめぐる訴訟の動向が注目されている。その中には，①環境影響評価手続を直接問題としたものと，②行政庁の許認可等における裁量判断の前提としての環境影響評価手続が問題となったものがある。①は民事差止訴訟，損害賠償訴訟，行政訴訟としての住民訴訟，実質的当事者訴訟，②は取消訴訟の問題となる。

1　民事訴訟

まず，民事訴訟についてみておきたい。環境影響評価手続の不実施又は重大な不備等の手続違背が民事上の差止めの考慮要素としてどのように扱われるかについては，大別して(i)不実施を被害発生の蓋然性を根拠づける一事情として勘案するもの（津島市ごみ焼却場建設工事仮処分申請事件〔名古屋地決昭和54・3・27判時943号80頁〕），(ii)不十分な環境影響評価しかされていないことについて，受忍限度を超える被害の発生を事実上推定するもの（小牧市共同ごみ焼却場事件第1審判決〔名古屋地判昭和59・4・6判時1115号27頁〕），(iii)被害発生の蓋然性を前提とした上で，そのような蓋然性があるのにもかかわらず，公共性の高い施設の建設を許すための必要条件として環境影響評価の実施を要求するもの（牛深市し尿処理場事件判決〔熊本地判昭和50・2・27判時772号22頁［16］〕。必要条件というよりも特別事情の1つとして考慮するものとして，徳島市ごみ焼却場建設仮処分事件第1審判決〔徳島地判昭和52・10・7判時864号38頁〕）などがあった。その後の環境影響評価法の施行により，同法の趣旨を尊重し，「環境影響の程度が著しいものとなるおそれがある事業」（1条参照）と考えられる事業に対しては，その手続に不実施又は重大な不備があった場合には，民事差止訴訟において被害発生の蓋然性が事実上推定されるものと解することができよう。

なお，法施行以前に小規模な環境影響評価手続が行われていた諫早湾干拓事業に際して原告と被告（国）との間の証拠収集に関する構造的な格差に注目し，開門調査をしない被告に証明妨害があるとして，原告の請求を一部認容し，期限を設けて開門を命じた判決が出された（佐賀地判平成20・6・27判時2014号3頁→**11-1・2**(2)(c)(エ)〔515頁〕）ことが注目される。

2 行政訴訟

Q1 最近の行政訴訟には環境影響評価が問題となるものがみられるが，どのような方法で訴訟が提起されているか。

(1) 次に，環境影響評価をめぐる行政訴訟については多くの議論がある。ここでは，従来の議論を整理するにとどめたい。

(a) 第1に，訴訟における環境影響評価をめぐる争い方については，(i)許認可等を争う訴訟の中でその前提として環境影響評価について問題とするもの（取消訴訟，差止訴訟等の抗告訴訟），(ii)環境影響評価手続への公金支出差止めなどの住民訴訟で争うもの，(iii)環境影響評価手続の実施を求め，またやり直す義務の存在の確認を求めるもの（実質的当事者訴訟。給付訴訟――横浜地判平成19・9・5判自303号51頁［47］――請求を適法としつつ，棄却→**11-2・3**(5)〔555頁〕。確認訴訟――辺野古環境影響評価手続やり直し義務確認等請求訴訟〔福岡高那覇支判平成26・5・27［76］（那覇地判平成25・2・20〔確認訴訟については不適法却下〕に対する原告の控訴を棄却。最決平成26・12・9は上告不受理とした）――意見陳述権を否定し，確認の訴えを不適法とした〕）などのタイプがある。なお，電気事業法の環境影響評価手続に関してであるが，神戸石炭火力発電所の環境影響評価について，（石炭火力の地球温暖化に対する大きな影響及び各種大気汚染物質の近隣地域への影響を理由とする）電気事業法の下での，主務大臣の環境影響評価書確定通知（46条の17第2項）の取消し等が求められたところ，大阪地判令和3・3・15及びその控訴審である大阪高判令和4・4・26は，同確定通知の処分性を認めたことが注目される（→**Column53**〔480頁〕）

(b) 第2に，出訴権者については，環境保護団体に原告適格を認めうるか（現行法の下で，紛争管理権又は任意的訴訟担当による環境保護団体の原告適格の可能性を否定したものとして，東京地判平成17・5・31訟月53巻7号1937頁），環境影響評価法の立法時には情報提供参加とされている意見提出者（8条，18条）に法律上の利益を認めうるかという問題がある。上記(i)の場合には，関連法規に照らして判断されることになる。

環境影響評価自体が争点となった事件ではないが，裁判例上原告適格の判断に環境影響評価に関する範囲設定が用いられることが少なくない。都市計画事業等の認可の取消請求訴訟について小田急訴訟大法廷判決（最大判平成17・12・7民集59巻10号2645頁［28］）は，東京都環境影響評価条例の関係地域内に居住している原告について，原告適格を認めた。ほかに，下級審においても，Yがした産業廃棄物処理施設設置の不許可処分に対してXが取消しを求めた訴訟において，廃棄物処理施設生活環境影響調査指針で生活環境影響調査の範囲としている処理施設4km以内の周辺住民に補助参加の利益を認めたもの（和歌山地決平成15・9・30判自263号72頁），産業廃棄物処分業の変更許可処分について焼却炉の設置を計画した際の廃棄物処理施設生活環境影響調査指針に基づく同調査の範囲である施設から3kmの範囲の周辺住民に原告適格を認めたもの（さいたま地判平成19・2・7判自297号22頁。控訴審〔東京高判平成21・7・1〕でも維持されている）がある。

環境影響評価の瑕疵を理由とする抗告訴訟を提起する場合には，原告適格については，公衆に適正手続を求める権利を認め，意見書提出権を基礎とするか，環境影響評価の関係地域内の地権者であること等を基礎とすることが考えられる。

なお，アセスやり直し実施義務の確認訴訟については，前掲福岡高那覇支判は，住民のアセス手続への参加が情報提供参加であること等を理由として，意見陳述権を否定した。情報提供参加により事業者が的確かつ効率的に情報を収集できること，意見の提出に当たり何らの限定が付されていないこと，個々の意見に対し事業者が応答義務を負わないことを理由とする。これについては，第1に，関係地域の住民には縦覧や説明会で他の地域とは区別する規定をおいていることが原告らに何らかの利益を認めていることにならないか（小田急訴訟大法廷判決参照），第2に，環境影響評価の項目には公害も含まれるのであり，原告の主張の背後に健康被害や生活環境被害のおそれがある場合には異なる解釈をとる余地はないのか，という問題を提起できよう。また，環境影響評価法・条例の「意見を有する者は……述べることができる」との規定ぶりは権利規定と理解されるのに十分であるし，情報提供参加として「環境の保全の見地からの意見を有する者」の範囲に何ら限定を設けていないことは，意見陳述権という環境影響評価手続上の手続的権利としての資格を否定する理由にはならないとの指摘がなされている（松本和彦「辺野古環境影響評価手続やり直し義務確認等請求事件」環境法研究〔信山社〕10号270頁。なお，意見書提出手続について「権利防衛参画」としての側面を主張するものとして，北村）。

(c)　第3に，本案審理における問題として，まず，環境影響評価の瑕疵と後続する行政決定との関係についてはどうか。環境影響評価自体ではない一般論であるが，従来の判例においても，手続における瑕疵が，後続する行政処分の決定の内容に影響を及ぼすおそれがある場合には，手続の瑕疵を理由として当該行政処分の決定が違法とされている（群馬中央バス事件最高裁判決〔最判昭和 50・5・29 民集 29 巻 5 号 662 頁〕）。環境影響評価の結果は，処分の内容に重大な影響を及ぼす可能性は十分にあるといえよう（畠山武道）。

後続する行政決定としての都市計画の決定・変更の内容について，行政庁の裁量権の範囲の逸脱又は濫用とされるためには，①裁量権行使の基礎とされた重要な事実に誤認があること等により重要な事実の基礎を欠くこととなる場合，又は，②事実に対する評価が明らかに合理性を欠くこと，判断の過程において考慮すべき事情を考慮しないこと等によりその内容が社会通念に照らし著しく妥当性を欠くと認められる場合であることが必要である（小田急訴訟最高裁判決〔最判平成 18・11・2 民集 60 巻 9 号 3249 頁［29］〕参照）。環境影響評価についても後続の行政決定の違法性を導くためには，環境影響評価に著しい瑕疵があるかが問題となる（畠山）。なお，この点について，新石垣空港設置許可取消請求訴訟判決（東京地判平成 23・6・9 訟月 59 巻 6 号 1482 頁〔東京高判平成 24・10・26 訟月 59 巻 6 号 1607 頁［75］で維持された〕）は，環境影響評価の「手続上の瑕疵のために環境影響評価を左右する重要な環境情報が収集されずそのまま環境影響評価の結果が確定された場合には，免許等を行う者による環境配慮審査適合性が認められるとの判断が違法とされる余地がある」との一般論を示したが，環境影響評価という手続を適正に行う中で十分な環境情報が得られることが重視されるべきである。

具体的に問題となる点をあげておきたい。

①まず，複数案（代替案）の検討は一律に法的義務とはいえないが，被侵害利益や侵害の態様によっては，複数案検討の義務が発生し，これを検討していないことが著しい瑕疵と判断すべきことになろう。2011 年の環境影響評価法改正前から「基本的事項」で複数案について明示していた点について，前記東京地判平成 23・6・9 は，環境省告示であり，事業者を拘束するものではないとするが，基本的事項の規定は国交省等の省令に反映されていることが検討されるべきであろう。なお，2011 年の同法改正後，「基本的事項」においては，計画段階配慮書について複数案の検討が原則とされ，検討しない場合には理由を付することとされた点が注目される（→**5-3**・2〔133 頁〕）。

②次に，石垣島の空港建設との関係で問題となったように，方法書作成（スコーピング）の前に大規模な調査を実施した事案はどう解すべきか。これについて環境影響評価法は「既に把握している調査結果を方法書に記載することをむしろ求めている」とする裁判例もあるが（前記東京地判平成 23・6・9），この判示は方法書でス

コーピングを行い，項目を絞り込んで調査することの重要性，すなわち，漫然と調査をするのでなくスコーピングを経た上で行うことによって適正な調査ができることを十分に理解していないと思われる。方法書段階の意見提出の機会を奪うものといえる場合には著しい瑕疵となるし，意見提出の機会を奪っているとはいえない場合においても方法書の制度を形骸化するおそれがあるため，著しい瑕疵と考えられる場合が少なくないといえよう（新石垣空港建設事業公金支出金返還等請求訴訟第1審判決〔那覇地判平成21・2・24〕は，環境影響評価を行うに先立つ手続として方法書の手続を定めた法の趣旨を没却しかねないと正当な指摘をしているが，方法書の手続を無視又は回避するなどの法の趣旨を潜脱する意図はなかったとして環境影響評価法に違反して違法とまでは言えないとした）。

③また，調査・予測・評価の不備については，不備が意図的なものかが重視されている（新石垣空港建設事業公金支出金返還等請求訴訟第1審判決，泡瀬干潟埋立公金支出差止等請求第1次訴訟〔第1審——那覇地判平成20・11・19判自328号43頁，控訴審——福岡高那覇支判平成21・10・15判時2066号3頁［2版86］〕。ともに，環境影響評価が違法だったとはせず，経済的合理性の欠如を理由に認容。経済合理性の欠如は，市長が係争中に計画の見直しを表明し，土地利用計画が定まっていなかったという事情が関連している〔奥真美「判批」環境法研究〔信山社〕6号133頁〕。なお，その後，泡瀬干潟埋立公金支出差止等請求第2次訴訟では住民は敗訴している〔那覇地判平成27・2・24（一部棄却，一部却下，一部訴訟終了），福岡高判平成28・11・8［74］（一部変更，一部訴訟終了）〕）。手続を潜脱する意図があればそれを重視してよいが，そのような意図がないことはむしろ当然であり，重視すべきではないと思われる。個々の調査において調査回数や期間，調査方法の決定，環境保全措置の不確実性の程度についての記載などに不十分な点があることについて，環境影響評価法が事業者の自主的な調査，予測，評価を行う手続であることを重視して，違法とはいえないとする立場もあるが，事業者の自主的な手続ではあっても，相当の努力に基づくレベルは維持されるべきであり，調査方法等の不十分さが環境影響評価手続を違法なものとする可能性はあると思われる。同時に，この点は，正確な環境影響評価にむけた制度的な対応（たとえばオランダの環境影響評価委員会の如くである）の必要性を示唆するものともいえる。

④公告・縦覧・説明会などにおける明確な手続違反がある場合には，裁量権の逸脱・濫用に至る著しい瑕疵があることが認定されやすいと考えられる。

⑤評価書に対する免許権者等の意見に対して事業者が補正書で答えていない場合はどうか。前掲東京高判平成24・10・26は，事業者は同法24条の免許権者等の意見を尊重することは要請されているものの，同法24条意見に従うべきことや，従

わない場合に合理的理由を示すことを義務付ける規定はないとする（なお，同判決は，23条の環境大臣意見は，免許等を行う者が24条意見を述べる際に勘案すべきものであって，事業者が同条の環境大臣意見を勘案するものとはされていないとする）。しかし，同法は事業者が免許権者等の意見に対応することを当然想定しており，この対応不備の場合は，手続が適正に行われないために十分な環境情報が得られないことが多いと考えられる。

(2) 環境影響評価法と都市計画との関係について一言しておこう。これについては，個々のケースにより，①環境影響評価手続を事業者が実施した後に，都市計画決定がなされる場合と，②都市計画決定権者が，事業者に代わって環境影響評価を行う場合（「都市計画アセス」。この場合には，事業アセスではなくなる）とがある。①については，上記（→(1)〔581頁〕）と同様であるが（都市計画法13条1項参照），②の場合の環境影響評価については，環境影響評価法39条以下が適用され，都市計画決定権者は，評価書の記載されているところにより環境影響に配慮し，環境保全が図られるようにしなければならず（42条2項），また，国土交通大臣は評価書の記載事項及び同法24条の書面に基づいて，当該都市計画につき，環境の保全についての適正な配慮がなされるものであるかどうかを審査しなければならない（42条3項）（都市計画手続との関係について，島村健「環境影響評価」『環境法ケースブック』〈第2版〉184頁以下参照）。

Column57 ◇細切れアセスと訴訟

事業者は開発行為をする際に，環境影響評価手続を行うことにより時間やコストがかかることをおそれ，それを潜脱するために，開発行為を分割し，分割された行為が環境影響評価法・条例の対象にならないようにする可能性があることについては，注意する必要がある。

大阪地判平成21・6・24判自327号27頁が扱った事件は，被告会社らが住宅等を建設する開発事業を行うにあたり，近隣住民が，本件開発事業区域の面積が3ヘクタールを超えるものであるから枚方市環境影響評価条例の定める環境影響評価手続の対象となるにもかかわらず，同区域を2つに分けたこと等により損害を被ったとし，被告会社らが本件条例の手続を免れたことなどが共同不法行為にあたるとして損害賠償を請求し，また，被告枚方市は環境影響評価手続をするよう行政指導する義務を怠り許認可をしたことが違法であるとして国家賠償を請求したものである。近隣住民らの環境影響評価に係る手続的権利・利益の侵害を主張している。裁判所は，本件開発事業は，それぞれ事業主，事業内容，施行区域，事業資金，収支計算等を異にする別個の事業としての実体を有しており，一個の開発事業としての実質を備えていないとして，被告会社らが環境影響評価手続を違法に潜脱したとは認められないとした。

細切れアセスを防止するための1つの訴え方を示したものとして注目される。

12-2 水質汚濁に関する紛争

水質汚濁については，最近，水質汚濁防止法15条の常時監視，17条の公表の規定に関連して，国家賠償に関する紛争についての裁定が出されている（**神栖市砒素汚染健康被害事件裁定**〔公調委裁定平成24・5・11判時2154号3頁［107]〕)。

⑴ 2003年3月，茨城県旧神栖町の1つの井戸（A井戸）の水から，水質環境基準の450倍の砒素が検出された。当時，A井戸を使用していた住民の中には，手の震え等の神経症状を訴える者が複数現れていた。この砒素はジフェニルアルシン酸（DPAA）であることが判明したが，この物質は，旧陸軍が製造していた毒ガス兵器の原料として民間で製造されていたものであった。

ところで，茨城県は，これより前の1999年1月の時点で，A井戸から西へ約500m離れた地点にある井戸（会社寮井戸）から，水質環境基準の45倍の砒素が検出された事実を把握していたが，当時実施した調査では，付近の7箇所の井戸から砒素が検出されなかったことから，自然由来の局所的な砒素汚染と判断し，さらなる原因究明調査や住民への周知といった対応はとらなかった。その結果，1999年以降，砒素（DPAA）による地下水汚染とそれに伴う被害は拡大することになった。

A井戸の利用者又はその家族（X）らは，国及び茨城県に対し，国家賠償法1条1項，4条等に基づき，それぞれ損害賠償の支払いを求めた。

⑵ 公調委の裁定は，

①国は，DPAAの無秩序な流出・使用による健康被害の発生を未然に防止する一般的義務を負うが，本件において，健康被害と因果関係のある個別具体的義務及びその違反を認定することはできない，

②県は，会社寮井戸の原水汚染を確認した1999年1月以降，同井戸の周辺住民に対して何らかの周知措置も採るべきであったのにこれをせず，また砒素汚染が自然由来のものと判断し，（県が周辺地下水調査の終了を決めた）同年2月以降，更なる原因究明のための調査を行わなかったのであり，いずれもその権限を定めた水濁法の趣旨，目的やその権限の性質等に照らし，都道府県知事の裁量を逸脱して著しく合理性を欠くものであって，これにより被害を受けた者との関係において，国家賠償法1条1項の適用上違法となる，

③人が身体・健康に関して重大な不安を抱かずに日常生活を送ることは，平穏な生活を営む利益に属する利益として法的保護に値するものであるから，県は，健康被害が認められない申請人に対しても，権限不行使によりその不安感を増大させ，平穏な生活を営む利益を侵害したことにより生じた精神的損害について，同法1条

1項の賠償責任を負う，
というものであった。

(3) 本裁定には，以下のような意義があると考えられる。

第1に，本裁定は，水質汚濁防止法15条の常時監視，17条の公表の規定を活用し，県（茨城県）知事の合理的裁量の見地から，汚染が発見された場合の措置が常時監視義務から導かれるし，水濁法担当部局が汚染を把握し，かつ，住民の健康に影響を及ぼすおそれがあると考えられるときには，速やかに水質汚濁に関する情報を周知することが求められるとして，県の権限不行使（規制権限の前提としての権限の不行使）の違法性を認めた点に大きな意義がある。

従来このような判断をした裁判例等はなく，『逐条解説 水質汚濁防止法』でも，汚染が発見された場合の措置が常時監視義務から導かれるかどうかについては触れられていなかった。もっとも，都道府県知事の合理的裁量を判断する際にこのような理解をする可能性は十分にあったと思われ，水質汚濁防止法の目的に適合する解釈であると考える。

第2に，第1点に関して，本件では，1999年当時県が把握した井戸の砒（ひ）素汚染は，水濁法16条に基づく測定によって発覚したものではなく，専用水道の設置者が行った水質検査によって発覚し通報されたものであったが，本裁定が，このように「その他の機関・個人からの情報提供を通じ」た発見の場合にも，水濁法に基づく権限行使（追加調査等）を行うことが，「監視行為の一内容として」当然予定されていると解釈している点も重要である。この点も15条の常時監視の規定を，合理的な裁量を加味して解釈したものといえる。前述したように，2005年のいわゆる三位一体改革以後，各地の水質測定ポイントが減少傾向にあり，実際には水濁法にいう常時監視は実態を伴わなくなりつつある（→**Column20**〔191頁〕)。本裁定が，水濁法以外の測定によって発覚した場合でも，監視行為の一内容として追加調査等を行うことが予定されていると解釈した点は，このような問題状況に対応する考え方を提示したものといえよう。

第3に，本裁定では，健康被害が認められないXらについても，DPAA曝露に伴う健康不安等から，平穏な生活を営む利益が侵害されたとして，一定の慰謝料が認定されている。相当数の下級審裁判例において認められている**平穏生活権**（本裁定が「**平穏生活利益**」としている点も注目される）（→**11-1**・2(2)(c)(カ)〔515頁〕）を基礎としつつ，行政に，身体・健康に対する社会通念上の不安情報を確認した時点で，情報提供をする義務を課したものとして極めて注目される。

(4) 県の責任について，4点指摘しておきたい。

第1に，県の規制権限不行使に関する作為義務については，判例は裁量権消極的濫用論を採用してきたが（→**11-2**・5〔560頁〕），本裁定もこれに従うものである。裁量権収縮論に言う5要件のうち，危険の切迫性に関する事実が重視されているが，そのほかの予見可能性，回避可能性，補充性，国民の期待という要件も満たすものと考えられる。

第2に，本件においては，県の権限不行使の違法性の認定にあたって，1999年当時の検査結果が水質環境基準値の45倍であったことをどう評価するかが決め手になったと思われる。周辺7箇所の井戸しか測定していないこと，それらの検査の深度が不明であることなども関連する問題である。

第3に，県の公表の仕方について，水濁法17条の「公表」は当該都道府県の住民が知りうる状態にすることと解されてきたが（前掲『逐条解説』333頁），本裁定は，「単に住民が知り得る状態におけば足りるものではなく，具体的状況に応じて，説明会，チラシ，戸別訪問などの手段により，早期かつ確実に情報提供を行うことが求められる」とした。これは「住民の健康に影響を及ぼすおそれがあると考えられるとき」を想定しているため，知り得る状態におくのみでは足りないことを示したものである。同法17条が一般的に公表の規定をおくのみであり，方法や時期について具体的な規定がないところ，同条を基礎にしつつも都道府県知事の合理的裁量を加味して公表の方法を明らかにしたものといえよう。

第4に，本裁定の県の権限不行使の合理性の判断においては，1997年の環境庁通達が重視されており，環境庁通達に裁量基準としての拘束力が認められた点が大きな影響を及ぼしている（もっとも，当時でも通達であるから法的拘束力があったとまでは言えないものの重要な判断基準となったといえる）。なお，本件権限不行使が問題とされた1999年当時は，水質汚濁防止法に係る事務は，機関委任事務であったが，地方分権推進一括法の制定後，機関委任事務は廃止された。もっとも，今日でも上記環境庁通達は信頼できる重要な参考情報として位置づけられるべきであり，本件と同様の事件が現在起きた場合にも，県の権限不行使の違法性についての結論は変わらないであろう。

(5) 本件は，不法投棄が契機となって生じた地下水汚染に関する事案であり，不法投棄の犯人は見つからないため，常時監視等を行う県のみが責任を負う結果となった。都道府県は今後，水質汚濁等の汚染の調査に細心の注意を払う必要が生じたといえよう。

12-3　土壌汚染に関する訴訟

土壌汚染に関しては様々な訴訟が提起されている。ここでは特徴的なものとして，土壌汚染対策法８条の趣旨及び民法と同条の関係に関するもの，契約後に環境基準や汚染除去等の規制が導入された場合における売主の瑕疵担保責任に関するもの，土壌汚染に関して賃貸借の場合の原状回復が問題となったもの，汚染原因者でない土地所有者の措置義務の立法の違法性に関するものなどを扱うことにする。

1　土壌汚染対策法８条の趣旨及び民法と同条の関係

土壌汚染対策法８条は，土地所有者等が原因者に対して，指示措置（及び計画の作成・変更）に要する費用を回収（求償）するための規定である（→**6-4**・2(8)〔235頁〕）。もっとも，本条に関してはいくつかの論点がある。

第１に，実施措置を講じた場合に，「指示措置（及び計画の作成・変更）に要する費用の額の限度において」請求を認めていることである。すなわち，土地所有者等は，指示措置と「同等以上の効果を有すると認められる汚染の除去等の措置として環境省令で定めるもの」（「指示措置等」）を講ずることも認められるのであるが（7条1項1号。例えば，指示措置は封じ込めや覆土であっても，掘削除去をすることも認められる），８条に基づいて原因者に求償できる額は，指示措置（及び計画の作成・変更）に要する費用の額に限られるのである。これは，原因者に必要な限度を超える負担をさせない趣旨であり，ひいては，掘削除去を減らしていこうとする同法2009年改正の立場とも平仄が合っている。

第２に，８条１項及び２項は，この費用回収（求償）の請求権をどのような法的性質をもつものと考えているか，である。本法の立案担当者は，不法行為に類似した請求権としており，その先は解釈に委ねられている面があるが，１つの考え方は，これを不作為不法行為に基づく請求権と捉える。この立場は，①８条２項の時効の規定ぶりは不法行為に関する民法724条と極めて類似しているが，８条２項を民法724条と対応するものと解すると，実施措置を講じた時が不法行為の時となること，②土壌汚染については昭和40年代，50年代に汚染行為が行われた事例が多く，作為型の不法行為とした場合に原因行為の時点で過失・違法性がある加害行為が行われていたかが明らかでないことを理由とする。

この立場によると，原因行為当時には不法行為を構成していなくても原因者にはいわゆる先行行為（ないし先行状況）があり，先行行為（先行状況）「によって自ら危険を生じさせた者は，所有権の移転に伴い新たな所有者となった者との関係でも，自ら発生させた危険を除去すべき作為義務を負い，その新所有者との関係では，不作為不法行為が継続している」と解することになる（公調委裁定平成20・5・7判時2004号23頁［106］。本件の事案は，措置命令が発動されるレベルだが，措置命令が出されておらず，自主的な浄化がされたことが重要である）。

もっとも，上記のような見解とは異なり，公調委裁定と同事件を扱う東京地判平成24・1・16（判自357号70頁）は，8条を，措置命令によって生ずる負担を汚染原因者に求償できることを定めた特別規定と解し，不作為不法行為であるとする考え方を採用していない（したがって本件では所有者は原因者に責任を追及できないとする）。民事訴訟において土壌汚染対策法と整合性のある解釈をとることを拒否している。8条を単なる特別規定と解するのではなく，8条の制定趣旨を検討する必要があるといえよう（第3点参照）（なお，控訴審判決〔東京高判平成25・3・28判タ1393号186頁［31］〕も控訴棄却した。被控訴人〔川崎市〕の搬入等の先行行為に基づく不作為不法行為については，本件焼却灰を埋立用資材としてBに払い下げたにとどまる被控訴人に土壌汚染除去義務を負わせることが条理上相当であるとはいえないとし，土壌汚染対策法8条の求償との関係については，被告は埋立自体に加担したとは認められないから，土壌汚染対策法上の汚染原因者に該当しないとしており，第1審に比べて，事実認定において被控訴人が原因者でないことが重視されている。しかし，〔事実認定の問題であるが〕被告は埋め立てが行われることは当然知悉していたと考えられる。他方，被控訴人が「汚染物質の事実的支配を他人に押し付けた場合」や「能力の乏しい他人に事実的支配を移転した場合」には，上記の不作為不法行為の作為義務を認めつつ，本件ではBの申し入れに応じて廃棄物を譲渡したという同判決の認定を前提として，同判決を支持する学説もみられる〔橋本佳幸「判批」環境法研究（信山社）10号175頁〕）。

第3に，土地所有者が自主的に汚染除去をした場合に8条の規定の趣旨を尊重し，原因者に対し，一定の合理的な範囲（指示措置〔及び計画の作成・変更〕に対応する）で求償を認めることができるか，という問題がある。上記の公調委の裁定は，（措置命令〔2009年法改正後であれば指示措置〕が出されうるレベルには達していたが，措置命令は出されていなかった事件について）8条をベースに論理構成をする立場を採用しており，同条との整合性を図る解釈をする立場を採用しているが，上記東京地判（および東京高判）は，上述のように，8条を，措置命令によって生ずる負担を汚染原因者に求償できることを定めた特別規定と解するため，同条との整合性を図ることを拒否している。

8条との整合性を図ることを拒否する解釈には2つの点で問題があると思われる。1つ目は，民法と土壌汚染対策法を全く別のものと解し，土壌汚染対策法の規定との関係については思考停止をする解釈が，わが国における全法秩序を検討しなければならない裁判所の任務を放棄しているのではないかという点である。2つ目は，土壌汚染対策との関係でみれば，8条との整合性を図ることを拒否する解釈は自主的な汚染除去をすることにディスインセンティブを与えることとなるのではないかという点である。土壌汚染対策法2009年改正の際には，自主的汚染除去についても8条の適用を認める改正も検討されたが，自主的な行為について法文に書くことが断念された経緯がある。仮に裁判所で同条との整合性を図ることを拒否する解釈が確定してしまう場合には，立法技術としてこのような規定をどうおくことができるかが再検討されなければならなくなるが，この点は困難である。

土地所有者が自主的に汚染除去をした場合について土壌汚染対策法8条との整合性を図るには，やはり不作為不法行為構成をすることが考えられる。ただ，これ以外に，2つの考え方をとる余地もある。1つは，昭和40年代，50年代の土壌汚染行為を作為の不法行為とみて通常の不法行為と同様に扱い，724条後段の期間制限については，蓄積性物質による健康被害や遅発性の健康被害に関する判例（最判平成16・4・27民集58巻4号1032頁）を拡大して，例外的に起算点を遅らせる考え方である。もっとも，昭和40年代，50年代の土壌汚染行為に過失及び違法性があったかという問題は残されるため，かなり認められにくいであろう。もう1つは，現在の土地所有者から原因者に対する不当利得返還請求権を認めることである。この場合の期間制限の起算点は損失が発生した汚染除去工事実施時期となる。ただ，民法703条の「法律上の原因なく」の要件に該当するか否かという問題は生ずる。土壌汚染対策法7条1項但し書は，3要件（→**6-4**・2⑶⑤〔216頁〕）が満たされる場合には原因者に対して指示措置をすることを定めており，理論的には原因者に対する指示措置をすることが優先されていると考えられるが（実際には3要件が満たされることは少ないが，理論的にはこのようになる），その観点からは，「法律上の原因なく」と解してよいであろう。

➡ 上記公調委裁定の事件において，川崎市が原因者であったとした場合，原因者について，現在の土地所有者が措置命令に基づいて汚染除去をした段階で作為義務が発生し，その違反も生ずるという構成は適切か。川崎市は原因者であったとした場合，原因者であるとともに，汚染除去計画書の受理者であったことになるが，それほどの違法性が認められにくい一般の原因者についても同様の構成はできるか（橋本佳幸「判解」環境法判例百選〈第2版〉242頁，大塚直・ジュリ1407号66頁，同・論究ジュリ16号69項参照）。

➡ 上記公調委裁定の事件において，川崎市長が仮に現在の土地所有者に対して汚染除去の指示措置をした場合，現在の土地所有者は川崎市長に対し，土壌汚染対策法7条

1項但し書に基づいて川崎市に対する指示措置を発出するよう義務付け訴訟を提起できるか。また，川崎市に対する指示措置を発出しなかったことについて規制権限不行使に基づく国家賠償を請求することができるか（大塚直「東京地判平成24・1・16判批」『民事判例Ⅵ』参照）。

2 契約後に環境基準や汚染除去等の規制が導入された場合における売主の瑕疵担保責任

⑴ X（原告）がY（被告）から買い受けた本件土地の土壌が大量のふっ素によって汚染されていたが，売買契約当時，土壌に含まれるふっ素については，法令に基づく規制の対象となっていなかったし，取引観念上も人の健康に係る被害を生ずるおそれがあるとは認識されておらず，Xの担当者もそのような認識をもっていなかった。ところが，その後，環境省告示によりふっ素に関する土壌環境基準が定められ，さらに，その後，土壌汚染対策法が施行され，ふっ素は特定有害物質に指定された。同法の施行に関連して，東京都条例が改正され，ふっ素に係る汚染土壌処理基準として環境基準と同一の基準が定められた。Xは都条例に基づいて本件土地を再調査したところ，環境基準値を大幅に超えるふっ素による土壌汚染が確認されたため，対策工事を発注した。そこで，XはYに対し，瑕疵担保責任による損害賠償を請求した。

原審（東京高判平成20・9・25金判1305号36頁）は，売買契約の目的物である土地に人の生命，身体，健康を損なう危険のある有害物質が一定限度を越えて存在する場合に，当時の取引観念上はその有害性が認識されておらず，その後，有害性が社会的に認識され，法令が制定されるに至ったときであっても，民法570条にいう隠れた瑕疵にあたるとした。これに対し，最高裁（最判平成22・6・1民集64巻4号953頁〔30〕）は，「売買契約の当事者間において目的物がどのような品質・性能を有することが予定されていたかについては，売買契約締結当時の取引観念をしんしゃくして判断すべきところ……本件売買契約当時，取引観念上，ふっ素が土壌に含まれることに起因して人の健康に係る被害を生ずるおそれがあるとは認識されておらず，Xの担当者もそのような認識を有していなかったのであり，ふっ素が……有害物質として法令に基づく規制の対象となったのは，本件売買契約締結後であった……。そして，本件売買契約の当事者間において……本件売買契約当時に有害性が認識されていたか否かにかかわらず，人の健康に係る被害を生ずるおそれのある一切の物質が含まれていないことが，特に予定されていたとみるべき事情もうかがわれない」とし，本件土地の土壌に環境基準値を超えるふっ素が含まれていたとしても，民法570条にいう瑕疵にはあたらないとした。

(2) 最高裁判決は，契約締結時の取引観念を基準として瑕疵担保責任における瑕疵の内容を判断したものである。

原判決は瑕疵概念について客観説を徹底させたのに対し，最高裁は契約締結時の取引観念を基準とした上で，当事者間においてふっ素が「人の健康を損なう限度を超えて本件土地の土壌に含まれていないことが予定されていたもの」ではない（この点が売主によって保証されていたわけではない）ことを指摘しており，主観的瑕疵概念は加味されているが，従来の客観的瑕疵概念でもこのような説明は可能であり，法的安定性を考慮した（調査官解説による）穏当な判決といえる。しかし，他方，本判決により，売買契約締結後に目的物の有害性が社会的に認識されたり，それに基づいて法令による規制が生じたなどの場合には，瑕疵担保責任では買主を救済することは困難となった面はある。

具体的には，①生命，身体，健康を損なう著しい危険が問題となる場合において，②契約当時，関係者においては知見はあり，当事者も綿密に検討すれば当該危険について対処し得たが，③市場における社会的認識とはなっていなかった場合はどうか，この場合に買主は救済されなくてよいか，という問題は残されていると考えられる。

➡ 例えば，近時アスベストによる疾病が問題となってきたが，その一般的な危険性については関係者の間では共有されていたものの，これが社会で問題となる（実際に社会で環境問題として認識されたのは2005年からである）前に，アスベストがむき出しとなった建築物や土地が売買された場合はどうか。

(3) 今後の課題であるが，簡単に試論を述べておきたい。生命・健康侵害のリスクと，土壌汚染の除去費用としての損害（財産的損害）とに分けて考える必要があろう。

(i) 生命・健康侵害のリスクについては，①不法行為（又は保護義務違反）において過失の「予見義務」について，健康被害との関連での予見義務であることから，最善の注意義務を尽くすことを要求するか，②瑕疵概念について，最高裁判決の言う取引観念を基礎とする瑕疵の考え方を承認しつつ，生命，身体，健康を損なう著しい危険が問題となる場合には，通常の取引慣行を超えて，最善の注意義務を売主に求める考え方を導入することが考えられる。

(ii) 土壌汚染の除去費用としての損害（財産的損害）については，瑕疵担保責任とは別に不法行為責任を追及し，売主が同時に原因者である場合について，原因者のふっ素投棄行為を先行行為とし，――本件ではXが自主的に対策をしたケースであるため――，Xが自主的対策をとらざるをえなかった事情を主張立証し，土壌汚染対策工事発注時に不作為不法行為の作為義務違反も損害も発生したと構成することが考えられる（前掲公調委裁定平成20・5・7参照）（以上につき，詳しくは前掲大塚・ジュリ1407号66頁参照）。

(4) その後，東京地判平成27・8・7判時2288号43頁は，売買当事者双方が土壌汚染の可能性はあることを認識していたが，その存否が不明であった事案について，買主に予定されていた本件土地の利用目的等の事実を認定したうえ，それに基づき，工場用地等として利用される範囲内で支障を生じさせるような土壌汚染（具体的には，基準値を超える汚染についての，残土処理，土壌の調査・対策の義務を負担する可能性）については，それが存在しないことが土地の品質として予定されていたとして，その点について瑕疵があるとした。上記の最高裁判決を踏まえているが，同判決とは異なる事案について判断を示したものとして注目される。

そして，東京地裁は，同土地が土壌汚染対策法3条1項但し書きの調査の一時免除中の土地であるため，将来の工事の際に残土処理等の費用が増加しうることのほか，土地の利用の方法の変更または土地の形質の変更が将来なされた場合に，調査及び対策の費用が生じうること，さらにはそれらの事情が，土地の利用方法の決定に影響を及ぼしうることから，これらの事情が存することによる減価額が損害額であるとした。そして，その額は，全部掘削除去に必要な費用の5割であると認定した。

また，大阪地判令和3・1・14判時2495号66頁は，前掲東京地判平成27年と同様の考え方に基づいて土地の瑕疵を認定した上で，隠れた瑕疵と相当因果関係のある損害の賠償を認めた。本件土地は形質変更時要届出区域にとどまったため，土壌汚染対策としての除去費用は賠償すべき損害には含まれず，土壌汚染調査費用と，封じ込めの費用，さらに地中障害物の撤去工事費用に限定したのである。基本的に土壌汚染対策法上の義務が課されるものについてのみ，相当因果関係があると判断した点が注目される。

3 賃貸借の場合の原状回復が問題となったもの

他人から土地を賃借し，事業を営んだ結果その土地の土壌を汚染した場合，賃貸借契約終了の際，賃借人はどの程度の汚染除去をする必要があるか。

この点について，――判例上必ずしも明確にはなっていないが――賃借人は汚染土壌の拡散防止工事を完了してはいるが，汚染土壌の浄化工事を終えるまでは債務の本旨に従って弁済の提供がなされたとはいえないとし，賃借人の明渡し義務は完了していないとした上で，賃借人は，賃貸人に対し，本件土地の浄化工事を完了して明渡しを終えるまで，賃料相当損害金の支払義務を負うとした判決がある（東京地判平成22・10・29）。

賃貸借の場合，契約の内容にもよるが，特約がないときは，原状回復として汚染土壌の浄化まで求められる場合が少なくないであろう。

4　区域指定をしなかった都道府県知事の責任が問題となったもの

都道府県知事が区域指定をしなかった不作為の責任が国家賠償訴訟で争われた事件において，前橋地裁は，旧5条（現6条）指定に関して，調査の結果，基準に適合しない場合には，都道府県知事が指定の「権限を行使するか否かについて広汎な裁量を与えるものではない」と判示した（前橋地判平成20・2・27）。

5　汚染原因者でない土地所有者の措置義務の立法の違法性

東京地判平成24・2・7判タ1393号95頁［32］は，原告が，高濃度のふっ素に汚染されていたことを知らずに購入した本件土地につき，土壌汚染の除去のため多額の費用を負担することになったなどとして，被告国に対しては，①国が土壌汚染対策法の制定及び施行に当たり，同法施行前に土地を取得した汚染原因者でない所有者の措置義務を免責する経過措置を定めなかったこと，②自己資本3億円以上の法人に対する助成措置を定めなかったことから，国家賠償法1条1項に基づく損害賠償を請求し，③ふっ素に汚染されていたことを知らずに土地を購入した者が土壌汚染の除去のため多額の費用を負担することになったことを理由として憲法29条3項に基づく国に対する損失補償を請求し，④水質汚濁防止法又は大気汚染防止法に係る規制権限不行使を理由とする国家賠償を請求し，被告石川県に対しては，ふっ素等の排出を規制する条例を定めなかったことの違法性を主張して国家賠償を請求したものである（いずれも棄却。ここでは，①，②のみを扱う）。

①について，本判決は，「汚染原因者でない土地所有者等を措置命令の対象とすることは，土壌汚染による健康被害を防止するという立法目的を実現するためには有益なことであり，他方，公益的な要請が強い場合，危険責任等の観点から，土地所有者にいわゆる無過失責任を負わせることが相当な場合があり得るということ自体は，我が国の法制上，一般的に承認されていることである。そうすると，措置命令の対象となる者に法施行前に土地を取得した者を含めるかどうかということも，当該対象者の負担とこのような立法目的の実現との兼ね合いにおいて決せられるべき立法裁量に属する事項にほかならず，土壌汚染対策法の制定に当たり原告の主張するような経過措置を定めなかったことが，国家賠償法1条1項の適用上違法とさ

れるような例外的な事情があるとまで，認めることはできない」とした。その上で②については，「支援措置の一つである助成金の交付対象をどの範囲の者とするかということは，財政的な制約も踏まえた環境大臣の合目的的な裁量に委ねられている」とし，前事業年度の自己資本等の額が3億円未満のものに限定したことが「著しく不合理であると解すべき事情も特に見あたらない」とした。

①については，立法行為の国家賠償法上の違法性について最判平成17・9・14民集59巻7号2087頁を踏襲したものである。土壌汚染対策法が善意無過失の土地所有者に対しても汚染除去等の責任を負わせていることについては立法論上は問題がありうる（上述）。恣意的な責任配分は日本国憲法の下でも禁止されており，善意無過失の所有者に汚染除去等の責任を課するのは違憲の疑いが濃厚であるとの見解（桑原勇進）もあるが，上記最判のいうような「立法の内容が国民に憲法上保障されている権利を違法に侵害するものであることが明白であるとか，国民に憲法上保障されている権利行使の機会を確保するために所要の立法措置をとることが必要不可欠でありそれが明白であるにもかかわらず国会が正当な理由なく長期にわたってこれを怠るなどの例外的な場合」とまではいい難く，その意味では本判決の判断は，従来の判例に沿ったものと評価できる。ただ，このことと本法が立法論上適切であるかは別であり，この点を混同しないよう注意する必要があると思われる。特に本件では原告の負担は原告の所有地の価格の100倍とされており，措置命令が発出されていれば比例原則から問題の余地があった事案であると思われる。なお，本判決が危険責任とするところは，同法制定時に状態責任として説明されていた点である（大塚直「土壌汚染対策法の法的評価」ジュリ1233号18頁）。②についても，助成金支給が土地所有者の経済的負担能力が低い場合にも汚染除去等が進むことに資することを目的とするものと考えると，どのような者に助成をするかは自由裁量に属することになるが，その制度趣旨が，犠牲者的な地域にある土地所有者に対する公正性回復のための支援にあるとすると，自由裁量と考えてよいかには疑問がある（桑原「判批」環境法研究10号162頁）。

12-4　廃棄物訴訟

廃棄物を巡っては多種の訴訟が提起されている。前章までで扱わなかった問題を中心に取り上げたい。

1　古紙等の回収の条例違反による処罰の可否

古紙など再利用の対象として区長が指定したものを，条例に違反して，一般廃棄物処理計画で定める「所定の場所」（いわゆるゴミ集積所）から，区長が指定する者以外の者（古紙回収業者など）が回収した場合，同条例違反で処罰されるか。

(1) この問題については，最判平成20・7・17判時2050号156頁（世田谷区清掃・リサイクル条例違反被告事件）が扱っている。東京都世田谷区では，世田谷区清掃・リサイクル条例により，区長が指定する者以外の者は，一般廃棄物処理計画で定める「所定の場所」から，古紙など再利用の対象として区長が指定したものを収集し又は運搬する行為を行うことが禁止されているところ，本件は，区長が指定する者以外の者である被告人が，当該所定の場所におかれた古紙を回収し，同条例に基づき区長からそのような行為を行わないよう命ぜられたが，再び別の所定の場所から古紙を回収したところから，同条例の命令違反罪として起訴された。そこで，被告人は，本条例の罰則規定の「所定の場所」が曖昧不明確であり，憲法31条に違反するなどの主張をし無罪であると争ったが，最高裁は，「所定の場所」とは，一般廃棄物処理計画等によれば，世田谷区が区民等が一般廃棄物を分別排出する場所として定めた一般廃棄物の集積所を意味することは明らかであるとし，また，看板等により上記集積所であることが周知されているとし，刑罰法規の構成要件として不明確であるとはいえないとした。憲法22条1項については，被告人が主張する権利と直接関連を有するものではないとした。

憲法22条1項との関係については，原判決（東京高判平成19・12・18判時1995号56頁）が詳細に判示している。すなわち，同条同項との関係については，古紙等回収を区が指定する以外の者に禁止することが比例原則に適合せず，合理的裁量を超えるものとなるかが問題となる。これについては，第1に，世田谷区は，循環型社会の形成を図る等の本件条例の目的を実現するため，古紙等の市況等に左右されることなく，区全域でこれらを収集し，再利用に供する行政回収事業を行っていること，区長が指定した者以外の業者による古紙等の収集を禁止したのは，古紙等の持ち去りに対する区民等からの苦情等を踏まえ，区民等の理解と協力を得ながら安定的かつ円滑に行政回収事業を行うこと，ひいては条例の目的を実現するためのものであると認められることから，この目的が公共の利益に合致しないことが明らかであるとはいえないとする。第2に，本件条例は，区民等が集積所に排出した古紙等に限り，区又は区が指定する者以外の者の収集等を禁止し，違反者に罰金を科することとしたにすぎず，古紙回収自体を制限するものではないし，罰金が科されるのは，収集行為に対する禁止命令に違反した場合に限られるという事後的かつ段階的規制を行っているとし，規制手段が目的達成のため必要かつ合理的でないことが明らかとはいえないとする。

(2) さらに，この種の事案は，集積所に排出された古紙等が無主物となるのか，区の所有物となるのか（東京高判平成20・1・10判時1995号61頁），区民がなお継続して所有占有していることになるのか（東京高判平成19・12・13判時1995号69頁）という問題も生じさせる。

この点について被告人は，ゴミ集積所に捨てられた無主物である古紙等を収集する行為を禁止し刑罰を科する規定は民法239条に違反すると主張する。しかし，最高裁判決（→(1)）の原判決（東京高判平成19・12・18）は，民法239条1項は，無主物について占有を開始した者が所有権を取得する旨を規定したにすぎず，無主物について占有を開始することが常に適法であることまで定めているのではないとする。

なお，廃棄物は不要物ではあるが，資源としての価値も有する可能性があるのであり，条例によって古紙等の持ち去りを禁止している場合には，区民が集積所に出したことにより区の所有物となったとみると，この場合には窃盗罪が成立することになる。

2　一般廃棄物処理業の許可

(1) 廃掃法7条に基づき，一定の区域における一般廃棄物の収集運搬業・処分業の許可を得ている者は，同一区域における第三者（競業者）に対する同業の許可・更新処分取消訴訟を提起する原告適格があるか。最判平成26・1・28民集68巻1号49頁［44］は，これを認めた。競業者の原告適格については，2004年の行訴法改正後，医療法の病院開設許可につき否定例があるが（最判平成19・10・19判タ1259号197頁），原告適格は個別法の法構造に応じて判断される。最判平成26年は，廃掃法が一般廃棄物処理計画との適合性等に係る許可要件（7条5項1号，2号等）に関する市町村長の判断を通じて，処理業の需給状況を調整する仕組みを採用しているとした上で，一定区域における需給均衡が損なわれると，既存許可業者の事業の適正運営が害され，衛生・環境の悪化，ひいては住民の健康・生活環境への被害発生のおそれがあるため，これを防止するために同法は種々の法規制を設けているとして，同法が当該区域の衛生・環境を保持する基礎として，既存許可業者の営業上の利益を個別的利益としても保護する趣旨を含むと解した（ただし，廃業による訴えの利益消滅等のため，訴えを却下した原判決を維持〔上告棄却〕した）。一般廃棄物収集運搬業の許可が裁量の余地が大きい計画許可であることを前提とした上で，需給調整の仕組みが必要であることを導き，その仕組みから既存の許可業者への影響を適切に考慮する義務を導き，そこから，原告適格を肯定している。適切な判断といえよう。

(2) 一般廃棄物の処理業の不許可処分はどのような場合に取り消されるか。福岡地判平成25・3・5判時2213号37頁（控訴棄却で確定）は，A町長により，廃掃法7条1項本文に基づく一般廃棄物収集運搬業の許可申請を拒否された原告が，同町長が属するA町を被告として，不許可処分取消訴訟を提起した事案で，(i)申請の一般廃棄物処理計画への適合性を審査していない違法（法7条5項2号違反），(ii)同計画の公表義務等の違反（法6条5項違反〔平成23年法律第105号による改正前の廃棄物処理法〕。現在は6条4項で努力義務とされている），(iii)不許可理由に根拠条文しか記載しなかった違法（行政手続法8条違反）があるとして，不許可処分を取り消した。一廃処理業許可には広範な行政裁量が認められているが（最判平成16・1・15判時1849号30頁），本判決は純粋な手続違法を理由として不許可処分を取り消したものである。

3 一般廃棄物処理についての市町村の義務と事務管理――キンキクリーン事件

津山圏域東部衛生施設組合（Y）は，敦賀市（X）にある民間廃棄物処理業者であるキンキクリーンセンター（株）（以下，キンキクリーン）に委託して，一般廃棄物の最終処分をしたところ，同処分場では，産業廃棄物と一般廃棄物が処分されていたが，容量を超過する量の処分がなされ，かつ，処分場内の保有水及び周辺地下水から環境省令で定める排水等基準を超過する汚染が判明した。そこで，2006年に，一般廃棄物についてはXがキンキクリーンに措置命令を発出したが，履行されなかったため，2008年に，行政代執行として，水質調査，遮水擁壁設置等の工事及びその維持管理の措置を講じた。Xは，Yを承継した3市町を相手とし，上記措置を被告に関する限りで事務管理と構成し，同市が支出した費用を有益費として，その償還を請求した。なお，キンキクリーンは，2002年に倒産し，2007年に破産手続開始決定を受けた。

福井地判平成29・9・27判タ1452号192頁は，Xの請求の一部を認容し，次のように判示した。「Xは地方公共団体であるが，本件訴えは，Xが，財産権の主体として，事務管理に基づく費用償還請求権等の私法上の債権について保護救済を求めるものであって……法律上の争訟にあたる」。「市町村は……その区域内における一般廃棄物を生活環境の保全上支障が生じないうちに処理するものとされており」「一般廃棄物の処理について，このような支障除去等のために必要な一切の措置を講じるべき法的義務（以下『支障除去等の包括的措置義務』という。）を負う」。「Y以外本件排出市町村もまた，本件処分場への一般廃棄物の処分を行っている」ところ，「本件処分場においては，X及びYを含む本件排出市町村によって，一般廃棄物及び産業廃棄物が混然一体と処分されており，これらは物理的に不可分な状態になっていたと認められ」「民法 719 条 1 項を準用して，X 及び Y を含む本件市町村は，本件処分場に処分されたすべての廃棄物との関係において本件抜本対策措置を講じるべき義務を負い，これらの義務相互の関係は，不真正連帯債務に準ずる」。「本件市町村相互の関係においては，責任の内部的な分担の公平を図るため，それぞれの廃棄物の排出量に応じた負担部分を認めるのが相当である」。「事務管理において，他人の事務と自己の事務とが併存する場合については，自己の事務を超える部分については他人の事務となり，連帯して給付を行う義務を負う複数の者のうち一部の者が事故の負担部分を超えて義務を履行した場合には，その超える部分については他人の事務を管理したものと解される」。

本判決は，X 市に位置するキンキクリーンの最終処分場に対する行政代執行についても，本来は Y がなすべき義務を果たさないために生じたものであると解し，事務管理が成立するとしたものであろう（本件に関しては，その後，名古屋高裁金沢支部の和解勧告を両当事者が受け入れ，2019 年 1 月に決着した。佐藤泉・環境管理 54 巻 8 号 21 頁以下〔2018〕参照)。行政代執行は X 自身の事務でもあり，事務管理の要件である「他人の事務」（民法 697 条）といえるかには問題の余地があるが，元来は Y が行うべき義務の違反（一般廃棄物の処理についての支障除去等の包括的措置義務の違反。さらに，具体的にはキンキクリーンの監督の不行届）であることから，広い意味で「他人の事務」にあたるとしたものであろう。市町村は法を遵守しつつ合理的に行動することが前提とされているため，自治体間のこのような紛争は法的な扱いが難しい面がある。そうした中で，何らかの法的論理が必要とされ，事務管理が用いられたものというべきであろう。いずれも相当の理由のある判断であるが，3 点ほど課題が残されている。

第 1 は，行政の行為について民法の事務管理等の規定を準用することは適当か，である。私人に対する行政の活動について民法の規定を適用することを否定する学説もある（田中高男『事例から民法の基本を学ぶ』)。もっとも，本件は，行政主体相互間で廃掃法の適用だけでは判断できない場合を問題としており，適用の余地は比較的認められやすいであろう。

第 2 は，市町村に自らの一般廃棄物を処理する統括的責任があることは認められるとしても，それは一般廃棄物の受入れ自治体がその処理施設を監督する義務とはどのような関係に立つか。この点は，当該廃棄物の処理について X にとっての「他人の事務」と「自己の事務」が併存することを意味するとみられるが，搬入重量に応じて費用負担を分配する立場は，単純にすぎるとの批判はありえよう（佐藤)。第2点の背景には，一般廃棄物の他の自治体への移動をどう考えるかという問題が伏在しているともいえよう。

第3に，本件においては，Xが民法699条にいう通知義務を果たしていたかという問題も存在する。

4 産業廃棄物処理業，処理施設設置の許可

(1) 産廃処理業許可取消訴訟の原告適格

A社はY県知事から最終処分場設置許可を受け，同処分場をB町に設置したが，許可申請の際，廃掃法15条3項に基づき，当該処分場の設置が周辺地域の生活環境に及ぼす影響についての環境影響調査報告書を提出した。また，Y県知事はA社に対し，同法14条6項に基づいて産業廃棄物処分業の許可をし，同条7項〜9項に基づいて許可処分を更新した。そこで，B町の住民らは，本件各処分に対する無効確認及びその取消処分の義務付け，本件更新処分の取消を求めて訴訟を提起した。最判平成26・7・29民集68巻6号620頁〔49〕は，「産業廃棄物等処分業の許可及びその更新に関する廃棄物処理法の規定の趣旨及び目的，これらの規定が産業廃棄物等処分業の許可の制度を通して保護しようとしている利益の内容及び性質等を考慮すれば」同法は「産業廃棄物の最終処分場からの有害な物質の排出に起因する大気や土壌の汚染，水質の汚濁，悪臭等によって健康又は生活環境に係る著しい被害を直接に受けるおそれのある個々の住民に対して，そのような被害を受けないという利益を個々人の個別的利益としても保護すべきものとする」とし，このような周辺住民について許可処分の取消し等を求める法律上の利益を有するとした。本判決はこのような判断をするにあたり，①廃掃法の目的規定（1条），②産廃処分業に関する許可規定（14条6項）と許可基準（14条10項1号），③産廃処理施設の設置許可要件としての省令の定める技術基準への適合と周辺地域への生活環境保全への適正配慮（15条の2第1項1号，2号），④産廃処分業の許可の際の生活環境の保全上必要な条件付与（14条11項）とその違反の場合の事業停止命令及び許可取消し（14条の3第2号，3号，14条の3の2第2項，14条の6），⑤業許可に関する更新制（14条7項），⑥設置許可にあたっての環境影響調査報告書の添付と生活環境影響調査手続の実施等に関する規定をあげている（上記の判示は，下級審裁判例において，一般廃棄物の処分業の許可の取消請求についても同様に解されている〔長野地判平成30・3・30判自441号42頁――農業用水として利用している河川等の汚損のおそれがある者を含む周辺住民が提訴した事案〕)。

同判決は，個別的利益性を満たすか否かは，住民の居住する地域が上記の「著し

い被害を直接に受けるものと想定される地域」か否かによって判断すべきであるとし，①処分場の種類・規模等，②その位置と居住地との距離関係，③環境影響調査報告書において調査の対象とされる地域に含まれるか否かをあげ，処分場の中心から 1.8 km 以内の地域に居住する者の原告適格を認めた（20 km 以上離れた，③の対象外の地点に居住する者については否定した）。

廃掃法自体が処理場建設許可について調査対象地域での生活環境被害への配慮を特に要求していることから，処分根拠法規は当該地域内の居住者が生活環境被害を受けないという具体的利益を公益とは区別した形で保護したものと考えられ，最高裁もこれに沿った判断をしたと思われる。

本判決は，原告適格が認められる者を「著しい被害を……受けるおそれのある者」に限定した点と，距離及び③を重視している点がやや整合性を欠くが，具体的被害のおそれに注目するのではなく，概括的に原告適格を肯定したものといえよう（下山。これに対し，原判決（福岡高宮崎支判平成 24・4・25 民集 68 巻 6 号 656 頁）は，具体的被害のおそれを要求し，原告適格を否定した）。また，生活環境影響調査の対象地域は，申請者が設定するところから，③のみによって原告適格の有無が決められるのは合理的ではなく（勢一「判批」平成 26 年度重要判例解説 43 頁），③の対象外の地域に居住する者であっても，他の個別事情によって「著しい被害のおそれ」があるか否かを判断する必要があると考えられる（下山「判批」環境法研究〔信山社〕10 号 130 頁）。

⑵　産廃処理施設設置許可と経理的基礎（許可取消訴訟及び民事差止訴訟）

廃掃法 15 条の 2 第 1 項 3 号及び同法施行規則 12 条の 2 の 3 の申請者の経理的基礎を欠くことを理由として処分場の設置許可の取消しの請求が認められるか。

千葉地裁はこの請求を認容し，設置許可の取消しを認容した（エコテック許可取消訴訟〔千葉地判平成 19・8・21 判時 2004 号 62 頁［43］〕）。本判決は，まず，産業廃棄物処理施設（管理型処分場）から「有害な物質が排出されることにより生命又は身体等に係る重大な被害を直接に受けるおそれのある」周辺住民は，その施設の許可処分の取消訴訟において原告適格を有するとした。そして，本案では，行訴法 10 条 1 項の主張制限との関係について，廃掃法 15 条の 2 第 1 項 3 号等にいう経理的基礎は，単に健全な経営の維持にとどまらず，施設の安全面をも資金的観点から担保する機能を果たすものであるという法律の趣旨・目的及び災害による被害の内容・性質等を考慮すると，管理型最終処分場の周辺住民が生命又は身体等に係る重大な被害を直接に受けるおそれのある災害等が想定される程度に経理的基礎を欠くような場合には，もはや公益を図る趣旨にとどまらず，周辺住民の安全を図る趣旨から，周辺住民個人の法律上の利益に関係のある事由について定めているというべきであるとし，その上で，本件処分場設置許可処分は違法であるとし，許可を取り消したのである（なお，本件控訴審〔東京高判平成21・5・20［48］〕は，この部分を維持せず，申請書類の縦覧や意見聴取の手続違反を理由として違法とし，上告不受理となり〔最決平成22・9・9〕，第2審で確定した→(3)）。

なお，同事件について民事差止訴訟も提起されており，東京高判平成21・7・16判時2063号10頁（第1審は千葉地判平成19・1・31判時1988号66頁［40］）は許可処分後の状況を判断し，設置者には処分場の維持管理を適切に行う経済的基盤・属性があると判断し，身体的人格権に基づく処分場の建設，使用及び操業の民事差止請求を棄却した。民事訴訟においても経済的基盤・属性が重視されていること，同事件について許可取消訴訟では許可時の判断がなされるのに対し，民事差止訴訟では許可後の状況を踏まえた判断がなされることが注目される。

(3) 産廃処理施設の設置許可の手続上の瑕疵（許可取消訴訟）

手続の重大な瑕疵に基づき産業廃棄物処分場設置許可の取消しが認められたものとして，東京高判平成21・5・20［48］（上記の千葉地判平成19・8・21の控訴審判決）がある。本判決は，設置予定地の周辺に居住する者が廃掃法の定める許可基準に反しているとして許可の取消しを求めた事案について，原告適格を認めたうえ，2000年当時の廃掃法15条3項ないし5項及び15条の2第3項の各条（生活環境影響調査の手続。現行法は15条3項について追加規定をおくのみで，当時と実質的変更はない）に定める申請書類の縦覧や意見聴取の手続をいずれも経ないでなされた本件許可処分には重大な瑕疵があり違法であるとして，原告の請求を一部認容した原審の判断を維持した。

生活環境影響調査手続がとられなかった理由は，許可申請の後不許可処分がなされ，その後，行政不服審査法に基づく審査請求がなされ，許可処分が行われるまでに廃掃法が改正され，同手続が導入されたので，経過措置規定の解釈が必ずしも明らかでなかったためである（本判決は，2000年改正法附則と1997年改正法附則との関係について「新法主義」を採用した）。行政手続の違法が行政処分に及ぼす影響について，重要な手続懈怠の場合には，当該手続の履行が処分結果に影響を及ぼす可能性を考慮することなく処分の取消しを認めるべきであり，本判決は，生活環境影響調査制度が許可処分の適正さ確保のために重要な意義を有することに鑑み，このような判断をしたものと解される。

(4) 適正配慮要件

産業廃棄物処理施設が周辺住民の生活環境の保全及び周辺施設についての適正配

慮がなされていない場合，許可の取消訴訟ではどのような点が問題となるか。

名古屋高判平成19・3・29は，15条の2第1項2号の適正配慮要件の適合性について，専門的・技術的裁量を肯定し，専門的知識を有する者又はこれらの者からなる審査会の意見に看過し難い過誤，欠落があり，都道府県知事の判断がこれに依拠したと認められる場合には，設置許可処分が違法となるとした。

(5) 産廃処理施設設置許可処分取消しの義務付け訴訟

産業廃棄物処理施設の設置許可処分に対して，周辺住民は廃掃法15条の3第1項等に基づく取消しの義務付けをどのような場合に求めることができるか。

福島地判平成24・4・24（判時2148号45頁［55］）（欠格要件該当による義務的取消に関する事案。控訴審〔仙台高判平成25・1・24判時2186号21頁〕では，控訴取下げにより訴訟終了→6(2)〔611頁〕）は，産廃処理施設を設置する法人において取締役と同等以上の支配力を有し，廃掃法14条5項2号ニの「役員」に該当する者が欠格事由にあたり，同法人に取消事由が生じたとして，周辺住民が同処分の取消の義務付けを求めた事案について，周辺住民の請求を認容した。①原告適格，②本件処分がなされないことによる「重大な損害を生ずるおそれ」，③補充性，④義務付け訴訟の本案勝訴要件の有無が問題となるが，特に重要なのは②と④である。同判決は，②については，地理的関係及び原告らの生活用水・農業用水の利用状況等から考えると，処分を取り消すべき事由が存在するにもかかわらずそれが放置される場合には，「高い毒性を有するダイオキシン類等の有害物質に汚染された大気及び水が，原告らの生命及び健康に損害を生ずるおそれがあるものと認められ」，このような損害は，「その性質上，回復が著しく困難といえるから」本件「処分が取り消されないことにより，原告らに重大な損害が生じるおそれがある」とした。④については，「上記各規定に基づく取消処分については，その要件の認定，行為の選択等に行政庁の裁量の余地がないものであるから」「上記各規定に該当することが認められる場合にはA県知事が本件処分を取り消すべきであることが，その処分の根拠となる法令の規定から明らかであると認められる（行政事件訴訟法37条の2第5項前段）」とした。②の判断においては，「重大な損害を生ずるおそれ」が一般的・類型的に判断されている点が，後述（→7(1)〔612頁〕）の福岡高判平成23・2・7等と異なっている。④については，欠格要件にあたる場合の義務的取消の規定が義務付け訴訟の本案勝訴要件該当性に反映されている点が注目される。

(6) 産廃処理施設設置許可と，水道水源条例による事後規制

水道水源条例により産廃業者に対する事後的規制がなされた場合，地方自治体には事業者に対する配慮義務があるか。

有限会社Xは，A県B町の区域内に産廃中間処理施設の設置を計画し，同施設に関する事業計画書をA県C保健所長に提出したところ，この計画を知ったB町は水道水源保護条例を制定し，町長Yは同施設の建設予定地を含む町の区域の相当部分を水源保護地域として指定した。その後XはA県知事から同施設の許可を受けたが，Yは同施設を，設置が禁止される事業場にあたると認定した。Xは同施設に対する本件条例に基づく認定処分の取消訴訟を提起した。

最高裁は，紀伊長島町事件判決（最判平成16・12・24民集58巻9号2536頁［53］〔破棄差戻し〕）において，Yは，同認定に先立ち，協議，指導をしてその地位を不当に害することのないよう配慮すべき義務を負い，上記認定はそのような義務に違反してなされたとすれば違法となるとした。水道水源条例が廃掃法との関係で違法となるかという争点については，明確に触れていないが，条例の適法性は認めたものと解される（大久保規子）。この点については，この種の条例は法律と目的を同じくする二重規制であり違法であるとした阿南市条例判決（徳島地判平成14・9・13判自240号64頁［2版54］）がみられたが，これとは異なる判断をしたものといえよう。そして，最高裁の調査官によれば，規制立法がなされる場合には対象事業者の権利保護と規制目的達成の必要性との調和が必要であり，そのためには，行政庁が対象事業者と事前に協議を尽くす手続が設けられること，及びその手続が実際に機能していることを要するとされ，そのような観点からは，本判決は，立法者に対して事業者への配慮義務を認めた画期的判決と評されている（杉原則彦）。

なお，①本判決は，条例制定前に事業者が同施設の設置許可の申請手続を進めていたことをB町が了知していた事案に関するものであり，その点で本判決の射程は限定されること，②本判決は本件条例に協議規定が設けられていることを前提としており，この前提が欠ける場合に条例が違法となる可能性があることにも注意が必要である。ちなみに，本判決によれば，B町が上記の配慮をしなかった場合には違法とされ，処分が取り消されることになるが，その場合には，協議が不十分ということにすぎないから，事業を直ちに開始できるわけでなく，協議の段階に戻るだけであると解される（阿部泰隆）。

その後，XはYに対し，国家賠償請求をした。名古屋高判平成26・11・26は，Yの行為の違法性及び過失を認めつつ，事業計画の基本的な業務を委託していた者に支払った費用と弁護士費用に限って損害として認めた。行政に対する配慮義務に対応した損害の認定といえよう。

(7) 産廃処理施設の許可と公害防止協定の期限条項（処分場の使用差止め〔民事差止め〕訴訟）

産業廃棄物処理施設をめぐる公害防止協定の期限条項は，廃掃法の産廃処理施設の許可の趣旨に反しないか。A県知事から廃掃法に基づく産業廃棄物処理業許可を受けて廃棄物の最終処分場を設置するYは，A県B町との間で公害防止協定を締結した。協定の内容としては，一定の期限条項をもち，その期限を超えて産廃の処分を行ってはならない旨を定めていた。その後，B町の地位を承継したXは，Yが同協定中の期限条項が定める使用期限を超えて処分場の使用を継続したとして，同協定に基づく義務の履行として，本件土地を処分場として使用することの差止めを求めた。

原判決（福岡高判平成19・3・22）は，処分場の許可に期限等の条件を付することは許可権者である知事の専権であるとして協定の使用期限条項の法的拘束力を否定したが，最高裁（最判平成21・7・10判時2058号53頁［59］）は次のように判示し，これを破棄し差し戻した。

①廃掃法の都道府県知事の許可は，法文上，許可が効力を有する限り事業や処理施設の使用を継続すべき義務を課するものではないこと，②廃掃法においては，むしろ処分業者による事業の廃止，処理施設の廃止については，知事に対する届出で足りる旨が規定されていることから，「処分業者が，公害防止協定において，協定の相手方に対し，その事業や処理施設を将来廃止する旨を約束することは，処分業者自身の自由な判断で行えることであり，その結果，許可が効力を有する期間内に事業や処理施設が廃止されることがあったとしても，同法［廃掃法］に何ら抵触するものではない」。そして，本件期限条項が公序良俗に違反するか否かについて差戻審で判断させることとした。

処理施設の設置・変更に関する許可権限等を都道府県知事に委ねた廃掃法の趣旨及び規定の解釈の結果，協定の条項の法的拘束力を認めたものである。協定に関する契約説が前提とされるとともに，廃掃法の処理施設の許可に関する諸規定を解釈することによって，本件期限条項の法的拘束力を認めたものである。産廃の処理施設の許可が警察許可にあたることが背景にあるとみられる（南川和宣）。公序良俗違反となるかについては，契約締結の任意性や契約内容の合理性が問題となる。

なお，宝塚市条例事件最高裁判決（最判平成14・7・9民集56巻6号1134頁［66］）は，自治体が条例に基づく行政行為による義務の履行を民事訴訟で求めた事件において，「国又は地方公共団体が専ら行政権の主体として国民に対して行政上の義務の履行を求める訴訟は」法律上の争訟にあたらず，不適法であるとしたが，本判決は，宝塚判決の射程を，協定の場合には及ぼさない趣旨を示したと解される。上記の本件原判決は，協定が行政契約の性格を有するといっても，同種の協定が民間どうしで締結された場合と紙一重の差しかないと判示しており，行政契約と私法契約が類似することが，協定の場合に宝塚市条例事件判決の射程を及ぼさない理由となったものと解される（山本隆司）。

(8) 産廃処理施設許可処分の執行停止訴訟

安定型処分場の設置許可申請にあたり，周辺住民は同申請の許可処分を差し止める抗告訴訟を提起したが，許可処分がされてしまったため，許可処分の取消訴訟に訴えの変更をするとともに，取消訴訟の本案判決が確定するまでの本件許可処分の執行停止（行訴法25条2項）を求めた。

執行停止については，積極要件として，①申立人に申立適格があること及び②重大な損害を避けるため緊急の必要があること（行訴法25条2項本文），消極要件として，③公共の福祉に重大な影響を及ぼすおそれがないこと及び④「本案について理由がないとみえる」とはいえないことが必要であるが（行訴法25条4項），このうち，特に①と②が問題となる。

このような事案を扱った奈良地決平成21・11・26（判タ1325号91頁〔認容〕）は，①については，安定型処分場の設置許可申請者である補助参加人の作成した生活環境影響調査報告書中の排水による影響範囲として示された範囲内の住民に申立人としての適格を認め，②については，申立人らが被りうる被害が生命・身体に関わる償うことのできない損害になりうることから，「**重大な損害を避けるための緊急の必要**」を認めた。

②「重大な損害を避けるための緊急の必要」の判断にあたり，本決定は，本件で問題となった安定型処分場と同様の処分場において，補助参加人が，許可された処理能力面積や容量を大幅に超えて産業廃棄物の埋立てを行い，「産廃富士」と呼ばれるほどの容量となっていること，届出された安定5品目以外の有機物等を数多く混入させたこと，さらに，本件で許可申請された安定型処分場の許可条件によれば，同処分場に有害な廃棄物を含む上記「産廃富士」の一部が埋め立てられるようになることなどの事実を認定した。

もっとも，本判決は，「本決定が重大な損害を避けるための緊急の必要」を認めるために，生命・身体に対する損害の非代替性や不可逆性を強調しているが，行政事件訴訟法の2004年改正により，執行停止の要件が「回復の困難な損害」から「重大な損害」に緩和されたことに鑑みると，損害の非代替性や不可逆性を，執行停止のための不可欠の要件と解することは適切ではない。この要件を緩やかに解したものとして，たぬきの森事件高裁決定（東京高決平成21・2・6判自327号81頁［67］→**11-2**・2(2)(b)〔548頁〕）がある。

(9) 産廃処理業の許可と事前手続，住民同意

(a) 産廃処理施設設置許可と事前手続，住民同意については，すでに触れたが（→**7-2**・8(3)(a)(ウ)〔301頁〕），この点に関して，三重県津市事件判決が出されている。三重県の「生活環境の保全に関する条例」（2001年制定）は住民との合意を図る規定を置いており（当時の94条），これに基づいて別に定められた三重県産業廃棄物指導要綱には同意取得などの手続が定められていた。そして，三重県知事は要綱手続を踏まずに許可申請をした者に対して不許可処分を下した。その後，原告は許可の再申請をしたところ，事前協議の必要があるとして，再び却下された。原告はこれを不服として，本件却下処分の取消訴訟を提起した。これについて，裁判所は廃掃法の下では自治体が地域特性に応じて条例を制定することは可能だと解して不許可処分を適法と解した（名古屋高判平成15・4・16）。「廃掃法は，国が廃棄物についてのあらゆる事項についてすべてを規制する趣旨で制定されたものではないし，同法15条の2第1項も，都道府県知事は，前条第1項許可申請が……各号のいずれにも適合していると認めるときでなければ，同項の許可をあたえてはならないと規定しているに止まるのであるから，地方公共団体が特殊な地方的実情と必要に応じて条例等で特別の規制を加えることを容認していると解することができる」とし，三重県環境保全条例において規定されている，申請に先立つ手続（事前協議の手続）は適法であるとしたのである。この一般論には問題がないが，具体的事案との関係では，事前協議において住民の同意書を得ること（指導要綱10条1項）が求められており，実質的な拒否権を住民に与えることとなるため，憲法上の財産権侵害となるおそれがあろう（北村）。

(b) また，住民同意に関連して，処理業の許可に際しての都道府県の行政指導について裁判例がある。

産業廃棄物処分業の許可申請をした原告に対して県が地元自治体の同意等を得るよう行政指導をしたことは，処分業の円滑な実施のためのものとして適法であるが，原告が同意が得られず行政指導に協力しないことを明示した（苦情申請書の提出）後も，同県が行政指導を継続し，許可を留保した場合はどうか。このような場合には，住民同意書等の提出を事実上強制したものとなり違法であり（「真摯かつ明確な意思表明」と「行政指導への不協力が正義の観念に反する特段の事情の不存在」をもって許可の留保が違法となる要件を示したものとして，品川区マンション事件〔最判昭和60・7・16民集39巻5号989頁［2版72]〕参照），国家賠償の対象となるとした裁判例がみられる（大阪高判平成16・5・28判時1901号28頁［46]）。住民同意を求める要綱はあってもそれはあくまで行政指導であり，同意がなくとも許可申請がされた以上は行

政手続法７条により遅滞なく審査を開始するべきであると考えられる。

また，指導要綱により，申請にあたって，その地元同意書の添付などが求められていたが，それなしに提出された許可申請書を返戻したことが，許可審査の違法な不作為となるか。申請書が到達している以上，行政手続法７条により審査の開始は義務付けられているとし，返戻をしたのは審査の懈怠でありその不作為は違法と判示したものがある（仙台地判平成10・1・27判時1676号43頁，仙台高判平成11・3・24判自193号104頁）。

5　マニフェストの個人識別情報の開示請求

産業廃棄物運搬業者Ａの元従業員で，Ｂの廃棄物の収集運搬に従事していたＸが，廃掃法所定のマニフェストが偽造され，さらに再委託禁止規定に違反する不適正処理が行われている旨の情報提供をし，これを受けてＹ（三重県）がした行政指導に関する文書について，三重県情報公開条例に基づき公文書開示請求をしたところ，同県知事が一部非開示決定をしたことから，その取消しを請求した。名古屋高判平成21・1・22は，上記マニフェストに記載された作成者名等に関する情報を開示することに対する公益保護の要請は，これを開示しないことによって守られる個人的法益の保護の要請より優越すると認めるのが相当であるから，本件の事情の下においては，上記情報には，同条例７条２号但し書ロ所定の非開示の除外事由があるなどとして，Ｘの請求を一部認容し（原判決を一部取消し，一部棄却），公文書一部非開示決定を取り消した。

Ｂが過去に不適正処理とマニフェストの虚偽記載をした前歴を指摘し，「将来同様の不適正処理の問題が発生した場合，同一の従業員が関与していたか否か等を確認することは，上記事情を検証する有力な資料となる」とし，他方で，開示されるのは従業員としての行為で，当該個人の私生活にわたる事柄ではないと判示する。

廃掃法はマニフェストの虚偽記載について第三者に公表する制度を設けていないが，それは第三者への開示を禁ずるものではなく，むしろ，「第三者に見られているという意識が，関係業者のみならず，監督官庁にも適正な行動を取らせる動機となる」として，マニフェストの開示に積極的な姿勢を示している。

6　欠格要件

(1)　義務的取消規定と憲法22条，31条との関係

産廃収集運搬業・処分業の許可の要件である**欠格要件**（→**7-2・8**(2)(b)〔294頁〕）に該当する場合に**義務的な許可取消し**とする規定（廃掃法14条の３の２第１項１号）

及び同規定に基づく許可取消処分は**憲法22条1項**（職業選択の自由），**憲法31条**（罪刑の均衡）に違反するか。この問題について3つの判決を取り上げておきたい。

(a)　産廃収集運搬業の許可を受けていた会社Xの取締役であった者Aが道路交通法違反（飲酒運転）をしたことにより懲役5月執行猶予3年の判決を受け確定した（判決確定の3カ月後に取締役を辞任したが，判決確定時には取締役であった）ことが欠格要件（14条5項2号ニ）に該当するとして，Xは，法14条の3の2第1項1号に基づきY県から義務的な許可取消しの処分を受けた。Xは，許可取消処分の取消請求をした。Xは，(i)本件取消処分にあたりAの行為の業務性を考慮しないことの違法性，(ii)廃掃法の規定及び本件取消処分の違憲性等を主張した（ここでは(ii)について触れる)。

東京高判平成18・9・20［42］（請求棄却）は，憲法31条違反及び憲法22条1項違反を主張する点については，①産業廃棄物の適正な処理体制の一層の確保を目的とした法改正の趣旨（立法府の政策的判断）から，制度の必要性と合理性が認められるのであって，本件取消処分について，行為と制裁とが著しく均衡を欠いているものではないとして，比例原則違反を否定する。②さらに，行政処分が羈束行為である場合には，比例原則が働く余地はなく，そもそも憲法31条違反の前提を欠くとする。③その上で，たとえ許可取消処分によって，被処分者が本件運搬業を営むことができなくなるとしても，それはなお公共の利益を保護するための必要かつ合理的な制限であるとして，憲法22条1項違反についても，一般論として本件許可取消処分を合憲とする。本判決は，薬事法に関する最高裁判決（最大判昭和50・4・30民集29巻4号572頁）とは業種が異なるとして，同判決の審査基準は用いていない。

(b)　上記(a)と同じ原告の事案について，別訴でXは，(i)本件取消処分は，原因行為である道路交通法違反と制裁とが著しく均衡を欠くとし，欠格要件は，廃棄物収集運搬業務に関する犯罪行為による処罰を受けた場合に限定されるべきであるとし，このような解釈がとりえないとすれば，憲法31条及び22条に反し無効であると主張した。(ii)また，Y県の許可取消しがなされたことを取消事由としてZ県でも廃棄物収集運搬業の許可が取り消されたことについても(i)は妥当すると主張した。

これに対し，東京高判平成18・12・12（請求棄却）は，(i)について，対象となる犯罪行為を限定することなく欠格要件に該当するとし，許可を取り消すこととしたのは，収集運搬業者の一層の資質の向上と信頼性の確保のための産業廃棄物処理をめぐる立法府の政策的判断に基づくものであり，法人の収集運搬業務に関連するものに限定されるべきでない，憲法31条の原因行為と制裁との均衡については，廃棄物の適正な業務執行体制を確保するためには，全般的に法を遵守させ，社会の信頼にこたえる必要があるし，他方，役員が犯罪に及んだ場合には，その刑が確定するまでに役員を解任するか役員が辞任すれば許可取消しを免れることも可能であるとする。(ii)についても(i)で述べたことは何ら変わらないとする。

(c) 産業廃棄物収集運搬業の許可を得ていたX法人の取締役A及びBが別に産業廃棄物収集運搬業の許可を得ていたC法人の取締役でもあったところ，C法人の取締役Dに前科が発覚し，C法人の許可取消処分がなされた結果，A及びBも廃掃法7条5項4号ニに該当する者となったことから，X法人も14条5項2号ニに該当し，許可の取消処分がなされた（いわゆる**1次連鎖**）。そこで，Xは本件許可取消処分が**憲法22条1項**等に違反する違憲無効な法律規定に基づいてなされたものであるとして，本件許可取消処分の取消しを求めた。

東京地判平成19・9・26は，①義務的取消しの規定は，生活環境の保全及び公衆衛生の向上，ひいては国民の生命，健康及び財産等に対する危険の防止を目的とし，重要な公共の利益のためにされる措置であるとし，②より緩やかな規制手段が存在しうるとするX法人の主張に対しては，許可の取消しを裁量的なものにとどめた場合には，義務的取消しとするのと同様に規制目的を十分に達成することができるとは直ちに認めることができないとして，違憲の主張を排斥し，X法人の請求を棄却した。なお，X法人は，廃掃法14条の3の2第1項1号及び14条5項2号ニによる規制は，いわゆる取消しの無限連鎖を招き，過度に広汎な規制であるから無効である旨主張したが，本判決は，少なくとも，同規制は，Xに対して適用される限りにおいては合憲であるというべきであるところ，このような場合に，Xが第三者に対する違憲的な適用の可能性を理由に上記のような主張をすることは認められないとしている。

なお，その後，廃掃法2010年改正により，前記のように，許可の取消しが「欠格要件に該当するに至った」役員の兼務先である他の処理業者の許可の取消しまで連鎖する場合は，廃掃法上特に悪質な場合に限定され，また，特に悪質な場合でも1次連鎖に限ることとされた（→**7-2**・8(2)(b)(ア)〔295頁〕）。

(2) 欠格事由に該当する「法人の役員」

廃掃法7条5項4号ロは「禁錮以上の刑に処せられ」た者を欠格事由の1つとしている。また，同法14条5項2号ニは「法人でその役員又は政令で定める使用人のうちイ又はロのいずれかに該当する者のあるもの」を欠格事由にしており（傷害罪で有罪判決を受けた取締役として登記されている者について，取消訴訟を棄却した判決として，東京高判平成26・10・23判自392号59頁），「法人の役員」については，7条5項4号ニが「法人に対し業務を執行する社員，取締役，執行役又はこれらに準ずる者と同等以上の支配力を有するものと認められる者を含む」としている（取締役等ではなかったが，弁護士として，法人の訴訟代理人や監査役，さらに，同法人に1億円を無利子無担保で貸与し，支配が容易な人物を同法人の代表取締役にしていた者について，「取締役と同等以上の支配力を有していた」と認定したものとして，福島地判平成24・4・24判時2148号45頁［55］）。環境再生・資源循環局廃棄物規制課長通知「行政処分の指針について」（→**7-2**・11(5)(c)〔314頁〕）は，取締役等と同等以上の支配力を有する者となる蓋然性の高い，一応の基準として，会社の「発行済株式総数の100分の5以上の株式を有する株主又は出資額の100分の5以上の額に相当する出資をしている者」をあげている。不良業者を排除するため，いわゆる「黒幕」に問題がある場合についても欠格事由にあたるとしたものである。

名古屋地判平成20・9・11の扱った事件では，産業廃棄物収集運搬業及び処分業に許可を受けていた会社Xの発行済株式総数5%以上の株式を保有する株主Aが禁錮以上の有罪判決を下され，その確定を受けて，許可処分をしたY市長がXの各種許可を取り消したため，それを不服としたXが本件許可処分の取消訴訟を提起した。

本件では，AがXの株式の11%を保有していること，Xに対して800万円の貸付をしていることなど，「取締役と同等以上の支配力」と認定するのに有利な事情がある一方，AはXの経営に全く関与していないという不利な事情もある。

名古屋地裁は，会社の「発行済株式総数5%以上の株式を保有する株主については，取締役等と『同等以上の支配力』を有する蓋然性が高いものと解するのが相当である（本件指針参照）」とし，上記の事情も考慮した上で，Aが「取締役と同等以上の支配力」を有する者にあたるとして，請求を棄却した。

黒幕規定における「取締役と同等以上の支配力」を有するか否かについての事例判断を示したものである。

なお，「取締役等と同等の支配力」を有する者は，基本的には自然人に限られるが，法人格が全くの形骸にすぎない場合には，法人の場合も該当しうる（行政処分の指針。仙台高判平成19・9・20）。

7　不法投棄と原状回復

(1)　産業廃棄物処分場の設置者に対する措置命令の義務付け訴訟

A社が操業していた産業廃棄物処分場で，廃掃法所定の産業廃棄物処理基準に適合しない産業廃棄物処分が行われたことによって，生活環境の保全上支障が生じ，又は生じるおそれがあるとして，本件処分場周辺地域に居住するXらが，県知事

Yに対して，主位的請求として，同法19条の8第1項に基づきYの代執行の義務付けを求め，予備的請求として，同法19条の5第1項に基づきAに対する措置命令の義務付け（行訴法37条の2）を求めた事件である。

本件では，非申請型義務付け訴訟の訴訟要件として，①義務付けの対象となる本件各処分の特定性，②原告適格，③本件各処分がなされないことによる「重大な損害を生ずるおそれ」，④補充性の有無，本案要件として，⑤処分要件の充足性，⑥処分がなされないことの違法性が争われた。福岡高判平成23・2・7（判時2122号45頁［54］）は，訴訟要件は認めた上，本案については，主位的請求は棄却し，予備的請求のみを認容した。以下では，特筆すべき要件のみ掲げる。

本判決は，訴訟要件としての②については，周辺に居住する住民のうち当該埋立処分が行われることにより，「健康又は生活環境に係る著しい被害を直接的に受けるおそれのある者」は，本件義務付け訴訟について法律上の利益を有するとした。Xらが井戸水を飲料水及び生活水として利用していること，本件処分場が産業廃棄物の最終処分場であることなどから，原告適格が認められたのである。

③については，「鉛で汚染された地下水が……周辺住民の生命，健康に損害を生ずるおそれがあること」，「生命，健康に生じる損害は，その性質上回復が著しく困難である」ことから，「重大な損害を生ずるおそれ」が認められた。損害の重大性について，生命，健康の被害に限定しているかにみえる（さいたま地判平成23・1・26判自354号84頁は，不法投棄された土地の隣地を購入し，自己の土地に老人福祉センター建設の計画をしている者について，本件廃棄物が除去されないことによる損害は，塡補が可能な財産上の損害であるとして，重大な損害にあたらないとした）点については，学説上は，法治国家の原理から，行政が法律上の義務を怠っている場合には是正されるべきであるから，「生活環境の被害」にも広げるべきであるとの批判が行われている（田中謙）。

本案要件については，規制権限不行使に関する国家賠償訴訟における裁量権消極的濫用論（判例）に類似した立場をとるものの，具体的判断は，裁量権収縮論の4要件に類似した判断を行っている。すなわち，主位的請求については廃掃法19条の8各号のいずれの要件も満たさないとしたものの，予備的請求については，鉛で汚染された地下水がXらの生命健康に損害を生じるおそれがあること（法益侵害の危険の存在），鉛による地下水の汚染が6年以上前から長期にわたって進行していると推認されること（予見可能性），上記損害を避けるために他に適当な方法はないこと（期待可能性・補充性），Yがした措置命令にA社が従わなかったとしても，Yは廃掃法19条の8第1項第1号に基づく代執行が可能であること（結果回避可能性）

を考慮し，本件措置命令をしないことは，「規制権限を定めた法の趣旨，目的や，その権限の性質等に照らし，著しく合理性を欠くものであって，その裁量権の範囲を超え若しくはその濫用となる」とした。

本件は，重大な法益侵害に関わるものであり，行政はさほどの困難を伴わずに規制権限を行使することができ，かつ，それによって危険を回避しうる蓋然性が高い事案であると考えられ，措置命令の義務付けを認めた点は妥当であると解される。

(2) 不適正処理産業廃棄物の行政代執行に要した周辺環境調査と事務管理

X（豊田市）は，株式会社A社が同市内に大量の産業廃棄物を過剰保管し同産廃物の撤去等を命ずる各措置命令に従わなかったため，Xが撤去を行った際に，周辺環境調査等につき費用を要したとして，A社の実質的オーナーとされるYに対して，**事務管理**に基づく費用償還を求めた。措置工事費用については廃掃法19条の8第5項に基づき徴収されたが，周辺環境調査費用の償還が問題とされたものである。

名古屋高判平成20・6・4（判時2011号120頁［51］）は，管理者の管理行為が本人の意思又は利益に反するような場合であっても，本人の意思が強行法規や公序良俗に反するなど社会公共の利益に反するときには，このような本人の意思又は利益を考慮すべきではなく，当該管理行為につき**事務管理**が成立するとし，本件においては，周囲の生活環境の保全等のためには，もはやXにおいて速やかに廃棄物の適正処理を確保する必要性が極めて高かったなどとして，Xの請求を認容した原判決を維持し，控訴を棄却した。

(3) 行政代執行費用納付命令の取消訴訟と代執行及び措置命令の違法の主張

行政代執行費用納付命令の取消訴訟で代執行と措置命令の違法を主張することが認められるか。

A社の代表者Xらは，Y市の市長（処分行政庁）から，廃掃法19条の5第1項に基づく措置命令を受けたが，それを履行せず，同法19条の8第1項に基づく代執行を経て，同条5項と行政代執行法5条に基づき，行政代執行費用納付命令を受けた。XはY市に対して同命令の取消しを請求した。

名古屋地判平成20・11・20（判自319号26頁）は，「代執行は措置命令に後続し，費用納付命令は代執行に後続するという関係にはあるが，これらは，それぞれ別個の手続で，別個の法律効果を目的とするものであり，先行行為と後行行為とが同一の目的を達成する手段と結果の関係を成しこれらが相結合して一つの効果を完成する一連の行為となっているものではないから，費用納付命令は，代執行の違法性を承継するものと解することはできないし，代執行の前提となる措置命令の違法性を承継するものと解することもできない」との一般論を展開する（もっとも，同事件では，本件措置命令及び本件代執行はいずれも適法であり，本件費用納付命令も適法であるとして，Xの請求を棄却した）。これに対し，費用納付命令は措置命令等の違法性を承継するとし，費用納付命令取消訴訟において，その違法事由として措置命令等の処分の違法を主張できるという一般論を示す裁判例も現れた（横浜地判平成25・7・10判自380号68頁。もっとも，同事件では，措置命令も納付命令も適法であるとした）。措置命令等に対して出訴期間内に適法な訴えを提起しているにもかかわらず，事後的に代執行が実施されたことにより措置命令の取消を求める訴えの利益が消滅したとして訴えが却下されることになると，原告の措置命令等の先行行政処分を争う機会は十分でなく，原告の手続的保障の観点から，後者の裁判例の方が適当であるといえよう（最判平成21・12・17民集63巻10号2631頁参照）。

8　林道の使用許可

山間部の廃棄物処理施設への廃棄物の搬入を妨げるため，地方公共団体の首長が条例等により，林道の使用を不許可にすることはできるか。

林道は道路法所定の道路ではなく，地域の森林保全及び営林事業の振興を図る目的で設置管理されるものであるが，公共の用に供する物であることから，その目的外使用の許可，不許可は首長の完全な自由裁量に属するとはいえず，①林道の維持保全，②他の利用者との調整等の観点に照らし，合理的な範囲内での裁量権を有すると考えられる。①については，搬入される廃棄物の量，性質，搬入頻度，運搬車両，従来の林道の現実の利用状況等を考慮して判断することになる（福岡高判平成12・5・26判タ1069号91頁）。

12-5　自然公園と国家賠償訴訟

自然公園内での事故による国家賠償が問題となることがある。

十和田八幡平国立公園特別保護地区内の奥入瀬渓流で発生したブナ枯枝落下による観光客の受傷事件において，原告は，国と青森県に対して国家損害賠償を請求し，東京高判平成19・1・17判タ1246号122頁は，これを認容した（最決平成21・2・5は，上告不受理，棄却）。国はブナの木の支持に瑕疵があったとして民法717条2項に基づく工作物責任を負うとされ，県は事故現場付近を遊歩道の一部として事実上管理していたところ，管理上の瑕疵があったとして国賠法2条1項に基づく営造物責任を負うとしたのである。国は，管理する国有林に生立する本件ブナの木が，立入防止柵や標識等があり，ベンチも置かれるなど多数の観光客が散策・休息することが予定されている場所にあり，これを認識し得たのであるから，落木，落枝などにより人への危害を及ぼさないようブナの木を維持管理する責任があり，県の点検も極めて不十分であったのであり，ブナ落枝の危険性を発見できなかったことをもって回避可能性がなかったとみる余地はないとした。

本判決は事故現場が自然公園の特別保護地区内であったことについては取り上げていない。国や県としては，危険箇所の警告表示等をする必要はあろうが，国立公園においては自然の保護と利用の両立を図る必要があり，完全な危険の除去は困難である。本件事故現場は，多数の観光客が散策・休息することが予定されている場所（国道から徒歩5分の場所）にあり，現場付近の休憩所は2003年度には利用者は約50万人であり，民法717条や国賠法2条における瑕疵（通常有すべき安全性の欠如）は肯定しやすい事案であったといえよう。交通アクセスがそれほど良くはなく，少数の観光客しか立ち入らない場所で同様の事故が起きた場合には，通常有すべき安全性について同様の判断がなされるべきではないと考えられる。

12-6　地球温暖化対策・再生可能エネルギーに関連する訴訟

1　省エネ法及び地球温暖化対策推進法に関連する訴訟

この分野では，省エネ法のエネルギーの使用状況等に関する情報の開示請求訴訟を取り上げておきたい。

省エネ法の下での「定期報告書」（現行法では15条）について，環境保護団体から情報公開法に基づく開示請求がなされた場合，主務大臣が個別事業者の権利利益を害するおそれがあるという理由（情報公開法5条2号イ）でこれを不開示とすることができるだろうか。

すでに述べたように（→**第10章**〔423頁〕），省エネ法の「定期報告書」の情報は直接にはエネルギーの使用状況に関する情報であるが，上述したように，それはエネルギー起因の二酸化炭素の排出量の情報ともなるため，温暖化対策に関する情報として重要性を有する。そのため，環境保護団体からこのような請求が提起されるのである。これについて多くの下級審裁判例（名古屋高判平成19・11・15［2版106］，東京高判平成21・9・30）は，情報公開法5条2号イの「おそれ」の認定について，①法人等の正当な利益を害するおそれが客観的に認められることが必要であり，また，②おそれの存在が法的保護に値する程度の蓋然性をもって利益侵害が生じると認められることが必要であるとし，各事件について原告を勝訴させてきた。しかし，最判平成23・10・14（判時2159号59頁［97］）は，従来とは異なる判断をした。

事案は，X環境保護団体が，経済産業大臣から権限の委任を受けた中部経済産業局長（本件処分庁）に対し，省エネ法の規定により各事業者が各工場の燃料等及び電気の使用の状況等に関する事項を示して同局長に提出した各報告書の一部の開示を請求したところ，「定期報告書」に記載された一部の数値情報（本件記載部分）が不開示情報にあたるとして，その部分を不開示とする決定がなされたため，国を被告として，本件決定のうち不開示とした部分の取消し及び本件記載部分の開示決定の義務付けを求めたものである。最高裁は，原判決（前掲名古屋高判）を破棄自判し，原告の取消請求を棄却し，その余の請求に係る訴えを却下した。

(i)まず，本件数値情報は，「製造業者としての事業活動に係る技術上又は営業上の事項等と密接に関係する」とする。そして，**温暖化対策推進法に定められた算定報告公表制度**においては，事業所単位の温室効果ガス排出量を算定するもととなる本件数値情報に相当する情報が開示の対象から除外されており，かつ，この情報が情報公開法５条２号イと同様の要件を満たす場合には，各事業者の権利，競争上の地位その他の正当な利益に配慮して，事業所単位各物質排出量に代えてこれを一定の方法で合計した量をもって環境大臣及び経済産業大臣に通知し，公表及び開示の対象とする制度が併せて定められているとし，「このことからも，本件数値情報が事業者の権利利益と密接に関係する情報であることがうかがわれる」とする。さらに，省エネ法により「定期報告書の提出が義務付けられた趣旨は，各事業者において自らエネルギーの使用の状況等を詳細に把握」する「とともに，国が適切な指示等……を行うために各事業者に」おいて「各年度ごとに具体的な数値を含めて詳細に把握する」ことにあるとする。「このような省エネルギー法の報告制度の趣旨に鑑みると，情報公開法による定期報告書の開示の範囲を検討するに当たっては，上記のような当該情報の性質や当該制度との整合性を考慮した判断が求められる……」。

(ii)「以上のような本件数値情報の内容，性質及びその法制度上の位置付け，本件数値情報をめぐる競業者，需要者及び供給者と本件各事業者との利害の状況等の諸事情を総合勘案すれば，本件数値情報は，競業者にとって……有益な情報であり，また，需要者や供給者にとっても……有益な情報であるということができ，本件数値情報が開示された場合には，これが開示されない場合と比べて，これらの者は事業上の競争や価格交渉等においてより有利な地位に立つことができる反面，本件各事業者はより不利な条件の下での事業上の競争や価格交渉等を強いられ，このような不利な状況に置かれることによって本件各事業者の競争上の地位その他正当な利益が害される蓋然性が客観的に認められる……」。

本判決は，情報公開法５条２号イの正当利益阻害のおそれについて要件裁量を否定し，原告の請求権についての判断代置的司法審査をすべきことを判示した点は評価できるが，いくつかの疑問がある。第1に，「おそれ」についての正当利益阻害の蓋然性が客観的に認められるとしているが，抽象的な可能性にとどまっており，情報公開法が原則として情報の公開をする趣旨を示している点と乖離する（橋本博之)。第2に，情報公開法5条2号イの該当性の判断において，当該文書に係る根拠法令である省エネ法，これと制度的に関連する温暖化対策推進法の解釈が組み込まれた。温暖化対策推進法の仕組みについての解釈は，本件における数値情報が事業者の権利利益と密接に関連することの論証として用いられている。また，省エネ法については，情報公開法の不開示事由該当性の解釈において，省エネ法による当該情報の性質や当該制度との整合性を考慮した判断が求められるとされている。しかし，従来の情報公開法関係法律の調整の方針としては，他の法律に開示・公表の仕組みがある場合において，それが情報公開法と同等なら他の法律を適用するが，他の法律に制約があるときは，情報公開法に対する適用除外がない限り，情報公開法が優先適用されると考えられてきた。それは同法が国民主権に基づく一般法として作られているからであるが，この判決はその考え方を等閑視している。第3に，最高裁判決は，本件数値情報の一般的類型的性質のみに着目し，情報公開法5条2号イの該当性を解釈するが，これは従来の通説的見解である，個別事業者ごとに正当利益阻害性を判断する解釈方法とは異なっている。第4に，情報公開法5条2号本文但し書による公益的開示についても，温暖化がここにいう公益に関するものであるかをさらに精査する必要があろう。特に，上記第2点については，温暖化対策法の算定報告公表制度は，情報公開制度とは異なり，ファイル化された情報を主務大臣が審査や裁判なしに直ちに開示する点に意味があるのであり，情報公開制度とは異なる（それを補完する）制度である。その趣旨の相違を等閑視して，温暖化対策推進法で正当利益が保護されているから，それを情報公開法でも保護すべきであるという論理をとるべきではないと考える。

なお，理論的にはPRTR法の公表情報についても本判決と同様の問題を生じうるが，PRTRについては現在のところ，権利利益保護請求がなされておらず，また，一人がPRTRの開示請求をすれば全ての情報が開示される運用がなされているため（→**6-5**・2(4)(d)〔250頁〕），現状では情報公開請求がなされることはないであろう。

ちなみに，本判決が出された後，情報公開請求を恐れて国が省エネ・温暖化防止対策のための情報的基盤を失わせるような制度改正が一時経済産業省によって検討されたが，最終的に撤回された。このような制度改正は合理的とはいい難く（島村健)，撤回されたことは好ましい対応であったと思われる。

2　再生可能エネルギーに関する訴訟

再生可能エネルギーに関しては様々な訴訟が提起されている。

⑴　太陽光発電施設建設差止訴訟

大分県由布市の住民らが，大規模太陽光発電施設の開発業者に対し，環境権，(自然景観に対する）景観利益侵害，営業権侵害を主張して建設の差止めを求めて提訴した事件について大分地判平成28・11・11は，請求を棄却した。同判決は，環境権及び自然環境に対する景観利益は差止の根拠にならないとし，さらに（これらの権利を有すると仮定した上での判断としても)，環境への一定の配慮をしていること，電力の供給等において地元の利益に資する面があること，本件事業が条例等に違反していないことから，差止を認容すべき程度の違法性はないとした。また，旅館の営業権侵害については，態様が社会的相当性を欠くとはいえず，違法とは言えないとした。

本件の由布市は良好な景観をもとにした観光地であり，再生可能エネルギーの社会的有用性を認めた上でも，なお難しい判断を迫られる事件であったと思われる。本判決における旅館の営業権侵害は眺望侵害であり，少なくとも損害賠償は認められる余地があったのではないか。また，国立景観訴訟最高裁判決（最判平成18・3・30）の景観利益を拡張して，自然景観についても，由布市塚原地区のように自然と一体となった地区（町）の景観利益を「良好な景観」と捉え，近隣住民にこの景観利益の侵害に対する法律上保護される利益の侵害を認定する余地はあったと思われる（渡辺和行「判批」環境法研究〔信山社〕10号203頁参照)。上述したように（→**11-1**・**1**⑴(b)〔487頁〕)，国立景観訴訟最高裁の景観利益は自然景観に拡張される余地はあると考えられるからである。

違法性の判断においては，電力の供給等において地元の利益に資する面は考慮すべきであるが，町全体が景観を考慮することを最も重視してきた歴史があるのであれば，その被侵害利益の程度は極めて大きく，違法性は比較的認定しやすかったのではなかろうか。

⑵　土地開発行為（太陽光発電設備の設置）不同意処分取消訴訟

再エネと自然環境，景観等との調和を図り，施設設置の抑制を図る条例を定める自治体が増加しているが（高崎市，富士宮市，赤穂市ほか)，その中には，1)届出に同意，協議終了通知等を伴わせ，制裁としての公表を行うもの，2)首長の許可制を導入するものなどが見られる（内藤悟)。

1)は，事業者に対して，住民との調整を含む行政指導を条例化するものであるが，このような首長の同意を必要とする条例に対して，訴訟が提起されている。具体的には，調和型条例が規定する周辺住民・利害関係者としての行政区の同意がないことを理由とする長の拒否処分（不同意）に対する取消訴訟が提起された（富士河口湖町事件)。これについて，1 審判決（甲府地判平成 29・12・12 判自 451 号 64 頁）は，本件不同意が本件条例の規定に基づく審査基準に従ってなされたものとはいえないとして，取消しを認容したが，控訴審判決（東京高判平成 30・10・3 判自 451 号 56 頁）は，原判決を取消し，請求を棄却した。利害関係者の同意書の添付がないため。同意申請は形式上の要件に適合しないとするのである。

しかし，学説においては，周辺住民等の同意がないことのみを理由として嫌忌施設等の設置を認めない条例は，違憲・無効であるとする立場が多数を占めている（阿部，北村，牛嶋，島村ほか)。住民等による不同意は合理的な理由に基づくものとは限らず，同意制は，施設設置者の財産権又は営業の自由を，不合理な理由によって制約する可能性があるからである（産業廃棄物処分場と同様の問題状況となる→ **12-4**・4(9)〔608 頁〕，**7-2**・16〔327 頁〕)。また，本件控訴審判決については，審査基準にない要件を新たに認めるものであり不当であるとの指摘も行われている（内藤)。

12-7　水俣病訴訟

水俣病訴訟についてまとめて取り上げておきたい。

水俣病とは，メチル水銀が脳の特定の部位を侵すことによって起こる中枢神経系疾患であり，四肢末端の感覚障害に始まり，運動失調，平衡機能障害，求心性視野狭窄，聴力障害等の主要症候が出現するといわれる。水俣病事件には，熊本水俣病事件と新潟水俣病事件とがある。熊本水俣病事件は，1953 年頃から 1960 年代半ば頃にかけて熊本県水俣湾周辺で発生した。チッソ水俣工場のアセトアルデヒド製造工場の排水に含まれていたメチル水銀が同湾及び同湾周辺水域の魚介類に蓄積し，付近住民がこれを反復して摂取したことが中毒の原因と結論づけられている。1956 年にチッソ附属病院から水俣保健所への報告で水俣病が公式発見され，ほどなくして熊本大学医学部がチッソからの排水を原因として疑ったが，政府は 1968 年に至りようやく公式に熊本水俣病の原因がチッソから排出されたメチル水銀化合物であることを発表した。その間の 1964 年から 65 年にわたり，新潟県阿賀野川流域に同様のメチル水銀中毒症が発生した。この新潟水俣病は，昭和電工鹿瀬工場から阿賀野川に排出されたメチル水銀化合物を含んだ排水が汚染源であり，1968 年に政府はこの原因を公式に認定した。

水俣病事件に関する訴訟は多岐に分かれるが（大塚『環境法』1-1 コラム 1〔6 頁〕参照)，主要なものは，①水俣病患者が直接の原因者である企業（チッソ，昭和電工）

に対して提起した損害賠償訴訟，②水俣病認定申請の棄却者や未認定患者が（同企業に対してだけでなく），国や県に対して規制権限不行使を理由として国家賠償を求めた訴訟，③国や関係県に対して水俣病認定申請棄却処分の取消訴訟や認定の義務付け訴訟を提起した訴訟である。

水俣病訴訟における争点は，不法行為の過失論，国家賠償の規制権限不行使に関する違法性論等種々みられるが，水俣病の特質が争点として特にクローズアップされたのは③のタイプの訴訟，すなわち，認定に関わる裁判例である。そこで，以下では，主として③のタイプの訴訟について扱うこととし（→**1**），末尾に②のタイプの訴訟として水俣病関西訴訟最高裁判決（最判平成16・10・15民集58巻7号1802頁［84］）についても扱う（→**2**〔631頁〕）。

1　水俣病の認定に関する訴訟

水俣病の認定に関する訴訟とは，水俣病認定申請の棄却者や未認定患者が水俣病に罹患しているか否か，すなわち，水俣病とは何か，メチル水銀との個別的因果関係があるかが争われたものである。そのエポックメーキングな事態は，大阪高判平成13・4・27（判時1761号3頁，水俣病関西訴訟第2審判決）が，不法行為訴訟における水俣病の病像論に関して新たな判断基準を提示し，上記の最判平成16・10・15（同最高裁判決）がこれを維持したことによって発生し，2009年には「水俣病被害者の救済及び水俣病問題の解決に関する特別措置法」（→**9-1**・2〔413頁〕）が制定される結果となった。さらに，最判平成25・4・16（溝口訴訟判決，判時2188号42頁［85］）は，水俣病認定申請棄却処分の取消し及び同認定の義務付けの請求を認容した原判決に対する上告を棄却し，感覚障害のみの水俣病の存在を最高裁として初めて認めた。

以下では，その発生から60年に及ぶ「水俣病問題」に関する裁判例を水俣病の概念（病像）という断面から示してみる。

(1)　水俣病の概念（病像論）

(a)　当初，水俣病の診断においては「ハンター・ラッセル症候群」（当初は，運動失調，言語障害，視野狭窄の三徴候を指していたが，現在ではこれらに感覚障害及び難聴が含められる）が基準とされ，この症候群を示す水俣病患者は早期に認定されたが，その後この症候が全てそろってはいない「不全型」の水俣病患者が不知火海沿岸に多数存在していることが明らかになってきた。この点が水俣病の病像論に大きく影響している。

(b)　1967年に新潟地裁，69年6月に熊本地裁にそれぞれの水俣病第1次訴訟が提起された後，1969 年 12 月，**「公害に係る健康被害の救済に関する特別措置法」**（**救済法**）が公布された。同法に基づき，関係県知事による水俣病患者の認定が行われることとなったが，1971 年 8 月，環境庁は，「公害に係る健康被害の救済に関する特別措置法の認定について」と題する事務次官通知（**昭和 46 年事務次官通知**）を発した。そこでは，疫学資料等により水質汚濁の影響を否定しえない場合であり，その上で典型症状のいずれか 1 つが認められればそれだけで水俣病と判断してよいとするものであった。なお，救済法による認定処分は，直ちに民事上の損害賠償の有無を確定するものではないとされていた。

1973 年 3 月に，熊本地裁が熊本水俣病第 1 次訴訟原告勝訴の判決を下した後，同年 7 月に水俣病患者東京本社交渉団とチッソの間で**補償協定**が成立した。そこでは，一時金としての慰謝料 1,600～1,800 万円，医療費，介護費，終身特別調整手当，葬祭料等が給付されることとしていた。同協定は，協定締結までに認定された全患者に対して適用されるだけでなく，協定締結時以降に認定される患者についても適用されるものとされた。新潟水俣病患者についても，同年 6 月に新潟水俣病被災者の会等と昭和電工との間に類似の協定が成立し，さらに医療費の支払いについては 1975 年 5 月に覚書が取り交わされている。

この結果，救済法及び 1974 年 9 月から同法に代わって施行された**公害健康被害補償法**（後の「公害健康被害の補償等に関する法律」。合わせて「公健法」という）との関係では，患者の認定は同法に基づき関係県の認定審査会が行うが，両法で関係県が行うことになっている医療費等の支給は，協定書に基づき，チッソ又は昭和電工が，一時金の給付とともに直接患者に対して行うこととなった。こうして，協定により，チッソ又は昭和電工は，公健法が定める特定賦課金を公害健康被害補償協会（後の公害健康被害補償予防協会）に納付するのでなく，認定患者に対して直接に慰謝料，医療費等の補償金を支払う義務を負うに至ったのである。補償協定と直結した点は，水俣病認定の性格を事実上変質させる契機となったと筆者は考えている。認定を受けた患者は，救済法（後の公健法）による給付を受けるか，補償協定に基づいてチッソから補償を受けるかを選択できることになったが，後者の方が有利なため，全員がこちらを選択することとなった。

(c) 熊本水俣病第 1 次訴訟判決が下された 1973 年の少し前から，水俣病認定申請件数は大幅に増加し，その結果未審査件数が激増した。こうして認定手続の遅れが深刻化するのであるが，さらに遅延の原因となったのが，水俣病の症候が，上記のように，当初は急性劇症型のものが多かったのに対し，その後は，臨床的に加齢による障害やその他の疾病に起因する症候と区別することが難しいものが増加したことであった（なお，水俣病の認定申請に関しては，棄却者は再度申請することが可能である点〔公健法4条2項に制限がないため〕にも留意されるべきである)。

そこで，1977年7月，環境庁企画調整局環境保健部長は，水俣病の判断条件について，「後天性水俣病の判断条件について」（**「昭和52年判断条件」**）という通知を関係各機関に発した。この判断条件は，水俣病の各種の症候はそれぞれ単独では一般に非特異的であると考えられるとした上で，水俣病と考えられる4種類の症候の組合せを示した。この判断条件の下では，有機水銀の曝露歴に加えて，4つあげられたうちのいずれかの症候の「組合せ」があることが必要とされ，上記の「昭和46年事務次官通知」よりも要件が厳しくなったとみることができる。判断条件の変更の理由としては，申請者の増加に伴い要件の精緻化が必要であったことは事実であり，また，医学上の知見の充実があげられようが，さらに，訴訟原告からは，チッソの経営難による「患者の切り捨て」がなされたと評された。その後，熊本水俣病第2次訴訟第2審判決（福岡高判昭和60・8・16判時1163号11頁）が「昭和52年判断条件」を批判したことを受けて，環境庁は「水俣病の判断条件に関する医学専門家会議」に対し，同条件が医学的にみて妥当なものであるかどうかについて諮問したが，同会議は，1985年10月にこれを是認している。

(d) **「昭和52年判断条件」**は，水俣病はいずれかの主要症候の「組合せ」として現れ，四肢末端の感覚障害のみが出現することはありうるが，実証されていないとする立場を基礎とする。これに対し，訴訟原告により，これとは異なる考え方が主張された。すなわち，「感覚障害のみを呈する水俣病が存在するとする説」，メチル水銀は，中枢神経のみでなく，血管，臓器その他の組織にも作用してその機能を弱体劣化させ，これに起因して病変を発生させ，又は既発生の病変を重篤化する可能性のあることを否定しえない中毒性疾患であるとする「水俣病全身病説」などである。

上記の考え方の相違に対応して，水俣病の判断条件についても，訴訟原告においては，「昭和52年判断条件」とは異なり，疫学条件（居住歴，生活歴等により判断される有機水銀曝露の事実・程度）が重要であり，汚染地区に居住し，魚介類を多量に摂取した者に，水俣病にもみられる症状の1つが存在すれば，水俣病と捉えるべきであるとする見解が主張された。

(2) 水俣病の判断基準に関する1995年閣議決定に基づく和解以前の裁判例の動向

(a) 後述する1995年の閣議決定に基づく和解以前，水俣病の病像及び因果関係については，多様な判決がみられた。

病像論については，水俣病を神経疾患とみるのが多数であるが，全身病説をとるものもみられた（①熊本水俣病第3次訴訟第1陣第1審判決〔熊本地判昭和62・3・30判時1235号3頁〕）。また，「昭和52年判断条件」を採用するもの（②水俣病東京訴訟判決〔東京地判平成4・2・7判時臨増［平成4・4・25］3頁［82］〕，③水俣病関西訴訟第1審判決〔大阪地判平成6・7・11判時1506号5頁〕）はむしろ少なく，これを批判するものが多かった（①，④熊本水俣病第2次訴訟第2審判決〔前掲福岡高判昭和60・8・16〕，⑤水俣病認定申請棄却処分取消請求訴訟判決〔熊本地判昭和61・3・27判時1185号38頁〕）。

そして，臨床所見として把握できる主要神経症状が感覚障害のみである場合に水俣病に罹患していると認定できるか，という点については，これを肯定的に解するものが多くみられ（①，④，⑥新潟水俣病第2次訴訟判決〔新潟地判平成4・3・31判時1422号39頁［2版28］〕），否定的に解するもの（②，③）と対照をなしていた。

また，水俣病罹患の有無の具体的な判断の方法については，疫学的条件を重視し，これが満たされる場合には，感覚障害しかないときにも水俣病であることが推定されるとするものが相当数にのぼる（④，⑥，⑦熊本水俣病第3次訴訟第2陣第1審判決〔熊本地判平成5・3・25判時1455号3頁〕，⑧水俣病京都訴訟判決〔京都地判平成5・11・26判時1476号3頁〕）一方，諸般の事情を総合して認定するもの（②，③）もみられた。また，一部には，水俣病罹患についての高度の蓋然性の証明がなくても，相当程度以上の可能性が認められれば，その可能性の程度を損害賠償額の算定に反映させるべきであるとするものもあった（②，③）。

(b) このような諸点から，水俣病に関する上記の裁判例は，次の3つのグループに分けられる。

第1は，高度の蓋然性がある場合には因果関係が認められるという伝統的因果関係論を前提にしつつ，水俣病について「全身病説」をとり，「メチル水銀の曝露」があって，住民に発現する症状が水俣病に発現する症状と1つでも同じである場合には「水俣病」と推定されるという，緩やかな事実認定をするものである（①）。

第2は，高度の蓋然性がある場合に因果関係が認められるという伝統的因果関係論を前提にしつつ，水俣病を「神経疾患」であるとし，因果関係の認定にあたっては，メチル水銀曝露が高度の場合は，四肢末梢の感覚障害のみであっても水俣病と推定できるとするものである（④，⑥，⑦，⑧）。これらの判決は，原告らの症状の程度が軽いため，損害賠償の額を補償協定のレベルよりも下げている。

第3は，病像論について「昭和52年判断条件」を支持し，因果関係について高度の蓋然性が必要であるとしつつも，特別な場合には，この理論では保護されない者を救済するために，賠償責任が認められる因果関係の証明度を引き下げ，「可能性の程度」で足りるという新しい因果関係論を導入するものである（②，③）。

第2，第3グループの判決が多かったが，第2グループの判決は四肢末梢の感覚障害のみであっても水俣病と推定するものの，結局損害賠償額は低減されており，この点は第3グループの判決と趣旨を同じくしていたといえる。

(3) 関西訴訟第2審判決，同最高裁判決と水俣病・メチル水銀中毒症

1995年9月，自社さ連立政権の与党3党が「**水俣病問題の解決について**」という最終解決案を決定し，未認定患者の大部分の団体がこれを受け容れ，これを踏まえて同年12月に必要な施策等についての閣議了解が行われ，97年3月までに最終解決案の対象者判定が終了した。そこでは，水俣病認定を棄却された者のうち，四肢末梢優位の感覚障害がある者に一時金260万円が支払われること等が内容とされ，1万人を超える者が対象者となった。

しかし，和解に応じなかった関西訴訟原告は，関西訴訟第2審判決を勝ち取るに至る。同判決は，水俣病ではなく，「メチル水銀中毒症」という概念を用い，同中毒においてみられる感覚障害の原因について，主として大脳皮質が損傷されることにあるとする「中枢説」を初めて採用した。そして，「昭和52年判断条件」は，「患者群のうち補償金額（1,800万円，1,700万円，1,600万円の3ランク）を受領するに適する症状のボーダーラインを定めたもの」と考えるべきだとし，「昭和52年判断条件」とは別個に，メチル水銀中毒に起因すると推認できる準拠として，四肢末梢優位の感覚異常があるなど一定の要件を満たせば足りるとする新たな判断基準を示した。同判決は，この準拠に基づいて，原告患者の一部についてメチル水銀中毒の罹患を認めた（賠償額は最高で850万円）。

このように，同判決は，①不法行為に基づく損害賠償責任の因果関係（判断基準）については，公健法による認定要件を定めた「昭和52年判断条件」とは別個のものとなるとし，②メチル水銀中毒については，独自の判断基準を示したものである。上告審は，「原審の事実認定は……是認することができる」としてこの点について同判決を維持しているが，調査官解説によれば，これは，①について是認するとともに（したがって，公健法の下での水俣病認定基準としての「昭和52年判断条件」の合理性につき，第2審判決，上告審判決は判断を加えていない），②については，水俣病がどのような病気であり，個々人がこれに罹患しているかについては，専ら事実認定に関する事項であり，原審の②の判断は経験則違反等の違法があるとはいえないと判断したものと説明されている（『最高裁判所判例解説民事篇平成16年度（下）』582頁［長谷川浩二］）。関西訴訟第2審判決は上記の第2グループの判決に近いが，「水俣病」とは異なる「メチル水銀中毒症」との因果関係（高度の蓋然性）を問題とするものであり，「水俣病」との関係では第3グループの判決にも通底する立場を採用した

とみる余地もあろう。

これに対し，原告代理人はもちろんであるが，本判決を評釈する研究者においては，水俣病についての行政の認定基準と裁判所による不法行為の認定基準を一律に考えるべきであるとするものが多くみられた（淡路，阿部，畠山，神戸秀彦）。その理由は，「昭和52年判断条件」に対する疑念，蓋然性によって損害額を変える考え方に対するなじみのなさ，被害者救済の必要性などにあったと考えられる。

(4) 水俣病被害者の救済及び水俣病問題の解決に関する特別措置法

関西訴訟最高裁判決を受け，多数の訴訟が再度提起されたことなどを背景として，2009年，**「水俣病被害者の救済及び水俣病問題の解決に関する特別措置法」（特措法）**が成立した（すでに→**9-1**・2〔413頁〕で触れたが，ここでは簡単に取り上げておく）。

本法は前文で，水俣病問題に対する最終的解決に向けた決意を表明し，公健法「に基づく判断条件を満たさないものの救済を必要とする方々を水俣病被害者として受け止め，その救済を図ること」としている。

政府は，救済措置の方針を定め，公表するとされており（5条），救済措置の対象者の範囲としては，(i)過去に通常起こりうる程度を超えるメチル水銀の曝露を受けた可能性があること（**曝露要件**）と，(ii)四肢末梢優位の感覚障害を有する者か，全身性の感覚障害を有する者その他四肢末消優位の感覚障害を有する者に準ずる者（**症候要件**）を備えていることが必要となる。(ii)には関西訴訟最高裁判決によって維持された第2審判決の内容が盛り込まれている。すでに水俣病の補償又は救済を受けた者，公健法の認定申請をしている者，訴訟を提起している者は除外される。同方針の具体的内容については，2010年4月，政府が閣議決定で定めた。給付内容としては，一時金と療養費，療養手当があるが，一時金はチッソが支給し，療養費，療養手当は関係県が支給し（5条7項），政府が関係県に必要な支援を行う（同条8項）。一時金の額は210万円とされた。救済措置申請者は6万5,000人を超え，このうち約3万6,000人が救済された。

なお，一時金等の対象となる程度の感覚障害を有しないまでも，一定の感覚障害を有し，本法の施行の際に現にその医療にかかる措置を要するとされている者については，水俣病被害者手帳が交付され，療養費を関係県が支給する。政府は，関係県に必要な支援を行う。

本法は公健法とどういう関係に立つか。上記の前文にみられるように，特措法は，公健法の判断条件を満たさない人々の救済を図るものである。すなわち，特措法は，水俣病を特異性疾患と捉えている公健法（2条2項，3項）やそれを基礎とする補償協定とは別に，関西訴訟第2審，上告審判決の立場を取り入れた救済をする考え方を示したものである。

⑸ 各地での和解

上記のように，水俣病関西訴訟最高裁判決を契機に新たに水俣病訴訟が各地で提起されていたが（ノーモア・ミナマタ熊本訴訟，ノーモア・ミナマタ近畿訴訟，ノーモア・ミナマタ新潟訴訟等），2010年，各地裁でそれぞれの原告団と，国，県，チッソ，昭和電工（新潟地裁の和解は新潟県が入っていない）が和解の基本的合意に達し，翌11年3月，和解が成立した。救済対象者1人あたり210万円の一時金，療養手当，医療費（自己負担分）の支給のほか，団体加算金の支払いなどを内容とする。これにより，水俣病問題は，裁判上の和解と特措法による救済策の2本柱で決着が図られることになった。

⑹ 水俣病の認定棄却処分取消及び認定義務付け訴訟最高裁判決

もっとも，なお一部の訴訟が係属し（なお，大塚・法教376号47頁以下参照），水俣病の認定棄却処分取消及び認定義務付け訴訟について最高裁判決（最判平成25・4・16）が出された。

すなわち，F氏訴訟は，関西訴訟で勝訴し，賠償金850万円を認容された原告が，熊本県知事に対して，公健法4条2項に基づく水俣病認定申請の棄却処分の取消しと，同県に対して，原告が水俣病であることの公健法上の認定の義務付けを求めて提訴したものである。第2審判決（大阪高判平成24・4・12）は，同認定申請に対する棄却処分の取消訴訟における裁判所の審理，判断は，県認定審査会の医学上の科学的，専門的な調査審議及び判断を基にしてなされた処分行政庁（同県知事）の判断に不合理な点があるか否かという観点から行われるべきであるとし，昭和52年判断条件の意義を認め，同審査会の調査審議及び判断の過程には，特段の看過し難い過誤，欠落は認められず，処分行政庁の判断がこれに依拠してされたと認められ，処分行政庁の判断には不合理な点が認められないとし，本件処分は適法とし，原判決（大阪地判平成22・7・16判自341号36頁［2版30］）を一部取り消した。

第2に，いわゆる溝口訴訟は，公健法の前身である旧救済法3条1項に基づき，熊本県知事に対して水俣病認定申請の棄却処分の取消しと，同県に対して訴外Aが水俣病であることの旧救済法上の認定の義務付けを求めて，Aの子が原告となって提訴したものである。第2審（福岡高判平成24・2・27訟月59巻2号209頁）は，原因がメチル水銀の曝露によるものであるとの蓋然性がそうでない蓋然性を上回ることで足りるとされている旧救済法の下では，県が依拠した52年判断条件は認定基準として十分なものではなく，その運用も適切でなかったとし，その上で，Aのメチル水銀曝露歴とその症候を証拠に基づいて審査し，県知事がAについて申請通りの処分をすべきことは明らかであると判示した。

第2審判決に対しては，水俣病の救済制度は「政治的解決」及び民事責任と相互補完的に構想されており，これは水俣病という疾病の判定困難な特性を反映した現象であることから，旧救済法下の当時においても基本的には異ならない事情であるとし，政府が政治的責任を背景に救済策をアレンジすることに一定の範囲で政策的裁量が認められるとする見解（原島良成）もみられた。

この2つの訴訟について最判平成25・4・16（判時2188号42頁，民集67巻4号1115頁［85］）（溝口訴訟上告棄却，F氏訴訟破棄差戻し）は，救済法にいう水俣病に罹患しているか否かは，因果関係に関する事実認定の問題であり，行政裁量の問題ではないとした。そして，感覚障害のみの水俣病が存在しないという科学的な実証はないとしつつ，昭和52年判断条件は，（各症候だけでは非特異的であることから）症候の組合せがあれば，因果関係についてほかに立証が必要ないとするものであり，一般的な知見を前提としての推認であり，迅速適切な判断を行うための基準を定めたものとしてその限度での合理性をもつが，裁判所が個別具体的な判断により水俣病と認定する余地を排除するものではないとした。

また，救済法等について制定後の立法等と整合する解釈が求められるとの主張に対しては，救済法等の体系や規定の意味内容が制定後の行政上の措置によって変容されるものではないし，特措法の規定にも救済法等の体系及び規定の意味内容を変更する内容のものは見あたらないとした（本判決について，大塚直「判例研究」L&T62号52頁参照。本判決を例に挙げつつ，客観的事実への単純な当てはめや事実の科学的評価の枠内にとどまり，行政の価値評価を含まない場合には，行政裁量が認められる余地はないとするものとして，亘理格「行政裁量の法的統制」『行政法の争点』〔2014〕118頁）。

昭和52年判断条件が出されて実に36年を経て，水俣病の認定について行政とは異なる判断が裁判所によってなされたことになる。最高裁は昭和52年判断条件について一定「限度」の合理性を認めているが，国はこれを維持しつつ訴訟に委ねるのか，新たな救済策を考えるのかという選択を迫られた。2014年3月7日，環境保健部長名で関係県・市に対して，「公害健康被害の補償等に関する法律に基づく水俣病の認定における総合的検討について」という通知が出された（環保企発1403072号)。水俣病の認定についての総合的な検討をすべきであるとした最高裁判決を踏まえたものである。曝露の確認，症状の確認についてできる限り客観的な資料により裏づけられていことが必要であるとされているが，曝露の確認については，居住歴，家族歴，職業歴からある程度推測をすることも検討すべきであろう。なお，最高裁の判断については，特措法の規定自体ではないが，前文を含めた同法の趣旨をどう解するか，公健法において水俣病が特異性疾患とされていることをどう解するかなどの問題が残されていると考えられる。なお，因果関係について，調査官解説は，通常の個別的因果関係の認定と同様であるとしているが（『最高裁判所判例解説民事篇平成25年度』229頁［林俊之］），高度の蓋然性ではなく，救済法及び公健法の考え方である，50％を超える可能性で足りるとしたとみることになろう（本判決後に出された東京高判平成29・11・29なども同様である）。

その後，新潟水俣病の未認定患者が国，新潟県，昭和電工に対して損害賠償を請求した新潟水俣病第3次訴訟判決（新潟地判平成27・3・23判時2286号76頁）は，昭和電工に対する請求を一部認容したが，そこでは，上記最高裁判決に従い感覚障害のみの水俣病を認めつつ，1965年当時の毛髪水銀値や家族歴も考慮している。

⑺　損害賠償と補償協定，公健法の給付

チッソに対する損害賠償と，チッソとの補償協定，さらに公健法の給付との関係が争われている。

(a)　損害賠償と（チッソとの）補償協定の給付を受ける地位

I氏訴訟は，やはり関西訴訟で650万円の賠償を認められた患者が，行政庁の水俣病の認定を受け，チッソとの補償協定に基づく給付を受ける権利を有する地位にあることの確認，及び協定に定める慰謝料の支払を求めて提訴したものであるが，第1審（大阪地判平成22・9・30判タ1347号166頁）は請求を棄却し（その中で協定が第三者のためにする契約にあたることを明示した），第2審（大阪高判平成23・5・31），上告審（最判平成25・7・29）も原告の控訴，上告を棄却した。本件においては，原告が関西訴訟最高裁判決が下された後，水俣病の認定を受けている点がF氏訴訟と異なっている。もっとも，本件の原告は検診を拒否していたものの，運動障害，視野狭窄等があり，「昭和52年判断条件」を満たす者であった。実体法上は問題がなく，裁判（本件では関西訴訟最高裁判決）の既判力のような訴訟法上の問題に収斂される事案であった。

その後，大阪地判平成29・5・18判タ1440号198頁は，やはり裁判で賠償を得た者が旧公害健康被害補償法に基づく水俣病の認定を受け，（チッソとの）補償協定に基づく補償を受ける権利を有する地位にあることの確認を求める訴え（被告はチッソのみ）を認容した。本件協定が，被告が甚大な被害をもたらしたことを反省し，司法において認められる程度を超えた救済を行うことを定めたものであること等を理由とする。I氏訴訟の上告審判決との整合性が問われると考えられたが，本件控訴審判決（大阪高判平成30・3・28判時2384号66頁）は，水俣病による健康被害に係る損害のすべてが塡補されている場合には，補償協定に基づく補償を受けることによって塡補されるべき損害は損害しなくなったとして，原告の請求を棄却した。協定は，患者が認定を受けていない時点で，控訴人チッソを被告として水俣病の健康被害にかかる損害賠償請求訴訟を提起し確定判決が確定した損害の賠償を受け終えた場合にまで補償することを予定して締結されたものとは解されないとしたのである（本判決に反対する見解として，島村健「判批」新・判例解説 Watch No.78）。

(b) 損害賠償と公健法の給付の関係

損害賠償と，公害健康被害の補償等に関する法律（公健法）の給付との関係で，水俣病に特有の問題も発生した。

原告は，チッソに対する損害賠償請求訴訟の確定判決により損害賠償金の支払いを受けた者であるが，公健法の前身である「公害に係る健康被害の救済に関する特別措置法」の水俣病と認定されたため，熊本県知事に対し，公健法に基づく障害補償費を請求したところ，不支給の決定処分を受けた。そこで，原告は同処分の取消と，障害補償費支給決定の義務付けを求めて熊本県知事に対して提訴した。福岡高判平成 28・6・16 民集 71 巻 7 号 1061 頁（原判決）は，公健法の補償給付には，損害塡補以外の社会保障的な要素があるため，損害賠償による全額塡補されても公健法において追加給付の余地があるとし，損害賠償金と公健法の障害補償給付支給額を比較せずに，全損塡補されたことをもって当然に障害補償費の不支給決定をした処分は，（損害の二重塡補を避けようとする）公健法 13 条 1 項の趣旨を逸脱し，違法であるとした。

これに対し，上告審判決（最判平成 29・9・8 民集 71 巻 7 号 1021 頁［86］）は，原判決を破棄し自判し，公害健康被害の補償等に関する法律の仕組み等に照らせば，同法の「認定を受けた者に対する障害補償費は，これらの者の健康被害に係る損害の迅速な塡補という趣旨を実現するため，原因者が本来すべき損害賠償義務の履行に代わるものとして支給されるものと解するのが相当であって，同法 13 条 1 項の規定もこのことを前提とするものということができる」とし，同項の「認定を受けた疾病による健康被害に係る損害の全てが塡補されている場合には，もはや同法に基づく障害補償費の支給によって塡補される損害はない」とし，被告熊本県知事は，障害補償費の支払義務の全てを免れるとした。

公健法は，民事責任を踏まえて公害による損害を塡補する制度としての性格を有するものであるから，民事訴訟の確定判決をもって，被害者が原因者から受けたすべての損害額が賠償されたときは，別途，公健法による救済を行う余地はないという考え方を示したものである（新美育文「損害賠償と公健法障害補償費との関係」NBL1086 号 14 頁参照）。

2　国及び関係県の規制権限不行使に関する国家賠償訴訟

国及び関係県の規制権限不行使に関する国家賠償訴訟については，水俣病関西訴訟最高裁判決（最判平成16・10・15民集58巻7号1802頁〔84〕）が重要である。本件原告は，かつて水俣湾周辺地域に居住し，その後関西方面に転居した水俣病患者であると主張する者であり，チッソに対して不法行為に基づき，国及び熊本県に対しては，水俣病被害防止のために適切な規制権限の行使を怠ったことが違法であるとして国家賠償法1条1項に基づき，損害賠償を求めたものである。第1審は，国及び熊本県に対する請求は棄却したが（チッソに対する請求は，上記のように，確率的因果関係論により一部認容），控訴審は，国については水質二法，県については熊本県漁業調整規則に基づく規制権限の不行使を認め，最高裁も規制権限不行使について同様の判断をしている。

国家賠償法1条1項の規制権限不行使に関して，どのような場合に作為義務が生じるかについて，本判決は従来の最高裁の立場を踏襲し，具体的事実関係の下において，権限を行使しないことが著しく合理性を欠くと認められる場合には，その不行使が違法となるとする立場を採用し，①水質二法及び②熊本県漁業調整規則を根拠として，国及び熊本県の規制権限不行使を認めた。

①**水質二法**については，控訴審は，水質保全法に基づく規制による国民の生命・身体の安全の確保は，単なる反射的利益ではなく，国において，水質基準の設定，指定水域の指定等を行う作為義務があったとし，本判決も同様の判断をした。

昭和34年11月末の時点で，(i)すでに死亡者も相当数に上っていることを国は認識していたこと，(ii)国において，水俣病の原因物質がある種の有機水銀化合物であり，その排出源がチッソ水俣工場の施設であることを高度の蓋然性をもって認識しうる状況にあったこと，(iii)国にとってチッソの排水に微量の水銀が含まれていることについて定量分析をすることは可能であったことが，本判決が，同年12月末での主務大臣（通産大臣）の規制権限不行使が違法となると判断した直接の理由とされている。裁量権収縮論のいう危険への切迫性，危険の予見可能性，結果回避可能性の要素が満たされているといえよう。なお，本判決は，「手続」をとることが可能になった時点から，「手続」に要する期間として1カ月の猶予を与えるにとどまっており，国に相当高いレベルの義務を課しているとみることもできよう。

また，②**熊本県漁業調整規則**については，これは本来，水産動植物の繁殖保護，漁業の取締りを目的としているが，本判決は，「摂取する者の健康の保持等もその究極の目的」とするものと認定し，水俣病被害の拡大防止のためにあらゆる手段をとることが求められた当時の状況においては，同規則に基づき，県が同年12月末までに規制権限を行使すべき義務を認めることができるとした。どのような場合に「究極の目的」のために規制権限を行使すべき作為義務が発生するのかについては詳述されていない。本判決は，同規則の目的外使用になるとの批判に対して「究極の目的」をもち出すことで対処しようとしているが，憲法上の基本権保護義務を規則の根拠規範に読み込めば，本判決の立場は補強されうるであろう。もっとも，その射程は慎重に検討されるべきである。

なお，当時の技術水準では，総水銀でしか測ることができず，総水銀で規制すると過剰規制になるとの主張に対しては，控訴審は，水俣病の発生という重大な被害を防止する必要から，これを放置することは許されないとし，本判決もそれを維持しているが，被害発生防止の観点から少し思い切った事実認定をしているとみられなくはない（**予防原則**の問題となる→**2-2**・3(2)〔39頁〕）。

判例索引

事項索引

さ　行

た　行

な　行

は　行

ま　行

や　行

ら 行

わ 行

著者紹介　大塚 直（おおつか ただし）

1958 年愛知県生まれ。81 年東京大学法学部卒業。同大学助手，カリフォルニア大学バークレイ校ロースクール客員研究員，学習院大学法学部教授を経て，現在，早稲田大学大学院法務研究科・同法学部教授。

〈主要著書・編書〉
『土壌汚染と企業の責任』（共編著・有斐閣・1996）
『増刊ジュリスト新世紀の展望 2 環境問題の行方』（共編著・有斐閣・1999）
『環境法入門』（共著・日本経済新聞社・2000〈新版・2003，第 3 版・2007〉）
『循環型社会 科学と政策』（共著・有斐閣・2000）
『環境法学の挑戦』（共編著・日本評論社・2002）
『環境法』（有斐閣・2002〈第 2 版・2006，第 3 版・2010，第 4 版・2020〉）
『地球温暖化をめぐる法政策』（編著・昭和堂・2004）
『環境法ケースブック』（共編著・有斐閣・2006〈第 2 版・2009〉）
『労働と環境』（共編著・日本評論社・2008）
『環境リスク管理と予防原則――法学的・経済学的検討』（共編著・有斐閣・2010）
『国内排出枠取引制度と温暖化対策』（岩波書店・2011）
『震災・原発事故と環境法』（共編著・民事法研究会・2013）
『18 歳からはじめる環境法』（編著・法律文化社・2013〈第 2 版・2018〉）
『民法改正と不法行為法』（編著・岩波書店・2020）
『環境と社会』（編著・放送大学教育振興会・2021）
『環境法研究 1 号～15 号』（編集・信山社・2013～）
『事件類型別　不法行為法』（共編著・弘文堂・2021）
『持続可能性と Well-Being』（共編著・日本評論社・2022）
『新注釈民法（16）』（編著・有斐閣・2022）

環境法 BASIC〔第 4 版〕

Essentials of Environmental Law: 4th edition

2013 年 9 月 30 日　初　版第 1 刷発行
2016 年 8 月 5 日　第 2 版第 1 刷発行
2021 年 4 月 15 日　第 3 版第 1 刷発行
2023 年 4 月 1 日　第 4 版第 1 刷発行

著　者　大塚　直

発行者　江草貞治

発行所　株式会社有斐閣

〒101-0051 東京都千代田区神田神保町 2-17

https://www.yuhikaku.co.jp/

装　丁　キタダデザイン

印刷・製本　大日本法令印刷株式会社

落丁・乱丁本はお取替えいたします。定価はカバーに表示してあります。

Printed in Japan ISBN 978-4-641-23312-6